LA RÉVOLUTION FRANÇAISE ET L'EUROPE 1789-1799

*

Galeries nationales du Grand Palais, Paris
16 mars - 26 juin 1989

LA RÉVOLUTION FRANÇAISE ET L'EUROPE 1789-1799

XXᵉ exposition du Conseil de l'Europe

Ministère de la Culture, de la Communication
des Grands Travaux et du Bicentenaire
Editions de la Réunion des musées nationaux

Illustrations des couvertures et de l'étui, édition brochée
Jean-Baptiste Regnault : *Allégorie sur la Déclaration des Droits de l'Homme,* Versailles, musée Lambinet

© Éditions de la Réunion des musées nationaux, Paris, 1989
10, rue de l'Abbaye - 75006 Paris
ISBN : 2-7118-2214-1 (édition complète brochée)
ISBN : 2-7118-2264-8 (tome 1)
ISBN : 2-7118-2273-7 (édition complète reliée)
ISBN : 2-7118-2274-5 (tome 1)

Cette exposition est placée sous le haut patronage de
Monsieur François MITTERRAND,
Président de la République

Cette exposition a été organisée
par la Réunion des musées nationaux
avec le concours des équipes du musée du Louvre
et des galeries nationales du Grand Palais.

Elle a bénéficié du concours de l'Association d'Entreprises
pour le Bicentenaire

La présentation en a été conçue et réalisée
par Catherine Bizouard et François Pin, architectes.
La section des « Tableaux historiques de la Révolution française »
a été mise en page par Maxence Scherf.

COMITÉ D'HONNEUR

Hans van Den Broek
Ministre des Affaires étrangères des Pays-Bas,
Président du comité des ministres du Conseil de l'Europe.

Louis Jung
Président de l'Assemblée parlementaire du Conseil de l'Europe.

Marcelino Oreja
Secrétaire général du Conseil de l'Europe.

Roland Dumas
Ministre d'Etat, ministre des Affaires étrangères.

Jack Lang
Ministre de la Culture, de la Communication, des Grands Travaux et du Bicentenaire.

Thierry de Beaucé
Secrétaire d'État auprès du Ministre d'État, ministre des Affaires étrangères,
chargé des Relations culturelles internationales.

Michel Lummaux
Président du Conseil de la Coopération culturelle du Conseil de l'Europe.

Jean-Noël Jeanneney
Président de la mission de commémoration du Bicentenaire de la Révolution française
et de la Déclaration des Droits de l'Homme et du Citoyen.

José Vidal-Beneyto
Directeur de l'Enseignement, de la Culture et du Sport au Conseil de l'Europe.

Olivier Chevrillon
Directeur des Musées de France.

André Zavriew
Directeur de l'Association française d'action artistique.

COMITÉ D'ORGANISATION EUROPÉEN

COMITÉ SCIENTIFIQUE

Que toutes les personnes et institutions qui ont permis par leur généreux concours la réalisation de cette exposition trouvent ici l'expression de notre gratitude :

S.M. le roi Carl XVI Gustaf de Suède
Le baron Gösta Adelswärd
M. Daendels
M. Anthony Fortescue
Le Dr. Arthur Goureia de Carvalho
M. Jean Lorta
Collection Lorta-Perchenet
M. Philip Mallet
Le Dr. Raul Rego
Le marquis de Rio Maior
M. D. Luis Maria de Saldanha Oliveira e Sousa
Association française d'Action artistique
The British Council
Compagnie de Saint-Gobain
Secretaria de Estado da Cultura, Lisbonne

ainsi que toutes celles qui ont préféré garder l'anonymat.

Nos remerciements s'adressent également aux responsables des collections suivantes :

AUTRICHE

Bregenz
  Voralberger Landesmusem
Innsbruck
  Tiroler Landesmusem Ferdinandeum
Rosenau
  Grossloge von Österreich, Freimaurermuseum Schloss
Traufenfels
  Steiermërkisches Landschaftsmuseum Joanneum,
    Abteilung Schloss Trautenfels
Vienne
  Gemäldegalerie der Akademie der Bildenden Künste
  Kunsthistorisches Museum, Gemäldegalerie
  Museen der Stadt Wien, Historisches Museum
  Osterreichische Nationalbibliothek
  Graphische Sammlung Albertina
  Osterreichisches Museum für Angewandte Kunst
  Heeresgeschichtliches Museum

BELGIQUE

Bruges
  Stedelijke Musea
Bruxelles
  Bibliothèque Royale Albert Ier, cabinet des Estampes
  Institut royal météorologique de Belgique
  Musées royaux des beaux-arts de Belgique
  Musée de la ville de Bruxelles
Liège
  Cabinet des Estampes
  Musée de l'Art wallon
Malines
  Musée des beaux-arts

DANEMARK

Copenhague
  Bibliothèque royale
  Hendes Majestaet Dronningens Handbibliotek
  Musée royal des beaux-arts
  Kobenhavns Bymuseum
Hillerod
  Det Nationalhistoriske Museum pa Frederiksborg

ESPAGNE

Madrid
  Biblioteca Nacional
  Museo Arqueologico Nacional
  Museo Municipal
  Museo del Prado
  Patrimonio Nacional

ÉTATS-UNIS D'AMÉRIQUE

Boston
  Museum of Fine Arts
Brooklyn
  The Brooklyn Museum
Hartford
  Wadsworth Atheneum

FRANCE

Alençon
  Musée des beaux-arts et de la dentelle
Amiens
  Musée de Picardie
Angers
  Musées d'Angers
Annecy
  Musée-château
Arles
  Musée Réattu
Arras
  Musée des beaux-arts
Avignon
  Musée Calvet
Bayonne
  Musée basque
Beaufort-en-Vallée
  Musée Joseph Denais
Beauvais
  Musée départemental de l'Oise
Bernay
  Musée municipal
Besançon
  Bibliothèque municipale
  Musée des beaux-arts
  Musée historique, palais Granvelle
Béziers
  Musée des beaux-arts
Blérancourt
  Musée national du château
Bordeaux
  Archives municipales
  Musée des arts décoratifs
Boulogne-sur-Mer
  Musée des beaux-arts et d'archéologie
Bourg-en-Bresse
  Musée de Brou
Carcassonne
  Musée des beaux-arts
Chaalis
  Musée de Chaalis
Chalon-sur-Saône
  Musée Vivant Denon
Chambéry
  Musée Savoisien
Charleville-Mézières
  Musée de l'Ardenne

Château-Gontier
  Musée municipal
Châteauroux
  Musée Bertrand
Cholet
  Musée des Arts
Clermont-Ferrand
  Musées d'art
Cluny
  Musée Ochier
Colmar
  Musée d'Unterlinden
Compiègne
  Musée Antoine Vivenel
  Musée national du château
Coutances
  Musée municipal
Dijon
  Musée archéologique
  Musée des beaux-arts
Dreux
  Musée municipal d'art et d'histoire Marcel Dessal
Dunkerque
  Musée des beaux-arts
Epinal
  Musée départemental des Vosges
Fontainebleau
  Musée national du Château
Gap
  Musée départemental
Grasse
  Musée d'Art et d'Histoire de Provence
Gray
  Musée baron Martin
Grenoble
  Musée dauphinois
  Musée de peinture et de sculpture
Guéret
  Musée municipal
Langres
  Musées de Langres
Le Bourget
  Musée de l'Air et de l'Espace
Le Mans
  Musées du Mans
Les Epesses, le Puy du Fou
  Ecomusée de la Vendée
Lille
  Musée des beaux-arts
Limoges
  Musée national Adrien Dubouché
Lyon
  Académie des sciences, belles-lettres et arts
  Musée des arts décoratifs
  Musée des beaux-arts
  Musée historique de Lyon, musée Gadagne
Mâcon
  Musée des Ursulines
Marseille
  Musée des beaux-arts
  Musée Borély
Metz
  Musée d'Art et d'Histoire
Montauban
  Musée Ingres
Montpellier
  Musée Atger, Faculté de médecine de Montpellier
  Musée Fabre

Mulhouse
  Musée de l'Impression sur étoffes
Nancy
  Archives départementales de Meurthe-et-Moselle
  Musée Lorrain
Nantes
  Musée des beaux-arts
  Musées départementaux de Loire-Atlantique
  Société archéologique et historique
Nevers
  Musée municipal
Nice
  Musée Masséna
Niort
  Musée du Donjon
Orléans
  Musée des beaux-arts
Palaiseau
  Bibliothèque de l'Ecole polytechnique
Paris
  Archives de l'Académie des sciences
  Archives de l'Assistance publique
  Archives nationales de France
  Bibliothèque de l'Académie nationale de Médecine
  Bibliothèque de l'Arsenal
  Bibliothèque et archives de la Monnaie de Paris
  Bibliothèque de l'Institut de France
  Bibliothèque nationale :
    Bibliothèque de l'Arsenal
    Cabinet des Estampes,
    Département des Cartes et Plans,
    Musée de l'Opéra
  Bibliothèque de l'Observatoire
  Bibliothèque Sainte-Geneviève
  Conservatoire national des arts et métiers, bibliothèque,
    musée national des Techniques
  Ecole nationale supérieure des beaux-arts, bibliothèque
  Ecole nationale des Ponts et Chaussées, bibliothèque
  Ecole nationale des Mines, bibliothèque
  Ministère de la Défense
  Musée de l'Armée
  Musée des arts décoratifs
  Musée Carnavalet
  Musée Guimet
  Musée du Louvre :
    Bibliothèque des musées nationaux,
    Département des arts graphiques,
    Département des objets d'art,
    Département des peintures,
    Département des sculptures
  Musée de la Marine
  Musée Marmottan
  Musée national des arts africains et océaniens
  Musée national de la Légion d'Honneur
  Musée national des arts et traditions populaires
  Museum national d'histoire naturelle, Bibliothèque centrale,
    Laboratoire de minéralogie, musée de l'Homme
  Musée du Petit Palais
  Musée des plans-reliefs, Hôtel des Invalides
  Mobilier national
  Sénat
Pau
  Musée Bernadotte
Périgueux
  Musée du Périgord
Perpignan
  Musée Hyacinthe Rigaud
Poitiers
  Musée de la ville
Pontoise
  Musée Tavet
Quimper
  Musée des beaux-arts

Reims
  Musée Saint-Denis
Rennes
  Musée des beaux-arts et d'archéologie
Romenay
  Musée du Terroir André Lagrange
Rouen
  Bibliothèque municipale
  Musée des beaux-arts
  Musée départemental des antiquités de la Seine-Maritime
Rueil-Malmaison
  Musée national du château de Malmaison
Saint-Omer
  Musée-hôtel Sandelin
Saintes
  Musée des beaux-arts
Saverne
  Musée municipal
Semur-en-Auxois
  Musée municipal
Sèvres
  Musée national de Céramique
Soissons
  Musée municipal
Strasbourg
  Musée des Arts décoratifs
  Musée des beaux-arts
Thouars
  Musée Barré
Toulon
  Musée des beaux-arts
Toulouse
  Musée des Augustins
  Musée Paul Dupuy
Tournus
  Musée Greuze
Tours
  Musée des beaux-arts
  Société archéologique de Tourraine, musée de l'Hôtel Gouin
Valenciennes
  Musée des beaux-arts
Vannes
  Trésor de la cathédrale
Versailles
  Musée Lambinet
  Musée national du Château
Vincennes
  Ministère de la Défense, service historique de l'Armée de Terre
Vizille
  Musée de la Révolution française

GRANDE-BRETAGNE

Barlaston Stocke on Trent
  The Wedgwood Museum
Birmingham
  Birmingham Museum and Art Gallery
Cambridge
  The Fitzwilliam Museum
Edimburg
  Scottish National Portrait Gallery
Ironbridge
  Ironbridge Gorge Museum
Leeds
  Leeds City Art Galleries

Londres
  The British Museum
  Guidhall Art Gallery
  Museum of London
  National Portrait Gallery
  Science Museum
  Tate Gallery
  Victoria and Albert Museum
Reading
  Museum of English Rural Life, University of Reading

IRLANDE

Dublin
  The National Gallery of Ireland
  The National Library of Ireland

ITALIE

Florence
  Biblioteca Nazionale Centrale
  Gabinetto Disegni e Stampe degli Uffizi
  Museo delle Porcellane, Palazzo Pitti
Gênes
  Museo del Risorgimento
Lucques
  Museo Nazionale di Villa Guinigi
Milan
  Civica raccolta delle Stampe A. Bertarelli
Modène
  Biblioteca Estense
Naples
  Museo Civico Gaetano Filangieri Principe di Satriano
  Museo e Gallerie Nazionali di Capodimonte
  Museo Nazionale di San Martino
  Palazzo Reale
Rome
  Galleria Nazionale di Palazzo Barberini
  Museo di Roma, Palazzo Braschi
  Museo Napoleonico
Udine
  Civici Musei e Gallerie di Storia ed Arte
Venise
  Museo Correr, Gabinetto Stampe e Disegni
  Museo del Risorgiments e dell'Ottocento Veneziano
  Gallerie dell'Accademia
Verone
  Museo di Castelvecchio

LUXEMBOURG

Luxembourg
  Bibliothèque nationale
  Musée national d'Histoire et d'Art

PAYS-BAS

Amsterdam
  Archives municipales
  Universiteitsbibliotheek van Amsterdam
  Rijkmsmuseum, Rijksprentenkabinet
Haarlem
  Archives municipales
  Frans Halsmuseum
  Teylers Museum, Bibliothèque
Hattem
  Stichting Oud Hattem

Dordrecht
  Museum Mr. Simon van Gijn
Loosdrecht
  Kasteel-Museum Sypesteÿn
Rotterdam
  Fondation Atlas van Stolk, Historisch Museum Rotterdam
Wageningen
  Stichting Historische Landbouwtechniek

PORTUGAL

Coimbra
  Musée de physique de l'Université de Coimbra
Lisbonne
  Biblioteca Nacional
  Fondaçao Ricardo do Espirito Santo Silva
  Museu da Cidade
  Museu Nacional Arte Antiga
  Museu Nacional dos Coches
Porto
  Faculdade de Ciências de Universidade do Porto
Queluz
  Palàcio Nacional de Queluz
Sintra
  Hôtel Palaçio de Seteais

RÉPUBLIQUE FÉDÉRALE ALLEMANDE

Bad Homburg v.d. Höhe
  Verwaltung der Staatlichen Schlösser und Gärten Hessen
Berlin
  Deutsches Historisches Museum
  Staatliche Museen Preussicher Kulturbesitz,
    Kupferstichkabinett, Skulpturengalerie
  Staatliche Schlösser und Gärten, Schloss Charlottenburg
Bremen
  Kunsthalle Bremen
Cologne
  Wallraf-Richartz-Museum
  Museen der Stadt Koln
Frankfurt am Main
  Freies Deutsches Hochstift, Frankfurter Goethe Museum
  Graphische Sammlung im Städelschen Kunstinstitut
  Historisches Museum Frankfurt
  Museum für Kunsthandwerk
Hamburg
  Kunsthalle
Kassel
  Schloss Wilhelmshöhe
Mayence
  Landesmuseum
Mannheim
  Städtisches Reiss-Museum
Munich
  Bayerisches Nationalmuseum
  Bayerische Staatsgemäldesammlungen
  Bayerische Verwaltung der Staatlichen Schlösser, Garten und Seen
Nuremberg
  Germanisches Nationalmuseum
Regensburg
  Museen der Stadt
Speyer
  Historisches Museum der Pfalz
Stuttgart
  Staatsgalerie, Graphische Sammlung
Wolfenbüttel
  Herzog-August Bibliothek

SUÈDE

Stockholm
  Archives nationales
  Kungl. Husgerädskammaren
  Kungliga Biblioteket
  National Museum

SUISSE

Bâle
  Kunstmuseum Basel
Berne
  Bibliothèque nationale suisse
  Musée d'histoire
  Musée des beaux-arts
Fribourg
  Musée d'art et d'histoire
Genève
  Bibliothèque publique et universitaire
  Musée d'art et d'histoire, cabinet des Dessins
  Maison Tavel
  Museum d'histoire naturelle
Lausanne
  Musée cantonal des beaux-arts
Lucerne
  Historisches Museum Luzern
Neuchatel
  Archives et estampes historiques de la ville
Pregny-Chambésy
  Musée des Suisses à l'étranger, château de Penthes
Zürich
  Canton de Zürich
  Kunsthaus Zürich
  Schweizerisches Landesmuseum

ASSOCIATION D'ENTREPRISES
POUR LE BICENTENAIRE

  Air France
  Air Inter
  Beghin-Say
  BNP
  BSN
  Casino
  CGE (Compagnie Générale d'Électricité)
  CGM (Compagnie Générale Maritime)
  Club Méditerranée
  Crédit Agricole
  Crédit Lyonnais
  Groupe des Banques Populaires
  Havas
  Imétal
  Lyonnaise des Eaux
  Péchiney
  Publicis
  Renault
  Rhône-Poulenc
  Snecma
  Société Générale
  Télédiffusion de France
  Thomson
  Total
  Wagons-Lits

PRÉFACE

LA XXᵉ EXPOSITION DU CONSEIL DE L'EUROPE – la troisième à être organisée en France – est consacrée à la Révolution française. Signe, parmi bien d'autres, du chemin parcouru en un siècle par les pays d'Europe. Malgré l'éclat des manifestations et le succès populaire, la commémoration de 1889 avait été officiellement ignorée par les autres pays d'une Europe tout aussi monarchique qu'à la fin du XVIIIᵉ siècle et où dominaient les régimes autoritaires. La situation s'était encore dégradée au moment du cent cinquantième anniversaire qui coïncidait, à la veille de la Seconde Guerre mondiale, avec le triomphe des dictatures, alors même que d'autres révolutions avaient remis en question le caractère exemplaire de celle qui s'était déroulée en France de 1789 à 1799.

Quel est, au contraire, aujourd'hui, le pays d'Europe où ce que l'on continue à appeler très justement les « grands principes de 89 » ne fasse pas l'objet d'un très large consensus ? La liberté individuelle demeure certes, par sa nature même, le lieu d'un débat, voire d'un combat, car la seule limite que lui reconnaissait la Déclaration des droits de l'homme, le droit d'autrui à jouir de cette liberté, est susceptible d'interprétation au nom du dualisme Liberté/libertés et de la contestation des « libertés formelles ». L'Égalité, pour n'être pas acquise en toute chose, demeure un idéal mobilisateur et, aussi comme le montrent des exemples actuels, une notion profondément subversive dès qu'elle ébranle l'infrastructure des pouvoirs économiques. Quant à la Fraternité (qui n'apparaît que dans la Déclaration des droits et devoirs du citoyen de l'an III), elle est la base de tous les systèmes modernes de solidarité, concept plus rationnel peut-être, mais qui se définit lui aussi à la fois comme un accomplissement et un dépassement de la liberté.

Est-ce à dire que la Révolution de 1789 a engendré une sorte d'unanimisme implicite dont cette exposition serait la conséquence ? Même si tous les États du Conseil de l'Europe souscrivent au principe du seizième article de la Déclaration – « toute société dans laquelle la garantie des droits n'est pas assurée, ni la séparation des pouvoirs déterminée n'a point de constitution » –, les modalités de son application, du fait des traditions nationales et de l'histoire des deux derniers siècles, sont nécessairement différentes. Même avec le recul du temps et, en dépit (ou à cause) des innombrables travaux que les penseurs, historiens ou politologues, ont consacré à la période révolutionnaire, les appréciations portées sur l'événement restent divergentes. Il n'est plus possible de considérer que selon le mot de Clemenceau la Révolution est un bloc à accepter ou à rejeter comme tel ; la distinction souvent esquissée entre ses phases « positives » et ses phases « négatives » n'est pas plus recevable mais elle montre bien que la tentation est permanente de juger la « moralité » de la Révolution comme l'acte d'une nation et non comme un moment du processus historique, plus intense que d'autres sans doute, mais lié comme eux à tout un contexte qui en éclaire la nécessité et les contradictions.

C'est pourquoi il n'est pas simplement de circonstance que cette exposition soit placée sous le signe de l'Europe. C'est en effet dans un cadre plus étendu que celui de l'espace français – et même élargi un peu au-delà de l'espace de l'Europe car on ne peut en exclure l'Amérique du Nord – que l'on doit insérer l'histoire de la Révolution. Cela est évident pour sa lente maturation, associée à l'expansion et au déclin des « Lumières » en Europe. Mais le temps n'est plus où il paraissait aller de soi que l'essentiel, à partir de juillet 1789, s'était déroulé à l'intérieur des soixante districts de la capitale, redécoupés ensuite en quarante-huit sections ; la fureur grandiose des « journées » parisiennes couvrait alors le bruit du canon aux frontières ou des embuscades de la guerre civile et rejetait dans l'ombre les intrigues diplomatiques, les polémiques intellectuelles et les enjeux économiques, c'est-à-dire, essentiellement alors, ceux du grand commerce. Avec des moyens encore rudimentaires l'information circulait dans l'Europe de cette fin du XVIIIe siècle ; un public, plus large qu'on ne l'a dit parfois, était avide de nouvelles et se sentait concerné par l'évolution de la situation dans une France qui, il est vrai, déconcertait même ceux qui croyaient bien la connaître, à travers sa littérature ou pour l'avoir visitée.

Car pris dans son ensemble, le point de vue de l'Europe sur la Révolution fut celui de l'incompréhension plus encore que celui de l'hostilité, d'abord latente puis déclarée. Celle-ci fut réelle mais non immédiate ; les premiers enthousiasmes pour les « événements de France » reposaient souvent sur une mauvaise analyse de la situation ; on croyait la Révolution achevée alors qu'elle en était à ses débuts. L'Europe aurait accepté une France « monarchienne » ; une République française paraissait contre nature. Burke eut plus de lecteurs que Kant et beaucoup de « bons esprits » en furent renforcés dans leur opinion. Du côté français où pourtant les plumes brillantes ne manquaient pas, aucun effort véritable ne fut fait pour expliquer la Révolution à l'Europe.

Les Cabinets européens ne furent pas plus lucides et leur comportement témoigne non seulement d'une totale méconnaissance des rapports réels de force, mais semble-t-il d'un refus de comprendre les enjeux réels de la lutte. Que les coalisés aient mis plus d'espoir dans l'armée de Condé et dans les mouvements fédéralistes du Midi que dans l'insurrection vendéenne tient peut-être à un défaut d'information. Qu'ils aient englobé sous le nom de

Jacobins la totalité des factions qui se disputèrent le pouvoir au temps de la Convention et du Directoire relève d'un refus systématique d'analyse. Mais les mécanismes d'une Révolution sont-ils perceptibles pour qui ne les vit pas de l'intérieur ?

De tout cela, cette XXe Exposition du Conseil de l'Europe veut être le reflet. Elle réunit plus d'œuvres d'art que de documents ou de souvenirs historiques parce que telle est la vocation des expositions du Conseil de l'Europe et que les créations artistiques apparaissent toujours, avec le temps, comme les meilleurs miroirs de l'esprit et des passions d'une époque. Miroirs certes déformants qui appellent le commentaire critique mais qui visualisent et synthétisent des notions parfois complexes. Ni commémoration hagiographique ni simple exposé des faits, elle invite à voir cette période du double point de vue français et européen.

Que cette image soit souvent violente et négative comment s'en étonner dans la mesure où, durant la majeure partie de la période concernée, les rapports entre tous les pays d'Europe (à quelques exceptions près) d'une part, et la France d'autre part, furent sanglants. La Révolution française n'est pas une « belle histoire » ; elle commence par une émeute, se poursuit dans la guerre et finit par un coup d'État qui lui-même engendre une nouvelle série de conflits meurtriers. Mais elle a ébranlé un système sclérosé, fondé sur l'arbitraire et l'inégalité ; même ses plus farouches adversaires ont pris conscience qu'elle était le début d'une ère nouvelle. Comme le portaient en légende certaines estampes de ces années cruciales « Ami, le temps passé n'est plus ».

Jack LANG

AVANT-PROPOS

Dans la préface de son monumental ouvrage consacré aux « Images de la Révolution française » publié en 1986, le professeur Michel Vovelle, aux études duquel cette exposition doit beaucoup, regrettait que le Bicentenaire ne soit pas, comme l'avait été le Centenaire, l'occasion d'un grand rassemblement iconographique qui aurait fait découvrir directement – et non plus par l'intermédiaire de reproductions – à un large public l'extra-ordinaire floraison de représentations historiques, allégoriques ou caricaturales qui caractérise la période 1789-1799.

Dans une certaine mesure la présente exposition vient répondre à ce souhait. Mais son titre et son programme impliquent que le choix des pièces à montrer soit largement ouvert sur ce qui se situe hors de France. L'inauguration imminente d'une présentation rénovée des collections révolutionnaires du musée Carnavalet – le plus admirable ensemble de souvenirs historiques et de documents iconographiques qui puisse être rassemblé – plaidait dans le même sens : à quoi bon doubler à quelques semaines d'intervalle ce qui allait être réalisé sur la même rive de la Seine ?

Le caractère européen de la manifestation suggérait et favorisait un traitement différent du sujet : replacer la Révolution dans un contexte historique et culturel élargi. Particulièrement intéressante et féconde pour la période qui précède et prépare la Révolution, cette approche est plus ardue pour la période 1789-1799 car, dans une certaine mesure, il y a rupture entre la France et les autres pays d'Europe, et la moisson iconographique, si elle est peut-être aussi riche, est moins diverse et s'encombre d'images plus stéréotypées.

Par leur vocation, les expositions du Conseil de l'Europe accordent une large place à l'aspect purement artistique des grands moments de la civilisation européenne auxquels elles sont consacrées. Ce qui est particulièrement passionnant mais difficile pour la période révolutionnaire car la production des dernières années du XVIIIᵉ siècle, tout spécialement en France, a fait l'objet d'interprétations très divergentes. Avec de bons arguments on a pu soutenir aussi bien la thèse d'une continuité qui mènerait presque sans heurts de la politique artistique voulue, sous Louis XVI, par le comte d'Angiviller aux commandes de l'Empire et de la Restauration.

L'hypothèse, non pas d'une rupture liée à la date de 1789, mais d'une mutation profonde mûrie durant deux décennies et dont la production artistique révolutionnaire ne serait que l'aboutissement, a été aussi défendue. Toutefois, compte tenu de la nature des œuvres conservées, toute présentation indifférenciée de ce qui demeure des œuvres produites entre 1789 et 1799 aurait inévitablement privilégié la première interprétation : s'il reste en effet de nombreux portraits, peints ou sculptés, des paysages, des natures mortes, des scènes de genre, les grandes compositions allégoriques ou historiques qui manifestent le plus explicitement le contenu et la forme de l'art révolutionnaire auraient été dérisoirement minoritaires : si l'on décompte ce qui n'est et ne fut jamais que projet ou esquisse, ce qui a été détruit très vite pour des raisons liées aux rapides changements politiques et ce qui a disparu, victime d'une indifférence qui pouvait cacher un vandalisme contre-révolutionnaire, peut-être inconscient, peu de témoins sont encore en état d'être présentés et, à l'intérieur même de l'exposition, plusieurs gigantesques toiles seront montrées en cours de restauration, en raison de l'étendue des dégâts subis et de la complexité des interventions que leur état exige.

En fait, trois sujets qui appartiennent spécifiquement à l'histoire de l'art sont venus tout naturellement s'insérer dans le propos d'une exposition dont l'armature et la signification sont essentiellement historiques : le premier est celui de l'apparition, au cours des deux décennies qui précèdent l'événement révolutionnaire, de nouveaux thèmes qui (parce que nous savons ce qui va suivre) nous paraissent à coup sûr « patriotiques » et même déjà « républicains ». Le second point développé touche au problème de l'engagement des artistes, dont David ne fut pas le seul cas, ni peut-être le plus exemplaire. Le troisième élargit l'étude à l'ensemble de la création artistique que les gouvernements révolutionnaires s'efforcèrent de promouvoir grâce à un système complexe de concours et de « prix d'encouragement ».

Mais en dehors de ces sections où l'œuvre d'art est en elle-même l'objet de la démonstration, l'exposition en utilise nombre d'autres comme autant de témoignages qu'il convient de passer au crible de la critique historique, au même titre que le plus modeste document ou qu'un objet qui par sa nature relève de l'art populaire, voire de l'usage courant. Mais l'on sait que les frontières sont dans ce domaine bien floues : tel paysage est à la fois une peinture admirable et une parfaite image d'un certain type d'appropriation du sol ; un simple moulin à sel peut avoir d'incontestables qualités sculpturales et la beauté de certains dessins à finalités techniques ou scientifiques surprendra le visiteur. À l'inverse peut-être plus d'une estampe, ambitieuse par son programme et son mode d'exécution, ne leur apparaîtra-t-elle que comme le témoin d'un moment fugitif de l'histoire.

Peut-être l'ampleur même de cette manifestation paraîtra-t-elle un obstacle à l'approche du sujet. On aurait pu imaginer un parcours plus linéaire et un choix plus allusif. Et pourtant, les responsables de cette exposition seraient plutôt enclins à demander une certaine indulgence pour les lacunes et les silences de leur présentation ; il en est de volontaires car toutes choses ne sont pas égales, même si peu de domaines n'ont pas été, d'une manière ou d'une autre, bouleversés par la Révolution. Il y eut aussi des renoncements forcés, en raison de l'organisation, dans le cadre du Bicentenaire, d'autres manifestations parallèles ou concurrentes (David, Réattu, l'architecture révolutionnaire...) et du nombre limité d'œuvres disponibles sur un thème donné. Ce fut enfin parfois l'absence totale d'iconographie qui a interdit de traiter un point, par ailleurs digne d'intérêt : une exposition n'est ni un colloque ni un livre ; elle doit « donner à voir ».

Jean-René GABORIT
commissaire général

Je souhaiterais exprimer ma vive gratitude à tous ceux qui, à des titres divers, ont permis le prêt des œuvres présentées. Ma reconnaissance va aussi à tous ceux qui ont apporté au catalogue la contribution de leur science et de leurs connaissances.

Que soient aussi remerciés tous ceux et toutes celles qui nous ont apporté leur aide ou leurs conseils et en particulier :

MM. Agboton, Baduel, Barjot, Mlle Begrie, MM. Besterman, Bruson, Mlles Caps, de Chancel, MM. Chevallier, Cuzin, Darnis, Decron, Delpure, Deuchar, Mlle Dejoud, Mmes Faillant-Dumas, Ferbos, M. Huin, MM. Lacroix, Laharie, Laveissière, Lecœuvre, Léonetti, Lux, Mme Manueco, M. Méjanès, Monnier, Morel, Luanaigh, Mme Paez, MM. Petit, Piller, Pongetoux, Mlle Reboul, M. Renouard, Mlles Sabatini, Sahut, Salmon, M. Simon, Mme Tenton, le Cmdt de Varax, Mme Volle, Mlle Walsh, Wolf, M. Wüthrich.

UTOPIE CONCRÈTE À L'ÉCHELLE MONDIALE : L'ART DE LA RÉVOLUTION

par Klaus Herding

Un art révolutionnaire ?

L'idée que nous nous faisons de l'art de la Révolution française a beaucoup changé au cours de ces dernières années. De nouveaux domaines, auxquels on s'était jusqu'à présent peu intéressé, ont été explorés, comme la gravure, la caricature pro et contre-révolutionnaire – autrement dit les genres mineurs de l'art de la Révolution[1] –, la célébration des fêtes, et plus généralement, les manifestations de caractère éphémère qui constituent une grande partie de cet art[2] ; mais on a aussi étudié le système des concours et les changements institutionnels que l'art a connus au cours de la décennie révolutionnaire[3]. De plus, l'interprétation des faits historiques non artistiques est de nouveau remise en question : il y a bien une querelle d'historiens sur la Révolution et son héritage. Pierre Chaunu, François Furet, Michel Vovelle (pour ne citer que ces noms) ont, en effet, adopté des positions très différentes à cet égard[4]. Cette discussion ne concernerait-elle pas le domaine de l'art ? Peut-être l'analyse de l'art pourrait-elle même contribuer à clarifier les positions que nous venons d'évoquer.

Avec la découverte de nouveaux aspects de l'histoire de l'art, il est devenu nécessaire de réviser nos idées sur les grands peintres et sculpteurs. On ne peut désormais comprendre les œuvres d'artistes comme David, Regnault, Deseine ou Moitte, ou encore celles des architectes — qu'ils aient seulement projeté ou bien réalisé des monuments — sans tenir compte de l'ensemble des connotations propres à une grande révolution politique et peut-être même sociale. Pourquoi seuls les beaux-arts auraient-ils été imprégnés par les problèmes et les malheurs de l'époque, alors qu'on a toujours reconnu la grande affinité qui lie la littérature aux événements révolutionnaires ? Mais ce n'est pas tout : il faut aussi s'interroger sur ce qui liait cet art à la Révolution, ou au contraire l'en séparait. De plus, on a souvent tendance à expliquer l'art de la Révolution par lui-même ; il n'y a guère que l'histoire de la peinture qui ait bénéficié de recherches contextuelles appliquées ailleurs[5]. Beaucoup d'études se limitent toutefois aux dix années de la Révolution.

1. Antoine de Baecque, *la Caricature révolutionnaire*, Paris, Presses du CNRS, 1988. - Claude Langlois, *La Caricature contre-révolutionnaire*, Paris, Presses du CNRS, 1988. - Michel Vovelle, *La Révolution française. Images et récit*, 5 vol., Paris, Messidor, 1986. - *French Caricature and the French Revolution, 1789-1799*, Los Angeles, Wight Art Gallery, 1988, Paris, Bibliothèque nationale, 1989. - Klaus Herding/Rolf Reichardt, *Die Bildpublizistik der Französischen Revolution*, Frankfurt, Suhrkamp, 1989.
2. Cf. *Les Fêtes de la Révolution*, colloque de Clermont-Ferrand (juin 1974). Actes recueillis et présentés par Jean Ehrard et Paul Viallaneix, Paris, Société des études robespierristes, 1977. - Mona Ozouf, *La Fête révolutionnaire, 1789-1799*, Paris, Gallimard, 1976.
3. Werner Szambien, *Les Projets de l'an II. Concours d'architecture de la période révolutionnaire*, Paris, École nationale supérieure des beaux-arts, 1986. - Claudette Hould, « La Propagande d'État par l'estampe durant la Terreur », dans Michel Vovelle (éd.), *Les Images de la Révolution française*, Paris, Sorbonne, 1988, pp. 29-37. - C. Caubisiens-Lasfargues, « Le Salon de la peinture pendant la Révolution », dans *Annales historiques de la Révolution française*, XXXI, 1961, pp. 193-214. - Jean-Claude Bonnet (éd.), *La Carmagnole des Muses*, Paris, Colin, 1988. - Régis Michel, « L'Art des Salons », dans Philippe Bordes et Régis Michel (éd.), *Aux armes & aux arts ! Les arts de la Révolution 1789-1799*, Paris, Biro, 1988, pp. 10-101. - Udolpho Van de Sandt, « Institutions et concours », *ibid.*, pp. 137-165.
4. Cf. Pierre Chaunu, Avant-propos à Reynald Secher, *Le Génocide franco-français : La Vendée-Vengé*, Paris, PUF, 1986, ; 2ᵉ éd. revue, 1988. - François

Furet, *La Révolution, 1780-1870*, Paris, Hachette, 1988. - Michel Vovelle, *La Mentalité révolutionnaire. Société et mentalités sous la Révolution française*, Paris, Messidor & Ed. Sociales, 1985 (ainsi que de nombreux autres ouvrages dont *La Civilisation et la Révolution française*, 3 vol., Paris, Arthaud, 1970-1983, d'Albert Soboul). Étant donné la portée de ces divergences, il nous paraît justifié de parler d'une véritable querelle des historiens ; *cf.* notre article : « Begräbnis oder Apotheose ? Die Zweihundertjahrfeier der Revolution im Zeichen des französischen Historikerstreits », dans *Merkur. Deutsche Zeitschrift für europäisches Denken*, 1988, H. 8, pp. 697-706.
5. Mentionnons toutefois, à titre d'exemple, quelques ouvrages plus vastes auxquels la présente étude doit beaucoup : Jean Locquin, *la Peinture d'histoire en France de 1747 à 1785*, Paris, Laurens, 1912 (repr. photomécanique Paris, Arthena, 1978). - Milton W. Brown, *The Painting of the French Revolution*, New York, Critics Group, 1938. - William Olander, *Pour transmettre à la postérité. French Painting and Revolution, 1774-1795*, Ann Arbor, 1984. - Robert Rosenblum, *Transformations in Late Eighteenth Century Art*, Princeton University Press, 1967, 3ᵉ éd. 1970. - Catalogue de l'exposition *The Age of Neo-Classicism*, London, The Arts Council of Great Britain, 1972. - Catalogue de l'exposition *De David à Delacroix — la peinture française de 1774 à 1830*, Paris, Grand Palais, 1974. - Thomas E. Crow, *Painters and Public Life in 18th Century Paris*, London and New Haven, Yale University Press, 1985 (nous avons longuement parlé de cette publication importante, dans *Kunstchronik*, 41, 1988, pp. 438-449).

Nous nous proposons ainsi de traiter un peu plus amplement la question.

Vingt ans avant les *Horaces* de David, Diderot, en exigeant une touche « mâle et forte » et une manière « grande, simple et vraie »[6], posait déjà la question décisive et déterminante : quel type de « vérité » artistique offrirait un art qui, comme celui de la Révolution, serait entièrement au service d'une vérité politique ? Et, indépendamment de Diderot, Grimm, Raynal ou Mably, existe-t-il en fait un art révolutionnaire en tant que domaine spécifique ? S'est-il vraiment produit, dans le domaine de l'art, des ruptures analogues aux bouleversements politiques ? Mais surtout, les contemporains de la Révolution attendaient-ils de l'art autre chose qu'une traduction picturale des principes révolutionnaires ? Et même à cet égard, n'avaient-ils pas raison d'être déçus (comme Charles Villette le laisse entendre en écrivant, en 1791 : « On est un peu surpris de ne voir au Sallon qu'un seul tableau des grands événements de la Révolution. Les artistes ne sont-ils donc pas encore élevés à sa hauteur ? »[7]) Les contemporains s'attendaient-ils effectivement à ce que les artistes prennent position, par leur art même, sur les événements ?

A lire Grégoire, la réponse semble simple : avec toute l'habileté dont il était capable, l'abbé n'hésite pas à mettre l'art et la littérature à l'« avant-garde » de la société (il est d'ailleurs un des premiers à appliquer cette notion militaire au domaine culturel), tout en leur assignant une fonction secondaire, ce qui revient à les reléguer à l'« arrière-garde ». Ce concept pouvait tenir aussi longtemps que l'enthousiasme pour les idées de progrès engendré par la Révolution et permit d'établir une correspondance fictive entre la société et l'art[8]. Aux yeux de Grégoire, l'art devait aller de pair avec les bouleversements politiques — tout écart arbitraire lui était interdit. Mais n'était-ce pas méconnaître la capacité particulière de l'art, celle d'exprimer une vérité propre, dont on ne fait l'expérience nulle part ailleurs ? Ou bien, sans y avoir trop réfléchi, l'abbé avait-il raison ? Le postulat de Diderot, selon lequel il fallait « aller à l'âme par l'entremise des yeux[9] », n'a-t-il été reconnu que par l'art prérévolutionnaire, alors que l'art sous la Révolution (pour autant qu'il se soit mis à son service) se serait effectivement limité à accompagner les événements ?

Starobinski a déjà posé ce problème : « L'année 1789 [...] trace-t-elle une frontière dans la vie des styles ? À première vue, on ne peut y situer [...] aucun surgissement significatif [...]. » Cependant l'auteur ajoute que : « L'art et l'événement s'éclairent l'un par l'autre ; ils ont une valeur d'indice l'un par rapport à l'autre, même lorsqu'au lieu de se confirmer ils se contredisent[10]. » Les historiens d'art, loin de confirmer ceci, n'ont guère tenu compte de ce genre d'arguments, sans que leur silence ait nécessairement dissimulé des conceptions différentes. Néanmoins, les faits peuvent justifier dans une certaine mesure leur discrétion. Car, d'une part, des secteurs entiers de l'art sous la Révolution sont irrémédiablement perdus (la majeure partie des pratiques culturelles de la vie quo-

tidienne, par exemple), ou bien ils ont d'emblée été conçus comme éphémères (nous avons évoqué les fêtes). Certains ensembles d'œuvres sont aujourd'hui presque totalement oubliés et on ne peut jamais les reconstituer que de façon fragmentaire (comme, par exemple, les maquettes pour le *Monument à la gloire du peuple français*) ; on est donc souvent réduit à ne faire que des suppositions sur la valeur artistique de ces œuvres. D'autre part, il faut, quand on étudie la période révolutionnaire, tenir compte de différentes temporalités : la « courte durée » avec laquelle les événements révolutionnaires se sont enchaînés est incompatible avec la « longue durée » indispensable à la production artistique. Les sculpteurs de l'Ancien Régime ont souvent travaillé une dizaine d'années à un seul et même ouvrage. Et, tout à coup, Paris, la France, peut-être même le monde entier, aurait dû en très peu de temps faire naître une culture entièrement nouvelle fondée sur les droits de l'homme. Aussi, pendant ce court laps de temps, les œuvres risquaient de perdre leur validité (puisque pour être acceptées, elles devaient, comme l'exigeait Grégoire, être en accord avec une politique dont les principes — entre la réalisation d'une maquette en terre cuite et celle d'un monument, ou encore entre une esquisse et un tableau — avaient pu changer plusieurs fois). Ainsi, dix ans après l'événement réel, David eut l'idée absurde de peindre dans son *Serment du Jeu de paume* des personnalités de 1799 tout simplement parce que celles de 1789 ne convenaient plus. Et en 1792, quand Moreau le Jeune acheva sa gravure *Mirabeau aux Champs-Élysées*, cet hommage n'avait plus de raison d'être, puisque Mirabeau, mort en 1791, s'était entre-temps compromis. On peut difficilement imaginer le choc qu'a représenté l'exigence de rapidité : en effet, depuis presque deux cents ans, aucun changement brusque n'était intervenu dans les mœurs. Et, soudain, la précipitation s'imposait comme rythme dominant de la vie.

Il est donc nécessaire de s'interroger sur les présupposés de la conception grégoirienne de l'art comme instrument didactique aux mains de l'État. L'art a-t-il su assumer l'expérience nouvelle de cette rapidité ? En d'autres termes, les artistes ont-ils vraiment compris que le facteur temps jouait désormais un rôle constitutif dans leur œuvre, qu'ils aient ou non adhéré

6. Denis Diderot, « Salon de 1765. Essais sur la peinture », dans *Œuvres complètes*, t. XIV, Paris, Hermann, 1984, p. 30.
7. Charles Villette, *Lettres choisies sur les principaux événements de la Révolution*, Paris, chez les marchands de nouveautés, 1792, p. 245.
8. Henri-Baptiste Grégoire, dans *Le Moniteur français*, vol. 22, 1794 (nouvelle édition, 1854), p. 191. Pour une analyse contextuelle, voir notre article, « Fort-schritt und Niedergang in der bildenden Kunst : Nachträge zu Barrault, Baudelaire und Proudhon », dans Wolfgang Drost (éd.), *Fortschrittsglaube und Dekadenzbewußtsein im Europa des 19. Jahrhunderts. Literatur — Kunst — Kulturgeschichte*, Heidelberg, Universitätsverlag, 1986, pp. 239-258.
9. Diderot, *Œuvres complètes* (note 6), t. XIV ; cité d'après l'introduction d'Else Marie Bukdahl, *ibid.*, p. 6.
10. Jean Starobinski, *1789. Les emblèmes de la raison* (Milano 1973), éd. française, Paris, Flammarion, 1979, p. 7.

aux principes révolutionnaires ? Les hésitations de David au moment de l'achèvement prévu du *Serment du Jeu de paume* vont à l'encontre d'une telle hypothèse ; aussi dans la plupart des autres cas, les notions de temps, de changement, d'évolution ou de rupture semblent avoir été perçues seulement comme une pression exercée de l'extérieur sans être traitées dans la structure même de l'ouvrage. Le dilemme était évident : l'art ne pouvait ni s'accrocher à des valeurs immuables et se considérer comme « intemporel », ni mieux s'acquitter de sa mission en se référant constamment à l'actualité. Seule la gravure, plus rapide, pouvait réagir à une situation en changement perpétuel — certains pendants, aux oppositions pleines d'esprit, en font preuve. Par ailleurs, le monde extérieur, tumultueux et agité, n'a semble-t-il que peu touché les sphères de la production artistique ; les deux *Allégories de la République* de Belle (cat. 1133-1134), *L'Héroïsme du jeune Désilles* de Le Barbier, ou encore le dessin de Gérard, *Le 10 Août 1792* (cat. 1079), témoignent certes, par leur forme, d'une conscience des événements, mais il ne s'agit là que d'exemples isolés qui ne vont pas vraiment à l'encontre de la tendance générale.

Peut-on en conclure que les artistes aient eu une attitude défensive à l'égard de la Révolution ? Ou bien, qu'ils aient tant bien que mal continué à exploiter l'héritage de la tradition néo-classique, comme si rien ne s'était passé, en se voyant toutefois contraints de choisir des thèmes en accord avec les événements ? La présente exposition offre tous les éléments qui permettent de modifier cette conception (changement nécessaire, car les historiens d'art — en excluant tout paramètre historique ou même philosophique — n'ont su s'intéresser ni à l'impact public de l'art et à ses différents modes de réception

au cours de l'histoire, ni, encore récemment, à ce que ce mode d'expression particulier représente dans l'histoire de la culture. Les chercheurs du XIXe siècle étaient déjà plus avancés). Parfois les artistes de la Révolution, loin de saisir la nouveauté radicale des événements, ont seulement cherché à concilier néo-baroque et néo-classicisme, sans permettre au tumulte de leur temps, au nouveau climat politique, et à la mentalité révolutionnaire de s'exprimer. Aucun artiste ne semble avoir pris conscience de la différence entre « les révolutions » et « la Révolution » : le pluriel signifiait en effet infiniment moins que le singulier[11] ; tout au plus le globe dépeint dans *Égalité, Liberté ou la Mort* (cat. 828) de Regnault pouvait suggérer que « The general Revolution », pour citer l'expression de Burke[12], avait une portée politique bien plus vaste que celle de toutes les révolutions précédentes : cette fois-ci, il ne s'agissait plus, comme auparavant, de droits limités, mais de revendications qui concernaient le monde entier (même la « Déclaration des droits » américaine, n'a pas eu cette ambition missionnaire dont la Révolution française a fait preuve dès 1792).

Malgré cette abstraction, ce fut le pouvoir secret et la force des arts plastiques d'offrir ce que la raison semblait refuser, à savoir de donner droit de cité aux émotions dans une société (prétendument) rationnelle[13].

Les artistes ont parfois réussi à ouvrir des percées dans le corps figé des conventions ; par exemple, en introduisant différents codes visuels dans l'art de la gravure, ou en essayant de confronter la peinture à des thèmes nouveaux, tels que la représentation d'une foule égalitaire, sans pour autant avoir recours à l'allégorie, ou encore en transférant toute l'énergie de la sculpture dans le portrait ; par l'application de ces méthodes nouvelles, la réalité « ordinaire » se voyait enfin attribuer la place qu'elle méritait. À cet égard, le Salon de 1791 se distingua tout particulièrement[14]. En ce qui concerne le portrait, l'art de la Révolution réalisa l'idée de Diderot selon laquelle :

« La peinture en portrait et l'art du buste doivent être honorés *chez un peuple républicain* où il convient d'attacher sans cesse les regards des citoyens sur les défenseurs de leurs droits et de leur liberté. *Dans un état monarchiste* c'est autre chose ; il n'y a que Dieu et le roi »[15].

Il serait peu satisfaisant de présenter les sculpteurs et les peintres des Lumières et de la Révolution sans analyser en quoi ces artistes y ont eux-mêmes contribué. Si déjà en 1771, un employé du roi pouvait dire : « A mesure qu'on nous démonarchize, je me philosophize »[16], on a tout lieu de penser que les artistes de l'époque révolutionnaire se sont, d'autant plus intensément, et de leur propre initiative, intéressés à la philosophie et à la politique. Si la Révolution était « la libre héritière des Lumières » (voir G. Scherf, pp. 150-151), alors comment les artistes auraient-ils pu ne pas y prendre part dans leur domaine propre, celui de la forme ?

Regardons de plus près. On sait que, depuis les années 1760, l'art de l'époque connaît d'énormes tensions. On y trouve, d'une part, un sentimentalisme accusé, et de l'autre, une rigidité de

11. Reinhart Koselleck, « Der neuzeitliche Revolutionsbegriff als geschichtliche Kategorie », dans *Studium Generale*, 22, 1969, pp. 825-838. - Rolf Reichardt/Hans-Jürgen Lüsebrink, « Révolution à la fin du XVIIIe siècle. Pour une relecture d'un concept clé du siècle des Lumières », dans *Mots* 16, 1988, pp. 35-68. En revanche, des révolutions partielles pouvaient être exprimées au singulier ; ainsi, dans la fameuse lettre de Voltaire à d'Alembert, datée du 18 septembre 1765, on lit : « Jouissez de l'étonnante révolution qui se fait partout dans les esprits et vivez pour éclairer les hommes » (Soboul [note 4], p. 20).
12. Edmund Burke, *Reflections on the Revolution in France...*, Londres, Dodsley, 1790 ; éd. française, *Réflexions sur la Révolution de France...*, Paris, Laurent fils, s. d. [1790], reproduction photomécanique Paris-Genève, Slatkine, 1980, p. 274. Le traducteur allemand de l'époque, Friedrich Gentz, avait employé le terme « Totalrevolution » afin de mettre en relief le caractère unique de cette révolution par rapport aux révoltes antérieures.
13. Pour Diderot, la symbolique de l'imaginaire visuel dépasse celle de la poésie, en ce qui concerne la fascination sensuelle. Cf. *Œuvres complètes* (note 6), t. XIII, p. 285 : « L'imagination me semble plus tenace que la mémoire. J'ai les tableaux de Raphaël plus présents que les vers de Corneille [...]. » *Cf.* également t. XIV, pp. 245-246.
14. *Cf.* Olander (note 5), pp. 211-212 : « With the Salon of 1791 [...] portraiture received its most important encouragement to date [...]. For with this Salon, portraiture acquired a public status which had never been afforded it prior to the outbreak of the Revolution. »
15. Denis Diderot, « Essais sur la peinture » (1765), dans *Œuvres complètes* (note 6), t. XIV, p. 367.
16. Bernard Mercier de Lacombe, *La Résistance janséniste et parlementaire au temps de Louis XV. L'abbé Nigon de Berty (1702-1772)*, Paris, Société du grand armorial de France, 1948, p. 221.

Fig. 1   Fragonard, *Corésus et Callirhoé*, 1765. Paris, musée du Louvre.

plus en plus forte. La première tendance a commencé par s'exprimer dans les gravures populaires de complaintes telles que l'histoire d'Héloïse et Abélard, mais aussi dans des tableaux de héros et d'héroïnes succombant aux passions, tel *Corésus et Callirhoé*, le tableau d'agrément à l'Académie de Fragonard[17] (fig. 1) ; quant à la seconde, on la trouve d'abord dans des projets d'architecture correspondant au style mâle et sévère que Laugier et Peyre demandaient pour la rénovation de ce genre, et, quelque peu adoucie, dans des peintures comme *Marc Aurèle faisant distribuer des médicaments et des vivres au peuple* de Vien (fig. 2). Les besoins auxquels répondait le tableau de Fragonard n'étaient autres que ceux de la réforme de la peinture d'histoire, amorcée par d'Angiviller ; mais les urgences que reflète la composition de Vien ne s'insèrent pas moins dans le courant officiel. Il y a donc, dès le début du débat sur la peinture héroïque, plusieurs prises de positions. Starobinski note avec lucidité que vingt ans plus tard, on voit s'opposer dans l'esprit prérévolutionnaire « la discontinuité, les instants épars de l'existence dissolue, et [...] la froide éternité de la statue, qui représente la parole tenue, la justice inflexible[18] ». La Révolution à son tour, insistera sur la rigueur rationnelle comme sur les sentiments : de quel mouvement est-elle donc héritière ? Et que fera-t-elle du fameux critère de Diderot, celui de l'« unité d'expression » ? Ne va-t-elle pas le redéfinir d'une

façon plus vaste, politisée, mais au détriment de son essence picturale ?

Dans *Corésus et Callirhoé*, Fragonard se pose la question de savoir comment mettre en scène un grand sujet sans pour autant abandonner les qualités d'émotion qui avaient attiré tant de monde devant *La Villageoise* de Greuze. Et dans son *Marc Aurèle* Vien cherche à concilier la finesse de sa propre formation à la rigueur des principes nouvellement posés. En d'autres termes, avant de politiser ce problème (en essayant de relier la culture des élites aux sentiments du peuple), les arts feront face au problème de savoir comment joindre les exigences morales dites « mâles » aux traditions suaves et raffinées du siècle. Voici une des questions non résolues auxquelles l'art se voyait exposé à la veille de la Révolution. Constatons aussitôt que loin d'être résolu, ce problème va s'aggraver au cours des événements. Car on peut difficilement affirmer que sous la Révolution l'art ait sacrifié le sentiment à la raison, ou qu'il ait remplacé la chaleur de l'ambiance privée par une froide atmosphère publique, ou encore qu'il ait chassé

17. Comme on sait, Diderot fut enthousiasmé par ce tableau qu'il décrit sous forme de rêve (*Œuvres complètes*, *cf.* note 6, t. XIV, pp. 253-264. - *Cf.* Crow (note 5), p. 168 et pl. 78.
18. Starobinski (note 10), p. 28.

Fig. 2   Vien, *Marc Aurèle faisant distribuer des médicaments et des vivres au peuple*, 1765.
Amiens, musée de Picardie.

l'intelligence éclairée au profit d'un rigorisme qui frôle le goût du pouvoir absolu. C'est plutôt une hésitation entre individualisme et étatisme, entre émotion et raison, qui fait la complexité de l'art de la décennie révolutionnaire.

Il est donc inadéquat de parler d'une dialectique de l'ère des Lumières au sens où la réflexion raisonnée, trop ésotérique, aurait chassé la pensée raisonnable, humanitaire, pour céder à une nouvelle puissance mythique, inaccessible à l'intelligence comme à l'exploitation rationnelle[19]. Pourtant un nouveau

mythe, une nouvelle magie s'est bien manifestée ; nous en parlerons plus loin. Et l'on trouve en effet — signe d'aura ou d'inaccessibilité ? — une extrême froideur ou sécheresse dans certaines œuvres, telles que les projets de sculptures influencées par Quatremère de Quincy ou même quelques peintures de Réattu. Il est aussi vrai que, pendant cette période, les œuvres techniquement réussies (comme *La Mort de Marat* de David ou bien *Liberté, Égalité ou la Mort* de Regnault) sont relativement rares. Mais ceci n'exclut pas l'existence d'autres qualités picturales ou de composition dont nous traiterons plus tard.

Quant à la réintroduction du mythe attribuée à la Terreur, on a même voulu la trouver dans une peinture qui précède la Révolution de cinq ans : dans les *Horaces* de David. Mais, s'il est risqué de juger la Révolution sur la Terreur, moment de son extrême contrainte, il est encore plus délicat de recourir à de pareils pressentiments.

D'autre part, on a voulu voir, dans maintes œuvres prérévolutionnaires, non seulement une tension et une richesse très complexes, mais encore une sorte d'inquiétude, un courant annonçant l'entrée en éruption du volcan. Pourtant, alors que dans certains écrits, cette inquiétude se manifeste effectivement[20], il serait difficile d'en trouver les traces dans les beaux-arts.

Par conséquent, on parle actuellement plutôt d'une coïnci-

19. En se sens précisément, la fameuse hypothèse de Horkheimer et d'Adorno (*La Dialectique de la Raison. Fragments philosophiques*, Amsterdam, 1947 ; éd. française, Paris, Gallimard, 1974) conçue sous l'influence des événements fascistes et bien justifiée à cet égard est à revoir.
20. Entre autres événements, la grêle du 13 juillet 1788 fut interprétée par les contemporains comme annonçant une tempête d'ordre politique. Starobinski (note 10), p. 11, nous rappelle que Bernardin de Saint-Pierre comprenait tous les signes désagréables de la nature comme messages annonçant une catastrophe historique. Quant à l'inquiétude prérévolutionnaire que cet auteur discerne (pp. 56-59) dans les grands prix d'architecture de 1779 à 1789, de nouvelles recherches ne permettent guère de soutenir cette hypothèse (communication de M. Werner Szambien).
Pour ce qui est des « épisodes nocturnes » et des « centres ténébreux » que Starobinski découvre dans la musique comme dans la littérature prérévolutionnaires, ce sont des topoï qui renvoient à toutes les traditions ésotériques depuis le XVIe siècle ; il est fort douteux que la noirceur constitue un trait spécifiquement prérévolutionnaire.

dence : on s'attend à ce que l'art sous la Révolution ait vécu les incertitudes de son temps, voire les conflits sociaux et les tumultes auxquels la conscience était soumise, puisqu'une révolution est, au dire de Burke comme de Marx[21], une période de crise profonde. Bien que justifiée, cette vue risque d'aboutir à des conclusions trop faciles ; une œuvre d'art n'est en effet que rarement le « miroir » fidèle de son époque. Une œuvre d'art peut exprimer ces problèmes, mais elle peut aussi les cacher, les nier, ou les embellir. Loin d'être le témoin fidèle de son époque, elle peut se contenter de traduire des déclarations officielles, mais aussi se tenir à l'écart des événements qui l'entourent. Dans la plupart des cas, la peinture choisit ce dernier parti, tandis que les arts graphiques sont des révélateurs polémiques et même des agents du processus historique, comme Boyer-Brun le faisait remarquer en 1792[22]. Il faut cependant se garder de croire qu'en s'abstenant, les arts puissent échapper à la partialité et aux conflits de leur époque.

Il ressort, de ce qui précède, que l'art de la Révolution embrasse des phénomènes très hétérogènes, et qu'il ne s'est point limité à absorber ce qui se trouvait déjà là, à savoir le classicisme de 1780 ; il faut plutôt y voir un amalgame d'éléments néo-classiques, réalistes, et néo-baroques. Mais il s'agit d'abord de redécouvrir sa créativité. On a autrefois considéré que la force d'innovation de la révolution artistique n'avait pas, et de loin, égalé la radicalité du bouleversement politique. En revanche, aujourd'hui, — où on voit dans la Révolution la réaction d'une « couche de notables traditionalistes, [...], plus proche de la noblesse que de la bourgeoisie[23] », contre des structures verticales entravant le développement économique — la dimension culturelle apparaît soudain comme l'élément essentiel de l'époque. Si l'on veut essayer de ressusciter ce potentiel novateur de l'art, on ne peut se dispenser de redéfinir plus clairement les enjeux actuels des recherches en cours. Il nous semble que la culture politique de l'Europe, consciemment ou non, à tort ou à raison, s'appuie toujours sur le républicanisme révolutionnaire comme sur la Déclaration des droits de l'homme et du citoyen. Ce qui nous intéresse, ce ne sont donc pas tant les guerres à l'extérieur et les conflits internes, les aberrations et les barbaries, ou le déclin du projet révolutionnaire ; ce sont bien plutôt les idées révolutionnaires elles-mêmes (aussi contestables furent-elles), la manière dont l'art les a concrétisées, rendues accessibles et populaires, mais aussi les traitements contradictoires des idées des Lumières, et les tentatives étonnantes d'instituer une nouvelle culture populaire. En ce sens seulement, nous semble-t-il, un retour aux sources peut être véritablement fécond[24].

Nouveaux thèmes - nouvelles formes ?

Quand en 1789, Cerutti publie ses *Vues sur la Constitution française*, ce titre est suivi par l'épigraphe empruntée à Wicliff : « Vivendum more Groecorum sub legibus propriis[25] ». La nouveauté ne réside certes pas dans le contenu de cette devise mais dans son impact comme leitmotiv politique de l'époque. Comme on le sait, la Révolution s'est drapée dans des costumes antiques. Des sculptures comme l'*Otryades* de Sergel ou le *Mucius Scaevola* de L.P. Deseine (cat. 396 et 397), ou encore les dessins et peintures qui représentent Marius, Regulus, Caton, Marcus Curtius, Manlius Torquatus, Coriolan (*cf*. chapitre X) en témoignent, et on pourrait facilement ajouter d'autres sujets. On ne peut pas dire que ces thèmes aient surgi à l'époque révolutionnaire ; ils étaient en effet en vogue depuis la moitié du XVIIIe siècle, et un bon nombre d'entre eux même depuis la Renaissance. Mais en l'espace de quelques années seulement, entre 1785 et 1789, leur nombre croît considérablement, et on leur attribue de plus en plus nettement une signification morale et politique.

Interrogeons-nous d'abord sur les raisons de cette intensification, puis, sur les changements qu'elle a entraînés. À la première question, celle de la cause, on peut donner plusieurs réponses. On est surpris de voir que l'explication de Marx est plutôt psychologique que politique : c'est pour tenter de surmonter une certaine inquiétude et se protéger contre les esprits du passé que la nouvelle bourgeoisie aurait puisé dans l'histoire romaine[26]. Mathiez, Parker et Lefebvre n'ont pas contredit cette thèse en voyant dans la culture classique un langage

21. Burke (note 12) ; Karl Marx, *Le Dix-huit Brumaire de Louis Bonaparte* (1852), éd. française, Lille, Bibl. ouvrière, 1891, cité d'après François Furet, *Marx et la Révolution française*. Textes de Marx présentés, réunis, traduits par Lucien Calvié, Paris, Flammarion, 1986, p. 245.
22. Jacques-Marie Boyer-Brun, *Histoire des caricatures de la révolte des Français*, 2 vol., Paris, Journal du peuple, 1792.
23. *Cf.* Rolf Reichardt, « Von der politisch-ideengeschichtlichen zur soziokulturellen Deutung der Französischen Revolution. Deutsches Schrifttum 1945-1988 », dans *Geschichte und Gesellschaft*, 1989.
24. Il est satisfaisant de voir que même l'épiscopat français a adopté une pareille position afin d'évaluer les efforts productifs de la Révolution. Les évêques se déclarent prêts à discerner « le positif de l'héritage lié à l'époque de la Révolution, facteur déterminant de ce qu'est la France moderne, référence pour tant de nations à travers le monde ». *Cf. le Monde* des 30 et 31 octobre 1988, p. 16.
25. Joseph-Antoine-Joachim Cerutti, *Vues générales sur la constitution françoise, ou Exposé des droits de l'homme dans l'ordre naturel, social et monarchique*, Paris, Desenne, 1789.
26. *Le Dix-huit Brumaire de Louis-Bonaparte* (note 21), p. 245 : « La tradition de toutes les générations mortes pèse comme un cauchemar sur le cerveau des vivants, et même quand ils semblent occupés à se transformer, eux et les choses, [...] c'est précisément à ces époques de crise révolutionnaire qu'ils appellent craintivement les esprits du passé à leur rescousse, qu'ils leur empruntent leurs noms, leurs mots d'ordre, leurs costumes, pour jouer une nouvelle scène de l'histoire sous ce déguisement respectable et avec ce langage d'emprunt. [...] Les héros, de même que les partis et la masse lors de l'ancienne Révolution française accomplirent dans le costume romain, et avec la phraséologie romaine, la tâche de leur époque, à savoir la libération et l'instauration de la société *bourgeoise* moderne. »

partagé par l'ensemble de la bourgeoisie, et par là un modèle stable de communication[27]. L'argument, selon lequel l'Antiquité, en se portant garante d'une certaine « grandeur », pouvait donner une dimension supplémentaire à l'existence individuelle, n'est pas moins d'ordre psychologique, et laisse entendre que l'on aurait essayé de combler un manque. Mais c'est peut-être là l'élément le moins caractéristique de l'époque, puisque, déjà présent depuis Pétrarque, il traverse la Renaissance et le XVIIᵉ siècle ; il est tout à fait banal que Babeuf, fidèle à cette tradition, se fasse gloire du surnom de Gracchus : « Quel mal peut-il résulter que je prenne pour parrain un grand homme plutôt qu'un petit[28] ? » Si ce besoin de « grandeur », que l'on cherche dans l'Antiquité, ne caractérise pas vraiment l'époque de la Révolution, l'usurpation illimitée, presque insolente, des traditions et des noms de l'Antiquité est en revanche évidente. Comme au niveau politique, il était donc plus facile pour les individus de s'exercer à prendre des attitudes inhabituelles en se drapant dans des « costumes empruntés à une autre époque ». En agissant ainsi, on s'éloignait tout à fait de l'essence historique du monde antique, puisque l'emprunt et non l'original comptait. Cela vaut aussi pour les représentations stéréotypées de Sparte et d'Athènes, les deux grands modèles (comme on le sait, on a associé la Montagne à Sparte, et la Gironde à Athènes) : à l'exception du comte de Caylus, personne n'avait visité la Grèce ; tout ce que l'on connaissait de l'Antiquité passait par Rome. Ce savoir servait à nourrir deux idées majeures, celle d'une civilisation urbaine et celle d'un retour à la vie de la campagne, l'une comme l'autre moralement fondées[29]. On a ainsi deux conceptions, radicalement opposées, de l'Antiquité qui devaient donner naissance à des œuvres d'art très différentes ou en elles-mêmes contradictoires.

---

27. *Cf.* Albert Mathiez, *Les Origines des cultes révolutionnaires (1789-1792)*, Paris, Bellais, 1904. - Harold T. Parker, *The Cult of Antiquity and the French Revolution*, The University of Chicago Press, 1937 (ouvrage revu par Georges Lefebvre, dans *Annales historiques de la Révolution française*, 1938).
28. Cité d'après Ozouf (note 2), p. 330. Mona Ozouf y présente un résumé du concept d'Antiquité sous la Révolution, suivi de son interprétation des fêtes antiquisantes.
29. *Cf.* Elizabeth Rawson, *The Spartan Tradition in European Thought*, Oxford, Clarendon Press, 1969.
30. Ozouf (note 2), pp. 330-332. Du reste, Ozouf considère les fêtes révolutionnaires surtout comme des événements sanglants, et les vers ironiques de Peltier : « Nous combattons, nous revenons vainqueurs. Le sang, la mort sont pour nous une fête », auraient pu lui servir de leitmotiv. A notre avis, c'est pourtant sous-estimer le côté gai et populaire d'une grande partie de ces fêtes.
31. « Aucun titre, rang ou grade académique n'accompagne le nom des artistes [...]. » Adresse à l'Assemblée nationale par la *Commune des Arts* qui ont le dessin pour base, 9 août 1791 ; cité d'après Olander (note 5), p. 197.
32. Cité d'après Robert Herbert, « Neo-Classicism and The French Revolution », dans *The Age of Neo-Classicism* (note 5), p. LXXIII.
33. Charles Nodier, *Souvenirs, épisodes et portraits pour servir à l'histoire de la Révolution et de l'Empire*, 2 tomes en un vol., Paris, Levavasseur, 1831, vol. I, pp. 81-82. Cette vue est confirmée et même approfondie par l'excellente étude de Crow (note 5).
34. À propos de Servandoni, dans *Œuvres complètes* (note 6), t. XIV, p. 130.

Dans son étude sur les fêtes révolutionnaires, Mona Ozouf explique l'adoption de modèles inspirés de l'Antiquité, par un « besoin du sacré[30] » ; l'Antiquité aurait ainsi investi le vide laissé par l'abandon du christianisme. On rend ainsi compte du nouveau prestige que l'Antiquité connaît sous la Révolution, alors que Diderot le voyait déjà s'évanouir. Mais il suffirait d'invoquer le besoin d'une forme officielle de cérémonie ; car, quand Mona Ozouf évoque d'autres formes de fêtes, elle pense nécessairement aux formes folkloriques qui n'avaient rien d'officiel. L'imagination occidentale, obstinément liée au christianisme et à l'Antiquité, détermine en effet toutes les représentations fondées sur la métamorphose ; toutes les tentatives d'aller au-delà du présent, ou même (comme dans les fêtes) de mettre en scène une utopie, se situent entre ces deux pôles. Mais ces deux champs étaient déjà investis par l'Ancien Régime. D'où la question : *quelle* Antiquité, et quels aspects du christianisme, pouvait-on réactiver ou inverser ? Mais aussi, y avait-il un chemin qui permette de sortir de ces traditions ?

En quoi les nombreux « thèmes nouveaux », qui apparaissent au cours de la décennie révolutionnaire, sont-ils vraiment nouveaux ? L'art de cette époque n'entérine-t-il pas les anciennes hiérarchies que la *Commune des Arts* voulait de toute urgence abroger[31] ? Les contemporains de la Révolution répondent de façon divergente à ces questions. En 1792, Condorcet dit que « la connaissance commune des idées de l'Antiquité, que nous avons acquises dès notre jeunesse » constituait « une des causes principales de la tendance que nous avons généralement à fonder nos vertus nouvellement acquises sur un enthousiasme enraciné dans notre enfance[32] ». Et quand il évoque la veille de la Révolution, Charles Nodier remarque ceci :

> « Ce qu'il y a de remarquable, c'est que nous étions tout prêts pour cet ordre de choses exceptionnels [...]. Il n'y avoit pas grand effort à passer de nos études de collège aux débats du Forum et à la guerre des esclaves. Notre admiration étoit gagnée d'avance aux institutions de Lycurgue et aux tyrannicides des Panathénées ; on ne nous avoit jamais parlé que de cela. Les plus anciens d'entre nous rapportaient qu'à la veille des nouveaux événements, le prix de composition de rhétorique s'étoit débattu entre deux plaidoyers, à la manière de Sénèque l'orateur, en faveur de Brutus l'ancien et de Brutus le jeune[...][33]. »

Les sujets antiques n'avaient donc rien de nouveau. Nous allons tenter de développer ce constat provoquant. Souvenons-nous d'abord de l'amère remarque de Diderot qui voyait les valeurs « éternelles » s'évanouir :

> « [...] cela semblait devoir être éternel, cependant cela se détruit, cela passe, bientôt cela sera passé ; et il y a longtemps que la multitude innombrable d'hommes qui vivaient, s'agitaient, s'aimaient, se haïssaient, projetaient autour de ces monuments n'est plus ; parmi ces hommes il y avait un César, un Démosthène, un Cicéron, un Brutus, un Caton. A leur place, ce sont des serpents, des Arabes, des Tartares [...][34]. »

Hubert Robert, nous semble-t-il, a partagé cette idée du déclin nécessaire, même s'il a en même temps réussi à donner aux monuments antiques une dernière lueur de pathétisme. La surélévation robertienne, par la perspective « d'en bas », et donc la plus grande vénération, qu'elle impose, ne conduit-elle pas à ternir le prestige des monuments[35] ? Cependant, la « Réforme par le haut » d'Angiviller, qui rénova les thèmes antiques à partir de 1774, permit à la peinture d'histoire de gagner une nouvelle considération. Il y a donc deux réponses à la question de savoir ce que les « nouveaux » thèmes ont de nouveau. La première, c'est Alfieri qui l'esquisse, peu avant la Révolution, dans une lettre à Chénier : « Tutti soloneggiano i Parigiani[36] » — en d'autres termes, ce dont, avant, seuls quelques érudits se délectaient, est maintenant devenu le plaisir du grand public ; ce qui revient à considérer l'Antiquité comme bien culturel déchu. La seconde réponse nous la devons aux recherches de Crow qui a montré que quelque chose de vraiment nouveau est survenu dans la façon dont l'art a commencé à recevoir l'Antiquité dans les années 1780 : depuis, une sévérité croissante et un assombrissement du style, non dénués de connotations morales et politiques, marquent la représentation des thèmes antiques (sans qu'il faille y voir déjà se dessiner l'ombre de la Révolution ; l'art essaie seulement d'une façon plus pressante de prendre part aux efforts de régénération de la période du déficit économique).

Mais au-delà de ces deux explications, nous voudrions savoir quel effet ces idéologies, le populisme comme la thanatophilie, ont eu sur la forme, et si ces signes imagés, auxquels l'espoir appartient d'ailleurs autant que la hantise de la mort, ont vraiment influencé le cours de la Révolution, comme certains auteurs l'affirment[37]. Si tel est le cas, on note d'abord une influence inverse : le renouveau des anciens thèmes répond à un besoin de continuité, de synthèse avec les tendances réformistes de l'Ancien Régime toujours en vigueur durant la première phase de la Révolution[38].

Considérons maintenant le cours de la Révolution de l'extérieur vers l'intérieur, car c'est d'abord de l'extérieur que l'art tente souvent d'appréhender les événements : par exemple, une faïence (datée de 1783) représentant Louis XVI avec Franklin (cat. 447) ne correspond à la réalité que de façon superficielle — le roi a bien sûr reçu l'ambassadeur, mais ceci n'implique aucun accord sur des idées. Il est vrai qu'il y eut une rencontre des « philosophes » avec Louis XVI, mais il n'en résulta aucune entente, et l'« embourgeoisement » du souverain continua de n'être qu'une chimère. En revanche, le *Portrait de Barnave* par Houdon (cat. 573) réfléchit de l'intérieur, donc plus radicalement, l'effet du bouleversement historique ; on y trouve non seulement une expression de courage, mais aussi un souffle de vent frais, d'esprit populiste. D'après ce buste, il semble que Houdon ait mieux compris l'avènement d'une époque nouvelle que beaucoup de ses jeunes confrères[39]. De même le vérisme idéalisé du *Buste de l'abbé Raynal* par Tassaert (cat. 216) se réfère à des modèles romains d'époque républicaine, afin de restaurer la *pristina virtus romana* ; mais le sourire du personnage (analogue à celui du *Voltaire* de Houdon) contient aussi l'expression sereine d'une souveraine contemporanéité —

autant de caractéristiques du personnage représenté, mais aussi de qualités de la représentation elle-même.

La différence indiquée par Diderot entre « représentation individualisante » et « représentation idéalisante » joue ici un rôle souvent sous-estimé. Sous la Révolution, les deux aspects sont liés. Il est vrai que l'on y trouve l'idéalisation dont Diderot parle ainsi : « La république est un état d'égalité [...]. L'air du républicain sera haut, dur et fier[40]. » Même le buste de Raynal est moins l'expression d'une individualité que celle d'un type, celui du républicain éclairé, et une intention inverse se manifeste avec autant d'évidence dans le rapprochement du roi suédois Gustave III avec César (cat. 553). Mais on trouve souvent dans les portraits en buste de la Révolution une part étonnamment grande de traits individuels ; les portraits de Moitte ou de Deseine se nourrissent davantage d'observation précise que d'une tentative de rendre un type ou un modèle classique. Le *Buste de Mirabeau* par Deseine (cat. 569) n'est pas seulement admirable parce qu'on y trouve l'évocation de la rhétorique par un sculpteur muet, mais aussi parce que le pathétisme héroïque de l'art ancien y est abandonné au profit d'une impitoyable précision à laquelle pas même une maladie de peau n'échappe[41] — notons la nouveauté de ce procédé, même si une exécution en marbre, non réalisée, eût nécessairement atténué cet élément. Dans ses portraits peints de

35. *Cf.* Jutta Held, « Tendances subversives dans l'art français des années précédant la Révolution », dans Vovelle (note 3), pp. 13-17. À l'encontre de Jutta Held, il nous semble que l'exaltation de l'objet produit d'abord un renforcement et non un affaiblissement de son effet ; nous reconnaissons cependant que « la perspective d'en bas » peut entraîner à la longue une dévaluation de l'objet en question.

36. « Tous les Parisiens jouent au Solon », lettre à André Chénier, du 29 avril 1789 ; Starobinski (note 10), p. 39. Bien sûr, ceci s'applique seulement aux couches aisées.

37. *Cf.* Starobinski, *ibid.*, p. 33 : « Le mythe solaire de la Révolution [...] c'est une lecture imaginaire du moment historique, et c'est en même temps un acte créateur, qui contribue à modifier le cours des événements [...]. » Nous avouons que nous n'avons plus la même confiance dans la puissance de l'art.

38. On trouve ce même besoin de chercher un équilibre entre les procédés de l'Ancien Régime et ceux du nouveau, dans la composition du jury qui devait, en décembre 1791, décerner les prix en peinture d'histoire, en sculpture, en peinture de genre et en gravure ; il était en effet composé de vingt académiciens, de vingt artistes indépendants et de cinq députés parisiens.

39. En effet, ce jugement de Grimm le confirme : « Parmi les morceaux de sculpture exposés cette année, on a remarqué un grand nombre de bustes parfaitement ressemblants, et dans ce genre il n'a guère que l'envie ou l'injustice d'une prévention personnelle qui puisse contester la supériorité de M. Houdon » (*Correspondance littéraire, philosophique et critique par Grimm, Diderot, Raynal, Meister, [...] comprenant [...] les fragments supprimés en 1813 par la censure [...]*, 16 tomes, Paris, Garnier, 1877-1882, t. XV, 1881, p. 572).

40. Diderot, *Œuvres complètes* (note 6), t. XIV, p. 374. En ce qui concerne le buste de l'abbé Raynal, *cf.* l'excellent article de Guilhem Scherf, dans *Bulletin des musées et monuments lyonnais*, 1988, n° 1, pp. 10-19. On y voit surtout combien Tassaert a changé l'iconographie habituelle du personnage.

41. Il est vrai que ce même phénomène caractérise le buste du cardinal Damasceni-Peretti-Montalto de Bernini (Hamburger Kunsthalle), mais relié au pathétique, et non détaché de lui.

Fig. 3 Chodowiecki, *Nature et affectation*. Berlin, musée de Dahlem, cabinet des Estampes.

Latude, Gossec (cat. 963) et Sarrette, Vestier surtout a tenté, en 1789 et 1791, de créer « a new form equivalent to the new statues of theirs sitters[42] ». Ceci vaut pour le portrait, volontairement raide, du baron Knigge (dont seule une gravure nous est parvenue, cat. 385), traduisant avec clarté l'énergie résolument bourgeoise d'un homme qui, dans ses célèbres règles de comportement, écrivait ceci : « Si vous le pouvez, tenez-vous loin des cours et des sphères élevées[43] ! » Alors que Chodowiecki, suivant l'usage, attribue la rigidité à l'Ancien Régime et la simplicité naturelle au bourgeois éclairé[44] (fig. 3), le graveur de Knigge renonce volontiers à rendre ces qualités nouvelles, et cela dans le cas d'un homme qui accordait la plus grande importance à la simplicité de l'éducation. On trouve d'autres traits originaux et individualisants dans l'ébauche de Moitte, pour son *Monument à Rousseau*, où le sculpteur s'est

42. Olander (note 5), p. 220.
43. Adolf Freyherr von Knigge, *Über den Umgang mit Menschen*, 2 vol., Hanovre, Schmidt, 1788, table des matières et p. 45 (« Wer da kann, der bleibe ferne von Höfen und großen Cirkeln ! »).
44. *Cf.* Wolfgang Kemp, « Die Beredsamkeit des Leibes. Körpersprache als künstlerisches und gesellschaftliches Problem der bürgerlichen Emanzipation », dans *Städel-Jahrbuch*, N.F. 5, 1975, pp. 111-134.
45. Même alors, il ne sera pas glorifié sans façon ; le sujet sera « Brutus tué dans un combat, les chevaliers romains transportent son corps à Rome, où les consuls vont au-devant pour le recevoir ». En 1799, on reprendra « Brutus, poursuivi par les soldats d'Antoine » ; *cf.* Gabriele Sprigath, *Themen aus der Geschichte der römischen Republik in der französischen Malerei des 18. Jahrhunderts*, 2 vol., München, 1968, vol. I, pp. 189-198, vol. II, p. 385.
46. Proposition de Crow (note 5), p. 250.

attaché à rendre l'ingénuité et la naïveté d'Émile (voir G. Gramaccini, p. 893). Sans doute faudra-t-il désormais reconnaître que l'art de la Révolution a plutôt pris des libertés à l'égard des normes qu'il ne leur a été fidèle. Ainsi seulement, nous pourrons redécouvrir ses aspects créateurs.

À ces nouveaux thèmes, dont la nouveauté réside plutôt dans une modulation de la façon dont ils sont repris, appartient d'autre part la consolidation d'un code moral rigide, dirigé contre l'« oisiveté » de la noblesse. Ce code s'établit au moyen de symboles empruntés à l'Antiquité. Parmi ces symboles, il y a une figure dont la gravité a toujours suscité une attention particulière, c'est celle de Brutus l'Ancien. On ne peut encore, du moins en France, montrer Brutus le Jeune, le meurtrier de César qui ne fera sa première apparition qu'au Salon de 1793[45]. Que l'acte de Brutus le Jeune fasse l'objet de discussions entre érudits est déjà étonnant (cat. 554). La Suède en revanche a trouvé Brutus le Tyrannicide en Ankarström (cat. 552). Comme on le sait, le sujet de David en 1789 est Brutus l'Ancien (fig. 4) qui, d'une façon cruelle, incarne un idéal de vertu qu'au fond personne n'était vraiment disposé à suivre au début de la Révolution. Pourquoi donc dépeindre un tel sujet ? Si ce paradoxe se trouve résolu, c'est parce que l'on voyait dans le seul nom de Brutus une provocation dirigée contre l'État[46] ; aussi a-t-on suggéré que ce thème témoignait déjà du rigorisme révolutionnaire. D'autres serments avaient déjà été traités par Gavin Hamilton et Jacques-Antoine Beaufort dans les années 1760. Or, en ne choisissant pas le « moment fécond » d'une

Fig. 4   David, *Les Licteurs rapportent à Brutus les corps de ses fils*, 1789. Paris, musée du Louvre.

résolution qui annoncerait une action, mais la lugubre remise des corps, David inverse le sujet au profit d'un effet « postpathétique ». Et en montrant Brutus seul, à l'écart et affligé par le deuil, il brise l'unité à laquelle il était arrivé de façon si artificielle dans les *Horaces*. Mais il brise aussi par là un idéal, celui d'agir en commun : David nous montre un combattant solitaire, dans lequel on ne peut plus voir un chef politique ou un tribun du peuple ; enfin, la sombre lueur qui l'entoure brise l'intention politique — celle de mettre en évidence l'aurore d'une communauté républicaine — qui, en Brutus, avait trouvé un pionnier.

Dans ce tableau, l'Antiquité est montrée sous un jour sombre, étrange et insolite. On peut donc voir dans le *Brutus* de David la fin de l'apparente facilité avec laquelle on s'inspirait de l'Antiquité et qui jusque-là avait dominé. Ni le conflit cornélien, déjà présent dans la littérature de la Rome ancienne, ni d'autres adaptations de l'Antiquité classique ne sont désormais repris. Nous verrons que David utilise en fait le pathos antique à une autre fin, celle de donner au concept de l'émotion, qui depuis Greuze était lié à la peinture de genre, un équivalent au niveau élevé et « froid » de la peinture d'histoire.

Une toute autre dimension nous est révélée par Diogène,

qui, une lanterne à la main, cherche l'homme nouveau, le seul véritable (et perd en fait sa puissance symbolique en le trouvant). Au XVIIIe siècle, la lanterne gagne en signification puisqu'elle incarne alors le principe même des Lumières. La découverte finale de l'homme nouveau représente donc une victoire des Lumières. L'iconographie de l'« Homme diogénien » est aussi parallèle à la représentation de l'« Homme régénéré » de l'époque révolutionnaire, comme chez Pérée (fig. 5). Pendant les Lumières, la redécouverte de Diogène est un véritable phénomène européen ; on trouve Diogène à Leipzig, Varsovie, Vienne, Paris, comme à Milan et Berlin. Mais en France, il ne cesse de gagner de l'importance. Déjà au XVIIe siècle, dans le Parlement parisien, un « Diogène françois » faisait pendant à un « Hercule gaulois », la figure symbole du roi. Diogène put ainsi facilement passer de l'Ancien Régime à l'ère de la Révolution qui fit de lui un héros civique. Si d'abord Voltaire, Rousseau, Franklin ou Frédéric le Grand ont été ses hommes « nouveaux », il les trouve par la suite en Louis XVI et Necker (en 1789), et en Marat (en 1793) ; comme « éclaireur », dans les deux sens du mot, il guide même les troupes françaises de la Révolution sur le mont Blanc[47]. Tout en étant national, il sauve la prétention des Lumières au cosmopolitisme ; les brochures de la Révolution ne cessent d'affirmer que Diogène a trouvé à Paris ce qu'il a en vain cherché à Athènes. Les allusions à la force vengeresse de la lanterne n'y manquent pas. Conformément au programme du moment, Diogène fait tout de même aussi figure d'« outsider », et, de ce fait, bien que déjà très présent sous l'Ancien Régime, nul autre mieux que lui ne pouvait incarner les vertus révolutionnaires.

La sculpture de Duret (cat. 415) en est une des versions les plus étonnantes. La statue semble, pour ainsi dire, émerger d'une de ces peintures hollandaises du XVIIᵉ siècle, où Diogène déambule dans les marchés — en étranger, mais non sans être armé de connaissances précises sur le pays et les gens. Mais l'œuvre de Duret est-elle vraiment tournée vers le passé ? Ne trouve-t-on pas déjà dans cette statue (si peu statique que l'on hésite à employer ce terme) l'attitude farouche du *Diogène* de Daumier qui cherche imperturbablement son chemin au milieu d'une culture urbaine empreinte de dandysme ? Il faut en tout cas voir dans la fragilité de l'attitude une découverte psychologique d'un grand raffinement. Aussi, ce mouvement a pour effet de rendre presque « naturel » le drapé antiquisant. Cette recherche d'une harmonie entre Nature et Antiquité pose un problème qui n'a cessé de fasciner les esthéticiens, au moins depuis Winckelmann, et qui ne sera en rien résolu par la Révolution. En effet, ce que la Révolution va gagner en trouvant dans la nature ses fondements théoriques, elle va le perdre en cherchant à régler ses pratiques sur une Antiquité qui finit par n'être plus qu'une enveloppe. À cet égard, la sculpture de Duret représente une exception étonnante, et nous verrons que le thème y contribue. Car, contrairement à d'autres sages, qui, depuis 1774, ont été adoptés d'abord par d'Angiviller puis par la Révolution comme « conseillers politiques » secrets (par exemple, Solon ou Socrate), Diogène, si renommé dans le peuple, ne devait pas être représenté en costume solennel ; souvent, son iconographie rejoint celle du populaire Jeannot. Ainsi, il représente à la fois une de ces figures nobles dont la Révolution avait un besoin si urgent, et renvoie en même temps à une manière populaire de recevoir l'Antiquité. Par son comportement non bourgeois — le personnage grec ayant vécu dans un tonneau, renoncé à boire dans une écuelle, et refusé

qu'Alexandre lui offre quoi que ce soit — le Diogène moderne se rapproche même du type de l'anarchiste non-violent. Cette variabilité (due à la diversité des traits caractéristiques de ce Cynique, qui depuis le XVIIᵉ siècle lui vaut d'être montré tantôt comme un sage, tantôt comme un fou) est l'aspect le plus intéressant, tant d'un point de vue iconographique qu'artistique. La signification de cette personnification — qui ne trouvera en Prométhée et Spartacus que des équivalents partiels — va bien au-delà de la dignité propre à un modèle repris de l'Antiquité.

Enfin, la recherche d'un art national compte parmi les tendances nouvelles, bien que déjà préparées par d'Angiviller. Il ne faut rien y voir de nationaliste. Il s'agit bien plutôt d'un abandon d'éléments appartenant à la tradition, d'une recherche de l'actualité — déjà manifeste dans les années 1760, donc bien avant le Salon de 1830-1831[48].

Il faut être de son temps et de son pays, était déjà une idée prérévolutionnaire, et non seulement un slogan du XIXᵉ siècle. Toutefois, avant la Révolution, la demande de contemporanéité se heurte à l'exigence de respecter la formation classique qu'il serait barbare, selon les connaisseurs d'alors, de rejeter ou de

47. Nous nous référons ici (et dans ce qui suit) à notre article : « Diogenes als Bürgerheld », dans *Boreas*, 5, 1982, pp. 232-254. Un livre consacré à ce même sujet est en préparation.

48. Dans son *Essai sur les mœurs du tems* (Londres et Paris, Vincent, 1768, pp. 104-112), Reboul demande de représenter des épisodes de l'histoire nationale comme celui de la mort de Sanguinet au siège du Belvédère, qu'il préfère à l'action de Brutus l'Aîné. En 1779, on lit : « Voilà, me dit M. Lemoine, bien des sujets romains entre les mains d'un peuple, qui n'est pas précisément romain. Sommes-nous obligé d'aller chercher la vertu à Rome ? Notre histoire ne fournit-elle donc pas de belles actions à peindre ? Nos héros nous en font tous les jours » (*le Mort vivant au Salon de 1779*, Amsterdam/Paris 1779, fonds Deloynes, Bibliothèque nationale, cabinet des Estampes, vol. XI, p. 209). *Cf.* Sprigath (note 45), vol. I, pp. 106-107, 136.

Fig. 5 Pérée, *L'Homme régénéré*, 1795. Paris, Bibliothèque nationale.

renverser[49]. Ce conflit se manifeste avec la plus grande évidence dans la position nuancée de Grégoire à l'égard du maintien des inscriptions latines. L'abbé ne voit pas la barbarie dans un manque de considération à l'égard de l'héritage classique, mais au contraire dans son adoption inconsidérée, qui va à l'encontre du progrès :

« Et nous, dont la révolution efface le merveilleux des histoires antiques, nous emprunterions pour nos monuments un idiôme dont les richesses et la beauté sont incontestables, mais qui devient barbare sous notre plume, dans notre bouche ! Virgile s'étonneroit sans doute si, pouvant lire nos meilleurs latinistes modernes, il y voyoit son idiôme grotesquement défiguré pour exprimer des choses qui n'existoient pas de son temps, tels que *des fusils, des obusiers, des baïonnettes, des aerostats*, et toutes les découvertes de la chymie et de la physique moderne [...]. Un monument public est, pour ainsi dire, le drame abrégé d'un grand événement ; lui faire parler un langage inconnu, seroit aussi déplacé, que si, dans Macbeth, le fantôme qui vient sur la scène épouvanter l'assassin, prononçoit en idiôme étranger ces mots terribles : *tu ne dormiras plus !* [...][50]. »

Comme on le voit, l'argument est retourné ; loin de l'associer aux anciens, on lie maintenant la « grandeur » à la « modernité » : l'exigence de contemporanéité se voit formulée dans cette même prétention. Le même argument devait valoir pour les arts plastiques, puisque Grégoire l'applique déjà aux monuments ; et on pourrait en ce sens avancer d'autres arguments ; car l'art classique, devenu étranger, ne pouvait satisfaire aux besoins émotionnels. Grégoire exprime ainsi cet aspect :

« Aux Thermopyles, on lisait cette inscription qu'avoit composée Simonide : passant, vas dire à Sparte que nous sommes morts pour ses saintes lois ; et si l'on avoit commis la faute de l'écrire en langue étrangère, aurait-on vu les Grecs affluer dans ce lieu célèbre, et fondre en larmes en la lisant[51] ? »

À l'exception de certaines peintures d'histoire prérévolutionnaires, comme *Le Président Molé et les insurgés* par Vincent, il a fallu longtemps avant que les arts n'osent faire ce pas libérateur. Apparemment, la communication verbale, et même les inscriptions, se conformèrent plus facilement à la rapidité du processus révolutionnaire que la communication visuelle, attachée à sa tradition « d'airain » (d'où le rôle d'autant plus nécessaire et libérateur que jouèrent les arts « mineurs », et surtout la caricature). Pourtant, en 1793, le problème est résolu, au moins dans les têtes. Le pas est significatif. L'art des anciens se trouve maintenant dédaigné au même titre que celui de l'Ancien Régime — un retournement complet des exigences des réformistes des années 1780, pour qui l'art devait nous rappeler les vertus des anciens, est ainsi opéré :

« [...] dans les États où les hommes obéissent à un seul ; [...], le Peintre est obligé de retracer les vertus des Anciens [...]. Depuis la Révolution, il s'est passé des faits qui pourroient occuper la plume et le pinceau de tous les Historiens et Artistes de l'Europe [...][52]. »

Nous nous devons ici de mentionner une statue qui marque un moment exceptionnel dans ce processus de transition et d'émancipation : il s'agit du *Voltaire* de Pigalle[53] (fig. 6). Pour représenter dignement le héros de l'affaire Calas, il fallait que Voltaire apparaisse comme « vérité nue », dévêtu, conformément à la tradition des héros de l'Antiquité, avec cependant

Fig. 6 Pigalle, *Voltaire*, 1776.
Paris, musée du Louvre.

des traits empreints de contemporanéité, idéalisé donc, mais cependant dépourvu d'idéalité. On sait que l'œuvre de Pigalle — et surtout son *Monument à Louis XV* à Reims — a représenté dans l'histoire de la sculpture un des rares moments qui lui ont permis de prendre les devants sur la peinture. À cet égard, la statue de Voltaire incite à se poser la question : pourquoi ne s'est-on pas engagé sur cette voie qui aurait pu entraîner

49. Olander (note 5), p. 195, fait remarquer à juste titre que l'exigence de contemporanéité en peinture (dont le *Serment du Jeu de Paume* de David est un exemple) devait échouer avec l'insuccès de la révolution populaire. Il faut se rappeler que, pour encourager le choix d'un sujet dans l'histoire contemporaine, la Commune des beaux-arts avait même évoqué la statue de Louis XIV de Desjardins comme modèle à imiter (*ibid.*, p. 150).
50. Henri-Baptiste Grégoire, *Rapport sur les inscriptions des monuments publics*, séance du 21 nivôse, l'an deux de la République une et indivisible, sans lieu ni date [Paris 1794], pp. 3, 4.
51. *Ibid.*
52. Athanase Détournelle, *Aux armes et aux arts ! Peinture, sculpture, architecture, gravure. Journal de la Société républicaine des arts...*, première partie, du 1er vendémiaire au 1er prairial, Paris, sans date [1794], p. 1. En 1796, le devoir de la peinture consistera uniquement à représenter les vertus du caractère national. *Cf.* Sprigath (note 45), vol. I, p. 207.
53. C'est à tort qu'on voit dans cette statue un coup manqué ; pour cette tendance, *cf.* Willibald Sauerländer, *Jean-Antoine Houdon, Voltaire*, Stuttgart : Reclam, 1963, p. 10.

LES ARTS PA-TENTÉ PAR LE DÉCRET
du 9 Fructidor An 5.

Fig. 7 *Les Arts pa-tenté par le décret du 9 fructidor an V*, 1797.
Paris, Bibliothèque nationale.

Entre deux Chaises le Cul par Terre.

Fig. 8 *Entre deux chaises*, 1795.
Paris, Bibliothèque nationale.

une totale mutation de l'héroïque sous la Révolution ? La seule idée de « longue durée » ne pourrait expliquer cette occasion manquée, car même les ébauches et les modèles en terre cuite (excepté le *Rousseau* de Moitte, cat. 1123) ne font apparaître aucune conception moderne ; une imagination capable d'assimiler la dynamique propre aux événements historiques a sans doute fait défaut. Probablement faut-il en rendre responsable l'Académie, qui finit par être dissoute en 1793[54]. Dans l'ensemble, les résultats restent à ce propos insuffisants, surtout pour la décennie révolutionnaire elle-même.

Si l'« inquiétude prérévolutionnaire » reste dans les arts plastiques une idée dépourvue de tout fondement, on ne peut en revanche y nier l'influence d'une « statique postthermidorienne », tout à fait en harmonie avec les efforts de stabilisation rétrogrades. Prenons un exemple : l'allégorie *Les Arts pa-tenté par le decret du 9 Fructidor An 5* (fig. 7). La gravure fait allusion

au fait que Mercier — celui du *Tableau de Paris*, désormais membre du conseil des Cinq-Cents, et, aux yeux des artistes, un ignare — voulait empêcher que les artistes soient exonérés de la patente, et finalement était prêt à leur accorder cette exonération à condition qu'ils reviennent aux sujets nobles et aux monuments dignes. Le jeu de mots (pa-tenté) répond certainement au pêle-mêle des œuvres qu'on trouve dans la balance, car on a dans un plateau *La Boutique de Mercier*, et dans l'autre l'*Apollon* du Belvédère, la *Vénus de Milo* et le *Saint Michel* de Raphaël. Comme elles le méritent, ces œuvres auraient dû peser plus lourd que les grossières fantaisies de Mercier (ridicule Midas sur le socle), et pourtant la balance penche en faveur de ce dernier, alors qu'à droite *Le Niveau des Talents* n'est plus en mesure de faire le poids et donc aboli. La doctrine de Mercier fera naître des œuvres d'un calme mortel, dont la statue rigide, représentée dans cette gravure, fournit déjà un exemple. L'œuvre reflète ainsi la tendance dominante sous le Directoire mais, dans la mesure où elle se rebelle, elle indique, que par-delà cette raideur, il existe encore des forces artistiques créatrices. La situation reste de fait partagée, car la gravure *Entre deux chaises* (fig. 8), une œuvre (projacobine) vive et acerbe, appartient à la même période ; nous en parlerons plus loin.

54. Parmi les sujets nouveaux de la période prérévolutionnaire, *le Tiers État*, tableau de Lagrenée (1766) est des plus importants puisqu'il représente un corps social qui va connaître une évolution nouvelle. C'est un des rares cas où une œuvre d'art donne matière à réfléchir à la politique, même si le style pictural reste conventionnel. *Cf.* Philippe Bordes, *le Serment du Jeu de Paume de Jacques-Louis David*, Paris, Éditions de la Réunion des musées nationaux, 1983, fig. 40.

Fig. 9   Hennequin, *La Régénération de la France par la Constitution*, 1793. Paris, Bibliothèque nationale.

En somme, on peut dire que les « nouveaux » thèmes ont en partie amené l'apparition de nouvelles formes — mais il faut bien les chercher. Le changement du rôle de l'Antiquité ne s'annonce que de façon hésitante. Apollon n'a pas encore revêtu l'« habit noir » de Baudelaire.

Langage des corps et langage des gestes

Diderot avait déjà fait remarquer que le langage inadéquat des corps nuisait à l'unité de l'œuvre d'art. À propos du *Marc Aurèle faisant distribuer au peuple du pain et des médicaments dans un temps de famine et de peste* par Vien (fig. 2), il écrit :
« [...] cet enfant qui ne mange point goulûment comme un enfant qui a souffert la faim [...]. Sa mère [...] reçoit le pain comme on le repousse, ses mains n'ont pas la position de mains qui reçoivent. Cette fille expirante [...] est froide d'expression, on ne sait ce qu'elle veut[55]. »

Il revenait donc tout naturellement à l'art de la Révolution de donner un sens nouveau à l'exigence d'unité formulée par Diderot, et de la réaliser comme équivalent artistique à l'unité politique. Pourtant, cette attente, bien que facilement concevable, est restée presque sans réponse. Même le *Marat* de David (cat. 807), l'œuvre la plus unifiée de l'art de la Révolution, repose sur une dichotomie : celle de l'ordinaire et de l'idéal, du récit détaillé et de la vénération emphatique ; par la « vivacité » qu'il donne aux gestes du mort, David essaie de satisfaire en même temps à des exigences sensuelles et à un idéal d'héroïsme.

Dans d'autres œuvres, comme *La Régénération de la France par la Constitution de 1793* par Hennequin (fig. 9), les gestes chargés de pathétisme ne forment qu'un ensemble hétérogène ; dans ce projet de tableau, dont seule la gravure nous est parvenue, on voit à gauche le Français, fort de la Constitution qu'il vient de se donner, représenté sous les traits d'un jeune héros, et, à droite, les allégories du Fanatisme, de la Présomption et de la Folie furieuse, dont les attaques sont repoussées avec succès. Du point de vue du langage des corps, c'est là une œuvre révélatrice : au lieu d'expérimenter un langage des gestes spontané, l'artiste s'essaie à une reconstruction fictive du *Gaulois mourant*, complétée par une allégorie de la Constitution dont la tête voilée, de même que le combat lui-même, veulent indiquer que la victoire n'est pas encore remportée, et donc le renouveau incertain. La redondance visuelle et verbale résulte d'une multiplicité des codes : l'unité se désagrège en une simple juxtaposition de statues dessinées, qui n'est en fait perçue comme ensemble que grâce à la valeur métaphorique des éléments de l'arrière-plan (auréole et montagnes). Les deux instances décisives du « grand » art sous la Révolution, la Nature et l'Antiquité, sont ainsi invoquées, mais un véritable langage des gestes et des corps, qui aurait caractérisé sans équivoque la situation de 1793, reste à créer.

En 1789 déjà, Prudhomme invoque « l'effet puissant du lan-

55. Diderot, *Œuvres complètes* (note 6), t. XIV, p. 76.

Fig. 10   Goya, *La Famille de Charles IV*, 1800-1801. Madrid, musée du Prado.

gage des signes », et, en 1790, Grimm attire l'attention sur une publication, *L'Art du geste*, à laquelle il consacre un exposé détaillé[56] ; quant aux beaux-arts proprement dits, ils n'ont développé, sous la Révolution, aucun langage spécifique permettant d'exprimer d'une manière adéquate la nouveauté politique. Cependant la nouveauté artistique consiste souvent à interroger les codes et les normes ; l'incohérence, le manque d'harmonie est véritablement la marque parfois involontaire de l'art révolutionnaire.

On ne peut expliquer ce phénomène qu'à un niveau européen ; seul ce détour permet de faire apparaître la spécificité de la contribution française. Le *Grand Couvert du roi de Suède* par Hilleström (cat. 49), daté de 1779, est encore entièrement dominé par l'ordre ancien soutenu au moyen de l'isocéphalie et de la raideur des figures qui entourent Sa Majesté — tous les rouages de la cour, y compris celui des maîtres de cérémonies, fonctionnent encore mais ils n'engendrent plus guère de mouvements de corps. En revanche, dans *La Famille de Charles IV d'Espagne*, peinte par Goya en 1800-1801 (fig. 10),

l'étiquette est ébranlée ; la raideur des gestes et des attitudes fait apparaître des personnages presque désemparés ; leur isolement est total[57]. Chez Hilleström, chaque élément contribuait encore à la solidité de l'ensemble — comme s'ils voulaient protéger le centre, les dignitaires et les diplomates forment une sorte de mur autour des altesses royales (et seule cette adhérence les fait exister ; chaque figure n'a en elle-même aucune force propre qui lui permettrait de se mouvoir ; Diderot y aurait vu des « mannequins »).

Bien que très caractéristique de l'époque, le portrait de groupe de personnalités de la cour est toutefois un cas particulier. Mais qu'en est-il du portrait de famille, tout aussi présent sous la Révolution et dont les représentations, intimes et proches de la peinture de genre, de la famille de Louis XVI au Temple sont la meilleure preuve ? Qu'est-ce qui a changé dans ce domaine ? Le point de départ d'une telle question ne saurait être que *La Villageoise* par Greuze — pour Diderot, l'exemple magistral d'un langage des gestes propre à la sphère du privé, caractérisé par la douceur des attitudes corporelles et une graduation nuancée allant de l'affirmation à l'inclination. Contemporain du tableau précédent, le *Portrait de famille* de Pietro Longhi (cat. 180) — certes influencé par Hogarth — offre une composition beaucoup plus dénudée. L'attitude des personnages, quelque peu isolés, tient à la fois de l'occupation quotidienne et de la conscience d'un devoir de représentation. Les figures semblent tout attendre du spectateur[58]. Les mailles

56. Prudhomme, dans *Révolutions de Paris*, n° 9, 5-11 septembre 1789, p. 26 ; Grimm (note 39), t. XVI, p. 101.
57. *Cf.* Martin Warnke, « Goyas Gesten », dans Werner Hofmann (et al.), *Goya : Alle werden fallen*, Frankfurt, EVA, 1981, pp. 115-141.
58. Pour cette problématique, *cf.* Michael Fried, *Absorption and Theatricallity. Painting and Beholder in the Age of Diderot*, Berkeley/Los Angeles/Londres, University of California Press, 1980.

Fig. 11   Réattu. *Le Triomphe de la Civilisation*, 1794.
Arles, musée Réattu.

du filet se sont desserrées ; il pourrait se déchirer ou devrait, par un renoncement à tout pathétisme représentatif, être reformé. On trouve ce renouvellement dans l'œuvre d'artistes allemands du début du XIXᵉ siècle — par exemple, dans *Nous trois* par Runge[59]. Mais on voit aussi ce qu'a coûté cette intimité retrouvée : on ne peut montrer un univers privé qu'au prix d'une coupure d'avec le monde extérieur. Dans une certaine mesure, *Le Départ du volontaire* par Isabey (cat. 644) révèle déjà cette inévitable conséquence.

Mais comment la rupture elle-même, séparant ces deux types d'attitude, se manifeste-t-elle ? Comment les gestes et les attitudes de la Révolution sont-ils conçus ? Une méthode, la plus frappante, consistait à rendre indépendants des gestes isolés, puis à les combiner comme des éléments codés afin de créer quelque chose de nouveau. Hennequin procède encore de cette façon en 1799, dans *Oreste mourant*, une œuvre autobiographique, où il cite les *Horaces*, isolant le geste du serment de ce tableau. C'est une gigantesque inversion par laquelle l'énergie de David, dirigée vers l'extérieur, est entièrement retournée vers l'intérieur, et donc contre elle-même. Mais l'art de la Révolution offre aussi le contraire d'un isolement des gestes, c'est-à-dire leur fusion. À cet égard encore, rien ne dépasse le *Marat* (cat. 807) de David[60]. Un minimum de signes permet

d'obtenir un maximum de correspondances calculées. La main ouverte tenant le feuillet correspond au dos de la main avec la plume, comme le bras posé au bras baissé, ou encore la tête penchée vers l'arrière au buste droit. La coïncidence des contraires règne. Mais il y a là plus qu'un simple jeu de forme. En effet, des éléments très divers sont aussi associés au niveau du fond : le subtil héroïsme du combattant, inspiré de l'Antiquité, à la grâce et l'intériorité du martyr chrétien, mais aussi le « grand » style — du tableau dédié à la Convention — au réalisme quotidien que le peuple a pu apprécier lors de l'exposition du tableau dans la cour du Louvre.

Plus souvent cependant, les objets sont juxtaposés, comme dans la *Régénération*. Ce qui apparaît, du point de vue de l'unité, comme un manque, a cependant l'avantage considérable de déployer les éléments de cet assemblage de manière à nous

59. Tableau détruit en 1931 ; pour une illustration, *cf.* le catalogue de l'exposition *la Peinture allemande à l'époque du romantisme*, Paris, Orangerie, 1977, p. XXVI.
60. Pour une analyse plus détaillée, voir notre article : « Davids Marat » als *dernier appel à l'unité révolutionnaire*, dans *Idea*, II, 1983, pp. 89-112 ; *cf.* également James H. Rubin : « Disorder/Order : Revolutionary Art as Performative Representation », dans *The Eighteenth Century : Themes and Interpretations*, vol. 30, n° 1, 1989.

dévoiler le langage des corps et leurs codes. *Le Triomphe de la Civilisation* par Réattu (fig. 11) — exécuté comme le *Marat* de David, en 1793, l'année de crise de la Révolution — en est un exemple tout à fait représentatif[61]. En fait le tableau (comme la *Régénération* de Hennequin) ne présente pas une mais deux figures principales, le spectateur se voyant ainsi confronté à une ambivalence tant au niveau de la perception que de l'interprétation. Au milieu, la République trône, et au-dessus, la Civilisation plane sur l'océan, soutenue par les quatre principales villes de France et par le génie du pays, qui, dans un ciel bleu et blanc, lance des éclairs rouges contre les puissances des ténèbres. De plus, la gigantesque figure d'Hercule — qui, comme chez David ou Moitte et dans la gravure de la Révolution, incarne la force du peuple victorieux — limite le champ d'action de la République. Campées, en semi-monuments, sur un socle bien taillé, les deux figures apparaissent comme faisant partie du monde civilisé. Cependant, Réattu laisse en même temps entrevoir que le potentiel révolutionnaire n'y est que partiellement exprimé ; car la nature qui gronde autour de ce centre est à la fois montrée comme fondement de la Révolution et dénoncée comme état barbare qu'elle vient de maîtriser. Le Peuple et la République : une étonnante concurrence s'installe entre cet « Homme puissant » et cette « Femme lumière », dont les champs d'action interfèrent l'un dans l'autre. Le milieu civilisé du tableau — vers lequel tout converge pourtant — est curieusement fixe.

Dans sa totalité, cette composition apparaît comme une sorte de rococo figé — par rapport à David, la texture de Réattu, alors âgé de trente-trois ans seulement, est très anachronique. Quant à l'imbrication d'un centre statique et d'un entourage mouvementé, elle puise à deux sources lointaines et très différentes dont le curieux amalgame permet de saisir le sens. La première, c'est le *Triomphe de Vénus* achevé en 1740 par Boucher — l'allégorie lascive du Plaisir étant ici remplacée par la grave figure de la Civilisation. Alors que chez Boucher, rien ne sépare Vénus de la nature créatrice, dont elle fait elle-même partie, ici au contraire la rupture est considérée comme une conquête de la raison. C'est pourquoi on reste froid devant ce tableau qui semble vouloir illustrer ce propos de Diderot : « Cela est pensé chaudement, mais durement exécuté[62]. » La seconde (fig. 12) est le célèbre frontispice de l'*Encyclopédie* par Cochin, de 1765, avec ses nombreuses figures allégoriques qui, par de multiples circonvolutions, s'élèvent vers le sommet. En haut, la rayonnante allégorie de la Vérité proclame la victoire de la Lumière — incorporant l'histoire du salut avant la lettre. Ensemble, la Raison et l'Imagination dévoilent la Vérité et la parent de fleurs. Avec les nombreuses autres allégories, toute l'*Encyclopédie* est au rendez-vous : l'Agriculture, l'Histoire, les Sciences naturelles, la Poésie et les Arts sont là, rassemblés,

61. Pour une autre interprétation, *cf.* Katrin Simons, « Der Triumph der Zivilisation von Jacques Réattu… », dans *Idea*, II, 1983, pp. 113-128.
62. *Œuvres complètes* (note 6), t. XIV, 1984, p. 96 (à propos de Deshays).
63. Diderot, *ibid.*, p. 319.

FRONTISPICE DE L'ENCYCLOPÉDIE.

Fig. 12   Cochin, *Frontispice pour l'Encyclopédie*, 1765. Paris, Bibliothèque nationale.

pour contribuer à l'avènement de la Civilisation et chasser les nuages de l'Ignorance et de la Superstition. Diderot constate que seule la Théologie « lui tourne le dos et attend sa lumière d'en haut[63] ». Toute la dichotomie de la conception de Réattu se trouve ici anticipée.

Réattu réunit donc ce qui sépare Boucher et Cochin sans que pour autant *Le Triomphe de la Civilisation* atteigne à la sérénité du tableau de Vénus, mais aussi sans que la nature, comme dans le frontispice, se trouve transfigurée par les conquêtes de la civilisation ou des sciences. On y trouve donc une tentative vaste et véhémente d'invoquer les traditions du XVIIIe siècle, et de les mettre au service des idées révolutionnaires — tentative qui, manifestement, s'est enlisée à mi-chemin. Et c'est cet enlisement que trahit précisément l'inhibition des corps et des gestes. Rien ne traduit aussi clairement la crise de l'année 1793 que l'immobilité paradoxale qui caractérise dorénavant la représentation du peuple devenu « raisonnable » sous la forme d'un Hercule ayant perdu sa massue. À l'inverse, les bras tendus de plusieurs figures traversent le tableau en diagonale, comme des cris qui se perdent dans le vide.

Un groupe d'œuvres — ayant pour centre un « héros mou », en rien conforme à la rhétorique masculine de l'époque — se situe à l'opposé de la *Régénération* de Hennequin et du *Triomphe de la Civilisation* de Réattu. L'*Alcibiade* de Chéry (*cf.* page 834), comme le *Gracchus* de Topino-Lebrun (voir l'esquisse, cat. 843) — l'un comme l'autre, des surhommes mourants — représentent ce type de héros. Avec l'*Endymion, effet de Lune* de Girodet (cat. 1098), et l'*Oreste mourant* de Hennequin, il semble que toutes ces œuvres soient des manifestes d'indépendance, comme on l'a écrit à propos du tableau de Girodet[64]. Le protagoniste de Chéry n'est pas sans rappeler l'*Ajax mourant* du *Triomphe de Flore* de Poussin, alors que Topino s'oriente plutôt vers Charles Le Brun. La tentative de trouver une nouvelle liberté d'action à travers l'évocation de modèles antérieurs au classicisme est cependant délicate, puisque l'idéal de l'Ancien Régime est brisé.

Chez Topino, l'énorme rocher qui occupe le centre du tableau tend à marginaliser la figure du héros ; dans un esprit tout à fait rousseauiste, il est la véritable « figure principale ». L'attitude de Gracchus mourant (une allusion à l'échec de Gracchus Babeuf[65]) — qui, seulement soutenu par son serviteur, tombe mollement à terre — semble contredire le caractère héroïque du personnage, exprimé par sa stature colossale et la lumière crue qui l'éclaire. Certes, le langage du corps ne détruit pas le concept idéaliste du tableau, mais on ne peut nier une éclatante résistance à l'idéal qui renvoie à l'échec partiel du mouvement révolutionnaire. Cette pensée envahit tout à fait la forme, sans que pour autant celle-ci en soit réduite à illustrer seulement les événements historiques.

Le concours des artistes plus âgés est problématique, peut-être même rétrograde. « Greuze et Fragonard se survivent », dit-on[66]. *Le Triomphe de la Constitution de 1793*, un dessin que Vien (cat. 905) exécute à l'âge de soixante-dix-sept ans, est clair et raffiné, mais en rien novateur si l'on considère la gestuelle et le langage des corps. Si cette œuvre ne contenait quelques éléments fortement empreints de réalisme (comme, au premier plan, les pauvres qui semblent porter un regard presque méfiant sur le monde sublime de l'allégorie), elle resterait tout à fait conventionnelle. Mais les « entraves » dont nous avons traité indiquent plutôt que le néo-classicisme a trouvé une fin naturelle. La Révolution n'est donc pas seulement innovation, elle marque et confirme en même temps une période révolue. Eu égard au langage des corps, *Les Funérailles de Marat* de P. E. Lesueur (cat. 811), annonce aussi une étape finale. Par l'extrême longueur des corps, le fin plissé des vêtements, et quelques traits obscurs proches des dessins de Réattu, Lesueur reste ici — quant à la gestuelle — essentiellement stérile. Son innovation se réduit à varier ce bras tendu vers l'avant, motif à son tour emprunté à l'*Elymas* de Raphaël.

Quel appauvrissement quand on pense au célèbre dessin de David, *le Serment du Jeu de Paume*, et même si l'on a tant écrit sur cette œuvre, on ne peut éviter de la reconsidérer du point de vue de la gestuelle et du langage des corps. Si David n'avait eu lui-même plus tard recours à des solutions purement allégoriques (que l'on se souvienne seulement du concept qu'il a

choisi pour *le Monument à la gloire du peuple français*), on pourrait dire que cette œuvre inaugure un style moderne, conscient de la réalité (même s'il n'est pas conforme à celui-ci), une façon de maîtriser le portrait d'un grand nombre de personnages, et de rendre leur manière d'agir — bref, David semble bien y créer un langage révolutionnaire des corps et des gestes. Dans le détail, ce langage dépend du public auquel il s'adresse. *Le Serment* était destiné à l'Assemblée nationale où il devait, de façon idéalisante, offrir au regard des députés l'origine de leur légitimation — l'Assemblée du Jeu de Paume peinte constituant ainsi le pendant de l'Assemblée réelle. À cette tâche sublime devait correspondre un grand style. D'où l'idée d'une peinture d'histoire à l'antique qu'eut Dubois-Crancé : il fait en effet appel à David, le « Créateur du Brutus et des Horaces », pour lui suggérer d'immortaliser le serment[67]. Mais David ne s'engagea pas dans cette voie (bien que l'on trouve aussi des costumes antiques dans quelques esquisses). C'est par les éléments théâtraux du tableau qu'il prit en compte sa destination. Or, renoncer à l'Antiquité ne favorise pas nécessairement la fidélité : le réalisme est inconcevable sans idéal, c'est-à-dire sans déviation qui, dans ce dessin, se traduit par l'association, artificielle, de plusieurs scènes imaginaires (les trois prêtres au premier plan ne se sont jamais rencontrés dans une cérémonie comme celle-ci), mais aussi dans la représentation de la Nation — un ensemble qui, en tant qu'unité émotionnelle, commençait à peine à exister au moment du Serment du Jeu de Paume. Pour y parvenir, il était indispensable de manipuler les gestes : ils devaient converger vers la figure de Bailly qui, en réalité, ne regardait pas le spectateur mais les députés. Les gestes et les attitudes mêmes offrent un répertoire et un résumé de tout ce qui, depuis Le Brun, est apparu comme modes d'expression et qui, chez Lavater (cat. 386), est devenu l'essence psychosomatique de l'individu ; David, à son tour, se sert de cette doctrine, pour projeter ses formules pathétiques sur un corps social. La part réaliste de sa conception exigeait une extrême variété pour exprimer la diversité des caractères, tandis que la part idéaliste demandait une unité tout aussi cohérente — une véritable quadrature du cercle donc. Encore fallait-il réunir des événements différents et des attitudes opposées. Puisqu'en réalité, la marge des opinions permises était

64. Olander (note 5), p. 271 ; *cf.* également James H. Rubin, « Endymion's Dream as a Myth of Romantic Inspiration », dans *The Art Quarterly*, N.S. vol. 1, n° 2, 1978, pp. 47-82.

65. *Cf.* James H. Rubin, « Painting and Politics, II : J.-L. David's Patriotism or the Conspiracy of Gracchus Babeuf and the Legacy of Topino-Lebrun », dans *The Art Bulletin* LVIII, n° 4, 1976, pp. 547-568. - Philippe Bordes, « Documents inédits sur Topino-Lebrun », dans *B.S.H.A.F.*, 1978, pp. 289-300. - *Idem*, « les Arts après la Terreur : Topino-Lebrun, Hennequin et la peinture politique sous le Directoire », dans *Revue du Louvre et des musées de France*, 29ᵉ année, 1979, n° 3, pp. 199-214. - Jérémie Benoit, « Un chef-d'œuvre oublié : Les Remords d'Oreste par Ph.-A. Hennequin », dans *Revue du Louvre et des musées de France*, 36ᵉ année, 1986, n° 3, p. 207.

66. Starobinski (note 10), p. 190.

67. Pour une documentation plus détaillée, *cf.* Antoine Schnapper, *Jacques-Louis David témoin de son temps*, Fribourg, Office du livre, 1980, p. 107 sq.

des plus restreintes, David se sentait obligé d'en élargir l'éventail sur le terrain de l'imaginaire. Pour éviter un ennuyeux panégyrique, il dépeint des caractères tenaces et rivaux, l'hésitation, l'accablement, l'exaltation débordante, la fraternisation. Malgré cet effort unique, l'arsenal gestuel de l'art de la Révolution est resté pauvre, et il devait le rester puisque le grand art était condamné à réaffirmer sans cesse une unité politique, qui n'exista en fait jamais. *Le Serment du Jeu de Paume* met donc en évidence plutôt un problème qu'une solution, et en effet, David s'est bientôt de nouveau attaché à rendre la Nation d'une manière allégorique et figée.

Il faut en outre reconnaître que David, en prétendant à un niveau élevé de représentativité, limitait nécessairement la liberté d'invention gestuelle — réduction qu'il sut compenser dans une certaine mesure par sa synthèse de l'idéal et de l'ordinaire. Toujours est-il que son art suggère la durée et satisfait ainsi la prétention révolutionnaire d'établir quelque chose d'éternel ; même ses esquisses rapides sont bien plus structurées que, par exemple, l'admirable dessin de Gérard, qui essaie de rendre dans un style « orageux » la séance mouvementée que le club des Jacobins eut le 10 août 1792 et d'en faire le sommet de la « Révolution du peuple » (cat. 1079), ou encore que les esquisses pour *Le Serment du Jeu de Paume* de Norblin de la Gourdaine (fig. 13)[68], qui a courageusement tenté d'y transposer quelque peu le climat agité de la première phase de la Révolution. Un dessin comme celui de Gérard (à l'encontre de ses tableaux parfois lisses et enjolivant la réalité) souligne que les arts graphiques constituent le domaine propre du langage des gestes et des corps à l'époque révolutionnaire.

En ce qui concerne la caricature (que nous évoquerons plus bas, à propos de la lutte des images), Antoine de Baecque et d'autres auteurs ont mis en évidence la spécificité de son langage des corps (la signification du gros et du mince, des parties ouvertes du corps, de la scatologie, etc.). Cependant, si le langage caricatural exhibe ce qui ailleurs n'apparaît que voilé, il ne s'agit pas de ce seul médium, mais du fait que la diversité des moyens graphiques compense largement ce que la Révolution a produit comme rhétorique creuse : c'est l'art graphique qui révèle la rupture entre le quotidien et l'idéal, et montre que la méthode traditionnelle de représentation d'un événement est incompatible avec celle de la présentation d'une allégorie ou d'un assemblage symbolique. Ce conflit est déjà apparu au XVIe siècle, mais de façon moins prononcée, autant chez les graveurs que chez les peintres de grands retables, qui, après le concile de Trente, ont souvent oscillé entre le récit et la démonstration presque magique de l'objet sacré[69]. Les meil-

68. *Cf.* Wolfgang Kemp, « Das Bild der Menge (1789-1830) », dans *Städel-Jahrbuch*, 4, 1974, pp. 249-270. - *Idem*, « Das Revolutionstheater des Jacques-Louis David... », dans *Marburger Jahrbuch für Kunstwissenschaft*, 21, 1986, pp. 165-184.
69. Les exemples les plus significatifs à cet égard se trouvent dans les cinq volumes du catalogue d'exposition des Médicis, Florence, Palazzo Pubblico, 1980.

Fig. 13 Norblin de la Gourdaine, esquisse pour *Le Serment du Jeu de Paume*, 1789. Localisation inconnue.

leurs exemples de l'art graphique de la Révolution se situent souvent entre ces deux modes et montrent ainsi l'incohérence de ce procédé. À cet égard, l'eau-forte *À la mémoire de Marat* (fig. 14) est révélatrice. On y voit l'ami du peuple, assassiné mais les yeux encore ouverts, assis dans sa baignoire sabot ; assise sur un globe près de lui, une allégorie de la Liberté désigne la meurtrière, alors qu'un ange vengeur saisit par les cheveux Charlotte Corday — représentée de façon tout à fait naturaliste (elle vient même de renverser une chaise) — et commence à la fustiger ; à gauche enfin, un monstre de l'enfer emmène la malheureuse, en la tenant par une corde autour du cou. Dans l'ensemble, on discerne dans cette gravure deux principes esthétiques opposés : le rapport austère y contredit la transformation poétique. Il en va de même pour la célèbre eau-forte, *Les Formes acerbes* (cat. 613), dans laquelle on trouve bien plus que deux niveaux superposés, l'un céleste, l'autre terrestre ; en effet, le plan allégorique au-dessus des nuages est

Fig. 14 *À la mémoire de Marat*, 1793. Paris, Bibliothèque nationale.

encore surmonté et contrôlé par un œil, alors que le plan terrestre est, quant à lui, totalement dominé et interprété allégoriquement par la figure imposante de Joseph le Bon. Il y a de plus de multiples imbrications entre le haut et le bas, les rayons de lumière et les gestes, mais il reste une ambiguïté voulue : on ne sait si l'impact décisif provient des traits abstraits ou des indications concrètes. Les interférences entre l'allégorique et le réel sont extrêmement embrouillées, et pourtant, c'est précisément leur relation qui donne à l'œuvre son importance.

L'étonnante imbrication des styles majeur et mineur est aussi évidente dans la caricature *Entre deux chaises* (fig. 8) qui précède immédiatement le soulèvement jacobin de 1797. Cette composition est à la fois hypernaturaliste (pour ce qui est de la figure) et extrêmement abstraite, réfléchie (pour ce qui concerne l'arrière-plan)[70]. Autant la foule d'accessoires entremêlés de façon burlesque que l'implacable silence des monuments à l'arrière-plan mettent en évidence la rupture de l'équilibre politique. Par ailleurs, de telles gravures montrent combien le langage des gestes et des corps peut contredire la prétendue harmonie de la peinture.

Raison et sentiments

Nous avons parlé d'innovations. Mais la Révolution a aussi fait faire, à certains égards, un pas en arrière aux arts plastiques ; alors que les causes résident dans la conception, les conséquences sont émotionnelles. Entendons-nous. Dans la plupart des pays d'Europe, l'art était — en principe depuis le XVe siècle — passé du mode de présentation iconique à un mode narratif[71] ; et dans la conscience du bourgeois éclairé, l'art avait progressivement abandonné ses pouvoirs divins et magiques. Depuis le XVIIe siècle, au moins la peinture de grand style pouvait être jugée d'après des qualités morphologiques — le critère essentiel qui permettait à Diderot de saisir la vérité artistique. En revanche, c'étaient bien des sociétés prétendument éclairées comme les francs-maçons, les illuminés, les mesméristes qui ont à nouveau vu dans l'art un domaine occulte et magique[72] ; et de toute évidence l'art de la Révolution est, en partie au moins, revenu à une nouvelle magie, à une nouvelle stratégie permettant de maîtriser les émotions — ce qui contredisait la conception rationaliste officiellement revendiquée. Robespierre y fit obstacle et s'opposa même au culte de la Raison, pour lui magique.

Si ce fut l'acquis le plus significatif de la période pré-révolutionnaire que de permettre d'apprécier l'art en connaisseur, la Révolution en revanche y a introduit des « messages de foi ». À cette fin, elle a révoqué le mode narratif en faveur d'un retour au mode iconique ; la réalité du sujet représenté fut de nouveau conçue comme immédiatement symbolique. De cette prééminence du fond sur la forme résulta la riposte de l'iconoclasme — quiconque attribue des forces magiques à la représentation imagée d'un message doit aussi, dès qu'il est rejeté, en détruire l'enveloppe. Nous développerons cette idée plus loin. Il suffit ici de constater que, dans cette optique, la vérité d'une œuvre d'art ne réside plus dans sa forme mais seulement dans ce qu'elle représente. Diderot pressentait cette conséquence quand il affirmait : « Mon ami, si nous aimons mieux la vérité que les beaux-arts, prions Dieu pour les iconoclastes[73]. » Seul le *Marat* de David réalise la synthèse ; le tableau réunit à la fois la présence palpable de l'idole (donc le « message de foi » destiné au peuple) et la figure idéale, classique et distanciée (donc une forme artistique propre à l'expérience esthétique de la bourgeoisie au XVIIIe siècle). Cette ambiguïté révèle un problème de premier ordre : il s'agit de redéfinir le rapport entre raison et émotions en tant qu'éléments constitutifs de l'expression artistique.

Nous avons posé la question de savoir si la conception conventionnelle, qui ne voit dans l'art de la Révolution que la tendance à imposer un art héroïque, structuré, plastiquement linéaire et « masculin », décrit correctement la réalité des faits. L'analyse du langage des corps a montré que le sensible, le pittoresque, le clair-obscur, les éléments décoratifs et féminins ne sont pas moins présents. Cette dichotomie de l'art de la Révolution est liée au besoin d'imposer l'ordre de la raison, sans pour autant renoncer à la capacité d'émouvoir la foule, mais aussi sans laisser se perdre le côté ésotérique du rousseauisme, la sensibilité de l'élite. L'art n'aurait-il pas dû au fond s'interposer entre ces contraires et réconcilier les positions « critique » et « organique » (pour employer les termes qui, plus tard, seront ceux des Saint-Simoniens) ?

Cette réconciliation supposait cependant que les deux domaines, le genre comme l'histoire, puissent véhiculer le pathétisme, les passions et les sentiments, et d'une façon intelligible pour tous[74].. Diderot avait déjà reconnu la nécessité d'un rapprochement, et même d'une fusion entre ces deux domaines. À ses yeux, le tableau de genre avait gagné toute sa considération dans la mesure où il était capable de relier le pathétique et le sentiment. À cet égard, les *Scènes de la vie commune* de Greuze occupaient pour lui le même rang que les

70. Nᵒ 170 du catalogue Los Angeles/Bibliothèque nationale (*cf.* note 1).
71. Sixten Ringbom, *Icon To Narrative...*, Åbo, Akademi, 1965. Nous faisons allusion à cet ouvrage important pour plusieurs raisons. Il nous semble que Ringbom a désigné un point crucial dans l'art occidental, mais aussi, que l'art de la Révolution a, en partie, révoqué ou entravé cette évolution. Il remplace maintes fois la narration par une nouvelle sorte d'iconisation. Nous allons livrer quelques exemples plus bas.
72. *Cf.* Auguste Viatte, *Les sources occultes du romantisme. Illuminisme, théosophie, 1770-1820*, Paris, Champion, 1928. - Robert Darnton, *La Fin des Lumières. Le mesmérisme et la Révolution* (1968), éd. française, Paris, Perrin, 1984.
73. Diderot, *Œuvres complètes* (note 6), t. XIV, p. 246.
74. Pour ces notions et les changements de significations qu'elle subissent au courant du XVIIIe siècle, *cf.* Ursula Franke, « Ein Komplement der Vernunft. Zur Bestimmung des Gefühls im 18. Jahrhundert », dans : *Pathos, Affekt, Gefühl*, Freiburg/München : Alber, 1982, pp. 131-148 ; — Reinhart Meyer-Kalkus, « Pathos », dans : *Historisches Wörterbuch der Philosophie*, Darm-stadt : Wiss. Buchges., vol. 7, 1989.

tableaux d'histoire : « Cependant je proteste que le père qui fait la lecture à sa famille, le Fils ingrat, et les Fiançailles de Greuze [...] sont autant pour moi des tableaux d'histoire que les Sept Sacrements du Poussin, la Famille de Darius de le Brun, ou la Suzanne de Vanloo[75]. » En d'autres termes, il fallait que la peinture de genre s'enrichisse du pathétisme de la peinture d'histoire pour qu'elle puisse assumer sa fonction moralisatrice. D'autre part, la peinture d'histoire et la sculpture monumentale, en voulant faire de l'exhortation moralisatrice un message politique, devaient élever leur moyen d'expression au-dessus des humanités. Quand, en 1791, on a forgé la notion de « genre historique », on a simplement suivi Diderot[76].

L'esthétique de l'effrayant, prônée, elle aussi, par Diderot, et dont il attendait un « accord » final, permit d'y parvenir dans les deux domaines. Pour les artistes de la Révolution, le problème était qu'ils ne pouvaient plus approuver une telle entente, tout en restant dépendants de cette base indispensable à un art qui se veut appel moral. Pour Diderot, de l'effroi pouvait encore résulter la beauté. Pour illustrer cela, il a encore recours à *Corésus et Callirhoé* (fig. 1) :

« [...] tout marque la peine et l'effroi. L'acolyte [...] regarde avec effroi ; celui qui soutient la victime retourne la tête et regarde avec effroi ; celui qui tient le bassin funeste relève ses yeux effrayés ; le visage et les bras tendus de celui qui me parut si beau montre [...] tout son effroi ; ces deux prêtres [...] n'ont pu se refuser à l'effroi, ils [...] souffrent, ils sont effrayés ; cette femme [...], saisie d'horreur et d'effroi, s'est retournée subitement [...] ; la surprise et l'effroi sont peints sur les visages des spectateurs éloignés d'elle [...][77]. »

Et pourtant il met cette réponse dans la bouche de Grimm : « C'est un beau rêve que vous avez fait, c'est un beau rêve qu'il a peint. » Cette association paradoxale ne pouvait plus prendre dans l'art de la Révolution. L'effroi (au moins depuis la décapitation particulièrement cruelle de Foulon) était devenu bien trop réel pour sembler n'être qu'un beau jeu de l'imagination. De plus, le vécu émotionnel changeait lui-même si vite qu'il surpassait la force de perception et la capacité de réaction des artistes. Mais surtout l'inattendu était manifestement incompatible avec la dignité statique exigée de l'art en tant que pilier de l'État. Cela était à plus forte raison valable pour la sculpture ; « le marbre ne rit pas[78] ». Il appartint d'autant plus à la caricature d'exprimer les sensations éphémères.

Mais il y avait un autre problème, aussi formulé *ex negativo* par Diderot : « Dans la société, chaque individu de citoyen a son caractère et son expression : l'artisan, le noble, le roturier, l'homme de lettres, l'ecclésiastique, le magistrat, le militaire[79]. »

Il s'agissait donc, à partir de là, de forger une « expression générale » qui pouvait toucher tous ces destinataires. Un premier pas en ce sens fut de priver le mot « noble » de sa qualité de prédicat de la noblesse, et de l'employer pour exprimer la dignité et la grandeur spirituelle d'une œuvre d'art (valable pour toutes les classes). Les premiers à appliquer cette dissociation furent La Font de Saint-Yenne et Winckelmann, et, plus tard, les *Horaces* de David furent qualifiés de « nobles » sans aucune référence à la noblesse[80].

Revenons sur ces deux points au *Brutus* de David (fig. 4)[81]. Curieusement, les contemporains ne questionnaient ni ne contestaient le point de vue selon lequel un homme droit devait sacrifier ses fils qui avaient conspiré contre la liberté de l'État[82]. Cette sombre morale, qui n'hésite pas à passer sur les cadavres, appartient inexorablement à la Révolution, et manifestement personne n'osait la contredire. Les partisans, Grimm en tête, reconnurent en ce tableau la réponse à la question de l'association du « doux » et de l'« héroïque » :

« Toute son attitude, tous ses traits portent à la fois le caractère d'une affliction profonde et d'une sévérité inflexible. "Je l'ai dû consommer, ce cruel sacrifice" : c'est le sentiment qui paraît empreint sur ses lèvres, mais avec une douleur sombre et recueillie qui marque assez tout ce qu'il lui fallut rassembler de force et de constance pour remporter une victoire si pénible, pour soutenir un dévouement si héroïque [...]. Cette figure austère, isolée et comme ensevelie dans les ténèbres, forme un contraste admirable avec ce groupe de femmes éclairé d'une lumière assez vive, mais douce et tranquille [...][83]. »

Les détracteurs argumentaient tout à fait différemment ; de manière inoffensive et atavique, ils ne voyaient que l'invraisemblance de la situation et la rupture entre la figure principale assise dans l'ombre et la famille baignée de lumière.

75. Diderot, *Œuvres complètes* (note 6), t. XIV, p. 398-399. Comme l'a démontré Willibald Sauerländer (« Pathosfiguren im Œuvre des Jean-Baptiste Greuze », dans *Walter Friedlaender zum 90. Geburtstag*, Berlin, de Gruyter, 1965, pp. 146-150), Greuze réussit en 1756 déjà, grâce aux modèles antiques qu'il avait étudiés en Italie, à réaliser une adaptation au moins partielle de la « grande manière » ; dans sa *Malédiction paternelle* de 1778, il recourt même au *Gladiateur Borghèse*, aux *Niobides* et aux *Laocoon* — imitant non seulement les gestes, mais aussi l'expression dramatique du tableau d'histoire.

76. Le jury se refuse même explicitement d'établir aucune « démarcation entre le genre de l'histoire et ce qu'on nomme les genres ». *Cf.* Marc Furcy-Raynaud (éd.), *Procès-verbaux des assemblées du jury élu par les artistes exposant au Salon de 1791...*, Paris, 1906, pp. 35-36, 60-63 ; Olander (note 5), p. 210, 238.

77. Diderot, *Œuvres complètes* (note 6), t. XIV, pp. 261-262.

78. Diderot, *ibid.*, p. 281. - Pour une analyse de ce problème, *cf.* Christa Lichtenstern, « Der Marmor lacht nicht ». Beobachtungen zu Diderots Verständnis der Skulptur, dans *Wallraf-Richartz-Jahrbuch*, 48-49, 1987-1988, pp. 269-297.

79. Diderot, *ibid.*, p. 374.

80. Crow (note 5), pp. 119, 125, 132.

81. Rappelons le titre complet : *Junius Brutus, premier consul, de retour en sa maison après avoir condamné ses deux fils, qui s'étoient unis aus Tarquins et avoient conspiré contre la liberté romaine, des licteurs rapportent leurs corps pour qu'on leur donne la sépulture.* Outre Crow, *cf.* l'excellente étude consacrée à ce tableau par Robert L. Herbert (*David, Voltaire, "Brutus" and the French Revolution. An Essay in Art and Politics*, London, Lane, 1972), ainsi que Starobinski (note 10), pp. 72-76, 188.

82. Ceci repose sur le jugement sévère de Rousseau qui était tout à fait partisan de l'attitude de Brutus ; *cf.* « Sur les sciences et les arts. Dernière réponse de J.-J. Rousseau, de Genève », dans *Œuvres complètes*, vol. III, Paris, Gallimard, 1964, p. 88-89. - Cependant, en 1768, Reboul, dans son *Essai sur les mœurs* (note 48), avait dévalué l'action de Brutus en disant qu'il était « celui d'un ambitieux qui ne connoit rien de sacré » et qui auroit massacré sans pitié tous ses parents et tous ses amis, si, sur leurs corps expirans, il eût cru pouvoir s'élever ». *Cf.* Sprigath (note 45), I, p. 107.

83. Grimm (note 39), t. XV, 1881, p. 536. Il faut se souvenir du fait que lors de la représentation du *Brutus* de Voltaire, il y avait une imitation du tableau de David sur la scène. Grimm, *ibid.*, t. XVI, p. 115 sqq.

Tout ce raisonnement n'était peut-être qu'un prétexte pour éviter de dénoncer ce que l'œuvre contenait de vraiment nouveau : l'abstraction du fait d'abandonner ses propres fils au nom des grands idéaux de moralité. Dans les *Horaces*, la plainte des femmes représentait un important élément de compensation empêchant un retour du mythe ; ici, en revanche, le mythe l'emporte. La solitude de Brutus et l'obscurité qui l'entoure visaient-elles à donner un surplus émotionnel permettant de passer outre le caractère abscons et insolite de l'événement ? Mais c'était alors de nouveau une considération extrêmement abstraite. L'abstraction ou table rase – louée par Rosenblum qui y voit une contribution essentielle de l'art de la Révolution au langage pictural[84] – va en revanche à l'encontre d'un dessein essentiel : celui de convaincre la foule. On a conclu que de la représentation de modèles antiques, investis de contenus révolutionnaires, résultait « la proclamation de mots d'ordre, valables partout, et prônant un progrès perpétuel, dont le but reste néanmoins abstrait et allégorique[85] ». Déjà Tocqueville disait que : « La Révolution française [...] a considéré le citoyen d'une façon abstraite, en dehors de toutes les sociétés particulières de même que les religions considèrent l'homme en général, indépendamment du pays et du temps [...][86] », et de ce fait seulement la Révolution aurait pu s'imposer partout. Quant à l'art, on n'a cessé de souligner combien la plupart des projets révolutionnaires « s'échafaudaient dans l'abstrait » ou souffraient d'une « surenchère [...] d'abstractions[87] ». On a attribué cette tendance à l'abstraction, à la mise en évidence unilatérale du rationnel, dont on trouverait surtout la trace dans l'architecture : « La géométrie est le langage de la raison dans l'univers des signes[88]. » Dans les autres secteurs de l'art, ce sont, en premier lieu, les gestes révolutionnaires, grandiloquents et rivés au modèle antique, qui ont été considérés comme signes de cette abstraction. On a récemment admis que la fuite des peintres, sculpteurs et graveurs dans l'abstraction était directement liée à la précarité de leur situation sous la Révolution : pour éviter de se mettre en danger, il valait mieux se ranger du côté des thèmes généraux ; le recours à l'Antiquité, la tendance au codage emblématique et l'élimination des objets s'expliquent en partie par là. Ainsi, bien que l'allégorie ait été un moyen légitime du combat politique, la Révolution française montre déjà que l'abstraction est le fruit d'une imagination évasive.

Mais il faut aller plus loin. Robespierre, Fabre d'Églantine et Salaville ont vu avec beaucoup de lucidité le danger qui menaçait les Lumières, celui de se muer en un nouveau mythe. On sait que ce groupe s'est opposé à l'institution du culte de la Raison, aux signes d'une nouvelle mythification dépourvue de tout fondement dans la réalité, et même au bonnet phrygien, car ils y voyaient régner l'abstraction :

« Mais si nous voulons amener le peuple au culte pur de la Raison, loin de favoriser son penchant à réaliser des abstractions, à personnifier des êtres moraux, il faudra nécessairement le guérir de cette manie, qui est la principale cause des erreurs humaines ; il faudra que les principes métaphysiques de Locke et de Condillac deviennent populaires [...][89]. »

Toujours par souci de conserver les idées rationalistes des Lumières et de ne pas les anéantir par un superrationalisme faux et à nouveau mythique, Robespierre dans son célèbre discours contre l'athéisme et le philosophisme du 21 novembre 1793, souhaitait en finir avec l'iconoclasme, exigeant qu'on respectât les sentiments du peuple — et peu importe si ce n'était que par opportunisme politique. Sur le plan idéologique, ceci était fort logique, car une conception magique de l'art devait nécessairement mener à l'iconoclasme : dès qu'une œuvre d'art, à laquelle on reconnaît le pouvoir réel de ce qu'elle représente, ne répond plus à l'idéologie, elle devient une puissance ennemie et dangereuse qu'il faut par conséquent détruire. Il y avait donc dans l'iconoclasme révolutionnaire aussi des éléments magiques et irrationnels peu appropriés à l'éducation d'un peuple libre, telle que Robespierre la concevait. À ce propos, le dirigeant révolutionnaire argumente en citoyen éclairé qui jouit de l'œuvre d'art à distance, et qui rejette toute vénération de signes et d'images, considérée comme une rechute dans le « Kultcharakter der Kunst » dont parle Walter Benjamin. Dans l'idolâtrie de la Raison, Robespierre voyait une perversion des idées éclairées de Rousseau. C'est pourquoi ce culte n'était pour lui qu'une abstraction douteuse. Cependant, le même Robespierre, qui lutte contre le culte irrationnel de la Raison, se fait maître de cérémonies à la fête de l'Être suprême. Il n'y a pourtant aucune contradiction : déguisé en prêtre, Robespierre ne sacrifie pas à la magie, mais aux sentiments du peuple. Nous abordons par là la vaste question de l'émotion dans l'art, restée en suspens depuis Diderot et nourrie par la pensée sentimentaliste de Rousseau dont Robespierre fut un fervent adepte.

Mais revenons à David afin de considérer les conséquences de cette tendance à l'abstraction dans les arts. Nous avons pu constater que la peinture d'histoire, le grand art en général, a modifié son caractère abstrait. Il lui fallut adopter des éléments de la peinture de genre, afin de se rapprocher du goût bourgeois ; c'était la condition de sa survie. Dans *Brutus*, David est encore à la recherche d'une émotion équivalente à celle de la peinture de genre. Cependant, en établissant des oppositions magiques,

84. Rosenblum (note 5), pp. 146-191 ; — *Idem, Modern Painting and the Northern Romantic Tradition. Friedrich to Rothko*, London, Thames & Hudson, 1975.
85. Martin Warnke, « Arte e Rivoluzione », dans *La Storia*, vol. V, *L'Età moderna*, Turin 1987, pp. 795-804, citation p. 803.
86. Alexis de Tocqueville, « l'Ancien Régime et la Révolution », dans *Œuvres complètes*, éd. par J.P. Mayer, t. II, Paris, Gallimard, 1952, vol. 1, p. 89.
87. Starobinski (note 5), pp. 40, 41 et 45.
88. *Idem*, p. 50.
89. Alphonse Aulard, *Le culte de la Raison et le culte de l'Être suprême, 1793-1794. Essai historique*, Paris, Alcan, 1892 (repr. photomécanique, Aalen, Scientia Verlag, 1974, p. 87) ; *cf.* aussi Ernst-Hans Gombrich, « The Dream of Reason. Symbolism in the French Revolution », dans *The British Journal for 18th Century Studies*, vol. 2, n° 3, Autumn 1979, pp. 187-205.

le tableau reste aporétique. Avec son *Marat* seulement, David parvient à lier raison et émotion, en mêlant le pathos antique à une sorte de méditation religieuse chrétienne, et en compensant l'abstraction (aussi celle du grand vide) par un recours à l'ordinaire, et donc au concret ; ici il parvient enfin à rendre la réserve caractéristique d'un tableau commémoratif, en même temps que la ferveur méditative dont le peuple avait besoin.

Mais ce tableau n'est resté qu'un cas isolé. En si peu de temps ni David ni le Comité de Salut public ne pouvaient réussir à faire avancer, en harmonie avec la Révolution, l'éducation émotionnelle ou la sensibilisation du peuple. Et quand un critique du Salon de 1793 se plaît à observer le sentiment d'héroïsme et de liberté que ces tableaux inspirent aux spectateurs, et même à « exciter cet effet quand il ne se produit pas[90] [!] », il semble bien faire la satire de ces efforts.

L'art de la Révolution resta donc en dernière instance dépendant de la tentative d'allier les deux impacts – moral et émotionnel – qu'une œuvre devait susciter, et que Diderot exigeait. Les expressions, que Topino-Lebrun se complaît encore à employer en 1793, pourraient aussi bien caractériser des œuvres d'un Salon de 1763 ; à propos du *Brutus* par Harriet, il écrit :

« C'est le cœur ému par les sentiments de reconnoissance, d'affection, de tendresse, de vengeance, de colère, de rage, d'une douleur profonde, d'une affliction extrême ; c'est l'esprit préoccupé de toutes les idées de grandeur, d'énergie, de courage, d'audace, de dévouement, d'enthousiasme que je fixe mes regards sur Brutus vainqueur [...][91]. »

Retour aux sources et vie urbaine

Dans toute l'Europe, les Lumières et la Révolution sont des mouvements empreints d'urbanité citadine, même souvent là où ils concernent la campagne. En France aussi — malgré l'appauvrissement de la noblesse terrienne, malgré la « troisième Révolution » et la « Grande Peur » de l'été 1789 — la nostalgie de la campagne, comme une forme originelle de bonheur sain que l'on a perdu à la ville, avait gardé tout son attrait. Elle est encore présente tout au long du XIXᵉ siècle et réapparaît dans les mouvements réformistes du début du XXᵉ siècle. Carnot chantait le *Retour à la chaumière* :

« [...] Vers tes foyers je vois encor
L'amitié, les vertus antiques,
L'innocence de l'âge d'or
Habiter sous ces toits rustiques [...][92]. »

90. Cité d'après Olander (note 5), p. 263.
91. Détournelle (note 52), pp. 336-350, ici p. 338.
92. *Cf.* Friedrich Heinrich Wilhelm Körte, *Das Leben L. N. M. Carnots*, etc., Leipzig : F. A. Brockhaus, 1820, p. 115.
93. *Cf.* Jörg Gamer, « Schloß und Park der kurpfälzischen Sommerresidenz Schwetzingen im 18. Jahrhundert », dans *Kunstgeschichtliche Gesellschaft zu Berlin*, Sitzungsberichte, N.F. 1970/1971, pp. 11-17.

Fig. 15   *L'Âge d'or* ou *L'Aristocratie écrasée*, 1789. Paris, Bibliothèque nationale.

et ce n'est pas par hasard que le mythe de « l'âge d'or » — dont, selon les conditions, tantôt Louis XVI, tantôt Necker escomptent le retour — est explicitement présent dans l'art graphique de la Révolution (fig. 15). Mais cette constatation n'a qu'une valeur limitée. Il y avait en effet partout en Europe (excepté en France) des princes et des nobles qui trouvèrent dans une réforme de l'agriculture la possibilité inespérée de se rendre « utiles », et de se placer à la pointe du progrès ; ainsi en Angleterre depuis le début du XVIIIᵉ siècle, ou encore en Allemagne, où par exemple Karl Theodor à Schwetzingen[93] et surtout Leopold III Friedrich Franz en Anhalt-Dessau se sont à cet égard illustrés. La principauté d'Anhalt, bien que toute petite, était d'une extrême importance dans le contexte de l'Europe des Lumières. En effet, les traditions intellectuelles anglaise et française y rencontrèrent celle de la Prusse éclairée, et de cette confluence résulta une utopie réelle, incarnant « l'essence de la certitude allemande que l'avenir n'était pas dans la Révolution mais dans les améliorations et les réformes de l'administration princière, sans qu'aucune violence ou rupture de la tradition n'intervînt[94]. »

Franz — formé au cours d'un long séjour en Angleterre où on lui enseigna les méthodes britanniques permettant de dépasser l'assolement triennal — mit en place une économie expérimentale rationnelle tournée vers l'exportation de bois et de produits agricoles. Il fut à cet égard décisif que la noblesse ne mît aucun veto à la modernisation ; de même que dans les *Horaces* de David, l'alliance du prince et du peuple apparaît comme l'idéal. Le prince fit venir les meilleurs pédagogues et savants, il fonda une école d'État, institua une « fête nationale », faisant renaître une manifestation proche des Jeux olympiques, il suscita une activité éditoriale libre de toute censure — c'était là « une entreprise d'envergure européenne, qui voulait réaliser tout ce à quoi Alexander Pope, en Angleterre, Voltaire, en France, et Leibniz, Lessing et Klopstock, en Allemagne, aspiraient depuis longtemps [...][95]. » On comprend donc que, par-delà l'économique, on se soit aussi intéressé à l'art. Une description de l'époque dit que le pays est pareil à un jardin ; les allées, les ponts et les maisons offraient au regard « les plus charmantes peintures de paysage[96] », et en effet des peintres de paysages comme Philipp Hackert et Friedrich August Tischbein y jouissaient d'une grande considération. Le château et le parc de Wörlitz, d'une « noble simplicité » immortalisée par un dessin de Goethe, formaient le centre de cette « œuvre d'art totale ». Depuis 1782, il y avait dans ce parc à l'anglaise un monument à la mémoire de Rousseau, « identique à celui de la tombe de ce sage sur la célèbre île aux peupliers à Ermenonville[97]. » À Weimar enfin, Goethe avait lui-même participé à la création du parc princier : il dessina un « autel du bonheur » — qui existe encore de nos jours — composé d'une sphère reposant sur un quadrilatère, inspiré de formes primitives à l'image de celles que les architectes français avaient conçues et exigées[98].

On ne s'étonnera donc plus du fait que la peinture de paysage européenne, voire l'art prérévolutionnaire européen dans son ensemble, ait été dénuée de toute marque d'agitation ; on cherchait l'Arcadie, le royaume du calme, l'idylle — mais toujours sur la base d'une activité commerciale intense et d'une hausse constante des revenus fonciers.

Non seulement dans les résidences des princes éclairés, mais aussi dans les villes, des nobles et des bourgeois adeptes des Lumières se retiraient dans la solitude (comme le comte Schlabrendorff, le « Diogène » de Paris[99]) ; ils y créaient des sphères de solitude temporaire qu'ils quittaient ensuite pour retourner vivre à la campagne. Ainsi pendant la Terreur, quelques artistes (comme Vincent, Mme Labille-Guiard), quittèrent la ville qui, à leurs yeux, incarnait la servitude.

Enfin, on commence à cette époque à explorer de nombreuses régions, et l'intérêt que l'on porte aux Alpes n'est en fait, chez les peintres de paysages suisses comme dans la philosophie anglaise ou allemande, que le signe d'une quête du sublime. Il faut donc distinguer plusieurs aspects — la contemplation d'une part, l'utile d'autre part — de cette prédilection que l'on a de nouveau pour la vie simple, pour la nature et la campagne ; et c'est dans cette double perspective qu'à la fin du XVIIIᵉ siècle, la vie rustique devient digne d'être représentée dans l'art. Mais, comme on peut s'y attendre, les artistes de la Révolution s'intéresseront moins aux formes raffinées de la peinture de paysage qu'ils ne représenteront l'utile, c'est-à-dire le monde de l'agriculture ; sous Napoléon seulement, la nature fait de nouveau, dans une plus large mesure, l'objet d'explorations. En fait, parmi les paysages prérévolutionnaires que l'on peut voir dans cette exposition (*cf.* chapitre IV) on ne trouve pas la moindre trace d'une « inquiétude ». Et pour ce qui concerne la Révolution elle-même, il est significatif que David, par exemple, n'ait peint — et en prison — qu'un seul tableau de paysage qui représente, d'après la tradition, le jardin du Luxembourg. Ce n'est du reste pas un paysage choisi pour lui-même, mais une projection personnelle de David sur la figure d'Archimède[100].

Quant à l'aspect utile, seul un recours à l'esprit de la Rome ancienne pouvait apaiser la nostalgie d'une économie rurale comme forme de vie simple (en d'autres termes, compenser au moins idéologiquement cette perte), et la charger de patriotisme. Dans certaines versions des *Horaces* de David, on voyait à l'arrière-plan une charrue indiquant que ce sont des paysans unis par un même dessein patriotique[101] ; de même le *Bélisaire* de Peyron (cat. 409), et l'étonnant tableau de Brenet (cat. 424) montrent — de façon presque pénétrante en ce qui concerne Brenet — le retour à une vie simple et saine, déjà exprimé, depuis les années 1760, par des personnages buvant du lait et dans l'admiration vouée aux chalets suisses[102]. *La Mère allaitant*, de Mosnier (cat. 43), une sorte de « Maria lactans » profane, mais aussi les premières versions de la *République* de Belle (cat. 1133) en sont des exemples. Tout cela remonte à *la Nouvelle Héloïse* de Rousseau qui voyait cependant dans l'art

94. Michael Stürmer, *Scherben des Glücks. Klassizismus und Revolution*, Berlin, Siedler, 1987, p. 27 ; *cf.* aussi Erhard Hirsch, *Dessau-Wörlitz. Zierde und Inbegriff des 18. Jahrhunderts*, München, Beck, 1985. Pour une vue générale sur cette problématique, *cf.* l'excellente publication de Adrian von Buttlar, *Der Landschaftsgarten*, München, Heyne, 1980.

95. *Ibid.*, p. 31 ; pour la situation en France, *cf.* Daniel Roche, *Les Républicains des lettres*, Paris, Plon, 1988 (p.e. pp. 359-370).

96. *Litteratur und Völkerkunde*, vol. III, Dessau, Buchhandlung der Gelehrten, 1783 ; Stürmer (note 56), p. 33.

97. *Ibid.* ; Stürmer, p. 36.

98. Rosenblum (note 5), fig. 181.

99. Nous avons rapporté son histoire dans notre étude sur Diogène (note 47), p. 232 sqq.

100. *Cf.* J.A. Schmoll gen. Eisenwerth, « J.L. Davids *Vue du jardin du Luxembourg* von 1794 als Parabel der Gefangenschaft des Malers. Ein Archimedes-Zitat », dans *Idem, Epochengrenzen und Kontinuität. Studien zur Kunstgeschichte*, München, Prestel, 1985, pp. 156-174.

101. Version peinte à Toledo/Ohio, The Toledo Museum of Art, repr. dans le catalogue de l'exposition : *Bilder vom Menschen in der Kunst des Abendlandes*, Berlin, SMPK, 1980, p. 320. Pour les gravures, *cf.* le catalogue de l'exposition : *Triomphe et Mort du héros*, Köln 1987/Lyon 1988, n° 114.

102. Ce topique ne se réfère pas seulement à l'*Émile* de Rousseau ; *cf.* B. Degner, « Wege zum Realismus in der aufklärerischen Darstellung des Landlebens », dans *Wirkendes Wort*, 18, 1963, pp. 303-319.

un pouvoir hostile à ces idées : « Avant que l'Art eût façonné nos manières et appris à nos passions à parler un langage apprêté, nos mœurs étoient rustiques, mais naturelles [...][103]. »

Il appartient donc à la Révolution de suivre Rousseau, mais aussi de le réfuter, autrement dit, de se réapproprier la nature, grâce à l'art (et pas contre lui), sans pour autant tomber dans la balourdise. Allier la nature et la culture, la simplicité et l'urbanité — c'était là une quadrature du cercle que l'art de la Révolution n'a que rarement réussie. De cette tentative sont aussi nées des idées tout à fait contraires, celles du sublime et de l'infini, comme celle d'une justification de la propriété foncière privée, et donc (à des niveaux de réflexion très différents) un élargissement en même temps qu'un resserrement imaginaires de la question. Ceci est tout à fait évident dans la façon dont la Révolution a reçu Rousseau. Ainsi, dans son célèbre *Catéchisme révolutionnaire*, Chemin-Dupontès fils écrit :

« Car ni la loi, qui est la volonté générale, ni aucun citoyen en particulier, ne laissent impunie la moindre violation de propriété. L'histoire d'Émile va te l'apprendre. Son père, qui avait voulu lui procurer le plus agréable de tous les plaisirs, s'étoit arrangé avec un bon jardinier, pour qu'il lui cédât un petit coin de son jardin à cultiver. Voilà Émile bien content. Il remue la terre avec une bêche ; il plante des fèves ; il vient les arroser tous les jours. Quelle joie quand il les voit lever ! Elles sont pour lui une propriété que personne ne peut lui disputer, puisqu'il y a mis son tems, son travail, ses peines. Il auroit joui paisiblement de son bonheur, s'il avoit été assez sage pour s'en contenter [...][104]. »

Il est vrai que l'art de la décennie révolutionnaire n'a pas spécialement traité la dialectique ville/campagne, caractéristique de l'urbanisme moderne et bourgeois (défini par une dépendance économique de la ville à l'égard de la campagne, et, à l'inverse, par une subordination culturelle de la campagne à l'égard de la ville) ; pourtant c'est bien l'art du dernier tiers du XVIIIe siècle dans son ensemble qui en rend compte pour la première fois. Et à la fin du siècle, en 1799, Gilpin demande que le peintre de paysages choisisse des « objets rudes » et représente la nature « dans sa simplicité » — reprenant par là

les théories (entre-temps politisées) sur l'architecture[105]. Un rapport ambigu avec Rousseau apparaît aussi dans le comportement quotidien et dans l'habillement. Il nous semble que David, dans ses dessins de costumes civiques, s'est inspiré des réflexions rousseauistes sur le rapport à la nature, tout en restant fidèle aux traditions urbaines[106]. Mais la mode naturelle fut bien plus favorablement accueillie en Angleterre et en Allemagne. On peut ainsi lire dans le *Journal des Luxus und der Moden* de Leipzig : « Le garçon. Tout son habillement est léger, court, assez ample pour ne serrer aucune articulation, et [...] adapté à tous les mouvements dont l'enfant [...] a si grand besoin[107]. »

Mais revenons à la quête de l'origine : comme Goethe était à la recherche de la « plante primitive », et les linguistes de la « langue primitive », les architectes cherchaient dans leurs ébauches la « forme primitive » et l'« habitation primitive[108] ». Et le résultat, aussi paradoxal que possible, fut un alliage de simplicité et de pure stéréométrie (on pourrait y voir, d'une certaine façon, une analogie avec le paradoxe du récit naïf et de l'allégorie élaborée inhérent aux arts graphiques). En recourant, par l'intermédiaire de Piranesi, à une Égypte fictive, les architectes « trouvent » l'union, si ardemment recherchée, de l'origine et de la forme pure, telle que l'expriment, par exemple, les pyramides répandues dans toute l'Europe (fig. 16). Les huit dessins de Boullée à Florence sont l'exemple le plus parlant de cette alliance entre simplicité primitive et stéréométrie ; l'artiste y représente un *Temple de la Raison*, sous la forme d'un

103. Jean-Jacques Rousseau, « Discours sur les sciences et les arts (1750) », dans *Œuvres complètes* (note 82), vol. III, p. 8.
104. Chemin-Dupontès fils, *L'Ami des jeunes patriotes ou Catéchisme républicain dédié aux jeunes Martyrs de la Liberté*, Paris, Imprimerie de l'auteur, an II (1793-1794), pp. 47-48.
105. W. Gilpin, *Trois études sur le Beau pittoresque...*, Breslau, 1799, pp. 20, 45.
106. *Cf.* les illustrations dans l'ouvrage de Schnapper (note 67), fig. 82-84.
107. « Der Knabe. Seine ganze Kleidung ist leicht, kurz und weit genug um alle Glieder, so daß sie kein Gelenk drückt und zwängt, und [...] alle dem kindlichen Alter [...] so wesentlich nötige Bewegungen verstellet [...]. » *Journal des Luxus und der Moden*, reproduction photomécanique à partir des tomes I à X (1786-1795), 4 vol., Hanau, Müller & Kiepenheuer, 1967-1970, vol. I, p. 146.
108. *Cf.* Robert Rosenblum, *Transformations in Late Eighteenth Century Art*, Princeton University Press, 1967, 3e éd. 1970, pp. 140-145. - Joachim Gaus, « Die Urhütte », dans *Wallraf-Richartz-Jahrbuch*, 33, 1971, pp. 7-70. - Monika Steinhauser, « Etienne-Louis Boullée, *Architecture. Essai sur l'Art*. Zur theoretischen Begründung einer autonomen Architektur », dans *Idea*, II, 1983, pp. 7-48.

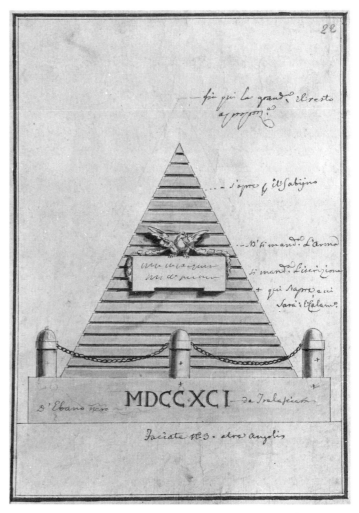

Fig. 16 Anonyme italien, *Pyramide*, 1791. Londres, collection particulière.

Fig. 17 Boullée, *Temple de la Raison*, détail :
la statue d'Isis, vers 1793.
Florence, musée des Offices.

sanctuaire sphérique, qui abrite, dans les profondeurs souter-
raines, une statue d'Isis[109] (fig. 17). Sans analyser les détails,
nous voudrions insister sur le caractère au plus haut point
artificiel de ces formes prétendument naturelles ; les théoriciens
de l'architecture de nos jours n'ont certainement pas tort de
comparer ces dessins avec les constructions les plus auda-
cieuses de ce siècle.

La lutte des images comme mise en scène
de la temporalité de la Révolution

À la question de savoir comment l'apport fondamental des
Lumières — celui d'avoir instauré un débat esthétique public
— s'est traduit dans l'art de la Révolution, la réponse est
évidente : par la lutte des images dans l'art graphique. Mais le
fait que cette forme de communication soit revenue à l'art
graphique met aussi en évidence que l'art de la Révolution
dans son ensemble n'a pas su engendrer dans son domaine un
équivalent au caractère foncièrement dynamique de la sphère
politico-sociale. L'art graphique fait d'autant plus apparaître
la grande unité de l'art européen à la fin du XVIIIe siècle, en
dépit de toutes les guerres. Car on assiste là à un phénomène
européen. Hogarth avait déjà stigmatisé les aspects commerciaux de la bataille picturale, c'est-à-dire la concurrence impitoyable qu'elle impliquait — lui-même avait su développer ses
« sujets modernes et moraux », même sous forme de tableaux ;
mais maintenant (comme au temps de la Réforme en Allemagne) les batailles mobilisent partout l'ensemble des arts

graphiques : tailles-douces, eaux-fortes, gravures sur bois. Partout on se bat, on avance des arguments, on les réfute. Dans
l'art graphique, et seulement là, un processus de communication visuelle se met en place et s'étend à toute l'Europe.
L'Angleterre possédait dans ce domaine, déjà bien avant
Hogarth et Gillray, une tradition journalistique[110] ; depuis
Romeyn de Hooghe (1645-1708), la Hollande avait développé
une technique propre de la « satire déguisée », désormais utilisée
pour se rendre compte des bouleversements politiques ; aussi
au Danemark, en Autriche et en Prusse, une culture de l'agitation politique par l'image gagne du terrain (voir, par exemple,
cat. 802, 982 et 789, ainsi que l'article de D. Bindman, p. 568-
570).

Nous avons déjà évoqué le fait que cette agitation par l'image
ait réussi à faire ressortir les ruptures de l'époque. Cependant,
en prenant en compte l'ensemble du contexte européen, on
peut approfondir la question et étudier ses développements par-
delà l'époque révolutionnaire. À cet égard, un seul exemple
devrait suffire : celui du *Siècle éclairé*, une étonnante œuvre
d'origine allemande (fig. 18). Elle montre une allégorie ailée de
la Constitution ; sur sa bannière, on lit « Philosophie » et
« Humanité », et sur le fanion de sa trompette « Liberté » et
« Tolérance ». Elle sonne la trompette d'où s'échappe toute une
kyrielle de slogans révolutionnaires. L'allégorie finit tout de
même en queue de poisson, avec une tête de dragon couronnée,
qui incarne manifestement la réaction. Ce monstre invoque
Dieu, l'Église et l'Éternité, et impose le silence à l'Univers ;
ses foudres anéantissent également des mots allemands appelant à la tolérance. Pour comprendre une œuvre comme celle-
ci, son inspiration révolutionnaire ou au contraire réactionnaire n'a que peu d'importance (car la révolution et la réaction
se servent du même langage). Ce qui est en revanche déterminant, c'est la concentration emblématique du bien et du mal
en deux figures de toute évidence empruntées à l'iconographie
chrétienne, la part extraordinairement importante qui revient
aux inscriptions, aux dépens de l'image, enfin le mélange de
naïveté et d'érudition (d'un côté, le génie, qui, avec tant de
fidélité, fait sonner sa trompette et tient sa bannière avec beaucoup d'ingénuité, mais aussi la tête de dragon grossièrement
dessinée et rappelant la tradition populaire, et les exclamations
passionnées comme : « Elle est vaincue ! Elle est vaincue ! » ;
de l'autre côté, l'abondance de références aux doctrines de
l'Église et des Lumières, reprises dans les versets supplémen-

109. *Cf.* Klaus Lankheit, *Der Tempel der Vernunft. Unveröffentlichte Zeich-
nungen von Etienne-Louis Boullée*, Basel/Stuttgart, Birkhäuser, 1968.
110. Atherton, Herbert M., *Political Prints in the Age of Hogarth. A Study of
the Ideographic Representation of Politics*, Oxford, Clarendon press, 1974. -
Ronald Paulson, *Representations of Revolution (1789-1820)*, New Haven/
London ; Yale University Press, 1983. - *Idem*, The Severed Head : « The
Impact of French Revolutionary Caricatures on England », dans cat. *French
Caricature* (note 2), pp. 55-66. - David Bindman, « Sans-Culottes and Swi-
nish Multitude. The British Image of the Revolutionary Crowd », dans
Kunst um 1800 und die Folgen. Werner Hofmann zu Ehren, München, Prestel,
1988, pp. 87-94.

g. 18   Le Siècle éclairé, vers 1799. Paris, Bibliothèque nationale.

taires de la légende rédigée en deux langues). Bref, la bataille des images se nourrit de l'association de modes majeurs et mineurs — un procédé qui permet de s'adresser en même temps à des publics différents —, de l'imbrication d'éléments visuels et discursifs, d'appels à la compréhension active de la part du spectateur et à sa capacité de retraduire le discours allégorique (qu'il soit érudit ou tératologique) dans le vocabulaire de son propre vécu quotidien. Loin d'offrir quelque chose d'achevé, la gravure de la Révolution représente néanmoins, de tous les

111. *Cf.* Hould (note 3).

112. *Cf.* Bildpublizistik (note 1), chapitre 10.

113. Ces exemples sont choisis dans notre « Bildpublizistik » (note 1), fig. 156 (Peters), 155 (Linguet), 154 (Capet), 159 (Pénitence), 160 (Grosse Pièce), 170 (Crime), 169 (Cause), 171 (Nouvel Astre), 173 (Nouveau Calvaire). En 1797, Goethe s'est rendu compte du caractère antagoniste des estampes ici traitées. Loin d'aimer la Révolution, il appréciait pourtant bien la caricature révolutionnaire, surtout anticléricale. *Cf.* Klaus H. Kiefer, *Johann Wolfgang Goethe. Recension einer Anzahl französischer satyrischer Kupferstiche*, Text - Bild - Kommentar, München, dtv, 1988.

114. La citation est empruntée au prospectus que J.-F. Janinet lançait pour répandre son *Serment civique* en 1791 : « […] on ne peut douter que cet instant, vraiment majestueux et le plus intéressant pour la France, pour l'Europe, pour l'Univers entier, n'allume le flambeau du génie des vrais Artistes […] » ; *cf.* Olander (note 5), p. 203.

115. *Correspondance littéraire* (note 38), vol. 10, p. 25 (premier août 1772). C'est nous qui soulignons.

116. Starobinski (note 10), pp. 93, 94.

domaines artistiques, le plus provocateur, et peut donc, plus que tout autre, revendiquer le qualificatif de « révolutionnaire ».

En ce qui concerne la France, il faudrait au moins mentionner deux phénomènes surprenants. D'une part, le Comité de Salut public n'a pas seulement organisé en l'an II un concours d'architecture, mais également de caricature (cat. 769 A à I), imposant par là une « égalité des genres » — un événement unique dans l'histoire de l'art[111]. D'autre part, dès l'époque de l'apparition des caricatures révolutionnaires, la réaction a pleinement saisi leur force incisive ; dans son pamphlet, déjà mentionné, Boyer-Brun s'élève avec la plus grande vigueur contre ces monstres échappés de l'enfer — sans hésiter à reproduire en même temps ces œuvres vouées aux gémonies ! Mais, comme nous l'avons montré ailleurs[112], l'objectif politique poursuivi est moins important que l'acidité de la repartie. Ainsi, en 1789, Antoine de Peters répond par son eau-forte *La Nouvelle Place de la Bastille* au frontispice des *Mémoires sur la Bastille* de Linguet (1783) ; l'incipit de la gravure *La Grande Colère du vieux Capet* fait allusion aux manchettes du *Père Duchêne* intitulées « Grande peine » ou « Grande joie » ; lorsque Louis XVI, représenté dans une cage, après Varennes, répond à la question « Que faites-vous là ? » par « Je suis en pénitence », il suffit d'attendre quelques jours pour lire sur une autre gravure, où le gardien est la figure principale, et le roi transformé en louis d'or, « Que faites-vous là ? — Je garde cette grosse pièce dont personne ne veut plus » ; *Le Crime des rois* (1792), de Villeneuve, répond à l'eau-forte contre-révolutionnaire *La Cause des rois*, et *Le Nouvel Astre* (cat. 549) de 1793 au *Nouveau Calvaire* (cat. 770) par Webert de 1792[113]. Ce jeu anticipe le schéma de la réponse caractéristique des comportements politiques actuels, faisant désormais partie intégrante de la vie moderne.

« *Cet instant : pour l'Europe, pour l'Univers entier*[114] ? »

Bien que Diderot ait déjà constaté que « la communication des lumières, des arts et de leurs chefs-d'œuvre n'établisse un commerce tout à fait digne des nations éclairées qu'en comprenant la *confédération européenne*, tout à fait avantageux aux progrès de la raison, des lettres et des arts[115] », la Révolution ne suit guère cette voie. La crise financière, puis la fin de la monarchie, enfin la nécessité de faire face aux coalitions européennes, empêchent l'échange libre des idées et une évolution commune des mentalités. Il faudra attendre le XXe siècle pour vivre une histoire de l'art européenne. On ne peut qu'approuver Starobinski[116] quand il voit un événement européen dans le rendez-vous des artistes à Rome ; il nous semble en revanche douteux d'affirmer que ce fut là, en 1789, le lieu de naissance du style Empire, et il paraît difficile d'y voir un événement artistique déterminant pour l'avenir — malgré la présence de Girodet et Hamilton, Flaxman et Gagnereaux, Canova et Angelika Kaufmann, Percier et Fontaine. Il s'agit bien plutôt

Fig. 19   Sergel, *Sacrifice* ou *Hommage à la Reconnaissance*. Stockholm, Nationalmuseum.

d'une réunion d'adieu marquant la fin du XVIIIe siècle, à laquelle d'ailleurs ni Goethe ni David ne participent déjà plus. Il va sans dire que la plupart des artistes méritent le qualificatif d'« européen » plutôt autour de 1770 que dans les années 1800.

Il est guère étonnant que les artistes allemands, par exemple, ne se soient pas inspirés de David — malgré leur amour partagé pour la liberté, il n'y avait à cela ni motif suffisant, ni surtout de tradition pour les y inciter. À cette époque, comme aujourd'hui encore, ils préfèrent s'en tenir à la nature dont la représentation attirait alors moins les foudres de la censure et semblait plus conforme aux aspirations individuelles. Grimm exprime leurs convictions intimes quand il écrit en 1793 cette phrase contre la grandeur : « Hélas, les muses se cachent et se taisent pendant les révolutions. Clio seule les aime, parce qu'elles lui fournissent de grands tableaux[117]. » Les Allemands virent dans les « grandes machines » des reliquats de cérémoniels de cour issus de l'absolutisme ; ce que David devait confirmer de la manière la plus éclatante par son *Couronnement de Napoléon* (en dépit de toute l'inspiration profane de l'œuvre). Et les Anglais redécouvrirent leur propre univers de légendes en passant paradoxalement par le Suisse Füssli, mais aussi par Blake (cat. 270). Certains thèmes, comme *Le rêve d'Ossian*[118], furent certes repris dans plusieurs pays à la fois, mais il est aussi vrai qu'en dépit de son aspiration à l'universalité, la Révolution contribua d'abord à développer les courants artistiques nationaux. Cela vaut en premier lieu pour la France elle-même, comme nous avons déjà pu le constater à propos du refus des inscriptions latines. Ainsi, le libéral Grégoire voudrait substituer au cosmopolitisme des Lumières un universalisme dominé par la France : selon lui, le français, comme langue de la liberté, pouvait à l'avenir représenter cet « idiome

universel » dont Leibniz rêvait déjà. Il est très significatif de voir Grégoire faire allusion au concours organisé en 1784 par l'Académie de Berlin sur la question : « Quelles sont les causes qui ont rendu la langue française universelle[119] ? » C'est ce même prosélytisme, plutôt que le seul amour de la liberté, qui peut expliquer l'attribution de la nationalité française à Schiller et à Klopstock en 1793.

Cependant, les pays et les personnages ainsi honorés ne réagissent pas autrement. Ainsi (Grimm le note en 1790 déjà) Bourgoing « ministre du roi à Hambourg » se met à traduire en français cette curieuse ode à la France par Klopstock :

« France ! Un beau jour s'annonce à mon cœur transporté,
C'est celui de ta gloire et de ta liberté.
Parais, soleil nouveau, viens consoler le monde [...][120]. »

Fichte, quant à lui, commence son essai de 1793 sur la Révolution française par l'affirmation suivante : « La Révolution française me paraît importante pour l'humanité entière », ce qui confirme pleinement la prétention missionnaire de la France. Mais, sceptique, il ajoute immédiatement : « Aussi longtemps que les hommes ne seront pas plus sages et justes, tous leurs efforts pour atteindre le bonheur resteront vains.

117. Grimm (note 39), t. XVI, 1882, p. 189 (à propos de l'*Almanach des Muses*, année 1793).
118. *Cf.* le catalogue de l'exposition *le Mythe d'Ossian*, Paris, Grand Palais, 1974.
119. Grégoire (note 50), p. 8 et note 8.
120. Grimm (note 39), t. XVI, 1882, p. 50. Pour la prose allemande de l'époque, *cf.* le beau recueil de Horst Günther (éd.), *Die französische Revolution. Berichte und Deutungen deutscher Schriftsteller und Historiker*, Frankfurt, Deutscher Klassiker Verlag, 1985.

Aussitôt échappés de la geôle de leur despote, ils s'entretueront avec les restes de leurs chaînes brisées[121]. »

Malgré cette prétention de la France, « l'ensemble de l'intelligence européenne participe à ce processus (de rénovation)[122] ». Comme Werner Hofmann l'a montré dans une série d'expositions magistrales, l'univers imaginaire traduit, dans toute l'Europe d'avant et d'autour 1800, aussi bien les étincelles qui, de France, ont rejailli sur d'autres pays (fig. 19), que les traditions nationales revigorées par la résistance à l'influence française (fig. 20). Si Sergel varie le thème du sacrifice à la patrie pour l'individualiser, Runge invente une iconographie toute personnelle, mais due à la représentation du tiers état au début de la Révolution, pour déplorer la chute de la patrie : une femme porte son enfant et laboure la terre qui recouvre son mari, dans l'espoir d'en tirer des forces nouvelles. Et on ne peut en aucun cas affirmer qu'une telle résistance ait été réactionnaire. Dans cette perspective européenne, parler d'« art autour de 1800 », c'est montrer qu'une fois les grands gestes abandonnés, l'art fait preuve d'un nouveau rapport, plus authentique, à la réalité, souvent accompagné de l'intelligence du particulier, de l'ingénuité ou de la qualité singulière d'un paysage déterminé (tel « le pays natal »). Mais ce rapport authentique est également vécu comme une tension accrue entre le moi et l'univers, comme sensibilité à l'égard des sévices et de la misère. Autour de 1800, l'art européen puise certes encore dans le fonds du christianisme et de l'Antiquité, mais il tire d'autres forces de l'expérience de l'immédiateté. Il en résulte aussi une nouvelle disponibilité à s'enthousiasmer devant la « grande » nature et la « grande » patrie. Aussi, les champs thématiques s'élargissent et se concrétisent. Par individualisme anti-institutionnel, Blake sympathise avec la Révolution française et lui consacre même, en 1791, un poème épique. Sergel, Runge, ou C. D. Friedrich découvrent la patrie ; en cela se réalise l'exigence d'être *de son temps et de son pays*. Mais ce sont souvent moins les thèmes que les formes qui montrent la mutation, et peu importe de savoir que Tischbein

était royaliste et Koch jacobin, car l'un autant que l'autre participent, au niveau du style, à cette nouvelle immédiateté qui amène Kleist à dire de Friedrich : « C'est comme si quelqu'un vous avait coupé les cils[123]. » Le voile que Reynolds voyait sur l'art européen, la Révolution l'avait déchiré[124].

Les conséquences de cette saisie immédiate et personnelle de l'objet pictural sont évidentes : une multiplicité de formes singulières qui se complètent et s'entrechoquent, et la désagrégation des conventions iconographiques. Déjà en 1791, le sculpteur Gottfried Schadow écrivait : « N'est-ce pas une belle qualité de l'œuvre d'art que de s'expliquer par elle-même et de n'avoir pas besoin d'inscription[125] ? » Le *Marat assassiné* de David témoigne de cette quête de l'immédiateté ; il a certes encore besoin de l'inscription, mais elle prend une tournure tout à fait personnelle : le tableau d'amitié entre en concurrence avec le tableau héroïque du XVIIIe siècle.

De cette immédiateté, il résulte aussi que la perte d'un cadre de référence valable pour tous devient la marque paradoxale d'une communauté. Le champ laissé à la subjectivité s'élargit dans des proportions inconcevables avant la Révolution. En exigeant un maximum d'objectivité, la Révolution a apparemment suscité cette évolution contraire — la polarité des possibilités semble caractéristique de cette époque[126]. L'invocation

Fig. 20   Runge, *La Chute de la patrie*, 1809. Hambourg, Kunsthalle.

121.   Johann Gottlieb Fichte, *Beitrag zur Berichtigung der Urteile des Publikums über die französische Revolution (1793)*, éd. par Richard Schottky, Hamburg, Meiner, 1973, p. 3.
122.   Werner Hofmann, « Die Erfüllung der Zeit », dans le catalogue de l'exposition *Blake*, Hamburger Kunsthalle, 1975, p. 11.
123.   Heinrich von Kleist, dans *Berliner Abendblätter*, 13.10.1810 ; — *cf.* Jens Christian Jensen, *Caspar David Friedrich. Leben und Werk*, Köln, Du Mont, 1974, p. 106.
124.   Sir Joshua Reynolds, *Discourses*, III, 1770, éd. française en 2 vol., Paris, Moutard, 1787, vol. I, pp. 87, 88 : « Il faut donc que nous ayons encore ici recours aux anciens comme nos maîtres […]. Les anciens […] avoient […] rien à désapprendre, à cause que leurs mœurs ne s'étoient pas beaucoup écartées de cette précieuse simplicité ; tandis que l'artiste moderne, qui veut découvrir la vérité, est obligé de lever le voile dont la mode du tems a jugé à propos de la couvrir. »
125.   « Ist es nicht eine schöne Eigenschaft eines Kunstwerks, wenn es sich selber erklärt und keiner Inscription bedarf ? » *Cf.* Gottfried Schadow, *Aufsätze und Briefe*, Stuttgart, Ebner & Sohn, 2e éd. 1890, pp. 32 sqq.
126.   *Cf.* Werner Hofmann, « Rollentausch », dans le catalogue de l'exposition *Johan Tobias Sergel*, Hamburger Kunsthalle, 1975, p. 22.

des droits de l'homme en fait tout autant partie que la référence dans toute l'Europe aux *Nights Thoughts* d'Edward Young, traduites aussitôt en allemand, puis en français en 1770, et en espagnol en 1798, qui exercèrent une influence de Sergel à Goya, tant par leurs idées que par les illustrations de Blake.

Paradoxalement, les résultats pour la France sont moins évidents. Avant de conclure, résumons brièvement l'évolution dont nous nous sommes efforcé de tracer les contours. Si l'art embourgeoisé, la recherche de valeurs profanes et inspirées par les Lumières et par la « Declaration of Rights » américaine, a vu le jour dans les années 1760-1780, le grand art des années 1780 fournit les moyens d'une peinture d'histoire, à même de traduire la morale et la politique sans qu'elle devienne pour autant un seul moyen d'illustration ou de propagande. Sous la Révolution, l'art essaie de rassembler, non sans peine, les procédés inspirés de l'Antiquité, les tendances réalistes, les effets du baroque, les clausules emblématiques pour faire de cet amalgame une somme d'éléments d'art bourgeois ; mais l'influence de cet art ne se fera véritablement sentir que dans un futur post-immédiat.

Cependant, si l'on considère, comme nous le proposons, que l'innovation artistique des années révolutionnaires consiste dans le renversement des codes et la rupture des structures, ainsi que dans les contradictions et polarités inhérentes aux œuvres elles-mêmes, cela signifie que le mouvement des idées a réussi à perturber la tranquillité de ce domaine, et qu'il a exercé une influence sur Blake, Goya, Sergel, Füssli, et sur certains dessins de Koch et de Runge. Sans cette perturbation plutôt indirecte, effective au-delà de la décennie révolution-

naire, la rénovation de l'art européen au XIXᵉ siècle aurait été impensable.

En revanche, nous avons évoqué le fait que la Révolution représentait un pas en arrière quant au rôle de l'art en tant qu'instrument de libre jouissance, de délectation, et de connaissance personnelle. Ajoutons à cela la perte en imagination, l'évincement d'anomalies créatrices telles que les cauchemars de Blake, l'érotisme satanique de Füssli, ou l'hypocondrie d'un Sergel. Même les formules pathétiques de l'art sous la Révolution manquent d'ampleur ; jamais on ne voit s'appliquer la profondeur des dissonances recherchées dont Goya fera preuve dans les *Caprichos* cat. 389). Mais ce recul n'est-il pas dû au souci de s'adresser à des publics très divers ? Ne faut-il pas reconnaître que l'art s'est par là attaqué à une terre vierge ? S'il en est ainsi, ce phénomène constitue aussi une innovation des plus importantes. Sans vouloir prendre part à la querelle des historiens français, il nous semble évident qu'en art, il convient de considérer les pertes dues à l'iconoclasme (en quelque sorte analogues aux victimes de la Vendée) sans pour autant nier les effets de modernisation et de clarification dont un tableau, paradoxalement issu de la Terreur, constitue l'achèvement suprême : le *Marat* de David. C'est peut-être l'unique œuvre révolutionnaire à rendre inefficaces les critères de Diderot, et à inaugurer une ère nouvelle.

Klaus Herding
professeur à l'université de Hambourg,
directeur d'études associé à l'École
des Hautes Études en Sciences sociales, Paris

NOTE POUR L'UTILISATION DU CATALOGUE

La mention cat. suivi d'un chiffre renvoie aux numéros des notices.
Les dimensions des œuvres sont données en mètres.

LISTE DES ABRÉVIATIONS

A.N.	Archives nationales
A.P.S.	American Philosophical Society (Philadelphie)
B.N. Est	Bibliothèque nationale, cabinet des Estampes
B.N. M.S.	Bibliothèque nationale, département des Manuscrits
B.S.H.A.F.	Bulletin de la Société de l'histoire de l'art français
C.N.A.M./M.N.T.	Conservatoire national des arts et métiers, musée national des Techniques
E.N.S.B.A.	École nationale supérieure des beaux-arts
E.N.S.M.	École nationale supérieure des mines
G.B.A.	Gazette des Beaux-Arts
M.B.A.	Musée des Beaux-Arts
M.N.A.T.P.	Musée national des Arts et Traditions populaires
M.N.H.N.	Musée national d'Histoire naturelle
N.A.A.F.	Nouvelles Archives de l'Art français
O.C.	Œuvres complètes

Œuvres qui, pour des raisons diverses, en particulier liées à leur état et aux délais de restauration, n'ont pu figurer à l'exposition (les chiffres correspondent aux numéros du catalogue) : 2, 11, 57, 82, 102, 333, 589, 595, 598, 603, 605, 796 B, 796 C, 796 E, 796 G, 882, 978, 979, 1071, 1076, 1098, 1099, 1102, 1103, 1107, 1111, 1114, 1116, 1117, 1118, 1120 B.

AUTEURS DES TEXTES DU CATALOGUE

	Léon ABRAMOWICZ, historien d'art, Paris.
D.Al.	Daniel ALCOUFFE, inspecteur général, chargé du département des Objets d'art, musée du Louvre, Paris.
M.An.	Martin ANGERER, conservateur du musée, Ratisbonne.
V.B.-F.	Véronique BARJOT-FAUX, chargée d'études, Paris.
L.B.-M.	Laure BEAUMONT-MAILLET, directeur du cabinet des Estampes, Bibliothèque nationale, Paris.
J.Be.	Jérémie BENOIT, conservateur à l'Inspection générale des musées classés et contrôlés, Paris.
	Claudine BILLOUX, responsable du Service des archives de l'École polytechnique, Palaiseau.
D.Bi.	David BINDMAN, professeur d'histoire de l'art, Westfield College, université de Londres.
C.B.-O.	Carole BLACKETT-ORDE, historienne d'art, Londres.
	Peter BROUCEK, Oberrat, archives municipales et archives de la Guerre, Vienne.
V. de B.	Véronique DE BRUIGNAC, conservateur au musée des Arts décoratifs, Paris.
	François DE CAPITANI, chef de division, musée d'Histoire, Berne.
M.-H.C.d.S.	Maria-Helena CARVALHO DOS SANTOS, assistante à l'université nouvelle de Lisbonne, secrétaire de la Société portugaise des études du XVIIIᵉ siècle, Lisbonne.
U.Ce.	Ulf CEDERLÖF, conservateur en chef du département des Dessins et Gravures, Nationalmuseum, Stockholm.
	Thérèse CHARMASSON, conservateur aux Archives nationales, chercheur au Centre de recherche de l'histoire des sciences et des techniques, Cité des Sciences de La Villette, Paris.
R.Ci.	Rosanna CIOFFI, professeur d'histoire de l'art à l'université de Naples.
D.De.	Danielle DECROUEZ, conservateur du musée d'Histoire naturelle, Genève.
	Alain DEGARDIN, chargé de recherche, musée de l'Air et de l'Espace, Le Bourget.
	Georges DELALEAU, chargé des collections graphiques et des objets d'art, musée de l'Air et de l'Espace, Le Bourget.
J.Dh.	Jean DHOMBRES, directeur de recherche au Centre national de la recherche scientifique, professeur de mathématiques, université de Nantes.
P.En.	Pierre ENNES, conservateur au département des Objets d'art, musée du Louvre, Paris.
	Arlette FARGE, directeur de recherche au Centre national de la recherche scientifique, Paris.
	E. FRIJHOFF, professeur à l'université Erasme de Rotterdam.
B.Ga.	Brigitte GALLINI, historienne d'art, Paris.
C.Ge.	Christian GENDRON, conservateur des musées de la ville de Niort.
P.Gi.	Paola GIUSTI, directrice, Museo della Floridiana, Naples.
	Eric GOLAY, professeur, section d'histoire, faculté de lettres, Lausanne.
G.Gr.	Gisela GRAMACCINI, historienne d'art, Trèves.
P.Gr.	Pontus GRATE, vice-président honoraire du National-museum, Stockholm.
	Thomas GRETTON, professeur d'histoire, Westfield College, université de Londres.
A.Gr.	Anthony GRIFFITHS, conservateur au département des Estampes, British Museum, Londres.

PREMIÈRE PARTIE

L'EUROPE
À LA VEILLE
DE LA RÉVOLUTION

I
LE POUVOIR
POLITIQUE

A la fin du XVIIIe siècle, l'Europe est composée pour l'essentiel d'une mosaïque de monarchies très diverses par leur importance et leurs institutions. Les rares États possédant une constitution « républicaine » ne sont pas nécessairement les plus démocratiques, au sens moderne du terme, et le sont certainement moins que la monarchie anglaise (malgré les injustices, les imperfections du système qui régit l'élection du Parlement).

Mais à la veille de la Révolution, aucun des souverains européens ne jouit d'un très grand prestige. Les derniers grands « despotes éclairés » disparaissent de la scène : Frédéric II de Prusse en 1786, Charles III d'Espagne en 1789, l'empereur Joseph II en 1790. Catherine II va régner jusqu'en 1796 mais sa politique expansionniste, qui trouble à l'Est un équilibre européen toujours fragile, retient alors bien plus l'attention que ses essais de réforme. La médiocrité intellectuelle, voire un certain déséquilibre mental, semble être le lot de plusieurs souverains, qu'il s'agisse de Louis XVI de France, de Charles IV d'Espagne, de George III d'Angleterre, de Christian VII de Danemark (mis sous tutelle en 1784) ou de Marie Ire du Portugal (déclarée incapable). La

seule personnalité véritablement brillante est sans doute Gustave III de Suède, assassiné en 1792.

Mais si les personnes royales manquent pour la plupart de prestige, l'institution monarchique demeure respectée même dans ce qu'elle peut avoir d'archaïque : peu d'esprits, même parmi les plus avancés, ont critiqué le faste du sacre de Louis XVI ou le cérémonial des élections impériales.

Même si la réalité du pouvoir se trouve souvent ailleurs, l'entourage immédiat du souverain, la cour, en détient l'apparence ; par leur action diplomatique, officielle ou secrète et leurs intrigues, ces cours royales ou princières ne sont pas sans influence sur les événements. La politique a suscité dans la France révolutionnaire, qui les croit souvent plus unies qu'elles n'étaient en réalité, défiance et hostilité. Et c'est pourquoi, même si la pompe monarchique dissimule plus qu'elle ne révèle la véritable situation des États européens, il était inévitable que la présente exposition s'ouvre, à la manière de certains châteaux du XVIIIe siècle, par une salle consacrée aux portraits des souverains d'Europe.

Gustave III assistant à la messe de Noël dans l'église Saint-Pierre de Rome (cat. 19, détail).

LE POUVOIR POLITIQUE EN EUROPE
À LA FIN DU XVIIIᵉ SIÈCLE

A LA VEILLE de la Révolution française, le pouvoir politique en Europe reposait, sous des formes diverses, entre de nombreuses mains. Si l'histoire politique des souverains et de leurs cours, l'évocation des batailles et des traités met en lumière une forme importante du pouvoir, un portrait, celui de George III ou du comte Potocki, est pareillement une expression de ce pouvoir.

Les États sont souvent perçus comme des acteurs du jeu politique à part entière : on parle de la France ou de la Prusse comme d'une personne, comme si le fonctionnement de l'État dépendait des ambitions, des espoirs ou des craintes d'un individu. Cette notion de personnalité était alors importante et le sera encore plus à l'ère du triomphe de l'idée de nation. Elle paraissait en effet justifier l'existence ou l'émergence des États nationaux et s'appliquer tout autant aux États dont l'extension territoriale dépendait des possessions d'un seul.

Pourtant en 1790, les Européens avaient depuis longtemps conscience que leurs États étaient liés au sein d'un même système et qu'un changement concernant l'un d'entre eux impliquait tous les autres. Mais les diplomates concevaient les relations internationales en termes mécanistes, étudiant et recherchant l'équilibre des forces. Il est tentant d'accepter la force de ces métaphores, de penser à ces personnalités en terme de permanence et d'appliquer au pouvoir politique les lois de la mécanique newtonienne dont l'idée est alors triomphante : chaque action engendre une réaction opposée et d'égale intensité ; l'énergie politique restant constante à l'intérieur du système.

Considérer la politique et les relations internationales comme une sorte de bourse, mettant en jeu une quantité déterminée de pouvoir uniquement susceptible de changer de mains, n'est cependant pas pleinement satisfaisant. Car ce pouvoir risque d'échapper à ceux qui, précisément, souhaitaient l'utiliser. Un État ou un individu dans l'État peut avoir un pouvoir de décision et ne pas en maîtriser les retombées. Le *liberum veto* de la noblesse polonaise au XVIIIᵉ siècle en est un exemple notoire : il assurait un pouvoir politique immense à tous les adultes mâles du groupe social dominant, tout en affaiblissant le pouvoir collectif de ce groupe jusqu'à entraîner la totale dissolution de l'État. Le pouvoir politique n'est donc pas une entité constante mais fluctuante et la Révolution française va à la fois l'exalter et le transformer[1].

Le pouvoir politique naît de conjonctures économiques, sociales, d'un ensemble de croyances. Financer une expédition pour aller conquérir une île riche en canne à sucre est une forme de pouvoir politique, mais la capacité de mobiliser, de stimuler les constructeurs de navires et les marins en est une autre. Imposer le paiement de la dîme est une forme du pouvoir qui répond aux types de relations qu'entretiennent l'Église et l'État et qui implique de persuader ceux qui la paient que cette redevance est naturelle, légitime, inévitable.

Le pouvoir politique tel qu'il se présente au crépuscule de l'Ancien Régime, exercé par des monarques « absolus », des Premiers ministres, au sein de cours ou de parlements, permettant de négocier traités et mariages, n'est que le sommet, le signe extérieur et visible d'un ensemble de pouvoirs qu'il convient de repérer aux différents échelons de la société. Car toute forme de pouvoir d'un individu sur un autre est en quelque sorte politique. Toute relation sociale qui implique un rapport de pouvoir, tout étalage de richesses, tout statut particulier, en porte l'empreinte. Dans cette perspective, ne pas voir un tableau ou un bibelot comme un signe de pouvoir revient à ne pas le voir du tout.

Le pouvoir de certains individus sur d'autres est aussi celui de l'homme sur la femme. Il est vrai qu'à la fin du XVIIIᵉ siècle en Europe, les femmes riches n'étaient pas encore assignées à ce rôle passif d'objets de luxe charmants, qui pèsera sur elles au siècle suivant. On rencontrera, au XIXᵉ siècle, peu de femmes de l'envergure de Marie-Thérèse d'Autriche (†1780), Catherine de Russie (†1796), Mme Roland (†1793), Mme de Pompadour (†1764) ou la duchesse de Devonshire (†1806). Dans les ménages paysans, qui constituaient l'assise de tout pouvoir politique dans l'Europe du XVIIIᵉ siècle, il est probable que la répartition sexuelle des tâches reposait autant sur le respect que sur la soumission[2]. Néanmoins, à cette époque comme à la nôtre, la sphère politique était essentiellement un monde d'hommes, comme le confirment les peintures d'histoire et les portraits présentés ici.

---

1. Trois ouvrages à lire sur la situation de l'Europe au XVIIIᵉ siècle : R. Mandrou, *l'Europe absolutiste (1649-1775) - Raison et raison d'État*, 1977 ; W. Doyle, *The Old European Order, 1660-1800*, Oxford, 1978 ; O. Hufton, *Europe : Privilege and Protest, 1730-1789*, 1980.

2. M. Segalen, *Mari et femme dans la société paysanne*, 1980, pp. 155-172.

C'était aussi un monde dominé par la propriété et le contrôle des terres. On pourrait bien sûr citer beaucoup de grands hommes ayant détenu un pouvoir social, économique ou même politique sans posséder aucune terre par voie d'héritage. C'est le cas notamment des bailleurs de fonds qui prêtaient de l'argent aux différents États, ainsi que celui d'une poignée de serviteurs de l'État, de quelques penseurs et ici et là, d'un grand négociant ou d'un directeur de manufacture. C'était toutefois principalement la possession de terres qui donnait le pouvoir.

Presque partout en Europe, les paysans, le peuple qui travaillait le sol au bénéfice de ceux qui n'avaient pas à se salir les mains, constituaient soixante-dix, quatre-vingts, voire quatre-vingt-dix pour cent de la population. Seules, la Hollande avait longtemps fait exception à cette règle brutale et l'Angleterre commençait à s'y soustraire. De ce fait, le contrôle de millions de travailleurs et de leurs maigres excédents assurait la principale source de pouvoir politique durable. Outre l'alimentation de base, c'est tout le système social qui reposait sur l'économie paysanne.

Pour maintenir ce type particulier de pouvoir social, les propriétaires, et tous ceux qui exerçaient un contrôle sur la terre, devaient préserver l'économie paysanne de l'attrait des villes et du commerce, enrayer les faiblesses du rendement et juguler régulièrement les révoltes, parfois violentes et toujours justifiées, des paysans contre leurs nobles maîtres. Ils devaient également lutter contre le roi, car celui-ci tentait de s'arroger une part toujours plus importante des excédents de la production pour développer son armée ou sa flotte, se bâtir un palais plus grand ou créer des emplois pour ces nobles dont il essayait de diminuer les revenus soit en puisant à la source, soit en levant des impôts.

Il était donc dans l'intérêt de l'État de promouvoir un type d'activité économique qui ne soit pas aussi directement lié à un système social mettant le roi et la noblesse en position d'affrontement. A cet égard, l'active politique coloniale et mercantile, adoptée notamment par les Français et les Anglais, parut offrir la possibilité d'étendre le pouvoir et les revenus du roi sans diminuer ceux des nobles : le pouvoir dès lors n'a plus une valeur constante.

Comment le pouvoir politique était-il perçu et vécu par les contemporains. Le roi et sa cour attiraient tous les regards mais l'attention de certains se portait néanmoins sur d'autres exemples de pouvoir, non moins glorieux. Les républiques de Venise et des Provinces-Unies offraient déjà aux observateurs et aux agitateurs un modèle différent d'organisation politique[3]. Au XVIIIᵉ siècle, l'idée d'une monarchie restreinte et la conception mécaniste des équilibres et des contre-pouvoirs en vigueur dans la Constitution américaine avaient fait leur chemin dans les esprits. En 1780, l'éventail des régimes politiques se situait entre deux polarités : l'autorité absolue ou restreinte, que ce

3. P. Anderson, *Lineage of the absolutist State*, Londres, 1974.

soit dans une monarchie ou une république. On pouvait admirer et imiter des monarchies « absolues », des monarchies libérales, ainsi que deux, et avec les États-Unis trois, républiques limitées. Bientôt et pour un bref laps de temps, allait se présenter l'exemple d'une véritable république, focalisant les regards.

Pourtant en cette fin du XVIIIᵉ siècle, aucun État « absolutiste » n'était en mesure de garantir un pouvoir absolu. L'ambition des dirigeants était d'accroître le pouvoir qui leur était imparti. Ils s'accordaient sur ce point avec les partisans des « Lumières », cherchant pareillement à améliorer l'efficacité des institutions gouvernementales pour y introduire les uns, plus de pouvoir, les autres, la raison. Les dirigeants avides de pouvoir avaient fort à faire. A la veille de la Révolution, le ministre français des Affaires étrangères disposait de soixante-dix employés, en 1815, alors que l'administration du gouvernement mis en place par la Révolution s'était largement développée, le ministre de l'Intérieur à Paris n'en avait pas plus de deux cents sous ses ordres. Etant donné la lenteur et le coût des moyens de communication, le manque de souplesse de l'infrastructure sociale et économique, le pouvoir absolu signifiait au mieux un pouvoir sans l'entrave d'un contrôle constitutionnel spécifique. Le pouvoir de contrainte dont disposait Joseph II à l'égard de ses sujets, nombreux par millions, n'était sans doute pas bien supérieur à celui de George III auquel il était demandé de lever des impôts en tant que « roi au Parlement ».

Cependant, au cours du XVIIIᵉ siècle, l'efficacité des gouvernements, leur faculté à se faire servir avec loyauté, à mobiliser les énergies et à les canaliser, se sont néanmoins considérablement accrues. La Prusse est à cet égard un exemple remarquable. Elle a su exiger d'une population limitée et sans grandes ressources le financement d'une entreprise étatique d'envergure. D'autres États ont tenté de l'imiter. Les pays, atteints au XVIIᵉ siècle par des convulsions militaires, s'en sont trouvés modifiés au XVIIIᵉ siècle. Ils furent désormais en mesure d'entretenir des armées de milliers de soldats, de financer un armement relativement sophistiqué et des périodes d'entraînement pouvant durer plusieurs années de suite. Ils pouvaient aussi construire, équiper et entretenir une flotte composée de vaisseaux de grande taille, véritables machines de guerre, plus complexes, plus puissantes et coûteuses que jamais et les maintenir sur mer à longueur d'année. Le malheur de la France fut de devoir mener l'effort à la fois sur terre et sur mer. Toutefois, conjointement ou séparément, ces dépenses nécessitaient et suscitaient un énorme surcroît d'efficacité et de puissance pour les États européens.

Cette augmentation du pouvoir de l'État était en premier lieu le fait de monarques « absolus » qui en avaient ressenti la nécessité. Ils y parvenaient dans la mesure où ils savaient museler les diverses institutions sociales du pays. Le fonctionnement de la monarchie absolue impliquait que les initiatives politiques fussent généralement prises par le souverain ou son entourage. Dans un tel contexte, aucun parti politique ne réussissait à s'implanter : les coteries devaient rester proches du roi pour agir. On ne peut comprendre l'activité de ces petits groupes qu'en tenant compte le plus souvent de l'influence des favoris, ou favorites selon les cas, et de la personnalité du souverain, aspect non négligeable de la politique. Pourtant, si coteries, favoris et monarques disposaient d'un certain pouvoir, ils n'en étaient pas directement à l'origine, ils ne le produisaient pas.

Analyser le pouvoir politique nécessite que nous abordions la nature de ce pouvoir mais aussi celle du régime. Au XIXᵉ siècle, l'idée de nation apparut comme le principe de cohésion inévitable aux nouveaux États et même, inopinément, aux anciens. Au XVIIIᵉ siècle, en revanche, Frédéric le Grand ou Joseph II pouvaient agir, comme si l'exercice du pouvoir n'était autre que la gestion de ses propres terres, avec le titre de souverain reçu en héritage, et il était presque approprié de dire que Frédéric, plutôt que la Prusse, avait annexé, en 1772, une partie de la Pologne.

Les échecs qu'a pourtant essuyés Joseph II dans ses projets de réforme et les opinions exprimées par le Parlement à l'encontre du régime dynastique, sous Louis XV et Louis XVI, attestent que d'autres modes de gouvernement étaient envisagés et, à travers eux, une nouvelle forme de pouvoir politique. Ces idées reposaient pour la plupart sur l'existence d'anciennes institutions. C'est la notion de corporation, de collectivité civile ayant des droits définis par la loi, la justice et la tradition, qui contribua aux revers de Joseph II dans les Pays-Bas autrichiens et alimentait avec force l'opposition parlementaire. D'une manière générale, la conception d'un régime politique, tissu de négociations locales et individuelles entre le roi et les villes, les ordres ou les provinces, ainsi que le souci des libertés plutôt que d'une liberté globale et idéale, restaient présents mais comme l'envers du pouvoir.

Parallèlement en France, en Hollande, en Grande-Bretagne, en Allemagne et même en Pologne, s'ébauchait l'idée de nation, dont l'extension territoriale pourrait correspondre ou non aux frontières existantes mais qui imposerait la fin de l'absolutisme sous sa forme dynastique. Comme le suggérait Rousseau dans le *Contrat social*, ce concept de nation pouvait favoriser le développement d'une véritable république ou l'affermir.

Divers groupes sociaux s'emparèrent de cette idée : en Hongrie, ce sont les magnats et la petite noblesse qui l'accaparèrent sans vergogne ; aux Pays-Bas, elle était, en 1790, devenue une arme entre les mains des radicaux, citadins, appartenant le plus souvent à la petite bourgeoisie, autrefois exclue de la lutte intestine entre les partisans de la maison d'Orange et les Régents. En Angleterre, le débat portait davantage sur la nature de la « nation » que sur le bien-fondé d'en utiliser le concept en tant que facteur de cohésion gouvernementale. Ailleurs, en Grande-Bretagne, la situation était moins claire. Tandis que l'élite politique écossaise tentait de trouver son identité sous le qualificatif de « Britannique du Nord », les Irlandais adoptaient une autre position.

Le pouvoir politique des minorités ethniques et des peuples spoliés de leur identité fut fréquemment l'objet de conflits, comme l'atteste l'attitude de la noblesse bretonne durant la période « prérévolutionnaire ».

Le pouvoir résultait toujours d'une lutte. Les dirigeants n'occupaient que la place prépondérante au milieu des divers groupes et personnalités en présence et ils l'occupaient de différentes manières et à plus d'un titre. En Russie, la succession des tsars, qui se voulaient les héritiers de la Rome impériale, n'était pratiquement héréditaire que par les hommes. Chez les Habsbourg, Joseph a d'abord régné aux côtés de sa mère, ensuite seul en tant qu'archiduc, en Autriche, que roi électif, en Hongrie, et dans des conditions et à des titres divers dans les Pays-Bas autrichiens. Le roi de Pologne était, bien que vénalement, élu, comme l'était l'empereur du Saint Empire romain germanique. Le pouvoir temporel et les possessions du pape étaient aussi électifs. N'oublions pas que les dirigeants, quels qu'aient été leurs titres ou leur soif de pouvoir, s'appuyaient sur des auxiliaires. Au cours du XVIIIᵉ siècle, le service de l'État prit de l'essor dans toute l'Europe. En Prusse et en Russie, les gouvernants obtinrent des résultats, jamais complets ni définitifs, mais certes considérables, en créant pour les serviteurs de l'État des titres de noblesse à titre personnel puis héréditaire. On rencontre dans toute l'Europe des grands commis de l'État d'une extraction relativement modeste, mais la plupart étaient issus d'anciennes familles dont l'assise terrienne était puissante, ce qui entraînait des conflits. Pour la noblesse, le service de l'État et la détention de charges ou de domaines héréditaires ne recouvraient pas les mêmes intérêts.

La noblesse existait dans l'Europe entière. Ses privilèges légaux et fiscaux, ses liens héréditaires avec la suprématie du souverain, la rendaient prépondérante au niveau politique. Mais, tandis que la Grande-Bretagne ne comptait pas plus de quatre cents titres de noblesse, en France, les nobles et les privilégiés atteignaient 0,5 pour cent de la population et en Pologne, ils étaient plus de sept cent cinquante mille, soit dix pour cent de la population. La noblesse n'était pas une classe sociale mais un ordre, ses membres pouvant être riches ou pauvres. Il convient de distinguer les quelques puissants qui, au sommet de l'échelle, participaient au pouvoir, au sein de l'Église, de l'armée, de la justice, de la maison du roi ou du gouvernement, du groupe plus large des hobereaux, notables de province qui, bien qu'intéressés au maintien du *statu quo*, ont mené des vies demeurées obscures.

Le clergé était, partout, puissant politiquement. Les riches abbayes et les archevêchés de l'Église catholique soutenaient toujours davantage la noblesse, bien qu'un nombre croissant de membres cultivés du clergé s'employât à éduquer la masse, à affiner ses mœurs, à l'informer du fonctionnement de l'État.

L'Église d'Angleterre et les diverses églises luthériennes d'État en Grande-Bretagne assuraient un rôle presque gouvernemental qui leur donnait un réel pouvoir politique. Malgré cela, les intérêts du clergé et en particulier de l'Église catholique ne coïncidaient pas toujours avec ceux des dirigeants et des heurts importants éclataient, notamment à propos des jésuites.

Avec l'accroissement du pouvoir, augmentaient les dépenses de l'État. La levée des impôts et des différentes taxes s'effectuait avec plus ou moins d'efficacité et tous les États avaient recours aux services de banquiers qui leur prêtaient l'argent nécessaire aux dépenses exceptionnelles, et de financiers qui se chargeaient de percevoir les impôts moyennant une somme fixée, payable à l'avance au gouvernement ; la terre, notamment, était assujettie au fermage. La haute finance avait donc un intérêt double : le maintien d'un État prospère et de son incapacité chronique à percevoir l'impôt.

L'exercice de la justice était aussi un autre sujet de litige entre l'Église, le souverain et les propriétaires terriens sur lesquels reposait son pouvoir. Presque partout en Europe, ces derniers avaient su maintenir une justice seigneuriale, plus ou moins efficiente. Dans certaines régions, le souverain déléguait un énorme pouvoir judiciaire à la noblesse, dans d'autres, la justice royale avait supplanté celle des seigneurs, mais partout, la pression sociale exercée par les propriétaires terriens restait essentielle au maintien de la loi et de la justice. Comme l'a souligné E.P. Thompson, la loi avait pour fonction de défendre la propriété et donc de perpétuer l'injustice, mais elle n'aurait pu subsister si elle n'avait été perçue comme juste. Au sommet, différents types de cours suprêmes de justice revendiquaient le droit d'intervenir dans les procédures en tant qu'instance indépendante de l'autorité centrale. La loi était donc un moyen de pression, institué par le pouvoir, et elle donnait lieu à des conflits et des contradictions multiples.

La population des villes constituait également un ferment de pouvoir politique. A la fin des années 1780, les rouages de l'État étaient si complexes, étendus et puissants qu'ils devaient en permanence s'appuyer sur les grandes villes et contribuaient à leur expansion. Une population frondeuse pouvait à tout moment menacer le pouvoir en place mais, sauf lorsque les émeutes urbaines atteignaient les campagnes, les dirigeants pouvaient se permettre d'attendre le retour au calme, comme lors des *Gordon Riots* de Londres, en 1780. Pourtant, l'Europe occidentale pressentait l'émergence de nouveaux principes politiques, qui connaîtront un succès grandissant incitant le peuple des villes à passer à l'action de façon systématique ; le siècle des révolutions urbaines commençait à poindre.

Au XVIIᵉ siècle, les armées étaient indépendantes politiquement. La carrière d'un Wallenstein ou d'un Charles XII de Suède l'atteste. Elles joueront de nouveau un rôle aux XIXᵉ et XXᵉ siècles. Mais, à la veille de la Révolution, justice soit rendue aux gouvernants européens, qui pensaient alors que si l'autorité militaire pouvait être un sujet de conflit entre le souverain et la noblesse, elle n'accordait aucun pouvoir politique réel.

Quand on songe à ces réseaux abstraits, ces États dans l'État, on est tenté de penser que le pouvoir est une chose nécessaire,

naturelle, un simple attribut des acteurs d'un drame. L'année 1763 marque un tournant dans l'équilibre européen. L'Espagne, puis la France, suivies d'une constellation d'États plus petits, s'employèrent à faire échec au système centralisé autour d'une « superpuissance ». Après 1715, on assiste à l'émergence de cinq « grandes puissances » et d'une myriade de petites. La France, la Grande-Bretagne, les possessions des Habsbourg, la Prusse et la Russie établissaient et démantelaient les alliances avec, pour constante, l'opposition de la France et de l'Angleterre. L'expansion de la Russie, le succès de la Prusse, les immenses richesses officiellement entre les mains des Habsbourg après l'humiliation de la France à la fin de la guerre de Sept Ans (en 1763), déplacèrent le nœud de relations diplomatiques vers les trois puissances orientales[4]. La Grande-Bretagne ne parvenait plus à convaincre la Prusse ou l'Autriche de ce que la France constituait une menace majeure. Les Français n'ont recouvré quelque crédibilité diplomatique que lors de la guerre d'Indépendance américaine. Mais à la veille de la Révolution, le pouvoir, au sein du système européen, s'était déplacé vers l'Est. Les retentissements de la Révolution attireront de nouveau les regards et permettront aux Britanniques de prendre, une fois de plus, position face à la France. Mais il est clair qu'en 1788, une tendance à long terme était déjà nettement amorcée.

Ces considérations sur la grandeur et la décadence des États nous ont entraînés bien loin du plaisir esthétique. Nous avons tenté de montrer que les États n'étaient pas des acteurs auxquels pouvaient s'appliquer des métaphores d'ordre psychologique ou mécanique, mais le lieu d'interactions entre les individus ou les groupes en présence. Commander nécessite de la confiance en soi, diriger implique l'assentiment des gouvernés. Le schéma dominant-dominé n'est jamais le produit du seul pouvoir politique, il s'ancre et se renouvelle sans cesse dans le champ du social. C'était d'ailleurs la tâche confiée, à l'époque, à certains secteurs de la culture matérielle que de favoriser l'assurance, la conscience de classe et d'une supériorité innée chez l'élite héréditaire, et de susciter des sentiments d'infériorité, d'insécurité, d'incompétence chez ceux qui aspiraient au pouvoir, fascinés par le luxe et les manières de la haute société, dont ils se voyaient rejetés. Ce serait méconnaître les pièces de cette exposition que de les percevoir uniquement comme des œuvres d'art ou des évocations d'événements ponctuels, car elles sont, comme les armées ou les cours princières, le fruit de l'exercice du pouvoir politique, en Europe, à la veille de la Révolution française.

Thomas Gretton

4. McKay et H.M. Scoh, *The Rise of the great Powers, 1648-1815*.

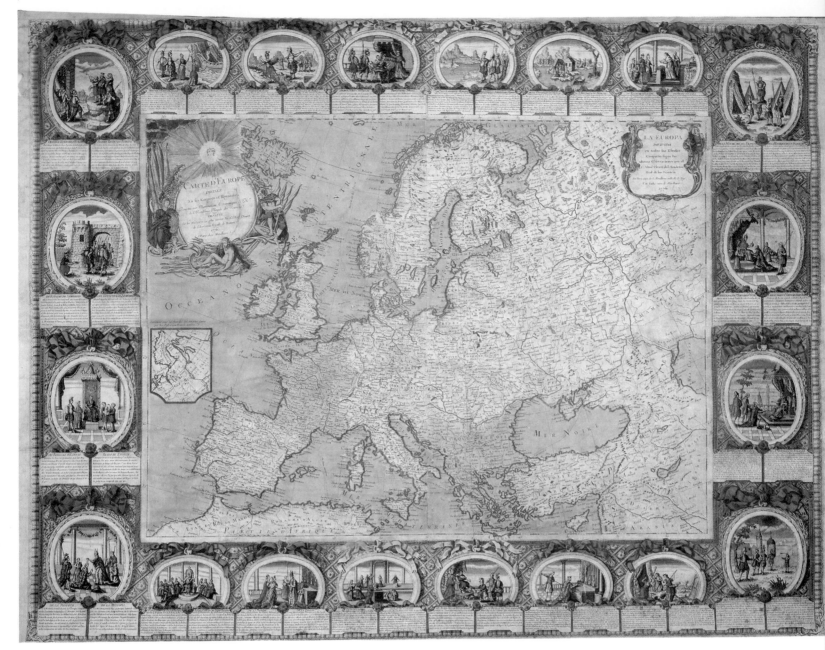

Carte de l'Europe (cat. 1).

1
Carte de l'Europe

par l'abbé CLOUET

Quatre feuilles coloriées assemblées en une carte entoilée montée sur deux baguettes de bois noirci. H. 1,03 ; L. 1,32.
Historique : Bibliothèque royale.

Paris, Bibliothèque nationale, département des Cartes et Plans (inv. Ge A, 659).

Bien que cette carte présente les divisions politiques de l'Europe à la veille de la Révolution, elle évite toute allusion aux événements contemporains. Les vignettes qui l'entourent illustrent à la manière d'une bande dessinée la fondation des États européens, le plus récent étant la république des Provinces-Unies depuis 1648. Selon l'abbé Clouet, auteur de cette carte qui ne fait que reprendre l'une des nombreuses hypothèses émises au XVIIIe siècle, c'est Egialée, descendant de Japhet, lui-même fils de Noé,

qui bâtit la première ville d'Europe dans le Péloponnèse. En lui succédant, son fils Europa aurait donné son nom au continent.
Il faut noter qu'un unique carton souligne les découvertes des Russes en Nouvelle-Zemble, région qui restait à cette date la seule terre européenne mystérieuse, car imparfaitement reconnue. Encore Clouet ignore-t-il qu'un Russe en a prouvé l'insularité en 1760. Il se contente de rappeler l'expédition de Willem Barents en 1596. Le séjour forcé et mortel du navigateur hollandais avait eu un grand retentissement car il était le premier hivernage réalisé par des Européens dans les terres arctiques, à une latitude qui ne sera dépassée qu'au XIXe siècle.
Cette carte de l'Europe fait partie d'une suite des quatre continents publiée simultanément à Paris et à Cadix chez l'éditeur-géographe Mondhare, en 1776.   M.Pa.

2
Louis XVI en costume de l'ordre du Saint-Esprit

par Antoine-François CALLET

Huile sur toile. H. 2,25 ; L. 1,60.
Inscription : sur la colonne en bas à gauche : « Par Callet/ Peintre du Roi/ 1er Peintre de Monsieur/ et Mg le Comte d'Artois, en 1788 ».
Historique : anciennes collections du Louvre, Villot, 1852, inv. 3110 ; dépôt de l'État au musée de Grenoble, en 1873.
Expositions : 1789, Paris, Salon, no 63 ; 1900, Paris, no 4583, p. 309.
Bibliographie : Roman, p. 16 ; cat. Grenoble, 1891, p. 26, no 35 ; inv. Rich. d'Art de la France, t. VI, 1892, p. 16 ; cat. Grenoble, 1909, p. 97 ; Wilhelm, 1963, pp. 7-10 ; G. Lacambre, 1974-1975, pp. 342-343.

Grenoble, musée de Peinture et de Sculpture (inv. MG. 565).

Louis XVI en costume de l'ordre du Saint-Esprit (cat. 2).

Marie-Antoinette et deux de ses enfants (cat. 3).

L'Empereur Joseph II (cat. 4).

L'Empereur Léopold II (cat. 5).

Au Salon de 1789, Callet présenta quatre tableaux; deux d'entre eux ne furent pas exposés à l'ouverture du Salon, comme il est explicitement indiqué au livret: il s'agissait du *Portrait du roi* et du *Portrait de Monsieur, frère du roi*.

De fait, rares sont les critiques concernant ces deux œuvres et seul «l'Amphigouri» (coll. Deloynes, t. XVI) fait allusion aux deux portraits: «Les portraits du roi et de Monsieur par M. Calet sont d'une belle touche et d'une couleur riche et bien harmonieuse...» Le *Portrait du roi* fut, semble-t-il, apparemment présenté encore plus tard que le *Portrait du comte de Provence* moins oublié des critiques. Le roi est ici représenté portant le costume de l'ordre du Saint-Esprit et non le costume du sacre, comme dans le très célèbre portrait commandé à Callet en 1778 par le ministère des Affaires étrangères (arch. du minist. 2085 à 2094) et devant servir de modèle à ceux envoyés dans les ambassades et cours étrangères (d'où la multiplicité des répliques parfois de la main de Callet et souvent d'assez bonne qualité; exemplaires, entre autres à Versailles, Compiègne, Clermont-Ferrand, Vernon, Madrid, Genève, Vienne, etc.).

Le *Portrait du roi* exposé au Salon de 1789 avait pour pendant un *Portrait du comte de Provence*, que nous pensons avoir pu identifier comme étant probablement un comte de Provence en costume de l'ordre de Saint-Lazare (musée de Versailles, catalogué à tort comme F.H. Drouais, inv. M. V 3970; H. 2,40; L. 1,52). Ce tableau, comme le *Portrait du roi* qui nous intéresse, a été largement amputé sur sa hauteur et sur sa largeur, les deux portraits faisant initialement 3,24 mètres de haut sur 2,26 mètres de large.

On notera dans ce *Portrait du roi* la présence divine, symbolisée par les traits lumineux faisant rayonner la couronne: le roi est investi de ses pouvoirs par la volonté de Dieu; cet élément quelque peu archaïque nous introduisant dans le domaine du merveilleux n'est sans doute pas sans rapport avec l'idée de permanence divine du pouvoir du souverain, grand maître des ordres (Saint-Esprit, Saint-Lazare) qui vont, en fait, disparaître peu après. En effet, les ordres de chevalerie seront abolis par un décret en date du 30 juillet 1791; cette apparition au Salon de 1789 de deux tableaux montrant les ordres réunis est un témoignage étonnant à une époque où on avait décidé de les éteindre progressivement. Le baron Hervé Pinoteau, qui nous a éclairé de sa science d'héraldiste, a suggéré l'hypothèse que ces deux tableaux aient pu être mis dans la chapelle de l'École militaire.

Par ailleurs, l'hypothèse a été soulevée, que ce portrait puisse être celui du comte de Provence, mais dans ce cas, comment expliquer la présence, au côté de Monsieur, frère du roi, de la couronne et du sceptre royal, attributs du roi seul, si ce n'est par un repeint postérieur à 1814.   B.Ga.

3
Marie-Antoinette, reine de France, et deux de ses enfants

par Adolf-Ulrik WERTMÜLLER

Huile sur toile. H. 0,80; L. 1,11.
Historique: collection de Gustave III, devenue Musée royal en 1792, puis Musée national en 1865.
Expositions: 1867, Versailles, Petit Trianon; 1921, Berlin; 1925, Paris, musée des Arts décoratifs, n° 245; 1955, Versailles, n° 74.
Bibliographie: *Mercure de France*, octobre 1785; Bachaumont, t. XXX, p. 189; *Discours sur l'origine, les progrès et l'état actuel de la peinture en France*, Paris, 1785; *l'Aristarque moderne au Salon*, 1785; *Réflexions impartiales sur les progrès de l'Art en France*, 1785; *Jugement d'un musicien sur le Salon de la peinture de 1785*, Geffroy, 1867, p. 144. repr.; Lescure, 1867, p. 143; Clément de Ris, 1874, p. 223; Levertin, 1893. p. 63-67; Göthe, 1927, n° 1079; Gauffin, 1926, p. 28 rep.; cat. Stockholm 1927, n° 1032; Strömbom et Eison Uggla, 1927, n° 1079; Lespinasse, 1929.

Stockholm, Nationalmuseum (inv. NM 1032).

Sur la route du retour de son voyage en Italie, Gustave III visita Paris en 1784. C'est apparemment au cours de ce séjour que la reine Marie-Antoinette commanda son portrait pour l'offrir au souverain suédois. L'artiste suédois Wertmüller, établi à Paris depuis 1781, fut chargé d'exécuter ce tableau, payé 14 000 livres par la Direction des Bâtiments. Cependant, la reine ne fut guère satisfaite du résultat et la critique fut négative lorsque l'œuvre fut exposée au Salon de 1785. Pour ces raisons, Wertmüller la remania avant de l'envoyer à Stockholm l'année suivante. Il a cherché à allier une certaine rigueur néoclassique à une grâce encore un peu *rococo*. Sur la demande de la reine, ou de son propre mouvement, il a représenté celle-ci se promenant comme une bonne mère de famille avec ses enfants dans la nature, en l'occurrence le parc du Petit Trianon.

Les enfants sont la future duchesse d'Angoulême et le «premier» dauphin, qui mourra en 1789.

Le magnifique cadre fut exécuté par Buteux pour la somme de 1 285 livres 5 sols 11 deniers, à laquelle s'ajouta 124 livres 8 sols 10 deniers pour les armes de la reine jumelées à celles de Gustave III.

A l'occasion d'une exposition organisée au Petit Trianon en 1867, l'impératrice Eugénie commanda à Ch. Bataille la copie en grand, qui fut offerte au musée de Versailles. P.Gr.

4
L'Empereur Joseph II (1741-1790)

par Josef HICKEL

Huile sur toile. H. 2,195; L. 1,09.
Inscription: à droite sur le socle: «Joseph Hickel. 1776».
Historique: probablement peint à la suite d'une commande de Joseph II pour le conseil de Guerre de la cour; le tableau provient de l'ancien ministère de la Guerre et a été exposé de 1955 à 1981 dans la salle Marie-Thérèse du musée historique de l'Armée.

Vienne, Heeresgeschichtliches Museum (inv. BI 30.449).

Hickel peignit l'empereur pour la première fois en 1770 puis, à plusieurs reprises, au cours des années suivantes; ces tableaux étaient des cadeaux destinés à des cours étrangères. La statue de Pallas-Athéna avec la lance, la chouette et le bouclier à tête de Gorgone (comme déesse de la Sagesse) exprime non pas les intentions guerrières mais plutôt les convictions rationalistes du monarque.

En 1776, Joseph II avait supprimé le grand manteau de cour à l'espagnole et avait su imposer à la cour l'usage de l'uniforme.

Le peintre a atténué le caractère baroque traditionnel de l'attitude du souverain en le représentant dans cette tenue, qui met l'accent sur la modestie du train de vie de Joseph II.

L.Po.

5
L'Empereur Léopold II (1747-1792)

par Martin KNOLLER

Huile sur toile. H. 2,82; L. 1,89.
Inscription: en bas à droite «Knoller f. 1791».
Historique: peint sur commande du prince Kaunitz; faisait partie des biens transmis héréditairement et était accroché dans la grande salle à manger du château de Laxenburg près de Vienne; passé en 1940 au Kunsthistorisches Museum.
Bibliographie: Benesch, 1921, p. 7; Weingartner, 1959, p. 112 et p. 211, cat. 23.

Vienne, Kunsthistorisches Museum, Gemäldegalerie (inv. 8747).

Ce portrait en pied de Léopold II a été peint en 1791 par Martin Knoller et montre l'empereur en habit de cour officiel avec le grand manteau à l'espagnole que Joseph II, soucieux de simplifier le cérémonial de la cour, avait supprimé dès 1766 pour le remplacer par l'uniforme militaire. La forme de ce manteau, porté sur ce tableau par Léopold II, diffère par quelques détails de la tenue de cérémonie classique. Nous présumons que l'empereur n'avait pas vraiment coutume de porter ce vêtement à l'ancienne mode.

D'autres versions de ce portrait furent réalisées par Martin Knoller après la mort de Léopold II: une pour la salle du magistrat de Vienne, avec en pendant un portrait de François II, une pour le palais gouvernemental de Milan (non livrée) et une autre, réduite au buste, pour la «Merkantilsaal» de Bolzano (avec également un François II en pendant).

K.Sc.

6
Frédéric II, roi de Prusse (1712-1786)

attribué à Johann Heinrich Christoph FRANKE
Huile sur toile. H. 1,10 ; L. 1,42.
Bibliographie : Börsch-Supan, 1980, n° 107 ;
Börsch-Supan, 1986, pp. XII-XIV.
Berlin, Deutsches Historisches Museum.

Frédéric II, roi de Prusse, fut le grand modèle de l'absolutisme éclairé en Allemagne. Après son accession au trône en 1740, il poursuivit l'œuvre de son père en politique intérieure. Il fonda des colonies de peuplement, fit défricher des terres et construire des canaux. Fidèle à l'esprit des Lumières, il abolit la torture en 1740.
A l'extérieur, il mit en œuvre une politique d'expansion. Prétextant des droits héréditaires de vieille date sur la Silésie, il y déclencha deux guerres (1740-1742, 1744-1745), qui scellèrent l'antagonisme entre la Prusse et l'Autriche. En 1756, il se lança dans la guerre de Sept Ans contre l'Autriche, la Saxe, la Russie et la France. Pour une grande partie de la bourgeoisie éclairée d'Allemagne, l'absolutisme éclairé tel qu'il était incarné par Frédéric II en Prusse, constituait une forme d'État acceptable. Les nombreuses réformes entreprises dans certains domaines : droit, administration, politique à l'égard des cultes, firent naître un espoir, celui de réformer l'absolutisme. La discussion sur les carences et les abus de l'État allait bon train dans les cercles littéraires et journalistiques ; d'aucuns en tiraient la conviction que le système politique pourrait être progressivement corrigé, en accord avec les principes de la raison.
Le portrait montre Frédéric II, en uniforme prussien décoré de l'ordre de l'Aigle noir, qui tire son chapeau en passant pour saluer celui qui le contemple.
Johann Heinrich Christoph Franke, élève du peintre Anna Rosina de Gasc à Berlin, peignit le tableau sur commande du roi en 1764. En renonçant à une pose solennelle et aux attributs du pouvoir et de la dignité royale, le peintre rompt avec la tradition du portrait de cour et de représentation baroque dont le modèle était le grand portrait officiel de Louis XIV réalisé par Hyacinthe Rigaud.
Ce tableau fut copié en de très nombreux exemplaires qui furent distribués par le roi à titre de cadeau personnel. Ce portrait du « vieux Fritz » par Franke contribua à donner une image populaire de Frédéric II à ses contemporains et à la postérité. **E.Lu.**

7
Frédéric-Guillaume II, roi de Prusse (1744-1797)

par Anton GRAFF

Huile sur toile, ovale. H. 0,95 ; L. 0,61.
Inscription : (cachée par le cadre) « A. Graff pinx :
Berlin 1788 ».

Bibliographie : Vogel, 1898, p. 28, pl. 11 ; Berckenhagen, 1967, n° 382.
Berlin, Staatliche Schlösser und Gärten (château de Charlottenburg). (inv. GK I 30374).

Sur ce portrait le roi de Prusse est peint en buste, penché en avant. Il porte une tunique d'uniforme bleue avec des revers rouges et des boutons d'argent ; à son cou, une cravate blanche et à gauche de la poitrine, l'étoile avec l'ordre de l'Aigle noir.
C'est avec Frédéric-Guillaume II que prit fin, en Prusse, l'ère de l'absolutisme éclairé. Influencé par les Roses-Croix, il préconisa une politique rigoureuse, axée sur la religion. Sous son règne, il fit interdire des journaux importants, favorables aux Lumières. On lui attribue l'initiative de la déclaration austro-prussienne de Pillnitz du 27 août 1791, qui soulignait la volonté commune de tous les monarques d'Europe de voir rétablir entièrement le pouvoir royal en France et annonçait une intervention militaire pour l'imposer — si toutefois tous les monarques européens étaient solidaires. En 1792, la Prusse entra aux côtés de l'Autriche dans la guerre de la première coalition ; Frédéric-Guillaume II accompagna personnellement ses troupes dans la campagne de France et dut assister à la première défaite d'une armée prussienne sûre de sa victoire, battue par les troupes révolutionnaires à Valmy. Un an plus tard, après la reprise de la rive gauche du Rhin par l'armée prussienne, il entra dans Mayence. Mais dès 1795, la Prusse se retira de la coalition antirévolutionnaire et conclut avec la France une paix séparée par le traité de Bâle en vue de préserver ses intérêts lors du troisième partage de la Pologne. Le nom de Frédéric-Guillaume II reste depuis synonyme d'une politique étrangère indécise et guerrière à l'égard de la France révolutionnaire ; une politique qui, d'un côté tenait compte de la menace que la Révolution faisait peser sur le système monarchique et qui, de l'autre, restait empêtrée dans les rapports de force et les calculs politiques de l'Ancien Régime. **K.Kr.**

8
Frédéric, dauphin de Danemark et de Norvège (1768-1839)

par Jens JUEL

Huile sur toile. H. 2,38 ; L. 1,63.
Inscription : « Juel pinxit 1783 ».
Historique : vente du paysagiste J.C. Dahl en 1860-1861 à Dresde ; acquis par le musée en 1953, vente Winckel et Magnusen.
Bibliographie : cat. Frederiksborg, 1943.
Frederiksborg, Nationalhistoriske Museum (inv. A 2473).

Quand en 1792, le poète allemand Friedrich Klopstock devint, avec Friedrich Schiller, Thomas Paine et George Washington, citoyen d'honneur de la France, il écrivit une lettre ouverte à J.-M. Roland, ministre de l'Intérieur.

Il y présente Frédéric (VI), le prince héritier, régnant en réalité depuis 1784, comme étant l'allié par excellence de la République française :
« Le roi du Danemark (vous savez que je parle de Frédéric, fils de Christian VII) est, non pas par usurpation mais par la constitution, le roi le plus absolu de l'Europe ; et c'est pourtant lui qui a donné liberté entière à la presse, qui a ôté le joug de païsan serf, qui le premier entre les puissances de l'Europe, a ordonné que des hommes ne seroient plus des marchandises, que les Danois ne pourroient plus faire labourer des esclaves nègres... Vous savez quel il a été à l'égard de nos concitoyens en déclarant qu'il n'entreroit pas dans la ligue des rois alliés contre la France, et si je ne me trompe pas, en le croiant deviner, il sera le premier entre les rois qui reconnoitra la République françoise. »
Ayant donc énuméré les réformes entreprises par le prince au début de son règne (abolition de la censure et du commerce des esclaves, affranchissement des paysans), Klopstock (qui est l'ami de nombreux membres du gouvernement danois) ne doute pas que le Danemark ne reconnaisse la République française (en fait en 1793, officiellement en 1796). Cet enthousiasme pour la cause de la République française est dû au fait qu'au Danemark, l'absolutisme a su réaliser par des moyens pacifiques ce que les Français n'ont obtenu que par la force.
Et si au cours de la seconde moitié des années 1790, Frédéric, revenant aux principes autocratiques de ses ancêtres, réintroduisit la censure en 1799 et mit fin aux réformes de la décennie précédente, ce sont pourtant celles-ci qui marqueront son règne.
Ce portrait de Juel dépeint le prince peu avant qu'il ne prenne le pouvoir par un coup d'État. Les attributs de ce prince éclairé sont un livre, des documents ainsi qu'une bienveillante Minerve. En 1798, alors que l'enthousiasme révolutionnaire était à son comble, il sera célébré en tant que *Iurium Humanitatis Adsertor*, (champion des droits de l'homme). **P.Kr.**

9
Gustave III, roi de Suède (1746-1792)

par Lorenz PASCH

Huile sur toile. H. 1,55 ; L. 1,14.
Inscription : « L. PASCH PINX. 1777 ».
Historique : coll. du grand chambellan de la cour, G.H. Celsing ; légué au musée en 1921.
Bibliographie : Strömbom, 1915, cat. n° 39 ; Hahr, 1920, pp. 401-415.
Stockholm, Nationalmuseum (inv. KM. 2346).

Il existe un grand nombre de portraits de Gustave III par différents peintres et sculpteurs. Nommé peintre du roi en 1771, Lorenz Pasch le Jeune fit à lui seul une vingtaine de portraits du souverain. Ils offrent en général certaines variations en ce qui concerne la pose et la tenue de celui-ci, tandis que les traits du visage restent à peu près identiques pendant une dizaine d'an-

Frédéric-Guillaume II, roi de Prusse (cat. 7).

Frédéric II, roi de Prusse (cat. 6).

Frédéric, dauphin de Danemark et de Norvège (cat. 8).

Marie-Caroline de Habsbourg-Lorraine, reine de Naples (cat. 12).

Gustave III, roi de Suède (cat. 9).

Ferdinand IV de Bourbon, roi de Naples et de Sicile (cat. 11).

George III, roi d'Angleterre (cat. 10).

nées. Sur le tableau exposé ici, il est représenté vêtu d'un uniforme suédois plutôt simple, de couleur bleu et jaune. Au bras gauche, il porte le bandeau blanc qui lui avait servi de signe de ralliement le jour de son coup d'État de 1772, et sur la poitrine les ordres des Séraphins et de l'Épée. Son manteau de couronnement doublé d'hermine est posé sur la table ainsi que la nouvelle constitution qu'il avait promulguée à la suite du coup d'État. Le cadre d'origine porte l'inscription : « Gifwit af Gustaf III till dess Envoyé Extraordinair i Danmarck General Lieut. Friherre Joh. Wilh. Sprengporten. MDCCLXXVII. » Le tableau fut donc offert en 1776 par le roi au baron J.W. Sprengt-Porten, qui avait été un de ses principaux partisans et aides lors de cette « révolution » de 1772 où Gustave III reprit le pouvoir qui, depuis un demi-siècle, était passé de la monarchie entre les mains des États généraux.

P.Gr.

10
George III, roi d'Angleterre (1738-1820)

par Allan RAMSAY

Huile sur toile. H. 2,24 ; L. 1,40.

Bad-Homburg. château (Verwaltung der Staatlichen Schlösser und Gärten Hessen ; inv. G.K.I., 10989).

Dès 1757, Allan Ramsay avait peint un portrait du prince de Galles, le futur George III. Après l'accession au trône de celui-ci, il devint son peintre officiel et multiplia, avec l'aide de son atelier, les effigies du souverain. Lors d'un premier séjour en Italie en 1736-1738, Ramsay avait connu Pompeo Batoni et c'est peut-être sous son influence qu'il sut créer un type de portrait, dans un style moins guindé que celui de son maître Thomas Hudson, moins brillant sans doute que celui de son jeune rival Reynolds, mais à la fois élégant et familier.

Ici la grande draperie, la base de la colonne de forte proportion, le luxe du tapis, la lourdeur du manteau d'hermine mettent en valeur, par contraste, la pose un peu nonchalante du jeune roi.

Faut-il mettre le choix de cette effigie officielle en rapport avec l'esprit des débuts du règne de George III, premier souverain véritablement anglais de la dynastie hanovrienne, mais très imbu de la « prérogative royale » et de ce fait assez impopulaire ? Son obstination à imposer le ministère « tory » de lord North joua un rôle dans le développement de la guerre d'Amérique. Atteint de troubles mentaux intermittents à partir de 1788, George III ne joua qu'un rôle effacé pendant la période révolutionnaire, même si paradoxalement il bénéficiait alors de la sympathie populaire.

11
Ferdinand IV de Bourbon, roi de Naples et de Sicile (1751-1825)

par Francesco LIANI

Huile sur toile. H. 1,27 ; L. 1.
Exposition : 1979, Naples.
Bibliographie : Spinosa, 1975, pp. 38-53.

Capoue, museo Campano.

Fils de Charles VII d'Espagne et de Marie-Amélie de Saxe, Ferdinand devint roi de Naples très jeune, lorsque son père monta sur le trône d'Espagne en 1759. En 1768, il épousa Marie-Caroline d'Autriche, femme autoritaire qui domina tout au long de sa vie la faible personnalité de son mari. Pendant la régence, Ferdinand se laissa guider par le réformisme prudent du Premier ministre Tanucci et séduire ensuite par les propositions novatrices de quelques intellectuels napolitains éclairés. Au lendemain de la Révolution française, sa

politique connut un changement radical d'orientation et aboutit aux sanglantes représailles contre les patriotes de la révolution napolitaine de 1799.

Ce tableau, exécuté vers 1780 par le portraitiste de cour Francesco Liani, représente Ferdinand encore jeune dans une pose affectée, qui illustre bien le style napolitain du portrait officiel. Si pour l'essentiel on retrouve les caractéristiques du portrait de Ferdinand IV exécuté par Mengs en 1759, la manière de Liani diffère de la peinture classique et lourde de l'artiste saxon par des aplats dépourvus de dynamique picturale et qui ne sont compensés ni par le mouvement de la figure ni par la technique de la couleur. Celle-ci est caractérisée par des tonalités modulées encore apparentées à l'art du portraitiste Francesco Solimena.

R.Ci.

12
Marie-Caroline de Habsbourg-Lorraine, reine de Naples (1752-1814)

par Costanzo ANGELINI

Pastel. H. 0,482 ; L. 0,385.
Inscription : « C. Angelini ».
Bibliographie : Cioffi, 1974, pp. 374-382 ; Spinosa, 1987.

Naples, museo di San Martino (inv. 12.195).

Marie-Caroline, fille de François Ier et de Marie-Thérèse d'Autriche, se maria très jeune, en 1768, avec Ferdinand IV de Bourbon, devenant ainsi reine de Naples. Par ce mariage, l'Autriche souhaitait soustraire le royaume de Naples à l'influence espagnole pour le placer sous l'autorité des Habsbourg. Profitant de la personnalité effacée de son mari, la souveraine obtint, en 1777, le renvoi du Premier ministre Tanucci, lié à Charles III d'Espagne, et fit appeler John Acton, son favori franco-irlan-

Le coup d'État de Gustave III en 1772

Pendant *l'ère de la Liberté* qui suivit la mort de Charles XII en 1718, la constitution suédoise avait ceci de particulier en Europe que les états généraux, le *Riksdag*, détenaient le pouvoir. Le conseil du royaume, où le roi détenait deux voix, n'en était que la commission exécutive. Pendant cette période de parlementarisme naissant, l'assurance des ordres roturiers, clergé, bourgeoisie et paysannerie, s'affermit quoique l'essentiel de l'autorité demeura entre les mains de l'ordre de la noblesse et de la bureaucratie aristocratique. Cependant le pays se trouvait politiquement affaibli par les violentes querelles des deux partis qui alternaient au pouvoir, *chapeaux* et *bonnets* (de nuit) ; chacun d'eux prenait appui et dépendait des subsides notamment de la France et la Russie.

Le coup d'État du jeune Gustave III, le 19 août 1772, prit donc l'allure d'une réaction patriotique contre ces influences étrangères. Devant le Riksdag, le roi victorieux tint un discours d'une éloquence bien caractéristique de l'époque : « J'ai promis de gouverner un peuple libre ; cette promesse est d'autant plus sacrée que je la fais de mon propre mouvement ; loin de vouloir porter atteinte à la liberté, c'est au despotisme que je veux mettre fin ; je remplacerai l'arbitraire avec lequel le royaume a été gouverné par un régime ordonné et ferme,

conforme aux lois immémoriales de la Suède et à la manière dont les plus grands de mes prédécesseurs ont régné. »

Selon la nouvelle constitution qu'élabora le roi, les états généraux furent dorénavant convoqués seulement quand bon lui semblait. Ils conservaient néanmoins une bonne partie de leur contrôle sur la législation, les finances publiques et les déclarations de guerre. Puisque, comme partout en Europe, la crise économique se révéla endémique, partiellement à cause des guerres provoquées par le roi, cette constitution devint un ferment d'antagonismes croissants.

En la formulant, Gustave III s'était appuyé sur les anciennes traditions monarchiques suédoises, mais également sur les idées des Lumières, de Montesquieu, de Voltaire, des physiocrates, qui prônaient un pouvoir central fort mais éclairé. La France était la patrie intellectuelle du roi. Il était francophone au point de correspondre même avec ses proches en français et il admirait en particulier Voltaire avec ferveur.

Sans les exhortations et l'appui de la France, sa « révolution » de 1772 n'aurait sans doute pas eu lieu, ni réussi. Il demeura un allié fidèle de la France dans le maintien d'un équilibre des forces dans le nord de l'Europe face à l'expansionnisme de Catherine II.

Pontus Grate

dais. Intelligente et vive, elle sembla pendant un certain temps ouverte aux revendications des nombreux réformateurs napolitains. La Révolution française provoqua chez Marie-Caroline, sœur de Marie-Antoinette, un revirement brutal ; elle interrompit rapidement sa politique de réformes puis ordonna une impitoyable répression contre les comploteurs jacobins. Elle mit à profit son amitié avec Emma Lyons, future Lady Hamilton et maîtresse de Nelson, pour obtenir la pendaison des martyrs de la révolution napolitaine.

Dans ce délicat pastel exécuté avant la dernière décennie du XVIIIe siècle, Costanzo Angelini, l'un des maîtres du néo-classicisme napolitain, montre Marie-Caroline non en costume d'apparat mais dans une tenue très simple, rare dans l'iconographie bourbonienne ; grâce à la technique du peintre, la célèbre expression autoritaire du visage est adoucie par des tonalités savamment modulées.   R.Ci.

13
La Monarchie espagnole

par Francisco BAYEU

Huile sur toile. H. 0,63 ; L. 0,59.
Bibliographie : Madrazo, 1872, no 656, p. 356 ; R. Arnàes, 1975, p. 108-109 ; cat. exp. Tokyo, 1987, no 10, p. 72 ; cat. Madrid, 1985, no 2481, p. 40.

Madrid, musée du Prado (inv. 2481).

Cette petite esquisse est préparatoire à l'une des voûtes peintes à la fresque en 1794 au palais royal de Madrid. La reconstruction de ce palais fut commencée en 1734 par Philippe V ; il ne sera habité, encore inachevé, qu'en 1764 par son fils Charles III qui en fit terminer les travaux. *La Monarchie espagnole* devait figurer au plafond de la chambre à coucher royale, devenue par la suite « Salon des tapisseries ». Cette esquisse nous donne un bel exemple de l'art fécond de Francisco Bayeu, élève et disciple de Mengs qui, en tant que peintre de Charles III, le fit appeler à la cour en 1763 pour l'aider à la décoration du palais royal. L'influence de l'enseignement néo-classique de son maître est, du reste, surtout marquante dans ses décors plafonnants.

Autour de la monarchie espagnole en gloire figurent les représentations des Sciences, du Commerce, de la Prudence, de la Constance et du Temps. Plusieurs dessins préparatoires à cette *Monarchie espagnole* sont également conservés au musée du Prado et une autre esquisse, de plus grandes dimensions, figure dans une collection madrilène.   B.Ga.

14
D. Maria Ire (1734-1816) et D. Pedro III (1717-1786)

par un auteur anonyme

Huile sur toile. H. 1,750 ; L. 2,112.
Inscription : « D. MARIA I / E D. PEDRO III / REYS DE / PORTUGAL / XXIII ».

Expositions : 1982, Lisbonne, no 47 ; 1987, Queluz, no 436.

Lisbonne, museu nacional dos Coches (inv. MNC 11.D.15).

L'infante D. Maria, fille unique de D. José et de D. Mariana Vitória, épousa en 1760 son oncle, l'infant D. Pedro. En dérogation à la « loi mentale » qui, depuis 1434, interdisait aux femmes la succession au trône, elle fut couronnée reine sous le nom de D. Maria Ire en 1777, à la mort de son père. Son mari reçut alors le titre de roi. Les premiers moments du règne de D. Maria Ire furent caractérisés par une vive réaction à la politique de Pombal, notamment vis-à-vis de la grande aristocratie, qu'il avait persécutée. Cependant, les réformes culturelles furent continuées et la reine présida à l'inauguration officielle de l'Académie royale des sciences. A partir de 1792, l'état de santé de D. Maria Ire ne lui permit plus d'exercer le pouvoir ; son fils D. João assuma alors une longue régence qui dura jusqu'en 1816.
Le tableau provient de la Casa Pia de Lisbonne. Il peut être interprété comme un hommage à la reine, sa fondatrice, en 1782.
M.-H.C.d.S. et A.M.-D.S.

15
D. João VI (1767-1826)

par un auteur anonyme

Huile sur toile. H. 0,945 ; L. 0,760.
Exposition : 1987, Queluz, no 444.

Lisbonne, Biblioteca nacional (inv. 10.921).

Troisième enfant de D. Maria Ire et de D. Pedro III, il portait le titre de prince du Brésil ; du fait de la mort de son frère aîné D. José, il devint héritier présomptif du trône. En 1785, il épousa l'infante D. Carlota Joaquina, fille de Charles IV d'Espagne. A partir de 1792, il assuma la régence du royaume, et c'est à la mort de sa mère, en 1816, qu'il fut couronné sous le nom de D. João VI. Pendant sa régence, le Portugal subit toutes les conséquences de la politique extérieure de la France, y compris l'invasion par les troupes napoléoniennes en novembre 1807, date à laquelle la famille royale portugaise, accompagnée de la cour et du gouvernement, partit trouver refuge au Brésil. L'ancienne colonie connut alors une importante évolution politique, économique et culturelle ; devenue métropole de fait, elle fut élevée à la qualité de « royaume uni » au Portugal. A la mort de D. Maria Ire, en 1816, le prince-régent fut couronné à Rio de Janeiro sous le nom de D. João VI. Une révolution libérale ayant éclaté au Portugal en 1820, il fut contraint de regagner la métropole et d'accepter la première constitution.
M.-H.C.d.S. et A.M.-D.S.

16
Catherine II, impératrice de Russie
(1729-1796)

d'après Pietro ROTARI

Huile sur toile, ovale. H. 0,67 ; L. 0,63.
Historique : anciennes collections du musée du Louvre (saisie d'émigré ?) ; à Versailles depuis 1833.
Expositions : 1932, Paris, Bibliothèque nationale ; 1950, Paris, Archives nationales ; 1951, Paris, Bibliothèque nationale ; 1979, Paris, hôtel Sully.

Versailles, musée national du Château (inv. M.V. 3878).

Dans ce portrait, sans doute sensiblement contemporain du coup d'État (1762) par lequel Catherine prit le pouvoir et élimina son mari le tsar Pierre III, la jeune impératrice est représentée de profil, couronnée de laurier et portant la plaque de l'ordre de Saint-André fondé par Pierre le Grand. Elle est à cette période, la lectrice fervente de Montesquieu et des Encyclopédistes et commence à mettre en œuvre des réformes qui, dans la lignée de celles de Pierre le Grand, vont contribuer à faire de la Russie une puissance véritablement européenne.
Mais à la veille de la Révolution, l'image de la « Sémiramis du Nord », longtemps servie par ses bonnes relations avec les écrivains et philosophes français, s'est passablement ternie, moins du fait des difficultés intérieures (l'opinion publique sait peu de choses de la révolte de Pougatchev) qu'en raison du caractère expansionniste de la politique russe, tant en direction de la Pologne (premier partage 1772 ; deuxième partage 1793 ; troisième partage 1795) et de la Turquie (traité de Iassy, confirmant la cession de la Crimée) que dans son conflit avec la Suède.

17
Stanislas-Auguste Poniatowski, roi de Pologne (1732-1798)

par Élisabeth-Louise VIGÉE-LEBRUN

Huile sur toile, ovale. H. 0,930 ; L. 0,740.
Historique : collection de l'artiste ; legs à sa nièce Eugénie Tripier Le Franc ; legs de celle-ci au Louvre en 1881 ; entré au Louvre en 1883 ; déposé à Versailles en 1921.
Expositions : 1802, Paris, Salon, no 916 ; 1860, Paris, no 195 ; 1982, Fort Worth, no 47.
Bibliographie : Vigée-Lebrun, éd. 1835, p. III, p. 347 ; Nolhac, 1908, pp. 116-117 ; Constans, p. 132, no 4595 ; Baillio, pp. 114-116, no 47, repr.

Versailles, musée national du Château (inv. M.V. 5878 - R.F. 443).

Dernier roi de Pologne de 1764 à 1795, Stanislas-Auguste Poniatowski tenta de restaurer l'ancienne splendeur de son pays, mais se heurta très vite aux ambitions territoriales de la Russie, de l'Autriche et de la Prusse, qui en trois étapes successives, parvinrent à dissoudre le royaume (1772-1793-1795). Assigné à résidence surveillée à Saint-Pétersbourg, le roi

La Monarchie espagnole (cat. 13).

D. Maria Iʳᵉ et D. Pedro III de Portugal (cat. 14).

Stanislas-Auguste Poniatowski, roi de Pologne (cat. 17).

D. João VI de Portugal (cat. 15).

stave III assistant à la messe de Noël dans l'église Saint-Pierre de Rome (cat. 19).

therine II, impératrice de Russie (cat. 16).

Le Pape Pie VI (cat. 18).

Le marquis de Pombal et son œuvre (cat. 20).

Concluserunt multitudinem copiosam
disrumpebatur autem rete eorum... et ait:
noli timere; ex hoc jam homines eris capiens. Luc 1.

Sie fingen eine große Menge... und ihr Netz zerriß... aber sprach: fürchte dich nicht; von nun an wirst du Menschen fischen. Luc 1.

Ilsen... prirent une grande quantité.
et leur rets rompoit... mais il D'ître craignes point;
votre emploi D'esormais sera, de prendre des hommes. Luc. 1.

Le Triomphe des idées libérales de Joseph II (cat. 21 A).

Omnis arbor, quæ non facit
Fructum bonum excidetur.
Matthæus cap VII v. 19.

Ein jeglicher Baum, der nicht gute Früchten bringt, wird ausgehauen. Matth. cap VII v. 19.

Tout arbre, qui ne fait pas
bon Fruit, est coupé.
Math. cap VII v. 19.

Joseph II ordonne la suppression des couvents (cat. 21 B).

mourut en 1798. C'est dans cette dernière ville que Madame Vigée-Lebrun réalisa son portrait.

Elle avait quitté la France dès 1789, pour aller vivre en Italie (1789-1793), puis à Vienne (1793-1794), avant de s'installer en Russie de 1795 à 1802.

Visage lourd et mélancolique, le roi déchu n'en conserve pas moins sa magnificence, arborant fièrement ses décorations.

Selon Pierre de Nolhac, Madame Vigée-Lebrun aurait réalisé deux portraits du roi, celui-ci et un autre, qui lui fut demandé par la comtesse Mniszeck, nièce du roi.   J. Be.

18
Le Pape Pie VI (1717-1799)

par Pompeo BATONI

Huile sur toile. H. 1,35 ; L. 0,98.
Inscription : (sur le cartel dans la main gauche du pape) «*Alla santita di N.RO Papa Pio VI/ Per P. Batoni Pinxit 1775*».
Historique : acquis en 1957 par les «Amici dei musei di Roma».
Expositions : 1959, Rome ; 1961, Rome ; 1967, Lucques ; 1982, Eisenstadt.
Bibliographie : G. Incisa della Rocchetta, 1957.

Rome, museo di Roma.

Pie VI (dans le siècle Giovanni Angelo Braschi) devint pape en 1775. Son pontificat coïncide avec un essai de réforme de l'État le plus despotique et le plus arriéré d'Italie. Spécialiste des problèmes de gouvernement et d'administration, il se montra sensible aux propositions de quelques économistes modérés, suscitant pour la première fois un débat public. Ses réformes ne visèrent jamais cependant à modifier les structures sociales existantes, basées sur les privilèges fonciers des nobles et des ecclésiastiques.

Élu avec l'appui des Français, le pape Braschi suivit avec crainte les premiers bouleversements religieux de la France révolutionnaire. En 1796, l'armistice de Bologne l'obligea à reconnaître la République française ; après ses tentatives pour échapper à la domination française avec l'aide des Autrichiens et des Napolitains, il dut accepter, par le traité de Tolentino

(1797) des conditions encore plus rigoureuses. L'assassinat du général Duphot dans une émeute populaire à Rome, en décembre 1797, eut pour conséquence l'occupation française et la proclamation de la République romaine (15 février 1798). Pie VI fut emprisonné, d'abord en Toscane puis à Valence où il mourut en août 1799.

Pompeo Batoni, un des meilleurs peintres romains de la seconde moitié du XVIIIe siècle, portraitiste apprécié de l'aristocratie et des milieux officiels, l'a représenté en tenue de cour ; le blason des Braschi est peint sur le dossier du fauteuil. Il existe plusieurs versions de ce portrait (Turin, galerie Sabauda ; Superga, basilique ; Rome, Pinacothèque vaticane ; Varsovie, musée ; Dublin, Galerie nationale) parfois supérieures à l'exemplaire du museo di Roma, qui pourrait être, comme le jugeait Roberto Longhi (communication orale), une œuvre d'atelier.   R. Ci.

19
Gustave III assistant à la messe de Noël dans l'église Saint-Pierre de Rome

par Louis-Jean DESPREZ

Aquarelle rehaussée de blanc sur papier. H. 0,635 ; L. 1,72.
Historique : coll. Johan Tobias Sergel et ses descendants ; acquis par le musée en 1918 avec l'aide d'une contribution de David Rapp et C.U. Palm.
Exposition : 1982, Stockholm, n° 70.
Bibliographie : Wollin, 1935, pp. 182-183, repr.

Stockholm, Nationalmuseum (inv. NMB 397).

En 1783-1784, le roi de Suède Gustave III entreprit un long voyage en Italie, dû à des raisons aussi bien politiques qu'artistiques. Le jour même de son arrivée à Rome en décembre 1783, il se rendit à Saint-Pierre afin d'y assister à la messe de Noël, célébrée par le pape Pie VI. L'empereur Joseph II, qui séjournait en Italie, prit également part à la cérémonie.

Ce fut cet artiste français établi à Rome, Louis-Jean Desprez, que Gustave III chargea de représenter cette solennité. La grande aquarelle exposée ici fut exécutée sans doute à

Rome, ainsi que de nombreuses études de détails, tandis que le tableau définitif, qui mesure 1,53 mètre de haut et 3,57 mètres de large et appartient également au Musée national, fut peint plus tard à Stockholm où Desprez avait été appelé par le roi et où il demeura le reste de sa vie.

C'est une des images les plus représentatives du XVIIIe siècle d'une grande cérémonie officielle où se mêlent les éléments religieux et mondains, la dévotion, la politique et l'apparat. Joseph II s'était distingué pour ses mesures fort libérales en matière de religion et Gustave III était le souverain d'un État foncièrement luthérien et «antipapiste». Tous deux, imbus des idées des Lumières, se posaient en despotes éclairés, sans pour autant sympathiser personnellement.

A gauche, sous le baldaquin du Bernin, l'on voit Pie VI lever le sacrement, entouré de dignitaires pontificaux. A l'extrême droite se trouve l'estrade d'où les deux monarques suivent le déroulement de la messe. Dans le tableau définitif, Desprez les représentera en revanche se dirigeant vers le maître-autel.   P. Gr.

LE DESPOTISME ÉCLAIRÉ

20
Le marquis de Pombal (1699-1782) et son œuvre

par A. PADRAO et J.S. CARPINNETTI, d'après le tableau de L. Van Loo et J. Vernet

Estampe. H. 0,600 ; L. 0,760.
Inscription : «Sebastiano Josepho Carvalio Melio Marchioni Pombalio Maximi animi, et consili vivo ob Regis autoritatem, dignitatem auctam, rempublicam temporibus difficillimis bene, ac fortiter gestam, at que optimis legibus constitutam. David Purry et Gerardus de Visme, grati boetique hanc effigien exprimi curarunt. Et autographo pedes Septem et pollices sex alto, ac redes novem, et pollices sex

---

Le despotisme éclairé et les Lumières : l'exemple du Portugal au temps du marquis de Pombal

Le marquis de Pombal, Sebastião José de Carvalho e Melo (1699-1782), a vécu à une époque où le Portugal pouvait être considéré, tantôt comme un pays riche, qui possédait un vaste empire colonial, tantôt comme un «royaume pauvre, ignorant, superstitieux, tyran, ennemi de l'humanité».

Le vin de Porto, apprécié depuis longtemps à l'étranger, permettait de signer des traités commerciaux avec l'Angleterre, mais l'or du Brésil, découvert à la fin du XVIIe siècle, était devenu le support le plus important de l'économie portugaise.

L'industrie, qui commençait à se développer, attirait des techniciens étrangers qui obtenaient des privilèges royaux et diverses facilités, et

se fixaient dans le pays où ils furent à l'origine de familles bourgeoises portant des noms étrangers (fait qui, au Portugal, prenait un cachet aristocratique), tandis qu'un nombre important d'intellectuels portugais prenait le chemin de l'exil, parfois sous couvert de missions diplomatiques.

L'Inquisition continuait à organiser des autodafés, tandis que le roi D. João V ordonnait la construction de l'aqueduc des «eaux libres» pour approvisionner en eau la population de Lisbonne, inaugurait l'Académie royale d'histoire et faisait édifier le plus grand couvent du Portugal à Mafra, dans les environs de Lisbonne.

Un dixième de la population de la capitale était alors constitué par ▶

▶ des esclaves noirs. Au Brésil, les jésuites fondaient des missions où les Indiens de l'Amérique du Sud apprenaient à prier en latin, ignoraient la langue portugaise et avaient leur premier contact avec l'idée de révolte. En 1750, le Portugal et l'Espagne signaient le célèbre traité de Madrid, qui délimitait les frontières d'une nouvelle division de l'Amérique du Sud, modifiant le traité de Tordesillas, signé en 1494.

En 1755, le Portugal connut le plus grand tremblement de terre de son histoire, qui affecta de grandes zones du pays et détruisit la plus grande partie de Lisbonne. Pombal, secrétaire d'État depuis 1750, profita de cette commotion physique et émotionnelle pour reconstruire Lisbonne et effectuer, dans les structures sociales, économiques et culturelles, des réformes profondes qui atteignirent leur point culminant avec les nouveaux statuts donnés à l'université de Coimbra en 1772.

Le gouvernement de Pombal, ministre du roi D. José, dura vingt-sept ans et il lui fallut vingt-deux ans pour réaliser cette réforme de l'Université, qui correspondait à la résolution des tensions d'un gouvernement confronté en même temps à des crises diplomatiques sur plusieurs terrains, à une contestation interne provenant de divers secteurs de la population, et à une menace d'interruption de l'exploitation de l'or au Brésil. Ainsi s'était imposée la nécessité d'une nouvelle idée de contrôle au Portugal.

En matière de politique économique, Pombal n'a pas adopté de système rigide : il s'est appuyé simultanément sur les monopoles et sur le commerce libre, selon le cas et les circonstances. Il a essayé, en premier lieu, une réforme du domaine commercial, puis du domaine industriel et social, par le moyen d'une volumineuse législation, qui a réglé les mariages, les successions et les testaments, qui a marqué le début du processus de libération des esclaves, et qui, de façon tendancieuse, a laïcisé l'école et le pouvoir. Une génération plus tard, ceci devait permettre la naissance du premier groupe d'intellectuels économiquement indépendants, qui introduisirent au Portugal l'idée de contre-pouvoir et d'alternative politique. Mais avant l'apparition de cette génération où l'on trouve historiens, poètes et journalistes, les intellectuels de l'époque appuyèrent les mesures prises par le marquis de Pombal, lui adressèrent des rapports, des propositions en échange desquels ils demandèrent des grâces, dons, récompenses ou pensions, comme une espèce de salaire dû à ceux qui se préoccupaient des problèmes de leur patrie, même s'il arrivait qu'ils le fissent de l'étranger, où se prolongeait leur exil.

Au Portugal même, d'autres jouissaient de ses faveurs et pouvaient entreprendre la construction d'une nouvelle « ville des Lumières », Lisbonne, avec son plan moderne de larges rues droites destinées à faciliter le grand commerce. C'est dans ce monde portugais complexe que le marquis de Pombal a fait usage des pouvoirs d'un roi « absolu et despotique ». Il a appliqué la loi destinée à punir les crimes de lèse-majesté, et n'a pas hésité à faire juger et condamner à mort un vieux jésuite, assumant ainsi une attitude qui fait horreur à Voltaire, mais qui s'insérait dans une politique internationale d'extinction de la compagnie de Jésus.

Les jésuites dominaient alors les différents secteurs de l'enseignement au Portugal ; leur expulsion, réalisée en 1759, conduisit nécessairement à effectuer d'importantes réformes dans ce domaine, non seulement pour les remplacer, mais encore dans un but de modernisation.

Pombal a modifié de façon définitive la relation qui existait entre les forces politiques, en transformant la censure ecclésiastique en pouvoir de l'État et en annulant le pouvoir de l'Inquisition. Pour cela, il lui suffit d'abolir la distinction entre « vieux-chrétiens » et « nouveaux-chrétiens », noms donnés aux descendants des juifs qui avaient été forcés de se convertir au catholicisme à la fin du xve siècle, mais qui avaient continué à suivre le judaïsme dans leurs pratiques domestiques et secrètes. Leur « crime », dénoncé au long des siècles, avait permis le maintien de l'Inquisition grâce aux attributions de ce tribunal religieux et au support économique qu'il recevait de la confiscation des biens des juifs.

Toutes ces mesures ont profondément marqué la société portugaise : complémentaires les unes des autres, elles ont donné un nouveau style de vie aux Portugais et créé une nouvelle conception de gouvernement. Le siècle des Lumières a été, au Portugal, le siècle du « pombalisme », et même si cette désignation a été élargie à des phases antérieures et postérieures à l'action directe du marquis, c'est celui-ci qui lui a donné un sens global.

Alors qu'en France, les intellectuels engageaient déjà une double bataille philosophique et politique, au Portugal on en était encore à une première lutte contre le fanatisme, l'ignorance et l'intolérance religieuse.

Lorsque Pombal, comme chef du despotisme éclairé, a assumé cette lutte, les intellectuels portugais ont créé les bases théorico-juridiques du pouvoir du roi. Ils n'ont pas contesté le pouvoir parce que celui-ci servait objectivement leurs intérêts et leur permettait une certaine lutte en faveur de l'idée de progrès.

La politique de Pombal s'est développée dans une ambiance de prospérité et d'abondance d'argent qui a permis un progrès régional, l'installation de manufactures, et la naissance de quelques petites villes. Les arts et l'artisanat se sont développés et, grâce à un certain sens harmonique, ils ont continué un style artistique d'un baroque très riche, dit « joanino », et l'ont fait évoluer jusqu'à un style plus épuré, dit de D. José, puis au style dit de D. Maria Ire – spécialement significatifs dans le mobilier et l'orfèvrerie. Dans la mémoire collective des Portugais, le marquis de Pombal est resté comme une image controversée du pouvoir, à une époque de grandes réformes qui se situe entre le despotisme et les Lumières, et c'est lui que la première génération des patriotes révolutionnaires et libéraux, passionnés par les idées de la Révolution française, ont pris comme point de référence d'un temps de changement.   Maria-Helena Carvalho dos Santos

---

parisienses lato, quod Henrico Carvalio Comiti Oeyrensi Filio dicarunt Olisipone M. DCC. LXXII. — A.J. Padrão et J.S. Carpinettus delinearunt L. Van Loo et Vernet Pinxerunt An 1767, y. Beauvarlet Sculpsit. »
Exposition : 1982, Lisbonne, cat. n° 14.

Lisbonne, museu da Cidade.

Sebastião José de Carvalho e Melo, de petite noblesse, commença tardivement sa carrière comme diplomate à Londres puis à Vienne (1738-1749). De retour au Portugal, il devint le principal ministre du roi D. José Ier, qui l'éleva bientôt à la dignité de comte d'Oeiras, puis de marquis de Pombal. Attaché au despotisme éclairé, peut-être même initié à la franc-maçonnerie, il sut s'entourer de gens qualifiés, et il effectua d'importantes réformes dans les domaines économique, juridique et culturel. Dans le domaine religieux, on lui doit l'expulsion des jésuites, la limitation des pouvoirs et prérogatives de l'Inquisition, et la suppression de la distinction entre « vieux-chrétiens » et « nouveaux-chrétiens » (juifs convertis). Dans le domaine social, il mena une lutte féroce contre la grande aristocratie. A la mort de D. José Ier, il fut contraint de démissionner du gouvernement et de s'exiler dans ses terres jusqu'à sa mort.

Exécutée pendant le gouvernement du marquis de Pombal, cette gravure (1767) est un hommage à la reconstruction de Lisbonne entreprise par le marquis après le tremblement de terre de 1755. On y voit le projet de la statue équestre de D. José Ier, érigée sur la place du Commerce de Lisbonne en 1775 pour glorifier conjointement la mémoire du roi et de son ministre. Selon certains, l'un des bateaux ancrés dans le Tage symboliserait l'expulsion des jésuites « renvoyés » au pape en 1759.
M.-H.C.d.S. et A.M.-D.S.

---

21 A
Le Triomphe des idées libérales de Joseph II

par J.J. METTENLEIT(N)ER,
d'après Franz S. Xaver Palcko le jeune

Eau-forte. H. 0,492 ; L. 0,352.
Inscription : « *Concluserunt multitudinem... copiosam disrumpebatur autem rete eorum... et ait : noli timere ; ex hoc jam homines eris*

capiens. Ils en prirent une grande quantité et leur filet rompoit... mais il dit : ne craignes point ; votre emploi sera désormais de prendre des hommes. Sie fingen eine grosse Menge und ihr Netz zerriss... aber sprach : furchte dich nicht ; von nun an wirst du Menschen fischen. Luc, V »
Exposition : 1984, Vienne, n° 4/10.
Bibliographie : Drugulin, 1863, n° 5085.

Vienne, Historisches Museum der Stadt (inv. 31.726).

Au sommet d'une montagne couronnée de trois cercles d'épines, le « Mons philosophorum », se tiennent saint Pierre et Joseph II. Tous deux tiennent un filet d'où sortent les âmes pour monter vers l'œil rayonnant de Dieu. Au pied de la montagne sont assemblés des évêques, des moines et des nonnes, qui s'emparent de sacs remplis d'argent pêchés dans un grand filet.
A droite un franc-maçon gravit la montagne tout en dirigeant les rayons de sa lanterne vers les pauvres et les éclopés assis au premier plan. Cette planche, que l'on peut dater de 1782, fustige l'âpreté et la corruption du clergé et place — en s'appuyant sur une citation de l'Évangile selon saint Luc — Joseph II, monarque éclairé, qui œuvre pour le véritable bien de l'homme, aux côtés de Pierre, le pêcheur d'hommes. La politique religieuse de Joseph II fut en partie marquée par l'influence d'Ignaz Aurelius Fessler (1756-1839), moine capucin, devenu par la suite franc-maçon qui quitta son ordre et fut, en 1783, reçu à la loge du « Phénix à la table ronde » à Lemberg.
Il existe de nombreux exemplaires de cette estampe qui portent parfois d'autres inscriptions ou une paraphrase en vers par Franz Sternl. L.Po.

21 B
Joseph II ordonne la suppression des couvents (1782)

par J.J. METTENLEIT(N)ER,
d'après Franz S. Xaver Palcko le Jeune

Eau-forte. H. 0,545 ; L. 0,405.
Inscription : à gauche en bas « F.S.X.P. Ir inv. et pinx. », à droite en bas : « gravé à Vienne par I.M. » ; en dessous : « Ommis arbor, quae non facit. Fructum bonum excidetur... Tout arbre qui ne fait pas bon fruit est coupé... Ein jeglicher Baum, der nicht gute Früchten bringt, wird ausgehauen. Matthieu, VII, v. 19. »
« Publiée, se vend à Vienne chez Christoph Torricella, marchand d'estampes et éditeur de musique... »
Exposition : 1984, Vienne, n° 4/11.
Bibliographie : Drugulin, 1863, n° 5089.

Vienne, Historisches Museum der Stadt (inv. 13.430).

Cette planche est le pendant de l'estampe précédente. L'empereur se tient debout devant un pilier qui porte l'inscription « Gottes Wort » (parole de Dieu) et montre d'un geste énergique l'arbre stérile au tronc duquel est déjà appuyée la cognée avec laquelle il doit être abattu. Moines et religieuses sont rassemblés derrière. Dominant l'arbre, le « mont des Philosophes » couronné d'épines dont le franc-maçon, avec

sa lanterne, a déjà atteint le sommet. Il tient dans sa main une palme et reçoit de saint Pierre les clés.
La réduction du nombre des couvents, déjà entreprise par Marie-Thérèse, fut poursuivie de façon radicale par Joseph II dans le cadre de ses efforts pour créer une « Staatskirche », église nationale entièrement intégrée dans l'État. Le décret de suppression des couvents de 1782 frappa particulièrement les ordres contemplatifs, dénoncés comme « oisifs ».
La révolution de Brabant, dans les Pays-Bas autrichiens, où les ecclésiastiques menacés se déclarèrent solidaires des trois ordres est finalement une conséquence de ces mesures.
Les deux estampes sont inspirées des idées de la franc-maçonnerie ; elles montrent la signification de ce mouvement que, dans un premier temps, Joseph II utilisa. Par l'organisation démocratique des loges maçonniques et leurs efforts pour mettre en œuvre les idéaux d'égalité et de fraternité, les francs-maçons étaient liés aux premiers temps de la Révolution. Durant la période de réaction, sous l'empereur François II, ils se trouvèrent aussi en relation avec les Jacobins. Presque tous les membres des clubs jacobins qui s'organisèrent plus tard dans les pays de la monarchie des Habsbourg apparaissent dans les listes des loges maçonniques. On ne sait pas cependant quelles étaient les relations exactes entre Franz S. Xaver Palcko le Jeune, « inventeur » de cette estampe et les francs-maçons. L.Po.

LE SYSTÈME BRITANNIQUE

22
L'Entrée du « Speaker » dans le bâtiment de la Chambre des communes d'Irlande

par Francis WHEATLEY

Encre et aquarelle sur papier. H. 0,497 ; L. 0,638.
Inscription : signé et daté en bas à gauche « 1782. »
Historique : acquis à Londres chez Christie's en 1932.
Exposition : 1967, Londres-New York, n° 65, p. 29.
Bibliographie : Webster, 1970.

Dublin, National Gallery of Ireland (inv. 2930).

Les origines du Parlement irlandais remontent à 1297 ; des représentants des villes (communes) y siégèrent à partir de 1310 mais jusqu'en 1451 ce Parlement fut exclusivement anglo-irlandais ; à cette date, Henri III se fit proclamer roi d'Irlande par un Parlement national où siégeaient aussi les Irlandais de souche. Mais la violence des luttes religieuses, puis la mainmise des colons anglais sur les terres et l'administration, limitaient singulièrement le pouvoir du Parlement de Dublin qui ne pouvait, en fait, se réunir et établir son ordre du jour qu'après accord du roi d'Angleterre (loi Poynings).

En 1782, date d'exécution du tableau exposé, toute l'opposition, menée par Henry Grattan, venait d'obtenir du Parlement de Londres la reconnaissance de l'indépendance du royaume d'Irlande (qui restait néanmoins lié à celui d'Angleterre) et de la capacité du Parlement de Dublin à se réunir et à légiférer librement. Cette situation, qui coïncidait pour la ville de Dublin avec une ère de relative prospérité, ne dura pas vingt ans : en 1800, l'édit d'Union supprima le Parlement ; cent députés irlandais allèrent siéger aux Communes et Dublin perdit son rang de capitale.
L'iconographie du Parlement de Londres est, pour la fin du XVIIIe siècle, pratiquement inexistante. Pour celui de Dublin, il existe en revanche deux œuvres de Wheatley : le dessin ici présenté et le tableau plus célèbre, du musée de Leeds qui, en raison de sa fragilité, n'a pu être prêté.
On voit ici le bâtiment des Communes, actuellement Banque d'Irlande, construit par E.L. Pierce. Le « Speaker » représenté sous le portique est Edmond Sexton Pery élu en 1771 et en 1783. Les deux œuvres sont sans doute à mettre en rapport avec les nouveaux droits de l'assemblée irlandaise.

23
La Chambre des communes

par A. FOGG,
d'après sir James Thornhill et William Hogarth

Gravure.
Bibliographie : Antal, 1962, pp. 91-92 ; Kerslake, 1977 ; Paulson, 1971, pp. 200-201.

Londres, collection privée.

Sir Robert Walpole (1676-1745), homme d'État, fut le chef du parti *whig* de 1703 à sa mort. Il avait la réputation d'être un habile financier et c'est lui qui posa les bases de la politique coloniale britannique moderne, anti-protectionniste. En 1730, date du tableau de Thornhill et Hogarth, Walpole était président du Conseil et chancelier de l'Échiquier (ministre des Finances). Arthur Onslow, qui a commandé cette toile à son ami Thornhill pour célébrer son association avec Walpole, n'a jamais occupé de poste aussi important. Son seul titre de gloire fut de rester pendant trente-trois ans président de la Chambre des communes, entre 1728 et 1761, c'est-à-dire durant tout le règne de George II. Onslow est représenté ici assis, avec sir Robert Walpole, debout à sa droite.
William Hogarth (1697-1764) devint en 1729 le gendre de Thornhill. Sa contribution au tableau se limite à l'exécution des trois visages de droite dans la rangée des personnages assis au premier rang. Cette peinture (coll. National Trust, Clandon Park) ainsi que la gravure datant de 1803 sont d'autant plus importantes qu'elles constituent le seul témoignage visuel que nous ayons de Walpole parlant à la Chambre des communes alors qu'il était Premier ministre. C.B.-O.

L'Entrée du « Speaker » dans le bâtiment de la Chambre des communes d'Irlande (cat. 22).

La Chambre des communes d'Angleterre (cat. 23).

Élections à Westminster (cat. 24).

« Cicero in Catilinam » : Pitt apostrophant Fox (cat. 25).

24
Élections à Westminster

par Robert DIGHTON

Encre et aquarelle sur papier. H. 0,413 ; L. 0,508.
Inscription : signé en bas à droite.
Exposition : 1987, Londres.
Bibliographie : Edwards, 1931, pp. 98-100 ; Fox, 1987, p. 266, pl. IX.

Londres, Museum of London (inv. n° 50.69).

Les Londoniens du XVIIIe siècle étaient relativement favorisés pour ce qu'il en était d'exprimer leurs opinions par voie d'élections. En effet, dans le quartier de Westminster, où près de la moitié de la population pouvait voter, il y eut trois grandes campagnes électorales : en 1784, 1788 et 1796. Celle de 1784 s'est déroulée dans un climat de violentes contestations politiques, celle de 1796, en revanche, dans un calme relatif. En 1788, il s'agissait de pourvoir la place laissée vacante par la nomination de lord Hood au poste de Premier lord de l'Amirauté. Le parti tory espérait être réélu sans difficultés à Westminster. Or, il fut battu de quelques voies par le candidat partisan de Fox, lord John Townshend.
Robert Dighton fit, sur les trois campagnes électorales, de grands dessins à l'aquarelle. Le décor choisi ici pour *l'Élection de 1788* est la place de Covent Garden, peuplée d'une multitude agitée portant des drapeaux et des effigies de C.J. Fox. Le prince de Galles, dont on voit la voiture traverser la foule, était un des principaux partisans de Fox et du parti whig. Le groupe élégant au premier plan se compose de Georgiana, la duchesse de Devonshire, (qui avait milité en faveur de Fox en 1784), d'une dame, qui est peut-être sa sœur, lady Duncannon et du futur gagnant des élections, le candidat lord John Townshend. A gauche, en train de se faire dévaliser, se trouve l'agitateur politique, favori du petit peuple de Londres, John Wilkes.

C.B.-O.

25
Cicero in Catilinam

par James SAYERS

Gravure. H. 0,324 ; L. 0,284.
Inscription : voir *infra*.
Bibliographie : cat. British Museum, n° 6784.

Londres, collection particulière.

La scène se passe à la Chambre des communes : William Pitt (1759-1806), debout vu de dos, apostrophe Charles James Fox (1749-1806) assis en face sur le banc de l'opposition, coiffé de son chapeau et tenant un bâton. A demi masqué derrière un document à côté de Fox, se tient lord North qui, en 1785, s'allia à Fox contre Pitt. A gauche, on aperçoit le « speaker » de la Chambre des communes, Charles Cornwell, et assis en dessous, les « clerks » des Communes, John Hatsell et John Ley.
Sous le titre est gravé à l'eau-forte : « Quousque tandem abutere, Catilina, patientia nostra ? quamdiu etiam » / « furor iste tuus nos eludet ? etc. » (Combien de temps encore abuseras-tu de notre patience, Catilina ? / « Combien de temps ta folie se jouera-t-elle encore de nous ? » La caricature de Sayers se réfère apparemment au pointage des votes à Westminster. Malgré sa célèbre victoire en 1784 à Westminster, Fox ne fut pas autorisé à siéger ; un nouveau scrutin fut ordonné par Pitt. Mais, en mars 1785, Pitt fut mis en minorité par ses propres partisans ; Fox prit son siège, et reçut du directeur du scrutin d'importants dommages et intérêts.
Caricaturiste politique, James Sayers (1748-1823), qui soutint Pitt contre Fox, a naturellement choisi, avec cette gravure éditée le 17 mars 1785 par T. Cornell, d'illustrer un autre aspect du débat sur le scrutin, le moment où Pitt reprocha à Fox «...de parler de la Chambre récemment élue avec la plus grande insolence, en des termes méprisants et injurieux. »

C.B.-O.

Le système anglais

Le régime politique et social de l'Angleterre du XVIIIe siècle faisait l'admiration de Voltaire et d'autres sur le continent, qui le jugeaient un système exemplaire. Nombreux également étaient à l'époque les Anglais, hommes ou femmes, qui l'admiraient ; et même certains parmi les Écossais et les Irlandais. Les commentateurs britanniques, qu'ils aient suivi Locke ou mis davantage l'accent sur les liens existant entre l'État et sa religion, cherchèrent chacun à leur façon à percevoir comme systématique la relation entre l'État et la société.

Les historiens, partagés entre l'admiration et la désapprobation, ont été fascinés par le phénomène représenté par l'Angleterre de la fin du XVIIIe siècle. Les uns ont discerné un système socio-économique fondé sur la domination monolithique d'une élite terrienne, d'autres un système politique reposant sur le jeu d'influences de personnalités dominantes[1]. D'autres n'y ont pas vu un système, mais un développement, voire un progrès, avec de nouvelles classes, de nouveaux systèmes de production et de nouvelles idées concourant à la dislocation de l'ordre traditionnel et à la naissance du monde moderne. Au cours des dix dernières années, les historiens en sont venus à remettre en question certains aspects fondamentaux expliquant jusqu'alors le « système anglais ». Ils se sont mis à douter que l'élite anglaise ait été aussi « ouverte » qu'on a bien voulu le dire[2], que la « révolution industrielle » du XVIIIe siècle ait été aussi soudaine et aussi radicale que les tenants d'une histoire progressiste l'avaient prétendu[3]. Ils ne sont plus aussi sûrs que le roi ait été ce spectateur passif des travaux du gouvernement parlementaire que la théorie du triomphe de la monarchie limitée pouvait nous conduire à penser. Ils sont même incapables de se mettre d'accord sur la configuration générale de ce qu'ils observent. Pour les uns, la seconde moitié du XVIIIe siècle a vu l'« origine de la société britannique moderne »[4]. Pour les autres, en revanche, la fin du XVIIIe siècle n'a pas été une époque de transition, mais la consolidation de l'« ancien régime » anglais qui devait se prolonger jusqu'à son brusque effondrement en 1828-1832[5]. L'idée même de se représenter l'Angleterre du XVIIIe siècle comme un système est contestée des historiens influents ayant souligné l'autonomie de la vie politique et de la vie religieuse et nié que celles-ci soient déterminées par l'histoire des rapports de production. En fait, nous en savons moins actuellement qu'il y a dix ans sur le XVIIIe siècle en Angleterre, ou plutôt, alors que nous disposons d'informations plus complètes, nous sommes confrontés à une crise de perception. De la même façon que François Furet a défié ses collègues de « penser la révolution », nous en sommes réduits à « penser le manque de révolution », sans être capables d'invoquer avec assurance les idées de pouvoir solide mais souple des oligarchies terriennes, de progrès vers la modernité moyennant la concession, le compromis et l'innovation, ou de révolutions de remplacement telles que la révolution industrielle[6].

Commencer un exposé par l'activité économique et la structure de la société est actuellement plus sujet à discussion que cela ne l'a été pendant cinquante ans. Néanmoins, en 1780 la population anglaise a connu une brusque accélération comme jamais auparavant en une génération. Avec l'augmentation du nombre des jeunes, hommes et femmes, plus nombreux qu'ils ne l'avaient jamais été, s'accrurent les besoins en nourriture et en travail.

On assista à une forte concentration de la propriété foncière : les trois quarts de l'espace cultivé se trouvaient aux mains de la noblesse et de la *gentry*. Le riche propriétaire terrien devenait de plus en plus riche du moment qu'il était décidé à investir sa richesse dans l'in- ▶

1. J. Plumb, *England in the 18th century*, 1950 ; L. Namier, *The Structure of politics at the accession of George III*, 1929.
2. L. et J.J. Stone, *An open elite ? England 1540-1880*, 1984.
3. D. Cannadine, « The Present and the Past of the english industrial Revolution », *Past and Present*, 103, 1984, pp. 131-172.
4. H. Perkin, *The Origins of modern english Society 1780-1880*, Londres, 1969.
5. J.C.D. Clark, *English Society 1688-1832. Ideology, social structure and political practice during the ancien regime*, 1985.
6. F. Furet, *Penser la Révolution française*, 1978.

► frastructure agricole et à se servir de son pouvoir politique pour imposer une « rationalisation » de la répartition et de l'administration de la terre, un processus de dislocation et de spoliation connu sous le nom d'« enclosure ». Ce système des *enclosures* entraîna une rapide transformation de l'agriculture, avec l'apparition de nouveaux domaines agricoles, méthodes d'exploitation, technologies et de nouveaux types d'élevage attractifs pour ceux qui étaient informés. La demande de main-d'œuvre devint aussitôt plus forte et plus saisonnière ; dans le même temps les habitants pauvres des campagnes en furent de plus en plus réduits à vivre de leur salaire en s'engageant comme travailleurs agricoles. La petite paysannerie fit place en Angleterre à un prolétariat agricole.

Tous les observateurs de l'Europe occidentale ont noté l'extension des relations de marché. Ce mouvement prit une grande avance en Angleterre. Des historiens modernes ont même parlé de la naissance d'une société de consommation[7]. L'essor commercial joua incontestablement un rôle grandissant dans la vie matérielle de l'Angleterre. Le système des routes à péage s'étendit, fruit généralement d'alliances locales entre intérêts fonciers et commerciaux se nouant au Parlement, en fort contraste avec les initiatives de l'État en France. On peut en dire autant du système des canaux. En 1788, fait de la plus haute importance, l'Angleterre fut à maints égards une unité économique, et pas seulement politique. En certains endroits, dans quelques industries, ce système de communication subit une transformation, une intensification et une concentration de production : l'industrie cotonnière, métallurgique, charbonnière et quelques autres telles que la brasserie et la poterie se développèrent et se transformèrent à des rythmes sans précédent.

Ces changements n'entraînèrent pas une modification profonde de la structure de la société, même si les anciens systèmes de solidarité et de différenciation sociales subirent de nouvelles pressions[8]. L'élite terrienne était coiffée par une aristocratie peu nombreuse, quelque trois cents individus titrés, jouissant de revenus moyens de plus de £ 6 000 (à 24 livres la livre sterling), assez pour faire vivre cent cinquante familles de travailleurs. En dessous, on trouvait plusieurs milliers de familles détenant un pouvoir national, régional ou local, fonction de l'importance de la terre dont ils étaient propriétaires. La plupart exploitaient eux-mêmes un domaine, mais beaucoup aussi louaient leurs terres à des fermiers qui constituèrent une sorte de bourgeoisie rurale.

Ce système de production agraire, influencé par l'aimant géant du marché de Londres, entretenait un réseau de villages et de villes, où étaient produits marchandises et services destinés à la communauté locale agricole. Progressivement, les villes et villages se transformèrent en bourgades et agglomérations industrielles, tandis que naissaient des ports de commerce spécialisés et des cités industrielles comme Manchester. Le commerce, la loi, le service public avaient longtemps fourni des routes aux riches : l'importance croissante des villes et du commerce, régional, national et international, ainsi que le développement des marchés industriels, engendrèrent une classe moyenne (ou plutôt un ensemble de classes moyennes) plus importante et moins assurée de sa place au sein d'une hiérarchie dominée par la déférence et les obligations du monde de la terre. Elle commença également à engendrer un prolétariat industriel et une grande variété de nouveaux artisans.

A cette société riche et novatrice correspondait une vie politique riche mais rarement novatrice. Des sections de l'élite terrienne, avides en fait de pouvoir et de places, manœuvraient non pas comme ailleurs à travers des intrigues et des coteries de cour, mais à travers des groupes plus ou moins bien délimités, de membres du Parlement et leurs semblables, liés aux partis. Whigs et tories penchaient pour un côté ou l'autre selon les moments : pour les dynasties concurrentes, pour les magnats et la noblesse terrienne, pour le « mouvement » et la « résistance », pour ou contre un pouvoir exécutif plus fort et la mainmise des fonctionnaires sur le processus parlementaire. Toutefois ces divisions importantes allaient peu à peu s'effacer et, dès 1780, tout le monde était d'accord pour un contrôle du Parlement sur l'établissement des lois, sur le droit de veto de celui-ci sur la taxation et les dépenses et sur sa possibilité de siéger et d'être élu régulièrement. Il semble que ces concensus ne s'appliquèrent pas avec la même force dans les colonies d'Amérique et en Irlande.

Le système des partis était lié au monde bien plus informel de la politique populaire. On pouvait régulièrement trouver du monde en ville pour soutenir telle ou telle politique, mais la politique urbaine allait peu à peu engendrer de nouvelles orientations. Apparut alors ce qui a été décrit comme une politique des classes moyennes, animée davantage par un « esprit d'entreprise » que par un esprit de déférence[9]. Une politique radicale se fit jour, articulant les intérêts de certaines sections de la classe moyenne des villes et ceux d'un certain nombre d'artisans. Le radicalisme concentra ses demandes sur l'établissement de la franchise, la périodicité des élections, et sur ce que les radicaux virent comme l'alliance corrompue et immorale de la couronne et de l'Église anglicane.

Car la religion constituait un élément clé du système anglais. Pour détenir une charge publique ou obtenir une formation supérieure, il fallait reconnaître l'eucharistie et les articles de foi de l'Église anglicane. Une tradition fertile et scissipare de « non-conformité », de refus de reconnaître le pouvoir des évêques, voire des prêtres, était solidement ancrée parmi certaines couches des classes moyennes ou du petit peuple des villes. Si l'absence de conformité à certains types établis était tolérée, il semble bien qu'une pléiade de groupes millénaristes ait fourni à la fois des adeptes et des structures de solidarité au radicalisme apparu à la fin du siècle. L'Église romaine était puissante dans certaines parties du Nord-Ouest en voie d'industrialisation, dans certaines régions d'Écosse et partout en Irlande. Jusqu'en 1745, le catholicisme avait constitué une réelle menace pour le *statu quo* politique ; les prétendants Stuart étaient catholiques, et l'on s'attendait à ce qu'ils réintroduisent, avec le rétablissement de la religion, une forme d'absolutisme royal. L'anglicanisme représentait donc à maints égards une religion dominante et le combat religieux un aspect essentiel à la fois de la politique de « parti » et de la politique quotidienne de domination, de déférence et de dissidence.

Lorsqu'on observe l'Angleterre du XVIIIe siècle, on ne peut manquer d'être frappé par ses succès en tant que puissance militaire, puissance commerciale, pays novateur dans les domaines agricole et industriel, et comme machine de gouvernement, celle-ci fonctionnant beaucoup plus efficacement que la machine française, mais sans doute moins que, par exemple, la Prusse. D'un autre côté, il est impossible de ne pas être frappé par ses contradictions. Contradictions entre le mythe de la tolérance et la réalité d'une dépendance à l'égard d'une religion garantissant les intérêts politiques de ceux qui détenaient les rênes du pouvoir. Contradictions entre le mythe d'un système parlementaire représentatif et la réalité d'une corruption généralisée, pour défendre leurs intérêts politiques, de ceux qui dirigeaient l'État. Contradictions entre une idéologie officielle d'opposition à l'absolutisme royal et l'apparition d'un État qui exerçait son contrôle sur les populations autant que dans les autres pays d'Europe, les taxait avec autant d'efficacité mais moins de justice, pouvait peser de son énorme poids militaire sur ses opposants et dont, après 1760, les ministres comptaient de plus en plus d'hommes éminents recrutés de préférence parmi les administrateurs royaux plutôt que dans les membres du parti. Contradictions entre le mythe d'une élite agraire ouverte et la réalité d'une oligarchie qui, avec la chance, au prix d'un dur travail et en recourant à toutes sortes de moyens légaux, réussissait à merveille à se perpétuer telle quelle. Contradiction aussi entre les intérêts de l'élite terrienne du monde du commerce, qui avait engendré depuis 1688 une richesse si prodigieuse, et un monde récent de manufacturiers capitalistes, fortement concentré. Sans contradictions, le développement n'aurait eu aucune chance de se réaliser. Sans le défi que représenta une guerre de vingt ans avec la France et qui favorisa l'union, qui peut dire si, en ce moment, nous ne serions pas en train de nous préparer à célébrer le bicentenaire de la « révolution bourgeoise » anglaise, et de nous demander si, en fin de compte, nous sommes en droit de la qualifier de « bourgeoise ».

Thomas Gretton

7. N. McKendrick, J. Brewer et J. Plumb, *The Birth of a consumer society. The Commercialization of 18th century England*, 1982.

8. E.P. Thompson, "18th century english society. Class struggle without class ? », *Social History*, vol. 3, 1978, pp. 133-165.

9. J. Brewer, *Party ideology and popular politics at the accession of George III*, 1976.

LES RÉPUBLIQUES SOUS L'ANCIEN RÉGIME
ET LA PENSÉE RÉPUBLICAINE
EN EUROPE

La tradition : Moyen Âge et Renaissance

Jusqu'à la Révolution française, tout au long de l'histoire européenne, le terme de « république » a gardé une signification ambiguë. Ainsi, depuis l'Antiquité, la république a désigné le corps politique, puis l'État en tant que tel, sans que cela implique une forme de gouvernement spécifique. C'est le sens que lui ont donné la plupart des auteurs politiques au Moyen Âge et même au-delà[1].

Mais dès le XIVᵉ siècle s'y ajoute une autre idée : celle d'une communauté gouvernée par plusieurs, voire par beaucoup. C'est alors que l'expression de république devient antinomique de celle de monarchie. C'est dans les villes italiennes de la Renaissance que cette acception du mot se répandit et, de là, s'intégra au vocabulaire de toutes les langues européennes. En France, c'est vers 1410 que pour la première fois le mot de « république » est compris comme un État sans gouvernement monarchique[2].

Dans la conception médiévale traditionnelle, l'humanité chrétienne formait, en théorie, une unité sous l'aspect du salut éternel. Tous les hommes, l'empereur, le pape ou le mendiant, trouvèrent leur place dans la « *res publica christiana* », la chrétienté. Les diverses communautés pouvaient avoir des libertés plus ou moins larges ; elles restaient néanmoins à un niveau supérieur d'un système global.

A partir du XIVᵉ et surtout du XVᵉ siècle, cette idée d'unité perdit de plus en plus d'importance. L'indépendance de fait des villes italiennes de la Renaissance, de Florence et de Venise en particulier, y fit naître des conceptions nouvelles qui don-

nèrent une place distincte à ces États qui aspiraient à une position indépendante de tout prince, qu'il fût près ou loin. Un des premiers philosophes à se pencher sur la question fut Ptolémé de Lucca, au tournant des XIIIᵉ et XIVᵉ siècles. Cent ans plus tard, à Florence, Coluccio Salutati, Leonardo Bruni et d'autres ont posé les bases d'une théorie de la république pour légitimer l'indépendance souvent menacée des villes italiennes. En se référant à l'histoire de l'Antiquité, d'Athènes et de Rome, ils ont donné le fondement théorique aux aspirations des villes de la Renaissance. Niccolò Machiavelli a résumé dans toute leur ampleur les théories politiques de l'époque. Cette discussion devait influencer fortement le débat théorique de l'Ancien Régime où — dans de tout autres conditions — on fera appel aux républiques de la Renaissance, et à leurs modèles de l'Antiquité.

Les républiques aux XVIᵉ et XVIIᵉ siècles

Avec l'avènement des États modernes, la notion de la chrétienté perdit de sa force. La Réforme et la Contre-Réforme ne firent qu'accentuer ce processus, marquant la vie politique européenne des premiers siècles de l'ère moderne. On a fait remarquer que, dès le XVIIᵉ siècle, les théoriciens ne parlent plus guère de la « chrétienté » mais de « l'Europe »[3]. Les États en formaient les unités de base ; c'est à eux que revenaient les droits de souveraineté, notion introduite dès la fin du XVIᵉ siècle. Dans ce système, l'opposition monarchie - république connut un nouvel essor. Le triomphe du principe monarchique dans presque toute l'Europe en fit la règle du système politique ; les quelques républiques étaient ou exceptions curieuses, restes d'un Moyen Âge que l'on croyait révolu, ou alors menace d'insurrection contre le pouvoir légitime[4].

Des républiques de la Renaissance, seules quelques-unes avaient survécu : Lucca, San Marino, Gênes, Raguse et Venise. La plus prestigieuse, Venise, avait su, dès le Xᵉ siècle, défendre son indépendance de tout autre pouvoir. Ici la forme républicaine de l'État ne fut jamais mise en question et les conflits avec les papes ne firent que renforcer la volonté absolue d'indépendance et de souveraineté spirituelle et temporelle de la Sérénissime[5].

Les cantons suisses formaient de petites républiques et ont su sauvegarder leur indépendance lors des troubles des XVIᵉ et

1. Aperçu général : Wolfgang Mager, « Republik », dans *Geschichtliche Grundbegriffe. Historisches Lexikon der politisch-sozialen Sprache in Deutschland* ; t. V, Stuttgart, 1984, pp. 549-651.

2. Walther von Wartburg, *Französisches Etymologisches Wörterbuch*, t. X, Bâle, 1960, p. 315. C'est le maréchal de Boucicaut qui, en se référant à Sienne, aurait introduit cette signification dans la langue française.

3. Fritz Wagner, « Europa im Zeitalter des Absolutismus und der Aufklärung. Die Einheit der Epoche », dans *Handbuch der europäischen Geschichte*, t. IV, Stuttgart, 1968 ; voir pp. 62-63, « Die Formal Europa ».

4. Yves Durand, *les Républiques au temps des monarchies*, Paris, 1973 (excellent aperçu général de l'histoire des républiques sous l'Ancien Régime).

5. Pour Venise et les troubles du XVIIᵉ siècle : William J. Bouwsma, *Venice and the Defense of republican Liberty. Renaissance Values in the Age of the Counter Reformation*, Berkeley, 1968.

XVIIe siècles. Ce qui était au Moyen Âge des villes et des communautés rurales d'Empire devint de petits États modernes, souverains et farouchement jaloux de leur indépendance. Le pouvoir impérial n'était déjà que très théorique dès la fin du XVe siècle. La liberté des Suisses fut déjà au XVIe siècle citée en exemple dans les revendications des paysans allemands. Lors de la paix de Westphalie, en 1648, l'indépendance des cantons suisses de l'Empire fut officiellement déclarée[6].

Les villes italiennes et les cantons suisses n'étaient que rarement considérés comme menace de l'équilibre européen. Ce furent d'autres républiques qui troublèrent les puissances. D'abord les événements des Pays-Bas, ensuite le Commonwealth en Angleterre. Dans les deux cas, les droits souverains des monarques furent mis en question; en Angleterre, le monarque même fut mis à mort. L'État moderne réclamant la concentration de tout le pouvoir dans ses mains, dont le symbole était le monarque souverain, se heurtait à la résistance des pouvoirs traditionnels ainsi mis de côté. Dans tous les pays d'Europe nous trouvons cette opposition fondamentale aux XVIe et XVIIe siècles, avec un point culminant dans la première moitié du XVIIe siècle. Dans ce cadre politique, la république pouvait devenir un danger pour le pouvoir absolu. Les quelques éphémères tentatives républicaines du XVIIe siècle soulignent cette menace : la Catalogne en 1640, Naples en 1647 et Bordeaux en 1652-1653. C'est Colbert qui en quelques mots a résumé le danger républicain : « Les républiques font des conquêtes, non par les armes, mais par les mauvais exemples de leur liberté ; les Suisses, par exemple[7]. »

Les Pays-Bas illustrent dans leur histoire constitutionnelle diverses attitudes envers les idées républicaines et monarchiques. L'absence d'un monarque après la conquête de l'indépendance ne signifia pas immédiatement le refus de toute institution traditionnelle d'origine monarchique. Ce n'est qu'au cours de la première moitié du XVIIe siècle qu'une théorie politique républicaine prit de l'importance[8].

L'indépendance formelle reconnue lors de la paix de Westphalie en 1648 donna aux Pays-Bas — comme aux cantons suisses — une place assurée dans le système politique européen. En même temps, la prise de conscience républicaine connut son apogée ; le stathoudérat fut aboli de 1650 à 1672, date à laquelle l'invasion française rétablit cet office.

Plus dramatique encore fut l'exemple de l'Angleterre : l'exécution du roi Charles Ier et l'institution du « Commonwealth » sous Oliver Cromwell, en 1649, influença profondément les vues politiques du monde entier. Même si la monarchie fut rétablie en 1660, les limites de l'absolutisme furent clairement marquées et pour toujours. La révolution de 1688 ne fit qu'achever l'avènement d'un régime où le pouvoir royal n'était plus la seule puissance de l'État.

La crainte des exemples des Pays-Bas et de l'Angleterre a renforcé le développement de la monarchie absolue en Europe, en France surtout. Aux sociétés bourgeoises exaltant les vertus

de travail et de savoir et dans lesquelles les idées républicaines avaient trouvé un sol fécond, on opposa avec force une société féodale dans laquelle la hiérarchie des ordres était axée sur la personne du souverain[9]. C'est dans cette perspective d'opposition aux vertus bourgeoises et aux idées républicaines que l'on fabriqua une identité entre calvinistes et républicains. La Réforme et le républicanisme avaient connu leurs plus grands succès parmi cette bourgeoisie naissante, sans pourtant qu'il y eût des liens indélébiles entre les deux pensées[10].

Le XVIIIe siècle

Dès les premières décennies du XVIIIe siècle, une nouvelle attitude envers l'État et la société se généralise : le mot clé est celui de nation[11]. Dans les monarchies et les républiques des XVIe et XVIIe siècles, il n'était guère question de faire participer de larges couches de la population au sentiment national. La politique restait réservée à un cercle restreint de dirigeants, qui étaient en quelque sorte « propriétaires » de l'État[12]. La naissance d'un sentiment national dans le sens d'un patriotisme moderne ne date que du XVIIIe siècle. En considérant alors l'État comme le garant de la nation, la politique entre dans le domaine public. Une conception politique nouvelle se constitue en Europe. C'est l'Angleterre qui donne l'exemple ; après la révolution de 1688, l'État et ses actions sont l'objet de l'intérêt général. Dans les autres pays d'Europe, la politique devint au cours du XVIIIe siècle objet de l'opinion publique. Le débat s'occupe moins de la question de monarchie ou de république, mais plutôt de la légitimité du pouvoir et de sa responsabilité envers la nation. Le contrat social, dont on avait déjà tant parlé depuis l'Antiquité, au Moyen Âge et dans les premiers siècles des temps modernes, n'est plus une hypothèse théorique sans conséquences, mais un fondement de la pensée et de l'action politiques.

Dans cette perspective, la notion de république prend un tournant inattendu : les philosophes se rappellent l'ancienne signification de république : une communauté politique en général. De plus la communauté politique s'élargit du sens de nation. C'est Jean-Jacques Rousseau qui nous donne la définition classique de cette conception : « Tout Gouvernement

6. On consultera : Hans Conrad Peyer, *Verfassungsgeschichte der alten Eidgenossenschaft*, Zurich, 1978.

7. Cité d'après Yves Durand, *les Républiques au temps des monarchies*, Paris, 1973, p. 184.

8. E. H. Kossmann, *Politieke Theorie in het Zeventiende-Eeuwe Nederland*, Amsterdam, 1960 ; Horst Lademacher, *Geschichte der Niederlande*, Darmstadt, 1983, pp. 114-125.

9. Emmanuel Le Roy Ladurie, « la Monarchie classique en France », dans *Commentaire*, 27, 1984.

10. Herbert Lüthy, *le Passé présent. Combats d'idées de Calvin à Rousseau*, Monaco, 1965.

11. Hans Kohn, *Die Idee des Nationalismus*, Francfort, 1962 (1re édition : New York, 1944).

12. Herbert H. Rowen, *The King's State. Proprietary Dynasticism in Early Modern France*, Nouveau-Brunswick, 1980.

légitime est républicain. Je n'entends pas seulement par ce mot une Aristocratie ou une Démocratie, mais en général tout gouvernement guidé par la volonté générale, qui est la loi. Pour être légitime, il ne faut pas que le gouvernement se confonde avec le Souverain, mais qu'il en soit le ministre : alors la monarchie elle-même est république[13]. » Dans les premières années de la Révolution, cet usage du mot « république » se rencontre fréquemment.

Les républiques européennes, où une aristocratie bien établie a su gagner la confiance des cours d'Europe, ne sont plus considérées comme menace au XVIIIe siècle. La grande époque de Venise est passée, dans les Pays-Bas le système politique prend de plus en plus des formes monarchiques, et les cantons suisses ne sont que d'une importance secondaire. Pourtant la Suisse commence d'occuper les esprits ; non la Confédération des treize cantons plus ou moins aristocratiques, mais l'image que l'on se fait de la Suisse. A la recherche de la nation dans son état le plus pur, le plus proche de la nature, on découvre le monde alpin, dans lequel on croit retrouver l'image de la société humaine dans un état naturel. Albrecht von Haller, Jean-Jacques Rousseau, André Chénier et bien d'autres ont contribué à cette image de la Suisse. Dans la XXIIIe lettre de la Nouvelle Héloïse, Rousseau donne le récit de cette société en accord avec la nature : « Les enfants en âge de raison sont les égaux de leurs pères, les domestiques s'asseyent à table avec leurs maîtres ; la même liberté règne dans les maisons et dans la république, et la famille est l'image de l'État[14]. » Lus et relus par des générations d'hommes et de femmes, les textes de Rousseau et de ses semblables ont plus influencé l'image de la Suisse dans le monde que les réalités politiques. C'est la révolution américaine qui ramina le débat. Dans les colonies anglaises, les structures républicaines étaient d'une longue tradition ; c'est ici que les idées des républicains anglais du XVIIe siècle avaient trouvé un terrain fécond[15].

La déclaration d'indépendance en 1776 et la Constitution de 1786 introduisirent une toute nouvelle pensée politique. La jeune république des États-Unis passionna les esprits et domina les débats politiques de toute l'Europe. Au terme de république se joignit celui de démocratie qui n'était jusqu'alors utilisé que dans un sens péjoratif ; il désignait une forme de décadence politique[16]. D'abord aux Pays-Bas, des groupes d'opposition se servirent de ce mot pour souligner leurs revendications. Les troubles des « patriotes » de 1785-1787 inquiétèrent les puissances européennes et provoquèrent même leur intervention[17]. Ce qui dans les Pays-Bas et aux États-Unis portait le nom de « démocratie » reçut dans le reste de l'Europe le nom de « république ». Depuis, république et démocratie semblèrent en Europe deux notions étroitement liées l'une à l'autre.

A l'aube de la Révolution, le terme de « république » est au centre d'un éventail de significations. Ce ne sont pas les quelques républiques aristocratiques existant en Europe qui dominent la pensée républicaine. C'est dans l'exemple des États-Unis, dans les revendications des patriotes néerlandais et dans le rêve d'une Suisse idéalisée que les termes de république et de démocratie sont étroitement liés et vont dominer le débat politique pendant presque un siècle.   François de Capitani

13. J.-J. Rousseau, *Du contrat social*, 1762, livre II, chapitre VI.

14. J.-J. Rousseau, *Julie ou la Nouvelle Héloïse*, 1764, première partie, lettre XXIII.

15. William R. Everdell, *la Fin des Rois. Histoire des républiques et des républicains*, Paris, 1987 (édition originale américaine New York 1983), chapitres VII et VIII.

16. Werner Conze, « Demokratie », dans *Geschichtliche Grundbegriffe. Historisches Lexikon der politisch-sozialen Sprache in Deutschland*, t. I, pp. 821-899.

17. Horst Lademann (voir note 8), pp. 187-196.

L'IDÉE RÉPUBLICAINE EN EUROPE

26
La Diète fédérale

par un auteur anonyme (néerlandais?)
Gravure. H. 0,355 ; L. 0,453.
Berne, Bibliothèque nationale suisse
(inv. K 04, 1730a).

Cette « *Carte générale des différentes assemblées ou conseils des cantons suisses et l'ordre de leur gouvernement* », illustrant le second volume de l'ouvrage de H.A. Chatelain, *Atlas Historique ou Nouvelle Introduction à l'Histoire, à la Chronologie et à la Géographie ancienne et moderne* (sept volumes publiés à Amsterdam entre 1708 et 1720), montre de façon mi-allégorique, mi-réaliste le fonctionnement de la Confédération suisse avant la Révolution. Chaque canton — au nombre de treize — possédait son propre gouvernement dominé par une aristocratie, et était représenté à la Diète, assemblée générale de Suisse. Celle-ci se réunissait au moins une fois par an, généralement à Baden, puis à Prauenfeld. Le bourgmestre de Zurich en avait la présidence. Toutes les décisions prises à cette assemblée devaient être entérinées par les cantons. Seule l'armée était commune à toutes les provinces.
Certaines régions alliées, Valais, Grisons, Neuchâtel, n'avaient pas de voix à la Diète. De tout cela résultait une bigarure extrême, archaïque par rapport aux réalités sociales. Ni les lois, ni les conceptions sociales, ni les religions n'étaient communes. On comprend pourquoi Genève se révolta en 1782, et surtout pourquoi seules Berne et Zurich envoyèrent des troupes pour réprimer les démocrates.
                                              J.Be.

27
Allégorie de la république de Berne protégeant les arts

par Jacques SABLET
Huile sur toile. H. 2,27; L. 1,79.
Inscription : « J. Sablet 1781, De Morges ».
Historique : acheté en 1781 par la ville de Berne, don de la bourgeoisie bernoise au musée en 1881.
Expositions : 1946, Berne, n° 92, repr; 1956, Lucerne, n° 123 ; 1971, Berne, sans cat. ; 1985, Nantes-Lausanne-Rome, n° 6.
Bibliographie : Meusel, t. IV, p. 561; Wagner, p. 221, note d; Walthard, 1827, p. 99; Granges de Surgères, 1888, pp. 49-50 et 60 ; Mülinen, 1916, pp. 61-62 ; Flüri, p. 65; Agassiz, 1929, pp. 20-21, repr. ; Hofer, pp. 337-338, repr. n° 237; Gautner-Peinle, t. III, p. 399; Deuchler-Lüthy-Roethlisberger, pp. 103 et 121, repr. ; Sandt, 1982, n° 7 et 1984, n° 7.

Berne, Kunstmuseum (inv. 816).

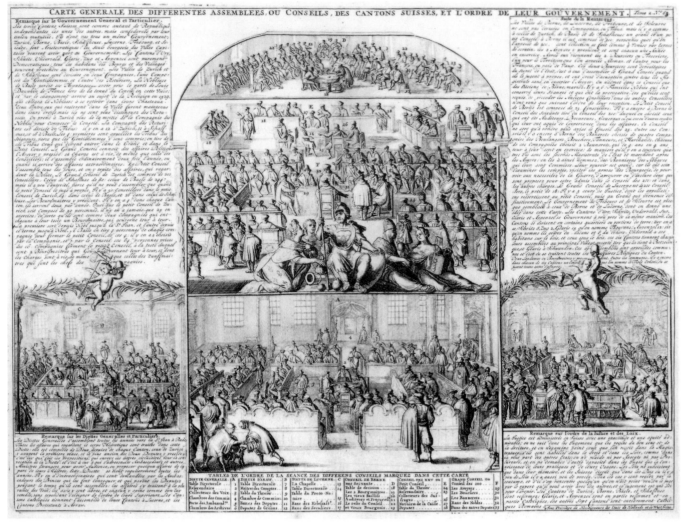

La Diète fédérale, assemblée générale de la Confédération suisse (cat. 26).

Procession du Conseil de la république de Berne (cat. 28).

...égorie de la république de Berne
...tégeant les arts (cat. 27).

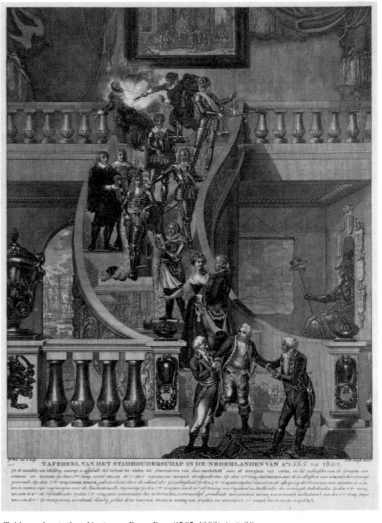

Tableau du stathoudérat aux Pays-Bas (1565-1802) (cat. 31).

...a PAIX descendue du CIEL le 10e Février 1789 sur la REPUBLIQUE de GENEVE

Dans ce fortuné jour nous retrouvons nos Pères — Et nos Pères aussi le cœur de leurs Enfans

Paix descendue du Ciel le 10 février 1789
...la république de Genève (cat. 29).

Retour du conseil général tenu à Genève le 10 février 1789 (cat. 30).

La peinture d'histoire fut, en Suisse, assez rare au XVIIIᵉ siècle, témoin ce tableau que Sablet eut toutes les peines du monde à faire acheter par Berne. Saint-Ours, seul véritable « historien » de l'époque, était extrêmement fier de son titre.

En 1778, Sablet, lauréat du prix de Parme, proposait à Berne de lui commander une œuvre. L'offre n'aboutit qu'en 1781 lorsque le tableau fut peint. Il fut acquis par la ville après maints pourparlers. Sablet le destinait à la bibliothèque municipale.

Par rapport à l'esquisse qui est connue (Lausanne, musée cantonal des Beaux-Arts), le tableau présente une composition en hauteur dans laquelle les nombreuses figures sont plus resserrées, mais qui est aussi plus harmonieuse et moins austère, grâce aux architectures ouvrant sur un paysage classique. Cette œuvre allégorique montre Minerve introduisant la figure de Berne dans le temple des Arts, d'où se détachent la Sculpture, et dans le jardin au fond, les trois Grâces. Narratif, le tableau n'en est pas moins assez simple dans sa conception. Bien que néo-classique, il ne présente nullement cet esprit de vertu, quelque peu frondeur, qui fait le fonds de la peinture française contemporaine. C'est sans doute en raison d'un relatif insuccès que Sablet abandonna la peinture d'histoire pour se consacrer à la scène de genre et au portrait. J.Be.

28
Procession du Conseil de la république de Berne

par Johann Jakob LUST

Gravure. H. 0,445; L. 0,640.
Inscription : « Dédié à LL EE les Illustres Magnifiques — très Hauts et Puissants Seigneurs / Advoyers, petit et grand Conseil de la noble Ville — République de Berne, mes Souverains Seigneurs ».
Berne, musée d'Histoire (inv. 836.A0).

Le canton de Berne, de religion protestante,

faisait partie de la Confédération helvétique depuis 1353. A sa tête se trouvait un conseil, gouvernement autonome du pouvoir central, formé de patriciens. Berne avait sous sa tutelle le pays de Vaud, dont les habitants étaient privés de droits politiques. Ce sont les blocages sociaux qui feront éclater la Confédération à la veille de la Révolution, créant ainsi un précédent aux bouleversements français. J.Be.

29
La Paix descendue du Ciel le 10ᵉ février 1789 sur la république de Genève

par Christian Gottlob GEISSLER

Eau-forte. H. 0,217; L. 0,303.
Inscription : « la PAIX descendue du CIEL le 10ᵉ février — 1789 sur la RÉPUBLIQUE de GENÈVE / dans ce fortuné jour nous retrouvons nos Pères — et nos Pères aussi le cœur de leurs Enfans ».
Historique : don Alfred du Mont en 1894.
Bibliographie : Rigaud, 1876, p. 274; Vovelle, 1986, t. I, p. 355.

Genève, bibliothèque publique et universitaire (inv. 45 PDM XI/33 (1789).

30
Retour du conseil général tenu à Genève le 10 février 1789

par Christian Gottlob GEISSLER

Eau-forte aquarellée. H. 0,404; L. 0,493.
Inscription : « Retour du conseil général - tenu le 10 février 1789 »; en bas à gauche : « Dessiné et gravé par C.G. Geissler ».
Exposition : 1967, Coppet, nº 548.
Bibliographie : Vovelle, 1986, t. I, p. 354.

Genève, musée d'Art et d'Histoire (inv. VG 2681).

Depuis 1782, les questions politiques ne cessaient d'agiter Genève. A la suite de la disette

de l'hiver 1788-1789, des émeutes avaient éclaté et le pouvoir oligarchique s'empressa de réviser l'édit de 1782, dans le sens d'une plus grande libéralisation. Entraient ainsi au grand conseil les bourgeois et certains « natifs », jusque-là traités comme des parias. Descendants d'immigrants, seuls les « natifs » pouvant justifier de quatre générations genevoises avaient accès au conseil.

En deux gravures, Geissler donna l'image de la fête qui se déroula le 10 février 1789 pour célébrer l'ouverture du régime. Cette cérémonie fut unanime, mais elle cachait mal les rancœurs de la noblesse, toute prête à reculer. Sur la première gravure, le cortège des parlementaires se rendant à l'Hôtel de Ville est suivi par la population, tandis que dans le ciel, en manière de symbole, la Paix descend sur Genève. Cette allégorie est beaucoup mieux intégrée à l'image dans la seconde estampe. Sous forme de serment, les parlementaires jurent de sauvegarder l'union de la république. J. Be.

31
Tableau du stathoudérat aux Pays-Bas de l'année 1565 à l'année 1802

par W. KOK

Gravure (épreuve d'artiste). H. 0,505; L. 0,365.
Inscription : « TAFERREL VAN HET STADHOUDERSCHAP IN DE NEDERLANDEN VAN Aº 1565 tot 1802... »; à gauche : « W. Kok, del. et Sculp. »; à droite : « J.D. Jongh, Excud. ».
Bibliographie : Muller-Atlas, 1879, nº 5623.

Amsterdam, Rijksprentenkabinet, Rijksmuseum (inv. F.M. 5623).

Cette estampe allégorique non datée illustre le traité conclu entre la France et le prince Guillaume V en 1802. Ce traité attribue des territoires allemands à la maison d'Orange-Nassau pour la dédommager de la perte de ses biens et de ses fonctions. D'un escalier descendent tous les stathouders : Guillaume Iᵉʳ, Maurits, Frederik Hendrik, Guillaume II, Guillaume III, Guillaume IV, Anna de Hanovre et Guillaume V, soutenu par Frederik Guillaume II de Prusse et Bonaparte. B.K. et M.J.

32
Édition fac-similé de l'« Union d'Utrecht »

Ed. Johannes Enschedé en Zoonen te Haarlem
Livre. H. 0,33; L. 0,225.
Amsterdam, Rijksmuseum (inv. Br. 730).

Conclue en 1579, l'« Union d'Utrecht », qui était à l'origine une alliance militaire, fut aussi considérée comme une « constitution » pour la république des sept Provinces-Unies. Les principales dispositions de l'« Union d'Utrecht » étaient les suivantes : la réunion des provinces

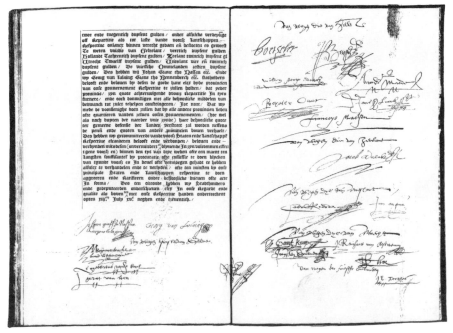

L'Union d'Utrecht (cat. 32).

avec cependant le maintien des droits spécifiques et des privilèges propres à chaque province ; la prise en commun de décisions pour ce qui concernait des affaires telles que la guerre, la paix et les prescriptions générales. En matière de religion, chaque province pouvait régler les choses à son gré mais personne ne pouvait être poursuivi pour des questions religieuses.

Le document est signé par les représentants des Provinces-Unies ; sont représentées les provinces suivantes : Gueldre, Hollande, Zélande, Utrecht, Groningue et sa région. Dans les mois qui suivirent, de nombreuses villes de Brabant et des Flandres s'associèrent à l'Union.

Le livre (1778) est composé à l'aide des caractères typographiques d'origine (XVIe siècle) ; les matrices des caractères de Joh. Enschedé et Fils ont été conservées.　　　　B.K. et M.J.

33
Arbre politique et gouvernemental

par J. SCHULTSZ, d'après A. Resinger
Gravure. H. 0,47 ; L. 0,35.

Inscription : en haut : « STAAT-EN REGEERING-KUNDIGEN BOOM/schetzende de Algemeene Staat en Regeeringsvorm der Vereenigde Nerderlenden » ; en bas : « Tracht Batoos edel kroost ! tracht dezen Boom te kennen/En zo ge ontaarting ziet in Wortel, Tak of Vrucht ;/Spoor vlijtig de oorzaak na, en zoek hem zo the wennen/Dat hij door Eendracht bloeije in uwe vrije lucht! » [« Batave aie à cœur cette noble lignée ! Efforce-toi de connaître cet arbre/Et si tu vois de la dégénérescence dans les racines, les branches ou les fruits ;/Fais diligence pour en détecter la cause et fais en sorte d'habiter cet arbre/à fleurir, grâce à son Unité, sous ton ciel libre »] ; à gauche : « A Resinger inv. » ; au centre : « J/Kok, Pz : Excud. » ; à droite : « J. Schultsz. Sculp. ».
Bibliographie : Muller-Atlas, 1876, n° 4756.

Amsterdam, Rijksprentenkabinet, Rijksmuseum (inv. F.M. 4756).

La formation de la république est vue dans cette estampe de 1786 par les patriotes qui la représentent sous forme d'arbre : les villes votantes et les nobles constituent ensemble, dans les sept racines principales, les provinces souveraines. Celles-ci se rassemblent dans le tronc qui représente lui, les états généraux. Du tronc jaillissent des branches qui constituent les organes et les institutions mises au service

des états généraux. Le stathouder est lui-même un élément de l'ensemble qui sert la république.　　　　B.K. et M.J.

34
Schéma explicatif du système d'élections et de tirages au sort nécessaires à la désignation du doge de Venise

Estampe (eau-forte). H. 0,335 ; L. 0,460.
Inscription : « Ordine dell'elezioni e sorti per la creazione del ser^mo　　Doge di Venezia/seguita li marzo 1789. Appr(esso) Teodoro Viero Venezia ».
Bibliographie : Arrigoni - Bertarelli, 1932, n° 1274.

Milan, Castello Sforzesco (Civica Raccolta Stampe Achille Bertarelli, inv. A.S. 8.65).

Cette estampe fut imprimée à l'occasion de l'élection du cent vingtième et dernier doge de Venise : la date précise de l'élection (9 mars) et le nom du doge (Ludovico Manin) sont demeurés en blanc.
Le schéma explique en détail la succession des opérations depuis la réunion du grand conseil

Orange contre les Régents : deux siècles de lutte pour le pouvoir dans la république des sept Provinces-Unies

L'Europe absolutiste de l'Ancien Régime ne connut que trois républiques : la Suisse, Venise et la république des sept Provinces-Unies qui représentaient trois petits territoires perdus au milieu de puissants royaumes. La république néerlandaise avait en commun avec la Suisse qu'elle s'était également arrachée au royaume des Habsbourg en menant contre l'Espagne une guerre de libération qui dura quatre-vingts ans (de 1568 à 1648) et qui fut conclue par la paix de Westphalie, document par lequel l'Espagne reconnaissait formellement l'indépendance de l'État. La similitude avec Venise est encore plus frappante : les deux républiques étaient des nations commerçantes dépendant plus de la mer que des terres et dirigées par une classe de riches commerçants.

Le nouvel État formait tout sauf une entité : l'Union d'Utrecht (1579), qui allait être le fondement de la république pendant plus de deux siècles, ne prévoyait pour tout lien entre les sept provinces qu'une politique extérieure commune. La souveraineté revenait donc aux provinces et à La Haye, les états généraux composés des représentants des provinces ne pouvaient prendre de décisions communes que pour la politique extérieure — la guerre et la paix, l'armée, la flotte et le financement de tout cela. Le stathouder, à l'origine remplaçant du souverain, recevait à présent ses ordres des États provinciaux ou, s'il était commandant de l'armée ou de la flotte, des états généraux.

En réalité, la pratique et la théorie, comme très souvent, ne concordaient pas. Formellement, on pouvait considérer que la famille d'Orange se trouvait dans une position subalterne puisqu'elle était censée exécuter la volonté des États, il n'empêche que Guillaume le Taciturne, qui était déjà, bien avant le soulèvement, le plus grand propriétaire foncier de toute la noblesse, connut une énorme popularité et un grand prestige grâce au rôle héroïque qu'il joua pendant la guerre de libération.

Ses fils Maurits (stathouder de 1584 à 1625) et Frederik Hendrik (stathouder de 1625 à 1647) lui succédèrent comme stathouders et chefs militaires. Comme ils surent reprendre aux Espagnols de grands

territoires, ils obtinrent, eux aussi, grâce à leurs faits d'armes, un prestige qui dépassait de loin leurs modestes attributions constitutionnelles.

Le mariage du fils de Frederik Hendrik, Guillaume II, avec une princesse anglaise, rehaussa encore le statut des Orange et ils en arrivèrent à posséder le même rang que les autres princes d'Europe.

Entre 1650 et la fin de l'Ancien Régime, la politique étrangère fut dominée par les relations avec les deux puissants pays voisins, la France et l'Angleterre. La France menaçait la république par le sud tandis que l'Angleterre devenait au XVIIe siècle un grand concurrent maritime. Cette opposition s'exprima en politique intérieure par une épreuve de force ininterrompue entre la famille d'Orange qui, par ses mariages était liée depuis près de cent cinquante ans à l'Angleterre, et les Régents, commerçants qui voyaient en l'Angleterre le principal concurrent mais qui craignaient en même temps l'expansion territoriale de la France.

En 1672, année catastrophique, la république fut attaquée en même temps par la France et l'Angleterre unies, tandis que l'armée des évêques de Münster et de Cologne prenait le pays par l'est. La moitié des Pays-Bas fut conquise et seule la ligne de défense par l'inondation put arrêter l'armée gigantesque de Louis XIV. Aux heures de danger, le peuple réclamait un membre de la famille d'Orange à la rescousse ; Johan de Witt fut lynché par une foule furieuse. Dans toutes les villes hollandaises, Guillaume III obtint le droit de nommer des magistrats et il se posait de plus en plus en défenseur des provinces conquises par la France. En 1688, Guillaume III devint, après l'expulsion de son beau-père catholique, roi d'Angleterre.

La république était plus que jamais liée à l'Angleterre et les deux pays s'unirent pour lutter ensemble contre Louis XIV. Guillaume III mourut en 1702 mais à cause de la coalition, la guerre se poursuivit jusqu'en 1713 (traité d'Utrecht).

Après la mort de Guillaume III, qui ne laissait pas d'héritier, la dynastie d'Orange se trouva de nouveau sans successeur direct et les ▶

▶ Régents eurent ainsi le pouvoir pendant quarante-cinq ans, jusqu'en 1747.

Exactement comme en 1672, le peuple réclama un membre de la famille d'Orange au pouvoir et grâce à l'aide anglaise, Guillaume IV prit le pouvoir. C'était la première fois que toutes les provinces étaient réunies sous l'autorité d'un seul stathouder, c'était la première fois que le stathoudérat était déclaré héréditaire pour les deux branches de la famille et c'était aussi la première fois que la nomination du maire de la puissante Amsterdam était soumise à l'approbation de la famille d'Orange. A présent, la dynastie ne semblait plus devoir être vaincue.

Pour la troisième fois, la mort précoce d'un stathouder allait brouiller les cartes. Guillaume IV mourut quatre ans après avoir pris le pouvoir n'ayant pour tout héritier qu'un fils âgé de trois ans.

Amsterdam réussit immédiatement à reprendre son indépendance et malgré la politique pro-anglaise de la veuve de Guillaume IV, les Régents surent rester neutres durant la guerre de Sept Ans (1756-1763) qui opposa la France et l'Angleterre.

Guillaume V devint stathouder en 1766, à dix-huit ans : il participa au dernier acte de la république en ayant plus de pouvoir que ses ancêtres n'en avaient jamais eu. Il avait épousé une nièce de Frédéric II le Grand de Prusse, qui était un allié de l'Angleterre depuis 1756.

Tout comme en 1672 et en 1747, ce fut la politique extérieure qui influença le cours des événements dans la république néerlandaise.

En 1778, la France, pour avoir soutenu les colonies américaines qui s'étaient révoltées en 1776, entra en guerre avec l'Angleterre et la république fut de nouveau prise entre deux feux. Guillaume V était dépendant de l'Angleterre mais la France était son principal partenaire commercial. Le bois et les autres matériaux de construction navale nécessaires à la flotte française étaient acheminés par des bateaux néerlandais neutres. L'Angleterre interdisait cet acheminement vers la France et la France exerçait des pressions pour continuer à être approvisionnée. Quand la république néerlandaise proposa aux autres pays neutres de former un front uni face à l'Angleterre afin de sauver la flotte neutre, l'Angleterre lui déclara la guerre (1780-1784).

Cette guerre, qui se termina très mal pour la république, scella la position de Guillaume V. Son ancien allié, l'Angleterre, était devenu l'ennemi et les anti-orangistes, Amsterdam en tête, se tournaient à présent vers la France. Dans les villes et les provinces aux mains des orangistes, l'opposition des patriotes devint de plus en plus forte. Il ne fait aucun doute que le dernier stathouder aurait dû, dès 1787, céder de ses pouvoirs ou abdiquer si son beau-frère, le roi de Prusse, ne lui était pas venu en aide avec une puissante armée.

L'Ancien Régime parvint à se maintenir jusqu'en 1795. En janvier de cette année-là, lorsque l'armée française, accompagnée des patriotes qui avaient fui en 1787, franchit sans peine les rivières gelées, il fut mis fin à la république des sept Provinces-Unies.

P.C. Jansen

---

qùi suit la mort du doge (Paolo Renier, † 13 février 1789) symbolisée par une tête de mort coiffée de la « zoia » (coiffure ducale en forme de corne) jusqu'à l'approbation par le même grand conseil de l'élection du nouveau doge. Tout le système repose sur une alternance de suffrages, qui permettent la formation de collèges électoraux restreints, et de tirages au sort qui empêchent, à l'intérieur de ces collèges, la formation de factions et donc l'élection d'un doge soutenu par un parti susceptible d'appuyer ses ambitions personnelles.

La république de Venise était totalement aux mains du patriciat de cette ville depuis qu'à la fin du XIIIᵉ siècle, les représentants des classes populaires avaient été éliminés des élections et des charges. Le grand conseil dont les membres au nombre d'environ quinze cents étaient issus des familles inscrites au « livre d'or » représentait le type même d'un gouvernement aristocratique, aggravé d'une tendance à la gérontocratie puisque l'élection du doge était totalement contrôlée par les sénateurs âgés de plus de quatre-vingts ans. Néanmoins Venise restait une république et lorsque, après les « Pâques véronaises », Bonaparte exigea l'abolition des institutions de la Sérénissime (12 mai 1797) puis céda la Vénétie à l'Autriche, par le traité de Campo Formio, quelques voix dont celle de l'un des directeurs, Barthélemy, s'indignèrent, plus ou moins sincèrement, que les Vénitiens n'aient pas eu la possibilité de réformer leur république dans le sens d'une plus grande démocratie.

35
Portrait du Doge Paolo Renier (1710-1789)

par Alessandro LONGHI

Huile sur toile. H. 0,81 ; L. 0,65.
Historique : provient directement de l'académie de Venise et fut probablement exécuté en 1779, l'année où Renier fut élu doge.
Exposition : 1978, Venise.
Bibliographie : cat. Venise, 1854 ; Conti, 1895 ; Nani Mocenigo, 1898 ; Fogolari, 1913 ; Serra, 1914 ; Moschini 1932 ; Marconi, 1949 ; Golzio, 1950 ; Da Mosto, 1960 ; Valcanver, 1961 ; Moschini Marconi, 1970.

Venise, Gallerie dell'Academia (inv. 643).

Avant-dernier doge de la république de Venise, Paolo Renier, issu de l'une des familles les plus riches de la Sérénissime avait une activité politique intense avant même son accession au dogat en 1779. Il fut en effet ambassadeur à Vienne, puis baile à Constantinople ; dès les années 1760, il se montra favorable au mouvement réformiste et s'opposa au pouvoir du Conseil des Dix et des inquisiteurs d'État. Devenu doge, il changea totalement d'attitude et s'opposa fermement à toute réforme.
On voit dans les registres des dépenses de l'époque qu'Alessandro Longhi, l'un des meilleurs portraitistes vénitiens de la fin du XVIIIᵉ, exécuta cette toile entre 1779 et 1781. Compte tenu de l'âge avancé du doge, on remarque que l'artiste a voulu embellir les traits du visage. Fidèle au portrait académique néo-classique à la mode, Longhi se refuse au réalisme et préfère une représentation idéalisée du personnage correspondant à son image publique. R.Ci.

36
Portrait du procurateur Ludovico Manin (1726-1802)

par Pietro LONGHI

Huile sur toile. H. 2,74 ; L. 1,86.
Inscription : au dos « P. Longhi F. 1764 ».
Exposition : 1966, Udine.
Bibliographie : Moschini 1956 ; Someda De Marco, 1956 ; Palluchini, 1960 ; Grassi, 1961 ; Rizzi, 1967 ; Pignatti, 1968.

Udine, museo Civico (inv. SCH.N. 455).

Ludovico Manin, dernier doge de Venise, fut élu en 1789 pendant la grande crise que traversa la Sérénissime. Personnalité politique de peu d'envergure, il ne se montra pas à la hauteur de ses fonctions. En 1797, il ne parvint pas à repousser les troupes napoléoniennes, qui avaient envahi la Vénétie, et, lorsqu'un gouvernement provisoire d'inspiration démocratique fut constitué, il refusa d'en accepter la présidence. Le tableau le représente en costume de procurateur de San Marco et chevalier de l'Étole d'or comme en témoigne la toge rouge ornée d'une écharpe d'or, insigne de sa charge. L'auteur du tableau est Pietro Longhi, peintre vénitien qui se rendit célèbre pour ses scènes de genre. Son sens de l'observation, remarquable dans les sujets bourgeois, semble faiblir quand il s'essaie au style académique, d'usage à l'époque pour représenter les plus importants patriciens vénitiens. Si les qualités picturales ne sont pas affectées, on n'en perçoit pas moins la difficulté qu'éprouve l'artiste à créer les éléments d'un décor classique — balustrade, tenture, socle de la colonne — et à idéaliser l'image de Manin. R.Ci.

re politique et gouvernemental de la république des Provinces-Unies (cat. 33).

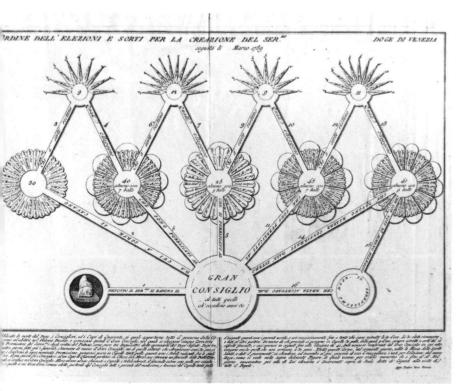

ma expliquant le mode de désignation du doge de Venise (cat. 34).

Le Doge Paolo Renier (cat. 35).

Le procurateur Ludovico Manin (cat. 36).

II
L'ARISTOCRATIE ET LES CLASSES DIRIGEANTES

Dans l'Europe de la fin du XVIIIᵉ siècle, il n'y a pas une classe aristocratique mais plusieurs, très diverses par leur mode de vie et l'importance de leur rôle. La barrière entre la noblesse et la roture peut être quasi infranchissable, le cas le plus extrême étant sans doute celui de la république de Venise avec la liste strictement close des familles inscrites au Livre d'or. Dans d'autres pays, on peut acquérir la noblesse par des moyens variés ; le plus incontestable est la faveur royale et la reconnaissance de services insignes ; le plus fréquent est la richesse, en France surtout où l'achat des charges anoblissantes est depuis plus d'un siècle le but auquel semble aspirer toute la bourgeoisie au détriment d'investissements plus rentables.

Il n'y a apparemment que peu de points communs entre un magnat polonais et un grand d'Espagne, entre un gentilhomme italien et un squire anglais. Pourtant il existe entre eux une indiscutable solidarité et il est possible de relever quelques éléments d'unité. La noblesse tire son prestige et ses moyens d'existence de ses biens fonciers et de droits liés à la condition juridique des terres. Et c'est en cela que l'on peut qualifier la société de l'Ancien Régime de « féodale » : si les liens d'homme à homme y sont en régression, les liens qui unissent les terres entre elles et les hommes à la terre restent contraignants. Le

château (occupé ou non), au milieu du domaine constituant la réserve seigneuriale et des tenures de natures diverses, est une constante du paysage européen. A l'inverse, la noblesse apparaît comme une classe intellectuellement ouverte aux nouveautés. La connaissance du français, et donc de certains textes des philosophes français, est relativement répandue. L'anglomanie, perceptible surtout dans un certain mode de vie (emploi du temps, habillement, jardins, etc.), peut, elle aussi, véhiculer certains éléments sinon de libéralisme du moins d'hostilité au pouvoir absolu.

Faut-il assimiler la noblesse à la classe dirigeante. L'aristocratie de cour joue certes un rôle politique mais en fait la noblesse, qui gère souvent très médiocrement ses revenus, se sent souvent écartée du pouvoir par des catégories d'hommes plus riches, plus entreprenants. La réaction nobiliaire, totalement dépourvue de fondement rationnel malgré les écrits déjà anciens de Boulainvilliers et de Le Laboureur, qui marque en France la seconde partie du règne de Louis XVI, fut durement ressentie, sur le plan matériel par les paysans, sur le plan moral par la bourgeoisie. Elle explique en partie la violence du courant antiaristocratique dès les débuts de la Révolution.

Le thé à l'anglaise au Temple (cat. 37, détail).

Le Thé à l'anglaise au Temple (cat. 37).

37
Le Thé à l'anglaise au Temple

par Michel Barthélemy OLLIVIER

Huile sur toile. H. 0,540 ; L. 0,700.
Historique : commandé en 1766 par le prince de Conti ; collection du prince ; musée Napoléon ; musée du Louvre (inv. 7007), dépôt au Musée national du château de Versailles en 1974.
Expositions : 1777, Paris, n° 135 ; 1976, Washington, n° 131 (bibliographie complète) ; 1980, Lourdes ; 1980, Versailles, bibliothèque municipale, n° 237.
Bibliographie : Soulié, 1861, n° 3824 ; exp. Washington, 1976, *supra*.

Versailles, musée national du Château
(inv. M.V. 3824).

Ce tableau est commandé à Ollivier par le prince de Conti en même temps que trois autres peintures également à Versailles : *La Fête chez le prince de Conti à l'Isle-Adam* (MV 3822), *Le Cerf pris dans les fossés de l'Isle-Adam* (MV 3823) et le *Souper au Temple* (MV 3825).
Ollivier représente le « thé à l'anglaise dans le salon des quatre-glaces au Temple, avec toute la cour du prince de Conti », au cours duquel Mozart, âgé de huit ans, donne un concert de clavecin avec le guitariste Géliotte, ce qui permet de dater l'événement de l'hiver 1763-1764.

Les concerts donnés chez le prince, à Paris, au Temple en hiver, à L'Isle-Adam en été sont alors recherchés pour leur qualité (Pomme de Mirimonde, 1966). Ce tableau, en dehors de son intérêt pour l'histoire de la musique, illustre les mœurs de l'aristocratie à la fin du XVIIIᵉ siècle. Le thé, dont on reconnaît les vertus médicinales, est maintenant répandu en Europe, grâce aux envois des compagnies de commerce et aux textes écrits de Chine par les pères jésuites et par les naturalistes ; Madame de Vierville qui contribue pour beaucoup à l'introduire en France est présente à ce goûter. Sur le cahier en bas à gauche, on peut lire : « De la douce et vive gaîté/chacun ici donne l'exemple/on dresse des autels au thé/il méritait d'avoir un temple. » (Allusion directe au lieu où se déroule le concert.) L'anglomanie à la mode alors dans la société française augmente ce style de réunion, autour de théières en porcelaine et de gâteaux, où chacun, sans étiquette, se sert lui-même. D'après une répétition du tableau portant l'identification des personnages (conservée avant 1848 au château de Neuilly, aujourd'hui perdue) on reconnaît chacun des participants, des aristocrates, Chabrillant, Jarnac, Chabot, Pont de Vesle, Henin, Beauvais et le chevalier de Laurency, des grands commis de l'État et des savants, Trudaine, ami de Madame Geoffrin, Dortus de Mairan, un magistrat, le président Hénault. Le

prince de Conti est représenté de dos, dans l'embrasure de la fenêtre, sans doute parce que au moment de l'exécution du tableau, il est mort. Les femmes sont élégamment vêtues : on voit la princesse de Beauvau, les comtesses de Boufflers, d'Egmont mère et belle-fille, les maréchales de Luxembourg et de Mirepoix, Madame de Vierville, Mesdemoiselles de Boufflers et Bagarotti.   M.Pi.

38
Le Comte de Provence (1755-1824)

par Alexandre MOITTE

Gouache sur carton. H. 0,349 ; L. 0,250.
Historique : legs Gustave Deloye en 1899.
Expositions : 1933, Paris, n° 173 ; 1935, Copenhague, n° 447.
Bibliographie : Vovelle, 1986, t. I, p. 53.

Amiens, musée de Picardie (inv. 977-7).

Louis Stanislas Xavier, Monsieur, second dans l'ordre de succession au trône en l'absence du dauphin, était aux dires de Barère, « le plus intelligent des Bourbons, et le plus méchant ». Très différent du roi et du comte d'Artois, c'était un personnage fastueux, qui semblait

détaché des intrigues de la cour. En réalité, son seul but était de mener d'obscurs travaux destinés à le conduire au trône, travaux sur lesquels toute la lumière n'a pas été faite. Le portrait inachevé de Moitte le montre en uniforme de colonel du régiment de Provence (Blésois de 1776 à 1780).
Sur le fond se détache la chapelle du château de Versailles.
A l'inverse de son frère d'Artois, il n'émigra pas dès juillet 1789, et tenta de se servir de la Révolution en s'attirant une certaine popularité. Il ne se décida à fuir qu'en 1791.   J.Be.

39
Le Comte d'Artois
(1757-1836) en costume de chasse

par Alexandre MOITTE

Gouache sur carton. H. 0,286 ; L. 0,230.
Historique : legs Gustave Deloye en 1899.
Expositions : 1933, Paris, n° 172 ; 1935, Copenhague, n° 446.
Bibliographie : Vovelle, 1986, t. I, p. 52.

Amiens, musée de Picardie (inv. 977-6).

Superficiel et vaniteux, le frère cadet de Louis XVI passa sa jeunesse au jeu et à la chasse, s'entoura d'une coterie de flatteurs proches de la reine. Personnage à la mode, le portrait de Moitte le montre revêtu d'un costume de chasse d'esprit anglais. L'anglomanie se traduisait alors par le goût prononcé de l'aristocratie pour une nature perçue « sportivement », tant dans son organisation, les jardins, que dans son vécu, les courses de chevaux, par exemple.
Au fond du portrait de Moitte se détache le pavillon de Bagatelle, petit château élevé en bordure du bois de Boulogne par l'architecte Bélanger, à la suite d'un pari tenu entre Artois et Marie-Antoinette. Cette « folie » fut en effet construite en deux mois, en 1779, tandis que les jardins étaient dessiné par l'Anglais Thomas Blaikie. Il s'agissait de prouver qu'il était possible d'édifier ce château pendant le temps d'une villégiature que la reine faisait à Choisy. Inaugurée par une fête brillante au cours de laquelle fut joué *Rose et Colas*, de Sedaine et Monsigny, avec Marie-Antoinette, Madame de Polignac et le comte comme interprètes, la « folie d'Artois » est demeurée le symbole de cette vie de plaisir de la fin de l'Ancien Régime.   J.Be.

40
Louis Philippe Joseph, duc d'Orléans (1747-1793)

par William H. CRAFT

Miniature sur émail, cerclée de métal doré. H. 0,254 ; L. 0,202.
Inscription : peinte au verso : « Son Altesse Sérénissime Monseigneur le Duc d'Orléans p^er Prince du sang. W.H. Craft fect. 1790 ».

Historique : don de David-Weil en 1947.
Exposition : 1956-57, Paris, Louvre, n° 235.
Bibliographie : Clouzot, 1924, p. 60 ; Montembault, 1967, n° 210.

Paris, musée du Louvre, cabinet des Dessins (inv. R.F. 30879).

Cousin de Louis XVI, le duc d'Orléans commença à s'agiter, dans le but de prendre le trône (bien qu'il le nia lors de son procès), dès les premiers troubles des années 1787-1788. Entouré d'une coterie d'agents, parmi lesquels Choderlos de Laclos, chargés de le populariser, il fut soupçonné d'avoir fomenté les journées d'octobre 1789. Sous prétexte d'une mission, La Fayette l'exila à Londres. Il n'en revint que le 11 juillet 1790.
C'est dans cette ville, si prisée des monarchiens et de tous les anglophiles, qu'il se fit peindre dans une attitude désinvolte par le miniaturiste Craft. Vêtu d'un costume de chasse, portant la plaque du Saint-Esprit, le maître du Grand-Orient de France apparaît comme un grand seigneur insouciant, ce qu'il était. Mais il s'estimait trop pour en rester là.
Dépassé par les événements révolutionnaires, il parvint cependant à s'imposer à la Convention, le 15 septembre 1792, grâce à Danton et à Marat, après avoir changé son nom en Égalité. Son vote pour la mort de son cousin fit dire à Robespierre : « Égalité était peut-être le seul membre qui pût se récuser. » On finit par l'exécuter le 17 brumaire an II (7 novembre 1793).   J.Be.

41
Le Marquis de La Fayette (1757-1834)

par Pierre Simon Benjamin DUVIVIER

Pierre noire. H. 0,222 ; L. 0,160.
Inscription : annotée en bas à la pierre noire : « M. De La Fayette fait par m. Duvivier en 1790 ».
Historique : acquis de M. Lancelin en 1909 (cachet du musée, Lugt 1886).
Bibliographie : Guiffrey-Marcel, t. V, p. 91, n° 3999, repr.

Paris, musée du Louvre, cabinet des Dessins (inv. R.F. 3751).

Marie Joseph Paul Yves Roch Gilbert Motier, marquis de La Fayette, « héros des Deux-Mondes », avait participé sous les ordres de Rochambeau à la guerre d'Indépendance des États-Unis. Il en était rentré couvert de gloire et adepte des idées libérales.
Lorsque Duvivier, dessinateur spécialisé dans les portraits de profil, le représenta en 1790, La Fayette était général de la garde nationale. Son triomphe eut lieu le 14 juillet 1790, lors de la fête de la Fédération. Tenté par le césarisme, il entendait conseiller le roi qui le haïssait. Marat lança bientôt une campagne contre l'« infâme Motier », qui lors de l'affaire de Nancy, en août 1790, révéla définitivement les limites de son patriotisme.
Ce portrait de Duvivier s'inscrit dans un ensemble de productions particulières à la fin du XVIIIᵉ siècle, dont Étienne de Silhouette et Carmontelle, bientôt relayés par le physiono-

trace de Chrétien, avaient fourni les meilleurs exemples. Le profil, tracé grâce aux ombres portées, permettait en effet d'atteindre à une quasi-ressemblance par rapport au modèle. Ce n'est évidemment pas pour rien si le néo-classicisme, mouvement primitiviste, fit ressurgir la figure mythologique du Dibutade inventeur du dessin (*cf.* les tableaux de Regnault, 1785, Versailles, et de Suvée, 1791, Bruges, Groeningemuseum).   J.Be.

42
Madame A. Aughié

par A.U. WERTMÜLLER

Huile sur toile. H. 1,175 ; L. 0,895.
Inscription : en bas à droite : « A. Wertmüller Sv. P. Paris 1787 ».
Historique : don en 1951 de l'association des Amis du musée.
Expositions : 1955, Londres, n° 336 ; 1955, Versailles, n° 203 ; 1967, Bordeaux, n° 203 ; 1972, Londres, n° 268.

Stockholm, Nationalmuseum (inv. NM 4881).

Le premier portrait que le peintre suédois Wertmüller fit de la reine Marie-Antoinette en 1785 avant d'entreprendre le portrait grandeur nature qui est exposé ici sous le n° 3 fut, paraît-il, un tableau offert à Madame Aughié et qui se trouve actuellement dans une collection privée. Deux ans plus tard, ce fut le tour de cette jeune et distinguée personne de poser elle-même pour Wertmüller. Femme de chambre de la reine, Adélaïde Henriette Aughié (ou Auguié), née Genet (1758-1794) est représentée dans une robe toute simple, en train de verser du lait dans la fameuse laiterie que sa souveraine avait fait construire près du Petit Trianon, sous l'empire de la mode qui régnait alors jusque dans les plus hauts lieux d'une vie campagnarde et « naturelle ».   P.Gr.

43
Mère allaitant son enfant

par Jean-Laurent MOSNIER

Huile sur toile. H. 1,33 ; L. 1,07.
Inscription : au milieu, à gauche : « J.L. Mosnier pinxit 1782 ».
Historique : versé au Louvre en 1950 (inv. MNR. 86) ; envoyé au musée municipal de Mâcon en 1955.

Mâcon, musée municipal des Ursulines (inv. A. 890).

Cet élégant tableau est tout à fait dans la veine des portraits d'aristocrates du XVIIIᵉ siècle tels que purent en peindre François-Hubert Drouais ou Élisabeth Vigée-Lebrun. Il associe à la fois un certain apparat, présentation noble du modèle, à mi-corps et de trois quarts face, à la représentation d'une scène intimiste, la jeune mère donne le sein à son enfant. Ainsi, ce sujet, qui aurait pu devenir une scène de genre, a ici revêtu le côté « respectable » et non dénué de majesté du portrait.

Le comte de Provence (cat. 38).

Le comte d'Artois en costume de chasse (cat. 39).

Louis-Philippe-Joseph, duc d'Orléans (cat. 40).

Vue du hameau à Trianon (cat. 44).

marquis de La Fayette (cat. 41).

Madame Aughié, femme de chambre de Marie-Antoinette (cat. 42).

Mère allaitant son enfant (cat. 43).

Guillaume V, prince d'Orange (cat. 47).

du château de Montmusard (cat. 45).

du palais et de la « quinta » de Gerard Devisme à Benfica, dans les faubourgs de Lisbonne (cat. 46).

Axel von Fersen (cat. 48).

Le milieu social élevé du modèle se laisse entrevoir dans la tenue raffinée de la mère et de l'enfant et dans le luxe des éléments décoratifs, comme ce berceau de bois doré tapissé de vert, d'où s'échappe un voile de dentelle. Notons qu'une mauvaise lecture de la date a le plus souvent donné ce tableau comme étant de 1762 ; toutefois tant par la maîtrise stylistique de l'œuvre (l'artiste n'avait que dix-neuf ans en 1762) comparée à d'autres tableaux des années 1787 et 1789 que par le style du mobilier, il convient de placer plus vraisemblablement ce tableau en 1782.   B.Ga.

44
Recueil des plans du Petit Trianon

par Claude Louis CHÂTELET

Manuscrit comprenant vingt-six planches représentant des vues pittoresques et des plans du Petit Trianon. Plume, encre et encre noire, aquarelle. H. 0,470 ; L. 0,350.
Le plan général au double du format est replié. Le frontispice est orné d'un cartouche sur lequel est écrit : «RECEUIL des Plans du Petit Trianon par le Sr Mique Chevalier de l'ordre de St-Michel Premier Architecte honoraire Intendant Général des Bâtimens du Roy et de la Reine 1786».
Reliure en maroquin rouge à filets d'or. Le volume sera ouvert successivement à la page du *Frontispice*, de la *Grotte* et de la *Vue du hameau*.
Historique : offert par Marie-Antoinette, en 1786, à son frère l'archiduc Ferdinand d'Autriche, gouverneur de Lombardie.
Bibliographie : Nolhac, 1914, pp. 176-177 et pl. ; cat. exp. Versailles, 1955, sous le n° 389 ; Ganay, 1959, pp. 612-622 ; exp. Paris, hôtel de Sully, 1977, n°s 50, 118, 159, 204 ; Choppin de Janvry, 1977, pp. 16-25.

Modène, bibliothèque Estense (inv. 119 : α.α.1.2.).

A la mort de Louis XV, Marie-Antoinette entre en possession du Petit Trianon et fait faire de nombreuses transformations dans le parc, par l'architecte Richard Mique (1728-1794), aidé par Hubert Robert (1733-1808), qui y reprennent les principes d'un jardin anglais. Les travaux débutent en·1775 et se poursuivent pendant plusieurs années au cours desquelles on édifie le belvédère, le temple de l'Amour, le jardin avec sa rivière et ses bosquets, la grotte, puis à partir de 1782, le hameau composé de douze petits bâtiments tous différents (dont neuf subsistent aujourd'hui), aux murs crépis, couverts de chaume (sauf la laiterie et la maison de la reine) : moulin, volière, grange, ferme et bergerie, la tour de Marlborough qui permet de voir tout le jardin. La reine reçoit à Trianon le roi, ses enfants, ses beaux-frères Artois et Provence, sa belle-sœur Madame Élisabeth, et une société brillante mais restreinte, dont certains membres lui seront dévoués dans les moments difficiles, le comte Valentin Esterhazy ou Axel de Fersen. Elle mène dans son domaine une vie plus simple, moins pliée à l'étiquette qu'à Versailles et qui sans doute lui convient mieux. On y joue au jeu de «bagues» chinois et on se livre aux

délices champêtres tandis que les principes agricoles anglais très avancés par rapport aux français sont appliqués dans la ferme, la bergerie et la laiterie comme dans de nombreux autres domaines, celui appartenant au duc de Liancourt, par exemple. Le jardin peut être considéré avec ses essences rares comme un centre d'études botaniques (voir les travaux de Nolhac, s.d., 1914, 1925 et 1927). Cependant, la reine reçoit également à Trianon les souverains étrangers en visite en France : son frère, Joseph II d'Autriche, deux fois (1777 et 1781), le grand-duc et la grande-duchesse Paul de Russie (1782), Gustave III de Suède (1784), son autre frère, l'archiduc Ferdinand et sa femme (1786). Pour chacun de ses hôtes, Marie-Antoinette donne des fêtes brillantes que nous rappellent les peintures d'Hubert Robert, du Suédois Nicolas Lavreince (1737-1807) ou de Châtelet (musée de Versailles). Marie-Antoinette commande à Châtelet plusieurs albums dans lesquels sont regroupés des plans et des vues topographiques. Elle offre en 1786 à son frère celui conservé aujourd'hui à la bibliothèque Estense, qui s'ouvre sur un frontispice sans rapport avec le domaine ; on y voit un paysage très italianisant, avec un temple rond qui rappelle celui de Tivoli, une fontaine à vasque, des rochers et une végétation très ornementale. Les autres vues pittoresques représentent le hameau, le Petit Trianon, le temple de l'Amour, le jeu de bagues chinois, le belvédère et le rocher, enfin la grotte, lieu de rêverie. Les plans représentent les bâtiments et la décoration du théâtre. Un autre album contenant sept aquarelles, dont cinq par Châtelet et treize plans, daté 1781, est passé en vente à Paris (Galliera, vente Esmerian, 6 juin 1973, n° 65 et provient de la collection Franz Harrach de Vienne). De nombreuses feuilles séparées sont répertoriées : un frontispice différent de celui de Modène pour un *Recueil contenant le Plan Général et diverses vues du Jardin de la Reine au petit Trianon par le Sr. Mique*, daté 1782 est conservé au Metropolitan Museum of New York (Estampes). *Une vue du Jardin du Petit Trianon*, qui proviendrait d'un recueil offert au roi d'Espagne est conservé dans une collection particulière et deux recueils exécutés pour Gustave III en 1779 et en 1784 sont en Suède (exp. Versailles 1955, n° 389). Châtelet travaille également dans d'autres domaines royaux : le musée de l'Ile-de-France, à Sceaux, a acquis en 1976 une *Vue de la tour de Marlborough dans le jardin de Mesdames à Bellevue* (1785) très proche des recueils de Trianon.   M.Pi.

45
Vue du château de Montmusard

par Jean-Baptiste LALLEMAND

Huile sur toile. H. 0,89 ; L. 1,18.
Historique : commandé par Jean-Philippe Fyot de la Marche pour être offert à l'abbé Falbarel, membre de l'académie de Dijon ; collection La Loge à Dijon en 1872 puis collection Bertram Currie à Londres ;

vente de la coll. Bertram chez Christie's, Londres, 27 mars 1953 ; acquis à cette date par la société des Amis du musée de Dijon qui en firent don au musée.
Expositions : 1957, New York, n° 26 ; 1968, Bordeaux, n° 85 ; 1966, Mayence ; 1979, Paris, n° 128.
Bibliographie : Quarré, 1954, n° IV, pp. 242-244.

Dijon, musée des Beaux-Arts (inv. E. 4115).

C'est à Montmusard, situé à quelques kilomètres de Dijon que Jean-Philippe Fyot de la Marche, premier président au parlement de Bourgogne, choisit de faire construire un château dont il confia la réalisation à l'architecte parisien Charles de Wailly ; celui-ci en conçut les plans entre 1763 et 1765 mais, n'étant pas sur place, c'est à l'abbé Falbarel, homme de confiance de Fyot de la Marche, que revint le soin de surveiller la construction qui s'acheva vers 1769. Cependant, Fyot de la Marche, à demi ruiné, dut quitter son château peu de temps après son achèvement ; celui-ci fut en partie détruit de par la vente de sa coupole en 1793.
Le tableau fut commandé à Jean-Baptiste Lallemand vers 1770 par Jean-Philippe Fyot de la Marche, qui l'offrit à son maître d'œuvre l'abbé Falbarel. Ceci explique, au premier plan et au centre du tableau, la présence de l'abbé donnant des directives à un entrepreneur ; sur la gauche, Fyot de la Marche fait ses adieux à son épouse avant de partir pour la chasse ; les enfants, aidés de domestiques, s'amusent avec une carriole traînée par un chien ; des personnages élégants se promènent dans le parc, tandis que les ouvriers parachèvent les travaux. C'est une société provinciale élégante, fortunée et lettrée, à l'image du maître des lieux, que Lallemand nous dépeint ici. On notera le souci du détail et la précision également apportée par l'artiste au rendu des travaux des ouvriers et à leurs outils. On admirera au passage la beauté de la réalisation architecturale dont Lallemand nous offre une superbe vision baignée d'une lumière vaporeuse qui lui donne un aspect presque irréel. Dans le lointain, on aperçoit la ville de Dijon et ses différents édifices dont la tour du palais ducal et les clochers des églises.
                    B.Ga

46
Vue du palais et de la « quinta » de Gerard Devisme à Benfica, dans les faubourgs de Lisbonne

par Alexandre Jean NOËL

Aquatinte. H. 0,450 ; L. 0,660.
Inscription : "A view of the Quinta of Gerard Devisme, Esq. Benfica near Lisbon, including the Quinta of the marquis da Fronteira and From the original picture by Noël. Drawn by Noël, engraved by Wells, publish'd by Wells May 16.1794".
Exposition : 1987, Queluz, n° 100.

Lisbonne, Fundacão Ricardo Espírito Santo Silva (inv. 748 FRESS).

Gerard Devisme (1725?-1798) était un riche négociant anglais fixé à Lisbonne. Appréciant particulièrement la beauté des paysages de montagne de Sintra, dans les environs de Lisbonne, il y acheta un domaine qui appartenait à la descendante d'un vice-roi de l'Inde, la quinta de Monserrate. Il y fit alors édifier par l'architecte portugais Iñacio de Oliveira Bernardes un palais d'inspiration néo-classique, qu'il loua par la suite à l'un de ses compatriotes, William Beckford, le célèbre auteur de « Vathek ».

Alexandre Jean Noël était un peintre français disciple de J. Vernet. Installé au Portugal à partir de 1780, il a été l'un des étrangers qui ont le plus contribué à faire connaître les paysages et les coutumes du Portugal de la fin du XVIIIᵉ siècle.   M.-H.C.d.S. et A.M.-D.S.

47
Guillaume V, prince d'Orange
(1748-1806)

par J.G. ZIESENIS

Huile sur toile. H. 0,92 ; L. 0,71.
Bibliographie : cat. : Amsterdam, 1976, n° A 882.

Amsterdam, Rijksmuseum (inv. A 882).

En 1751, le prince Guillaume V, âgé de trois ans, succéda à son père Guillaume IV et devint stathouder héréditaire de toutes les Provinces-Unies. Sa mère, la princesse anglaise Anne, devint régente. Après la mort de celle-ci en 1759, le duc de Brunswick, un maréchal autrichien, devint tuteur de Guillaume V jusqu'à la majorité de ce dernier en 1766.
« L'acte de Constitution », acte secret établi cette même année, avait pour but réel la prolongation de la tutelle de Brunswick sur Guillaume V qui était d'un caractère plutôt irrésolu. En 1767, Guillaume V épousa la princesse Wilhelmine de Prusse.

Johann Georg Ziesenis, célèbre peintre allemand, auteur de nombreux portraits princiers, se rendit à La Haye en janvier 1767 pour peindre des portraits de Guillaume V.
                                                   B.K. et M.J.

48
Axel von Fersen (1755-1810)

par Lorens PASCH le Jeune

Huile sur toile. H. 0,72 ; L. 0,58.
Historique : par héritage à la nièce de Fersen, comtesse Wachtmeister.

Suède, collection particulière.

Fils d'un des leaders de la vie politique suédoise du XVIIIᵉ siècle, Axel von Fersen le Jeune (1755-1810) s'engagea dans l'armée française de 1778 à 1780. Après avoir pris part à la guerre d'Indépendance américaine sous les ordres du général de Rochambeau, il revint à Paris de 1783 à 1788 en tant que colonel du régiment royal suédois. « Le beau Fersen » eut beaucoup de succès à la cour de France et des documents

publiés au XXᵉ siècle (journal de Fersen, lettres de Marie-Antoinette) ne laissent plus aucun doute sur l'amour profond que lui porta la reine. Après les débuts de la Révolution, Gustave III envoya de nouveau Fersen à Paris comme son représentant et observateur de la fuite à Varennes. Après l'échec de celle-ci, Fersen dut retourner en Suède où, en 1801, il fut nommé grand maréchal du royaume, la plus haute charge de la cour de Suède.
Après la déposition du fils et successeur de Gustave III, Gustave IV Adolphe, en 1809, Fersen défendit avec dévouement, mais en vain, la cause légitimiste et « gustavienne » du fils de celui-ci. Un autre successeur au trône de Suède fut choisi à sa place qui, cependant, mourut subitement peu après (et sera remplacé par le maréchal Bernadotte). Soupçonné, sans aucun fondement, d'avoir empoisonné le prince héritier afin de favoriser la candidature légitimiste, Fersen fut lynché par la populace de Stockholm lors de l'enterrement du prince en 1810. On date le tableau de 1785.   P.Gr.

49
Repas public ou « grand couvert » du roi de Suède

par Pehr HILLESTRÖM, père

Huile sur toile. H. 0,75 ; L. 1,17.
Inscription : « Hilleström 1779 ».
Historique : inventaire du château de Drottningholm, 1845.
Exposition : 1967-1968, Stockholm, n° 7, repr.
Bibliographie : Cederholm, 1927, pp. 111-112, n° 231, repr. 38.

Suède, Musées nationaux d'art, château de Drottningholm (inv. Drh 499).

Au cours des XVIIᵉ et XVIIIᵉ siècles, les souverains suédois apparurent de temps à autre à des « repas publics » et au XIXᵉ siècle, Charles XIV Jean (Bernadotte) fut le dernier à rester fidèle à cet usage dont on ignore les origines, sans doute fort anciennes. De tous les rois de Suède, Gustave III fut sans doute le plus attaché à cette cérémonie qu'il organisa à de nombreuses reprises, périodiquement une fois par semaine. Il partageait en effet la ferveur croissante de ses contemporains en Europe à l'égard de l'histoire et des vieilles coutumes de leur pays, et sa passion pour le théâtre et la mise en scène renforçait sa prédilection pour ce genre de solennités.
Il est probable que Gustave III commanda à Hilleström ce tableau, qui est censé représenter le « grand couvert » tenu au palais royal de Stockholm le jour de l'an de 1779. Les détails en sont fort précis : vaisselle et chandelier en argent sur nappe damassée, façon dont le roi tient le couteau et la fourchette, etc. Cependant, l'artiste a arrangé le lieu où se tient le repas avec une assez grande liberté et laissé vide un côté de la table afin que nous puissions contempler la cérémonie comme si elle se déroulait sur le plateau d'un théâtre.
Assis à gauche, le roi est entouré d'un côté de son épouse, sa belle-sœur et sa sœur et de

l'autre, de ses deux frères. Les dames d'honneur, à droite, ont droit à des tabourets, tandis que les dignitaires du royaume et les membres du corps diplomatique attendent debout de venir chacun à son tour s'entretenir avec le roi. Bien entendu, il n'était guère question de manger au cours de ces « grands couverts » !
                                                        P.Gr.

50
La Famille Bariatinsky

par Angelika KAUFFMANN

Huile sur toile. H. 0,63 ; L. 0,505.
Historique : esquisse datant de janvier 1791 pour le tableau peint en février 1791 (aujourd'hui au musée Pouchkine à Moscou ; la ville de Lausanne en conserve une réplique ou copie qui faisait partie des biens de la famille Bariatinsky) ; provient de la succession de l'artiste ; depuis 1860 au Voralberger Landesmuseum.
Exposition : 1968, Bregenz, n° 37, repr. 24.
Bibliographie : Busiri Vici, 1963, p. 201 ; Liebmann, 1963 (1964) p. 62, repr. 5 ; Moulton Mayer, 1972, pp. 110 et 185, repr. 19.

Bregenz, Voralberger Landesmuseum (inv. 10).

Le tableau montre (de gauche à droite) la princesse Catherine Petrovna Bariatinksy, son fils Ivan Ivanovitch, sa fille Anna Ivanovna et le mari de celle-ci, le comte Nicolas Tolstoï. Le buste en marbre représente le père de la princesse, gouverneur général d'Estonie, Pierre-Auguste-Frédéric de Holstein-Beck. En janvier 1791, Angelika peignit des portraits individuels (têtes) des membres de la famille. On a longtemps cru que ce tableau montrait Goethe au milieu de ses amis ; une gravure de Raphael Morghen (Florence 1793-1794) avec un poème à la louange de la princesse confirme l'identification.   L.Po.

51
Mr. et Mrs. Richardson

par Francis WHEATLEY

Huile sur toile. H. 1,00 ; L. 1,26.
Inscription : « 1778 ».
Historique : acquis en 1927.
Expositions : 1964, Dublin, n° 129 ; 1965, Aldeburgh, n° 3.
Bibliographie : White, 1968, n° 101.

Dublin, National Gallery of Ireland (inv. 617).

Ce double portrait, qui est aussi une scène de genre et un paysage, est un exemple caractéristique de « conservation piece », genre très apprécié en Angleterre au XVIIIᵉ siècle. Mais en dehors de ses évidentes qualités picturales, ce tableau de Francis Wheatley est aussi le miroir fidèle d'une société, telle qu'elle se voyait et aimait à se voir : sur le seuil d'une maison dont on devine l'architecture soignée, Mr. et Mrs. Richardson ont pris la pose. Élégante, peut-être même un peu trop, richement vêtue, elle s'appuie sur l'épaule de son mari dont l'at-

Repas public ou «grand couvert» du roi de Suède (cat. 49).

Mr et Mrs Richardson (cat. 51).

La Famille Bariatinsky (cat. 50).

Henry Peirse (cat. 52).

D. José, prince da Beira (cat. 53).

D. Maria Antonia Violante de Menezes.
deuxième marquise de Pombal (cat. 54).

Henrique José de Carvalho e Melo,
deuxième marquis de Pombal (cat. 55).

La Princesse D. Maria Francisca Benedita (cat. 56).

titude est plus désinvolte et la tenue plus savamment négligée. Tout autour s'étend un parc qui s'ouvre tout naturellement sur le paysage environnant sans recours aux artifices des « jardins à l'anglaise » dont la mode se répandait alors en France. Chaque détail (style du fauteuil, pied de roses trémières doubles, présence des deux chiens) semble se référer à une réalité familière et significative d'un genre de vie cossu et campagnard que décriront, peu d'années plus tard, les romans de Jane Austen.

Au moment où Wheatley peint ce tableau, la « conversation piece » est un genre qui en Angleterre est déjà sur le déclin, alors qu'en France il se renouvelle en particulier avec l'œuvre de Boilly, très représentative de l'ascension de nouvelles couches sociales qui, à leur tour, aiment à se faire peindre, en situation et dans leur cadre familier.

52
Henry Peirse

par Pompeo BATONI
Huile sur toile. H. 2,490 ; L. 1,750.
Inscription : « Pompeo de Batoni pinxit Roma 1775 ».
Historique : coll. Henry de la Poer Beresford Peirse Bedalle Hall (Grande-Bretagne) ; Rome, coll. Rotti puis Balella ; acq. 1970.
Expositions : 1959, Rome, p. 55 ; 1967, Lucques, n° 56.
Bibliographie : Sutton, 1959, p. 147.

Rome, galerie Barberini.

Nombre de jeunes aristocrates anglais profitaient de leur passage à Rome pour faire exécuter leur portrait dans un environnement qui témoignait de leur goût pour l'Antiquité et pour les beautés de l'Italie. Batoni fut, sinon le créateur, du moins le spécialiste de ce type de portraits toujours un peu conventionnels mais qui nous ont transmis une image flatteuse de ce que la haute société anglaise du XVIIIᵉ siècle comptait de plus brillant et de plus cosmopolite. Henry Peirse est représenté en habit de voyage, une canne à la main. La présence de la statue de *Mars Ludovisi* peut avoir été voulue par le modèle pour des raisons de goût ou par allusion à ses ambitions dans la carrière des armes ; mais elle se retrouve dans d'autres portraits

analogues, en particulier celui de *John Staples* (Rome, museo di Roma). Le fragment de décor architectural qui gît sur le sol est presque un poncif dans l'œuvre de Batoni.

53
D. José, prince da Beira (1761-1788)

par Miguel Antonio do AMARAL
Huile sur toile. H. 0,950 ; L. 0,737.
Inscription : « Michael Antonius, An 1774 ».
Historique : ancienne collection.
Exposition : 1982, Lisbonne, n° 48.

Lisbonne, museu nacional dos Coches (inv. HD 19).

Fils aîné de D. Maria Iʳᵉ et de D. Pedro III, il porta le titre de prince da Beira ; il reçut une éducation particulièrement soignée, grâce aux maîtres choisis par Pombal, qui aurait voulu faire de lui le successeur direct de D. José Iᵉʳ. Il mourut prématurément de la variole.
M.-H.C.d.S. et A.M.-D.S.

54
D. Maria Antonia Violante de Menezes, deuxième marquise de Pombal

par Thomas HICKEY
Huile sur toile. H. 0,770 ; L. 0,606.
Exposition : 1982, Lisbonne, n° 33.

Golegã, collection D. Luis Maria de Saldanha Oliveira e Sousa.

D. Maria Antonia Violante de Menezes était la fille d'un gentilhomme portugais de vieux lignage, D. José de Menezes da Silveira e Castro, et d'une noble dame autrichienne connue sous le nom de comtesse de Rappach, qui était venue au Portugal à l'occasion du mariage de l'infante Marianne d'Autriche et du roi D. João V. C'est en 1764 que D. Maria Antonia épousa Henrique José de Carvalho e Melo, futur deuxième marquis de Pombal.
M.-H.C.d.S. et A.M.-D.S.

55
Henrique José de Carvalho e Melo, deuxième marquis de Pombal (1748-1812)

Huile sur toile. H. 0,750 ; L. 0,640.
Exposition : 1982, Lisbonne, n° 30.
Golegã, collection marquis de Rio Maior.

Henrique José de Carvalho e Melo, fils aîné du marquis de Pombal, lui succéda dans ses titres. Il fut président du sénat de la municipalité de Lisbonne à partir de 1770. C'est lui qui organisa les fêtes pour l'inauguration de la statue équestre de D. José en 1775.
M.-H.C.d.S. et A.M.-D.S.

56
La Princesse D. Maria Francisca Benedita (1746-1829)

par Jean-Baptiste DEBRET (attribué à)
Huile sur toile. H. 0,606 ; L. 0,603.
Historique : anciennes collections.
Exposition : 1987, Queluz, n° 447.

Lisbonne, museu nacional dos Coches (inv. HD 19).

La princesse était la plus jeune des enfants de D. José Iᵉʳ et de D. Mariana Vitoria. En 1777, elle épousa son neveu, le prince D. José, fils aîné de D. Maria Iʳᵉ, mort en 1788. Douée pour la peinture et la musique, elle a laissé le souvenir d'une femme cultivée. On doit à la « princesse veuve » la fondation de l'asile des Invalides militaires, créé en 1792.

L'auteur présumé de ce tableau, Jean-Baptiste Debret, faisait partie de la mission des artistes français qui arriva au Brésil en 1816, dirigée par Auguste Le Breton. Il fut un des fondateurs de l'académie des Beaux-Arts, fondée à Rio de Janeiro en 1826, et il y organisa la première exposition de peinture. Il retourna en France en 1831 et publia bientôt une magnifique série d'aquarelles inspirées par son long séjour au Brésil, sous le titre de *Voyage pittoresque au Brésil.* M.-H.C.d.S. et A.M.-D.S.

III
LES MANUFACTURES PROTÉGÉES

Dans la mémoire collective, les cours royales et princières et l'aristocratie de la fin du XVIIIᵉ siècle sont associées non seulement à une existence de plaisirs et de fêtes mais plus encore à la richesse du cadre de vie et au raffinement du mobilier et des objets de la vie quotidienne.

Il était difficile dans le cadre de cette exposition d'évoquer ce qu'était, à la veille de la Révolution, le décor des grandes demeures pour lequel, à l'exception des dessins d'architecture, l'iconographie est moins riche qu'à la période précédente. Aussi a-t-il été jugé préférable de mettre l'accent sur les productions de luxe exécutées dans le cadre bien particulier des « manufactures protégées », c'est-à-dire essentiellement des céramiques, des tapisseries et des objets en métal, en verre ou en pierres dures...

La création de toute manufacture protégée répond en fait à un double besoin. En premier lieu, elle participe au prestige du souverain ou du prince qui l'a créée ou qui a accepté de la prendre sous sa protection en lui assurant soit la régularité relative des commandes, soit des privilèges fiscaux, soit l'exclusivité d'un type de fabrication

ou de décor. La manufacture sert alors, entre autres, à fournir à son protecteur des cadeaux diplomatiques, des gratifications en nature et des objets indispensables au service de sa cour. Mais derrière la création de toute manufacture d'objets de luxe se profile toujours la vieille idée, appliquée par Colbert, qu'il vaut mieux qu'un État produise lui-même ce qu'il est coûteux d'importer afin d'éviter les fuites de numéraire.

Cette vision protectionniste est loin d'être éteinte à la fin du XVIIIᵉ siècle malgré le développement des théories en faveur de la liberté des échanges. La Révolution n'a pas fait disparaître ce qui pouvait pourtant paraître comme indissolublement lié à l'Ancien Régime. Le cas de Sèvres ou des Gobelins est, à ce point de vue, exemplaire, et paradoxalement, en dépit de la raréfaction de la clientèle susceptible d'acheter des produits de luxe (mais une reprise s'amorce dès 1795), la guerre avec l'Angleterre menée par la Révolution a peut-être sauvé certaines manufactures de la faillite apparemment inéluctable due au traité de commerce de 1786, et qui avait déjà frappé de nombreux établissements moins privilégiés.

Buen Retiro, Monument en forme de temple (cat. 80).

Beauvais, Le Choc (cat. 57).

Sèvres, Frédéric II de Prusse (cat. 58).

Sèvres, Plateau de moutardier du service de Louis XVI (cat. 59).

57
Le Choc

Manufacture de Beauvais.
Tapisserie, laine et soie. H. 3,20; L. 2,30.
Historique: cinquième pièce de la première tenture des *Convois militaires*, d'après François Casanova, tissée en 1787 pour le roi; versement du Mobilier national, 1901.
Bibliographie: Badin, 1909, p. 65.

Paris, musée du Louvre, département des Objets d'art (inv. OA 9336).

Parmi les nouveaux sujets demandés, sous le règne de Louis XVI, aux peintres pour servir de modèles à la manufacture de Beauvais, les *Convois militaires* de François Casanova (1727-1802) renouaient avec la tradition des scènes de batailles illustrées aux Gobelins depuis le XVIIᵉ siècle par l'*Histoire du roi* et à Beauvais au début du XVIIIᵉ siècle par l'*Histoire des conquêtes du roi*, et s'apparentaient aux nombreuses tentures sur l'art de la guerre, tissées à Bruxelles tout au long du XVIIIᵉ siècle. La tenture des *Convois militaires*, qui comprenait six pièces (*Le Régiment en marche, La Tente du vivandier, Le Port, La Bataille, Le Choc, Les Deux Cavaliers*), fut tissée une première fois en 1787 et livrée au roi. En 1793, cette tenture dont le sujet était d'actualité, après le succès inespéré de la bataille de Valmy, fut remise sur le métier et tissée sans bordure; mais ni *Le Régiment en marche* ni *Le Choc* ne furent exécutés.
A la veille de la Révolution, Arthur Young décrivit Beauvais comme « une des villes industrielles de France qui semblent les plus animées et actives. J'ai visité la fabrique de tapisseries, dont j'avais vu de beaux spécimens au palais de Fontainebleau. Elle fait les plus beaux ouvrages en soie aussi bien qu'en laine. » Depuis 1780, la manufacture était dirigée avec une grande rigueur par M. de Menou qui développa également avec succès un atelier de tapis dans le genre de la Savonnerie. La Révolution jeta une grande perturbation dans les ateliers et obligea M. de Menou a se retirer en janvier 1794 car il ne pouvait donner satisfaction aux doléances des tapissiers. Ceux-ci se trouvèrent alors sans travail et la manufacture resta fermée pendant plus d'une année. La tenture des *Convois militaires* fut donc la dernière à être tissée avant que le travail ne cesse. Il ne reprit qu'en 1795. A partir de ce moment le fonctionnement de la manufacture, qui avait été depuis sa création, en 1664, une entreprise privée sous la protection royale, incomba totalement à l'État. A.Le.

58
Statuette équestre de Frédéric II de Prusse (v. 1782)

D'après un modèle d'Emmanuel BARDOU, de 1773
Manufacture de Sèvres.

Porcelaine dure. H. totale 0,520; H. de la statuette 0,365; L. max. 0,320; Pr. max. 0,230.
Inscription: au revers du socle, « LL "inscrivant" ee (1782) »; au-dessous, une croche.
Historique: ancienne collection.
Bibliographie: Soulié, 1880, t. II, p. 214, nᵒ 2211; Baulez, 1978, fig. 1; Hofmann, 1980, nᵒ 241.

Versailles, musée national du Château (inv. MV 2211).

Malgré, ou peut-être, surtout, à cause de la guerre de Sept Ans (1756-1763) en laquelle l'opinion publique voyait le résultat néfaste de l'influence de Madame de Pompadour sur Louis XV, la popularité de Frédéric II fut très grande, en France.
Les princes, paradoxalement, partageaient l'enthousiasme populaire. Pourtant, officiellement, Frédéric était l'ennemi de la France et la présence de Marie-Antoinette à la cour une conséquence du « renversement des alliances » qui avait entraîné le pays dans cette guerre désastreuse. Sans doute, les princes voyaient-ils en lui, non pas l'homme politique, mais le roi-chevalier qu'ils auraient souhaité être.
C'est certainement dans cette optique qu'il faut considérer la commande du comte d'Artois, le 2 août 1781, à la manufacture de Sèvres, par l'intermédiaire de son premier valet de chambre, de « deux à trois copies » d' « une petite statue équestre du roy de prusse » dont il lui envoyait le modèle, avec pour précision supplémentaire « qu'il ne s'en fasse que pour luy et que la copie en soit la plus exacte possible ». Ce modèle est peut-être la statuette en plâtre signée Emmanuel Bardou, datée 1778, maintenant conservée à l'abbaye de Chaalis et qui est en tout point identique, socle compris, à l'exemplaire en biscuit du musée de Versailles. Emmanuel Bardou ayant été modeleur à la manufacture royale de Berlin, on pourrait imaginer que le modèle du comte d'Artois lui avait été offert par Frédéric en personne. Il y en avait, d'ailleurs, un exemplaire en bronze au palais royal de Berlin.
En tout état de cause les trois exemplaires commandés par le comte d'Artois lui furent livrés le 14 novembre 1781 pour le prix de 1200 livres chaque, base comprise. Par la suite, malgré l'instruction donnée par le prince, dans la lettre citée plus haut, d'autres exemplaires en furent tirés. L'un, notamment, fut offert par Louis XVI au jeune tsarévitch Paul Petrovitch, fils de Catherine II la Grande, lors de son voyage en France, en juin 1782. Paul Petrovitch était lui aussi un admirateur fervent de Frédéric. Il prenait en cela le contre-pied des sympathies de sa mère, qui profita de son absence pour s'allier avec l'impératrice Marie-Thérèse. Il est étonnant que le roi ait pu offrir, au moment où ce délicat tournant diplomatique venait de se régler, l'effigie d'un homme que l'impératrice de Russie exécrait. Il est plus étonnant encore de constater que le roi lui-même en acquit un exemplaire au tout début de 1784 pour le placer dans le cabinet de la pendule à Versailles.
L'exemplaire du roi fut vendu seulement 900 livres, au lieu de 1200 livres, prix des quatre exemplaires précédents, et devait posséder un socle moins riche. Par la suite on ne relève dans les archives de la manufacture de Sèvres

que deux autres exemplaires vendus avec socle: l'un en décembre 1787, pour 720 livres et l'autre en janvier 1788, au duc de Laval, avec socle uni, pour 470 livres, seulement. L'exemplaire du musée de Versailles pourrait être celui ayant appartenu au roi. Le socle, daté 1782, porte la signature du peintre et doreur de Sèvres, Antoine-Toussaint Cornaille.
Le 9 août 1793, enfin, dans une lettre répondant aux instructions données par le ministre de l'Intérieur, Garat, en vue de détruire tous les modèles et exemplaires en biscuit rappelant la monarchie, Régnier, le directeur de la manufacture de Sèvres, qui, par ailleurs se fit rappeler à l'ordre pour ne pas l'avoir fait assez vite, demanda expressément quel sort devait être réservé à la « statue équestre du roy de Prusse dᵉʳ mort », tout en précisant « morceau précieux ». Nous ne connaissons pas la réponse à sa question. Le modèle fut cependant épargné puisque, dès 1801, la fabrication en était reprise. P.En.

59
Plateau de moutardier du service de Louis XVI

Manufacture de Sèvres.

Porcelaine tendre. H. 0,035; L. 0,125; Pr. 0,138.
Inscription: au revers, « LL » inscrivant « KK » (en bleu); au-dessous, « K » (peint en bleu); au-dessous, « LG » (peint en or).
Historique: livré à Louis XVI le 3 janvier 1788 avec d'autres pièces du service auquel ce moutardier appartient; acquis à New York en 1969 sur les arrérages du legs Dol-Lair.
Bibliographie: Bellaigue, 1986, nᵒ 95 et fig. 11.

Paris, musée du Louvre, département des Objets d'art (inv. OA 10365).

Une des rares contributions personnelles de Louis XVI à l'art de son temps fut la commande à la manufacture de Sèvres d'un important service destiné à son usage personnel, service dont il suivit de très près l'exécution. Un document conservé aux Archives nationales, en effet, échelonnant les livraisons jusqu'en 1803 et écrit de la main même du roi, prouve l'intérêt tout particulier que celui-ci porta à cette entreprise interrompue par les événements en 1792.
On ne sait pas la part exacte que le roi prit au choix des décors mais il n'est pas improbable qu'elle fut réelle, surtout en ce qui concerne les sujets des cartels, tous tirés de l'histoire antique ou de la mythologie. Le cartel ovale, au fond de ce plateau de moutardier reproduit un tableau de Raoux, *Le Satyre complaisant*, les deux autres, à chaque extrémité, *Alphée et Aréthuse* de J.-M. Moreau le Jeune et *Acis et Galatée* d'E. Jaurat, d'après des gravures de P.-F. Basan, pour les deux premiers, et d'E. Fessard pour le troisième. L'artiste de la manufacture auquel on doit la reproduction de ces peintures est Ch.-N. Dodin. La magnifique dorure se détachant sur le fond bleu, une des

Paris, Paire de vases d'ornement (cat. 61).

Paris, Pot à lait (cat. 60).

Vienne, Service de déjeuner (cat. 65).

Paris, Cafetière (cat. 63).

Paris, Tasse et soucoupe (cat. 62).

Paris, Théïère du nécessaire de Marie-Antoinette (cat. 64).

plus belles couleurs jamais obtenues à Sèvres, fut apposée par le doreur Le Guay.

Le plateau était accompagné, à l'origine, par un moutardier et une cuillère en porcelaine maintenant conservés, avec la plus grande partie du service, au château de Windsor. P.En.

60
Pot à lait

Paris, manufacture *dite* de Monsieur.

Porcelaine dure. H. 0,120.

Inscription : au revers, « M [couronné] ; LSX. »
Historique : anc. coll. Jacquemart, entrée au musée en 1875.
Bibliographie : Gasnault, 1879, n° 513 ; Giacomotti, 1964, p. 296.

Limoges, musée national Adrien-Dubouché (inv. ADL 2270).

Monsieur, frère du roi, fut, en 1775, le premier des membres de la famille royale à associer son nom à une manufacture de porcelaine. Cet exemple fut suivi par la reine (1776) et le comte d'Artois (1779). En 1781, une quatrième manufacture allait encore être fondée sous la protection du fils de ce dernier, le duc d'Angoulême (un enfant de six ans), puis en 1786, enfin, sous celle du duc d'Orléans, futur Philippe-Égalité. Ces cinq manufactures sont connues sous le nom de manufactures privilégiées.

Quels étaient réellement les privilèges auxquels ces manufactures avaient le droit de prétendre ? Il faut comprendre pour pouvoir répondre à cette question que la manufacture royale de Sèvres exerçait un monopole absolu sur la porcelaine de luxe et, notamment, celui d'utiliser l'or et de peindre en couleurs. C'est donc, sans doute, pour circonvenir ces contraintes ou, tout au moins, pour tenter d'atténuer les effets d'un contrôle policier trop sévère que les propriétaires des manufactures eurent l'idée de se mettre sous la protection de ces puissants personnages. Ces mesures ne procurèrent cependant pas une impunité totale à ces entreprises, puisque même la manufacture de la reine, rue Thiroux, subit une visite policière en 1779.

Devant l'injustice criante du monopole de la manufacture royale, provoquant une multiplication des transgressions, de plus en plus difficiles à réprimer, une ordonnance de police vint, en 1784, adoucir les interdictions. Ces mesures jugées insatisfaisantes furent complétées, en 1787, par une nouvelle ordonnance donnant la quasi-liberté de fabrication aux grandes manufactures privilégiées.

Quelle était la part réelle de la reine et des princes dans ces entreprises ? Quelle contrepartie recevaient-ils de ces protections ? Fournissaient-ils de l'argent à ces manufactures, en tiraient-ils des profits ? N'était-ce pas simplement un jeu de cour, visant à imiter le roi, propriétaire de la plus brillante manufacture d'Europe ? Les premières questions resteront sans réponse, faute d'éléments pour nous permettre d'en juger. La dernière mérite réflexion, car on ne peut que rester perplexe devant l'insouciance de princes cautionnant des établissements qui enfreignaient ouvertement les ordonnances du roi.

Ce pot à lait (vers 1780) provient de la manufacture de Monsieur, qui était installée rue de Clignancourt et dirigée, depuis 1771 environ, par son fondateur Pierre Deruelle. En 1792, la manufacture fut reprise par son gendre, le peintre Alexandre Moitte, avant de fermer définitivement ses portes en 1799. Il représente bien la marchandise simple et bon marché qui pouvait facilement concurrencer Sèvres. Le décor, fait de bandes verticales, pourrait s'inspirer des textiles, comme ce fut souvent le cas, sur la porcelaine, sous le règne de Louis XVI. P.En.

61
Paire de vases d'ornement

Paris, manufacture *dite* du comte d'Artois.

Porcelaine dure, bronze doré. H. 0,350.

Inscription : *sous chaque piédouche*, CP (surmonté d'une couronne) ; coteau (traversé par une hampe terminée par un chapeau) ; CUIT AU CHARBON DE TERRE le 11 août 1783.
Historique : don Jules Levée, en souvenir de sa femme, née Larcher, 1923.
Bibliographie : Giacomotti, 1964, p. 300 ; Plinval de Guillebon, 1972, p. 23 ; expo., Paris, musée du Louvre, 1985, n° 90 ; Alcouffe, 1988, p. 163, fig. 8.

Paris, musée du Louvre, département des Objets d'art (inv. OA 7738-7739).

La manufacture fondée en 1772 par Antoine Hannong était installée au faubourg Saint-Denis. La protection du comte d'Artois, qui nous est signalée par le dépôt d'une nouvelle marque en 1779 (CP pour Charles-Philippe), intervient à un moment où l'activité du lieutenant général de police était particulièrement active à l'encontre des fabriques privées de porcelaine. Malgré une histoire troublée, ce fut une manufacture inventive qui mit au point, notamment en 1782, la cuisson au charbon au lieu du bois, comme c'était l'habitude. Ces deux vases portent le témoignage de cette innovation technique par l'inscription qu'ils portent au revers des piédouches. Par la suite, en pleine Révolution, le 29 avril 1798, la manufacture fut vendue à Marc Schoelcher et prospéra sous ce patronyme jusqu'au règne de Louis-Philippe. Marc Schoelcher était par ailleurs le père de Victor Schoelcher, le « libérateur » des esclaves. Leurs cendres à tous deux, furent transférées au Panthéon en 1949, Victor Schoelcher ayant demandé par testament, qu'elles ne fussent jamais séparées.

La couleur bleue du fond, la luxueuse monture de bronze, ainsi que la richesse du décor montrent une évidente tentative pour rivaliser avec la manufacture royale. Ce décor de feuilles d'or embouties rehaussées d'émaux de couleur, a d'ailleurs un lien direct avec celle-ci, puisque l'inventeur, l'émailleur Joseph Coteau, avait commencé à l'utiliser à Sèvres dès 1780.

Coteau, exceptionnellement, signe ici son œuvre. Cette signature n'est pas inintéressante puisqu'elle est accompagnée d'une hampe surmontée d'un chapeau qui, si l'on considère que Coteau était d'origine suisse, pourrait être une allusion à la légende de Guillaume Tell [*cf.* cat. 435]. En tout état de cause, des différends concernant les prix excessifs demandés par Coteau étant intervenus par la suite, celui-ci se retira. Il fut encore accusé par la manufacture royale de débaucher des ouvriers au profit de l'établissement du comte d'Artois. Cette accusation est très révélatrice des rapports permanents, mais illégaux, qui existèrent entre Sèvres et les entreprises parisiennes qui cherchaient à s'approprier une main-d'œuvre de qualité et, par la même occasion, des secrets de fabrication. Quoi qu'il en soit, si nous connaissons de nombreuses œuvres de Sèvres qui puissent être attribuées à Coteau lui-même (dont la célèbre toilette de la comtesse du Nord — la grande-duchesse Maria Féodorovna — maintenant à Pavlovsk), ces vases sont le seul témoignage subsistant de son activité dans une manufacture de porcelaine parisienne. P.En.

62
Tasse et soucoupe

Paris, manufacture de Guérhard et Dihl (ancienne manufacture *dite* du duc d'Angoulême).

Porcelaine dure. H. totale 0,070 ; D. max. 0,130.
Inscription : au revers, « MF de Guérhard et Dihl » [imprimé en rouge].
Historique : anc. coll. Gasnault, entrée au musée en 1881.
Bibliographie : Garnier, 1881, n° 1375 ; Giacomotti, 1964, p. 306 ; Fourest, 1982, pl. 294.

Limoges, musée national Adrien-Dubouché (inv. ADL 1424).

En 1789, au moment où, par le fait des événements, cessait la protection du jeune duc d'Angoulême (fils de Monsieur), la manufacture fondée en 1781 par Christophe Dihl, Antoine Guérhard et sa femme, déménageait de la rue de Bondy, au boulevard du Temple. Ce fut une des plus brillantes manufactures parisiennes.

En 1790, par exemple, lorsque le gouverneur Morris se mit à la recherche d'un surtout de porcelaine, pour George Washington, il s'adressa d'abord à Sèvres, mais rebuté par les prix et découragé par les délais de fabrication, il pria alors son amie, madame de Flahaut, de se rendre à la manufacture du duc d'Angoulême : « La porcelaine de cette manufacture est plus belle et moins chère que celle de Sèvres, lui écrit-il. Je crois que c'est là que je vais l'acheter [le surtout] pour le général Washington. »

Cette tasse et cette soucoupe (vers 1795) prouvent le degré de qualité atteint par la manufacture de Guérhard et Dihl. On y remarque la liberté du décor composé de fleurs des champs et la belle polychromie se détachant sur un fond légèrement gris (les fonds colorés sont très rares sur la porcelaine de Paris, au XVIIIe siècle), polychromie qui nous rappelle que Dihl se rendit également célèbre par ses importantes expériences sur les couleurs.

P.En.

63
Cafetière

Paris, manufacture *dite* du duc d'Orléans.

Porcelaine dure. H. 0,160.
Inscription : au revers, « MT » [entrelacés].
Historique : legs madame Adolphe Thiers, 1880.
Bibliographie : Blanc, 1884, n° 1415.

Paris, musée du Louvre, département des Objets d'art (inv. TH 1415).

La manufacture fondée en 1784 par Louis-Honoré Delamarre de Villiers, associé à Jean-Baptiste Outrequin de Montarcy, reçut en 1786 la protection du duc d'Orléans, futur Philippe-Égalité. Entre-temps, Delamarre de Villiers ayant vendu ses parts de l'entreprise, Outrequin de Montarcy s'associa à Edme-Alexis Toulouse juste quelques mois avant d'avoir obtenu le patronage princier. Les marques MT portées sous cette cafetière, M pour Montarcy et T pour Toulouse, laisseraient donc à penser qu'elle fut fabriquée l'année même de la protection du duc d'Orléans.
Cette cafetière (vers 1786) est caractéristique du haut degré de qualité atteint par les manufactures parisiennes. Sur un fond traditionnellement blanc se détache un élégant décor, simple et raffiné, d'où est exclu toute ostentation. On comprend le succès qu'ont connu ces porcelaines parfaitement adaptées à un usage quotidien, à la différence des luxueuses et dispendieuses productions de la manufacture royale.

P.En.

64
Théière du nécessaire
de Marie-Antoinette

Paris, manufacture *dite* du duc d'Orléans.

Porcelaine dure. H. 0,100.
Inscription : sur la face, « MA » [entrelacés] ; au revers, « OM » [entrelacés].
Historique : la reine Marie-Antoinette ; acquis en 1955.
Bibliographie : Bottineau, 1958, cat. n° 66-31 ; Plinval de Guillebon, 1972, p. 94.

Paris, musée du Louvre, département des Objets d'art (inv. OA 9594).

Cette théière, qui provient du nécessaire de Marie-Antoinette, a longtemps passé pour être une production de la manufacture de la rue Thiroux, protégée par la reine. L'association allait de soi. En fait, il n'en est rien car elle provient, de façon tout à fait paradoxale, de la manufacture d'un des pires ennemis de la famille royale, le duc d'Orléans (Philippe-Éga-

lité). La marque OM figurant au revers est composée des deux initiales d'Outrequin de Montarcy qui, comme nous l'avons vu [*cf.* numéro précédent], dirigeait cet établissement. Le patronage de la manufacture de la rue Thiroux par la reine n'était sans doute qu'un simple jeu de société ayant pour but d'imiter ses deux beaux-frères et aussi de parodier le roi. Marie-Antoinette avait, par ailleurs, à sa disposition la manufacture royale dont elle fut une grande cliente. Les porcelaines du nécessaire n'étaient pas, à l'évidence, le résultat d'un choix délibéré. Elles venaient avec le nécessaire lui-même qui était un article de marchand-mercier.
Si on s'en réfère à la date des pièces d'orfèvrerie qui accompagnent cette théière, celle-ci peut être datée de l'année 1787, l'année même où le roi accordait aux manufactures la liberté de fabrication. Il est amusant néanmoins de remarquer que le roi et la reine ont pu se servir de porcelaines que les lois mêmes du royaume interdisaient de fabriquer.
Rappelons, encore, que ce nécessaire joua, si l'on en croit madame Campan, un certain rôle dans la Révolution, puisqu'en 1791 il éveilla la suspicion des gardiens de la famille royale, qui virent dans l'ordre donné par la reine de nettoyer les pièces un préparatif de fuite. P.En.

65
Service de déjeuner

Manufacture de porcelaine de Vienne.

Plateau : H. 0,038 ; L. 0,27 ; Pr. 0,202. Sucrier : H. 0,054 ; L. 0,125 ; Pr. 0,085. Pot à lait : H. 0,09 ; D. 0,06. Tasse : H. 0,071 ; D. 0,064. Soucoupe : H. 0,026 ; D. 0,108.
Inscription : écu d'armoiries bleu sous couverte sur toutes les pièces, à l'exception du sucrier dont le fond n'est pas enduit ; sur le plateau marque avec trois points bleus et deux demi-cercles, ainsi que lettre du modeleur « U », signe « X » (dans la masse ou sur couverte) ; sur le sucrier, lettre du modeleur « N » et numéro en rouge « 10/t » ; sur le pot à lait, la tasse et la soucoupe, numéros des tourneurs, respectivement « 3 », « 5 » et « 18 ».
Exposition : 1970, Vienne, n° 244.

Vienne, Österreichisches Museum für Angewandte Kunst (inv. Ke. 950).

Le service à déjeuner se compose d'un plateau rectangulaire au bord relevé et ajouré, partiellement doré qui se renfle sur les coins et au centre des côtés ; d'un pot à lait en forme de poire avec une anse tournée, un bec en décrochement et un couvercle bombé avec un bouton en forme de fleur, et d'une tasse-gobelet avec une soucoupe creuse. Les pièces s'ornent d'un liséré d'or sur les bords inférieur et supérieur et autour des couvercles, puis vient une bordure avec des motifs en quatre-feuilles en grisaille.
Sur le fond du plateau, une dame s'appuie sur le bras de son cavalier, près d'un socle supportant un vase décoré de guirlandes de fleurs et devant un paysage stylisé sans encadrement.

Les autres pièces du service comportent également des motifs de paysages en médaillons et de personnages isolés.
Le petit chien et le vase de pierre à l'antique peints sur le plateau sont les accessoires caractéristiques des parcs idylliques et renforcent l'impression d'un monde aristocratique intact.

W.N. et L.Po.

66
A. Joseph II, empereur d'Autriche
B. Marie-Thérèse, impératrice

Manufacture de Vienne.

Groupes, biscuit ; H. 0,37 ; L. 0,37.
Historique : cités dans les inventaires florentins depuis 1792.
Exposition : 1979, Florence, n° 53.
Bibliographie : Folnesics, Braun, 1907, p. 183, pl. XLI ; Hofmann, 1932, p. 342, pl. 346.

Florence, museo delle Porcellane, Palazzo Pitti (inv. O.d.A. 42 et 43).

Le groupe représente Joseph II adossé à un rocher sur lequel se trouve le buste d'une Minerve, avec à ses pieds les divers attributs des arts (livre, palette, etc.), un tricorne, une amphore ; un second groupe en pendant montre Marie-Thérèse assise dans un fauteuil, le bras posé sur une colonne surmontée du buste de son fils, Joseph II ; les attributs des arts ont également été disposés à ses pieds.
Les deux groupes, réalisés dans la manufacture de porcelaine de Vienne, peuvent vraisemblablement être attribués au sculpteur Anton Grassi, chef modeleur de la fabrique à partir de 1790, qui se chargea sans doute de les apporter personnellement au nouveau grand-duc de Toscane Ferdinand II à l'occasion d'un voyage qu'il fit cette année-là en Italie.
Au musée de Capodimonte à Naples, il existe une version simplifiée du groupe de Marie-Thérèse : la colonne et le buste de Joseph II ont disparu mais l'impératrice tient dans sa main droite un dessin avec le portrait « all'antica » de François de Lorraine. Cet objet est sans doute un cadeau de l'empereur à la reine de Naples, Marie-Caroline, en souvenir de ses parents.

P.Gi.

67
Les Vœux du Palatinat sont exaucés.
Allégorie à l'occasion de la guérison
du prince-électeur Charles-Théodore

par Konrad LINCK
Manufacture de Frankenthal.

Porcelaine, non peinte, rehaussée d'or. H. 0,41 ; L. 0,46.
Expositions : 1979, Heidelberg, n° 41 (avec ill.) ; 1981, Karlsruhe, vol. I, n° F16 (avec ill.).
Bibliographie : cat. Frankfurt, 1973, n° 646 ; Jacob, 1935, t. II, p. 348.

Francfort, Museum für Kunsthandwerk (inv. 5772).

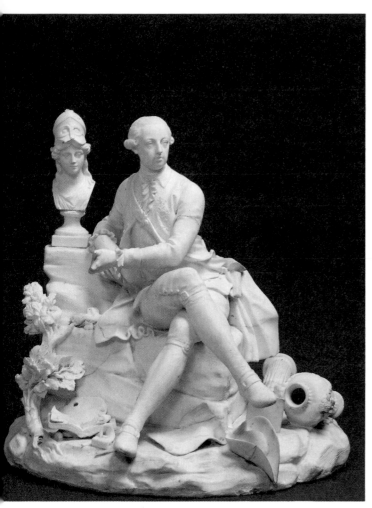

ne, Joseph II, empereur d'Autriche (cat. 66 A).

Vienne, Marie-Thérèse, impératrice d'Autriche (cat. 66 B).

Frankenthal, Allégorie à l'occasion de la guérison du prince-électeur Charles-Théodore (cat. 67).

Le prince-électeur Charles-Théodore du Palatinat était l'un des rares princes allemands « éclairés » de la seconde moitié du XVIIIᵉ siècle. Influencé par les idées de Voltaire, qui lui dédia son *Essai sur les mœurs*, il entreprit de moderniser son pays grâce à différentes réformes. Il réforma l'administration, abolit la torture, la peine de mort et le servage sur les terres princières, il améliora l'enseignement et limita l'influence de l'Église, favorisa le développement de l'industrie et de l'agriculture sur des données en partie scientifiques ; ces mesures contribuèrent à rendre le Palatinat relativement prospère. Le prince prenait particulièrement à cœur le développement des arts et des sciences. Grâce à la fondation de différentes institutions scientifiques et culturelles et aux nombreuses commandes faites aux artistes pour embellir sa cour, le Palatinat connut un grand épanouissement culturel.

C'est la guérison de Charles-Théodore, pour laquelle la population avait été invitée à prier alors qu'il était gravement malade, qui est à l'origine de ce groupe en porcelaine réalisé en 1775 par Konrad Linck. Sur un socle en forme de rocher se trouve un autel rond qui porte l'inscription : « VOLTA PALATINATUS EXAUDITA die 3te juny 1775 ». Autour de cet autel sont groupées Athéna et Hygie, déesse de la santé qui foule aux pieds le dragon de la maladie, tandis que le Palatinat, symbolisé par un lion, s'agenouille à côté d'un air implorant. Au premier plan, des angelots sont déjà prêts à couvrir d'un voile le portrait du prince.

L'artiste, Konrad Linck, qui compte parmi les plus grands créateurs de modèles de porcelaine du XVIIIᵉ siècle et qui travailla à la manufacture de porcelaine de Frankenthal, créa avec cette petite composition bien élaborée et très vivante une allégorie expressive encore profondément influencée par le rococo. **K.-D.P.**

68
Vénus au dauphin

Manufacture de porcelaine de Meissen, d'après un modèle de Johann Carl SCHÖNHEIT.

Biscuit. H. 0,265.
Inscription : épées de la marque ; nᵒ matrice « 3 », nᵒ moule « H 43 », « E » incisé.
Bibliographie : Hofmann, 1908, nᵒ 267 ; Rückert, 1966, nᵒ 1044.

Munich, Bayerisches Nationalmuseum (inv. Ker 1549).

La statuette est une reproduction, en plus petit et avec un élément supplémentaire, de la célèbre « Vénus de Dresde » qui fait partie de la collection d'antiquités de Dresde depuis 1728 et qui est elle-même une réplique de la Vénus des Médicis. Seul le pan qui tombe du vêtement a été rajouté par le modeleur de porcelaine. Le numéro du moule permet de dater cette pièce de l'année 1753 ; on sait que cette année le modeleur J.C. Schönheit avait réalisé une « Vénus grecque ».

A partir du milieu du XVIIIᵉ siècle, la manufacture de porcelaine de Meissen, fondée en 1710, menaça de perdre sa position économique et artistique dominante face aux autres manufactures allemandes. Après les ravages de la guerre de Sept Ans, le prince-électeur de Saxe fut contraint de procéder à des réformes étatiques et transforma entre autres le fonctionnement des manufactures. Les intérêts et les goûts bourgeois amenèrent un changement de la production qui alla de pair avec une évolution du style. En 1764, Johann Joachim Kaendler, dont les groupes en porcelaine marquent un sommet artistique dans la production de Meissen, reçut l'assistance d'un maître modeleur indépendant, Michel-Victor Acier, recruté à Paris. Avec ce changement de personne, la production de Meissen évolua en direction d'un classicisme bourgeois. **R.Sc.**

69
La princesse royale Louise et sa sœur Frédérique de Mecklembourg-Strelitz

Manufacture de porcelaine de Berlin, d'après un modèle de Johann Gottfried SCHADOW.

Biscuit. H. 0,545.
Bibliographie : Mackowsky, 1936, pp. 344-458 ; Mackowsky, 1951, p. 81 repr. 58 et 59, pp. 92-102 repr. 72 et 73 ; Werb, 1957 ; Gramberg, 1961 ; Köllmann, Jarchow, 1987, vol. I, p. 71, vol. II repr. 192.

Berlin, Staatliche Schlösser und Gärten (inv. KS VIII 837).

Cette sculpture en biscuit est une copie du modèle en plâtre de 172 cm de haut créé en 1795 ; elle a été réalisée en 1796 à la manufacture royale de porcelaine de Berlin sous le contrôle de J.G. Schadow, le plâtre se trouve à la National Galerie de Berlin-Est en compagnie de la version en marbre légèrement modifiée de 1797.

Avec cette sculpture, l'artiste a créé une œuvre majeure : la première statue grandeur nature et à deux personnages du classicisme allemand. Les deux sœurs se tiennent debout, étroitement enlacées, la cadette Frédérique soutient légèrement la princesse royale ; elles incarnent la ferveur d'un attachement humain qui est particulièrement mis en relief par leur pose naturelle, loin de toute idée de représentation. Leurs tenues sont à la dernière mode, elles soulignent le corps de leurs nombreux plis et donnent à la statue une plasticité extraordinaire vivante ; ici se confirme le don réaliste de l'observation que Schadow a également mis en œuvre pour sculpter les têtes. Ce mélange entre un langage classique des formes, un naturel et une sensualité directement perceptibles ne faisait pas que des adeptes à la maison royale.

L'artiste, qui se sentait proche de Johann Georg Winckelmann et de ses travaux sur l'Antiquité, a repris les modèles antiques évoquant le thème d'Amour et Psyché ainsi que celui de Castor et Pollux, pour aboutir à ce double portrait plein d'intimité et de grâce. Autour de 1800, la peinture offre des parallèles dans des tableaux traitant du thème de l'amitié qui mettent clairement en scène la nouvelle image de l'homme et de la nature inspirée par la Révolution française. **K.-D.P.**

70
Pot-pourri avec un portrait du roi Christian VII (1749-1808)

Manufacture royale de porcelaine de Copenhague — le portrait d'après une peinture de Jens JUEL.

H. 0,470 ; D. 0,195.
Inscription : au dos, dans un médaillon, « Christianus VII Rex Daniae et Norvegiae... »

Frederiksborg, Nationalhistorike Museum (inv. B. 4461).

Le pot-pourri appartient à un genre qui fit son apparition en 1780-1785. Ces pièces décorées de portraits de membres de la famille royale étaient souvent offertes en cadeau à des favoris, des ministres par exemple.

Au moment de l'exécution de ce pot-pourri (vers 1780), le roi se trouvait hors d'état d'administrer son royaume, mais on soutenait fermement qu'il était le monarque absolu, que la reine mère et le prince héritier présumé Frédérik ne faisaient que l'assister dans ses fonctions. La même thèse était défendue après le coup d'État du prince héritier Frédérik. Le pot-pourri a donc été offert à un favori soit de la reine mère, soit du prince héritier. Le roi lui-même ignorait la plupart du temps le nom du destinataire de ces marques de reconnaissance ou d'honneur. **K.Kr.**

A la veille de la Révolution française, la folie était un phénomène courant chez les monarques européens, constituant un facteur d'instabilité : Charles IV en Espagne, George III en Grande-Bretagne et Christian VII au royaume dano-norvégien.

Ce dernier avait pourtant débuté son règne sous d'heureux auspices. A l'instar de son père, il épousa une princesse de Grande-Bretagne, sœur du roi George. Très vite, la succession était assurée, avec la naissance du prince héritier Frédéric (VI). Lors des visites que le souverain effectua en Angleterre et en France (1768), il donnait encore le change. Reçu avec tous les honneurs dus au représentant de la plus vieille dynastie occidentale, il brillait toujours par son esprit et son élégance.

Cependant, les premiers symptômes de déséquilibre ne tardèrent pas à se manifester. C'est alors que le médecin personnel du roi, Johann Friedrich de Struensee, prit de jour en jour plus d'ascendant, devenant tout à la fois l'ami intime du souverain, son conseiller et enfin son tout-puissant Premier ministre. Pendant la courte et tragique période où il prit la direction de l'État (1770-1772), Struensee introduisit d'importantes réformes, célébrées dans toute l'Europe. Au moment où Voltaire faisait l'éloge du monarque « éclairé » :

« Monarque vertueux, quoique né despotique,
Je me jette à tes pieds au nom du genre humain.
Il parle par ma voix, il bénit ta clémence ;

ssen, Vénus au dauphin (cat. 68).

Berlin, La princesse royale Louise et sa sœur Frédérique (cat. 69).

Copenhague, Pot-pourri avec un portrait du roi Christian VII (cat. 70).

Naples, Dague de chasse (cat. 72).

Naples, Ferdinand IV de Bourbon en uniforme de grenadier (cat. 71).

Tu rends ses droits à l'homme et tu permets qu'on pense »,

celui-ci n'était déjà plus qu'un instrument dément entre d'autres mains.

La suite est bien connue. Struensee devint l'amant de la reine. Ses réformes, qui menaçaient dangereusement certains privilèges, indisposèrent l'opposition qui provoqua la chute du ministre.

Dans un de ses moments de lucidité, le roi devait plus tard décliner toute responsabilité dans l'exécution brutale de Struensee et la mise à l'écart de la reine. Le coup d'État amena au pouvoir la belle-mère du roi et son demi-frère ; mais ceux-ci seront à leur tour évincés en 1784 par un groupe de nobles conduits par le prince héritier. Dès lors, Frédérik devint de fait chef de l'État, mais il devra attendre 1808, à la mort de son fou de père, pour monter sur les trônes de Danemark et de Norvège.   P.Kr.

71
Ferdinand IV de Bourbon, roi de Naples, en uniforme de grenadier

par Pietro DURANTI, d'après Francesco Liani

Tapisserie de la « Real fabbrica degli Arazzi » de Naples. Laine et soie. H. 2,42 ; L. 1,58.
Inscription : sur la bordure, « P.D.F., 1773 », sur le champ, en bas à droite : « P. Duranti F.N. 1773. »
Historique : exécutée entre 1770 et 1773, puis collections royales de Naples.
Exposition : 1979-1980, Naples, t. 2, p. 102.
Bibliographie : Mimeri-Riccio, 1879, pp. 36-37, 40 ; d'Astier de la Vigerie, 1906, p. 6 ; Spinosa, 1971, pp. 16, 23, 58, 79 ; Spinosa, 1979, p. 383.

Naples, museo di Capodimonte (inv. OA 5418-523).

Le souverain est figuré debout en uniforme, au milieu des canons et des caissons, près d'un tambour et l'étendard des Bourbons. Derrière lui, se développe un ample paysage avec au fond le Vésuve. Cette tapisserie reprend avec quelques variantes une peinture de Francesco Liani exécutée en 1770, aujourd'hui au palais royal de Madrid (*cf.* Spinosa, 1987, p. 129) avec son pendant, le portrait de Marie-Caroline.
La même année 1770, le lissier, Michangelo Cavanna, était chargé de réaliser une tapisserie d'après le modèle de Liani ainsi qu'une autre avec le portrait de Marie-Caroline (perdue mais dont on peut penser qu'elle dérivait également du modèle de Liani). Quand Cavanna mourut en 1772, laissant, entre autres, inachevées les deux tapisseries avec le portrait des souverains, Pietro Duranti fut chargé d'achever les travaux que le lissier n'avait pas terminés. Tel fut le sort du portrait en tapisserie de Ferdinand IV, signé par Duranti et daté de 1773. Malgré les quelques variantes apportées au modèle de Liani (variantes qui dénotent, en particulier dans le morceau de bannière jeté sur le tambour, une certaine fraîcheur inventive), cette tapisserie apparaît comme de qualité moyenne et ne peut rivaliser avec les pièces les plus réussies de Pietro Duranti, telles les pièces

de la série de son Quichotte. Ce qui laisse supposer qu'à la mort de Cavanna l'exécution était assez avancée et que Duranti se borna à la terminer.   P.Gi.

72
Dague de chasse

Manufacture royale des aciers de Naples.
Acier, chagrin. H. 0,70.
Exposition : 1979-1980, Naples, n° 420.

Naples, museo di Capodimonte (inv. 2837).

La dague a une lame en acier poli et une gaine en peau de chagrin blanche. La dague et la partie terminale de sa gaine sont en acier brillanté avec des médaillons également en acier et ornés de motifs floraux.
Les quelques informations sur la manufacture royale de porcelaine de Naples sont le fruit des recherches récentes de González-Palacios et de De Martini (*cf.* « Notizie sulla Real Fabbrica della porcelana. Postilla sugli Acciai », dans *Antologia di Belle Arti*, 1978, n° 5, pp. 86-87) ; nous y apprenons que, dès 1772 et probablement grâce à Ferdinand IV, une fabrique d'acier, dépendant directement de la plus grande et plus importante manufacture de porcelaine, se créait à Naples sous la direction de Domenico Venuti.
Les premiers artisans qui travaillèrent dans la fabrique avaient été spécialement envoyés de Vienne (l'un des plus grands centres de travail de l'acier brillanté) ; dès 1792, des ouvriers napolitains exécutèrent pour le roi « un paloscio di acciaio lavorato » (González-Palacios, 1980, p. 92). Comme en témoignent le « paloscio » (dague à lame étroite et à un seul tranchant destinée aux chasseurs pendant le Moyen Age, puis aux meneurs de cortèges) mentionné dans le document et la dague exposée ici, la fabrique produisait différents types d'armes dont certaines destinées à être des cadeaux offerts par le souverain.
Il faut ajouter que la technique utilisée pour brillanter l'acier — c'est-à-dire créer sur les surfaces lisses des parties saillantes et taillées à facettes qui resplendissaient comme des brillants — se révéla particulièrement adaptée à la réalisation de boîtes, accessoires, boucles, insignes et décorations.   P.Gi.

73
Groupe représentant une famille de bourgeois, dit « Gruppo bernesco »

Manufacture royale de porcelaine de Naples.
Groupe, biscuit. H. 0,119 ; L. 0,115 ; Pr. 0,110.
Expositions : 1979-1980, Naples, II ; 1980, Florence, pp. 150-151.

Naples, museo civico Gaetano Filangieri (inv. 371).

Le groupe figure des bourgeois représentés avec une ironie joviale mais lucide : le gentilhomme coiffé d'un haut de forme, la femme

aux épaules serrées dans un châle avec un énorme manchon portent des habits à la mode française (*cf.* A. Carola Perrotti, *La porcellana della Real Fabbrica Ferdinandea*, Naples, 1978, p. 179).
La peinture de la bourgeoisie fut un thème largement exploité par la manufacture royale de porcelaine (1773-1806). On l'apprécia bientôt autant que celui des scènes galantes ou populaires qui alimentaient une production de style rococo très en vogue dans l'ancienne manufacture de Marie-Caroline. En effet, les groupes et figures « bernesche » dont parlent les documents de l'époque sont sans doute identiques à ceux que nous voyons exposés ici.
González-Palacios (*op. cit.*, 1980, p. 151) a signalé l'existence de deux autres versions du personnage féminin : l'une est en porcelaine blanche (Naples, musée de Capodimonte), l'autre est polychrome (Naples, collection privée).   P.Gi.

74
Buste dit « de Sénèque »

Manufacture royale de porcelaine de Naples.
Buste, biscuit. H. 0,385.
Expositions : 1979-1980, Naples, II ; 1980, Florence, n° 378 ; 1986, Naples, n° 268.
Bibliographie : Perrotti, 1978, pp. 339-340, pl. CL (buste coll. Leonetti).

Naples, museo di Capodimonte (inv. 240).

Ce buste en biscuit est la reproduction d'une célèbre sculpture antique que nous connaissons par de nombreuses répliques dont la plus réussie, en bronze, provient de la villa dei Pisoni à Herculanum (aujourd'hui Naples, Musée archéologique national). Le portrait, dont le sujet n'a pas encore été identifié avec certitude, était connu au XVIII\ e siècle sous le nom de *Sénèque* et on a continué depuis à l'appeler, de façon conventionnelle, *Buste dit de Sénèque.*
La copie en biscuit du célèbre buste (dont il existe une autre version dans la collection Leonetti à Naples) fut, selon toute vraisemblance, réalisée pour constituer le milieu de table du « Servizio Ercolanense » offert en 1783 par Ferdinand IV de Bourbon à son père Charles, souverain d'Espagne. La décoration du service, qui devait témoigner de la beauté des réalisations de la nouvelle fabrique de porcelaine, s'était inspirée des pièces archéologiques découvertes lors des fouilles bourboniennes, qui constituaient l'une des plus grandes fiertés de la cour napolitaine.
La vaisselle était ornée de scènes ou de figures suggérées par les fresques retrouvées à Herculanum et à Pompéi ; le milieu de table en biscuit (disparu) représentait Charles de Bourbon incitant son fils à poursuivre les fouilles ; il y avait également douze bustes, eux aussi en biscuit, qui étaient des copies des bronzes du musée d'Herculanum : l'un d'entre eux était — d'après les documents conservés — celui de Sénèque (*cf.* C. Minieri Riccio, *Delle porcellane della real fabbrica di Napoli. Delle vendite fat-*

tene et delle loro tariffe, Naples, 1878, p. 36).
La réalisation du « Servizio Ercolanense » débuta sans doute en 1781 ; Venuti cherchait alors des modèles de bustes antiques pour le milieu de table ; le 7 mars de l'année suivante, le comte de Lemberg recevait « sept têtes, c'est-à-dire des demi-bustes de philosophes, exécutés en terre cuite par Celebrano » (*idem,* p. 35).
Ce document, d'une importante capitale, a incité les spécialistes à attribuer le buste à Francesco Celebrano (Perrotti, *op. cit.*). Avant de résoudre ce délicat problème d'attribution (et en attendant la publication prochaine de la monographie de A. González-Palacios sur Filippo Tagliolini), il faut considérer que, dès 1781, Filippo Tagliolini devenait directeur de la fabrique à la place de Celebrano. (*Cf.* Minieri Riccio, *Gli artefici ed i miniatori della real fabbrica della Porcellana di Napoli,* Naples, 1878, p. 42.) Étant donné que le groupe allégorique avec les deux souverains fut justement réalisé par Tagliolini pour le milieu de table, on ne peut exclure que la série de bustes ait été achevée par le nouveau directeur de la manufacture.   P.Gi.

75
Cabaret

Manufacture de Naples.

Porcelaine dure. Plateau : L. 0,288 ; Pr. 0,226. Cafetière : H. 0,150 ; Pr. 0,100. Pot à lait : H. 0,080 ; Pr. 0,085. Sucrier : H. 0,075 ; Pr. 0,070. Tasse et soucoupe : H. 0,058 ; D. 0,117.
Inscription : au revers de chaque pièce, sauf sous la tasse : N (couronné), en bleu sous couverte ; sous la tasse : N (couronné), en creux.
Historique : don de M. Emerico Ianitz, en souvenir de sa mère, madame Ianitz de Klopodia, 1970.

Paris, musée du Louvre, département des Objets d'art (in. OA 10381).

En 1743, Charles VII de Bourbon avait installé une manufacture de porcelaine à Capodimonte près de Naples. Devenu roi d'Espagne en 1759, sous le nom de Charles III, il transféra sa manufacture au Buen Retiro, près de Madrid. Son fils Ferdinand IV, devenu roi de Naples à la suite de son père, ouvrit une nouvelle manufacture en 1771 dans la villa de Portici, manufacture qu'il transféra en 1773, dans le palais royal où elle demeura jusqu'en 1806.
La production de cette manufacture est très variée et reflète les goûts dominants de l'époque. Malgré la proche présence de Pompéi, le style de décoration, qu'on remarque sur ce cabaret, inspiré des fresques romaines découvertes dans cette ville, n'était pas particulier à la manufacture de Naples. Le décor de la cafetière, du pot à lait, du sucrier et de la tasse et soucoupe est très proche des dessins donnés par Lagrenée, par exemple, à la manufacture de Sèvres vers 1785. On pense notamment au service « arabesque », destiné à Marie-Antoinette, qui fut commencé en 1783.
Le plateau, qui est sans doute plus tardif que les cinq pièces précitées, montre un autre

aspect de l'inspiration antique. Les personnages peints sur un fond neutre sont directement copiés de peintures de Pompéi. Là encore, ce décor n'a rien d'exceptionnel et ressemble aux décors de style « étrusque » qui étaient très en vogue dans les manufactures parisiennes sous l'Empire, notamment dans celle de Dagoty et Honoré.   P.En.

76
Table

1. Table
par la Galleria dei Lavori in pietre dure de Florence, d'après Giuseppe ZOCCHI

Mosaïque de pierres dures sur fond d'albâtre, bronze doré. L. 1,09 ; Pr. 0,67.
Inscription : sous la table, au pochoir noir : C 19105 ; GME C 197 ; 253 ; 59874.
Historique : exécuté pour François de Lorraine (1708-1765), grand-duc de Toscane en 1737, empereur en 1745 ; livré à son fils, Pierre-Léopold (1747-1792), grand-duc de Toscane en 1765 (futur empereur Léopold II en 1792) ; palais Pitti à Florence ; réservé pour le Muséum central des arts en 1799 ; entré au Louvre en 1801 ; sorti du Louvre pour le service du Garde-Meuble et placé sur le pied en bois doré actuel ; utilisé au palais de Compiègne ; versé au Louvre de nouveau en 1901.
Bibliographie : Williamson, s.d., t. II, pl. 55 ; González-Palacios, 1982, pp. 45-51 ; González-Palacios, 1986, t. I, pp. 77-85, 94, 98, t. II, fig. 233-234.

2. Pied
Paris, vers 1770.

Bois doré. H. 0,875 (H. avec la table en mosaïque 0,920). L. 0,800 ; Pr. 0,600.
Historique : coll. de Charles-Claude de Flahaut de La Billarderie, comte d'Angiviller (1730-1809), directeur général des Bâtiments du roi en 1774 ; confisqué et réservé pour le Muséum ; palais de Compiègne au XIXᵉ siècle ; versé au Louvre en 1901.
Bibliographie : Williamson, s.d., t. II, pl. 55 ; Furcy-Raynaud, 1912, p. 249.

Paris, musée du Louvre, département des Objets d'art (inv. MR 407, plateau, et OA 5165, pied).

La table en albâtre est incrustée d'un décor en mosaïque de pierres dures polychromes. Il représente, d'une façon très naturaliste, au centre, des papillons, et au bord, sur trois côtés, une épaisse guirlande de fleurs, autour de laquelle s'enroule un ruban en albâtre et lapis, qui forme un nœud à ses deux extrémités. La table est ceinte d'une bordure en bronze doré. Cette œuvre témoigne au mieux de la technique minutieuse de la Galleria dei Lavori in pietre dure de Florence, manufacture spécialisée dans la fabrication d'objets et de mosaïques en pierres dures, qu'avait fondée en 1588 le grand-duc de Toscane, Ferdinand Iᵉʳ, et qui subsiste encore de nos jours. Du milieu du XVIIIᵉ siècle au milieu du XIXᵉ siècle, l'établissement, installé aux Offices, fut dirigé par divers membres de la famille Siries, célèbres graveurs en pierres fines d'origine française. Au premier d'entre eux, Luigi Siries, nommé à la tête de la Galerie en 1748, succéda son fils Cosimo, de 1759 à sa

mort, survenue en juillet 1789. Pour renouveler le style de la manufacture, ils s'acquirent la collaboration du peintre et graveur florentin Giuseppe Zocchi (1711-1767), qui, de 1750 à la fin de sa vie, fournit de nombreux modèles de tableaux et de plateaux de table en mosaïque, représentant souvent des paysages et des architectures animés de personnages, qui étaient essentiellement destinés à l'empereur François Iᵉʳ, grand-duc de Toscane, fort amateur des productions de sa manufacture. Aussi beaucoup d'œuvres de Zocchi sont-elles conservées à la Hofburg, à Vienne.
La Galerie exécuta ainsi pour l'empereur en 1760, d'après un modèle de Zocchi, une table en lapis de mêmes formes et dimensions que la présente table, ornée sur trois côtés, selon une composition voisine, de coquillages, coraux et perles en mosaïque (Hofburg). C'est afin de lui fournir un pendant que, un peu plus tard, fut commandée à Zocchi la table en albâtre, dont le modèle lui fut payé en janvier 1765. Zocchi avait fourni à la fois un dessin aquarellé et une peinture à l'huile, celle-ci, qui donnait davantage d'importance au ruban, étant plus proche de l'œuvre achevée. Les deux projets subsistent au museo dell'Opificio delle pietre dure de Florence. L'empereur étant mort le 18 août 1765, la table en albâtre resta à Florence en la possession de son successeur au grand-duché de Toscane, son deuxième fils Pierre-Léopold. Celui-ci fit exécuter une seconde version de la table en lapis, pour laquelle Zocchi réalisa un nouveau modèle en 1766. Les deux tables furent pourvues d'un pied en bois doré de style rocaille et ornèrent le palais Pitti.
En 1799, lorsque les troupes françaises occupèrent Florence après en avoir chassé le nouveau grand-duc, Ferdinand III, les commissaires du gouvernement français, et parmi eux, en particulier, le peintre Jean-Baptiste Wicar, élève de David, impressionnés par la production de la manufacture florentine, décidèrent d'envoyer à Paris, pour le Muséum des arts, un certain nombre de tables en mosaïque de pierres dures trouvées au palais Pitti. Parmi elles figuraient la table en lapis et la table en albâtre de Léopold qui, contrairement à d'autres, ne regagnèrent pas Florence en 1815. La table en lapis, qui réapparaît, modifiée, dans l'inventaire après décès de l'impératrice Joséphine en 1814, se trouve maintenant au musée de l'Ermitage à Leningrad. La table en albâtre fut associée à une date indéterminée, sans doute au début du XIXᵉ siècle, à un pied en bois doré formé par deux sirènes enlacées reposant sur un fût de colonne, derrière lesquelles s'élancent deux consoles supportées par deux pattes de bélier. Cet objet provient de la collection d'Angiviller, qui occupait, à Paris, un hôtel situé rue de l'Oratoire, près du Louvre. Après son départ en émigration en avril 1791, l'Assemblée nationale ordonna le 15 juin la confiscation de tous ses biens. Parmi ceux-ci, certaines œuvres d'art rejoignirent le dépôt national des objets saisis sur les émigrés et condamnés, installé dans l'hôtel de Nesle, rue de Beaune. Là, les membres du conservatoire du Muséum, à la création duquel d'Angiviller avait tant travaillé, sélectionnèrent pour le

Naples, Famille de bourgeois (cat. 73).

Naples, Buste dit « de Sénèque » (cat. 74).

Naples, Cabaret (cat. 75).

Florence, Table (cat. 76).

COLLECTION DES MARBRES D'ESPAGNE, ENVOYÉE   EN 1774. PAR LE ROY. D'ESPAGNE.

Buen Retiro, Table (cat. 77).

musée plusieurs pièces de sa collection (tableaux, dessins, bustes, objets divers), et notamment, le 16 thermidor an II (3 août 1794), le pied en bois doré, qui portait alors un plateau en marbre vert : « Une console à pied, en bois sculpté doré, représentant deux syrènes, avec table de marbre verd, forme chantournée. L. 2pds 10p. [0,91m] environ. » Ce pied de table audacieux, unique, qui rend bien compte du goût d'Angiviller, toujours épris d'innovations, semble dater des années 1760-1770, époque du style « grec », dont les recherches s'inspirent souvent des créations du XVIIᵉ siècle. Il rappelle en effet les pieds de cabinet anthropomorphes en bois doré du règne de Louis XIV et aussi, curieusement, des pieds de table en bois doré en forme de sirènes exécutés à Florence à la fin du XVIIᵉ siècle (González-Palacios, 1986, t. II, fig. 3-15). **D.Al.**

77
Table

Attribué au Real Laboratorio de pietras duras del Buen Retiro.

Table : marbre noir incrusté de 108 carrés de marbres divers. Pied : bâti de chêne, placage d'ébène, bronze doré. H. 0,760 ; L. 1,070 ; Pr. 0,665 ; Ép. de la table 0,025.
Inscription : sur la table, à la partie antérieure : « Collection Des Marbres D'Espagne, Envoyée En 1774. Par Le Roy. D'Espagne » ; sous chaque carré de marbre, numéro.
Historique : donné par Charles III (1716-1788), roi des Deux-Siciles sous le nom de Charles VII en 1735, puis roi d'Espagne en 1759, au Cabinet d'histoire naturelle du roi de France.
Bibliographie : Schubnel, 1977 ; González-Palacios, 1982, pp.66-67, 71, repr.

Paris, Muséum national d'histoire naturelle (inv. A. 99).

Cette table, véritable catalogue des marbres d'Espagne, appartient à un type de table d'intérêt essentiellement minéralogique dont d'autres exemples antérieurs ou contemporains sont connus. L'infant Charles, en séjournant à Florence en 1732, y avait apprécié les travaux de la Galleria dei Lavori in pietre dure. Aussi, lorsqu'il devint roi de Naples, fonda-t-il non seulement une manufacture de porcelaine et une manufacture de tapisseries, mais aussi, en 1738, grâce au concours d'artistes florentins, le Real Laboratorio delle pietre dure de Naples. Si, devenant roi d'Espagne, il transporta à Madrid sa manufacture de porcelaine, il laissa à Naples l'atelier de pierres dures qui fonctionna jusqu'à l'époque de l'unité italienne. Mais il en créa un autre à Madrid en faisant appel de nouveau à deux Florentins, Domenico Stecchi et Francesco Poggetti, qui avaient travaillé, le premier à la Galleria de Florence, le second à la manufacture de Doccia. Ils arrivèrent en Espagne vers 1762. Dès 1763, le Real Laboratorio de pietras duras fonctionnait, installé, comme la manufacture royale de porcelaine, près du palais du Buen Retiro, à Madrid.

Cet établissement produisit des tables et des objets, jusqu'à sa destruction, due à l'invasion napoléonienne de 1808. La présente table, étant donné sa provenance, peut être attribuée à la production initiale du Laboratorio. Elle ne rend pas encore compte de la qualité artistique de ses œuvres, qui se développera dans les années suivantes, mais témoigne des préoccupations scientifiques de l'époque. Elle est supportée par un pied de table muni d'un tiroir et reposant sur quatre pieds fuselés et cannelés. Il est orné de bronzes, peut-être dus à Giovanni Battista Ferroni, bronzier italien, qui travaillait pour Charles III dès 1766 et créa une véritable manufacture royale de bronzes à Madrid. **D.Al.**

78
Ferias de Madrid :
la Prenderia
(La marchande de vêtements)

Manufacture de Santa Bárbara, d'après GOYA.

Tapisserie, laine et soie. H. 2,71 ; L. 2,18.
Exposition : 1946, Madrid, nº 295.
Bibliographie : Sambricio, 1946, p. 220, pl. XCV-XCVII.

Madrid, Patrimonio Nacional.

Une des tâches de Goya à la cour d'Espagne fut de fournir des cartons de tapisserie à la manufacture royale de Santa Bárbara pour la décoration des palais royaux. La manufacture avait été fondée en 1720 par Philippe V et Goya ne fournit pas moins de quarante-cinq compositions entre 1776 et 1791. Les esquisses qu'il présentait au roi et aux princes furent toujours très bien accueillies. La plupart d'entre elles illustraient, de façon tout à fait originale, des sujets de la vie quotidienne du peuple espagnol et traduisaient les préoccupations du souverain, Charles III tout d'abord, qui désirait montrer une vision optimiste de la vie sociale améliorée par les réformes de son règne. *La Prenderia*, ou marchande de vêtements (1779), participe du même souci et l'on ne peut qu'admirer le talent de Goya à donner une apparence de vérité à des scènes souvent artificielles.
Après la mort de Charles III en 1788, les commandes de cartons de tapisserie furent interrompues par les perturbations entraînées par le changement de règne et les bouleversements français. Goya, dont le crédit à la cour était menacé, fut même accusé de trouver indigne de lui de continuer à exécuter des cartons de tapisserie. Le directeur de la manufacture royale écrivit au roi pour se plaindre. Goya, pour se disculper, acheva au plus vite, en mai 1791, le carton de *La Noce*, satire burlesque d'un mariage mal assorti, destinée au bureau de Charles IV à l'Escorial, et répondant au goût du roi qui voulait des sujets drôles ! Et en décembre 1791, Goya présenta le mémoire des sept derniers cartons de tapisserie qu'il peindra de sa vie. La manufacture de Santa Bárbara, fermée en 1808, lors de l'occupation de Madrid par les Français, fut rouverte en 1815. **A.Le.**

79
Coupe couverte

Espagne, manufacture royale de La Granja de San Ildefonso (province de Ségovie)

Cristal gravé et doré H. 0,305 ; L. 0,160 ; Pr. 0,130.
Bibliographie : Ainaud de Lasarte, 1947 ; Ruiz Alcón, 1969.

Madrid, Muséo arqueológico nacional (inv. 53315 et 58613).

Une verrerie installée par un Catalan, Ventura Sit, en 1728, à San Ildefonso, à proximité du palais de La Granja, attira l'attention de la reine Isabelle Farnèse, femme de Philippe V, qui, pour la recevoir, fit construire sur le domaine royal, une manufacture. Le roi, par la suite, s'intéressa également aux expériences de Sit, et l'incita à fabriquer des glaces. Celles-ci, d'une taille exceptionnelle, devinrent une des spécialités de la manufacture de La Granja. Charles III et Charles IV commandèrent à la manufacture une très grande quantité de glaces et de lustres (autre domaine dans lequel celle-ci se spécialisa), pour décorer les palais royaux. Parallèlement à cette activité, se développa la fabrication d'objets utilitaires. Le cristal taillé correspondait à une mode, inspirée de la verrerie de Bohême, mode qui apparaît dans la seconde moitié du XVIIIᵉ siècle. Cette coupe, rehaussée de dorure est caractéristique des productions européennes du quatrième quart du XVIIIᵉ siècle. **P.En.**

80
Monument en forme de temple
provenant du surtout du roi
Charles IV d'Espagne

par les ateliers royaux de Madrid (Buen Retiro)

Albâtre, jaspe, camées, intaille, bronze doré. H. 0,51 ; D. 0,35.
Historique : surtout exécuté à Madrid vers 1790 sur le dessin et sous la direction d'un bronzier italien Giovanni Battista Ferroni et donné par Charles IV à Napoléon en 1808 à Bayonne. Le temple lui-même a figuré aux Tuileries de 1811 à 1818 ; au Garde-Meuble de 1818 à 1851 ; au Grand Trianon de 1851 à 1867 ; à La Malmaison de 1867 à 1870 puis de 1906 à 1984 (dépôt du musée de Versailles) ; transféré à Fontainebleau en 1984 (dépôt *idem*).
Bibliographie : Gonzàlez-Palacios, 1981, pp. 66-78 ; Samoyault, 1986, pp. 44-46.

Fontainebleau, Musée national du château (inv. T 264 C).

Le surtout de table, dont ce temple est un des éléments, a été créé à Madrid à la fin du XVIIIᵉ. Aujourd'hui dispersé, il comprenait un plateau de près de six mètres de long sur un mètre de large — divisé en sept parties et orné de nombreuses pièces en pierres polychromes ou en albâtre blanc, ornées de bronze, de camées et d'intailles —, un monument central surmonté d'un obélisque, deux portiques, deux temples à pans coupés à huit colonnes, deux fontaines,

La Granja, Coupe couverte (cat. 79).

Buen Retiro, Monument en forme de temple (cat. 80).

a Barbara, La marchande de vêtements (cat. 78).

Buen Retiro, Mentor et Télémaque (cat. 81).

Alcora, Buste du comte d'Aranda (cat. 82).

Rato, La Reine D. Maria I (cat. 83).

Rato, Miroir aux armes royales (cat. 84).

Septfontaines-les-Luxembourg, Ecritoire (cat. 85).

deux vases en jaspe sanguin, douze candélabres, trente-six monuments de formes diverses dont quatre temples, huit seaux à bouteilles, huit verrières, un sucrier, des groupes et figures en bronze doré ainsi que de très nombreux petites vases.

Quand il arriva à la cour impériale en 1808, l'ensemble fut jugé inutilisable pour le genre de service auquel il était destiné, « les formes étant de mauvais goût et les décorations mal exécutées » au dire du grand maréchal duc de Frioul. On jugea que le seul emploi possible était d'en séparer les diverses parties et de les placer sur des cheminées ou des consoles dans les palais impériaux. De nombreuses pièces subirent alors des modifications pour être transformées en candélabres. Les quatre petits temples furent simplement restaurés. Outre celui-ci envoyé aux Tuileries, deux d'entre eux furent alors placés au Grand Trianon et le quatrième à Meudon.

L'objet traduit le goût pour le néo-classicisme répandu alors dans toute l'Europe et prend place parmi des monuments d'inspiration voisine créés en Italie vers la fin du XVIIIᵉ siècle pour divers amateurs sous l'influence des idées et des travaux de Piranèse. On peut citer par exemple les surtouts de table commandés à Rome par le bailli de Breteuil (1723-1785), dont l'un fut cédé par lui à Catherine II et l'autre figura à sa vente à Paris en 1786, ou encore le surtout du prince Braschi, neveu de Pie VI, dont le plateau est conservé au musée du Louvre. Ce goût demeura au début du XIXᵉ siècle, comme l'ont montré MM. Gérard Hubert et Alvar Gonzàlez-Palacios (surtout de table par Giacomo Raffaelli conservé à la villa Carlotta à Tremezzo, autre surtout exécuté en 1805-1806 par Damien Campeny pour l'ambassade d'Espagne, conservé à Parme).

J.-P.S.

81
Mentor et Télémaque

Espagne, Madrid, manufacture royale du Buen Retiro.

Biscuit de porcelaine tendre. H. 0,305; L. 0,225; Pr. 0,182.
Historique: ancienne coll. Almenas.
Exposition: 1966, Madrid, Cason del Buen Retiro.
Bibliographie: Pérez-Villamil, 1904; Martínez Caviró, 1963.

Madrid, Museo arqueológico nacional (inv. 62495).

Quand, en 1759, Charles VII de Naples devint roi d'Espagne sous le nom de Charles III, il transféra avec lui les artistes et les ouvriers de la manufacture de porcelaine de Capo di Monte. Ceux-ci furent installés dans les jardins du palais royal du Buen Retiro à Madrid.
Avec une évolution comparable à celle de la plupart des grandes manufactures européennes de porcelaine, la manufacture royale espagnole adopta, dans les dernières années du

XVIIIᵉ siècle un style néo-classique archéologique, qui était très en vogue dans toutes les cours d'Europe.
Ce groupe représente Télémaque, fils d'Ulysse, guidé par la déesse Athéna, déguisée sous les traits de Mentor, thème rappelant le célèbre ouvrage de Fénelon, publié en 1699, et destiné à l'éducation du duc de Bourgogne, petit-fils de Louis XIV. Derrière cette iconographie, se cache également, sans aucun doute donc, une intention moralisatrice destinée à évoquer les bienfaits du bon gouvernement des princes.
P.En.

82
Buste du comte d'Aranda

Espagne, manufacture d'Alcora (province de Castellon).

Terre de pipe.
Historique: ancienne coll. Almenas.
Exposition: 1966, Madrid, Cason del Buen Retiro.
Bibliographie: Escrivá de Romani, 1945.

Madrid, Museo arqueológico nacional (inv. 57178).

Don Pedro Pablo Jiménez de Urrea, dixième comte d'Aranda (1719-1798), était le fils du fondateur de la manufacture d'Alcora, située près de Valence en Espagne, région déjà célèbre pour son brillant passé céramique aux XVᵉ et XVIᵉ siècles. Don Pedro devint propriétaire de la manufacture à la mort de son père en 1749.
Au moment de la création de sa manufacture, en 1726-1727, le neuvième comte avait fait appel à une célèbre famille de faïenciers de Moustiers, les Olérys. Forte de leur expérience la manufacture d'Alcora atteint très vite un haut niveau de production, qui, pendant pratiquement tout le XVIIIᵉ siècle, la plaça parmi les toutes premières faïencières d'Europe. Dès 1751, on y fit également des expériences de porcelaine et, sous l'impulsion d'un artiste parisien, François Martin, on utilisa la terre de pipe. Le buste du comte d'Aranda est un exemple de cette seconde technique vers 1780.
P.En.

83
La reine D. Maria Iʳᵉ

Manufacture royale du Rato.

Buste, faïence blanche émaillée. H. 0,890; L. 0,440; Pr. 0,270.
Historique: ancienne collection de la famille royale du Portugal.
Expositions: 1955, Londres; 1986, Casa de Bragança.
Bibliographie: Santos, 1965; Teixeira, 1986; Queiras, 1987.

Queluz, Palacio nacional (inv. P.N.Q. 15 A).

La « Fabrica do Rato » était l'une des manufactures royales de Lisbonne, protégée par le marquis de Pombal et particulièrement représentative du développement industriel du Portugal au XVIIIᵉ siècle. Elle créait de la céramique décorative, aussi bien que de la céramique utilitaire. Les musées portugais conservent de grandes pièces exécutées dans la manufacture, telles que des poêles, des statuettes, des azulejos ou des terrines.
M.-H.C.d.S. et A.M.-D.S.

84
Miroir aux armes royales

Manufacture royale du Rato.

Miroir avec encadrement en faïence blanche. H. 0,680; L. 0,470.
Historique: ancienne collection de la famille royale du Portugal.
Bibliographie: Santos, 1965.

Queluz, Palacio nacional (inv. P.N.Q. 1646).

Ce miroir réalisé par la manufacture privilégiée était destiné à la famille royale.
M.-H.C.d.S. et A.M.-D.S.

85
Écritoire portant le nom
de son propriétaire, Johannes Biver,
et la date 1789

Manufacture de Boch.

Luxembourg, Musée national d'histoire et d'art du Grand-Duché (inv. 1982-164).

La faïencerie des frères Boch, fondée en 1766 à Septfontaines-les-Luxembourg, reçut le titre de manufacture impériale et royale. Résultant à la fois de l'initiative privée et du concours d'un État mercantiliste, qui confère privilèges et franchises, elle constituait pour le Luxembourg une des premières applications de la devise du libre-échange « laisser faire, laisser passer ». Elle écoulait ses produits non seulement dans le quartier germanique de l'ancien duché de Luxembourg, mais également dans le quartier wallon et jusqu'à Bruxelles.
Offert à Johannes Biver en 1789, cet écritoire montre par ses inscriptions que, dans les couches supérieures de la société rurale, des individus prennent peu à peu conscience de leur identité et osent l'affirmer.
Sur l'espace compris entre l'ouverture de l'encrier et celle du poudrier est représenté un personnage assis en train d'écrire. Le reste du décor polychrome se compose de fleurs, de divers ornements stylisés ainsi que, sur les côtés, de motifs imitant les fonds quadrillés du style Régence.
G.Th.

IV
LE MONDE
RURAL

Il peut paraître étrange que, dans une exposition consacrée à la Révolution française, soient exposés des outils, des instruments agricoles, des objets usuels devenus presque intemporels par le long usage qui fut le leur dans les campagnes jusqu'à l'avènement encore récent de la société industrielle. La présence de ces modèles-témoins est apparue cependant comme le seul moyen de faire prendre conscience aux visiteurs d'une des données majeures de l'Europe à la veille de la Révolution. L'éclat des puissants, le luxe des privilégiés, le bouillonnement intellectuel des élites et les débuts de la révolution industrielle ne doivent pas oblitérer le fait qu'à la fin du XVIIIe siècle, quatre-vingts pour cent, au moins, de la population ne vit pas dans les villes mais appartient, à des titres divers au monde rural. Les esprits éclairés ont d'ailleurs pris conscience de l'importance de l'agriculture et manifesté, comme on le verra plus loin, un intérêt très vif pour l'amélioration des techniques agricoles, moins vif peut-être pour la condition des paysans.

Mais leur action reste limitée. Comme le soulignait Arthur Young en 1788, les applications pratiques des recherches des « sociétés d'agriculture » sont peu nombreuses et souvent décevantes, et ne retiennent que très peu l'attention du public, encore moins des paysans. Les peintres de leur côté paraissent, en tout cas, peu sensibles aux réalités paysannes et, entre la tradition persistante des bergeries de convention et le retour au paysage héroïque, peu d'œuvres peuvent être considérées comme des documents fiables tant pour les travaux des champs eux-mêmes que pour la représentation des terroirs. Sous l'influence de Rousseau, la vie à la campagne devient pourtant synonyme de vertu et de communion avec la nature. Mais lorsque la propagande monarchique exalte l'image du souverain labourant, on peut se demander si le but n'est pas bien davantage d'établir un parallèle avec les rites impériaux de la chine — gage de sagesse et de perennité — que de rapprocher le prince de l'immense masse de ses humbles sujets.

Cour de ferme (cat. 98, détail).

AUTOUR DE LA FRANCE ET DE L'EUROPE PAYSANNES À LA FIN DE L'ANCIEN RÉGIME

É VOQUER en quelques pages la paysannerie ou les paysanneries en Europe à la fin du XVIIIe siècle, de surcroît dans un catalogue d'exposition articulé autour d'œuvres et d'objets, peut sembler, ou est, une véritable gageure. L'« Europe des paysans » est avant tout un vaste sujet d'histoire économique et sociale, sur lequel on a déjà beaucoup écrit mais qui est loin d'être épuisé, et que personne n'aurait l'idée de réduire à la présentation de quelques dizaines de notices, si bien choisies soient-elles. Dire que ce qui suit est le fruit d'un choix ne surprendra donc pas. Et au moins, à défaut de toutes les autres, il faut essayer de justifier l'absence la plus notable, et celle aussi, sans doute, qui sera la plus regrettée : les représentations populaires, sur papier ou sur d'autres supports, dont on connaît l'abondance pendant la décennie révolutionnaire. Dire à nouveau qu'il s'agit d'un sujet à la fois suffisamment exploité et partiel — Michel Vovelle signalait récemment la faible représentation imagière de la Grande Peur[1] — n'est pas une raison suffisante. Surtout, dans l'ensemble, son choix ne convenait guère à l'optique que nous avons adoptée : illustrer la toile de fond de la vie paysanne à la fin du XVIIIe siècle, en suggérant ce que la période a fait changer ou, au contraire, ce qui est demeuré stable.

Pour essayer de répondre à cet objectif, nous avons divisé notre parcours en cinq temps : le paysage, la maison, les objets et les techniques agricoles, le mesurage des grains et les problèmes du sel. Les trois premiers, qui constituent les données les plus apparentes de l'activité paysanne, se situent plutôt dans un temps long, mais les zones de contact avec ce qui, en l'espèce, est une conjoncture courte — les années ayant précédé et suivi la chute de l'Ancien Régime — sont signalées et développées à l'occasion. Est-il besoin de préciser que ces trois temps sont alimentés par des exemples qui n'épuisent nullement le diversité des différents sujets ? Les deux derniers en revanche, volontairement plus ponctuels et regroupés dans une même partie, concernent plus directement le fonctionnement de l'Ancien Régime et sont imbriqués avec quelques-uns des sujets d'actualité de l'été 1789 : l'alimentation et les rapports sociaux. Puisse le balancement recherché par ce diptyque compenser le côté arbitraire des choix effectués.

PAYSAGES RURAUX

A LA FIN DU XVIIIe SIÈCLE, le paysage rural français est fixé depuis longtemps sous plusieurs formes, qui survivront toutes à cette période. De ce point de vue, la décennie révolutionnaire n'apporte aucun changement significatif même si, à terme, les dispositions prises ou envisagées par les diverses assemblées — poursuivant en cela une politique menée lors des dernières décennies de la monarchie — préfigurent des modifications dans l'organisation des espaces ruraux français.

Mais ces modifications ne furent sensibles que dans le courant du siècle suivant.

Nous traiterons du paysage rural dans l'optique traditionnellement adoptée par les géographes[2] : la description de la forme des champs, en relation avec l'organisation de l'habitat,

1. Vovelle, 1980, p. 228.
2. Cf. notamment Derruau, 1961, pp. 192-206.

et la distribution des espaces annexes. Ces aspects de la géographie rurale et de la géographie historique ont fait l'objet de nombreuses études, initiées en Allemagne dès la seconde moitié du XIXᵉ siècle. L'un des supports de ces études, pour la France de la fin du XVIIIᵉ siècle, est le texte de l'agronome anglais Arthur Young, écrit entre 1787 et 1790, qui a depuis longtemps servi à dresser un tableau des paysages ruraux de l'époque[3]. C'est la curiosité et l'esprit d'analyse de ce voyageur avisé que nous utiliserons aussi pour nous déplacer dans les campagnes françaises.

Paysage français et paysage européen

Des notes d'Arthur Young, il est assez aisé de détacher une France du Nord-Est, caractérisée par des champs non clos et de forme généralement allongée. L'absence de clôtures et la forte disproportion de la longueur des champs par rapport à leur largeur ont valu à ces derniers l'appellation d'*openfied laniéré*. Bien que le mot d'openfield n'inclue pas un mode précis d'organisation de l'habitat, il faut préciser que dans cette zone les maisons se groupent souvent dans des villages, généralement situés au centre des espaces cultivés. Cette France s'étend depuis l'embouchure de la Seine jusqu'au nord de la Bresse, rejoignant presque la Loire vers Blois, mais laissant au sud le Gâtinais, la Puisaye, le Nivernais et le Mâconnais.

A cette zone, qui regroupe un bon tiers du territoire national, s'en oppose une autre, plus diffuse, dans laquelle les champs ont une forme plutôt quadrangulaire et sont généralement clos. Ces deux notions sont comprises dans le terme de *bocage*, mot savant lui aussi, mais repris d'un vocable d'origine normande. Les formes d'habitat qui accompagnent le plus souvent le bocage sont de petites agglomérations, entourées d'un semis plus ou moins dense de groupes de fermes ou de fermes isolées. C'est le paysage le plus répandu dans l'ouest de la France, recouvrant tout le massif Armoricain (Basse-Normandie, Bas-Maine, Bretagne (nᵒ 90), Anjou occidental, Bas-Poitou), mais s'étendant largement aussi dans le Centre (Sologne, Berry, Nivernais, Morvan, Bourbonnais, Bourgogne méridionale) et sur le pourtour septentrional et occidental du Massif central.

Arthur Young est sensible au passage d'une zone à l'autre, qu'il consigne parfois dans ses carnets. Autour d'Orléans, le 30 mai 1787, il voit que « la vaste étendue de pays qui se présente de tous les côtés est une plaine sans bornes » mais, passé en Sologne le lendemain, il écrit que jusqu'à Nouan-le-Fuzelier, c'est « un étrange mélange de sable et d'eau. Beaucoup de clôtures (...) autant de traits de ressemblance avec certaines parties de l'Angleterre[4] ». Cependant, si l'on s'en

3. Young, 1931.
4. *Ibidem*, vol. 1, p. 92.
5. *Ibidem*, p. 105.
6. Brunet, 1960, p. 235.
7. Livet, 1962, p. 281.
8. Young, vol. 1, p. 136.

tient aux deux définitions données de l'openfield et du bocage, on note que les deux zones ne sont pas imperméables l'une à l'autre, quelles que soient l'origine et la signification de cette interpénétration. Des formes bocagères se rencontrent dans la France du Nord, notamment en pays de Caux, en Picardie et en Thiérache tandis que l'openfield existe dans certaines parties de la Bretagne et du Poitou. En outre, ces deux régions présentent des caractéristiques originales qui les rapprochent des contrées plus méridionales.

Dans l'ensemble en effet, la zone d'openfield du Nord-Est et les zones bocagères de l'Ouest et du Centre regroupent, avec une profonde descente à l'ouest du Massif central, la moitié septentrionale de la France. Plus au sud, ces critères descriptifs sont moins adaptés pour caractériser les paysages ruraux sur lesquels, parfois, les descriptions ont buté. Près de Montauban, le 12 juin 1787, Arthur Young a du mal à exprimer la complexité des paysages aquitains, rythmés par la Garonne : « Une vaste étendue de cultures, parsemée de (...) blanches maisons, bien construites ; le regard se perd dans cette vapeur, qui se termine seulement à cette étonnante chaîne, dont les sommets, couronnés de neige, se découpent de la façon la plus abrupte[5] ». De fait, dans cette région, les paysages présentent des traits qui rappellent les contrées septentrionales mais avec des combinaisons originales, qui les mettent bien à part : « Les vallées ont un habitat relativement groupé, en gros villages entourés de champs allongés et généralement sans clôture, les collines un habitat dispersé, en fermes isolées au milieu de champs, dont les limites sont incomplètement soulignées par des haies[6] ». Plus généralement, ce dernier type domine dans une grande partie de la Guyenne et dans le Languedoc occidental, accompagné et entrecoupé de lignes d'arbres, de vignes et de vergers. A ce paysage dans l'ensemble ouvert, les géographes ont donné le nom d'*openfield méridional*.

Sur le pourtour de la Méditerranée, dans le Bas-Languedoc et en Provence, de gros villages compacts aux maisons à plusieurs étages voisinent avec des fermes isolées ; les champs sont des parcelles massives dont la largeur, comme dans la zone précédente, ne descend généralement pas au-dessous de la moitié de la longueur[7]. Autour de ceux-ci, parsemés de cultures arbustives, s'étend parfois la *garrigue*, terrain de parcours pour les troupeaux, le *saltus* des Romains. C'est un paysage de ce type que notre voyageur anglais a sous les yeux à la sortie de Sauve (Gard) : « Je fus frappé de voir une grande étendue de terrain, qui semblait ne consister qu'en rochers énormes et qui cependant, était plantée avec le soin le plus industrieux. Chacun a un olivier, un mûrier, un amandier ou un pêcher, avec des vignes éparses parmi ces arbres, de sorte que tout le sol est couvert du plus étrange mélange que l'on puisse imaginer de ces plantations et des rochers qui les surplombent[8]. »

Enfin, dans ce tableau succinct des paysages méridionaux, il faut mettre à part les régions montagneuses, essentiellement Pyrénées et Alpes centrales, centre du Massif central, avec un prolongement au nord-ouest vers le Limousin et l'Angoumois. Ici, on trouve surtout des fermes isolées et des petits villages, au milieu de champs de forme irrégulière, également coupés d'arbres ; et autour, comme dans les régions méridionales, s'étendent aussi des espaces cultivés à intervalles plus ou moins grands et des espaces de parcours pour les troupeaux[9]. En soulignant l'originalité de la vallée de Campan, Arthur Young donne un aperçu des paysages ruraux des vallées pyrénéennes : « Elle est très différente des autres vallées, que j'ai vues dans les Pyrénées ou en Catalogne (...). En général les pentes richement cultivées de ces montagnes sont formées de terres encloses ; ici, au contraire, c'est un terrain ouvert. La vallée elle-même forme un mélange de cultures et de prairies et est parsemée de villages et de maisons isolées[10]. » C'est finalement une organisation assez comparable qu'on retrouvait dans certaines parties du massif Armoricain, mais avec un paysage plus systématiquement clos[11].

Derrière ces ressemblances ou ces interpénétrations, dont la liste exhaustive serait longue à établir, se profilent les linéaments d'une histoire rurale compliquée, à la fois héritière d'un long passé mais aussi d'un passé plus récent, ou en cours d'évolution. A la position-carrefour qu'elle occupe en Europe, la France doit de réunir la plupart des paysages ruraux qui existent sur le continent, la différenciation régionale notée ne trouvant son sens, dans certains cas, qu'en regardant au-delà des frontières du pays. De ce point de vue, l'hexagone affirme totalement ses références cardinales.

Ainsi, l'openfield laniéré existe en Grande-Bretagne, dans la plupart des Etats allemands (n° 87), en Scandinavie (n° 88) et en Pologne. Il y prend souvent des formes beaucoup plus tranchées qu'en France : les *solskifte* suédois (ces derniers s'étant diffusés jusqu'en Finlande) et britanniques, par exemple, sont à l'origine des lots de terre attribués à chaque exploitant comprenant « non seulement un même nombre de parcelles (ouvertes et allongées), mais encore des parcelles disposées suivant la même orientation par rapport au soleil (d'où le nom) et la même succession par rapport aux voisins, la première parcelle étant toujours à l'est[12] ». En outre, l'habitat présente parfois une organisation très systématique : dans les régions de colonisation forestière de l'Allemagne et de la Pologne, ou en Lithuanie, le village, en file sur une ou deux lignes parallèles à la route, déroule les longues parcelles paysannes derrière ses maisons alignées et parfois jointives.

De même, un paysage bocager ancien est présent dans les zones occidentales de la Grande-Bretagne, en Ecosse, en Irlande, dans certaines parties de la Scandinavie et au nord de la péninsule Ibérique[13]. L'habitat s'y disperse aussi en fermes isolées et en hameaux, mais les terres exploitées par ces derniers sont parfois des parcelles ouvertes, extérieurement ceintes par une haie et entourées d'espaces incultes, comme dans les zones montagneuses de la France et le massif Armoricain. Cette organisation est très répandue en Irlande, visitée par Arthur Young en 1776, où le *rundale*, groupe de parcelles

irrégulières, entoure le village et s'oppose au *striping*, champs enclos[14]. Mais dans d'autres zones aussi l'openfield laniéré et le bocage se côtoient depuis longtemps. C'est le cas en Frise (Pays-Bas) et en Westphalie (Allemagne de l'Ouest) où « coexistent des hameaux voisins de terroirs ouverts à champs en lanières et des fermes à parcelles bocagères de forme massive[15] ».

En Europe du Sud, les paysages ressemblent à ceux déjà notés en Provence et dans le Languedoc, mais avec des traits souvent plus accentués. Au sud de l'Espagne, du Portugal et de l'Italie, la majorité de la population vit dans de grosses bourgades rurales d'où les travailleurs de la terre, à l'époque des grands travaux agricoles, gagnent quotidiennement les zones de cultures. Autour de celles-ci, organisées en champs quadrangulaires généralement non clos, s'étendent des landes et des terrains de pacage qui, d'après une enquête de 1784, englobent les deux tiers du sol de l'Andalousie[16]. Plus au nord, il est vrai, les paysages sont différents et plus contrastés : en Navarre par exemple, on trouve encore le bocage caractéristique de l'Espagne cantabrique, mais au sud de cette province, les fermes se regroupent en hameaux et les clôtures disparaissent[17], ce qui évoque un cadre andalou en miniature.

Les transformations du XVIIIe siècle. Quelques exemples

La formation des paysages ruraux dépend de plusieurs facteurs souvent entremêlés, dont l'énoncé et l'étude sortent de notre sujet. Pour y rester, retenons que les facteurs liés à l'histoire économique, sociale et institutionnelle sont loin d'être négligeables et qu'il est possible d'en saisir certains à l'œuvre lors de la période qui nous intéresse. De fait, si cette dernière n'est marquée par aucun bouleversement dans la morphologie des paysages ruraux, car les formes ci-dessus évoquées existent depuis longtemps, elle voit en revanche l'une d'elle prendre le pas sur d'autres dans plusieurs parties de l'Europe : le bocage (n° 88). Ailleurs, sans qu'on puisse parler véritablement de bocage, on assiste à un mouvement d'édification de clôtures aux dépens de techniques et de pratiques préexistantes. Ces faits sont eux-mêmes des éléments d'une plus vaste évolution, qui concerne non seulement le paysage rural, au sens large, mais aussi les types et les méthodes de culture et d'élevage, l'équipement agricole et les conceptions de la propriété terrienne[18]. Il ne nous appartient évidemment pas d'en parler ;

9. Cf. notamment Fel, 1962, pp. 13-57, et Cavaillès, Paris, 1931.

10. Young, *op. cit.*, pp. 144-145.

11. Meynier, 1957, pp. 55-94.

12. Meynier, 1964, p. 208.

13. Flatrès, 1959, pp. 193-202.

14. Flatrès, 1957, pp. 436-438.

15. Derruau, 1961, p. 201.

16. Defourneaux, 1957, p. 45.

17. Floristan, Lizarraga, Sancho, 1979, pp. 287-296.

18. Cf. la synthèse déjà ancienne mais non remplacée de Bourde, 1967.

on rappellera seulement que les recherches les plus anciennes et les plus fécondes sur ces sujets, renouvelées régulièrement par de nouvelles synthèses, ont également vu le jour en Allemagne[19]. Dans ce pays, parmi d'autres raisons, les enquêtes trouvent un terrain de choix dans un ensemble d'Etats différemment régis, conduits à une politique de reconstruction rurale après les troubles et les dévastations du XVIIe siècle.

L'une des raisons qui expliquent la formation du bocage « noble » est à l'œuvre depuis longtemps dans certains Etats européens de la fin du XVIIIe siècle : une volonté des propriétaires fonciers de soustraire leurs possessions aux servitudes communautaires, entre autres les fameux « droits d'usage », en vue de pratiquer librement les activités les plus rentables — produits du sol et élevage. On pense bien sûr au mouvement des « *enclosures* » en Angleterre, qui commence dès la seconde moitié du XVe siècle[20], mais des opérations de ce type, plus modestes, ont existé aussi ailleurs, en France notamment où le bocage « noble » apparaît dans certaines régions du XVIe au XVIIIe siècle[21]. Cependant, l'action des propriétaires fonciers n'est pas la seule raison de l'embocagement ; des causes moins directement économiques interviennent aussi qui, à l'époque qui nous occupe, relient le processus à l'histoire générale de l'Europe des Lumières et des révolutions.

En effet, la seconde moitié du XVIIIe siècle voit bien une accélération ou une extension du bocage dans certains pays, mais la nouveauté de l'époque réside surtout dans l'intégration de l'« enclos » à l'appareil théorique des spécialistes de l'agriculture, et dans une action des pouvoirs publics en sa faveur. Ces aspects peuvent être liés les uns aux autres et traduisent alors un certain état d'esprit, propre à l'époque : le prince, conseillé par ses sujets « éclairés », décide, fait décider ou approuve des réformes, inspirées par la Raison et le sens du progrès — ces mesures ne préjugent d'ailleurs pas des résultats obtenus. Mais il n'en va pas toujours ainsi, l'idéologie et le fonctionnement des états présentant des différences qui renvoient à l'histoire de chacun d'eux.

L'accélération des *enclosures* en Angleterre (n° 91) s'insère ainsi dans les cadres de la monarchie parlementaire, qui en gère désormais la procédure : les clôtures, généralement faites autour de parcelles remembrées, seront autorisées par un *act* du Parlement. Celui-ci, composé essentiellement de grands propriétaires terriens, en devient le maître. Toutes les catégories de terres sont touchées par le mouvement, aussi bien les openfields que les espaces périphériques, mais surtout les premiers : « de 1727 à 1774, dans 109 paroisses, on a enclos les landes ; dans 273, les terres arables[22] ». Mais les remembrements qui interviennent dans les monarchies scandinaves relèvent d'une toute autre procédure et son inspirés par des motifs différents. Au Danemark, dès 1769 et jusqu'en 1781, en Suède en 1757 et en 1783, c'est le souverain lui-même, monarque quasi absolu, qui les impose. Dans ce dernier pays, où dominent jusqu'alors des openfields laniérés aux maisons serrées dans les villages, le paysage se transforme par regroupement des parcelles : le *storskifte*. Cette évolution se poursuit dans les dernières années du XVIIIe siècle et au début du XIXe siècle[23]. D'une certaine façon, ces décisions relèvent de l'esprit du despotisme éclairé car le souci du bien public et celui du progrès n'en sont pas absents : au Danemark, où le remembrement accompagne d'assez près l'affranchissement des serfs (1788), la modification de la structure agraire et la libération des individus vont ensemble. Par ailleurs, l'influence des propriétaires éclairés apparaît aussi en Suède, le remembrement de la Scanie trouvant son origine dans la décision d'un particulier, en 1785, de procéder au remodelage complet de ses propriétés rurales[24]. Mais la dispersion de l'habitat et l'apparition des clôtures qu'entraînent ces décisions, ne sont pas liées, comme en Angleterre, à l'accaparement de la terre par les gros propriétaires fonciers. Au Danemark et en Suède, le mouvement aboutit plutôt au renforcement de la petite et de la moyenne paysannerie.

C'est aussi sous le règne d'un monarque éclairé, plus tard empereur, que le grand-duché de Toscane adopte en 1778 une politique visant à limiter les droits d'usage. De fait, vers la fin du XVIIIe siècle, les champs clos deviennent dominants dans une bonne partie du *contado* florentin « et dans d'autres secteurs de l'Italie centrale, où prédomine la *cultura promiscua*[25] ». A Venise même, où ne souffle pas particulièrement l'esprit des Lumières mais où les profits de l'agriculture intéressent les praticiens, des mesures prises en 1786 favorisent aussi l'édification des clôtures. Moins systématiques qu'en Angleterre et qu'en Scandinavie, ces transformations n'aboutissent pas à un bouleversement radical du paysage rural, et assurément pas à la formation d'un authentique bocage. En outre, à nouveau, il faut se pencher sur l'histoire particulière de chaque état pour saisir les nuances du mouvement : l'intérêt des nobles vénitiens pour les terres s'explique surtout par le lent déclin commercial et industriel de la Sérénissime tout au long du XVIIIe siècle[26]. Mais à Florence comme à Venise, « les progrès du régime des champs clos dépendent moins des dispositions législatives que de la puissance des nouveaux intérêts capitalistes et du dynamisme dans la transformation des systèmes agraires[27] ». Autrement dit, la marque du pouvoir central apparaît moins dans les transformations du paysage car les bénéficiaires de celles-ci disposent d'institutions suffisamment souples pour les mener à bien, sans que les pouvoirs publics y trouvent ombrage ou sans qu'ils éprouvent la nécessité de les conduire. Cette

---

19. Cf. notamment Abel, 1962.

20. Yelling, 1976.

21. Merle, 1958.

22. Sée, 1921, p. 97.

23. Frödin, pp. 43-49.

24. Jeannin, 1965, p. 57.

25. Sereni, 1961, pp. 243-244.

26. Thiriet, 1969, pp. 119-120.

27. Sereni, 1961, pp. 243-244.

variante apparaît encore en Suisse, où « sous l'influence des physiocrates et à l'initiative de propriétaires terriens dynamiques[28] » la liberté de clore contribua à la transformation du paysage dans les cantons du Moyen-Pays.

La situation en France apparaît contrastée, l'individualisme agraire[29] des grands propriétaires s'appuyant aussi sur des interventions de l'Etat. A côté d'un embocagement « discret », qui trouve son origine dans la réorganisation des campagnes au XVIᵉ siècle, l'affirmation de l'idéologie physiocratique, à partir de 1750, trouve une application par l'encouragement prodigué aux propriétaires d'enclore leurs possessions. Le relais assuré aux idéologues par les sociétés d'agriculture, celle d'Orléans notamment en pays d'openfield laniéré, la plus active, donnent aux premiers une influence non négligeable sur les élites provinciales. L'action de ces personnages, également propriétaires terriens et membres du gouvernement, conduisit à la publication d'une série d'édits, de 1767 à 1777, établissant la liberté de clore dans certaines provinces du Nord-Est et de l'Est, dans les Pyrénées et le piémont pyrénéen, et en Corse. Ces mesures, qui touchaient diverses catégories de terres, eurent des résultats limités. En tant que telles, elles provoquèrent l'opposition des catégories les plus pauvres de la société rurale, menacées d'être dépossédées de leurs droits d'usage, sans pour autant, d'un autre point de vue, répondre à une véritable politique de réforme agraire. Condition *sine qua non* du succès technique des *enclosures* en Angleterre, le remembrement échappa en effet à la législation rurale française de la fin de l'Ancien Régime. Et les assemblées révolutionnaires ne s'en soucièrent d'ailleurs pas plus : « Le remembrement, condition techniquement nécessaire de la liberté de clore et de cultiver, ne fut pas envisagé, personne ne pensa à l'inscrire dans la loi[30]. » Quelques remembrements individuels eurent cependant lieu dans les régions de champs ouverts, en Champagne et en Lorraine notamment, où les propriétaires trouvèrent un terrain favorable dans la pulvérisation du parcellaire laniéré (nᵒ 100). Mais le jeu contradictoire des diverses institutions et des polarisations sociales expliqua un blocage qui eut été incompréhensible de l'autre côté de la Manche : les institutions monarchiques soutinrent les propriétaires terriens, idéologiquement encouragés par les agrophiles, mais les uns et les autres se heurtèrent à la fois à la résistance paysanne et à l'inertie juridico-institutionnelle héritée du système féodal.

Revenons, pour terminer, à Arthur Young. Nous avons employé l'expression bocage « noble » pour désigner le résultat des clôtures effectuées par les gros propriétaires terriens en Angleterre et en France. Cette expression, créée par des géographes[31], s'applique surtout aux conquêtes bocagères françaises du XIXᵉ siècle qui tracent les haies au cordeau autour de champs souvent parfaitement quadrangulaires. Mais en Angleterre, favorisé par les remembrements, ce type de paysage était beaucoup plus répandu qu'en France à la fin du XVIIIᵉ siècle. Ici, dans les régions bocagères, on trouvait surtout des enclos indigènes trapus, souvent éllipsoïdaux et entourant de

petits champs (nᵒ 90). L'exiguïté de ceux-ci était en rapport avec les techniques et les pratiques agricoles autochtones, fort étrangères au bocage anglais connu et vanté par Arthur Young. D'où ses réactions choquées et méprisantes à la vue des campagnes entourant Combourg (Ille-et-Vilaine), le 1ᵉʳ septembre 1787 : « Le pays a un aspect sauvage ; l'agriculture n'est pas plus avancée, du moins pour le savoir-faire, que chez les Hurons, ce qui semble incroyable en un pays de clôture[32]. » Entre Combourg et Rennes, région pourtant assez riche, il s'étonne du « même mélange étrange de désert et de culture[33] », alors que les deux espaces — par *déserts* il faut entendre *landes* — étaient complémentaires dans l'économie paysanne de la région. Les landes fournissaient en large partie la nourriture des animaux, l'engrais pour les terres, et contribuaient de temps à autre à l'extension des espaces cultivés. Cette condamnation est l'effet du choc de deux logiques différentes, difficilement pénétrables l'une à l'autre. D'un côté, un empirisme multiséculaire, s'appuyant sur des expériences éprouvées mais n'ignorant nullement les nouveautés au niveau des espèces cultivées et des innovations techniques, à condition que les unes et les autres fussent compatibles avec les pratiques existantes. De l'autre, un prosélytisme fondé sur des succès récents, et assuré qu'il est encore possible de faire mieux en étant sûr de savoir comment on peut y arriver. Il s'agit bien là d'un trait de mentalité « révolutionnaire », partagé par de nombreux représentants des élites européennes de l'époque. Et ce décalage contribue précisément à expliquer la méfiance éprouvée par de larges couches de la paysannerie à l'égard de certaines innovations, des dernières années de l'Ancien Régime comme de la période révolutionnaire.

Jean-René Trochet

28. Walter, 1984, p. 22.
29. Bloch, 1930.
30. Soboul, 1975, p. 387.
31. Meynier, 1976, pp. 63-64.
32. Young, vol. 1, p. 229.
33. *ibidem*, p. 230.

87

Vue de l'allée d'arbres
de l'ancienne route de Darmstadt
en direction du château de Schönen Busch
près d'Aschaffenburg

par Wilhelm KOBELL

Huile sur toile. H. 0,815 ; l. 1,14.
Historique : commandé en 1786 par le prince-électeur de Mayence, Charles-Frédéric de Erthal, à l'atelier de Ferdinand Kobell ; au château de Mayence jusqu'en 1793 ; transporté par l'armée française à Aschaffenburg, on y trouve trace de sa présence à partir de 1820.
Bibliographie : Feulner, 1929, p. 224 ; Coudenhove-Erthal, 1935, p. 68 ; Wichmann, 1973, p. 53, n° 33 ; Hardtwig, 1978, n° 6544.

Munich, Bayerische Staatsgemäldesammlungen, Galerie Aschaffenburg (inv. 6544).

Le tableau représente le large panorama qui s'étale en direction de l'ouest à partir du château d'Aschaffenburg, résidence d'été des princes-électeurs de Mayence. Le regard traverse le Main et ses rives pour s'arrêter au château de plaisance des princes-électeurs Schönen Busch et aux premiers contreforts de l'Odenwald à l'arrière-plan.

Dans ce paysage de plaine large et ouvert dont on a souligné à juste titre qu'il représentait un tournant pour la peinture de paysage en Allemagne, il y a un côté radical qui réside dans le refus d'une composition pittoresque et d'un sujet « principal » important. Le château à l'arrière-plan n'est pas suffisamment mis en relief pour qu'on puisse parler d'une « vedute » traditionnelle. Les mariniers du Main et les paysans du premier plan ne retiennent pas non plus particulièrement l'attention. Tout ceci a pour effet de donner à cette vue un caractère inhabituel et neutre, comme l'instantané d'un paysage. Seule l'allée de peupliers, qui court verticalement vers l'horizon, constitue un axe précis qui détermine très largement la composition de l'image. D'une part, cette allée est une survivance de la peinture baroque dans la mesure où elle fait converger le paysage environnant vers le centre du château ; mais d'autre part, elle est aussi partie intégrante d'une struc-

ture rigide de l'image. L'horizon relativement plat, les formations de nuages très évocatrices et le fort accent mis sur les effets de lumière momentanés, montrent que les paysages hollandais du XVIIe siècle (voir le tableau de Anthonie vann Borssum, *Blick vom Klever Springberg in die Rheinebe*, Krefeld, Kaiser-Wilhelm-Museum) ont fourni les impulsions nécessaires aux paysagistes modernes.
Cette peinture est la plus marquante du « cycle d'Aschaffenburg », qui comprenait quinze vues et qui avait été commandé en 1786 à Ferdinand Kobell, père de l'artiste, par le prince-électeur de Mayence pour sa résidence de Mayence. L'ensemble de ces perspectives devait donner une grande vision panoramique des environs d'Aschaffenburg tels qu'on les apercevait du château. Une étude à l'huile signée de petit format (Mannheim, Reiss-Museum) montre que cette nouvelle interprétation de l'art paysagiste peut être imputée à Wilhelm Kobell, alors âgé de vingt ans.   R.Sc.

88

Paysage à Jaegerspris

par Jens JUEL

Huile sur toile. H. 0,36 ; L. 0,775.
Inscription : en bas à gauche : « Jens Juel pinxit 1782 ».
Historique : collection Johan .v. Bülow ; acquis en 1904.
Expositions : 1828, Copenhague, n° 75 ; 1964, Stockholm, n° 150 ; 1984-1985, Paris, Grand Palais, n° 90.
Bibliographie : Bramsen, 1935, p. 21, fig. 10 ; Rostrup, 1937, p. 16 ; Poulsen, 1961, p. 29 ; cat. Copenhague, 1970.

Copenhague, Statens Museum for Kunst (inv. 1924).

La peinture reproduit les environs du domaine de Jaegerspris, propriété de la reine douairière Julienne-Marie, non loin de Frederikssund sur l'île de Seeland. Au premier plan, des paysans de leur village se rendent aux champs. On aperçoit, plus loin, le château de Jaegerspris et l'Isefjord. Le paysage en amont du village était

clôturé, de nouvelles exploitations furent mises en place, dans les champs. Le remembrement des terres, décrété au Danemark dans les dernières années du XVIIIe siècle, modifia radicalement le paysage. C'est une vue quelque peu idéalisée qu'offre Jens Juel, décrite avec précision comme par une belle fin d'après-midi d'été. Les paysans semblent heureux, et Jens Juel n'a pas oublié de charmants détails, comme le chat sur le toit, un nid de cigogne sur une ferme et les enfants cueillant des pommes sur un arbre chargé de fruits.
Dans les dernières années du XVIIIe siècle, l'amélioration de l'agriculture était au premier plan des préoccupations de la société danoise. En 1769, le « Landhusholdningsselskabet » (la société d'agriculture) était créé. En 1784, le régent et prince héritier, Frederik VI, nomma une commission agricole, dont les travaux aboutirent à l'abolition du « domicile forcé ». La commission traita d'autres problèmes, tel le servage. Des facilités de prêt furent données aux paysans pour devenir propriétaires de leurs terres. L'objectif du gouvernement était d'offrir aux paysans danois de bonnes conditions de travail, d'accroître la productivité et la richesse du pays et, bien entendu, de créer de bons contribuables.
Grâce à ces mesures, le gouvernement et le prince héritier acquièrent une certaine popularité, ce qui fit croire aux citoyens que des réformes politiques suivraient dans un avenir proche. La Révolution française tempéra, toutefois, la confiance du gouvernement dans le peuple et son désir de lui accorder des droits politiques.   K.Kr.

89

Vue de Goldbach
depuis Aschaffenburg

par Ferdinand KOBELL

Huile sur toile. H. 0,815 ; L. 1,145.
Inscription : en bas à gauche, « F. Kobell f. 1789 ».
Historique : commandé en 1786 par le prince-électeur de Mayence, Charles-Frédéric de Erthal, à l'ate-

---

Paysages réels, paysages rêvés

La vie rurale inspire aux artistes de la seconde moitié du XVIIIe siècle des œuvres dans lesquelles on peut dégager plusieurs courants qui vont parfois se mêler sans s'opposer. L'artiste cherche à transmettre au spectateur sa propre sensibilité à l'aide de dessins exécutés sur place, de pochades ou de tableaux composés selon les traditions d'atelier. Ce qui caractérise le paysage à cette époque c'est que le peintre obéit moins aux théories et aux modèles[1].

L'influence du paysage classique tel qu'il est conçu en Italie et en France au XVIIe siècle reste constant, grâce à la gravure et l'on retrouve chez les artistes du siècle les mêmes ambitions que chez leurs aînés :

le souci de vérité et de vivant est confronté à « une autre esthétique, pour laquelle l'art est d'abord l'incarnation de l'idée, au sens platonicien du terme[2] ». On retrouve toujours le paysage composé par plans successifs plus ou moins contrastés, l'horizon souvent montagneux et bleuté et le goût pour une lumière argentée et dorée. En revanche les bergers antiques se transforment en personnages contemporains, bergers, bûcherons, moissonneurs ou chasseurs, en groupes, travaillant, chantant ou buvant dans cet esprit de sociabilité qui caractérise le XVIIIe siècle. L'œuvre d'Hackert, Allemand travaillant en Italie, s'inscrit dans ce groupe d'œuvres d'esprit classique.

Les œuvres des paysagistes hollandais du XVIIe jouent un rôle important dans l'introduction de la réalité dans l'art du paysage. Tous les artistes européens subissent leur influence de manière très diverse tout en restant personnel. Ils choisissent de peindre des « panoramas » (Juel) dans lesquels le ciel et les effets de lumière prennent une part ▶

1. Exp. : Paris, Grand Palais, 1974-1975, qui présente de nombreuses œuvres en rapport avec le monde rural.
2. Jacques Thuillier, « le Paysage dans la peinture française du XVIIe siècle. De l'imitation de la nature à la rhétorique des « belles idées », *Cahiers de l'Association internationale des études françaises*, mai 1977, n° 29, p. 48

▶ importante, la ville, le village ou la montagne avec ses petites maisons servant d'horizon (Noël). Ils regardent les nuages et leur donnent un rôle équivalent à celui de la nature (Jones ou Debucourt). Les fermes avec ou sans personnages et les moulins à eau sont repris de la Hollande mais là aussi, deux tendances sont perceptibles. La première est liée à l'histoire et au théâtre : la ferme ruinée n'est pas seulement un décor inspiré par le théâtre et mis à la mode par Boucher mais correspond à une réalité, conséquence des destructions subies par la campagne française à la suite de guerres successives (Watteau de Lille)[3]. En revanche l'œuvre de Lépicié s'inscrit dans un mouvement nettement plus réaliste, mais cependant toujours inspiré par la Hollande.

La réalité entre dans l'œuvre de l'artiste par le fait de plusieurs facteurs : tout d'abord grâce à une nouvelle sensibilité de l'artiste vis-à-vis de la nature préparée par de nombreux écrits philosophiques et romanesques[4]. Il n'est plus question comme l'écrit Félibien dans ses *Entretiens* de peindre « des campagnes, des prairies, des animaux & mille autres sortes d'objets, qui n'existent que par des ombres et des lumières, & par le secret d'une science toute divine avec laquelle "le peintre" sait tromper les yeux[5]. » L'amour de la nature n'est plus lié à celui de la solitude mais à celui de la rêverie, seul parfois, mais le plus souvent en campagne[6]. L'artiste cherche à reproduire la nature selon sa propre vision, sa propre sensibilité et ses intérêts intellectuels. La réalité entre aussi dans le paysage grâce à l'illustration de livres techniques à laquelle on demande de représenter la nature, même si l'artiste ne transcrit pas toujours fidèlement cette vérité, les planches de *l'Encyclopédie* en témoignent. La planche qui sert de frontispice au chapitre *Agriculture* a une longue postérité qui aboutit à la *Leçon de labourage* de Vincent ou au dessin de Huet (notons le colombier et surtout le vol d'oiseau, Millet n'est pas loin). Il est certain que les illustrations des livres de Bidet-Rozier jouent un rôle indéniable dans la transformation de la vision de l'artiste du paysage rural. Mention doit être faite de l'illustration littéraire, telle celle de *la Vie de mon père* de Rétif de la Bretonne, qui participe à ce même mouvement. D'autre part la récente exposition *Espace français* souligne également la part prise par la cartographie dans l'art du paysage[7].

La série des *Quatre Heures du jour* de Watteau de Lille est sans doute la synthèse de ces divers mouvements qui donnent à l'art du paysage en Europe une si grande diversité et qui annoncent directement le siècle suivant. On y retrouve, comme dans les cartons de tapisserie de Goya contemporains, l'esprit classique, le réalisme à la hollandaise, le goût de la scène réelle ou du détail juste ; mais une impression théâtrale, à la fois dans le traitement du paysage, la mise en scène des groupes humains et leur costume, se dégage de ces quatre « tableaux ».

Madeleine Pinault

3. *Histoire de la France rurale sous la direction* de Georges Duby et Armand Wallon, t. II, *l'âge classique 1340-1789* par Hugues Neveux, Jean Jacquart et Emmanuel Le Roy Ladurie.

4. Voir par exemple Geoffroy Atkinson, *le Sentiment de la nature et le retour à la vie simple (1690-1740)*, Genève-Paris, 1960.

5. *Entretiens sur les vies et sur les ouvrages des plus excellents peintres anciens et modernes*, cinquième partie, Paris, 1668, p. 315.

6. Jean-François Méjanes, « A Spontaneous Feeling for Nature-French Eighteenth-Century Landascape Drawings », *Old Master Drawings in the Lugt collection at the Institut Neerlandais Paris*, Apollo, novembre 1976, pp. 396-404. Exp. : *Des monts et des eaux. Paysages de 1715 à 1850*, Paris-Galerie Cailleux, 1980-1981 ; Roland-Michel, 1987.

7. Exp. Paris, Archives nationales, 1987-1988.

La Paon, *Un prince labourant*. Sacramento, Croker Art Gallery.

lier de Ferdinand Kobell ; au château de Mayence jusqu'en 1793 ; transporté par l'armée française à Aschaffenburg, on y trouve trace de sa présence à partir de 1820.

Bibliographie : Schmidt, 1922, p. 47, repr. 56 ; Feulner, 1929, p. 224 ; exp. Munich, 1966, p. 11 sq. et p. 42 sq. ; Biedermann, 1973, p. 55, repr. 340 ; Hardtwig, 1978, p. 189, n° 6546 ; voir aussi les références sous le n° 87.

Munich, Bayerische Staatsgemäldesammlungen, neue Pinakothek (inv. 6546).

Il s'agit là du paysage que l'on voit depuis Aschaffenburg en direction du nord-est, vers le village de Golbach et les premières collines du Spessart. Le village est niché au milieu d'un décor rustique avec un paysage d'arbres idyllique qui, grâce à un habile travail de lumières, se déroule en plusieurs plans vers le fond du tableau. Contrairement à la *Vue de l'allée* qui appartient au même cycle, le paysage est limité, y compris sur les côtés, par des éléments qui l'encadrent, il forme un microcosme fermé sur lui-même. Ce paysage d'ambiance préromantique est lui aussi inspiré par la peinture des paysagistes hollandais du XVIIᵉ siècle.

Cependant, on peut essayer d'y reconnaître un paysage organisé. Au plan moyen, devant les collines, l'étendue plate semble être un openfield dont les différentes teintes pourraient indiquer l'assolement organisé. Par ailleurs, la présence de bovins paissant dans un pré situé à proximité du village n'a rien d'invraisemblable. Dans les pays d'openfields, les animaux bénéficiaient souvent d'espaces séparés, situés dans les endroits les plus humides du finage. De même, la couronne forestière qui couvre la plus grande partie des collines est assez logiquement à sa place sur la zone la plus inaccessible aux labours. Il resterait à interpréter les espaces coupés par des lignes d'arbres qui parcourent les autres collines.   R.Sc. et J.-R.T.

90
Fragment de paysage de bocage (Brest)

Maquette bois. Ech. 1/600. H. 0,20 ; L. 2,18 ; l. 1,79.
Paris, musée des Plans-Reliefs (inv. 13.3).

Ce paysage renseigne à la fois sur la taille et la forme des champs, la confection des talus bocagers et la constitution des haies vives.

Pour faire un talus (*fossé* en Bretagne), on creusait d'abord une tranchée (*douve* en Bretagne) dont on gardait la terre (*ejet* ou *ajet* dans le Bas-Maine) qui allait ensuite constituer la partie haute du talus. Une fois installée, on disposait sur celle-ci des bandes de gazon découpées (*places* dans le Bas-Maine) et on plantait une végétation variée : arbres de haute tige ou arbustes. Cette disposition se nommait *haie de terre*, et se distinguait de la haie sans talus appelée simplement *haie*. Dans l'ouest de la Bretagne, à côté des haies vives, les champs étaient clos par des murs, composés souvent de pierres plates (presqu'île de Crozon, Ouessant).   J.-R.T.

91
Vue de Penkerrig

par Thomas JONES

Huile sur papier. H. 0,23 ; L. 0,305.
Historique : resté dans la famille de l'artiste, vente Londres, Christies, le 2 juillet 1954, n° 218 ; acquis de Colnaghi.
Expositions : 1957, Londres, n° 45 ; 1968, Detroit, n° 71 ; 1970, Twickenham, n° 4 ; 1976, Hambourg, n° 275 ; 1973, Londres, n° 95 ; 1975, Milan, n° 53.
Bibliographie : Mémoir of Thomas Jones, 1946-1948, p. 27 ; Hermann, 1973, p. 66 ; Smith, 1983, pp. 143-152 ; Gowing, pp. 10-18, repr. p. 19.

Birmingham, Museum and Art Gallery (inv. P56'54).

Thomas Jones fut l'élève du paysagiste Richard Wilson. Il lui fut présenté en 1763 et nota plus tard dans ses *Mémoires* : «J'étais complètement aveugle aux Beautés exceptionnelles du grand Maître — et je jugeai ses toiles de piètres ébauches en cours d'élaboration.» Aucun croquis de paysages à l'huile n'a été retrouvé, mais les œuvres définitives de Wilson témoignent d'une recherche d'effets d'atmosphère naturelle sous l'influence de Claude Lorrain. Thomas Jones, en revanche, nous a laissé de nombreuses ébauches de paysages à l'huile. Il s'agit sans doute de notes personnelles non destinées à des compositions d'atelier. Penkerrig, dans le Radnorshire, pays de Galles, était la propriété familiale de Jones. «Rencontré mon frère aîné, John, à Abergavenny, il nous a accompagnés jusqu'à Brecon et *Penkerrig* où nous arrivâmes le 30 [juillet 1772]... Ai fait beaucoup d'études à l'huile sur papier.» (*Mémoires*). Cette étude pourrait donc être datée de 1772.   C.B.-O.

92
Vue de la côte du Dorset, près de Lulworth Cove

par Thomas GIRTIN

Aquarelle et crayon. H. 0,38 ; L. 0,28.
Historique : collection E. Chen ; E. Pouter ; A.A. Allen ; vente Sotheby's, le 4 avril 1935 ; acquis par la Leeds City Art Gallery (Garding Fund).
Expositions : 1798, Londres, Royal Academy, n° 342 ; 1937, Londres, n° 97, comme lac Nemi ; 1951, Arts Council of Great Britain, n° 80 ; 1951-1952, Londres, Royal Academy, n° 480 ; 1953, Londres, n° 34 ; 1959, Arts Council of Great Britain, n° 720 ; 1960, Londres, n° 66 ; 1962, New York ; 1975, Manchester ; Londres, n° 38.

Leeds, City Art Galleries (inv. 16/35).

Thomas Girtin ne vécut que jusqu'à l'âge de 27 ans. Il a pourtant été, avec J.R. Cozens, J.S. Cotman et J.M. Turner, l'un des plus grands à pratiquer une technique dans laquelle les Anglais excellent : le paysage à l'aquarelle. Girtin et Turner étaient contemporains et amis. En 1793, ils allaient faire des croquis ensemble, tous deux élèves à l'«académie» du Dr. Munro,

---

à Londres, un lieu où les jeunes artistes apprenaient à peindre suivant les conseils de ce gentilhomme amateur. Turner abandonna vite la technique classique de l'aquarelle pour chercher ses effets à l'aide d'éponges, de chiffons, travailler la couleur au couteau à palette. Les innovations de Girtin n'étaient pas aussi révolutionnaires.

Il se contentait d'utiliser un papier fort, absorbant, légèrement teinté, sur lequel il superposait les couleurs par larges lavis encore humides, rompant ainsi avec la tradition de la couche de base monochrome. La maîtrise à laquelle il parvint suscita chez Turner cette remarque amère : «Si Girtin avait vécu, je serais mort de faim.»

La localisation de cette vue comme étant la côte du Dorset doit encore être confirmée. Cependant, Girtin fit des esquisses dans le sud-ouest de l'Angleterre en 1797 et l'année suivante produisit une série de paysages côtiers fondés sur ses études, parmi lesquelles se trouve l'aquarelle présentée.   C.B.-O.

93
Vue d'Avezzano

par Jean-Joseph-Xavier BIDAULD

Huile sur toile. H. 0,370 ; L. 0,490.
Inscription : en bas à gauche, «Jph Bidauld 1789».
Au dos : «Vue de la ville d'Avezzano et du lac de Celano. Rion de Naples 1789».
Historique : vente posthume des études peintes de Bidauld, Paris, 25-26 mars 1847, n° 49. Acquis à cette vente par Louis-Philippe.
Expositions : 1978, Carpentras-Anger-Cherbourg, n° 10 ; 1980-1981, Sydney-Melbourne, n° 2.
Bibliographie : Cat. Louvre, 1972, p. 32 ; Gutwirth, 1977 ; Exp., Beauvais, 1980, sous n° 3 ; Compin-Roquebert, A-K, 1986, p. 61, repr.

Paris, musée du Louvre, département des Peintures (INV. 2601).

Bidauld est avec Pierre-Henri de Valenciennes (1750-1819) le principal représentant du paysage néoclassique. Il travaille d'abord en Provence, puis, dès 1783, fait un séjour à Paris, où il rencontre Joseph Vernet, qui a sur lui une grande influence. Il voyage ensuite en Italie de 1785 à 1790 : il exécute alors de nombreux dessins (album factice, musée de Carpentras ; Angers) qui lui servent par la suite à concevoir de grands paysages composés dans la tradition du paysage classique, inspiré par Claude, dans lesquels Bidauld mêle réalité et imaginaire. L'influence des artistes anglais, tel Cozens, travaillant en Italie, se fait également sentir. Il est aussi l'un des premiers artistes à peindre en plein-air. Le tableau du Louvre peut être considéré comme l'esquisse d'une œuvre de plus grandes dimensions sur le même site qu'expose Bidauld au Salon de 1793 (non localisée). Il est très représentatif de la manière de faire de l'artiste durant les cinq ans qu'il passe en Italie : on y retrouve, comme dans plusieurs tableaux répertoriés (Beauvais, Boston, Detroit) et la *Vue prise de Subiaco près de Rome* également

Vue de l'ancienne route de Darmstadt près d'Aschaffenburg (cat. 87).

Vue de Goldbach depuis Aschaffenburg (cat. 89).

Paysage à Jaegerspris (cat. 88).

de Penkerrig (cat. 91).

Vue de la côte du Dorset, près de Lulworth cove (cat. 92).

Fragment de paysage de bocage, Brest (cat. 90).

Vue d'Avezzano (cat. 93).

Vue de la lagune de Valence (cat. 94).

La Route du marché (cat. 97).

Vue de Sintra (cat. 95).

Le Départ du convoi (cat. 96).

Cour de ferme (cat. 98).

au Louvre (Inv. 2600), le goût pour les jeux d'ombres et de lumières, un dégradé de couleurs subtil, un métier lisse et méticuleux. Bidauld peint ce site comme le font de nombreux artistes topographes, c'est-à-dire en panorama. Il joue avec les lignes diagonales des montagnes et le premier plan horizontal rythmé par les toits des églises et des maisons, et les arbres qu'il représente un peu en contrebas pour donner plus de relief aux montagnes. Bidauld exécute à la suite d'un prix d'encouragement décerné en 1792 une *Vue de l'île de Sora dans le royaume de Naples* (Louvre, Inv. 2588). Parallèlement à cette vision lumineuse de la nature, Bidauld peint de nombreux paysages historiques dans lesquels il inclut des personnages peints par d'autres artistes, Carle Vernet, Boilly ou son beau-frère Lethière.

M.Pi.

94
Vue de la lagune de Valence

par Antonio CARNICERO

Huile sur toile. H. 0,64 ; L. 0,85.
Exposition : 1987, Tokyo-Amagasaki-Fukushima, n° 22, p. 99.
Bibliographie : Madrazo, 1872, n° 686, p. 374 ; Madrazo, 1920, n° 640, p. 129.

Madrid, musée du Prado (inv. 640).

Ce paysage animé est tout à fait représentatif de la peinture de genre narrative dont Carnicero s'était fait une spécialité.
L'artiste nous montre ici une vue de la lagune de Valence ou « albufera de Valencia », animée de groupes de personnages se promenant au bord de l'eau où quelques felouques sont amarrées.
Les tableaux d'Antonio Carnicero, toujours très descriptifs des façons de vivre de son époque et de son pays, présentent un intérêt documentaire évident malgré, parfois, une certaine sécheresse d'exécution. B.Ga.

95
Vue de Sintra

par Alexandre JEAN-NOËL

Huile sur toile. H. 0,700 ; L. 1,070.
Inscription : « Noël J ».
Exposition : 1987, Queluz, n° 364.

Sintra, Palacio de Seteais.

Le tableau représente une vue panoramique de Sintra, où l'on voit le palais royal et plusieurs demeures aristocratiques (palais de Seteais, des marquis de Marialva ; quinta da Penha Verde, de D. Joao de Castro, quatrième viceroi de l'Inde ; quinta de Montserrate, et quinta du duc de Cadaval). Sintra est une très belle région des environs de Lisbonne, où les familles de la noblesse et de la grande bourgeoisie

aimaient passer des périodes de vacances et mener une vie de société particulièrement active. M.H.C.d.S. et A.M.-D.S.

96
Le Départ du convoi

par Jean DUPLESSI-BERTAUX

Huile sur bois. H. 0,530 ; L. 0,655.
Inscription : en bas à droite : « D. Bertaux ».
Historique : legs Lucie Macquart-Barbier, 1970.
Bibliographie : Compin-Roquebert, 1986, t. I, p. 239, repr.

Paris, musée du Louvre, département des Peintures (RF 1970-45).

Cette œuvre est donnée à Jean Duplessi-Bertaux, élève de Vien, plus connu pour ses gravures dont les *Tableaux historiques de la Révolution française*, et de la *Campagne d'Italie*. Il a peu peint : l'œuvre exposée montre un convoi sortant de l'auberge, le cavalier est vêtu à la mode du XVIIᵉ siècle ; les autres membres du convoi portent des cuirasses. Le caractère hollandais de ce tableau est fortement marqué dans la composition comme dans le coloris et la lumière. Il s'agit ici d'une reconstitution d'une scène « à la hollandaise » inspirée des tableaux de Wouwermans, très en vogue à la fin du XVIIIᵉ et au début du XIXᵉ siècle dont plusieurs peintres comme Michel Hamon-Duplessi (?—?), Jean-Louis Demarne (1752-1829), Jacques-François Swebach (1769-1823) et Nicolas-Antoine Taünay (1755-1830) se font une spécialité (Exp. Paris, Grand Palais, 1974). M.Pi.

97
La Route du marché

par Louis-Philibert DEBUCOURT

Huile sur toile. H. 0,230 ; L. 0,260.
Historique : vente G. Mülbacher, Paris galerie Georges Petit, 13-15 mai 1907, n° 14 ; Adrien Chevallier, legs en 1908 sous réserve d'usufruit en faveur de sa femme ; entré au Louvre en 1930.
Expositions : 1920, Paris, Arts décoratifs, n° XXII, repr. ; 1960, Paris, Louvre, n° 588 ; 1964-1965, États-Unis - Canada, n° 3.
Bibliographie : cat Louvre 1972, p. 120 ; Rosenberg-Reynaud - Compin, 1974 ; Compin-Roquebert, t. I, 1986, p. 189.

Paris, musée du Louvre, département des Peintures (inv. R F 1937).

Élève de Vien, Debucourt est agréé à l'Académie royale de peinture en 1781. Il exécute jusqu'en 1785, date à laquelle il se consacre surtout à la gravure, des tableaux de genre à la « flamande » et à la « hollandaise », très proches des œuvres de Berckheyde et de Van der Heyden, d'autant plus proches qu'ils sont exécutés sur bois. Le musée du Louvre possède

de lui dans cet esprit, provenant de la donation Lyon, un panneau représentant des *Villageois et Cavaliers regardant la pantomine* (Inv. RF 1961-37). *La Route du marché* procède plus du paysage que de la scène de genre. Le ciel nuageux occupe les trois quarts du panneau. La campagne est peu vallonnée et traversée par un cours d'eau ; les villageois se reposent. Plusieurs œuvres se rapprochent du tableau du Louvre : *Les Amoureux en voyage* (1810), Goncourt signale dans la vente du sculpteur Dumont (Paris, 4 février 1793) *Deux Paysages avec voyageurs,* un *Chariot d'un villageois* passe à la vente de la comtesse de *** (Paris, 11-12 mai 1840).
Toujours dans l'esprit des peintres urbanistes hollandais, Debucourt exécute une peinture représentant la *Fête aux Halles donnée en 1782* à l'occasion de la naissance du dauphin (Wilhem, 1951). M.Pi.

98
Cour de ferme

par Nicolas-Bernard LEPICIÉ

Huile sur toile. H. 0,64 ; L. 0,77.
Inscription : en haut à gauche, sur le haut du mur : « NB LEPICIE, 1784. »
Historique : saisie révolutionnaire de la coll. du duc de Chalons.
Bibliographie : Compin-Roquebert, 1986, t. IV, p. 50.

Paris, musée du Louvre, département des Peintures (INV. 6209).

Lepicié a peint ici une grande ferme, peut-être à cour fermée et probablement de la région parisienne. Les bâtiments sont assez clairement identifiables : à gauche, un colombier qui indiquerait qu'il s'agit d'une ferme seigneuriale ; au centre, une grange, reconnaissable à sa grande hauteur de comble et à la présence d'une porte charretière hors œuvre ; à droite, un bâtiment dont les locaux du premier étage servaient des lieux de stockage du grain et sans doute d'étable au rez-de-chaussée. Le bâtiment d'habitation est hors du tableau ainsi que l'éventuel quatrième côté qui pourrait être constitué, outre l'entrée charretière et piétonne, par un hangar ou un autre local de stabulation. En Ile-de-France, certaines de ces grandes unités d'exploitation remontaient — et remontent encore — au XVIᵉ siècle. On comparera celle-ci avec une ferme décrite à Wissous (Essonne) en 1600 : « Une ferme contenant maison manable de deux travées de long sur le devant, appliquée en une chambre basse et letterie, en laquelle y a four à cuire, chambre et garde-robbe, gallerie et fosse à privez au bout d'icelle, grenier au-dessus ; quatre autres petites travées de maison où soulloit avoir pressoir et foulerie avec tour volière au-dessus du portail de la grange, le tout couvert de thuille ; trois travées de petite maison joignant à deux espasses où soulloit avoir au lieu d'icelle, four à cuire pain ; cinq travées de grange, cave au dessous d'icelle... ; cinq travées d'estables à

Le Matin (cat. 99).

moutons, chevaux et vaches et quatre petittes estables à pourceaulx... grande cour au milieu desdits lieux, en laquelle y a puits à eau, grand jardin derrière et à costé joignant ladite grange, le tout cloz de murs. » (Jacquart, 1974, p. 342, note 35).   J.R.T.

99
Le Matin

par Louis Joseph WATTEAU dit WATTEAU DE LILLE

Huile sur toile. H. 0,650 ; L. 0,840.
Inscription : vers la droite : « L. Watteau 1774 ».
Historique : peint pour l'abbaye de Crespin, ou du moins son prieur, Dom Spildooren ; saisie révolutionnaire chez son beau-frère M. d'Orgeville.
Expositions : Lille, 1774, n° 12 ; Valenciennes, 1825, n° 11, 1828, n° 14 ; 1829, n° 14 ; 1832, n° 12, Paris, Petit Palais, 1925 ; Calais, Arras, Douai, Lille, 1975-1976, n° 70 ; Valenciennes, 1986, n° 96.
Bibliographie : cat. musée 1839 à 1931, n° 608 ; Marmottan, 1889, pp. 28 et 56 ; Mabille de Poncheville, 1928, cat. n° 1 ; id. 1928/2, pp. 6-7 ; id. 1929, p. 110, repr. ; 1958, p. 54 ; Marcus, 1976, n° 7, p. 25, repr.

Valenciennes, musée des Beaux-Arts (inv. P 46.1.35).

Ce tableau fait partie d'un groupe de quatre toiles, datées 1771, comprenant, outre le *Matin*, le *Midi, Vespres* et le *Soir*, et très significatives du goût pour le paysage recomposé où se mêlent souvenirs italianisants et nordiques. Ce tableau se rapproche des pastorales fantaisistes de Boucher mais l'influence de Vernet se fait sentir dans le choix d'une lumière dorée, d'arbres tronqués aux fines branches. On voit le départ pour le marché d'une famille qui quitte par un petit matin ensoleillé la ferme en ruine. Il ne s'agit pas ici seulement d'un goût des peintres pour la ruine mais d'une réalité, beaucoup de fermes étant ruinées depuis le XVIIe siècle. La production à vendre au marché est installée dans une brouette tirée par de gros chiens. La laitière tenant un enfant monte a cheval. Les personnages sont assez réalistes bien qu'habillés d'une manière trop brillante ; on sait qu'à cette époque la couleur dominante du vêtement paysan est le brun ou le mauvais bleu (« bleu couleur terre » cat. Exp. Marseille, 1987, p. 238). Le berger campé fièrement à droite est plus proche des citadins que des paysans. Une certaine opulence contraire sans doute à la véritable condition des paysans se dégage de ce tableau. Le deuxième tableau de la série est consacré au *Midi*, symbolisé par *Le Repos des moissonneurs* ; à l'arrière-plan, le peintre représente, à la manière hollandaise, une très belle plaine ; le troisième *Vespres*, avec l'orage qui vient, son ciel noir et le coup de vent, thèmes maintes fois repris à la fin du siècle par de nombreux artistes. La dernière peinture représente le retour à la ferme, le *Soir* et, de tout l'ensemble, c'est sans doute celle qui se rapproche le plus des scènes de théâtre. Watteau de Lille reprend plusieurs fois ces thèmes campagnards : musiciens, savoyards et marmottes, départs de conscrits, fiançailles, dans des œuvres conservées dans des collections particulières ou dans des musées (Lille, Tournai, Valenciennes).   M.Pi.

AUTOUR DE LA MAISON RURALE

LA MAISON rurale est le résultat de facteurs nombreux et variés, dont l'importance respective peut différer en fonction des régions et des époques. A la fin du XVIIIᵉ siècle, les commentaires des voyageurs expriment cette complexité, souvent involontairement, par référence plus ou moins explicite à un modèle ou à une expérience personnelle. Ainsi, Arthur Young est parfois sensible à certains aspects des maisons françaises, souvent les plus mauvais : quittant la Normandie à Pontorson, il est frappé par l'absence de fenêtres dans les maisons en terre des premières villes bretonnes, ce qui semble vouloir dire avant tout qu'il a vu ailleurs des maisons rurales pourvues de fenêtres. En Sologne à l'inverse, il se montre plutôt enjoué devant « les maisons et les cottages de bois avec des revêtements d'argile et de briques ; les toits non en ardoises, mais en tuiles, avec des greniers planchéiés comme dans le Suffok [34] ». Et dans le Quercy, tout en regrettant cette fois l'absence de vitres aux fenêtres, il passe cependant « près de cottages excessivement bien construits, en pierre, avec des ardoises ou des tuiles [35] ».

On ne doit pas attendre de ces notations, ni de celles d'autres voyageurs, qu'elles nous fournissent une source suffisante pour l'analyse des maisons rurales françaises de la fin du XVIIIᵉ siècle. Elles seraient plus précises qu'une série d'études ethnographiques, régionalement circonscrites et étayées par un judicieux dépouillement d'archives, s'imposerait encore : pour l'étude des matériaux et des techniques de construction, de la destination des bâtiments, et des coutumes diverses expliquant certains détails de la construction et de l'organisation des maisons. Dans l'ensemble en effet, avec de nombreuses variations suivant les régions, l'héritage des siècles passés reste encore reconnaissable aujourd'hui sur les façades et dans l'organisation d'assez nombreuses maisons rurales. En outre, la transmission par les folkloristes et des ethnographes de pratiques et de coutumes relatives aux maisons, depuis le milieu du XIXᵉ siècle jusqu'à nos jours, apporte des informations qui renvoient souvent à des époques antérieures. Car les destinées de l'habitat rural ne sont pas semblables à celles du paysage ; la situation est plus contrastée, voire contradictoire. De nouvelles formes apparaissent dans le courant du XVIIIᵉ siècle, qui ne seront pleinement productives qu'au siècle suivant. A l'inverse, des formes antérieures à celui-là poursuivent une carrière récessive au XIXᵉ siècle, et certaines ne disparaîtront qu'au XXᵉ siècle. Autrement dit, le XVIIIᵉ siècle est déjà une période de mélange, où une réelle innovation côtoie un archaïsme pluriséculaire, et cette situation durera encore.

L'ampleur de la matière comme l'inégale représentation géographique des études interdisent bien sûr de brosser un tableau exhaustif des maisons rurales françaises à cette époque. On se contentera donc, guidé à nouveau par Arthur Young, d'effectuer un sondage dans les trois régions dont il parle ci-dessus : opportunément, elles présentent une diversité suffisante pour qu'on puisse évoquer à travers elles quelques aspects et problèmes concernant l'habitat rural.

Bretagne, Sologne, Quercy

Les remarques d'Arthur Young sur les matériaux de construction sont encore actuellement vérifiables dans chacune de ces régions : les maisons en terre restent nombreuses autour de Combourg, celles à colombage parsèment toujours la Sologne, et l'architecture rurale en pierres continue à dominer dans le Quercy. Ces trois modes de construction des murs étaient les plus répandus, mais non les seuls, dans la France rurale de l'époque, et leur emploi respectif dépendait à la fois de conditions générales et de conditions propres à chaque région.

Dans les environs de Combourg, c'est la présence d'une importance couche de décomposition des schistes briovériens, donnant une argile plus ou moins fine à faible profondeur, qui constituait la condition *naturelle* de la construction des maisons en terre. Mais cette condition aurait peut-être moins compté sans l'existence d'une autre, très différente : la sévère réglementation de l'accès au bois d'œuvre pour les paysans, non seulement dans les forêts, mais aussi sur les talus bocagers plantés d'arbres dont les propriétaires se réservaient généralement les fûts [36]. L'utilisation du bois d'œuvre étant plus rentable pour des ouvrages autres que les maisons rurales, notamment au XVIIIᵉ siècle la construction navale [37], les paysans bretons de cette époque devaient composer avec cette absence relative et réservaient essentiellement le bois d'œuvre à la charpente. En outre, des conditions socio-économiques particulières contribuent peut-être aussi à expliquer la situation : présence de nombreux petits paysans propriétaires [38], auxquels

---

34. *ibidem*, p. 92.

35. *ibidem*, p. 103.

36. Au XIXᵉ et au début du XXᵉ s., dans certaines zones de la Haute-Bretagne, on continuait à appeler « branche du noble » le fût de l'arbre, des branches duquel les exploitants pouvaient disposer à intervalles réguliers. Cf. Buffet, 1954, p. 114.

37. *Histoire de la Bretagne*, 1969, p. 130.

38. Sée, 1906, pp. 66-76.

il suffisait de dégager la couche de terre végétale située près de leurs maisons, projetées ou existantes, pour obtenir la matière première de la construction ; présence aussi d'un bon nombre de gentilhommes peu fortunés[39], propriétaires de quelques exploitations tenues en fermage ou en métayage, dont ils devaient assurer les réparations les plus grosses. Enfin, d'un point de vue plus positif, la construction en terre s'intégrait dans les réseaux d'entraide socio-familiaux, fournissant une occasion de retrouvailles et de rencontres, mi-laborieuses mi-festives, qui entretenaient et préparaient les alliances[40].

En Sologne, la terre n'était nullement absente de la construction rurale ; mêlée de paille et de bruyère, elle formait le torchis dont on remplissait les intervalles entre les pièces de bois constituant l'ossature des maisons. Mais la prépondérance du pan de bois dans la construction n'est pas facile à expliquer, car les conditions d'accès au bois étaient à peu près aussi réglementées ici qu'en Bretagne. B. Edeine pense que le bois fut fourni gratuitement par le concessionnaire à l'exploitant dès le XVe siècle, lors de la période de reconstruction qui suivit la guerre de Cent Ans[41] ; mais l'information ne semble pas confirmée par l'étude des textes de l'époque[42]. Au siècle suivant en revanche, le développement de la grande propriété terrienne, qui se poursuit jusqu'au XVIIIe siècle, fournit peut-être une piste plus sûre : à Sennely-en-Sologne, G. Bouchard a étudié la création de grands domaines donnés en métayage ou en fermage, et dont l'extension réduit considérablement la propriété paysanne[43]. Et cette évolution n'est peut-être pas sans incidences sur les progrès de la technique de construction, sensibles au XVIIIe siècle[44], encore que les victimes en furent les paysans, principaux utilisateurs des maisons à colombage. Il y a là un petit mystère d'ethno-histoire solognote, dont la solution se trouve sans doute du côté du couvert forestier, beaucoup plus important ici qu'en Bretagne. Ainsi, sans qu'il le sache, le jugement partiellement favorable qu'émet A. Young sur la Sologne s'appuie finalement sur une évolution du type de celle qui conduisit aux *enclosures* en Angleterre.

Dans la partie du Haut-Quercy qu'il traverse le 10 juin 1787, notre voyageur s'extasie — une fois n'est pas coutume — sur la qualité de la construction des maisons qu'il croise en chemin. Les matériaux interviennent d'ailleurs fortement dans ce jugement, car il s'attache particulièrement à leur diversité. En effet, le Haut-Quercy est une région pauvre en forêts où le sous-sol est principalement calcaire : l'extraction d'une terre

utile à la construction, autrement que pour servir de mortier, s'y trouve moins facile que dans les régions précédentes et le pan de bois, bien qu'il ne soit pas absent, est rare. Principal matériau de construction des murs, la pierre était également utilisée pour la toiture, soit seule, soit en composition avec les tuiles plates. Dans ce cas, elle formait les rangées inférieures du toit[45], solidement appuyées sur les murs et rejetant l'eau loin de leurs bords. C'est en effet la variété des matériaux de couverture qui retient surtout l'attention de Young, comme elle retient encore celle des voyageurs actuels. La tuile plate est produite localement et la présence de l'ardoise, qui semble cependant avoir été rare sous l'Ancien Régime, due à la proximité des formations métamorphiques du Massif central. Mais il n'est pas impossible que ces conditions d'ensemble aient trouvé un stimulant dans l'état social et économique de la contrée, fort différent de celui de la Sologne. Le Quercy était une région où la grande propriété était peu représentée et où on trouvait au contraire un assez grand nombre de paysans propriétaires[46]. De fait, la lecture de certains documents d'archives montre que les principaux éléments de la maison paysanne traditionnelle étaient présents dès la fin du XVIIIe siècle[47].

Au niveau de l'aménagement et des fonctions de la maison, les trois régions présentaient des caractéristiques qui sont encore visibles de nos jours. Le Quercy et la Haute-Bretagne avaient en commun la coutume du battage des céréales en été, après la moisson, mais les Solognots reportaient l'opération au courant de l'hiver. Dans le premier cas, une aire à battre découverte était régulièrement entretenue à proximité de la maison, alors qu'en Sologne la conservation des gerbes longtemps après la récolte nécessitait l'édification d'une grange, dont le rez-de-chaussée abritait l'aire à battre. Cet édifice, le plus important de la ferme, était également construit à pans de bois, ce qui pesait d'un poids non négligeable dans le coût total des bâtiments. A l'inverse, tandis qu'autour de Combourg l'étable et le logis humain ne formaient bien souvent qu'une même unité, dans les exploitations solognotes et quercynoises les gros animaux étaient abrités dans des locaux indépendants du bâtiment d'habitation.

Une ferme moyenne de Sologne comportait donc davantage de bâtiments qu'une ferme du Haut-Quercy et davantage encore qu'une ferme de Haute-Bretagne d'importance comparable. Ces caractéristiques plongent leurs origines dans l'histoire et l'ethnologie de chacune de ces régions, tout comme la disposition des différents locaux les uns par rapport aux autres : dans le Quercy, l'habitation se situait au second niveau, au-dessus de la cave et en dessous du grenier. Cette « maison en hauteur » s'opposait autant à la *métairie* solognote, dont le bâtiment d'habitation formait une unité distincte qui articulait toutes les autres (n° 101), qu'à la *métairie* des environs de Combourg composée le plus souvent d'un seul bâtiment principal, polyvalent. Cependant, malgré leurs différences, ces trois modèles se retrouvaient au moins sur un point : ils étaient généralement pourvus d'une cour ouverte permettant de passer

39. Meyer, 1966, pp. 18-27.

40. Le Couédic et Trochet, 1985, pp. 45, 61-62.

41. Edeine, 1974, p. 261.

42. Du moins aucune mention dans Guérin, 1960, pp. 244-248.

43. Bouchard, 1972, pp. 134-139.

44. Edeine, *op. cit.*, p. 261.

45. Cayla, 1973, p. 35.

46. Sol, 1971, p. 33.

47. Doumerc, 1981, pp. 36-37.

d'un bâtiment à un autre ou de se rendre à une aire de travail ou de stockage, aire à battre, meule de foin, pailler, etc. En cela, ils se différenciaient globalement de deux autres modes d'organisation des maisons paysannes répandus en France : la maison à cour fermée et la maison sans cour.

Autres dispositions

Les grosses fermes de la région parisienne et les *censes* de la Flandre française comptaient parfois autant de bâtiments qu'une *métairie* solognote, mais ils étaient jointifs, le quatrième côté étant formé, le cas échéant, par un mur. Un aperçu de cette disposition apparaît dans le tableau de Lépicié, daté 1787 : *Intérieur d'une cour de ferme* (n° 98). Entre cour ouverte et cour fermée d'ailleurs, il semble que la différence ait parfois buté sur des oppositions ethniques : en face de la *cense* de la Flandre française, de l'autre côté de la frontière linguistique, se dressait l'*Hofstede* de la Flandre flamande, assez proche de la *métairie* solognote.

A l'opposé, des régions aussi différentes que la Lorraine et la Provence possédaient en commun que la majorité ou un certain nombre de leurs maisons étaient dépourvues de cour. Dans la première, intégré dans une parcelle et disposant le plus souvent d'une façade en mur gouttereau sur rue, un unique bâtiment à travées abritait au rez-de-chaussée les hommes, les animaux, le véhicule et l'aire à battre ; à l'étage les récoltes. Il n'était pas question de déborder sur la parcelle voisine, qui appartenait à un autre propriétaire (n° 100), et seul un espace limité, situé entre la façade et la rue, permettait l'évacuation du fumier et le stockage de la réserve de bois. La plupart des fermes se groupaient le long d'une ou deux rues, souvent parfaitement droites et se coupant à angle droit[48]. Dans la Provence des villages, les petites et les moyennes fermes étaient également regroupées au sein d'une agglomération plus ou moins importante, mais dans des conditions bien peu semblables. Disposée, comme dans le Quercy, sur trois niveaux ou plus, la maison présentait une répartition strictement horizontale, contrairement à la maison lorraine : un niveau pour les animaux, un autre pour les hommes, un troisième pour les récoltes. En cas de partage, un mur de refend était parfois pratiqué sur toute la hauteur pour séparer les foyers[49]. Enfin, *l'agroville* provençale était un village-tas, souvent parcouru d'étroites ruelles, ce dont le plan de la maison devait parfois tenir compte[50].

Toutes ces dispositions, qui représentent une partie de celles qui étaient connues dans la France de la fin du XVIIIᵉ siècle, n'étaient pas toujours exclusives d'une région ou d'une autre. A leurs marges, elles pouvaient laisser place à d'autres, qui représentaient éventuellement un modèle plus répandu ailleurs. Ainsi, la *bastide* provençale et la grosse ferme lorraine en *bordure du ban* étaient l'une et l'autre pourvues d'une cour, souvent fermée, et le *manoir* breton possédait le plus souvent un corps de logis individualisé, qui le distinguait nettement de la ferme courante. A l'autre bout, on rencontrait encore un infra-habitat composé de cabanes, de huttes de branchages, qui était non seulement le logis des forestiers : charbonniers, cerclers, bûcherons, sabotiers... mais aussi celui des paysans sans terre vivant péniblement de quelques animaux et d'un coin de *communal*, défriché de temps en temps. En Bretagne, les derniers témoins de ce mode de vie archaïque ont disparu autour de la Seconde Guerre mondiale.

Les matériaux, techniques et modes d'organisation non exhaustivement passés en revue ci-dessus se rencontraient dans une grande partie de l'Europe d'alors. En rapprochant la maison solognote de celle du Suffolk, Arthur Young établit un lien qu'on pouvait retrouver dans de nombreux autres cas. La disposition notée en Bretagne, regroupant hommes et animaux sous le même toit, et quelquefois dans le même espace d'une maison de petite dimension, était présente dans certaines parties de l'Europe du Nord-Ouest, notamment au pays de Galles et en Irlande[51]. Clairement identifié par les spécialistes, ce type a reçu le nom savant de *maison longue*. Bien qu'architecturalement très différente de celui-ci, la *Hallehaus* ou la *Gulfhaus* n'en étaient pas trop éloignées par leur organisation : il s'agissait d'immenses constructions en charpente, dont le rez-de-chaussée, également partagé entre les hommes et les animaux, comportait souvent des espaces communs aux deux catégories d'habitants. On trouvait ces constructions en grand nombre dans les contrées septentrionales des Pays-Bas et dans les états du nord du Saint Empire, au moins jusqu'en Poméranie occidentale[52].

L'organisation lorraine, séparant le rez-de-chaussée cloisonné en travées perpendiculaires aux murs gouttereaux, ne se limitait pas aux frontières de la province proprement dite : au nord, elle débordait sur la Sarre, et au nord-ouest en pays Gaumais, sur le territoire de l'actuelle Belgique wallonne[53]. Cette indifférence du plan aux frontières politiques se retrouvait aussi dans la disposition inverse, séparant les humains des animaux ou de locaux fonctionnels variés par niveaux distincts. Disposition largement méridionale, qu'on retrouvait notamment en Navarre, en Corse, en Sicile et dans des zones étendues de l'Italie péninsulaire. Dans l'Apennin septentrional, des maisons de ce type, pourvues d'un auvent couvrant partiellement un escalier extérieur comme dans le Quercy, remontaient au moins au XVIᵉ siècle[54].

48. Trochet, 1981.

49. Collomp, 1983, pp. 66-72.

50. Bromberger, Lacroix, Raulin, 1980, pp. 77-78. La monographie n° 27 du volume (pp. 310-313) est consacrée à une maison de bourg provençal, qui pourrait dater du XVIIIᵉ siècle et qui illustre parfaitement la complexité de l'organisation des maisons, en relation notamment avec leur insertion dans le bourg.

51. Cresswell, 1969, p. 214.

52. Baumgarten, 1969.

53. Scherer, 1977-1978.

54. Bertacci, Degli Esposti, Foschi, Venturi, 1972, p. 73.

Souvent, c'est plutôt un mélange de ces deux dispositions que présentait le plan de la maison : le logement des humains et les locaux fonctionnels se distribuaient alors dans le sens de la hauteur, comme dans la maison du Guipuzcoa[55] ou dans la *masia* catalane[56]. Mais de tous les plans passés en revue, c'est sans doute celui dont les bâtiments s'organisaient autour d'une cour, ouverte ou fermée, qui connaissait l'extension la plus grande. Il était traditionnel dans certaines régions du Danemark méridional et insulaire[57] où les maisons de plan quadrangulaire étaient seulement ouvertes sur l'extérieur par un porche, intégré dans la construction ; ailleurs, notamment dans le Brandebourg, dominait une disposition identique mais les bâtiments s'ouvraient vers l'extérieur par une ouverture libre[58]. Fréquemment cependant, dans de nombreuses régions, cette disposition était celle des plus grosses unités d'exploitation, sans attache précise avec les dispositions vernaculaires.

Changements et permanences

Ce dernier exemple prouve que l'architecture rurale était une réalité en mouvement, traduisant une certaine relation entre les hommes et les ressources, mais aussi entre des hommes socialement organisés, et susceptible de s'adapter ou de se transformer. En effet, en France tout au moins, le XVIIIe siècle n'est nullement celui de l'immobilisme dans la construction paysanne, même s'il convient de nuancer certains jugements globaux : la prétendue victoire de la maison en pierres, « solution méditerranéenne transplantée pour des raisons plus psychologiques que techniques[59] », sur les quatre cinquièmes du territoire français, est sans doute moins évidente qu'une amélioration des modes de construction régionaux et des manières d'habiter. Le fait est sensible dans les secteurs les plus élevés de la société rurale, ceux qui, depuis le début du siècle, profitent de la croissance continue de l'économie[60], les *ménagers*, les gros *laboureurs*.

Un premier travail, qui reste largement à faire, consisterait à se demander dans quelle mesure les outils et les instruments de la construction connaissent des changements ou des améliorations. Pour en revenir à nos exemples de départ, il est peu probable que la technique du pisé en Haute-Bretagne ait connu des changements significatifs : la *parouère*, sorte de bêche qui

servait jusqu'à nos jours à égaliser le mur dans le sens vertical, était sans doute en usage à la fin du XVIIIe siècle : mais la lame était-elle alors entièrement métallique ? Dans le Quercy, en revanche, la préparation des pierres de taille connaît un perfectionnement qui dut se produire peu après le passage d'Arthur Young : la traditionnelle *laye*, marteau à stries dont les marques sont très visibles sur les maisons conservées jusqu'à nous, cède la place à la *boucharde*, outil moderne, connu dans l'architecture savante depuis le XVIIe siècle[61]. En Sologne, c'est plutôt en termes de savoir-faire et de technicisation qu'il faut situer les améliorations, car le pan de bois, probablement l'œuvre de l'utilisateur jusqu'au XVIIe siècle, devient au siècle suivant un travail de charpentier[62].

Si de l'équipement technique on passe à l'assiette de la construction, tout en restant en Sologne, on peut faire remonter au XVIIIe siècle, une évolution qui peut sembler à première vue paradoxale. L'habitude, dans un pays particulièrement humide, de construire les fermes dans une cuvette, fut semble-t-il prise à cette époque en raison d'« un besoin pressant de fumier du fait de l'usure de la terre[63] ». Cette affirmation reste peut-être à vérifier, mais elle met l'accent sur les relations entre l'évolution de l'agriculture et la construction rurale, la disparition du purin étant l'un des leitmotivs de la pensée agronomique contre la négligence paysanne. On pourrait alors mettre cette nouvelle pratique en relation avec l'accaparement de la terre par les gros propriétaires, noté par G. Bouchard à Sennely-en-Sologne. Mais les innovations concernent aussi, et peut-être davantage, la construction elle-même, tant dans les matériaux que dans l'organisation des locaux. B. Edeine date du XVIIIe siècle un perfectionnement du pan de bois solognot au niveau des décharges et de l'assemblage. Cette double amélioration apparaît notamment dans la grange, datée de 1787, de la ferme de la Grande-Rue à Nouan-le-Fuzelier[64] (Loir-et-Cher), localité que traverse justement Young le 31 mai de cette année. De même, le remplissage du pan de bois par des briques, noté par le voyageur, est purement une solution de la seconde moitié du XVIIIe siècle, dont la relation avec le statut de la terre est cette fois bien explicite : le propriétaire la fixe dans le cadre des baux de métayage qui lui réservent l'entretien des bâtiments, solution certes plus onéreuse à la construction, mais plus durable, et mettant récoltes et cheptel à l'abri de la négligence des métayers.

Se déplaçant de Combourg à Rennes, Arthur Young aurait pu voir aussi quelques constructions neuves, s'il avait eu le temps de s'écarter de la route. A peu de distance du lac de Hédé, qu'il aperçoit le 1er septembre 1788, la ferme du Haut-Chesnay avait été achevée en 1783 : on y remarque l'existence de trois pièces au rez-de-chaussée et celle d'une cheminée dans la pièce principale du premier étage, marque évidente d'une volonté d'« habiter ». Cet exemple possède certes sa spécificité micro-régionale, mais il est loin d'être isolé au niveau de l'ensemble de la province. Dès les années 1740-1750, les nouvelles fermes bretonnes aisées ne sont plus tout à fait les mêmes

55. Barandiaran (de), 1925, pp. 1-30.

56. J. Danès, 1933, pp. 272-284.

57. *Firlands museet, Sorgenfri Station*, 1957.

58. Radig, 1966.

59. Bardet, Chaunu, Désert, Gouhier, Neveux, 1971, p. 22.

60. Cf. notamment *Histoire de la France rurale*, 1975, pp. 580-591.

61. Cayla, 1973, p. 39.

62. Edeine, 1974, p. 269.

63. *ibidem*, p. 260.

64. *ibidem*, p. 263.

qu'autrefois : le souci de symétrie dans la distribution des ouvertures, que note désormais l'historien de l'Art, est lié en partie à la conquête du premier étage par les pièces d'habitation[65]. L'intention esthétique tranfigure une évolution fonctionnelle qui marque la rupture avec l'organisation de la primitive *maison longue*.

Mais gardons-nous bien de penser que ces améliorations sont générales et uniformes. Young s'étonne parfois de l'inexistence de fenêtres, mais il fait moins allusion à l'absence de vitres, pourtant certainement criarde en Sologne à la fin du XVIIIe siècle dans les modestes *locatures*. En 1836, Berthereau de la Girardière note qu'« on met des fenêtres vitrées présentement aux habitations tandis qu'*auparavant* le colon faisait un trou de six pouces carrés dans sa muraille, et c'était tout à la fois son réveille-matin, son méridien et le seul moyen qu'il avait de voir clair dans sa maison quand sa porte était fermée[66] ». De même, l'individualisation des pièces d'habitation dans les maisons bretonnes était très loin d'être générale. Quelques années après Arthur Young, en 1794, Cambry décrit une maison de laboureurs du Finistère en ces termes : « Leur cahute sans jour, est pleine de fumée ; une claie légère la partage : le maître du ménage, sa femme, ses enfants et ses petits-enfants occupent une de ces parties, l'autre contient les bœufs, les vaches, tous les animaux de la ferme[67]. » Et en 1905, le géographe Camille Vallaux dénonce encore « la déplorable facilité avec laquelle, dans nombre de localités, on change une étable en habitation et réciproquement, après un nettoyage sommaire ou même sans nettoyage aucun[68] ».

Il y a peu de risques à dire que cette situation contrastée se retrouvait dans divers pays européens, même si pauvreté et confort sont parfois associés sous certaines plumes. Ainsi sous celle de Gilbert White, parlant en 1789 de son village de Selborne, dans le New-hampshire : « We abound with poor ; many of whom are sober and industrious, and live comfortably in good store and brick cottages which are glazed and have chambers above the stairs : mud buildings we have none[69]. » White ne fait pas allusion ici à l'habitat des paysans les plus fortunés mais on sait qu'en Ecosse, à la même époque, l'émergence d'une riche bourgeoisie rurale, bénéficiaire des *enclosures*, provoque l'abandon par celle-ci de la maison traditionnelle, le « but and ben », conservé en revanche par les paysans les plus pauvres[70]. Différenciation sociale qui s'accentue également dans les Etats allemands, où la surpopulation des villages multiplie un habitat construit en matériaux précaires, et dans lequel la cohabitation hommes-animaux n'est pas rare[71]. Entre les maisons de l'élite, dont un certain nombre se sont maintenues jusqu'à nos jours, et l'« habitat » des huttes, des trous couverts, des gourbis (...) l'habitat de la Gaule chevelue[72] », les transitions sont sans doute aussi nombreuses que mal connues.

Jean-René Trochet

65. Mussat, 1980, pp. 314-316.

66. Cité par Edeine, 1974, p. 257.

67. Cambry, an VII, p. 58.

68. Vallaux, 1905, p. 141.

69. White, 1789, p. 5.

70. Hobsbawm, 1978, p. 590.

71. Henning, 1975.

72. Bardet (...), 1971, p. 23.

100
Plan cadastral de Martinvelle
(Vosges)

Encre brune et lavis de couleur, sur papier. H. 0,645 ; L. 0,48.
Bibliographie : Blache, 1937.
Nancy, archives de Meurthe-et-Moselle (inv. E 309).

La structure générale du village lorrain et la forme de ses maisons apparaissent très clairement dans ce plan cadastral (milieu XVIIIe siècle). Organisé à partir de rues souvent droites et perpendiculaires, le village est composé dans cette partie de la Lorraine de maisons allongées et fréquemment contiguës, présentant une façade en mur gouttereau, dont la largeur descend parfois au-dessous de dix mètres. La contiguïté a pu s'accentuer au cours du XVIIIe siècle, en raison de l'accroissement de la population, mais la trame d'ensemble est très antérieure. « Dans cette marqueterie rubannée et orientée se distinguent deux petits panneaux de structure transversale, et pour ainsi dire encastrés à angle droit : ces quartiers d'orientation particulière permettent à quelques maisons, étirées comme les autres (...) de présenter leur étroite façade dans les rues transversales qui sans cela, se trouvant dans le sens général de la trame, ne seraient pas habitées » (Blache, 1937, p. 84).   J.-R.T.

101
Plan au rez-de-chaussée
de la ferme du Hautbray
Plans et élévations des bâtiments
de la ferme du Hautbray

Mine de plomb, encre lavis, aquarelle. H. 0,566 ; L. 0,836.
Paris, M.N.A.T.P. (inv. 982. 18.6 et 8).

La ferme du Hautbray se situe dans le pays de Bray et appartenait à la terre de Tourpes, qui comprenait au moins huit fermes à l'époque de la confection de ces dessins (seconde moitié du XVIIIe siècle). Ceux-ci ne sont pas des projets architecturaux mais un état des bâtiments, probablement fait dans le but d'en estimer la valeur.

La ferme du Hautbray est à cour ouverte, ce qui n'est pas le cas de la ferme du château de Tourpes, dont la cour est fermée. Une notice jointe aux dessins les commente : « Les bâtiments de cette ferme ne sont que de charpente légère, les remplissages n'étant que des terrages et les couvertures de pailles, la cheminée et le mur contre lequel elle est adossée de brique, le four extérieur de maçonnerie, aussi bien que les sollinages de ces bâtiments (...). »
Le nombre et la taille des étables, et la présence de la laiterie, qui occupent au total plus du tiers de la surface au sol, attestent l'importance prise par l'élevage dans la région dès le XVIIIe siècle.   J.-R.T.

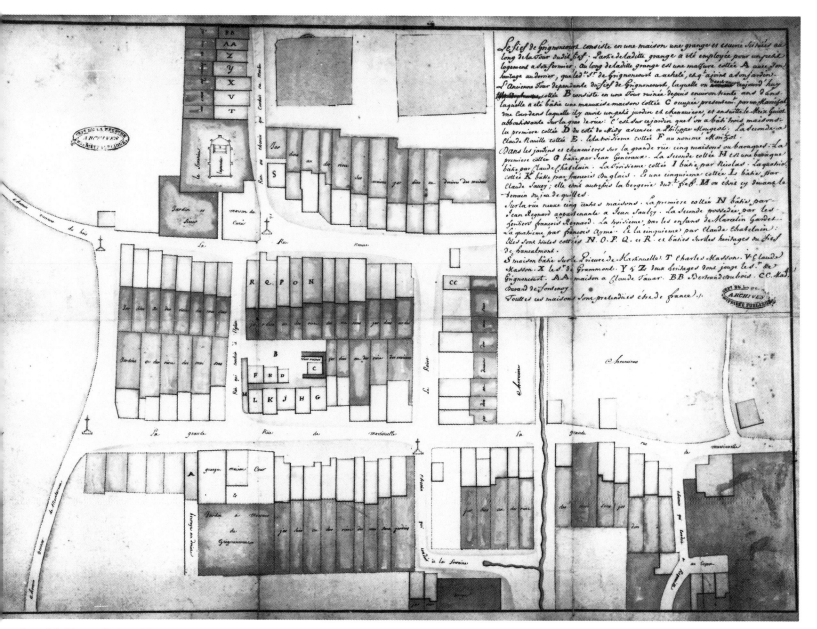

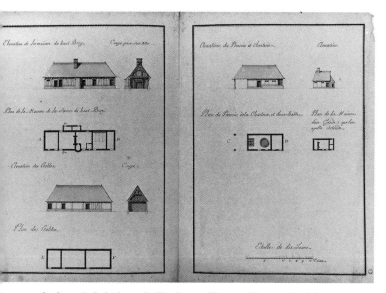

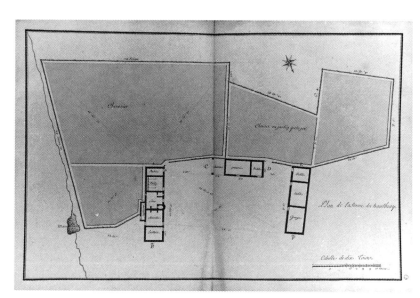

a cadastral de Martinvelle (cat. 100).

au rez-de-chaussée de la ferme du Hautbray - Plans et élévations des bâtiments de la ferme du Hautbray (cat. 101).

102
Famille de paysans dans un intérieur

par Jacques GAMELIN

Huile sur bois. H. 0,297 ; L. 0,447.
Exposition : 1779, Toulouse, n° 58.
Bibliographie : Barousse, 1981, p. 19.

Montauban, musée Ingres (MI.D.60.1.1).

Cette « nativité paysanne » n'évoque que par pure coïncidence un aspect de l'organisation de certaines maisons rurales à la fin du XVIIIe siècle : la cohabitation entre les hommes et les animaux au sein d'une même pièce. Cet « habitat de la Gaule chevelue », pour reprendre une expression de Pierre Chaunu, existait encore dans certaines régions de la Bretagne — notamment dans le Vannetais — où il ne disparaîtra qu'aux lendemains de la Seconde Guerre mondiale. J.-R.T.

103
La Veillée villageoise

par Jean-Jacques de BOISSIEU

Lavis sur craie noire avec rehauts de blanc. H. 0,230 ; L. 0,510.
Historique : anc. coll. Friedrich Kalle ; Acquis en 1875.
Bibliographie : Perez, 1986.

Berlin, Staatliche Museum, Preussischer Kulturbesitz (Kuppferstichkabinett, inv. Kd Z 14.26).

L'exactitude est un des traits dominants de l'art de Jean-Jacques de Boissieu qui, à l'exemple des maîtres hollandais, qu'il interpréta parfois dans de belles estampes, a dessiné, gravé et, plus rarement, peint des paysages, notamment des vues de la campagne lyonnaise, et des scènes intimistes.
La Veillée villageoise s'insère dans un petit groupe de dessins et d'eaux-fortes (*Le Maître d'école, Les Tonneliers*) qui paraissent traduire assez fidèlement les réalités paysannes de la fin du XVIIIe siècle. Les costumes, la forme de la cheminée, la composition de la famille, la présence des animaux évoquent bien la vie quotidienne même si par ailleurs l'artiste s'est explicitement référé à Brouwer et à Téniers, notamment dans le plaisant détail du jeune homme qui met sa pipe de terre sous le nez de la vieille femme assoupie.
Une estampe en contrepartie datée de 1800 reprend cette composition ; mais le dessin de Berlin, par son caractère achevé ne peut être considéré comme une étude préparatoire.

Famille de paysans dans un intérieur (cat. 102).

La Veillée villageoise (cat. 103).

LA PRODUCTION AGRICOLE :
PRATIQUES ET TECHNIQUES

Paysages et techniques : la vigne

A nouveau, des choix s'imposent. Il nous a semblé intéressant de parler de culture de la vigne car, en raison de la fécondité sémantique du sujet, il donne lieu à une riche iconographie. En outre, celle-ci est particulièrement orientée vers la vendange, apogée du cycle de la vigne qui le résume et le symbolise. Enfin, la vendange permet de parler des différents paysages viticoles et des techniques qui les sous-tendent. Frappé sans doute par le pittoresque d'une scène inimaginable dans son Allemagne du Nord natale, Hackert nous laisse un témoignage irremplaçable sur la culture de la vigne haute en Italie méridionale (nº 104).

La culture de la vigne sur arbres, vifs ou secs, a peut-être d'autant plus étonné Hackert qu'elle était loin d'être générale en Italie : on la rencontrait surtout dans le Piémont, en Lombardie, en Vénétie, dans le Latium et en Campanie, où est située Sorrente. Mais elle était aussi présente en Suisse, près du lac de Genève, en Catalogne, dans le nord du Portugal et en France, « non généralement, mais d'espace en espace, depuis les Pyrénées et les bords de la Méditerranée jusqu'aux frontières de la Bourgogne[73] ». En Provence, et dans certaines parties des pays cités, cette pratique se plaçait dans un contexte cultural typiquement méridional, celui de la *cultura promiscua*. Des rangées d'arbres de différentes espèces se succédaient dans un même champ, ou étaient séparées par des planches portant divers types de cultures. L'espèce des arbres pouvait d'ailleurs varier considérablement : arbres fruitiers, mûriers (Lombardie), ormes (duchés de Mantoue et de Modène), érables (autour de Saint-Gaudens), peupliers (Campanie), etc.

Une telle disposition avait plusieurs finalités, pas toujours concordantes entre les régions. Lorsque les arbres étaient des fruitiers ou des mûriers, elle permettait de profiter de deux récoltes. Elle évitait aussi au vigneron la plupart des travaux qui étaient les siens avec la vigne moyenne ou basse, notamment les labours et les frais éventuels de paisselage. C'est-à-dire qu'elle ne nécessitait pas non plus, ou peu, d'outils manuels

73. Rozier, 1801, p. 227.
74. Perrin, 1938, p. 102.
75. Bidet, 1759, p. 357.
76. Costa de Beauregard, 1774, p. 216.
77. Hémardinquer, 1964, p. 107.
78. Meyer, 1969, p. 756.

car les travaux aratoires étaient effectués avec les instruments attelés des cultures céréalières. Du point de vue bio-climatique, les explications de cette pratique peuvent sembler contradictoires, tant les conditions des différentes stations étaient dissemblables : protection contre l'hiver et recherche du plus grand ensoleillement dans les régions péri-alpines, « lutte indirecte contre le manque d'eau » en Italie du Sud[74]. Ici en outre, la vigne haute était le moyen de bénéficier d'un avantage naturel qui s'ajoutait aux facilités techniques de la culture.

Cette disposition n'a pas laissé indifférents les agronomes, qui se transforment à l'occasion en de véritables ethnographes. A côté de Rozier, on peut mentionner Bidet, qui décrit en 1759 les *hautains* du Bordelais[75] et Costa de Beauregard qui s'attache en 1774 à ceux de la Savoie[76]. Leur curiosité est parfois aiguillonnée par la pratique simultanée de plusieurs modes de plantation, que Rozier décrit notamment en Provence. De ses souvenirs grenoblois, Stendhal extrait aussi, en 1792, l'achat d'une vigne par son père où le côté insolite des opérations techniques et des modes de rétribution s'ajoute dans la mémoire de l'écrivain au souvenir des lieux et des personnes : « Miner le terrain, c'est défoncer à deux pieds et demi de profondeur pour l'épierrer. Notre ancien jardinier, Charrière, et Mayousse le vieux, ancien soldat, exécutaient ces travaux par « prix faits », par exemple vingt écus (soixante francs) pour miner une tière, espace de terre compris entre deux rangées de hautains ou bien d'érables, porteurs de vignes[77] ».

Mais la vigne haute ne fait généralement pas l'objet de jugements favorables, car le vin produit est de mauvaise qualité, y compris sous les cieux les plus méridionaux. C'est davantage en effet la *réverbération* qui assure le meilleur mûrissement des fruits que l'ensoleillement lui-même, et ce sont donc les vignes basses qui reçoivent la faveur des agronomes. Mais ces dernières ne sont pas celles que nous connaissons de nos jours, du moins dans la plupart des régions françaises. En Provence, la pratique de la *cultura promiscua* imposait des plantations en lignes, mais dans d'autres régions on plantait la vigne basse en *foule* : lorsqu'un cep était défectueux, on en créait souvent un nouveau à partir d'un cep voisin, qu'on enfonçait tout ou partie en terre. Cette pratique explique l'originalité de certains contrats d'exploitation, comme le *complant* de la région nantaise dont la durée, liée à celle de la vigne, pouvait être à peu près indéfinie[78]. La culture en foule interdisant l'emploi d'instruments attelés, les outils à bras représentaient l'essentiel de l'équipement technique du vigneron.

La description de l'équipement agricole
dans la seconde moitié du XVIIIᵉ siècle

Les outils et instruments paysans font l'objet d'assez abondantes descriptions dans la littérature agronomique de la seconde moitié du XVIIIᵉ siècle, mais elles sont inégales suivant les sujets traités. D'une manière générale, l'intérêt des savants est plus tourné vers les labours et les semailles d'une part, les phases ultimes du cycle des grains de l'autre, surtout la conservation. Mais les phases intermédiaires, récolte, battage, vannage passent plutôt au second plan. Et curieusement, de véritables innovations sont introduites dans les campagnes au cours de la seconde moitié du XVIIIᵉ siècle, dont ces hommes n'apprécient pas vraiment l'importance. Car leur intérêt n'est qu'indirectement ethnographique, il est avant tout technique et mécanique. Ce qui ne les empêche nullement d'émettre un jugement favorable sur tel ou tel instrument indigène, mais plus souvent, en fonction de leur formation et de leurs centres d'intérêt, leurs études visent à mettre au point des instruments idéaux, susceptibles de corriger, en les condamnant parfois, les modèles régionaux.

En France, ces études restent plutôt théoriques et expérimentales, encore que quelques transformations accomplies ici et là puissent être mises en relation avec la résidence, permanente ou saisonnière, d'un de ces savants. Mais beaucoup d'instruments paysans utilisés à la fin du XVIIIᵉ siècle, et parfois vivement critiqués par les agronomes, le seront encore dans une partie du siècle suivant, et certains autres jusqu'au cœur du XXᵉ siècle. C'est que le changement de l'équipement était difficilement dissociable de celui des pratiques culturales et, dans une large mesure, de l'introduction de cultures nouvelles. A ce niveau, la France était divisée : la culture des fourrages artificiels s'était répandue dans plusieurs régions septentrionales au cours du XVIIIᵉ siècle, non seulement à l'extrême Nord, mais également dans d'autres régions, comme la Normandie[79]. Le processus de cette progression était d'ailleurs extérieur aux agronomes qui le prenaient en cours : c'était une extension par osmose de région plus développée à région moins développée, en laissant des vides internes. Dans la plupart des autres provinces en revanche, ces cultures nouvelles, qui nécessitaient un équipement technique approprié, étaient encore loin d'être universellement connues ou pratiquées.

Outils et instruments traditionnels

Le sujet choisi par Vincent pour son *Agriculture*, un paysan d'âge mûr initiant un jeune homme au labour, n'était pas neuf en ce qui concerne la mise en valeur du labour pour évoquer l'activité agricole entière. Nous ne dirons rien de la symbolique sociale du tableau, car elle s'éloigne trop de notre point de vue. Pour celui-ci en revanche, l'originalité de l'œuvre est certaine dans la figuration de l'instrument, car il semble assuré que l'artiste a eu sous les yeux un spécimen authentique[80]. En ce

sens, elle est à rapprocher des descriptions d'instruments régionaux effectuées par les agronomes dès les années 1750, et plus directement des dessins gouachés ou aquarellés accompagnant les enquêtes départementales sur les instruments agricoles lancées par les commissions des assemblées révolutionnaires[81].

Vincent peint en effet un instrument méridional, plus exactement du sud-ouest de la France. Chez les savants de la seconde moitié du XVIIIᵉ siècle, l'opposition entre une France septentrionale et une France méridionale est largement reconnue, sans qu'une cartographie précise en soit tracée. Mais à supposer que la chose eût été concevable, ce n'est guère le but de ces hommes qui s'intéressent surtout aux performances des instruments : la charrue de Brie (nᵒˢ 106 et 107) est souvent avantageusement mise en avant face à l'araire méridional (nᵒ 105), réputé peu efficace. Dans l'ensemble c'est un Bassin parisien plus ou moins élargi qui ne franchit pas la Loire, mais déborde parfois vers l'est, qui est opposé au reste de la France. Cette valorisation de l'équipement septentrional ne va pas toujours sans nuances. Certains rénovateurs trouvent les instruments indigènes assez satisfaisants pour les adopter avec quelques modifications, ou reviennent même sur un jugement initial en leur défaveur. Le marquis de Barbançois remplaça ainsi une charrue de Beauce, d'abord introduite dans son domaine de Villegongis, par une charrue de son invention, bâtie sur le modèle des araires de la région sud-est de la Touraine[82]. Un recensement systématique des informations ethnographiques contenues dans ces ouvrages reste à faire : il apporterait immanquablement des données neuves sur les instruments et les techniques agricoles françaises de la fin du XVIIIᵉ siècle.

En attendant, une esquisse de répartition régionale peut être tentée, en prenant pour point de départ la fameuse dichotomie charrue-araire : la première, on le sait, a la faculté théorique de retourner le sol, tandis que le second rejette la terre symétriquement, sans la retourner. Même si, pour cette raison, l'araire a fait l'objet de violentes critiques *éclairées*, on doit bien reconnaître que les raisons profondes de la répartition sont complexes et regroupent des facteurs différents. Une première distinction s'impose au plan de la cartographie des deux ins-

---

79. Sion, 1908, pp. 227-229.

80. La valorisation symbolique du travail agricole est présente à l'occasion de certaines fêtes révolutionnaires. Dans les environs de Colmar, une charrue fut spécialement décorée et peinte (en bleu, blanc, rouge), et peut-être fabriquée, pour le défilé de la fête de la Fédération. L'instrument était très vraisemblablement authentique, et sa trace n'en était pas perdue en 1948. Cf. Riff, 1948.

81. Notamment la commission du commerce et des approvisionnements (an II), les commissions d'agriculture et des arts et du commerce (an II - an VII), et la commission des subsistances (an II - an III). Sous la cote F 10 les Archives nationales conservent la plupart des archives de ces commissions. En revanche, les réponses de certains départements à certaines enquêtes des commissions comportaient des dessins, qui ont été versés au Conservatoire national des arts et métiers.

82. Barbançois-Villegongis (de), 1812, pp. 134-135.

François-André Vincent, *La leçon de labourage* ou *l'Agriculture*, Bordeaux. Musée des Beaux-Arts.

truments : bien qu'il n'y soit pas partout connu, l'araire est utilisé dans certaines parties du nord, et même de l'extrême nord de la France, et il en va de même pour la charrue dans les contrées méridionales. Mais d'une manière générale, l'araire apparaît plus répandu au Nord que la charrue au Sud. Celle-ci, presqu'universellement utilisée dans les campagnes septentrionales, n'est connue semble-t-il que dans certaines régions du Sud, isolées les unes des autres. Dans le bassin d'Aurillac, par exemple, la charrue est mentionnée dès le XVe siècle, au cœur d'une région qui ne laboure qu'à l'araire[83].

Une seconde distinction concerne les bâtis, et donc les capacités de travail des instruments, à l'intérieur des deux grandes zones. Les charrues septentrionales sont généralement composées de pièces de bois individuellement assemblées à tenons et à mortaises, et souvent pourvues d'un avant-train (mais pas toujours). Ce mode d'assemblage permet une certaine autonomie fonctionnelle des différentes pièces et l'avant-train, au niveau mécanique, s'interpose entre l'attelage et le corps de l'instrument. Rien de tel dans les charrues méridionales, qui

ne sont que des araires pourvus d'un versoir : la charrue *mousse* du Sud-Ouest et du Languedoc, comme le *coutrier* provençal ont un bâti d'araire chambige (n° 105), dont la pièce principale, l'age, forme mortaise et reçoit toutes les autres. Même si certains de ces instruments sont équipés d'un avant-train, au total, il y a peu de différence entre la charrue et l'araire : « En 1780, l'abbé Rozier, dans ses domaines de Pézénas, compare les deux instruments du pays : l'araire *dentel* (chambige) et la "petite charrue à versoir" dite mousse (...) : celle-ci, dit-il, n'est pas fameuse et ne travaille guère mieux que l'araire, elle gratte la terre à trois ou quatre pouces (...)[84]. »

Une troisième distinction s'applique aux tâches effectuées par les deux instruments. Dans les régions où on les utilise l'une et l'autre, la charrue et l'araire font un travail complémentaire. Le *binot* du Cambrésis et de l'Avesnois effectue le premier labour et le troisième, si les terres sont légères, la charrue le deuxième et le troisième dans les terres fortes[85]. Une répartition de même type a lieu dans la région de Narbonne, dès le XVIe siècle, entre l'araire et la charrue *mousse*[86], mais le montpelliérain Amoreux, en 1785, signale qu'on peut effectuer certains labours avec celle-ci, sans son versoir[87]. De fait, les choses apparaissent plus compliquées et plus mouvantes au Sud où, dans certains endroits, la charrue est véritablement une innovation : dans le comtat Venaissin, le *coutrier* apparaît peut-être dès le XVe siècle, « mais ne devient d'un emploi courant qu'au XVIIIe siècle[88] », généralisation qui implique presque nécessairement un reclassement ou un

83. Bouyssou, 1943, p. 228.
84. Le Roy Ladurie, 1966, p. 82.
85. Dieudonné, 1804, p. 361.
86. Le Roy Ladurie, 1966, p. 81.
87. Haudricourt et Jean-Brunhes Delamarre, 1955, p. 437.
88. Chobaut, 1947.

déclassement de l'araire. Mais ce dernier reste de toute façon utilisé pour le recouvrement des semences, tandis qu'au Nord, cette tâche est majoritairement effectuée par la herse.

La France n'a cependant pas le monopole des situations complexes, qui se retrouvent tant en Europe méridionale qu'en Europe septentrionale. Domaines de l'araire, les péninsules italienne et Ibérique incluaient aussi des zones à charrues : dans le nord de l'Italie, où plusieurs modèles étaient utilisés, en Catalogne et dans certains endroits du Portugal[89]. De même, l'araire était loin d'être inconnu dans les contrées du Nord, notamment en Suède méridionale, où l'on trouvait aussi des zones « à charrues » et des zones « à araires », cette répartition s'expliquant par des pratiques agricoles différentes. Mais en Angleterre, l'époque n'était plus tout à fait celle des charrues traditionnelles (n° 110). Dès les années 1760, des fabriques s'étaient mises à diffuser des modèles perfectionnés, dont la mise au point s'appuyait sur des expériences pratiques, effectuées par des « hommes de science ». En 1775, le *Journal de Physique* avait publié la traduction d'un article de l'Anglais Arbuthnot sur la mécanique de la charrue[90], et on peut attribuer à cette traduction la valeur d'un symbole. Arthur Young avait bien noté l'intérêt des savants français pour « l'application des principes mécaniques », mais en ajoutant aussitôt : « Je ne crois pas cependant qu'ils aient rien fait à cet égard, en agriculture[91]. » Or, en Angleterre, l'article cité était à peu près contemporain de la fabrication, en 1771, du premier versoir de charrue entièrement fait en fer[92].

L'avance de la métallurgie anglaise — « depuis 1750, les Anglais sont les maîtres de l'acier fondu dont le secret est bien gardé » — se retrouve à l'autre bout du cycle du champ, celui de la moisson. En effet, les faux anglaises (n° 115) sont fabriquées avec le fer des mines suédoises, d'une excellente qualité, dont les Anglais « transforment le meilleur en acier et vendent le rebut au commerce[93] ». Peu diffusée jusqu'alors, la faux à armature, adaptée à la moisson des céréales, progresse sensiblement au XVIIIe siècle, surtout dans les pays d'Europe du Nord. Au Danemark, où elle apparaît de façon dispersée jusque vers 1725, elle représente 25,4 pour cent du total des outils agricoles mentionnés dans les inventaires en 1767[94]. Elle n'est pas inconnue en France, y compris dans les régions méridionales par exemple, mais son utilisation y reste limitée.

A cette situation, il y a (d'abord ?) une raison d'ordre scientifique et technique : la qualité moyenne du fer français et l'imperfection de son affinage obligent d'en importer des mines du Saint Empire. Persuadés qu'il faudrait généraliser l'emploi de la faux, administrateurs et techniciens français procèdent dès 1785 à des observations expérimentales qui butent sur leurs maigres connaissances « en matière de fabrication de l'acier »[95]. Cette préoccupation deviendra une véritable inquiétude sous la Révolution lorsque le pays, du fait de la guerre, sera coupé du fer allemand et qu'il s'agira de moissonner au plus vite, en se passant des bras occupés à tenir le fusil aux frontières[96]. La matière première n'est qu'un aspect du problème car, on

l'a dit, la faux n'est pas inconnue dans les campagnes. Mais son emploi se heurte à des résistances, d'ailleurs partagées par certains savants : Duhamel du Monceau ne lui reproche-t-il pas, avec beaucoup de monde, d'égrener les épis[97] ?. Reproche récurrent, auquel s'ajoute la perte de la paille pour l'engrais dans certaines régions et pour la couverture des chaumières (paille de seigle). En outre, la faux expédie le travail beaucoup plus vite que les autres outils, ce qui arrange les possédants et les exploitants, mais pas les journaliers et les ouvriers saisonniers. Le clergé lui-même, comme le montre un texte de l'assemblée du clergé du Comtat Venaissin, le 26 avril 1779, y est aussi parfois hostile : « Il n'y a que quelques années que l 'on moissonnait les bleds et tous les grains avec la faucille ordinaire appelée vulgairement *voulame*, par ce moyen, l'on appareillait et liait toutes les tiges de bled, qu'on mettoit en gerbes, et il ne restait sur les terres que peu de tiges livrées aux glaneurs. Par cette façon de couper les bleds, on ne peut en appareiller les tiges pour les mettre en gerbes comme on faisait en les moissonnant, il en échappe une quantité, qui restent sous la faux et qu'on ne peut lier et mettre en gerbes ; on est obligé de passer un grand râteau sur ces terres pour ramasser cette quantité de tiges de bled qui n'étant point liées s'appellent bled raspays ; dans le commencement, les tenanciers faisaient des tas égaux dont chacun payait la dîme, mais à présent grand nombre de personnes mal intentionnées la ramassent et l'emportent sans en payer aucune dîme, ce qui ne peut qu'occasionner bien des procès[98]. »

La faux alimente ainsi, en ces dernières années de l'Ancien Régime, la querelle des dîmes. D'un tout autre point de vue, enfin, elle ne convient pas à tous les types de préparation du sol : son emploi est exclu avec le labour en billons, encore très largement pratiqué dans la France de l'Ouest. Pourtant, retard métallurgique, résistances de tout ordre et décalages techniques vont ensemble : ils traduisent le retard global de la France par rapport à l'Angleterre.

Mais l'homogénéité ne règne pas dans les outils que la faux n'arrive pas encore à supplanter, aussi bien dans leur forme que dans le travail qu'ils effectuent, dans la gestuelle mise en œuvre, la rapidité, la répartition régionale. La faucille permet de *prendre* les tiges, comme le suggère l'extrait cité mais il en

89. Haudricourt et Jean-Brunhes Delamarre, 1955, p. 387.

90. Bourde, 1967, t. 2, p. 925.

91. Young, vol. III, p. 231.

92. Slicher Van Bath, 1963, p. 301.

93. Tresse, 1955, p. 343.

94. Steensberg, 1943, p. 232.

95. Tresse, *passim*.

96. Festy, 1947, pp. 392 et suiv.

97. Duhamel du Monceau, 1762, pp. 363 et suiv.

98. M.N.A.T.P., MS. 72.112, fonds Chobaut, dépouillement des fonds notariaux des Arch. Dép. du Vaucluse, 1443-1873, p. 369.

existe deux types : la faucille à la lame lisse (n° 117) *coupe* les tiges, la faucille à lame dentée (n° 116) les *scie*. Avec celle-ci, le moissonneur travaille genoux pliés et *peut* scier les céréales perpendiculairement au tiges, ce qui *peut* permettre la conservation d'une assez grande hauteur de paille, susceptible éventuellement d'être coupée ensuite avec une faucille à lame lisse. Mais dans certaines régions, on ne connaît que l'un des deux types. La faucille à lame lisse n'est pas à confondre avec le volant (n° 118), ce que font les membres de l'assemblée du clergé comtadin, bien que la première soit connue sous ce mot dans plusieurs régions. Le vrai volant est lui aussi à lame lisse mais plus long, plus ouvert et pourvu d'une arête dorsale. En France, c'est souvent l'outil de moisson des montagnards qui, du Massif central et des Alpes du Sud, descendent vers les plaines en jouant « sur les différences d'altitude et les décalages dans la maturation des récoltes qui en résultent[99] ». On retrouvera les moissonneurs saisonniers privés de travail lors de la « Grande Peur » de juillet 1789[100].

Un dernier outil de moisson est la sape ou « piquet » (n° 119) dont la forme se rapproche le plus de la faux. Composé d'une lame et d'un manche court qui lui est perpendiculaire, Arthur Young l'observe avec une certaine sympathie et décrit son fonctionnement : « On le tient avec la main droite seulement, ou plutôt avec la main et le bras, et, à gauche, on a un bâton avec un crochet, à l'extrémité, avec lequel on pousse ou tient le blé dans la position qu'il faut pour recevoir le coup[101]. » En France, comme le suggère notre agronome, la sape est exclusivement répandue dans les provinces du Nord[102] qui forment la partie occidentale d'une plus vaste zone, incluant notamment les Pays-Bas et la Westphalie[103].

Pour les techniques de battage et de dépiquage, il n'y a pas de véritable changement en cette fin du XVIIIᵉ siècle. Des projets d'innovation, coûteux et peu performants, s'inspirent en réalité des objets utilisés dans les campagnes et certains sont déjà jugés « passés de mode » par Rozier dès 1787[104]. L'année précédente pourtant, l'Écossais Meikle avait construit une machine à battre dont le procédé commencera à se répandre en Angleterre une quinzaine d'années après. Sur ce plan, à nouveau, la France occupe une position intermédiaire entre

l'Europe du Nord et l'Europe du Sud. Le littoral méditerranéen élargi pratique le foulage, avec des bœufs, des chevaux, des mulets, en continuité avec les péninsules Ibérique et italienne. Presque partout ailleurs, on utilise le fléau, qui n'est pas inconnu dans les régions méridionales (n° 121). Le languedocien Rozier, en 1785, cite le cas d'un de ses voisins qui abandonne le foulage pour le fléau, et ajoute-t-il « il y trouve mieux son compte[105] ». Nouvel exemple de la pénétration des techniques du Nord dans les contrées du Sud, même si les choses sont parfois plus compliquées. Au nord-ouest de la péninsule Ibérique, le fléau est sans doute connu depuis le Moyen Age et son extension correspond à une zone de culture du seigle. Mais dans certaines régions du Portugal, où le seigle est cultivé à côté du blé, on utilise pour celui-ci, le tribulum[106] : comme en de nombreuses autres régions méditerranéennes, il s'agit d'un assemblage de planches munies de dents de silex connu dès avant la période romaine (n° 120). C'est sans doute un objet de ce genre dont il est fait mention en Gascogne en 1764[107]. A cette époque en effet, le rouleau à battre n'existe probablement pas dans cette région, comme ce sera le cas au siècle suivant. On le trouve en revanche au nord des Pays-Bas, au Danemark, au nord de la Suède et en Autriche[108].

Les techniques de battage et de dépiquage, on l'a vu, sont en relation directe avec l'organisation de la maison rurale. Les « batteurs » au fléau de l'*Encyclopédie* (n° 123) travaillent dans une grange, en hiver, comme le faisaient les paysans des zones continentales de la France, les Solognots notamment. Le foulage est une technique qui se pratique en plein air, en été, mais la partie occidentale de la France, avec une pointe le long de la vallée du Rhône provenant du midi, bat au fléau après la moisson, comme dans le Quercy et en Bretagne.

Bien qu'il s'agisse plutôt d'une « révolution discrète », en ce sens que les agronomes la décrivent en cours de réalisation, sans exercer d'influence sur elle, c'est dans le domaine du vannage et du triage des grains que les progrès sont sans doute les plus sensibles dans les techniques agricoles de la seconde moitié du XVIIIᵉ siècle. Connu en Europe depuis le XVIIᵉ siècle, le tarare (n°ˢ 124 et 125) se répand d'une façon difficile à mesurer, mais certaine à cette époque ; l'événement est d'importance, car il s'agit de la première machine agricole moderne adoptée par le monde rural et d'une manière réellement autonome. Ce fait suppose l'existence de conditions de fabrication, d'utilisation et de diffusion en accord les unes avec les autres, à l'inverse de la plupart des *projets* pensés et construits par les agronomes français. Les descriptions qu'ils en donnent — notamment Duhamel du Monceau dans son *Traité de la conservation des grains*[109] — se situent donc entre le témoignage ethnographique et la promotion de l'innovation, statut véritablement original au sein de leur production.

Un tarare autrichien, de 1757 (n° 125), est peut-être la plus ancienne machine datée de ce type connue en Europe[110]. En France, le musée de Chamonix en possède un autre, daté de 1772, mais on est encore loin de connaître l'extension de l'objet

99. Poitrineau, 1983, pp. 38-39.

100. Lefebvre, 1932, p. 17.

101. Young, vol. III, p. 1229.

102. Trénard, 1983, p. 205.

103. Suits, 1982, pp. 58-59.

104. Rozier, 1787, p. 165.

105. Rozier, 1785, p. 176.

106. Veiga de Oliveira, Galhano, Pereira, 1983, pp. 295-296.

107. Parain, 1979, p. 24.

108. Slicher van Bath, 1963, pp. 305-306.

109. Duhamel du Monceau, 1754, pp. 108-117.

110. Haiding, 1979, p. 199.

sur le territoire national à l'époque. Les quelques spécimens conservés de la fin du XVIIIᵉ siècle, sous réserve d'inventaire, ne sont pas issus des grandes régions céréalières, ce qui bien entendu, ne signifie rien sur leur extension réelle. Par ailleurs, l'interprétation de quelques textes laconiques est particulièrement délicate. Un inventaire comtadin de 1784 signale « 2 instruments de bois appelés *venteiret* pour séparer les grains du poussier[111] », mais l'allusion est trop sommaire pour qu'on y voit clairement *lou bentaire* (le tarare) du siècle suivant. Dans la même région, en revanche, un texte de 1781 décrit un trieur à grains, autre grande innovation dans les techniques de préparation du grain : « Une longue machine de fil d'archal montée sur son bois de noyer et une entremaye au haut, appelée ladite machine bellier, servant à vaner le blé et à séparer le bon grain du mauvais[112]. »

Ces machines à bras allaient connaître une diffusion considérable au siècle suivant et furent pratiquement utilisées jusqu'à nos jours. Et il est curieux de constater que ces éléments techniques de la « révolution agricole » ne sont pas l'œuvre des théoriciens français, qui se portèrent souvent, au contraire, vers des projets inadaptés ou inaccessibles aux paysans d'alors. Les reproches (la fameuse routine) formulés aux seconds par les premiers contenaient en partie un manque de réflexion sur les besoins et les possibilités des classes paysannes, lié à une méconnaissance des modalités économiques et sociales de l'innovation. A nouveau, l'étude des techniques fait émerger en France un problème de *mentalités*, problème dépassé dans l'Angleterre de la fin du XVIIIᵉ siècle.

Jean-René Trochet

111. M.N.A.T.P., fonds Chobaut, n° 147.

112. *ibidem*, n° 1510.

104
L'Automne

par Jakob Philipp HACKERT

Huile sur toile. H. 0,965 ; L. 0,64.
Historique : reine Marie-Caroline de Naples ; duchesse Marie-Christine de Saxe-Teschen ; collections de l'Albertina, Vienne ; acquis en 1935.
Exposition : 1984, Cologne, n° 33, p. 101, repr. 59.
Bibliographie : Krönig, 1969, pp. 219-242 ; cat. Cologne, 1973, n° 2517, p. 41 sq, repr. 94 ; Erichsen-File, Vey, 1973, pp. 41-42.

Cologne, Wallraf-Richartz-Museum (inv. WRM 2517).

Le tableau *L'Automne* fait partie d'un cycle des quatre saisons que le roi Ferdinand IV de Naples commanda pour son pavillon de chasse du lac Fusaro. Il faut imaginer que ces tableaux, peints vraisemblablement en 1783, devaient avant tout, en dépit de leur facture très détaillée, servir de modèle pour des peintures beaucoup plus grandes destinées à décorer les murs du pavillon. Hackert les termina vers 1785. En 1799, elles furent dérobées par des rebelles lors de la révolution de Naples.
Avec ce cycle, Hackert renouait avec une très longue tradition iconographique. Originale et nouvelle est la manière dont il établit un lien entre la représentation des saisons et un paysage topographiquement déterminé. Dans le tableau *L'Automne*, ce sont les grands arbres, typiques de l'artiste, qui forment le cadre entourant la vue sur Sorrente et sur le golfe de Pozzuoli. Depuis le XVᵉ siècle, l'iconographie des saisons est tributaire de la représentation des travaux des champs. Ici, Hackert ne se contente pas de présenter les particularités locales de ces travaux et de ceux qui les font

— les pampres de vigne dans les arbres et cette forme de vendanges étaient caractéristiques de la région de Naples — mais nous montre de façon claire et didactique les différentes étapes de ces vendanges.
Cette approche du thème des saisons était d'une part une réponse à la demande qu'avait formulée Ferdinand IV pour sa commande, souhaitant, comme le rapporte Gœthe, voir représenter « des contrées napolitaines avec des personnages modernes habillés à la mode du pays ». Elle correspondait d'autre part également aux idées que Hackert se faisait sur la théorie de l'art qui lui enjoignait de donner de la nature une image scientifiquement exacte et conforme à des critères de composition rationnelle ; cette vision de l'art et de la nature puisait ses sources dans le mouvement français des Lumières avec lequel Hackert avait été en contact lors d'un séjour à Paris de 1765 à 1768. Cette scène exceptionnelle et très précisément située illustre une pratique dont la Campanie était, depuis l'Antiquité, l'un des principaux foyers européens. Dans cette région la vigne haute était notamment supportée par des peupliers, ce qui ne rend pas invraisemblable ici la hauteur des pampres, ni le perchement des vendangeurs et la taille des échelles qu'ils utilisent. Derrière la scène principale, on voit des hautains plus petits soutenus par des perches. En bas à gauche, par ailleurs, le tableau nous apporte une information d'un grand intérêt : après la cueillette, les raisins sont immédiatement foulés et le moût versé dans une cuve tirée par un attelage bovin. Cette pratique semble avoir été inconnue dans les vignobles français, où le foulage avait lieu une fois la récolte rentrée.

K.-D.P. et J.-R.T.

105
Araire chambige

provenant de Bozouls (Aveyron)

Bois, fer. H. 1,40 ; L. 4,932 ; Pr. 0,50.
Bibliographie : Trochet, 1987, pp. 38-39.

Paris, M.N.A.T.P. (inv. n° 65.50.234, 1 et 2).

Répandu dans la plus grande partie de la France méridionale, mais aussi dans la péninsule Ibérique et dans certaines zones de l'Italie du Nord, l'araire chambige connaissait certaines variations régionales, repérées par les enquêtes administratives de la fin du XVIIIᵉ et du début du XIXᵉ siècle.
Dans le Rouergue, les habitants du Causse utilisaient un araire à age long (comme celui-ci), tandis que ceux du Ségala travaillaient avec un instrument dont l'age était en deux parties, reliées l'une à l'autre par une chaîne. Cette différence, qui se traduisait notamment dans le maniement respectif des deux araires, était en relation avec la nature des terres. J.-R.T.

106
Scène de labourage

par Jean-Baptiste HUET

Plume, encre noire, lavis gris. H. 0,163 ; L. 0,232.
Inscription : signé et daté à la plume et encre noire, en bas à gauche : « An 9. »
Exposition : 1984, Paris, musée du Louvre, p. 81, n° 99.

Paris, musée du Louvre, cabinet des Dessins (inv. RF. 14573).

L'Automne, près de Naples (cat. 104).

Ce dessin montre un labour suivi des semailles et du recouvrement des semences par hersage, séquence traditionnelle des travaux agricoles d'automne dans les campagnes de la France du Nord et de l'Est. La présence de deux charrues souligne aussi le cadre paysager et celui du travail : paysage sans clôture et travaux effectués par tous à peu près en même temps avec peut-être une allusion à l'assolement collectif.

La charrue utilisée correspond assez précisément à différentes descriptions de la « charrue de Brie » effectuées à la fin du XVIIIᵉ siècle, celle notamment que donne le citoyen Challan devant la société d'agriculture de Seine-et-Oise, à la séance du 25 ventôse an X (Paris, 1978, pp. 49-62). La courte taille de l'age et sa forte inclinaison par rapport au sol répondaient à un double objectif : assurer une bonne stabilité à l'instrument tout en pouvant exercer un labour profond. J.-R.T

107
Charrue dite de Brie

Seine-et-Marne, environs de Coulommiers.
Bois, fer. H. 1,23 ; L. 2,60 ; l. 0,73.
Manque l'avant-train, le coutre, le soc et son dispositif de fixation, l'étrempoire.
Paris, M.N.A.T.P. (inv. nº 45.81.18).

Charrue à versoir fixe et mancherons dissymétriques (les *manchériots*) dont l'écartement est maintenu par une entretoise (le *fuchiau*). L'avant-train était fixé sur l'age (la *haye*) à deux endroits : vers la pointe du second, une chaîne rejoignait l'avant du timon du premier ; vers le bas de l'age un collier métallique terminé par deux branches parallèles (l'*étrempoire*) rejoignait la partie arrière de l'avant-train. Le réglage de la profondeur s'effectuait en déplaçant l'étrempoire derrière les trous horizontaux pratiqués le long de l'age. Sur celui-ci l'étrempoire était fixée par plusieurs anneaux de fer (les *hardiots*), eux-mêmes retenus par une cheville. A l'opposé du versoir, une pièce de bois recouverte d'une plaque de fer (le *frayon*) contribuait à l'enfoncement du soc dans le sol.

Bien qu'il s'éloigne sur plusieurs points de la description traditionnelle de la charrue de Brie, cet instrument possède de nombreuses analogies techniques avec celle-ci, notamment le *frayon*, le système de fixation du soc par une tige et un crochet métalliques, et les *hardiots*. J.-R.T.

108
Charrue de la région de Gueldre-Utrecht

Modèle, bois. H. 0,11 ; L. 0,43 ; Pr. 0,13.
Historique : collection baron Van Brakell, 1847.
Wageningen, Museum Historische Landbouwtechniek (inv. MHL 212).

Ce modèle provient de la collection du baron van Brakell van den Eng, un gentilhomme fermier qui vivait dans la région du Betuwe au début du XIXᵉ siècle. Ce type de charrue fait partie des charrues les plus lourdes qui étaient utilisées aux Pays-Bas pour labourer le sol argileux particulièrement difficile à travailler. B.K. et M.J.

109
Histoire naturelle de Hollande

par J. LE FRANCQ van BERKHEY
Amsterdam. Universiteitsbibliotheek (inv. 2337 G 2).

Croquis coté sur lequel on indique également le mode d'emploi de cette « charrue de Rijnsbourg ». Le Francq van Berkhey signale dans la description (1771) que cette charrue était « courante dans notre pays » (Planche V, en face de la page 330). B.K. et M.J.

110
Charrue du Suffolk

Ransome & May, Ipswich, Suffolk.
Bois, fer forgé, fonte. H. 0,94 ; L. 3,30 ; Pr. 0,40.
Historique : donné au musée en 1955 par Ransomes, Sims & Jefferies Ltd of Ipswich.
Bibliographie : Philliphs, Grace, 1975.
Reading, University, Museum of English Rural Life (inv. nº 55/340).

Cette charrue est sortie des ateliers de l'usine Ransome et May, à Ipswich, dans le comté de Suffolk vers 1830. Le modèle est cependant plus ancien et c'est sans doute avec un instrument assez proche de celui-ci qu'Arthur Young gagna un concours de labour : installé à Bradfield à partir de 1763, il avait repris l'exploitation familiale après la mort de son père.

La charrue de Suffolk est de type *Swing-Plough* (sans avant-train), à un mancheron et régulateur, ce qui est plutôt une exception en Angleterre, où les instruments à deux mancherons étaient les plus répandus. La fameuse charrue de Norfolk était sans avant-train et pourvue de deux mancherons. Néanmoins, la Swing-Plough à un mancheron fut introduite en France dans certaines fermes expérimentales, notamment au domaine de Liancourt où le duc de La Rochefoucauld-Liancourt, ainsi que le rapporte Arthur Young (vol. 3, pp. 1241-1243), avait fait copier le matériel agricole anglais. J.-R.T.

111
Enseigne de la maison
« Zum Kaiseracker »
(Au champ de l'empereur)
dans le VIIᵉ arrondissement de Vienne

par un auteur anonyme
Huile sur cuivre. H. 0,605 ; L. 1,265.
Historique : provient de la maison sise au numéro 27 de la Kaiserstrasse, démolie pour la construction du chemin de fer Vienne-Linz en 1857 ; depuis 1906 au musée historique.
Bibliographie : cat. Vienne, 1984, p. 178.
Vienne, Historisches Museum der Stadt (inv. 31.466).

La plaque montre l'empereur Joseph II poussant la charrue. Il y a derrière ce motif un événement réel, survenu durant un voyage de l'empereur en Moravie : le 19 août 1769 à la suite d'une rupture d'essieu du carrosse impérial, Joseph II descendit et empoigna les mancherons de la charrue de Jan Kartos, un valet, qui labourait dans les environs.

En souvenir, une pierre commémorative fut érigée dans le champ et la charrue de bois que l'empereur avait conduite fut conservée comme une sorte de relique. Elle se trouve aujourd'hui au musée morave de Brno (Brünn) ; c'est un des rares exemples subsistants de charrue du XVIIIᵉ siècle.

De nombreuses estampes populaires, des peintures et des médailles, ont à la fin du XVIIIᵉ siècle diffusé la représentation de l'empereur labourant. L.Po.

112
Monseigneur le dauphin labourant

par François-Marie-Antoine BOIZOT
Gravure en manière de lavis. H. 0,380 ; L. 0,545.
Inscription : En bas à gauche, sous le trait : *Inventé par Poulin de Fleins* ; à droite : *Composé et Gravé par F.M.A. Boizot* ; au milieu : MONSEIGNEUR LE DAUPHIN LABOURANT quel est donc, O Céres, ce nouveau Triptolème. D'un Père bienfaisant c'est le plus doux Emblème. Quelles mains de ton art essaient les leçons l'Image de Louis l'héritier des Bourbons. Dédié a Monseigneur Le Dauphin l'an 1769 ; en bas à droite : *par son très humble et très respectueux serviteur Poulins de Fleins.*
Bibliographie : Roux, 1934, pp. 120-121 ; Bault, 1987, p. 16.
Paris, Bibliothèque nationale, cabinet des Estampes (inv. Qb 1 1764-1770).

Le 15 juin 1769, Louis XVI encore dauphin, se promenant dans la campagne, rencontre un laboureur ; il veut alors tracer lui-même un sillon, à la manière de l'empereur de Chine, qui tous les ans ouvre les labours et rend « honneur à l'agriculture, le plus noble et le premier des arts, parce qu'il est le plus utile » (*Affiches, annonces et avis directs* du 11 octobre 1769). La gravure, geste courtisan de Poulins de Fleins, est annoncée par la presse et obtient

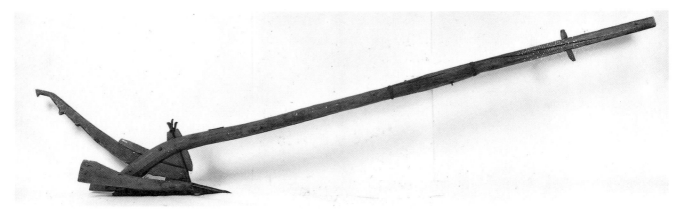
Araire chambige (cat. 105).

...ène de labourage (cat. 106).

Charrue dite de Brie (cat. 107).

Charrue de la région de Gueldre-Utrecht (cat. 108).

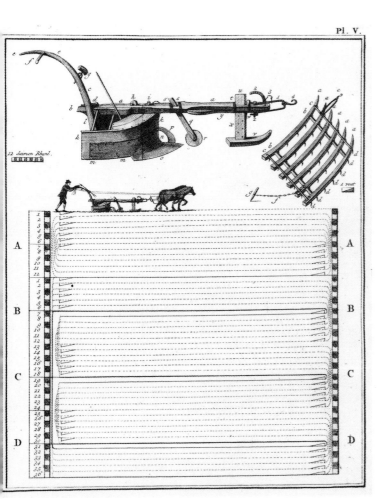
...oquis et mode d'emploi de la charrue de Rijnsbourg (cat. 109).

95

Charrue du Suffolk (cat. 110).

Joseph II labourant (cat. 111).

MONSEIGNEUR LE DAUPHIN LABOURANT

Quel est Donc, Ô Cères, ce nouveau Triptolème?   *D'un Pere bien faisant c'est le plus doux Emblême*
Quelles mains de ton art Essaient les Leçons?   *L'Image de Louis l'heritier des Bourbons.*
Dedié à Monseigneur   *Le Dauphin l'an 1769.*

Le Dauphin, futur Louis XVI, labourant (cat. 112).

La Moisson à Carditello (cat. 113).

La Moisson ou *l'Eté* (cat. 114).

un grand succès : on y voit le dauphin labourant, accompagné de son gouverneur, le duc de La Vauguyon, et de ses deux frères, Provence et Artois, eux-mêmes en compagnie de leurs gouverneurs. Plusieurs gravures commémorent l'événement. Le dessin de Jean-Baptiste Le Paon (1736 ou 38-1785) conservé à la Crocker Art Gallery de Sacramento montre d'une manière plus élaborée cette même scène (Inventaire 448. Pierre Rosenberg, « Twenty French Drawing in Sacramento », *Master Drawings*, 1970, nᵒ 1, p. 36, pl. 36). Cette œuvre est de peu postérieure à l'édition du premier volume des planches de l'Encyclopédie, dont l'une des gravures illustrant l'agriculture représente une scène de labour, et elle s'en inspire vraisemblablement. Le dauphin travaille avec un instrument qui semble assez proche de ceux qui étaient utilisés dans la région parisienne. Par ailleurs la herse quadrangulaire que tire un cheval au second plan et qu'on retrouve au bas de la gravure, les dents dos au sol, était également un instrument répandu dans la région parisienne. Le labour qu'effectue le dauphin, perpendiculaire aux raies les plus longues, n'est pas forcément non plus un caprice de l'artiste : il peut s'agir du labour du chaintre, espace réservé aux mouvements de l'attelage lors du labour longitudinal et travaillé en dernier. En revanche, vu le morcellement des parcelles, cette pratique ne pouvait pas être universelle dans les campagnes entourant Paris. Le caractère éducatif de ces pièces confirme bien l'attention particulière portée par tous à l'agriculture (Exp. Paris, Louvre, 1984, nᵒ 99). La *Leçon de labourage* devient au même titre que le *Ménage du menuisier* pour les Arts et Métiers, un thème pictural destiné à prolonger les écrits des physiocrates, des poètes et les théories de Jean-Jacques Rousseau. L'œuvre qui caractérise le mieux ce courant d'idées est la *Leçon de labourage* de François-André Vincent datée de l'an VI (1798) et conservée au musée des Beaux-Arts de Bordeaux (Inventaire 830) (voir *supra* p. 21).　M.Pi et J.-R.T.

113
La Moisson à Carditello

par Jacob Philipp HACKERT

Huile sur toile. H. 0,56 ; L. 1,00.
Expositions : 1954, Benevent ; 1972, Londres ; 1979, Naples.
Bibliographie : Spinosa, 1970, pp. 73-87.

Caserte, Palazzo Reale.

Cette esquisse de Jacob Philipp Hackert, représentant les membres de la famille royale de Naples vêtus en campagnards, est tout à fait conforme à la tradition rococo des « pastorales » et au goût prononcé de la reine de France, Marie-Antoinette, pour les mascarades champêtres. Le choix du thème agreste est en effet lié à la destination de l'œuvre : les fresques pour lesquelles le peintre allemand avait réalisé cette étude devaient décorer le petit salon du pavillon royal de Carditello, un

village de campagne non loin de Caserte. Ce cycle de fresques, exécuté vers 1791, a été presque entièrement détruit par suite de l'abandon et de l'état de délabrement dans lesquels a été laissée la demeure royale dès la seconde moitié du XIXᵉ siècle ; de cette série de fresques il ne reste plus que les précieux témoignages de deux esquisses : *La Moisson* et *Les Vendanges* (voir cat. 104). Ces deux œuvres sont dues au plus grand vedutiste œuvrant à Naples dans les dix dernières années du XVIIIᵉ siècle, Jacob Philipp Hackert, qui appartenait à la colonie d'artistes allemands étroitement liés à la reine Marie-Caroline.
Dans *La Moisson* on reconnaît aisément, dans la zone de droite, le roi et la reine entourés de jeunes enfants, probablement les leurs, eux aussi déguisés en petits paysans ; dans la partie gauche, on peut identifier, dans les bras de sa nourrice, sans doute le dernier-né de Ferdinand et Marie-Caroline, Léopold, né le 1ᵉʳ juillet 1790 ; enfin on peut présumer que les fillettes habillées en villageoises représentent Marie-Christine, âgée de 12 ans, Marie-Amélie, 9 ans et Marie-Antoinette Thérèse, 7 ans.　R.Ci.

114
La Moisson ou *l'Eté*

par Francesco CELEBRANO

Huile sur toile. H. 2,07 ; L. 1,74.
Bibliographie : Morelli, 1822 ; Riccio, 1844 ; Filangeri da Satriano, 1883-1891 ; Castello, 1969 ; Pacelli, 1984 ; Spinosa, 1987.

Naples. Palazzo Reale (inv. 856/1950).

Francesco Celebrano, peintre, sculpteur et modeleur de figurines de crèches, fut au service de Raimond di Sangro, prince de San Severo, figure bien connue de l'illuminisme méridional ; il exécuta pour sa chapelle seigneuriale plusieurs mausolées ainsi que de fort belles peintures pour l'un des salons de son palais napolitain. A la mort du prince (1771), F. Celebrano travailla souvent pour la cour des Bourbons, qui lui commanda en particulier, selon les sources du XIXᵉ siècle, une série de peintures sur le thème des travaux des champs pour l'une des résidences royales. Ce cycle a été récemment identifié avec un groupe de toiles, provenant de la Regia de Caserte, dont certaines sont conservées au Palazzo Reale de Naples ; l'une représentait une *scène pastorale*, deux *La Moisson*, une autre *La Vendange* (mais seul le « bozzetto » en a été identifié dans une collection privée). *La Moisson* ici présentée (l'une des deux citées) est sans doute postérieure à 1780. Elle est aussi appelée *L'Eté*, selon une interprétation allégorique dont les sources du XIXᵉ siècle conservent le souvenir. Le choix du thème peut être considéré comme un témoin de l'intérêt paternaliste et ostentatoire manifesté par Ferdinand IV pour les activités agricoles de ses sujets, attitude dont la commande faite ultérieurement à Hackert d'une *Vendange* et d'une *Moisson* pour la résidence royale de Carditello, et qui nous montrent la famille

royale en habits de paysans, témoigne aussi (cf. cat. 113). Mais toute la distance qui séparait le souverain des travaux et des fatigues des pauvres gens de la campagne transparaît dans le ton bucolique de cette peinture qui ne montre pas des paysans barbouillés de terre et ruisselants de sueur sous le soleil de l'été ; la scène est au contraire calme, rassurante car destinée à une demeure royale.
L'outil représenté est profondément original ; ce n'est pas véritablement une faux car les travailleurs ne le manipulent pas avec le manche, sur lequel est fixée la lame : la préhension se fait par deux bâtons fixés sur le support de la lame. Le travail devait être extrêmement pénible.　R.Ci

115
Faux anglaise

Bois, fer, acier. Manche : L. 1,53 ; D. 0,05 ; lame : L. 0,74 ; Pr. 0,08.

Paris, musée de l'Homme (inv. nᵒ 984.44.21).

Cette faux à foin est un instrument *long* et *recourbé* muni de deux poignées fixées sur ses côtés. A l'inverse, la majorité des faux françaises, celles de la fin du XVIIIᵉ siècle comme les faux contemporaines, sont plus *courtes* et *droites*, et l'une des deux poignées est fixée sur le sommet du manche. En outre, tandis que la lame de la faux anglaise est *longue* et *mince*, celle de la faux française est *courte* et *large*. Ces différences formelles traduisent des différences dans la manipulation des instruments : avec la faux anglaise, le travail est plus ample et plus rapproché du corps qu'avec la faux française, la cambrure du manche permettant le pivotement de l'instrument de part et d'autre de la jambe gauche du faucheur.　J.-R.T.

116
Faucille à lame dentée

Villars-en-Azois (Haute-Marne)

Bois, fer forgé. L. totale : 0,46 ; manche : L. 0,13.

Paris, M.N.A.T.P. (inv. nᵒ 982.43, 11).

Avec cet outil, dont la taille et la forme connaissaient des variations importantes, le moissonneur pouvait scier les tiges en un mouvement de va-et-vient perpendiculaire à celles-ci. Contrairement à la faucille à lame lisse, la faucille à lame dentée ne pouvait pas être affûtée avec une pierre. On trouvait des faucilles à lame dentée dans diverses régions de l'Europe où elles voisinaient parfois aussi avec des faucilles à lame lisse. Autour de Paris, la *faucille à frôler* était armée de dents très fines dans le tiers supérieur de sa longueur pour couper l'extrémité du blé, en vue de « forcer chaque pied à pousser sur plusieurs tiges » (*Cours complet d'Agriculture*, 1840, p. 402).　J.-R.T.

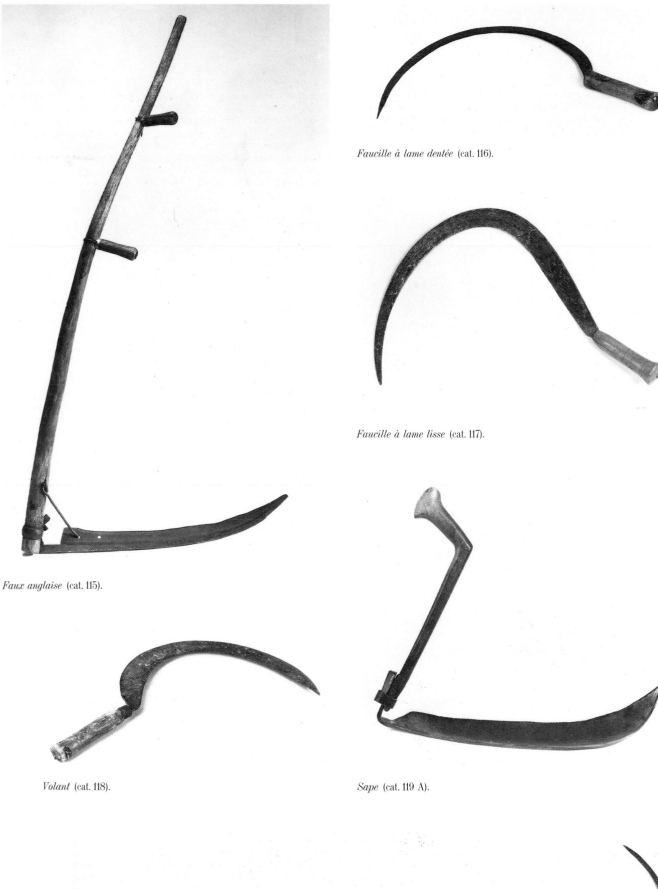

Faucille à lame dentée (cat. 116).

Faucille à lame lisse (cat. 117).

Faux anglaise (cat. 115).

Volant (cat. 118).

Sape (cat. 119 A).

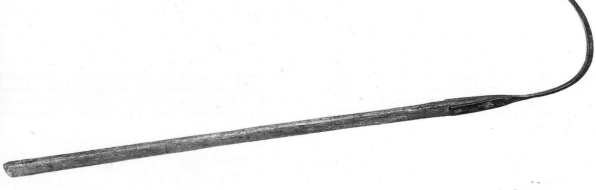

Crochet (cat. 119 B).

117
Faucille à lame lisse

Bois, fer. Manche : L. 0,13 ; Lame : L. 0,43.

Paris, M.N.A.T.P. (inv. n° 36.1438).

Avec la faucille à lame lisse, le moissonneur sciait les tiges obliquement, en passant l'outil derrière la javelle qu'il avait saisie de la main gauche. Cette manipulation explique que, fréquemment, l'axe de la lame ne se trouvait pas dans celui du manche. Elle explique aussi la forme de celle-ci, dont la courbe, accentuée, permettait de couper la javelle en décrivant un mouvement semi-circulaire.

Il y avait sans doute une relation entre la hauteur de coupe, la forme des faucilles et le fait que celles-ci aient été dentées ou non. Les faucilles à lame longue et fortement courbée permettaient de couper plus bas que les faucilles à lame courte et faiblement courbée. Les premières sont souvent lisses, les secondes souvent dentées.   J.-R.T.

118
Volant

Gavarnie (Hautes-Pyrénées).

Bois, fer, lame fixée au manche par une virole.
Manche : L. 0,13 ; lame : L. 0,35.

Paris, M.N.A.T.P. (inv. 60.140.135).

Contrairement à la faucille, le volant est armé d'une arête dorsale et son tranchant est toujours lisse. En outre, il était lancé contre les tiges, alors que la faucille était posée contre elles avant la coupe ou le sciage. Bien manié, le volant réalisait un travail plus rapide que la faucille et c'est pourquoi il avait été adopté, en France, dès le XVIe siècle par les moissonneurs montagnards migrants qui se louaient dans les bas pays avant de retourner faire les moissons chez eux. Mais on le trouvait également en Grande-Bretagne et dans les pays baltes.
                                         J.-R.T.

119 A et B
Sape et son crochet

Handeville par Marle (Aisne).

Bois, fer. Sape-lame : L. 0,61 ; Pr. 0,07 ; manche : L. 0,38 ; Pr. 0,16 ; crochet : L. 0,82 ; Pr. 0,31.

Paris, M.N.A.T.P. (inv. n° 60.74. 1 et 2).

A la fin du XVIIIe siècle, la sape est un instrument répandu dans les provinces du Nord, mais également aux Pays-Bas et en Westphalie. Elle gagna par la suite les provinces limitrophes méridionales, importée par les moissonneurs saisonniers. « La sape est tenue de la main droite par la partie supérieure de son manche court ; une lanière de cuir la maintient au poi-

gnet et à l'avant-bras du sapeur (...). De la main gauche, avec le croc, le sapeur rassemble la poignée de chaume à couper en redressant les épis qui sont couchés ou de travers. Puis de la main droite il fauche avec la sape ; avec le crochet il recueille alors les céréales, les roule sur la lame de la sape ; ensuite il les dépose sur le champ en javelle (...) » (Jean-Brunhes Delamarre ; Haudricourt ; Chaurand, 1960, p. 69).   J.-R.T.

120
Planche à dépiquer (trillo)

Espagne, région de Zamora

Bois, fer, pierres de silex. H. 0,110 ; L. 1,69 ; Pr. 0,815.

Paris, musée de l'Homme (inv. n° 975.112.30).

Utilisée jusqu'à une époque très récente dans de nombreuses régions de la péninsule Ibérique, la planche à dépiquer est connue depuis l'Antiquité sous une forme semblable à celle de l'objet présenté : un assemblage de planches dont l'extrémité inférieure est munie de petites pierres coupantes, destinées à déchiqueter les épis. Au-dessus, de façon à rendre le déchiquetage plus efficace, on posait des pierres. L'universalité de l'emploi du *trillo* en Espagne apparaît dans l'existence du verbe *trillar*, le seul qui soit employé pour désigner les opérations de séparation entre le grain et la paille, alors que le français distingue *dépiquer* (= *trillar*) de *battre* (opération effectuée au fléau).   J.-R.T.

121 A
Fléau à attache pivotante

Saint-Leu-de-d'Esserent (Oise)

Bois, cuir. Manche : L. 1,245. Batte : L. 0,75 ; D. 0,50.

Paris, M.N.A.T.P. (inv. 37.10.1).

121 B
Fléau à attache fixe

Guyenne, Gascogne

Manche : L. 1,02 ; D. 0,03. Batte : L. 0,61 ; Pr. 0,10.

Paris, M.N.A.T.P. (inv. 36.1046 1 et 2).

Connu depuis les premiers siècles de l'ère chrétienne, le fléau est utilisé à la fin du XVIIIe siècle dans presque toute la France, y compris dans les régions méridionales où il s'est ajouté assez récemment aux pratiques traditionnelles du foulage et du dépiquage.

La constitution apparemment assez simple de l'instrument cache en réalité d'assez importantes variations, dont les contemporains font état, tel Rozier en 1786 : « La forme de cet instrument varie dans nos provinces ; ici le manche est aussi long que le morceau qui

frappe la paille ; là il est plus long, ailleurs plus court ; dans d'autres aussi gros l'un que l'autre. » (Rozier, 1787, p. 642). Les deux spécimens présentés relèvent plutôt de la seconde catégorie mais ils sont dissemblables d'une autre façon : l'un est à attache pivotante, l'autre à attache fixe, ce qui implique une différence dans la manipulation.   J.-R.T.

122
Latte

La Trinitat, les Fajoux (Cantal)

Bois, liens végétaux. L. 2,90 ; D. 0,55.

Paris, M.N.A.T.P. (inv. 65.66.37).

A la fin du XVIIIe siècle, la latte était employée pour le battage dans quelques régions du sud de la France, notamment au nord du Rouergue, dans le sud de l'Auvergne et dans une partie du Quercy. Elle y était connue sous le nom de *lato*, qui « semble avoir été soit une gaule refendue sur une certaine longueur en plusieurs brins qu'on liait ensemble après y avoir introduit un bâton saillant qui servait de batteur, soit un assemblage de quatre ou cinq longs bâtons un peu tordus et réunis ensemble. » (Parain, 1979, p. 19) ; (c'est le cas ici). La manipulation de la latte et du fléau, reposait sur le même principe : travail à plusieurs, souvent effectué de front et suivant un rythme cadencé.   J.-R.T.

123
Recueil de planches sur les Sciences, les arts libéraux, et les arts méchaniques

Extrait de l'*Encyclopédie*, «Agriculture, le batteur en grange.»

Gravure sur cuivre. H. 0,416 ; l. 0,266.

Paris, M.N.A.T.P., bibliothèque.

Cette planche (de la première livraison de l'*Encyclopédie*, Paris, 1762) présente une scène de battage et divers objets en relation avec cette importante phase du cycle agricole. L'une et les autres sont nettement septentrionaux. Le battage au fléau, en grange isolée ou incluse dans une maison polyfonctionnelle, était propre aux zones continentales de la France, évitant la bordure méditerranéenne comme la façade atlantique et le Sud-Ouest aquitain. Effectué en hiver, il supposait un stockage préalable des céréales en gerbes, comme l'indique très clairement le dessin de la grange. L'arrivée du char de moisson serait donc un anachronisme et l'on ne devait considérer aussi le caractère pédagogique de la scène gravée. Les instruments présentés sont traditionnels, à l'exception du crible sur pied (fig. 10) qui était une nouveauté à l'époque.   J.-R.T.

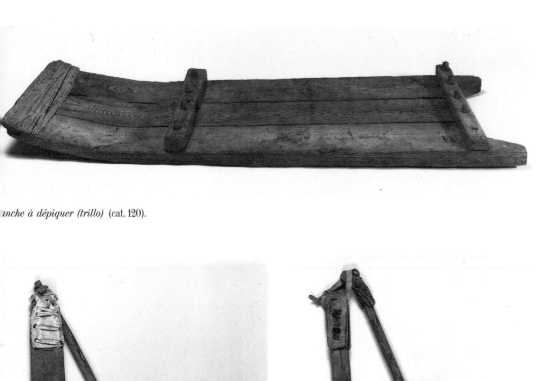

...nche à dépiquer (trillo) (cat. 120).

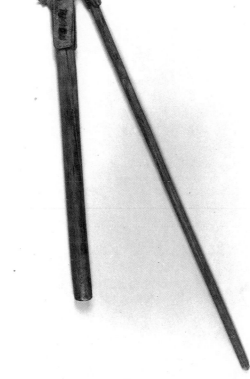

...au à attache fixe (cat. 121 B).

Fléau à attache pivotante (cat. 121 A).

...te (cat. 122).

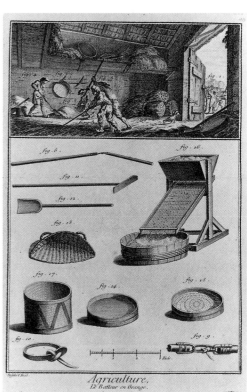

Scène de battage (cat. 123).

Cribleurs de blé du Vexin (cat. 124).

Tarare autrichien (cat. 125).

124
Cribleurs de blé du Vexin

par Jean-Jacques LEQUEU

Plume, encre noire, lavis de divers bistres. H. 0,310 ;
L. 0,350.
Inscription : signé et daté, en bas à gauche à la
plume et encre noire : « J^n J^{que} Lequeu dessin 1790 » ;
en bas au milieu : « Cribleurs de Bled, du Vexin
Normand. »
Historique : don de l'artiste à la Bibliothèque royale
en 1825.
Exposition : 1984, Paris, musée du Louvre, pp. 82-
83, n° 101.
Bibliographie : Guillerme, 1974, repr. en couverture.

Paris, Bibliothèque nationale, cabinet des Estampes
(inv. n° Ha 80 c Fol 51).

L'emploi du mot *crible* pour désigner le tarare
est indiqué par l'abbé Rozier, qui lui préfère
celui du bluteau (Rozier, 1785, p. 310).
Cette machine est décrite, dès le milieu du
XVIIIe siècle, par plusieurs savants qui ne donnent pas l'impression d'en mesurer la nouveauté dans les techniques paysannes de
l'époque. Première machine à bras à être introduite dans le cycle céréalier, son extension
semble pourtant déjà assez grande à la fin du
XVIIIe siècle.

Comme la planche précédente, le crible de
Lequeu (1790) est situé dans un contexte agricole septentrional : entassées dans un local couvert, les gerbes attendent le battage, effectué
en hiver, mais ici, la machine remplace les vans
en vannerie et en bois. Cette dernière est d'une
grande hauteur, comme l'attestent le geste et
l'attitude de l'homme qui vide le grain dans la
trémie, contrairement aux spécimens posté-
rieurs. S'agit-il d'une mauvaise observation de
la part de l'artiste, d'un tâtonnement technique
ou d'un souci de rentabilité : plus l'appareil est
haut, plus il est efficace ?　　　　J.-R.T.

125
Tarare

Bois, fer. H. 1,50 ; L. 1,60 ; Pr. 0,50.
Inscription : « 1757 — Hofe Hörmann, Donners-
bach ».
Bibliographie : Haiding, 1979, p. 199 ; Moser, 1981 ;
Mainers, 1983 ; Moser, 1984.

Autriche, Steiermärkirsches Landesmuseum, Joanneum Abteilung, Schloss Trautenfels (inv. 5969).

Le tarare — ce nom, en France, ne deviendra
celui de la machine qu'au XIXe siècle — apparaît
aux Pays-Bas dès le début du XVIIe siècle, peut-
être par l'intermédiaire des retours de navigation vers les Indes, mais ne sera connu en
France que vers le milieu du siècle suivant,
sans doute à partir de la Suisse. Chez nous,
les spécimens datés les plus anciens se trouvent
au musée de Chamonix et portent les dates de
1772 et 1790. A l'est des Alpes, le tarare fut
propagé par les jésuites mais l'objet exposé,
trouvé en Styrie, provient d'un foyer d'innovation qui exista assez tôt au sud-est de l'Autriche. Le principe élémentaire du tarare est
celui du moulin, à eau ou à vent, mais le premier fonctionne à l'inverse du second : ici, un
engrenage actionne un axe pourvu de pales qui
chassent les balles et la poussière du grain,
entrés avec celui-ci dans la trémie. L'ouverture
de cette dernière, réglable, donne accès à un
tamis mobile dont le mouvement horizontal
permet l'écoulement du grain, vers le bas de la
machine, sous les pales. A sa sortie, le grain
est normalement nettoyé. Les décorations dont
cet objet est orné ainsi que l'apposition de la
date et du nom de son propriétaire laissent
penser qu'il était encore peu courant en
Autriche en 1757.　　　　W.O. et J.-R.T.

DE LA PRODUCTION À L'ALIMENTATION :
LES GRAINS ET LE SEL

Les grains.
Mesures de superficie et mesures de contenance

« Dans tout le Royaume, une seule coutume, mêmes poids,
mêmes mesures, puisque nous n'avons tous qu'une même
langue[113]. » Cette naïve déclaration des cahiers de doléances
de Germaine et de Vaurémond (Marne) utilise une mauvaise
comparaison pour demander l'unité métrologique du royaume.
En effet, la situation des mesures ressemblait assez à celle de
la langue française à la fin du XVIIIe siècle : des patois ou des
dialectes dotés souvent d'une origine commune et employés au
même moment dans de nombreux endroits. Parfois trompeu-
sement dissimulées sous un même nom, d'importantes diffé-

rences existaient entre ces mesures, et une fastidieuse conversion était nécessaire pour passer de l'une à l'autre. D'après
certains contemporains, en cette fin du XVIIIe siècle, la Tour
de Babel aurait suivi la mort de Charlemagne, l'empereur ayant
laissé, dans ce domaine aussi, la réputation d'avoir été un
unificateur. Cette opinion n'est peut-être pas très éloignée de
la vérité, car la diversité des mesures de capacité trouve sans
doute sa principale origine dans le morcellement féodal qui
suivit la période carolingienne. En revanche, elle n'est pas dans
la logique des mesures de surface, du moins de certaines d'entre
elles, car leurs variations reflétaient un contexte microrégional
ou local impossible à maîtriser de haut et de loin.

Cette diversité s'expliquait en effet par les critères retenus
pour mesurer, qui étaient fondés sur la spécificité des tâches
agricoles accomplies et l'impossibilité mentale de les ranger

113. Cité par Kula, 1985, p. 197.

sous un étalon commun : « car on ne mesure pas abstraitement, mais en semant, en labourant, en fauchant...[114] ». Dans toute l'Europe, on arpentait ainsi les espaces cultivés ou cultivables non en superficie, mais en temps de travail, humain ou animal, et en quantité de semence. Le journal, unité de mesure en usage dans de nombreux endroits, désignait, comme son nom l'indique, la tâche quotidienne réalisable par un homme ou un attelage. Les différences dans la fixation de la mesure étaient donc potentiellement énormes : elles pouvaient tenir à la nature des cultures, aux méthodes de travail et à l'équipement de l'agriculteur, à l'organisation du paysage rural ou à la nature du terrain. En Bretagne, on distinguait ainsi « le journal à charrue (les champs à labourer), le journal à faucher (les prairies) et le journal à bêcher (pour les vergers et les vignobles)[115] ».

Le système fondé sur la quantité de semence visait à déterminer la relation entre celle-ci et la fertilité du sol : plus la quantité était grande et plus l'unité de mesure l'était aussi, un bon sol recevant théoriquement une quantité de semence supérieure à un sol de qualité moindre. Dans ce cas aussi, les variations dans la mesure (nos 126 à 130) étaient virtuellement fort importantes, la nature du sol étant rarement identique au sein d'un même terroir. De surcroît, les quantités semées pouvaient varier en fonction de la plante cultivée et du rythme adopté par le semeur. D'où la nécessité de codifier strictement celui-là pour arriver au résultat voulu.

L'inspiration des deux systèmes n'était donc pas identique et leur domaine d'application ne touchait pas aux mêmes travaux : les mesures-temps concernaient davantage la préparation du sol et la récolte, les mesures-quantité exclusivement les semailles. Mais, justement parce qu'ils ne se recoupaient pas totalement, l'un et l'autre étaient simultanément connus et employés à travers une large partie de l'Europe : les mesures-quantité convenaient aux grands espaces, mais perdaient de leur efficacité dès que la division du parcellaire obligeait à fragmenter par trop le volume du contenant manié par le semeur. Il devenait alors plus simple d'arpenter en temps de travail. Il n'empêche que, parfois, il était difficile de procéder à la conversion de l'un à l'autre, et « les deux systèmes, l'arpentage selon le travail humain et celui selon la quantité de semence, coexistaient indépendamment (...). En Gironde, par exemple, le journal à bœuf (le travail journalier avec deux bœufs) n'était pas un simple multiple de la setérée (surface où l'on semait un setier)[116] ».

D'une certaine façon, le système-quantité était plus évolué que l'autre, car il permettait d'appréhender plus facilement des données qui dépassaient le strict problème de l'arpentage. Le vocabulaire souvent commun des mesures-quantité (de superficie) et des mesures de capacité souligne ainsi la dépendance des premières par rapport aux secondes : à la boisselée et à la setérée (mesures-quantité) correspondaient ainsi le boisseau et le setier (mesures de capacité). Et il est possible que le caractère fluctuant des mesures de contenance au Haut Moyen

Age ait retardé l'adoption du système-quantité, favorisant ainsi le maintien des mesures en temps de travail, connues depuis l'Antiquité.

Avec les premières, en tenant compte de la variété de fertilité des terrains et de la densité du semis, il était possible à l'agriculteur de calculer un rendement-type moyen, ce que ne permettaient pas d'apprécier les mesures-temps. L'opération mentale qui visait à établir dans quelles conditions, pédologiques et ergonomiques, un boisseau ou un setier de grains pouvait couvrir telle ou telle superficie de terre, était en effet semblable à celle qui consistait à estimer le rendement en nombre de grains récoltés par nombre de grains semés. Cette dernière méthode était en effet universellement utilisée pour mesurer le rendement et sa relation avec les quantités semées par unité de superficie facilement réalisable. En Bretagne, dans la seconde moitié du XVIIIe siècle, Pierre Frin de la paroisse de Balazé (Ille-et-Vilaine), déclare ainsi : « Je semme par chaque année 4 boisseaux de seigle, mesure de Vitré qui me produisent 5 pour 1, pesant 48 livres, poids de 16 onces ; 3 boisseaux d'avoine qui produisent 5 pour 1 ; 1 boisseau 1/2 de blé noir qui produit 10 pour 1[117]. »

Le semis d'un boisseau ou d'un setier équivalait ainsi à la réalisation d'une triple opération : 1) utilisation d'une mesure de capacité pour semer, ce qui suppose au préalable un lien entre celle-ci et une mesure d'arpentage ; 2) appréciation de la qualité du sol par la mesure de capacité, convertie ainsi en mesure de superficie ; 3) appréhension du rendement, en rapportant, même grossièrement, les quantités semées aux quantités récoltées.

A côté de ces deux systèmes d'arpentage, il en existait un troisième, fondé cette fois sur le produit de la terre, en nature ou en argent. Il était finalement assez proche du système-quantité de semences, bien qu'il fonctionnât à l'opposé et qu'il envisageât non le rendement agricole proprement dit mais le rapport économique de la terre. Exprimé en nature, on peut le comparer aux estimations actuelles du rendement (en quintaux/hectares), sauf en ce qui concerne l'étalon : capacité d'un côté, poids de l'autre. Mais on mesurait toujours une unité de surface avec un étalon qui se référait à autre chose. En ce sens, un progrès important fut accompli en Lorraine à partir du Bas Moyen Age, où les anciennes mesures (en travail ou en revenu), tout en gardant leur nom, en vinrent à désigner des unités de superficie fixes, dotées « de multiples et de sous-multiples, dans un rapport décimal ou duodécimal[118] ». Ce « décollage » eut moins pour origine une rénovation des méthodes culturales qu'un affermissement du paysage rural :

114. Sigaut, (1982), p. 80.

115. Kula, 1985, pp. 38-39.

116. *ibidem*, p. 42.

117. Sée, 1906, p. 386, note 2.

118. Peltre, (1982), pp. 40-41.

ces progrès furent « corrélatifs de l'épanouissement du système d'openfield (...) dont on sait que les éléments constitutifs (...) ont été mis en place successivement et à des périodes diverses selon les lieux ». En substituant la ligne au volume ou à la quantité ou *a fortiori* à la capacité de travail, cette modification préparait le terrain à l'introduction du système métrique.

La diversité des mesures de capacité n'était pas moindre que celle des mesures de superficie : non seulement le boisseau et le setier, déjà mentionnés, n'étaient pas les seules unités en usage, mais leurs rapports pouvaient varier de façon considérable suivant l'endroit. Ces différences traduisaient principalement l'inégale contenance des mesures, dont l'application géographique était souvent très limitée : les changements n'étaient pas rares d'une paroisse à l'autre, voire au sein d'une même paroisse, où, comme en Normandie au Moyen Age[119], on utilisait parfois plusieurs mesures suivant la nature des grains. Mais on arrivait aussi à un résultat comparable avec le même contenant ; il suffisait alors de jouer sur le mode de remplissage. Le mesurage *ras* consistait à arrêter celui-ci au droit des bords, le mesurage *comble* à remplir au-delà, en évitant toutefois le débordement ; dans l'ensemble, le premier s'appliquait aux grains nobles, le second aux menues graines, aux fruits et aux légumes. Un remplissage *comble*, s'il était bien fait et en fonction de la forme du contenant, pouvait réunir des quantités bien supérieures à celles que procurait un remplissage *ras*.

Certains cahiers de doléances évoquent clairement le problème des mesures et se montrent conscients de l'avantage qu'il y aurait à peser plutôt qu'à mesurer les grains ; la difficulté restant de se procurer des poids et des balances[120]. Dans la vie quotidienne en effet, la soumission du poids à la capacité recoupait les différences locales entre les mesures, ce qui entraînait des injustices difficilement supportées. D'où les plaintes des paroissiens de Belle-Isle-en-Terre (Côtes-du-Nord) : « Que la paroisse paye par an au recteur quatre-vingt-quatre prémices, qui fait pour chaque (exploitation) un demi-boisseau du poids de soixante-dix livres, mesure de Belle-Isle-en-Terre ; que le recteur perçoit pour la moitié de ses prémices la mesure de Lannion, qui n'est que du poids de quarante-deux livres chaque demi-boisseau ; ils supplient sa Majesté d'ordonner, égard à la différence des poids, que la prémice dans toute l'étendue de la paroisse de Belle-Isle ne sera à l'avenir payable, ni exigible qu'à la mesure de Lannion[121]. »

Les origines des mesures rases ou combles, comme la forme des mesures elles-mêmes, sont à rechercher dans la perception de l'impôt et, secondairement, dans le commerce. Recevoir une mesure comble et vendre une mesure rase était bien entendu le but vers lequel tendaient tous les possédants de la terre. S'ils ne percevaient qu'une mesure rase, ils pouvaient toujours essayer d'augmenter la contenance de celle-ci. D'où la méfiance qui transparaît dans le cahier de doléances de Saint-Norvez (Côtes-du-Nord) ; « Avec défense au seigneur de prendre les rentes en grains à la mesure de leurs maisons et seigneurie : ils doivent se fixer à la mesure de Guingamp, au poids de soixante-cinq livres[122]. » L'époque et les circonstances dans lesquelles les mesures de capacité furent fixées, au Haut Moyen Age et en l'absence de toute autorité centrale, d'une part, la résistance des paysans aux prétentions des propriétaires et seigneurs d'autre part, expliquent leur diversité. La progression de la monarchie et le développement des échanges tendirent certes à la limiter, mais cela entraîna parfois un reclassement des mesures, qui était lui-même un facteur de confusion. Ainsi le boisseau de Guingamp auquel se réfèrent avec optimisme les paysans de Saint-Norvez ne cessa pas de grandir, et ce mouvement entraîna bien sûr plaintes et procès[123]. A l'inverse, les deux dates gravées sur la mesure mâconnaise présentée ci-dessous (n° 127) — 1711 et 1751 — attestent la stabilité de celle-ci pendant au moins plusieurs décennies.

Ces deux exemples tendraient à laisser croire qu'il existait une différence entre les mesures campagnardes et les mesures citadines. Dans l'ensemble, en effet, « au cours des siècles, le boisseau s'aplatit. Il semble que les mesures citadines aient moins subi ce processus, sinon pas du tout[124] ». La proportion tendit à se fixer autour d'un diamètre trois fois supérieur à la hauteur, donnant au comble une grande importance virtuelle : jusqu'à la moitié pour l'avoine et le tiers pour le blé. En ville, au contraire, le comble était plus réduit parce que le diamètre était moins grand. Depuis 1670, le boisseau de Paris avait « huit pouces deux lignes et demie de haut, et dix pouces de diamètre[125] » ; celui-ci n'était donc que très peu supérieur à la hauteur. Cette particularité s'explique au moins en partie parce que les villes n'étaient que des centres de vente et de consommation : dans certains cas, profitant de l'imprécision de la coutume, il semble que les marchands aient eu la possibilité de jouer sur la forme du boisseau. Leur démarche équivalait donc à une spéculation, s'appuyant sur le court-circuit de deux systèmes d'évaluation : les mesures cubiques venaient parasiter et dévier les mesures traditionnelles, fondées sur l'appréciation. Contre cette spéculation, dans les années précédant la Révolution, l'autorité royale n'avait pas pris de mesures d'ensemble ; c'est ce qui ressort nettement du texte suivant : « Le boisseau nantois, qui doit contenir 446 pouces cubiques, les contiendra toujours, soit qu'il ait plus de profondeur et moins de diamètre, soit qu'il ait moins de profondeur et plus de diamètre. Mais le comble qui s'élève sur ce même diamètre sera plus ou moins grand ou plus ou moins petit (...). Il est donc intéressant (...) de fixer et rapporter les dimensions que doit avoir le bois-

119. Delisle, 1903, p. 540.

120. Kula, 1985, p. 73.

121. Sée et Lesort, 1912, p. 195.

122. *ibidem*, p. 92.

123. Geslin de Bourgogne et de Barthélemy, 1878.

124. Kula, 1985, p. 59.

125. Jaubert, 1773, p. 284.

seau nantois (n° 132) tant dans sa largeur que dans sa profondeur[126]. »

Mais la forme du boisseau citadin avantageait bien sûr les contribuables paysans, qui versaient leurs impôts en nature. C'est sans doute pourquoi les paysans de Saint-Norvez, malgré son caractère fluctuant, souhaitaient substituer la mesure de Guingamp à celle de leur seigneur foncier. D'une certaine façon, la forme du boisseau opposait donc les habitants des villes à ceux des campagnes, comme elle opposait les premiers aux marchands et les seconds aux possédants de la terre.

La grande Encyclopédie donne du boisseau la définition suivante : « Mesure ronde de bois ordinairement cintrée par le haut d'un cercle de fer appliqué en dehors bord à bord du fût, avec une tringle ou barre de fer qui le traverse par l'ouverture d'en haut dans sa circonférence, pour le lever plus aisément[127]. » Comme on l'a noté dans ce qui précède, le mot désignait donc à la fois la mesure et le contenant lui-même et ce dernier, dans les publications spécialisées de la fin du XVIIIe siècle, s'appliquait essentiellement à un assemblage de bois et de métal. Les contenants en pierre (n° 131), en effet, qui ne comportaient aucun risque de gauchissement étaient essentiellement des étalons sur lesquels les constructeurs de mesures en bois prenaient modèle. Mais dans ces dernières, le risque était limité par les renforcements métalliques dont bénéficiaient, en bas et en haut, les pièces de bois : la barre de fer dont parle l'extrait cité de l'Encyclopédie servant autant, sinon plus, à maintenir l'écartement du corps du boisseau qu'à « le lever plus aisément ».

L'abbé Jaubert, dans son ouvrage paru en 1773, donne des renseignements intéressants à propos des fabricants de boisseaux, les boisseliers. Appartenant à Paris, à la communauté des tourneurs, ils « achètent les corps des boisseaux tout faits et tout arrondis : ils les tirent ordinairement de la province de Champagne[129] ». L'intervention de l'artisan, défini essentiellement comme un vendeur de boisseaux, consiste à assembler les corps de bois (en chêne, hêtre ou noyer), à faire et à fixer les fonds, à découper et à fixer les pièces métalliques. Cet aspect proprement technique de l'activité est assez proche de la tonnellerie, mais plus simple, car les opérations sont moins nombreuses et moins spécialisées. Et faire un boisseau s'aligne sur d'autres productions de l'artisan : seaux, lanternes, caisses de tambour, mais aussi cribles et tamis[130]. L'appartenance des boisseliers parisiens à la communauté des tourneurs ne concerne donc techniquement qu'une partie, la plus difficile, de leur artisanat, et certains manuels pratiques du XIXe siècle les rangent plus volontiers de ce point de vue avec les tonneliers[131]. Ces variations et le côté « dépendant » de l'activité attestent plutôt le caractère modeste de la boissellerie, en opposition avec son rôle économique et social, fondamental dans la France et l'Europe d'Ancien Régime.

L'artisanat survécut largement à la période révolutionnaire tout en abandonnant, à partir d'une certaine époque, l'activité à laquelle il devait son nom. Après les tentatives des divers gouvernements pour imposer le système métrique, l'Empire établit un compromis entre celui-ci et l'ancien système, en 1812 : la contenance du boisseau était impérativement fixée à 12 litres 5 (un huitième d'hectolitre), ce qui invalidait tout de même la grosse majorité des anciennes mesures. Les boisseliers se mirent donc à fabriquer des récipients de ce calibre, mais rien ne dit que cette révolution entra partout dans les mœurs. D'autant plus que vingt-cinq ans plus tard, elle fut suivie par une seconde : l'application pure et simple du système métrique, décidée par Louis-Philippe en 1837, imposait normalement celle du litre et de ses multiples. Cette date aurait donc dû signifier la fin de l'utilisation et a fortiori de la construction des boisseaux — ceux de l'Ancien Régime comme ceux de 1812. A défaut, il est vrai, on pouvait toujours utiliser ceux des parents ou des grands-parents qui avaient servi jusqu'alors. C'est là le sujet d'une passionnante enquête d'histoire sociale, qui reste à faire. En tout cas, l'usage des anciennes mesures est attestée bien longtemps après le décret de 1837, et c'est pourquoi on les trouve dans nos musées. Leur conservation s'explique en effet probablement moins par le respect de leur caractère historique et/ou esthétique que par l'utilisation dans leur fonction d'origine, qui appartenait désormais à une culture paysanne combattue par les dirigeants. En ce sens, le principal adversaire du boisseau fut peut-être moins le décalitre que la bascule, généralisée dans les campagnes après la naissance des musées d'ethnographie, et ayant définitivement écarté la confusion entre le volume et le poids. C'est précisément ce que souhaitaient, on l'a vu, certains cahiers de doléances.

Le sel. Approvisionnement et conditionnement

La métrologie ne quitte pas la scène avec la question du sel, bien au contaire (n° 140). On retrouve notamment le problème de l'étalon avec le *minot*, qui n'était pas une mesure de poids mais une mesure de capacité, comparable dans son volume et dans sa forme à certains contenants destinés au mesurage des grains. A Granville (Manche), par exemple « le minot se présentait sous la forme d'un grand seau de bois, sorte de cône tronqué, dont la contenance était d'environ 38 litres[132] ». En revanche (cf. infra), l'impôt du sel était perçu en poids, ce qui souligne à nouveau les chevauchements entre les différents systèmes de référence et l'incohérence existant dans leur utilisation. On ne s'étendra donc pas davantage ici sur un sujet largement évoqué au chapitre précédent.

126. Kula, 1985, p. 60.

127. *Encyclopédie ou dictionnaire raisonné des sciences, des arts et des métiers*, 1751, p. 310.

128. Burguburu, 1932.

129. Jaubert, 1773, p. 282.

130. Monteil, an X (1803), p. 63.

131. Paulin-Desormeaux, 1838.

132. Morandière (de la), 1962, p. 195.

L'importance du sel dans les économies et les sociétés anciennes s'explique non seulement parce que, comme de nos jours, il est un élément indispensable au métabolisme animal et humain et un condiment, mais aussi, et surtout, parce qu'il était le principal agent de conservation des produits alimentaires. Sans lui, pas de consommation différée de viande et de poisson, de fromage et de beurre, ni d'appoint éventuel pour le bétail qu'il avait aussi la réputation de protéger contre les maladies. En outre, dans certaines régions côtières, le sel était employé comme engrais, et la société d'agriculture de Soissons, en 1775, le recommandait vivement pour cet usage[133]. La déviation de pratiques anciennes de conservation en simples données gustatives, comme la salaison de la morue et, dans une certaine mesure, du beurre breton, est contemporaine de l'ère électrique et connote rétrospectivement le rôle du sel dans l'alimentation d'autrefois.

Dès lors, on comprend qu'aux différentes étapes par lesquelles il passait — production, transformation, transport, distribution — il ait été l'enjeu d'accaparements divers, le plus notable étant le monopole d'Etat en vue de la perception de l'impôt. Ce phénomène, qu'il se place à l'un ou à l'autre bout de la chaîne, concerne tous les états européens centralisés de la fin du XVIIIe siècle et remonte au Moyen Age. Il ne sera question ici que d'en évoquer les incidences sur la consommation paysanne, mais ce point de vue traverse une partie des institutions d'Ancien Régime et illustre les sentiments populaires nourris à son égard. Par ailleurs, il permet de faire allusion aux objets nécessaires aux fonctions domestiques du sel et d'en souligner quelques caractéristiques.

A la fin du XVIIIe siècle, six régimes fiscaux se partageaient le territoire français, héritiers d'une législation qu'on voit s'affirmer à partir du XIVe siècle. Leurs différences tenaient aux lieux et aux modalités de paiement, au montant de la taxe et au contingentement des quantités consommables. Ces régimes ne définissaient donc pas seulement un impôt indirect au sens contemporain, une somme prélevée en sus pour une quantité donnée de marchandise, mais un réseau de contraintes qui limitaient les différences entre certains d'entre eux. Ainsi, du strict point de vue fiscal, *les pays de grande gabelle*, les plus imposés, s'opposaient *aux pays rédimés et provinces exemptes*, qui ne payaient rien ; mais partout les consommateurs devaient s'approvisionner dans un entrepôt déterminé (n° 139), un grenier royal, et y acheter une certaine quantité de sel, minimale dans les premiers, maximale dans les seconds. Par comparaison, les trois autres régimes (*pays de petite gabelle, de salines et de quart bouillon*) occupaient une position intermédiaire au niveau de l'impôt, et possédaient une plus grande liberté d'ap-

provisionnement. En outre, dans les *pays de grande gabelle*, le sel d'impôt ne devait être utilisé que pour « pot et salière ». Pour toutes les salaisons, petites et grandes, le chef de famille était contraint de retourner au grenier à sel, où il était de nouveau imposé sur cet achat. Cette claire distinction entre sel-condiment et sel-conservateur justifiait en partie l'existence des employés du grenier royal, les fameux gabelous. En inspectant les saloirs des maisons paysannes, ils vérifiaient si les quantités de sel achetées et consignées sur un « bulletin » par le receveur du grenier, correspondaient bien à celles qui étaient réputées assurer la conservation de telle ou telle quantité de viande. Si celles-ci étaient supérieures à celles-là, c'était très vraisemblablement par la contrebande, et les gabelous dressaient procès-verbal. Cette dernière ne s'alimentait d'ailleurs pas seulement du trafic du sel à destination du saloir. La quantité minimale de sel pour « pot et salière », qui s'élevait à sept livres pour toute personne âgée de plus de sept ans vers 1785, était insuffisante à la consommation individuelle. D'où autre travail pour les contrebandiers et les gabelous.

Le sel de contrebande provenait évidemment des provinces et pays entourant ceux de grande gabelle, mais aussi des états voisins, quand la denrée y était moins chère. Le royaume de Sardaigne se trouvait à cet égard dans une situation bien pittoresque par rapport à son voisin occidental. D'anciens accords obligeaient le second à livrer au premier du sel méditerranéen en quantité correspondante à ses besoins, naturellement surestimés par les fonctionnaires sardo-savoyards. La gabelle savoyarde étant inférieure à celle des régions françaises limitrophes, l'excédent repassait en France sous forme de contrebande[134]. Parfois, aubaine des gabelous, le *faux sel* était d'une couleur différente de celui que distribuait leur grenier de rattachement : au sel gris des marais de l'Atlantique s'opposait le sel ignigène blanc de la Lorraine et de la Franche-Comté.

Malgré les risques qu'elle comportait — et le moindre n'était pas, jusqu'en 1748, les galères — la contrebande recrutait dans tous les milieux de la société rurale. Aux marges de certaines provinces, comme entre la Bretagne et le Maine, où le sel coûtait ici vingt-sept fois plus cher que là, faux-sauniers et gabelous, avec le soutien de la force armée, se livraient à de véritables batailles rangées[135]. La suppression de la gabelle, en mars 1790, priva donc de ressources les contrebandiers parmi lesquels se trouvait peut-être le futur Jean Chouan, héros éponyme de la contre-révolution. Les méthodes et les savoir-faire du faux-saunage — clandestinité, embuscades, progression dans les mailles du bocage avec le fameux bâton ferré, la *frette*, aidés par une parfaite connaissance du terrain — allaient servir une cause dont la réalité avait opposé les gabelous et leurs ennemis dans les années précédentes, « remarquable exemple de la solidarité qui unissait gabelles et contrebande, les deux faces contrastées de l'impôt sur le sel[136] ».

En paraphrasant Mauss, on pourrait dire que la chaîne du sel, de la production à la consommation, était un « fait socio-économique total », impliquant les modes de domination et les

---

133. Justin, 1935, pp. 159-160.

134. Bergier, 1982, p. 184.

135. Bouton, 1973, pp. 63-64.

136. Hocquet, 1985, p. 360.

pouvoirs qui constituaient l'ossature des sociétés d'Ancien Régime. Le cri de ralliement bien connu, « vive le roi sans la gabelle ! », exprimait sans doute plus le souhait mythique et nostalgique d'un lien direct entre le peuple et le souverain qu'une dérision sur la fonction royale. Pourtant, l'aliénation de pans entiers de l'autorité publique aux mains de fortunes privées était constitutive du fonctionnement de la monarchie d'Ancien Régime, et l'affermage du produit de la gabelle en faisait partie. De fait, le roi survécut assez peu à la suppression de celle-ci.

« Ma grand-mère me racontait que dans sa jeunesse — dans la mienne aussi — les paysans n'achetaient hors de la vallée que le sel et le fer... je vois encore ma pauvre grand-mère écraser son sel gris, du sel français le meilleur. Elle prenait une pierre, légèrement creuse, qu'elle posait sur un coffre. Elle y mettait le sel. Elle en prenait une autre, ronde, avec laquelle elle réduisait en poudre les cristaux pour saler les fromages[137]. » Ce témoignage récent d'une agricultrice du Valais montre que les anciennes pratiques domestiques de préparation du sel n'ont pas encore quitté la mémoire des vivants. En effet, le sel n'arrivait à la maison que sous forme de cristaux, de *gros sel*, qu'il appartenait à l'habitant de broyer. Les cristaux non égrugés intégraient quelquefois directement le saloir, mais cette pratique, qui dépendait en partie de la taille des cristaux, n'était sans doute pas universelle.

Il existait plusieurs techniques de broyage, liées à différents types d'objets plus ou moins anciens et dont la cartographie reste largement à faire. Le texte cité fait allusion à une technique très archaïque, celle de la *pierre à moudre*, qui visait à obtenir le produit fini par *pression et frottement*. Il est curieux de constater que les objets présentés ci-dessous, beaucoup plus vieux que ce témoignage, attestent au contraire d'inventions largement postérieures à celle qu'il décrit. Ce sont le système *mortier-pilon* (n° 141), fondé sur une *percussion lancée*, et le *moulin rotatif* (n°ˢ 142, 143), perfectionnement de la *pierre à moudre* et produisant un double mouvement identique. Le moulin permettait seul un éventuel contrôle mécanique du débit — et donc de la taille — des cristaux, par réglage de la meule tournante sur la meule dormante. En outre, sa mise en œuvre exigeait une matière première spécifique et un travail plus long, voire davantage spécialisé, que celui du mortier-pilon. Or, malgré ces importantes différences, il semble que celui-ci ait été utilisé à l'exclusion de celui-là, et inversement. Il resterait donc à s'interroger sur les raisons exactes de ces choix.

Des variations sont également repérables dans les contenants à sel. Mais s'il est aisé d'en distinguer trois grandes catégories, que suivent et valident les receveurs des greniers de la gabelle — le pot, la salière et le saloir — il est parfois moins facile d'en énoncer les spécifications internes, même pour des périodes plus tardives. Dans la catégorie *réserve domestique de sel*, on peut distinguer commodément les contenants posés des contenants accrochés, d'autant plus que cette dis-tinction peut renvoyer à des zones géographiquement séparées. Dans les Alpes françaises semble-t-il, pour le même usage, la boîte à couvercle accrochée au mur de l'âtre (n° 150) était plus répandue que la chaise ou *salin* (n° 145)[138], d'un volume pourtant supérieur. En Auvergne au contraire, le coffre ou la chaise (appelée *cantou* en Haute-Auvergne), généralement placés sous le manteau de la cheminée, passent traditionnellement pour avoir été les contenants à sel par excellence. Avec ces deux objets, la fonction « contenant » acquiert le statut de meuble domestique, et bénéficie par là, aux derniers siècles de l'Ancien Régime, des différents styles décorant le mobilier populaire. Parallèlement, siège du grand-père dans de nombreuses provinces françaises, la chaise à sel trouve sa place dans la fixation des rapports socio-familiaux. En amont cependant, et surtout dans les régions où l'on n'aurait connu que la boîte à sel, il existait probablement des contenants plus importants. L'imposition minimale théorique s'élevait, en 1789, à environ sept livres par personne pour le sel-condiment. Avec les achats destinés aux salaisons et le produit éventuel de la fraude, le total de la réserve pouvait sans doute atteindre simultanément plusieurs dizaines de kilos, au moins dans les zones d'élevage et/ou de familles polynucléaires. Aussi, comme à Bessans (Savoie) au début du XXᵉ siècle[138], il est possible qu'elle ait été déposée dans des tonneaux.

A côté de ces objets, la salière (n° 151) est définie comme un contenant destiné à « servir à table une petite quantité de sel[139] ». Mais il n'est pas toujours facile de distinguer un spécimen auquel s'applique la définition précédente d'une boîte à sel, plus importante et apparentée aux objets précédents. Salières et boîtes à sel présentent en effet des traits communs qui les différencient globalement du coffre et de la chaise. Elles pouvaient être décorées, voire sculptées, mais leur petite taille leur donne une place spécifique parmi les productions d'art populaire.

Œuvres d'un semi-professionnel, leur élaboration était moins dépendante de la transmission transrégionale des savoirs que les coffres et les chaises, inspirés par l'art savant ; et cela explique le caractère localisé et l'inspiration thématique plus proprement populaire de certaines productions. En Savoie par exemple, les salières ou boîtes à sel en forme de poule (n° 148), dont l'apogée numérique et qualitative se situe au XVIIIᵉ siècle, étaient exclusivement fabriquées en Maurienne, et surtout à Bessans (Savoie) où l'on trouvait les plus belles. Mais la sculpture d'objets de dimensions comparables — comme celle des plaques à beurre, répandue dans d'autres régions de la Savoie — n'y était pas représentée, et inversement[140]. Les unes et les autres appartiennent donc, d'une certaine façon, au degré zéro de l'art populaire, là où la perspective dressée par Van Gennep,

137. Bergier, 1982, p. 126.

138. Gluck, 1983, p. 205.

139. *Système descriptif des objets domestiques français*, 1977, p. 104.

140. Van Gennep, 1930, pp. 117-137.

« déterminer, avec le plus d'exactitude possible, dans chaque cas particulier, le rapport de l'individu et de la masse[141] » et, pourrait-on ajouter, l'ampleur de la masse, reste le plus souvent un souhait, du moins pour ces périodes anciennes. La taille réduite des salières explique aussi qu'elles n'aient eu qu'un seul thème décoratif, jouant de la relation entre celui-ci et la fonction de l'objet[142].

A propos des salières de Bessans, Van Gennep attribuait à la poule un rôle prophylactique, hérité de la symbolique religieuse. Il est dans doute plus difficile de trouver une signification à la sculpture qui orne la meule tournante de certains moulins à sel : un renard (n° 143). Cette particularité semble avoir été circonscrite à certaines parties (montagneuses ?) de l'Auvergne, où les meules étaient prélevées dans des roches primaires et métamorphiques (grès, arkose et grès feldspathique notamment). S'agissait-il simplement d'un travail inspiré par la forme de la meule ou faut-il y voir une ornementation symbolique ? Dans ce cas, la relation entre le renard et le sel ne semble pas évidente au sein du légendaire populaire, mais la dernière syllabe du mot *gabelou* était peut-être susceptible d'évoquer la ruse du goupil paysan et sculpteur.

141. Van Gennep, 1924, p. 25.
142. Cuisenier, 1975, pp. 25-28.

Jean-René Trochet

LES GRAINS

126
Mesure à grains (seigle)

Saint-Véran (Hautes-Alpes)
Pin. H. 0,12 ; D. 0,245.
Inscription : « W.I.P.B.F. 1719 » et « W.P.M.F.P. 1812. »
Paris, M.N.A.T.P. (inv. 63.160.200).

Conformément à une coutume répandue dans le Queyras, où de nombreux objets et meubles en bois étaient gravés, cette mesure porte des inscriptions : « W.I.P.B.F. 1719 » et « W.P.M.F.P. 1812 ». « Si l'on admet que le W est la contraction du *Vivat* comme il l'est fréquemment sur les objets des Hautes-Alpes, les initiales sont peut-être dans les deux inscriptions [celles] des conjoints des deux ménages qui à un siècle de distance ont utilisé la mesure à grain. » (Glück, Rivière, 1976, p. 132). Cette mesure était destinée à recevoir une quantité déterminée de semences — le 1/6 d'un émine — qui devait être éjectée sur une certaine surface. Les conditions de la culture de l'unique céréale d'hiver étaient particulièrement difficiles dans cette paroisse, la plus élevée de France ; semé en août, le seigle n'était récolté qu'en septembre de l'année suivante, ce qui impliquait un type particulier d'assolement.
J.-R.T.

127
Mesure à grain (coupe)

Mâconnais

Fond et bords en bois, garnitures et poignées en fer.
H. 0,11 ; D. 0,48.
Inscription : voir *infra*.
Paris, M.N.A.T.P. (inv. 38.511).

En plus de la première date (1711), gravée sur le côté de la coupe, plusieurs inscriptions figurent sur les côtés externe et interne du fond. Sur le premier un nom : DYANE (?), sur le second, quatre inscriptions à peu près équidistantes incisées de part et d'autre de la seconde date (1751) : trois cercles alternent avec deux fleurs de lys. Indiquent-elles d'un côté le nom du possesseur, de l'autre les références métrologiques de la mesure ?
La technique de fabrication de l'objet souligne le lien entre les contraintes de fabrication et l'obtention du volume exact de la mesure : le côté de celle-ci est constitué d'une seule pièce de bois, préalablement assouplie, et dont la partie jointive a été chanfreinée de part et d'autre de façon à former un cercle intérieur parfait. Le cerclage métallique supérieur et la poignée ont essentiellement (dans le premier cas) et partiellement (dans le second cas) pour but de fournir la jointure du cercle. J.-R.T.

128
Boisseau ou coupe

Romenay (Saône-et-Loire)
Bois, fer forgé. H. 0,145 ; D. 0,488.
Inscription : voir *infra*. Gravé à l'intérieur : « S . . A + M » et à l'extérieur, autour « x̄ NATION x̄ LA x̄ x̄ LOI x̄ x̄ x̄ x̄ LE x̄ ROY x̄ L'AN QUATRIEME x̄ DE x̄ LA LIBERTE. »
Bibliographie : Barthélémy, 1978, n° 3, pp. 8-15.
Romenay, musée du Terroir (inv. F. 01.001).

Les points sont formés par marque en creux dessinant rouelle ou marguerite. Ces inscriptions apportent un témoignage précieux autant qu'inattendu — car on ne s'attend guère à le trouver sur une mesure à grains — sur l'impact des événements révolutionnaires dans un foyer paysan de la Bresse du nord. La première inscription (« la Nation, la Loi, le Roi ») évoque la constitution de 1791, la seconde (« L'an quatrième de la liberté ») date de la période thermidorienne. S'agit-il d'une information sur les opinions politiques de l'auteur ? Ce serait trop affirmer. Mais relever la contradiction entre l'adoption du calendrier révolutionnaire et son inscription sur une mesure traditionnelle ne manque pas d'intérêt, comme si, même pour les paysans les plus « éclairés », certaines décisions révolutionnaires restaient incompréhensibles.

129
Mesure à grains limbourgeoise

Bois. H. 0,21 ; L. 0,42.
Wageningen, Museum Historische Landbouwtechniek (musée de l'Histoire des techniques agricoles) (inv. LH. 145).

Au XVIIIe siècle, la contenance des mesures à grains variait de ville en ville. Cet exemplaire limbourgeois a été marqué et daté par son propriétaire en 1796 et en 1800. B.K. et M.J.

130
Mesure aux armes de la ville de Lucques

Bronze.
Inscription : « Quarra dell ' Offizio illustrissmo di Munizione stabile anno MDCCLXXXII. »
Historique : ancienne commune de Lucques.
Bibliographie : Cat. Museo di villa Guinigi, 1968, p. 115.
Lucques, Museo nazionale di villa Guinigi (inv. 308).

Mesure à grains (seigle) (cat. 126).

Mesure aux armes de la ville de Lucques (cat. 130).

Coupe servant de mesure à grains (cat. 127).

Mesure dimiaire en pierre (cat. 131).

Boisseau ou coupe, mesure à grains (cat. 128).

Mesure de capacité : étalon de boisseau (cat. 132).

Mesure à grains lieubourgeoise (cat. 129).

Mesure de meunier (cat. 133).

Arche à grain (cat. 134).

Pétrin (cat. 135).

La mesure présentée, datée de 1782, était destinée spécialement aux liquides. Elle porte au milieu d'un décor de festons, non seulement les armoiries de Lucques (avec la devise « libertas ») mais le monogramme du Christ, sous la forme diffusée par saint Bernardin de Sienne. Elle a une capacité d'un quart de « staio » (24 litres 1/4) soit un peu plus de six litres. Lucques conserva jusqu'en 1860 son système propre de mesure, après une brève tentative pour introduire le système métrique sous le règne d'Elisa Baciocchi (1807-1814).

131

Mesure dimiaire en pierre

Normandie, grange de Saint-Vaubourg (?) (Seine-Maritime)

H. 0,31 m ; L. 0,415.

Rouen, musée départemental des Antiquités de la Seine-Maritime (Inv. 1797 III p. 33).

Provenant généralement des anciennes halles des villes françaises ou des seigneuries nobles et ecclésiastiques, comme celle-ci, les mesures en pierre servaient d'étalon pour le commerce de grains sur les marchés et pour la perception de l'impôt en nature avec son équivalent technique et coercitif : un modèle pour la fabrication des mesures en bois des particuliers. A Billom (Puy-de-Dôme), trois boisseaux de lave étaient « encastrés dans le parapet du pont voisin du marché et munis de petites trappes » (Burguburu, 1932, p. 2). A Cordes (Tarn), les anciennes cuves en pierre de la halle qui servaient, sous l'Ancien Régime, à mesurer les graines furent modifiées au XIXᵉ siècle pour être adaptées au système décimal, preuve de la perduration du mesurage en volume face au mesurage en poids. J.-R.T.

132

Mesure de capacité :
étalon de boisseau

Bronze. H. 0,227 ; L. 0,346 ; D. 0,246.
Inscription : « boisseau nantais pour servir d'étalon et mesure. Matrice faite en exécution d'arrêt du parlement de Bretagne du 30 juillet 1769 par les soins de Mr. Greslin, Pr du Roy, Syndic de la Ville et Comté de Nantes, vérifié et ajusté en présence de Mr. Libault Maire faisant fonction de lieutenant Gal de Police et de Mr. Guérin de Beaumon, Procureur du Roy. Ajusté par Pierre Pinot de la ville et comté de Nantes. Fait par Jean Barin, fondeur à Nantes ».

Paris, C.N.A.M. (inv. 3243).

A côté des armes de France, l'étalon porte les armes de Bretagne et tout le long de l'inscription, on a placé entre les mots alternativement un lys de France et une hermine de Bretagne. L'étalon nantais, qui mesure intérieurement 212 millimètres de hauteur sur 230 millimètres

de diamètre, a une capacité de 8,85 litres. Comme on estime généralement qu'à la même époque le boisseau de Paris équivalait à 12,8 litres, ces chiffres sont en accord avec les indications d'un chercheur (Paucton, 1780) qui avait noté que « 160 boisseaux de Nantes font 109,5 boisseaux de Paris ».

Cet objet faisait partie de la collection des poids et mesures du ministère du Commerce, transféré au Conservatoire en mai 1848. On peut supposer qu'il a été apporté à Paris, peu après la Révolution, à l'époque où les services chargés de la mise en place du système métrique décimal s'efforçaient d'établir des tables d'équivalence entre les anciennes mesures et les nouvelles. A.Po.

133

Mesure de meunier

Orcières (Hauttes-Alpes)

Mélèze. H. 0,0795 ; L. 0,48 ; Pr. 0,135.

Gap, musée départemental des Hautes-Alpes (inv. G 26).

L'un des côtés de l'objet porte l'inscription suivante : « WBBG 1741 » (voir notice nᵒ 126). De faible contenance, il est pourvu de rainures verticales équidistantes, destinées à recevoir trois planchettes de séparation, indiquant les divisions de la mesure de référence. Dans la commune voisine d'Aspremont (Hautes-Alpes), le boisseau de meunier était rond, comme l'indique une autre mesure de meunier possédée par le musée de Gap. D'après la fiche d'enquête (1943), l'objet était prélevé sur un « mélèze mort sur pied [ce] qui lui donne une grande légèreté ». J.-R.T.

134

Arche à grain (artcho)

Queyras (Hautes-Alpes)

Bois (mélèze), fer. H. 1,90 ; L. 2,24 ; Pr. 1,05.
Historique : achat du musée. 1975.
Exposition : 1980, Grenoble.

Grenoble, musée Dauphinois (inv. 75.20.4).

Ce meuble de la seconde moitié du XVIIIᵉ siècle, caractéristique du Queyras, est assez proche d'un spécimen conservé au M.N.A.T.P. et daté de 1767 (Glück, 1983, pp. 209-211) : « Le système d'assemblage des planches mobiles permet, au fur et à mesure que le niveau du grain baisse dans l'arche, d'agrandir l'ouverture jusqu'au moment ou l'on arrive aux planches fixes. Par ailleurs, la poussée exercée par le poids du grain entraîne le mode d'assemblage à clés traversantes : grosses barres de bois, souvent bloquées à l'arrière par des clavettes qui relient les deux façades, les empêchent de s'écarter en contrebutant la poussée qu'exerce le contenu de l'arche. » (Glück, voir *Supra*).

Dans cet exemplaire, le constructeur a jugé utile d'ajouter aux quatre montants latéraux de section carrée, quatre autres montants centraux, alors qu'il y en a deux dans la majorité des exemplaires recensés. En outre, la décoration est relativement sobre : elle se limite à la gravure de figures géométriques sur le panneau, de part et d'autre des deux dormants de la façade, et à celle d'un losange, sur les deux planches supérieures.

Construit dans une région où les conditions de l'agriculture étaient particulièrement difficiles, ce meuble occupe une « position intermédiaire [---] entre le coffre à grain et l'armoire » (Glück, voir *supra*). A tel point qu'on peut se demander si l'ostentation manifestée pour le contenant ne venait pas compenser la réalité habituelle du contenu. J.-R.T.

135

Pétrin

Henrichemont (Cher)

Bois fruitier. H. 0,735 ; L. 1,211 ; Pr. 0,57.

Paris, M.N.A.T.P. (inv. 44.20.9).

Ce pétrin à « tiroir » est essentiellement de style Louis XV, sauf les pieds - montants avant cannelés, de style Louis XVI. La façade principale comporte un décor de deux panneaux séparés par un médaillon quadrillé.

Comme celui-ci, les pétrins de la région d'Henrichemont étaient souvent pourvus d'un tiroir et possédaient le statut d'un authentique meuble domestique. C'est là un trait significatif d'une différenciation régionale du mobilier, déjà fortement affirmée à la fin du XVIIIᵉ siècle, à la fois dans le choix du meuble et dans celui de son décor. Dans d'autres régions, en effet, le pétrin reste un objet purement utilitaire. J.-R.T.

136

Moulin à sarrasin avec son trépied

Bretagne

Bois, fer. H. 0,49 ; L. 0,43.

Paris, M.N.A.T.P. (inv. 55.126.1, 1 et 2).

Tard venu dans les champs et sur les tables des paysans de l'Ouest — au XVIᵉ siècle —, le sarrasin échappa dans une large mesure au moulin seigneurial et « les paysans purent installer de petits moulins individuels à bras, confectionner des plaques de métal dénommées « galetières » sur lesquelles ils passaient un chiffon chichement beurré, puis versaient la bouillie qu'ils étalaient avec une sorte de demi-cuillère dénommée « tournette » [...] afin d'obtenir la galette [...] » (Goubert, 1982, p. 120). Le moulin rotatif à main à rotation continue est une invention de la Rome antique. Il serait intéressant de savoir, dans l'Ouest, par quel biais le principe technique en fut introduit pour le broyage du sarrasin (voir notices n°ˢ 142 et 143). J.-R.T.

137
Mortier et pilon à millet

Surin (Deux-Sèvres)

Mortier en grès ; pilon en bois, avec trois rangées de clous à sa partie inférieure. Mortier : H. 0,17 ; D. 0,33 ; Pilon : L. 0,92 ; D. 0,135.
Historique : don du comte de Goullard d'Arsay, 1910.

Niort, musée du Donjon (inv. 910-1-1(1)).

Le mortier provenant de Surin (Deux-Sèvres) est accompagné de son pilon, à deux bras, ce qui est relativement rare. Entré en 1910 dans les collections du musée du Costume poitevin, devenu plus tard musée du Donjon, cet objet n'était probablement plus en usage depuis longtemps à cette époque. Dans sa remarquable étude, parue en 1976, Elie Auriault (Consommation et pilage du mil entre la Loire et les

Pyrénées, *Bulletin de la société Historique et Scientifique des Deux-Sèvres*, IX, 2ᵉ série, n° 2-3, 1976, pp. 443-473) en donne un dessin et une description très précis auxquels il y a peu à ajouter si ce n'est que le matériau du mortier a été identifié comme étant un granit alors qu'il s'agit en réalité d'un grès.

A la suite d'une brève enquête que nous avions menée en 1965-1966 dans le sud vendéen (entre Fontenay-le-Comte et Luçon et en particulier sur les communes de Nalliers, Chevrette, Saint-Aubin-la-Plaine, Saint-Etienne-de-Brillouet, Mouzeuil-Saint-Martin, Pouillé, l'Hermenault, Sainte-Hermine), il apparaît que ce matériau fut effectivement utilisé dans des secteurs bien localisés en particulier dans les environs de Fontenay-le-Comte où le « grison » de l'Hermenault, appellation locale du grès assez grossier que l'on y trouve, a servi à la confection de mortiers mais aussi d'abreuvoirs, connus sous le nom de *timbres*. Ce matériau bien que très dur présentait sans doute l'inconvénient de libérer sous le choc du pilon des grains de silice qui se mêlaient aux aliments, inconvénient que ne présentait pas le granit, plus homogène, mais difficile à travailler. La

confection généralement soignée des mortiers de granit que nous connaissons dénote une main-d'œuvre spécialisée et très habile. Le grès de l'Hermenault, qui ne permettait pas une finition aussi parfaite, semble avoir eu une diffusion locale qui n'a pas dû dépasser au mieux quelques dizaines de kilomètres.

Le pilon en frêne est muni de deux manches pris dans la masse. Comme c'est le cas sur de nombreux exemplaires connus, il est ferré d'une très large tête de clou, entourée d'une triple rangée de clous à tête forgée de taille plus petite.

Il est bien difficile de savoir quand s'est arrêtée l'utilisation d'un tel procédé. Ce qui est certain c'est qu'à la fin du siècle dernier, et au début de celui-ci, le souvenir en était pratiquement perdu. Il faut croire qu'avec l'avènement de l'ère industrielle, le millet était fourni prêt à l'emploi par des minoteries locales ou régionales et que le mortier devint inutile au cours de la seconde moitié du siècle dernier.

Faute d'éléments précis de datation, il faut se contenter de penser que la plupart des mortiers connus sont antérieurs au siècle dernier.

C.Ge.

Moulin à sarrasin avec son trépied (cat. 136).

Mortier et pilon à millet (cat. 137).

LE SEL

138

Déclaration du roi « qui ordonne que les garnitures en cuivre des trémies et mesures servant à la distribution du sel dans les greniers et dépôts de sel du royaume, seront, en cas de réforme, remplacées par d'autres garnitures en fer vernissé ».

Imprimé. H. 0,26, L. 0,21.
Historique : acquis en 1968.
Paris, M.N.A.T.P., bibliothèque (inv. Rés. O'B Jur 62).

Donnée à Versailles le 13 juin 1784 et enregistrée en la Cour des aides le 2 juillet de la même année, cette déclaration souligne un aspect original de la lutte populaire contre la Ferme générale des gabelles, à quelques années de la suppression de celles-ci. Inquiet de répondre à une rumeur sur la corrosion du sel par les garnitures en cuivre des trémies et mesures, Louis XVI ordonne leur remplacement, dans les greniers et dépôts de sel royaux, par des garnitures en fer vernissé. Bien que le risque fût tangible, la *rumeur* exprimait sans doute une sourde protestation contre la Ferme générale, en utilisant un argument susceptible de faire réagir les pouvoirs publics. Par ailleurs, ceux-ci s'attendaient-ils vraiment à ce que la mesure prise satisfît l'opinion ? **J.-R.T.**

139

Vue de l'entrée et de l'intérieur d'une cave taillée dans le roc servant d'entrepôt de sel à Dieppedalle près de Rouen

par Jean HOUEL

Huile sur toile. H. 0,63 ; L. 0,95.
Historique : don de l'artiste au musée de Rouen en 1808.
Bibliographie : 1974, Paris, Grand Palais, p. 489.
Rouen, musée des Beaux-Arts (inv. 808-1-2).

La bourgade de Dieppedalle, en aval de Rouen, est installée sur des bancs de craie tendre de l'étage Campanien-Santonien faciles à travailler et affectés « de diaclases verticales, toujours nombreuses » (Rouen (ouest) carte géologique au 1 150 000. BRGM), dont le tableau nous donne un bon exemple. Cette vue d'un entrepôt de sel exécutée probablement en septembre 1789, à quelques mois de la suppression de la gabelle et à quelques temps de sa propre destruction, est un document exceptionnel. Pays de grande gabelle, la Normandie comptait parmi les provinces les plus imposées de France, et

l'on comprend l'importance de Rouen, bien placée pour recevoir et réexpédier le sel par la Seine, dans le commerce de celui-ci.

Houel confie avoir été très attentif à la dernière partie des opérations, la plus spectaculaire et la plus insolite : « j'[...]ai peint la manière dont les hommes montés au haut des rochers de sel condensé dans ces grottes le piochent, le dégradent et le déterminent à tomber au pied de la paroi verticale, où d'autres hommes le ramassent avec des pelles, et en emplissent des paniers, que d'autres prennent et jettent dans des tramies (trémies), au nombre de cinq, lesquelles, le recevant, laissent tomber ce sel dans des boisseaux ou grandes mesures sans que le sel y soit tassé, d'autres hommes prennent ces grandes mesures, les mettent à tel nombre dans de grands sacs, après que tel homme, avec un rateau, en a fait tomber l'excédent. Les hommes qui tiennent ce sac le lient : lorsqu'il est plein, d'autres le chargent sur une civière ou barc, que d'autres attendent et emportent, tandis que d'autres arrivent pour le même objet. Et, avant de sortir de la grotte, des commis donnent des cachets ou numérats aux porteurs, autant pour justifier de ce qu'ils en ont porté, que pour prouver qu'il est sorti tant de sacs du magasin qu'il en est entré. Cette opération entretient, quand elle est bien montée, jusqu'à cent personnes dans ce lieu... (cité dans Paris, Grand Palais, 1974, *op. cit.*).

J.-R.T.

140

Mesure à sel

Bronze. H. 0,105 ; D. supérieur. 0,195.
Inscription : au bas de la mesure, «SALTZBÄCHER».
Bibliographie : Bergier, 1982, p. 203.
Lucerne, Historisches Museum (inv. 10.33).

Il s'agit d'une mesure cantonale d'assez petite contenance. Comme tous les cantons suisses, celui de Lucerne dépendait des puissances étrangères pour son approvisionnement en sel. Dans la ville, ce dernier était entreposé dans un bâtiment de trois étages situé en bordure de la Reuss et datant des toutes premières années du XVIIIᵉ siècle.

Alliés du roi de France durant tout le XVIIIᵉ siècle, les Suisses lui fournissaient les célèbres mercenaires en échange du sel de Peccais et des salines comtoises. Cet échange, d'ailleurs inégal au profit de la Suisse, se brisa sous la Révolution après le massacre des Tuileries, le 10 août 1792, au cours duquel la garde suisse de Louis XVI fut anéantie. **J.-R.T.**

141

Mortier à sel (Saleirou) et son pilon

Saint-Joseph-des-Bancs, la Grangette (Ardèche).
Bois haché, taillé et creusé. Mortier : H. 0,12 ; D. 0,18 ; pilon : H. 0,183 ; D. maxi 0,058.
Paris, M.N.A.T.P. (inv. 43.122.1, 1 et 2).

Comme pour le broyage des céréales, le système mortier-pilon était employé à côté du moulin à main pour l'égrugeage du sel (il n'est pas possible de savoir si l'utilisation des deux objets donnait lieu à une répartition géographique déterminée ou s'ils étaient simultanément connus dans certaines régions). Le décalage dans la matière et la technique de fabrication, mais aussi la provenance du matériau nécessaire à la fabrication du moulin à sel, indiquerait à priori une diffusion plus restreinte de celui-ci, géographique et peut-être sociale. Le sous-sol de la région de St-Joseph-des-Bancs, cristallin, n'était pas défavorable à l'extraction d'une pierre susceptible d'être transformée en moulin à sel, mais par ailleurs le travail du bois était très familier aux utilisateurs, qui confectionnaient notamment leurs propres araires. **J.-R.T.**

142

Moulin à sel

Alpes de Haute-Provence.
H. 0,10 ; D. 0,30.
Paris, M.N.A.T.P. (inv. 63.151.29, 1 et 2).

Autre exemple de moulin rotatif à rotation continue. Les cristaux de sel entraient par la trémie, formée par un élargissement de la partie interne de la meule tournante et étaient écrasés au contact de celle-ci et de la meule dormante. Il est difficile de connaître l'extension exacte de cet objet dans la France de la fin du XVIIIᵉ siècle. La variété du matériau pierreux utilisé pour sa fabrication — on trouve des moulins à sel en calcaire — donne à penser que la dureté de la pierre n'était pas un critère décisif. Par ailleurs, le coût de la mise en œuvre, à supposer qu'il ait été réellement élevé, était peut-être compensé par la relative longévité de l'instrument. Le moulin à sel illustre typiquement le cas de ces petits objets techniques d'autrefois, dont on soupçonne l'importance, mais dont on connaît très mal l'histoire et la place exacte dans le cycle des travaux ruraux. **J.-R.T.**

143

Moulin à sel

Auvergne.
Grès feldspathique. H. 0,215 ; D. 0,232.
Paris, M.N.A.T.P. (inv. 38.96.1, 1 et 2).

Vue d'une cave taillée dans le roc servant d'entrepôt de sel (cat. 139).

DÉCLARATION
DU ROI,

*Qui ordonne que les garnitures en cuivre des
trémies & mesures servant à la distribution du Sel
dans les Greniers & Dépôts de Sel du Royaume,
seront, en cas de réforme, remplacées par d'autres
garnitures en fer vernissé.*

Donnée à Versailles le 13 Juin 1784.

Registrée en la Cour des Aides le 2 Juillet 1784.

LOUIS, par la grace de Dieu, Roi de France & de
Navarre : A tous ceux qui ces présentes Lettres verront,
SALUT. Informés qu'il s'étoit répandu dans le Public des
inquiétudes sur les inconvéniens qu'on a cru pouvoir résulter de ce que les trémies, minots, demi-minots, quarts,
demi-quarts & autres ustensiles servans au mesurage du Sel
dans les Greniers & Dépôts de Sel de notre Ferme Générale des Gabelles, sont garnis en cuivre ; notre sollicitude
pour la santé & la conservation de nos Sujets, nous a portés
à faire vérifier, sans délai, si ces craintes, pouvoient avoir

Déclaration du roi concernant la distribution du sel (cat. 138).

Mesure à sel (cat. 140).

Mortier à sel et son pilon (cat. 141).

Moulin à sel (cat. 142).

Moulin à sel (cat. 143).

Moulin à sel (cat. 144).

Chaise à sel ou salin (cat. 145).

Fauteuil à sel (cat. 146).

Le moulin à sel dont la meule tournante est sculptée en forme de renard semble être une spécialité de l'Auvergne, plus précisément des hautes terres de la province. Le travail est beaucoup plus achevé que celui du moulin précédent ; non seulement dans la sculpture de la meule supérieure, mais aussi dans celle de la meule dormante, dressée en forme de socle, creusée et pourvue d'une issue pour la sortie du sel broyé. La finesse du travail témoigne en faveur d'une utilisation prolongée du moulin et indique qu'il possédait un statut proche de celui d'un meuble ou d'un objet décoratif.   J.-R.T.

144
Moulin à sel

Queyras.

Bois (pin cembro), pierre et fer forgé. H. 0,33 ; L. et Pr. 0,43.

Gap, musée départemental des Hautes-Alpes (inv. Q 43).

« En forme de petit coffre carré à pieds - montants enserrant des panneaux à plate-bande, ce moulin à sel de fabrication très soignée est assemblé à tenon, mortaise, cheville. Le tiroir qui sert à recueillir le sel s'ouvre par un anneau de métal forgé. » (Gluck, 1983, p. 59, note nº 109).

Dans une région où l'on s'attendrait plutôt à trouver des mortiers et des pilons pour le broyage du sel, la grande habileté des queyrassins dans le travail du bois s'appliquait aussi à transformer en meuble le moulin à sel. Il y a là un singulier contraste avec l'objet précédent, dans lequel la meule tournante recevait l'essentiel du travail décoratif, tandis qu'elle dissimulée ici dans le coffre.   J.-R.T.

145
Chaise à sel ou salin

Grésivaudan (Isère).

Bois (noyer). H. 0,83 ; L. 0,40 ; Pr. 0,31.

Grenoble, musée Dauphinois (inv. 55.3.12).

Bien que la chaise à sel ait eu une contenance largement supérieure à celle des diverses boîtes à sel, « il semble [...] que l'usage de la boîte à couvercle accrochée au mur de l'âtre pour préserver le sel de l'humidité ait été plus répandu dans les Alpes » (Gluck, 1983, p. 205), ce qui impliquerait que les deux types de contenants étaient moins complémentaires que concurrents.

Ce meuble est de style Louis XIII : il est formé d'une caisse à traverses et pieds droits qui soutiennent des panneaux également droits ; le dossier-cadre reçoit deux traverses rectilignes. Le style ne signifie pas pour autant que le meuble date de la première moitié du XVIIe siècle.
     J.-R.T.

146
Fauteuil à sel

Bretagne, St-Thégonnec (Finistère).

Bois sculpté (châtaignier et résineux). H. 1,28 ; L. 0,69 ; L. 0,59.

Paris, M.N.A.T.P. (inv. 52.28.1).

Egalement de style Louis XIII, ce meuble comporte des éléments décoratifs caractéristiques : les deux accotoirs sont recourbés à leur extrémité, et le dosseret rectangulaire, incliné vers l'arrière, est orné d'un panneau composé de fuseaux en bande ; au-dessus, un autre panneau est ajouré d'un cercle à décor de rosace, également constituée de fuseaux.

Fauteuil du tad coz (grand-père) et coffre à sel tout à la fois, ce meuble du Léon appartenait à une tradition régionale qui s'affirme au XVIIe siècle dans les fermes aisées : le mobilier de la salle commune, et bien souvent unique pièce d'habitation (lits clos, vaisselier, bancs, coffres, etc.), reçoit un répertoire décoratif particulièrement riche, dont la tradition se poursuivra pendant trois siècles.   J.-R.T.

147
Boîte à sel

Savoie.

Epicéa. H. 0,14 ; L. 0,27 ; Pr. 0,205.
Inscription : sur le côté, « 1796 ».
Bibliographie : Dufournet, 1981, pp. 103-105 ; Van Gennep, 1930, pp. 117-139.

Chambéry, musée Savoisien (inv. 26).

En forme de parallélépipède, cette boîte est pourvue d'un appendice cylindrique taillé dans la masse, dont l'extrémité, travaillée en taurillon, sert de pivot au couvercle. Des motifs géométriques gravés s'ordonnant autour de rosaces décorent le couvercle et la face principale.   J.-R.T.

148
Boîte à sel, en forme de poule

Bessans (Savoie).

Hêtre. H. 0,12 ; L. 0,32 ; Pr. 0,165.

Chambéry, musée Savoisien (inv. 71.29.1).

Parmi les objets en bois autrefois fabriqués à Bessans (Savoie), les boîtes à sel en forme d'oiseau étaient les plus artistiquement décorés. Voici un extrait de la description qu'en fait Eugénie Goldstein en 1922, à une époque où la tradition était déjà abandonnée : « Quelques-uns de ces récipients à sel sont une imitation fidèle de l'espèce d'oiseau correspondant et sont exécutés avec une technique sculpturale jusqu'au plus petit détail [...], le cou-

vercle d'une telle salière, ordinairement orné d'entailles, pivote autour d'une cheville en bois ou d'une pointe qui traverse le bois, et est souvent muni d'une anse pour le suspendre. » (Eugénie Goldstein, citée par Dufournet, 1981, p. 103). Dans ce cas, on la suspendait près du feu pour protéger le sel de l'humidité. J.-R.T.

149
Boîte à sel
(Bouïta a Saou)

Queyras.

Mélèze. H. 0,95 ; L. 0,225 ; D. 0,150.
Inscription : « 1790 ».

Gap, musée départemental des Hautes-Alpes (inv. 1866-G 117).

Cette boîte en deux parties, d'une assez grande contenance, est une autre production purement queyrassine : le couvercle est décoré d'une rosace incisée et la date est gravée en creux. Elle servait probablement à contenir les grains de sel une fois égrugés et à les garder en réserve avant consommation. Témoignage d'une indifférence de l'art populaire au temps court, la boîte a été fabriquée l'année même de la suppression de la gabelle, en mars 1790.
     J.-R.T.

150
Boîte à sel

Queyras.

Mélèze. H. 0,12 ; L. 0,156.
Inscription : « Fait pour Marie Vasserot 1763. Fait ce 29me Décembre ».
Historique : ancienne collection Corbin ; don au musée en 1918.
Expositions : 1968, Grenoble, nº 192, p. 159 ; 1980, Grenoble.

Grenoble, musée Dauphinois (inv. 18.9.122).

Destinée à être suspendue, cette boîte est entièrement décorée sur ses trois faces visibles : une rosace à six branches, plusieurs rosaces à quatre branches, des rouelles et des dents de loup. En outre, « une figuration naïve de visage prend place entre deux branches de la rosace principale du panneau antérieur. L'appendice de suspension est couvert d'impressions triangulaires, comme d'ailleurs tous les espaces laissés libres entre les motifs des panneaux. La base du côté droit porte l'inscription : "Joseph Toye", signature qui se retrouve deux fois à l'arrière du panneau postérieur. » (cat. Grenoble, op. cit.).   J.-R.T.

Boîte à sel (cat. 147).

Boîte à sel, en forme de poule (cat. 148).

Salière (cat. 151).

Saloir ou charnier (cat. 152).

Boîte à sel (cat. 149).

Boîte à sel (cat. 150).

Pot à lard ou charnier (cat. 153).

151
Salière

Étain. H. 0,07 ; D. 0,085.

Paris, M.N.A.T.P. (inv. n° 89.27.15).

De facture populaire, cette salière en étain était peut-être plus un objet de conditionnement urbain que campagnard. Il est en tout cas peu probable qu'elle ait cotoyé les boîtes à sel en bois dans les régions où celles-ci étaient répandues. En effet, sa faible contenance lui donne la qualité d'un pur objet de table, alors que la fonction « réserve » est largement présente dans les boîtes à sel présentées ci-dessus.   J.-R.T.

152
Saloir ou charnier

Bignoux (Vienne).

Grès, émail. H. 0,37 ; D. 0,30.

Paris, M.N.A.T.P. (inv. 55.75.93).

L'utilisation prolongée de ces contenants communs explique qu'un certain nombre d'entre eux, très anciens, soient parvenus jusqu'à nous. Il s'agit ici d'un saloir de petite taille portant quelques traces de cuisson et une légère déformation à la base. Une incision en forme de feston sous le col et un médaillon fait au doigt de part et d'autre des poignées en constituent les seuls éléments décoratifs autant que la marque du potier.

En 1955, la tradition locale permettait encore de reconnaître les marques de bois des derniers potiers de Bignoux : le dernier ayant cessé son activité en 1850 et la marque précédente n'étant celle d'aucun de ses deux prédécesseurs, elle attribuait aux portiers de l'Ancien Régime la présente pièce.   J.-R.T.

153
Pot à lard ou charnier

Saint-Césaire ou Saint-Bris-des-Bois (Charente-Maritime).

Terre gris foncé, montée au colombin. H. 0,50 ; D. 0,39.

Paris, M.N.A.T.P. (inv. 42.154.5).

Il s'agit d'une pièce « de forme presque sphérique surmontée d'un rebord vertical appliqué à l'extérieur de l'encolure et permettant de recevoir un couvercle encordé au moyen de deux petits trous percés dans le rebord. Deux anses verticales symétriques partent du haut du corps et prennent appui en dessous du diamètre maximum. » (A. Desvallées, G.-H. Rivière, 1975, p. 27). Beaucoup plus décoré que le spécimen précédent, celui-ci s'en éloigne aussi par sa forme. Elle suggère qu'il était peut-être légèrement *enfoncé* dans le sol, qui supportait l'extrémité inférieure de la panse. A l'inverse, il est plus vraisemblable que le charnier de Bignoux ait été *posé*.   J.-R.T.

154
Vase à salaison

Fabrique des Landelles (Loire-Atlantique).

Grès commun. H. 0,43 ; D. 0,13.

Sèvres, musée national de la Céramique (inv. 624.1).

Cet objet est entré au musée de Sèvres en 1809, à la suite de l'enquête demandée aux préfets par le ministre de l'Intérieur, quatre ans plus tôt, pour « qu'on remplace nos fayances, et nos poteries actuelles par une porcelaine commune plus généralement utile, et qu'on en revienne par rapport à ce genre de fabrication à une méthode plus simple et à la recherche de matières premières indigènes plus abondantes et d'une plus facile exploitation ». La circulaire témoigne de la prise en compte par l'État, sous l'influence de Brongniart, des recherches effectuées sur la céramique dès la seconde moitié du XVIIIe siècle pour améliorer la production française dans ce domaine. Autrement dit, les productions populaires sont mises sur la sellette par les savants qui en retiendront, par comparaison, les meilleures. Cette démarche est exactement celle des ouvrages agronomiques des années 1750-1780. La forme du vase, originale et incommode, pose le problème de son utilisation exacte.   J.-R.T.

Vase à salaison (cat. 154).

V
LA SOCIÉTÉ
URBAINE

Le développement sans précédent des agglomérations urbaines dans la seconde moitié du XIXe siècle, et plus encore au XXe siècle, a en partie détruit ou oblitéré les réalisations du XVIIIe siècle, particulièrement dans la partie occidentale de l'Europe. C'est pourtant au cours de ce siècle que se produit pour beaucoup de villes la mutation décisive : destruction des enceintes fortifiées, remodelage des quartiers anciens, création de nouveaux accès de zones d'habitat, de places et de promenade. Tout l'esprit du siècle se reflète dans ces transformations ; les nouvelles préoccupations d'hygiène impliquent que l'on aère les zones populeuses ; les nécessités d'une économie d'échanges accrus exigent des ports mieux aménagés et des voies de communication plus faciles ; la nécessité de loger une population plus nombreuse favorise la spéculation, avec une certaine tendance à la ségrégation sociale. Ne sont par ailleurs oubliées, ni la gloire du souverain dont les monuments règnent sur les places, ni les commodités de la bonne société, ni même la révérence due à Dieu et à ses ministres puisque l'on reconstruit nombre d'églises et de couvents.

Par ailleurs, les villes sont, depuis toujours, un lieu d'émeutes potentielles surtout en cas de difficultés d'approvisionnement. Pour la France, les grèves des tisserands et des chapeliers de Lyon en août 1786 et les violents incidents du faubourg Saint-Antoine en avril 1789 sont souvent perçus, au même titre que la « journée des Tuiles » à Grenoble (7 juin 1788) ou les échauffourées de Rennes (janvier 1789), comme les prémices de la Révolution. Mais Londres connut aussi à la même époque des journées d'émeutes (Gordon Riots).

Les villes sont aussi le cadre de la vie bourgeoise, classe sociale en pleine ascension dans presque tous les pays. Une iconographie abondante nous en révèle la diversité depuis le jeune intellectuel prêt à assumer de nouvelles responsabilités politiques jusqu'aux bonnes ménagères sur qui pèse le souci quotidien de la maison. Les images des classes plus modestes sont plus rares, et, comme pour celles des paysans, demandent à être analysées avec prudence, même si nous désirons reconnaître déjà en eux les futurs acteurs des « journées » révolutionnaires.

Le Grand Café royal d'Alexandre (cat. 176, détail)

PARIS POPULAIRE
À LA VEILLE DE LA RÉVOLUTION

EFFERVESCENCE et vitalité sur fond d'inquiétudes sociales, d'instabilité économique et de curiosité grandissante : voici ce que peut ressentir un voyageur, amené à traverser Paris dans les années 1780.

La ville mi-urbaine, mi-rurale s'affaire jour et nuit sans discontinuer et le peuple mène à l'intérieur de ses portes une vie quasi nomade : en effet, pour aller au travail à la plaine des Sablons, il faut se lever tôt si l'on habite le faubourg Saint-Laurent... Les immeubles, peu confortables, ouvrent sur le dehors et l'espace saturé et poreux ne fait guère de différence entre l'intime, le secret et la rumeur publique qui l'inonde sans répit. Chacun vit à l'extérieur, happé par la rue et ses innombrables activités ; d'ailleurs, l'intérieur ne retient pas grand-chose puisque les allées des maisons s'étirent sur des couloirs aux portes entrouvertes laissant apercevoir des logements donnant les uns sur les autres. Point de cuisine, parfois un puits dans la cour, pas d'espaces séparés, mais un tout-venant où s'échangent les nouvelles, ou bien des dortoirs au dernier étage des maisons où vivent les ouvriers des ateliers et des boutiques du rez-de-chaussée.

Dans cet espace urbain, où l'on se mêle du soir au matin, les événements petits ou grands de la vie sociale et politique se vivent dehors et se commentent avec ardeur. Tout est visible dans cette société et fait pour être vu : d'ailleurs, la politique royale n'a de cesse de se montrer, que ce soit de fêtes en cérémonies, ou de deuils en mariages ; le peuple est appelé à y consentir et à acclamer hautement. C'est dans la rue, là où la foule se presse, que le pacte entre roi et peuple se fait. Mais ce pacte n'est pas toujours festif ou harmonieux ; la politique royale passe aussi par sa scène punitive, les innombrables châtiments infligés quotidiennement aux carrefours et les exécutions publiques en place de Grève, démonstrations mortifères, ne laissent vraiment personne indifférent. Quant aux passages royaux, en cette fin d'Ancien Régime, ils ne suscitent pas toujours l'enthousiasme.

La ville est violente, turbulente, animée ; elle a mille yeux pour voir et entendre, ce qui lui donne une sagacité particulière et la fébrilité d'une personne vivante. Bien sûr, on pourrait décrire à nouveau les mille petits vendeurs ambulants qui la parcourent et ses ponts de Seine surchargés de bateleurs. Il est plus intéressant sans doute de chercher à comprendre ses formes de vie, ses réactions et son inépuisable façon de vouloir comprendre et participer à l'événement.

Divisée en vingt quartiers, surveillée par quarante-huit commissaires et vingt inspecteurs aux ordres d'un lieutenant général de police particulièrement proche du roi, Paris est à la foi mouvante, opaque et sous contrôle quotidien. C'est que la ville et la foule inquiètent, l'une et l'autre ressenties par les esprits des élites comme un animal dangereux et impulsif. Composée de deux tiers de migrants, la population est peu stable, secouée par les disettes comme par de trop grands écarts de prix du blé. Vite alarmée, vite attroupée, elle est véritablement mise en observation par une police qui cherche à capter ses humeurs et ses secrets. Bien qu'identifiée de façon homogène par les ministres, les philosophes et la police, la ville est composée d'unités complexes, de mouvements spécifiques et de personnes singulières aux rôles bien marqués.

Très présente, la femme parcourt la ville ; comme l'homme, elle a un métier ; comme lui souvent, elle a quitté le monde rural et une partie de sa famille pour prendre Paris comme moyen de vivre — Paris qui bien souvent se révèle davantage un mirage qu'une corne d'abondance. Active, elle occupe aisément l'espace, s'arrête dans les cabarets, prend part à la vie publique, s'inquiète des prix au marché et n'hésite pas à héler les hommes quand l'émeute menace, ou à prendre la tête des cortèges. Dans le quartier comme dans l'immeuble, les nouvelles se propagent rapidement ; à cette circulation rapide, elle assure des relais évidents. D'autant que sa position est tout à fait particulière : à l'intérieur du couple, de la famille, mais aussi de la boutique et de l'atelier, elle est un des « lieux » les plus sensibles de l'honneur. La réputation est un bien très précieux pour ceux qui n'ont guère de capital économique ; c'est un bien précaire que les voisins peuvent faire basculer à tout moment. Ainsi dans l'atelier, la femme du maître est-elle souvent la cible des attaques virulentes des compagnons et des apprentis : « toucher » son honneur est un moyen de ruiner la clientèle de la boutique ou du travail, par ailleurs c'est un biais commode qui permet de ne point s'attaquer directement au maître. A la fois forte et vulnérable, la femme doit jouer serré si elle veut garder intacte son image : dans une société orale et communicative, les injures courent vite et laissent parfois des traces durables.

D'elle, de la femme, il faut retenir dans ce Paris populaire du XVIIIᵉ siècle la silhouette fluide, active et décidée, prompte à participer aux événements et à s'en entretenir avec autorité. En même temps, il faut garder le souvenir d'une femme sans droits civils ni politiques, vulnérable et facilement agressée. Sa présence vivante et ferme n'a rien à voir avec celle, muselée, voire étouffée, écartée de la vie publique, de sa compagne de l'industrieux XIXᵉ siècle.

Autre personnage majeur : l'enfant. On le remarque partout ; les chroniqueurs et les graveurs du temps ne se sont pas fait faute de le croquer près des étals de marché comme sur les berges de la Seine, toujours actif, entre jeux et travaux rémunérateurs. L'emploi du temps des enfants est souvent très morcelé : même les plus pauvres ont l'habitude d'aller capter une ou deux heures de lecture et d'écrire dans les petites écoles, puis ils travaillent pour leurs parents comme coursiers ou gagne-deniers, et s'arrêtent quelques heures pour jouer au palet ou pour écouter vêpres et catéchisme. Eux aussi sont lieux de réputation et d'honneur, et les mauvais bougres entachent leurs familles, souvent très préoccupées de leur honnêteté et de leur éducation. Familiers et messagers, ils appartiennent autant au quartier qu'à leur famille. Un exemple suffit à montrer les liens qui se créent entre eux et le voisinage : en 1750, sur ordre de Berryer, lieutenant général de police, des enfants sont enlevés en pleine rue et emportés en carrosses fermés dans quelques prisons de la capitale. Pour assainir l'espace urbain dit-on ; peut-être pour emplir les colonies comme on l'avait pensé en 1720. Quoi qu'il en soit la population se révolte très violemment et les Archives nationales conservent d'innombrables dépositions de parents et de voisins, immobilisés devant les guichets de prisons pour retrouver leurs enfants et au moins les nourrir. « C'est l'enfant du quartier », crie le 28 mai 1750 un groupe de parents et de familiers. Ce sentiment de possession est intéressant à de nombreux égards : on a tant dit ses dernières années que le sentiment de l'enfance n'existait guère au XVIIIᵉ siècle qu'il est important de constater à quel point l'enfant joue un rôle social, affectif et économique à l'intérieur de la ville. Cette émeute meurtrière obligera la police à céder : l'enfant du peuple n'est ni un anonyme ni un polisson oisif, il remplit de nombreuses fonctions et participe de plain-pied aux codes économiques et affectifs de son environnement social.

Paris, en cette fin de siècle, c'est aussi une ville où l'information tient une très grande place. La censure et les édits royaux ont beau être extrêmement sévères sur l'impression et la publication d'ouvrages et de documents, la ville en regorge. Les colporteurs et les revendeurs cachent sous leurs boîtes de mercerie des milliers de pamphlets et de libelles imprimés clandestinement en province ou même hors de France. Chaque jour, au Palais-Royal sous l'arbre de Cracovie, des nouvellistes à la main écrivent à la hâte les informations qui leur viennent de l'étranger. Les livres interdits philosophiques ou irréligieux circulent à prompte allure ; et chacun s'informe du mieux qu'il peut, sans compter les innombrables crieurs de rues qui vendent pour un ou deux sols de simples feuilles malhabilement imprimées, où sont relatés les faits divers les plus impressionnants ou les montruosités et les prodiges les plus divers. Le peuple vit et court aux nouvelles. Quand on ne sait pas lire, on se fait lire par autrui et on s'agglutine autour de celui qui sait. Un lieu, particulièrement propice à l'information et à la nouvelle, est la maison du commissaire de police. Ses murs sont revêtus d'affiches officielles : les édits royaux, les ordonnances de police et les sentences y sont apposés légalement. Mais cela entre toutes sortes d'annonces publiques : chien perdu, cheval enfui, avis de ventes. La nuit, des mains maladroites viennent y coller des dénonciations injurieuses pour se venger d'un voisin ; les sergents tentent de décoller le lendemain matin ces traces anonymes.

En effet, à Paris, on lit et on « placarde » : la police se plaint amèrement des inscriptions apposées aux endroits les plus visibles, et quand le peuple se détachera de son roi (cela depuis les années 1735), des pamphlets contre lui, la reine et ses maîtresses, apparaîtront avec régularité.

Une ville où l'on s'informe avec passion est aussi une ville qui réagit à son histoire, à ses conditions de vie. Les disputes d'ateliers, par exemple, sont fréquentes et quand les mouvements de mécontentement s'amplifient, des grèves s'organisent, souvent longues et dures. Contrairement à ce qu'on pourrait croire, il s'agit autant de revendications pour les conditions de travail que pour les salaires. L'autorité du maître semble de moins en moins bien acceptée par un monde salarié qui refuse l'image archaïque du maître et de sa famille « à pot et à feu » avec ses employés. Malgré l'interdiction de quitter son maître, le compagnon « débauche » souvent pour aller ailleurs, vivre mieux, autrement, cherchant autant l'indépendance qu'un salaire convenable.

A travers les conflits sociaux et les marques de détachement vis-à-vis de la famille royale, à travers le grand nombre de critiques faites à la justice et aux manières de gouverner d'un État qui ne sait pas informer sa population, naissent des formes d'opinion populaire, où se pressent une sorte de politisation de l'ensemble de la nation. Politisation, si on entend par là une façon rationnelle et décidée qu'ont certains groupes sociaux d'exprimer leur désaccord. Cela peut se voir dans la multiplication des condamnations pour « mauvais propos contre le roi » qui jalonnent la fin de l'Ancien Régime, aussi bien que dans les manières logiques de montrer du mécontentement. L'absence du peuple aux passages royaux en est une ; les formes prises par certaines émeutes de rue en sont une autre ; les émeutes d'échafauds ou les défis contre la police et contre les hommes de prestige semblent aussi des signes assez clairs. Et s'il survient que grâce aux dossiers d'archives on puisse avec minutie suivre les séquences d'émeutes urbaines (*cf.* A. Farge et J. Revel, *Logiques de la foule, l'affaire des enlèvements d'enfants, 1750.* Paris, 1988), on s'aperçoit que derrière l'apparent désordre existe un ordre, une légitimité, une façon logique de fabriquer du sens, qui veut s'opposer à une autorité soudainement considérée comme défaillante ou illégitime.

Ce sont toutes ces formes nouvelles d'entrée en politique qu'il faut chercher à comprendre, et cesser d'analyser les foules urbaines en termes d'impulsivité. En fait, elles inventent jour après jour, événement après événement et avec l'information qu'elles cherchent à acquérir, les gestes et les pratiques, les cris et les paroles qui doivent donner à leur action le maximum de force, d'efficacité et aussi de sens. Rien n'est jamais déterminé à l'avance, mais dans l'action s'invente une volonté renforcée d'être des partenaires de l'autorité. Apparaît non seulement l'idée de négociation, mais sa pratique, et cela on peut le lire dans le détail de certaines échauffourées.

La ville est mature et quand surviendra la Révolution, elle se souviendra de sa façon d'avoir constamment réagi à ce qui lui survenait, d'avoir régulièrement cherché à penser les événements affectifs, sociaux et politiques dont elle était le lieu.

Arlette Farge

L'ASPECT
DES VILLES

156
Démolition des maisons
du pont Notre-Dame, en 1786

par Hubert ROBERT

Huile sur toile. H. 0,730; L. 1,400.
Historique: donation Jacques Lenté, en souvenir de M. et Mme Lucien Laveissière, en 1947.
Exposition: 1967, San Diego.
Bibliographie: Compin-Roquebert, t. IV, p. 191; cat. 1972, p. 332; Rosenberg, Reynaud, Compin, n° 742; Dureteste, pp. 162-163; Adhémar, 1964, pp. 7-9.
Paris, musée du Louvre, département des Peintures (inv. RF. 1947-38).

En 1769, Moreau-Desproux, architecte de la Ville de Paris depuis 1763, avait établi un plan partiel d'aménagement des zones urbaines situées en bordure de Seine. Approuvé par le roi, ce plan, dont le cabinet des Estampes de la Bibliothèque nationale possède une copie, concernait surtout les quais et les ponts de la Seine. Il ne put aboutir, en raison des difficultés financières, mais certains travaux furent entrepris, comme la démolition des habitations accrochées au Pont-au-Change (1788) et au pont Notre-Dame (1786).
Ces démolitions avaient été décidées après que Sébastien Mercier eut lancé dans son *Tableau de Paris*, publié à Amsterdam en 1782, un mouvement d'opinion, réclamant en particulier, pour des raisons d'esthétique et d'hygiène, que l'on rendit à la ville «et son coup d'œil et son courant d'air principe de salubrité» (p. 198). Hubert Robert a laissé des témoignages de ces entreprises. Le Pont-au-Change se trouve conservé au musée Carnavalet (inv. P. 172), tandis que son pendant est au Louvre.
S'inspirant des compositions de Piranèse, privilégiant les vues inférieures des bâtiments et les percées au travers des architectures, Hubert Robert cherche non seulement à fournir un témoignage des démolitions, mais aussi à traduire une vision nouvelle de la réalité sociale de son temps. En effet, abaisser le regard du spectateur, revient à situer celui-ci

au niveau du peuple, en lui montrant la vie quotidienne du Parisien. Ce ne sont plus le seigneur ou son château qui sont peints, c'est la ruine d'une société, sa refonte, l'irruption d'une catégorie sociale ignorée jusque-là. Robert pose ainsi les prémices de la Révolution, œuvre populaire. Il agit comme le «hibou», surnom que Restif de la Bretonne s'était donné, lorsqu'il décrivait les parisiens dans ses *Nuits de Paris* (1788).   J.Be.

157
La Construction de l'hôtel de Salm

par un peintre anonyme de la fin du XVIIIe siècle

Huile sur toile. H. 0,565; L. 1,01.
Historique: acquis en 1904.
Bibliographie: Gallet, 1964, fig. 96; Soboul, 1978, t. I, p. 396.
Paris, musée Carnavalet (inv. P. 692).

L'hôtel de Salm fut construit de 1782 à 1787 sur les plans de Pierre Rousseau (1751-1818) pour le prince Frédéric III de Salm-Kirkburg (1746-1794), né à Limbourg en Allemagne mais maréchal de camp du roi de France et agent de celui-ci auprès des patriotes hollandais. Devenu palais de la Légion d'honneur, cet hôtel est, malgré les restaurations consécutives à l'incendie de la Commune, l'exemple le plus somptueux qui soit conservé à Paris de l'architecture privée à la veille de la Révolution. Cette peinture ne renseigne pas vraiment sur la construction de l'hôtel lui-même, qui paraît à l'arrière-plan, pratiquement achevé dans son gros œuvre comme dans son décor extérieur, mais sans indication de l'environnement urbain alors que la scène est censée se dérouler sur la berge de la Seine. La représentation du chantier lui-même, avec sa baraque pourvue d'une cloche, paraît en revanche remarquablement exacte dans sa description de l'activité des compagnons: sciage des blocs, taille des pierres, vérification de la stéréotomie, transport des longues perches d'un échafaudage et sans doute, sous l'appentis, préparation du mortier de chaux par des «limousins». On notera, à gauche, la vente ambulante de boissons et d'aliments (*cf.* la balance) et, au fond à droite, la figuration de deux hommes en tenue de travail mais conversant, qui pourraient être au sommet de la hiérarchie ouvrière.

158
Vue imaginaire
de la place du Commerce à Lisbonne

Gravure coloriée. H. 0,410; L. 0,825.
Inscription: «Praça do Comercio da Cidade de Lisboa».
Exposition: 1982, Lisbonne, n° 191.
Lisbonne, museu da Cidade.

Après le tremblement de terre, en 1755, le marquis de Pombal prit d'importantes mesures pour la reconstruction de Lisbonne. Des groupes de travail lui proposèrent trois solutions différentes. Le ministre choisit de refaire une «ville des Lumières» selon un plan géométrique, avec des places, de larges rues parallèles et des bâtiments d'aspect massif mais pratiques, où pourraient vivre les personnes exerçant leur activité dans le grand commerce. Il eut pour cela la collaboration de plusieurs architectes, dont quelques-uns d'origine étrangère. Cette perspective imaginaire de Lisbonne fait partie d'un des projets de reconstruction non adoptés, mais elle traduit l'intérêt que la reconstruction suscita chez les artistes.
M.-H.C.d.S. et A.M.-D.S.

159
Vue du projet définitif
de reconstruction
de la place du Commerce à Lisbonne

Plume, encre et lavis sépia. H. 0,285; L. 0,520.
Inscription: «Vista perspectiva de um projecto de recontrução do Terreiro do Paço. Desenho do 3° quartel do seculo XVIII».
Exposition: 1982, Lisbonne, n° 189.
Lisbonne, museu da Cidade.

Il s'agit du projet de la place du Commerce définitivement adopté pour la reconstruction de Lisbonne après le tremblement de terre, en 1755.   M.-H.C.d.S. et A.M.-D.S.

Démolition des maisons du pont Notre-Dame (cat. 156).

La construction de l'hôtel de Salm (cat. 157).

imaginaire de la place du Commerce à Lisbonne (cat. 158).

Vue du projet définitif de reconstruction de la place du Commerce à Lisbonne (cat. 159).

L'Aqueduc des eaux libres et la vallée d'Alcantara (cat. 160).

L'Incendie de la Plaza Mayor à Madrid (cat. 161).

Les Environs de Londres, vue donnant sur Queen Square (cat. 162).

Vue d'Amsterdam : la place de Leyde (cat. 163).

Vue d'Amsterdam : le Dam (cat. 164).

Vue d'Amsterdam : La Maison des Indes orientales (cat. 165).

160
L'Aqueduc des eaux libres et la vallée d'Alcántara

par Joaquim MARQUES

Huile sur toile. H. 0,670; L. 0,880.
Exposition : 1987, Queluz, n° 99.

Lisbonne, Fundacão Ricardo Espírito Santo Silva, (inv. 775).

L'aqueduc des eaux libres fut construit à Lisbonne sur l'ordre de D. João V entre 1731 et 1748 pour approvisionner en eau les fontaines publiques de la ville. Considéré comme un monument exceptionnel, il résista au tremblement de terre de 1755 grâce à la solidité de ses fondations.   M.-H.C.d.S. et A.M.-D.S.

161
L'Incendie de la Plaza Mayor à Madrid

par Josef XIMENO

Eau-forte et aquatinte. H. 0,255; L. 0,418.
Inscription : «Josef Ximono la dib. y grabo.»
Bibliographie : Paez Rios, 1983, t. II, p. 57, n° 7.

Madrid, Biblioteca nacional (inv. 14783).

Les plans de la Plaza Mayor avaient été confiés à Juan de Herrera par Philippe II à la fin du XVIᵉ siècle, mais les travaux ne débutèrent réellement qu'en 1617, avec Juan Gomez de Mora comme architecte. A la fin du XVIIIᵉ siècle, en raison des nombreux incendies qui ravagèrent les bâtiments, dont celui qui eu lieu dans la nuit du 16 août 1790, Juan de Villanueva la restaura, notamment en fermant les accès par des arches. Les travaux ne s'achevèrent qu'au XIXᵉ siècle   J.Be.

162
Les Environs de Londres, vue donnant sur Queen Square

par Thomas JONES

Huile sur papier. H. 0,241; L. 0,330.

Londres, Tate Gallery (inv. T. 01929).

«Je pris, en janvier 1785, une petite maison coquette, à Londres, dans Tottenham Court Road, où j'ai vécu très agréablement des revenus d'un petit domaine que m'avait laissé mon père et qui me fournissait environ 300 £ par an — en plus de ce qu'occasionnellement me rapportait ma profession — je dois avouer également que je suis coupable de quelques légères Impostures — en faisant des Imitations de mon Ancien Maître, Wilson et Zuccharelli.» (*Mémoires de Thomas Jones*). On peut ainsi dater le tableau vers 1785-1786.
A la fin du XVIIᵉ et au début du XVIIIᵉ siècle,

sous l'effet de la pression démographique et de la croissance économique, les propriétaires de terrains autour de Westminster et de la Cité de Londres commencèrent à concéder des baux à des sociétés immobilières. La ville s'est alors développée de façon anarchique, par quartier. Si les places et les avenues ont conservé quelque homogénéité de style, c'est que les entrepreneurs étaient tenus de respecter un plan d'urbanisme. Queen Square, aux abords de Tottenham Court Road, où Jones avait pris sa maison, faisait partie de l'élégant domaine de Rugby Estate. En 1770, il n'était encore fermé que de trois côtés et Fanny Burney (romancière anglaise, 1752-1840) pouvait louer la «merveilleuse vue sur Hampstead et Highgate» vers le nord. Malheureusement, avant la fin du siècle, la zone avoisinante sera réaménagée par James Burton, l'entrepreneur londonien le plus actif du règne de George III.   C.B.-O.

163
Vue d'Amsterdam : la place de Leyde vue de la Porte de Leyde

par H. Pieter SCHOUTEN

Plume, encre brune et grise, aquarelle. H. 0,302; L. 0,298.
Inscription : voir *infra*.
Bibliographie : Bakker, 1978, p. 103.

Amsterdam, Gemeentelijke Archiefdienst, Historisch Topografische Atlas (inv. Split. 631 - K).

Les paysages urbains d'Amsterdam étaient une des spécialités du dessinateur et graveur, Pieter Schouten. Schouten a probablement fait usage d'une chambre obscure pour réaliser cette composition en perspective (1779).
Collées aux murs de la Porte, on peut voir toutes sortes d'annonces publiques de ventes aux enchères. Au milieu du lot, il y en a une, à droite, qui porte le texte suivant : « Le théâtre, vu de la Porte de Leyde, longeant la rue de Lijsse, dessiné d'après nature par H.P. Schouten 1779. » Le théâtre d'Amsterdam, situé place de Leyde, fut construit en 1773-1774.   B.K. et M.J.

164
Vue d'Amsterdam : le Dam, vu de la ruelle du Coude-Tordu

par H. Pieter SCHOUTEN

Plume, encre brune, aquarelle. H. 0,319; L. 0,432.
Inscription : en bas à droite : «H.P. Schouten Fecit»; au dos : «vue de l'hôtel de Ville, de la Nouvelle Église, de l'hôtel des balances etc. d'Amsterdam. Dessiné d'après nature par Hu.P. Schouten 1788. »
Bibliographie : Bakker, 1974.

Amsterdam, Gemeentelijke Archiefdienst, Historisch Topografische Atlas (inv. Split. 718).

Le *Dam*, qui était autrefois le centre d'Ams-

terdam, est situé devant le majestueux Hôtel de Ville et la Nouvelle Église. L'artiste a voulu donner une image de tout ce que l'on pouvait apercevoir journellement sur la place : (de gauche à droite) un charretier, un mendiant, un porteur, deux carrosses de maire, un chaudronnier à son établi, un groupe de marchands en conversation avec un officier, une paysanne et un cireur de chaussures.   B.K. et M.J.

165
La Maison des Indes orientales située rue Haute

par Reiner VINKELES

Plume, encre brune et grise, aquarelle. H. 0,17; L. 0,21.
Bibliographie : Bakker, 1974, n° 20.

Amsterdam, Gemeentelijke Archiefdienst, Historisch Topografische Atlas (inv. Split.631 - K).

Dans la seconde moitié du XVIIIᵉ siècle, le genre topographique était très populaire en dessin. Cette vue pittoresque d'Amsterdam (1768) montre les marchands qui fréquentaient la Maison des Indes orientales pour conclure des affaires avec la Compagnie des Indes orientales, une des plus importantes compagnies commerciales du monde.
Le graveur Reiner Vinkeles travaillait à Amsterdam; son œuvre compte plus de 2 500 estampes et dessins.   B.K. et M.J.

166
Vue de Berlin : l'Arsenal, la cathédrale et le château

par Johann Georg ROSENBERG

Gravure à l'eau-forte coloriée.
Bibliographie : Kiewitz, 1937, n° 1046; Rabe, 1955, n° 13.

Berlin, Staatliche Schlösser und Gärten, château de Charlottenburg.

Cette feuille fait partie d'une série de vingt-quatre gravures à l'eau-forte, en couleurs, qui devaient permettre à Johann Georg Rosenberg de donner un panorama de Berlin en 1780. L'artiste travailla à partir du Schloßbrücke (pont du Château) dénommé alors Hundebrücke (pont aux Chiens). Sur la gauche de la gravure, on aperçoit l'un des coins de l'Arsenal (1695). La vue est fermée au fond à gauche par le lavoir royal (1720), la cathédrale (1747) et l'aile du château, dite de la pharmacie (1585); on perçoit une autre aile sur la droite de la gravure. Cet ensemble de bâtiments délimite les anciens jardins de plaisance qui furent transformés en 1714 en lieu de parade. On reconnaît également la Marienkirche (1270) derrière la cathédrale.
L'intérêt se concentre sur la place devant l'Arsenal où, contrairement aux vues de ville en vigueur dans la première moitié du XVIIIᵉ siècle,

Vue de Berlin : l'Arsenal, la cathédrale et le château (cat. 166).

Vue de Vienne depuis le Prater (cat. 167).

Vue de Genève avec le lac Léman et le mont Blanc (cat. 168).

Vue de Stockholm prise de la terrasse du palais d'Axel von Fersen (cat. 170).

l'artiste introduit des scènes très animées de la vie citadine. Le quotidien avec ses calèches, ses éventaires et ses chantiers vient contrebalancer le caractère noble des bâtiments, qui semblent ainsi mis à l'écart.

Johann Georg Rosenberg était l'un des artistes berlinois les plus appréciés de la seconde moitié du XVIIIe siècle. Influencées par la peinture architecturale vénitienne, ses gravures sont autant de documents non conventionnels sur l'urbanisation alors bien avancée de Berlin. Ce travail avait son pendant en littérature avec la *Beschreibung der königlichen Residenzstädte Berlin und Potsdam* (Description des capitales royales Berlin et Potsdam) de l'écrivain berlinois des Lumières, Friedrich Nicolais, qui faisait fréquemment référence aux œuvres de Rosenberg.

K.D.P.

167
Vue de Vienne depuis le Prater

par Josef HEIDELOF(F)

Huile sur toile. H. 0,855; L. 1,35.
Historique : exécuté pour l'admission à l'Académie des beaux-arts de Vienne, le 21 mars 1781.
Expositions : 1877, Vienne, n° 2466; 1942, Vienne, p. 17; 1964, Vienne, n° 145; 1974, Vienne, n° 8; 1975, Vienne, n° 6; 1980, Melk, sans numéro; 1982, Vienne, sans numéro.
Bibliographie : Weinkopf, 1875, p. 22 et p. 90; Lützow, 1889, p. 131; Lützow, Dernjac, Gerisch, 1900, p. 134; Frimmel, 1901, p. 116; Thieme-Becker, 1923, XVI, p. 259; Pötschner, 1978, pp. 63 et 292 T52.

Vienne, Gemäldegalerie der Akademie der bildenden Künste (inv. 152).

Les terrains herbeux du *Prater*, situé entre deux bras du Danube à l'est de Vienne, étaient depuis le XVIe siècle une zone de chasse privilégiée pour la maison impériale. En 1537-1538, on traça l'allée principale, longue de quatre kilomètres, qui fit ensuite la jonction avec la résidence de plaisance construite en 1566. Par un « Avertissement » du 6 avril 1766, Joseph II rendit l'ensemble de la contrée accessible à tous avec l'autorisation de s'y promener à pied, à cheval ou en voiture à toute heure du jour, d'y jouer à des jeux de balle sur les prairies et les places, d'y jouer aux quilles et de se livrer à tout divertissement autorisé selon le bon gré de chacun. Dans la partie nord on créa un espace de loisirs avec des auberges et le parc d'attraction « Wurstelprater ».
Professeur à l'Académie, Johann Christian Brand appréciait ce peuplement de vieux arbres pour ses études sur la nature. Son élève Heideloff a combiné ces études de nature avec une vue topographique exacte de Vienne. Au centre, la ville proprement dite avec la cathédrale Saint-Étienne, à gauche le faubourg d'Erdberg avec le palais d'été du prince Eugène de Savoie, le *Belvedere*, qui n'était pas encore entouré de constructions, ainsi que l'église Saint-Charles, dont de l'empereur Charles VI. Le peintre complète le décor « noble » d'un groupe de cavaliers en introduisant des scènes de la vie quotidienne.

H.Hu.

168
Vue de Genève avec le lac Léman et le mont Blanc

par Carl HACKERT

Aquarelle. H. 0,32; L. 0,48.
Inscription : «Vue du Mont-Blanc, le Buet et les Montagnes Joignantes. Fait par Carl Hackert, 1796.»
Genève, musée d'Art et d'Histoire (inv. V.G. 1797).

Malgré un système politique fondamentalement inégalitaire (qui sera la cause d'une « révolution » en 1782), et malgré la rigueur de ses lois, Genève apparaissait aux yeux des hommes des Lumières comme une terre de Liberté. L'article que lui avait consacré d'Alembert dans l'*Encyclopédie* faisait l'éloge des mœurs de ses habitants, de leur esprit d'union et même de son clergé dépeint comme particulièrement éclairé et tolérant, «donnant l'exemple de la soumission totale aux lois ». La seule critique touchait à l'absence de théâtre et entraîna une polémique avec Jean-Jacques Rousseau. Dans une période où l'on fut particulièrement sensible aux beautés de la nature, l'admirable site de Genève aurait-il joué un rôle déterminant dans ce préjugé favorable ? Hackert nous montre ici avec précision la position de la cité, forte d'environ vingt-cinq mille habitants, étalée en demi-cercle au bord du lac, dominée par la « ville haute » habitée par les vieilles familles appartenant au parti des « négatifs » hostiles à toute réforme, et d'où sont issus les membres du petit-conseil. La ville basse, peuplée de bourgeois (du parti des « représentants ») et aussi des « habitants » et des « natifs » dépourvus de tout droit civique est peu visible. Ce qui frappe surtout, c'est le pittoresque de la campagne au premier plan et, au fond, la splendeur des massifs montagneux. Comment ne pas parer de toutes les vertus une ville dont le cadre naturel est alors synonyme de vie vertueuse et simple, ce que paraissait confirmer les rigoureux édits antisomptuaires en vigueur dans la république de Genève ?

169
Vue de Stockholm

par Elias MARTIN

Aquarelle sur papier. H. 0,535; L. 0,955.
Inscription : « E. Martin peintre du Roi pinxit 1801 » et «Vue de Stockholm prise de la Chambre à Coucher des Petits Appartements de Sa Majesté la Reine.»
Historique : appartient à une suite de cinq aquarelles peintes pour la reine de Suède vers 1800; elles ont sans doute été amenées par la reine en Allemagne après l'abdication du roi, Gustave IV Adolphe, en 1809, et figuraient à une vente Boerner à Leipzig en 1926; don de M.J.P. Ahlen en 1926.
Bibliographie : Hoppe, 1933, pp. 238-244, repr.
Stockholm, Nationalmuseum (inv. NMB 480).

A la fin du XVIIIe siècle, Stockholm, capitale des royaumes de Suède et de Finlande, avait une population de 75 000 habitants. La ville avait largement débordé son noyau médiéval, l'île de « la vieille ville », où sont situés la cathédrale ainsi que le palais royal, construit au cours de la première moitié du siècle et résidence principale des rois de Suède. Trois des cinq aquarelles de Stockholm, qu'Elias Martin peignit vers 1800 pour la jeune reine Frédérique de Suède, sont précisément des vues prises des appartements de celle-ci au palais royal.

C'est notamment le cas du panorama exposé ici qui donne une très bonne idée des quartiers du centre de la ville, encore peu étendus. Au premier plan et au fond à droite, l'on aperçoit des bateaux amarrés dans le port de Stockholm où ils apportaient de la chaux, du bois, des foins, etc. Un pont provisoire en bois mène à l'île du Saint-Esprit (Helgeandsholmen) dont tous les bâtiments représentés par Martin ont depuis été détruits pour donner place au Parlement. A gauche, on voit les travaux de construction du nouveau pont de Norrbro, dont la partie qui venait alors d'être terminée aboutit à la place où Gustave III avait fait construire en 1782 l'Opéra (remplacé par l'Opéra actuel un siècle plus tard) et en face, à gauche, le palais qui abrite à présent le ministère des Affaires étrangères.

Derrière l'Opéra se situe l'église Saint-Jacques, et, en continuant vers la droite, les palais anciennement de La Gardie, Tungel et Douglas. C'est à l'emplacement de ce dernier que se trouve aujourd'hui le Musée national.

P.Gr.

170
Vue de Stockholm

par Elias MARTIN

Aquarelle sur papier. H. 0,51; L. 0,775.
Inscription : « Vue de Stockholm prise de la terrasse dans le jardin de son Excellence le comte Fersen.»
Historique : appartient à une suite de cinq aquarelles peintes pour la reine de Suède vers 1800; elles ont sans doute été amenées par la reine en Allemagne après l'abdication du roi, Gustave IV Adolphe en 1809, et figuraient à une vente Boerner à Leipzig en 1926; don de M.J.P. Ahlen en 1926.
Bibliographie : Hoppe, 1933, pp. 238-244, repr.
Stockholm, Nationalmuseum (inv. NMB 483).

Dans cette aquarelle de Stockholm, qui fait partie de la même série que le numéro précédent, Martin a choisi une vue dans la direction opposée, prise de la terrasse au bord de l'eau du palais du comte Axel von Fersen. A droite, l'on aperçoit l'ancien palais de La Gardie, dit « Sans pareil », et à gauche le palais royal au-dessus duquel pointe la flèche de la cathédrale. Les vues d'Elias Martin offrent une image fidèle et vivante de l'aspect encore assez campagnard de la capitale suédoise, qui avait seulement commencé l'expansion qui doublera sa population en moins de soixante-quinze ans. La meilleure description écrite de la ville, ses bâtiments, ses collections d'art et sa vie sociale vers cette époque est due à deux émigrés français, le chevalier de Boisgelin de Kerdu et le

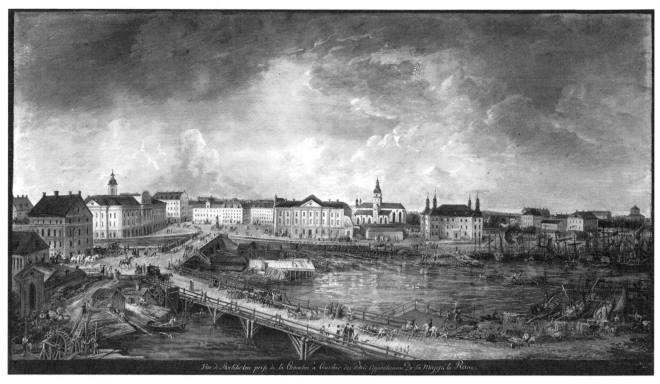

Vue de Stockholm (cat. 169).

de Copenhague : la rue Ostergade (cat. 171).

Le port de Copenhague depuis la place Larsen (cat. 172).

générale de Rouen prise de Saint-Sever (cat. 173).

comte de Fortia de Piles, qui, après avoir visité la Suède en 1791, publièrent en 1796 leur récit : *Voyages de deux Français dans le nord de l'Europe.* **P.Gr.**

171

Vue de Copenhague : la rue Ostergade

par Jes BUNDSEN

Aquarelle. H. 0,30 ; L. 0,39.

Copenhague, Statens Museum for Kunst, déposé au Bymuseum (inv. A.A.562).

L'aquarelle (1788) de Jes Bundsen révèle une profonde intelligence des qualités architecturales de Copenhague. La rue est vue de la place du Nouveau-Marché, par une nuit étoilée. La foule qui se presse à cette heure tardive indique qu'il s'y passe un événement inhabituel. L'aquarelle est antérieure au grand incendie de Copenhague qui, en 1795, réduisit en cendres une grande partie de la ville. Après le désastre, un décret fut promulgué, établissant que les maisons d'angle devaient dorénavant comporter une corniche donnant sur la rue, de façon à faciliter le passage, au coin de la rue, des voitures de pompiers. Après un autre grand incendie, survenu en 1728, il avait été décrété que les maisons de Copenhague ne seraient plus à colombage, mais bâties en pierre.
Jes Bundsen nous offre une vue idéalisée de la ville. Les habitants affichent la plus parfaite insouciance. En réalité, troubles et émeutes éclataient sporadiquement, comme par exemple dans les années 1790 lorsque le peuple se souleva pour protester contre le mépris dans lequel il était tenu par le prince héritier et le gouvernement. Certaines maisons datent d'avant l'incendie de 1728, d'autres sont de construction néo-classique.
Aujourd'hui, la rue a changé d'aspect et nombre des maisons représentées sur l'aquarelle ont disparu. Elle a conservé, toutefois, la même forme tortueuse, la même largeur, et les maisons sont encore de hauteur moyenne, ce qui lui confère un peu de son intimité et de son charme d'antan. Le célèbre hôtel d'Angleterre s'élève actuellement à l'angle droit.
Jes Bundsen se fixera plus tard à Altona, non loin de Hambourg, où il acquit une certaine renommée en tant que peintre de paysage et d'architecture. **K.Kr.**

172

Le port de Copenhague depuis la place Larsen

par Erik PAUELSEN

Huile sur toile. H. 1,02 ; L. 1,65.
Inscription : au dos : « E. Pauelsen pinx ».
Historique : acquis en 1801 de la veuve de l'artiste.
Expositions : 1794, Copenhague, Salon, n° 217 ; 1901, Copenhague, n° 1393 ; 1920, Copenhague, n° 54.

Bibliographie : Bramsen, 1935, p. 17 ; Bramsen, 1942, p. 64 ; cat. Copenhague 1970.

Copenhague, Statens Museum for Kunst (inv. Sp. 880).

Copenhague (Kóbenhavn en danois) signifie : « port de marchands ». En effet, la prospérité de la ville et même du pays tout entier reposait sur le commerce. La vie à Copenhague était donc profondément marquée par l'activité de ce port, abritant également la marine militaire dont on aperçoit, sur la gauche, les bâtiments, derrière les gréements du *Holmen*. Au centre, on voit le quartier appelé Christianshavn et sa très belle église de Saint-Sauveur, relié à la ville par un pont. A l'arrière-plan, sur le *Bremerholm*, l'un des îlots sur lesquels est construite Copenhague, on aperçoit l'entrepôt de canne à sucre *Phónix*. Le commerce de canne à sucre était très florissant car le Danemark rapportait la matière première de ses colonies des Antilles où il possédait de vastes plantations. A droite, un silo à grains témoigne d'une autre production majeure du pays. Au premier plan, des hommes réparent une ancre. Le port de commerce et la marine fournissaient du travail à de nombreux habitants de Copenhague ainsi qu'aux marchands — généralement des immigrants allemands, hollandais et français — dont la vie dépendait des navires et du commerce. Erik Pauelsen présente ici une vision souriante et optimiste de cette vie portuaire. Les ouvriers ne paraissent pas harassés de travail : deux hommes et une femme prennent même le temps de bavarder. L'intention du peintre n'était pas de décrire l'activité trépidante, exténuante du port, mais une scène de la vie quotidienne qui, selon lui, ne devait être ni trop fatigante ni trop chargée de soucis. Erik Pauelsen applique dans sa peinture, que l'on peut dater vers 1780, les principes du néo-classicisme. Son insistance à montrer un mode de vie simple et insouciant peut s'expliquer comme une réaction à sa propre existence remplie de contrariétés. Excellent peintre, personnalité d'une grande sensibilité, il ne parvenait pas toujours, en effet, à satisfaire ses ambitions. **K.Kr.**

173

Vue générale de Rouen prise de Saint-Sever

attribué à Pierre-Denis MARTIN, *dit* des Gobelins

Huile sur toile. H. 0,780 ; L. 1,980.
Historique : entré au musée en 1820.
Expositions : 1936, Paris, n° 3 ; 1962, Paris, n° 58.
Bibliographie : Nicolle, p. 11 ; Rosenberg, 1965, n° 86 ; Popovitch, 1967, p. 87 ; Clément de Ris, 1872, p. 388 ; Herval, 1949, t. II, p. 144.

Rouen, musée des Beaux-Arts (inv. 820-1-2).

Datant du début du XVIII⁰ siècle, ce grand tableau, document capital pour l'histoire de Rouen, représente l'entrée d'un gouverneur de la Normandie, le duc d'Harcourt (?) dans sa « capitale ». La vue, prise depuis Saint-Sever,

permet de distinguer la ville, au fond du tableau, de laquelle s'élèvent les clochers de la cathédrale, de Saint-Ouen, etc.
C'est par comparaison avec le *Louis XIV descendant à l'église des Invalides* (dépôt du Louvre au musée Carnavalet), que Pierre Rosenberg se montre favorable à l'attribution à Pierre-Denis Martin. La Normandie, où Louis XVI se rendit en 1786 pour l'inauguration du port de Cherbourg, fut la seule province française visitée par le roi durant les quinze années effectives de son règne. **J.Be.**

174

Une rue à Pointe-à-Pitre

par un artiste anonyme

Aquarelle. H. 0,230 ; L. 0,180.
Inscription : en bas à droite, à la plume et encre noire : « Pointe à Pitre 1789 ».
Historique : legs Raymond Jeanvrot.
Exposition : 1980, Nantes, Bordeaux, n° 94.
Bibliographie : Chaleau, 1979 ; du Pasquier, 1985, p. 55.

Bordeaux, musée des Arts décoratifs (inv. 66-1055).

Dès les premiers temps de la colonisation française dans les Antilles comme en Louisiane (*cf.* exp. : *Naissance de la Louisiane 1682-1731*, Paris, Archives nationales, 1982-1983), la création de villes annonce l'élaboration d'une architecture propre à ces pays à la fois chauds et humides : les maisons à un ou plusieurs étages sont bâties selon la richesse de leur propriétaire en pierre, ou en bois, sur des fondations en « maçonnerie » (en Guadeloupe, généralement en lave volcanique).
Les fenêtres sont fermées plus par des étoffes, ou par des persiennes, que par des vitres, pour laisser ainsi passer les alizés. Des tuiles en terre ou en bois, ou du zinc servent de couvertures. La rue de Pointe-à-Pitre voit peu de trafic, les rares passantes sont noires et esclaves : la Guadeloupe, découverte en 1493 par Christophe Colomb, est réunie à la couronne française en 1674, conquise plusieurs fois et restituée par les Anglais : elle devient définitivement française en 1816, ainsi que Saint-Domingue et la Martinique. Elle est l'un des grands centres de cultures de la canne à sucre, mais d'autres cultures sont pratiquées comme le café et l'indigo (exp. : Marseille, 1987), pour lesquels de grands domaines, dont quelques-uns subsistent encore aujourd'hui, sont édifiés (Houin-Perrouillet, 1978). De ce fait, elle est aussi un grand marché d'esclaves et de nombreux Européens partent vers les îles pour faire fortune. **M.Pi.**

175

Manière dont on conduit les nègres esclaves

par BAZIRE

Plume et encre noire, lavis brun et gris. H. 0,190 ; L. 0,120.

e rue à Pointe-à-Pitre (cat. 174).

«*Manière dont on conduit les nègres esclaves*» (cat. 175).

Inscription : en bas à gauche à la plume et encre noire : «Bazire» ; à droite : «1779 juillet».
Historique : achat à M. Lefebvre en 1936.
Expositions : 1980, Bordeaux-Nantes, n° 21 ; 1985-1986, Le Havre, non cat. cité p. 84 et liste.

Paris, musée des Arts africains et océaniens, (inv. 1779 AFC 1682).

Le nom de Bazire n'apparaît pas dans les dictionnaires, en revanche, l'un des graveurs des planches des *Voyages du capitaine Cook* est James Basire (1730-1802). Il est tentant de faire un rapprochement entre ces relations de voyages et ce dessin exécuté vraisemblablement pour l'illustration d'un livre non identifié. Après la dépopulation systématique de l'Amérique par les Espagnols, les États européens désireux d'exploiter les richesses américaines décident de déporter des Africains vers l'Amérique selon une organisation très précise, qui trouve approbation, pour la France, dans l'instruction que Colbert envoie au directeur de la Compagnie des Indes occidentales en 1670. Dès lors, des bateaux partent des ports français de l'Atlantique (Nantes, Bordeaux, Le Havre notamment) vers le golfe de Guinée avec des chargements de surplus (verroterie, quincaillerie, indiennes, alcool, etc.) que les capitaines

échangent avec les potentats noirs et métis africains contre des esclaves regroupés d'une manière plus ou moins officielle. L'esclavage en Afrique est traditionnel depuis l'Antiquité ; il est dû à deux facteurs essentiels : le pillage et les guerres continuelles que se livrent les diverses ethnies. Les esclaves sont amenés au comptoir ou au fort par caravanes de vingt à quarante personnes, parfois enchaînés ; dans le dessin présenté, les noirs portent des fourches en bois (les bois mayombé) qui leur enserrent le cou, à la nuque avec une cheville de fer, à la gorge avec une branche (O'Hier de Grandpré, *Voyage à la côte occidentale de l'Afrique*, fait dans les années 1786 et 1787..., Paris, 1801). La France possède trois forts consacrés à la traite : à Saint-Louis et à Gorée au Sénégal et à Ouidah (Juda) au Bénin (Exp. Le Havre, 1986-1987, chap. II). Les capitaines viennent y acheter les esclaves qui sont ensuite entassés, selon des plans très précis dans les bateaux (Lengellé, 1955) et amenés en Amérique où ils sont vendus. Dans les états de chargements des navires, les esclaves apparaissent sous le nom de « bois d'ébène ». Les listes d'esclaves connues donnent précisément leur origine ethnique. A Saint-Domingue, par exemple, les créoles sont essentiellement des

femmes mais les hommes sont surtout Africains : les plus nombreux sont les Congos, les Bambaras du Soudan, les Ibos du Nigeria, les Aradas du Dahomey, et ainsi que d'autres peu représentés, tels les Sénégalais. Ces listes comprennent également l'âge, l'étampe, l'état physique, l'emploi, le prix d'estimation, le caractère et le marronage de chaque esclave (Siguret, 1968). L'esclave peut porter la marque de l'armateur qui possède le vaisseau négrier qui l'a amené d'Afrique ou celle de son propriétaire.   M.Pi.

___

176
Le Grand Café royal d'Alexandre, boulevard du Temple à Paris

par J. ARRIVET

Plume et encre brune, rehauts d'aquarelle. H. 0,269 ; L. 0,390.
Bibliographie : cat. expo. Paris, Carnavalet, 1985, sous le n° 312.

Paris, musée Carnavalet (inv. D.37.93).

Dessinateur et graveur au burin, J. Arrivet

Le café et l'opinion publique à la veille de la Révolution

« Il ne serait pas inutile d'observer jusqu'à quel point la fréquentation des cafés pendant la Révolution a influé sur l'esprit public et contribué directement aux événemens (*sic*) trop fameux qui ont donné des secousses au globe tout entier [1]. » Ainsi s'exprime en 1819, sur le ton du reproche, l'auteur d'une histoire des cafés de Paris, pompeusement sous-titrée *Revue politique, critique et littéraire des mœurs du siècle*. A quoi fait écho, une vingtaine d'années plus tard, le commentaire enthousiaste d'un autre chroniqueur : «C'est le café, le café seul

qui a éclairé les esprits, opéré la fusion des castes et provoqué la plus énergique manifestation de la volonté populaire [2]. » Prétendre que 1789 ait eu le café pour antichambre relève, certes, d'une vision aussi réductrice que partiale. Nier, en revanche, son rôle dans la diffusion des idées et la fermentation des esprits serait s'interdire de bien comprendre les mécanismes socio-culturels que mettent en jeu les crises révolutionnaires. L'avènement du café, comme celui, concomitant, de la gazette, est donc à rattacher aux « origines intellectuelles de la Révolution française » dont, voilà cinquante ans, Daniel Mornet dressait un inventaire qui depuis lors n'a pas cessé d'être complété [3].

Dans une société qui ne proposait aux gens de lettres que les salons, élitistes, mondains et gourmés ou les académies, inaccessibles aux hommes nouveaux, le café devait vite apparaître comme un espace ▶

1. E. F. Bazot, *les Cafés de Paris ou revue politique, critique et littéraire des mœurs du siècle par un flâneur patenté*, Paris, 1819, p. 2.
2. *Physiologie des cafés de Paris*, Paris, 1841, p. 19.
3. *Cf.* Robert Darnton, *Bohème littéraire et Révolution : le monde des livres au XVIIIe siècle*, Paris, 1983.

▶ de liberté. Ainsi, évoquant les séances qui se tenaient au *Café de la veuve Laurent* et qui réunissaient, avec d'autres, Fontenelle, Boindin et La Motte, Voltaire observe : « C'était une école d'esprit dans laquelle il y avait un peu de licence[4]. » Avec *Procope*, érigé en modèle, s'étaient vigoureusement affirmées les multiples vocations du café : artistique, littéraire, philosophique et même politique. En venant y lire les gazettes, y railler l'Église en langage codé[5], y commenter la politique royale ou y juger les dernières pièces de théâtre, les encyclopédistes avaient hautement proclamé la fonction nouvelle qu'ils assignaient aux écrivains et aux penseurs : non plus simples *sujets*, mais déjà *citoyens*. Le café est précisément l'endroit où ils trouvent à exprimer leur esprit critique.

Au reste, le danger que représentait pour la monarchie cette sociabilité de principe égalitaire et d'essence démocratique n'avait pas échappé aux autorités. On sait que, tout au long du XVIIIe siècle, les cafés parisiens furent étroitement surveillés par des espions à la solde du lieutenant général de police qui lui remettaient, chaque jour ou chaque semaine, des « gazetins », rapports où étaient consignées les principales conversations. Certes, bien souvent il ne s'agit que de ragots mondains ou de commérages politiques. Mais les « gazetins » conservés[6] concernent essentiellement la France du cardinal de Fleury. Anodins en temps de paix sociale, il est probable que ces bavardages se firent subversifs au moment des troubles.

Toutefois, la tradition qu'avait inaugurée *Procope*, celle du café littéraire et philosophique, s'épuise assez vite au cours du siècle. En dehors du *Café de la Régence*, du *Café Gradot* et du *Café de la veuve Laurent*, peu de concurrents directs à *Procope*. De surcroît, ces « bureaux d'esprit », ces « manufactures d'esprit, tant bonnes que mauvaises » — pour reprendre la définition de l'*Encyclopédie* — s'apparentent davantage à des coteries qu'à des anti-salons. Prisés par une élite cultivée et liseuse, ils demeurent le territoire des philosophes protégés et des auteurs célèbres. Ailleurs, sont les relais qui diffusèrent l'esprit vulgarisé des Lumières. Il faut plutôt les chercher, semble-t-il, dans les cafés de second ordre qui avaient envahi le Palais-Royal de 1730 à 1780 ou dans ceux qui se mirent à pulluler le long des boulevards à la fin de l'Ancien Régime.

Alors que, selon les estimations des rapports de police, Paris ne comptait que 380 cafés en 1723, il y en aurait 1800 à la veille de la Révolution[7]. Or, en se multipliant, ces cafés s'étaient hiérarchisés et spécialisés. Dans ceux du Palais-Royal, propriété privée du duc de Chartres et en tant que telle zone franche dont l'accès était interdit aux soldats et à la police en uniforme, bruissait une faune composite où venaient se mêler joueurs, escrocs, viveurs et courtisanes. Ce monde bigarré formait le public ordinaire des nouvellistes qui couraient de café en café, rapportant les derniers échos, commentant les nouvelles du jour, déformant les propos des gazettes. Dans les journées qui précèdent la crise, ils sont les grands informateurs des Parisiens. L'effervescence habituelle du Palais-Royal explique qu'il soit tôt devenu le centre révolutionnaire de la capitale. « Les cafés du Palais-Royal présentent des scènes étonnantes », note Arthur Young, un voyageur anglais, le 9 juin 1789. « Non seulement l'intérieur en est comble, mais la foule se presse aux portes et aux fenêtres, écoutant, le cou tendu, certains auteurs qui, montés sur une table ou une chaise, haranguent chacun son petit auditoire. On ne se figure pas aisément l'avidité avec laquelle ils sont écoutés et le tonnerre d'applaudissements qu'ils reçoivent, pour toute expression plus hardie ou plus violente contre le gouvernement[8]. » Un mois plus tard, c'est du *Café de Foi* que, debout sur une table, Camille Desmoulins appelle à l'insurrection.

Tout autre étaient l'atmosphère et le public des cafés qui bordaient les boulevards. Situés à proximité des théâtres, ils avaient attiré une bohème littéraire mêlée où se côtoyaient, avec les « raccrocheurs, les bougres et les bardaches »[9], une foule d'acteurs en quête d'embauche, de musiciens à la recherche d'un engagement et d'obscurs littérateurs chez qui l'insuccès engendrait parfois l'aigreur. Bien souvent, ces hommes avaient appris la littérature chez Rousseau, la philosophie chez Diderot. Imbus de l'esprit égalitaire que portait en germe le mouvement encyclopédique, ils s'étaient persuadés que la « république des lettres et des arts » saurait leur faire une place au soleil. Or voilà que, victimes d'une société élitiste et figée, ils étaient écartés des académies et des salons, rejetés du « monde ». Une telle déception sociale dégénéra vite en un sentiment de révolte contre un régime aussi exclusif. L'échauffement des discussions de café, la lecture

Etablissement de la nouvelle Philosophie ?
Notre Berceau fut un Caffé ?

Établissement de la nouvelle Philosophie.
Bibliothèque nationale, collection de Vinck.

commentée des pamphlets et la participation aux divers « lycées », « musées » et « clubs », qui fleurissaient alors dans la capitale, servirent d'exutoire à cette révolte.

On le voit, dans leur grande majorité les cafés avaient perdu, à la veille de la Révolution, les dehors policés qu'ils présentaient au début du siècle. Nombre d'entre eux étaient devenus comme la préfiguration des clubs révolutionnaires qui devaient se multiplier quelques mois plus tard. Cette collusion avec la politique est à l'origine de la défiance que suscitera, durant tout le XIXe siècle, ce type d'établissements. On savait désormais qu'à tout moment de crise le café pouvait devenir subversif. Alors que, jusque dans les années 1750, on s'était plu à célébrer cette forme nouvelle de sociabilité qui engendrait des échanges intellectuels et des rapports sociaux inédits, les commentaires se font, par la suite, bien plus nuancés. Dans son *Tableau de Paris*, Louis-Sébastien Mercier souligne en 1782 l'altération que, selon lui, les cafés ont subie : « Il n'est plus décent de séjourner au café, car cela annonce une disette de connaissances et un vide absolu dans la fréquentation de la bonne société ; un café néanmoins où se rassembleraient des gens instruits et aimables serait préférable, par sa liberté et sa gaîté, à tous nos cercles qui sont parfois ennuyeux[10]. » Vitrines de l'esprit encyclopédique, *Procope* et ses concurrents avaient su rester mondains ; vitrines de l'effervescence révolutionnaire, les cafés du Palais-Royal avaient, en se démocratisant, paru s'encanailler. Pourtant, malgré tout ce qui les sépare, un lien de filiation unit les uns et les autres. C'est en ce sens que, dans un texte où il s'abandonne à son lyrisme visionnaire, Michelet a pu proclamer : « Le café fort de Saint-Domingue bu par Buffon, par Diderot, par Rousseau, ajouta sa chaleur aux âmes chaleureuses, à la vue perçante des prophètes assemblés dans l'antre de *Procope*, qui virent, au fond du noir breuvage, le futur rayon de 89[11]. »

Benoît Lecoq

4. *Œuvres de Voltaire, avec préface, avertissements, notes par M. Beuchot*, t. XXXVII, Paris, 1829, p. 491.

5. Pour déjouer la vigilance des espions, les philosophes du *Procope* appelaient Dieu, monsieur de l'Être, la religion Javotte, l'âme Margot, etc.

6. À la bibliothèque de l'Arsenal.

7. Mais ces chiffres doivent être interprétés avec prudence, la distinction n'étant pas toujours faite entre cafés et cabarets. C'est ce qui explique que L.-S. Mercier ne compte que sept cents à huit cents cafés à Paris en 1782.

8. Arthur Young, *Voyages en France pendant les années 1787, 88, 89, 90...*, Paris, 1793.

9. François Mayeur de Saint-Paul, *le Désœuvré, ou l'Espion du boulevard du Temple*, Londres, 1781, 118 p.

10. Louis-Sébastien Mercier, *Tableau de Paris*, 1782-1788, t. I, chapitre LXXI.

11. Jules Michelet, *La Régence*, Paris, 1863, pp. 174-175.

e Grand Café royal d'Alexandre, boulevard du Temple à Paris (cat. 176).

Le Marché aux chevaux de Paris (cat. 177).

La Place de la Cebada à Madrid (cat. 178).

La «Feira da Ladra» de Lisbonne sur la Praça da Alegria (cat. 179).

exécuta un grand nombre de scènes de genre et notamment les illustrations des *Fables* de Dorat. Ce dessin met en scène la société qui, vers 1760, fréquentait le « Grand Caffé royal d'Alexandre » dont les façades, prolongées par une terrasse, ouvraient sur le boulevard du Temple.

Dans la seconde moitié du XVIIIᵉ siècle, les boulevards, concurrençant le Palais-Royal, étaient devenus un endroit à la mode, où il était d'usage de venir à équipage. Les frondaisons, parfticulièrement abondantes sur le boulevard du Temple, ajoutaient au charme de la promenade. Plusieurs cafés s'y étaient installés, au premier rang desquels il faut compter le *Café d'Apollon,* où venait jouer un orchestre, le *Café turc* réputé pour ses salons de tric-trac, d'échecs, de dominos et de billards, et le *Café Alexandre,* qui avait été l'un des premiers à se doter d'une salle de concert.

Dans la hiérarchie des cafés, celui d'Alexandre occupait une situation enviable. C'était un lieu de mondanités. Comme le montre fort bien le dessin de J. Arrivet, le public qu'il accueillait était d'un rang social élevé. Certains promeneurs se font servir par un porteur d'eau ; d'autres s'arrêtent, pour bavarder, aux buvettes qui, l'été, bordaient le café. D'autres, enfin, s'éloignent dans la galerie centrale qui partageait l'établissement.   B.Le.

177
Le Marché aux chevaux

par Jacques-François-Joseph SWEBACH, *dit* Desfontaines

Huile sur toile. H. 0,650 ; L. 1,350.
Historique : acquis en vente publique à Paris (Hôtel Drouot, nᵒ 20) par l'État, en 1948 ; déposé à Metz en 1949.
Bibliographie : Mirimonde, 1949, pp. 128-134.

Metz, musée d'Art et d'Histoire (inv. D. 156).

Plusieurs tableaux sur le thème du marché aux chevaux sont connus dans l'œuvre de Swebach-Desfontaines, certains ayant un caractère révolutionnaire très marqué, par la présence de militaires choisissant leur monture. Celui-ci a sans doute été peint quelques années avant la Révolution, car il n'est que prétexte à peindre des maquignons étudiant les pieds ou la bouche des chevaux, et à multiplier les anecdotes.

Le site est parfaitement reconnaissable, malgré l'inachèvement de l'œuvre dont les figures ne sont que tracées. Le marché aux chevaux de Paris se trouvait établi depuis Henri IV au niveau du boulevard de l'Hôpital, emplacement qu'il ne quittera qu'en 1868 pour s'installer à la barrière d'Enfer (place Denfert-Rochereau). Le pavillon à frontons que l'on voit sur la gauche avait été construit en 1760, à l'initiative du lieutenant de police Sartine, pour loger le directeur du marché.

Œuvre délicate, composée à partir de l'axe touffu des arbres, ce tableau correspond peut-être au nᵒ 57 de la vente de l'artiste.   J.Be.

178
La Place de la Cebada à Madrid

par Manuel de LA CRUZ

Huile sur toile. H. 0,83 ; L. 0,94.
Inscription : sur une pierre au premier plan, « M.D.L. CRUZ/FEC ».
Expositions : 1926, Madrid, nᵒ 1237 ; 1956, Bordeaux, nᵒ 109 ; 1960, Madrid, nᵒ 401 ; 1963-1964, Londres, nᵒ 69 ; 1972, Lille, Castres, nᵒ 2 ; 1980, Madrid, nᵒ 519 ; 1987, Tokyo, nᵒ 24 ; 1987-1988, Paris, Petit Palais, nᵒ 82.
Bibliographie : Aguilera, 1946, p. 79 ; Lafuente-Ferrari, 1955, p. 397 ; Sanchez-Cantón, 1958, p. 248 ; Bozal, 1981 ; Espinòs, Orihuela, Royo Villanova, 1982, p. 129.

Madrid, musée du Prado (inv. 693), déposé au musée municipal (inv. 3113).

Une partie de l'œuvre, très réaliste, de Manuel de La Cruz, trouva son inspiration dans les fêtes populaires et les foires. Nous en avons ici un bel exemple avec son plus célèbre tableau représentant une foire place de la Cebada, à Madrid.

On notera avec quel soin l'artiste a su rendre le côté vivant de cette scène typique de la vie urbaine madrilène de cette seconde moitié du XVIIIᵉ siècle, nous donnant une idée très certainement juste de ce que pouvait être une foire dans une ville de l'importance de Madrid. Des personnages de milieux divers évoluent parmi les échoppes et les étalages ; à gauche, on peut voir celle d'un vendeur de céramiques, à droite, les célèbres marchandes d'oranges ; une des échoppes porte la très lisible et amusante enseigne des « coiffures de Paris toutes fraîches ».

Dans le fond du tableau, l'artiste a représenté avec précision les différents éléments architecturaux environnant la place de la Cebada. Ainsi peut-on reconnaître au centre de la place, la fontaine dessinée par Alonso Cano et derrière celle-ci, l'église de Santa Maria de Gracia avec, plus loin, la collégiale royale de San Isidro.   B.Ga.

179
La « Feira da Ladra » de Lisbonne sur la Praça da Alegria

par Nicolas DELERIVE

Huile sur toile. H. 0,69 ; L. 1,00.
Exposition : 1987, Queluz, nᵒ 138.

Lisbonne, museu nacional de Arte antigua (inv. MNAA 1700).

La Feira da Ladra est l'équivalent du marché aux Puces parisien. Son emplacement varia plusieurs fois au cours des siècles.
                M.-H.C.d.S. et A.M.-D.S.

IMAGES
DE LA BOURGEOISIE

180
Portrait de famille

par Pietro LONGHI

Huile sur toile. H. 0,43 ; L. 0,60.
Historique : provient de la Galerie Giulio Pompei de Vérone comme l'atteste le catalogue de la galerie rédigé en 1865 ; après avoir été transféré au musée de Castelvecchio, comme anonyme, il fut attribué à Pietro Longhi par Licisco Magagnato.
Bibliographie : Pignatti, 1968 ; Pignatti, 1974.

Vérone, museo di Castelvecchio (inv. 641).

Ce tableau, que les critiques situent aux alentours de 1760, est de Pietro Longhi, célèbre peintre « de genre » vénitien du XVIIIᵉ siècle, considéré comme le Goldoni de la peinture. Ce dernier en effet appréciait chez Longhi sa « manière d'exprimer sur la toile les caractères et les passions des hommes » et son « pinceau qui recherche la vérité ». Il faut rappeler le chemin singulier du peintre qui, après des débuts dans le « grand genre », devint l'auteur de scènes de la vie vénitienne où la bourgeoisie et la noblesse sont observées avec une étonnante précision et une rare subtilité. La toile représente le père et la mère d'une famille de la bonne bourgeoisie vénitienne buvant au café, entourés de leurs enfants, d'une nourrice et d'un domestique dont la tête apparaît derrière une tenture. Le ton austère, sobre, typiquement bourgeois, est souligné par les attitudes des personnages, la simplicité des vêtements et les rares éléments qui constituent l'ameublement de la pièce. Une famille qui tient à montrer son appartenance à la bourgeoisie active et refuse de se masquer derrière les artifices d'une aristocratie oisive et futile.   R.Ci.

181
La Famille Chénier

par Pierre-Nicolas (?) CAZES

Huile sur toile. H. 0,97 ; L. 1,31.
Historique : peint en 1773 pour Marie Béraud, sœur de Louis Chénier ; donné au musée de Carcassonne par son descendant Etienne Azaïs en 1985.
Exposition : 1884, Carcassonne, nᵒ 199.
Bibliographie : Grands Ecrivains, nᵒ 87, p. 4.

Carcassonne, musée des Beaux-Arts (inv. 1151).

A droite, Louis Chénier (1722-1795), consul général de France à Constantinople puis chargé d'affaires au Maroc, suivi de deux domestiques. A gauche, en costume ottoman, comme sa fille Hélène-Christine (1759-1797) et ses suivantes, Élisabeth Santi-Lhomaca (1730-1808), issue d'une famille originaire de Chio et que Louis Chénier avait épousée en

Famille Chénier (cat. 181).

trait de famille vénitienne (cat. 180).

Les Familles François Dubois et Jean-Conrad d'Arnold à Genève (cat. 182).

Autoportrait de G.L. Eckhardt avec sa famille (cat. 183).

« Ce qui allume l'Amour l'éteint ou le philosophe » (cat. 185).

Portrait de la famille Heldenstein, dit *« des trois bourgmestres »* (cat. 184).

Maximilien de Robespierre (cat. 186).

1754 à Galata, le quartier « franc » de la capitale de l'Empire turc. Entre les parents, de droite à gauche leurs fils, Louis-Sauveur (1761-1823), Constantin-Xavier (1757-1837), Marie-Joseph (1764-1811), futur auteur dramatique et André (1762-1794), le poète.

Ce portrait familial, genre relativement rare dans la peinture française de la fin du XVIIIᵉ siècle, et non exempt d'une naïveté certaine, est à la fois exemplaire et tout à fait exceptionnel. Il est en effet parfaitement représentatif d'une catégorie sociale qui joue un rôle essentiel à la fin de l'Ancien Régime. Louis Chénier a exercé des fonctions importantes et a laissé des écrits assez remarquables. Il n'appartint pas à la noblesse mais sa fille épousa le comte de Latour-Saint-Yget. Par le nombre de ses enfants (cinq survivants sur huit naissances), la famille Chénier semble également dans la moyenne de cette catégorie sociale; caractéristique aussi est la place accordée dans le tableau à la domesticité relativement nombreuse. Il est par ailleurs intéressant que le provincial Louis Chénier (il était né à Montfort, en Languedoc) ait tenu, dans un tableau destiné à sa sœur, établie à Carcassonne, à se faire représenter devant un paysage typiquement parisien, sur les berges de la Seine où passe un carrosse, avec au fond à droite, le bâtiment tout récent de la Monnaie et à gauche le Pont-Neuf, que domine la statue du « bon Roi » Henri IV.

Mais du fait de la présence d'Élisabeth Chénier, ce portrait collectif prend un aspect très singulier : le costume de celle-ci et des autres femmes n'est pas un costume de fantaisie « à la turque »; c'est un costume national, porté avec fierté et qui paraît représenté avec beaucoup d'exactitude. L'attitude un peu emphatique d'Élisabeth peut surprendre : geste de bienvenue? attitude déclamatoire? Peut-être n'est-ce pas par hasard que les deux futurs poètes, André et Marie-Joseph se tiennent au côté de leur mère dont ils semblent avoir profondément subi l'ascendant.

182
Les Familles François Dubois et Jean-Conrad Arnold

par Adam-Wolfgang TÖPFFER

Lavis de sépia, aquarelle, rehauts de gouache blanche, sur esquisse au crayon de graphite sur papier crème. H. 0,465; L. 0,530.
Inscription: longue inscription au dos du montage de la main de Jean-Louis Naville-Todd.
Historique: collection Naville-Todd; acquis en 1970.
Expositions: 1973, Munich, nº 219; 1975, Genève; 1984, Genève, Dijon, nº 83.
Bibliographie: Herdt, 1975, p. 25; Mathonnot, 1975, p. 18, repr.

Genève, musée d'Art et d'Histoire, cabinet des Dessins (inv. 1870-10).

La famille Arnold, dont on voit assis à gauche Jean-Conrad, Allemand né à Mulhouse, habitait Vizille, et se réfugia à Genève au début de la Révolution, chez la famille Dubois. Le per-

sonnage le plus âgé arborant un chapeau à cocarde, est François Dubois, né en 1747. Sa fille Élisabeth est assise derrière lui, tenant sur ses genoux son fils, Henri Arnold. Jean-Conrad Arnold fut reconnu citoyen genevois en 1793, à l'âge de 27 ans. Tous ces renseignements sont fournis par la longue annotation manuscrite portée au dos du dessin par son ancien propriétaire Jean-Louis Naville-Todd. Cette œuvre extrêmement fraîche, qui n'est pas sans rappeler les portraits de groupe de Sablet, faisait dire à Étienne Duval, petit-fils de Töpffer, dans une lettre adressée à Jean-Louis Naville-Todd, le 9 novembre 1887 : « C'est un tableau ainsi que vous me le dites fort justement, et s'il n'est pas peint à l'huile, il n'en est pas moins intéressant par le charme de procédé (...). Le dessin que vous possédez est du plus beau moment d'Adam Töpffer. »　　J.Be.

183
Autoportrait avec famille

par Georg Ludwig ECKHARDT

Huile sur toile. H. 1,117; L. 1,25.
Historique: peint entre 1790 et 1794; acquis en 1952 par la Kunsthalle de Hambourg.
Bibliographie: cat.: Hambourg, 1966, p. 56, nº 736.

Hambourg, Kunsthalle (inv. 736).

Ce portrait de groupe en demi-figures montre la famille de Johann Jakob Eckhardt, Hambourgeois fortuné, marchand d'objets d'art et auteur d'ouvrages sur l'art. Le fils, portraitiste et paysagiste doué, est assis à droite devant son chevalet; vêtu d'un habit sombre et sobre, coiffé d'un chapeau haut à la mode, il se tient de profil et regarde en direction de sa famille, qui pose pour lui. A droite du tableau, sa sœur, assise au piano. Le fils et la fille qui se consacrent tous deux à des activités artistiques, entourent le couple des parents qui s'appuie sur le piano au centre du tableau. Ce mélange de sentiments, d'intimité, alliés à une imperceptible hiérarchie, célèbre l'idéal fondamentalement patriarcal de l'harmonie familiale fort répandu dans la bourgeoisie allemande cultivée des Lumières.

La modestie de l'intérieur, la simplicité des vêtements et ce type même de portrait sont inspirés par des modèles hollandais et évitent de mettre en avant la fortune de la famille. Ce sont les talents artistiques des enfants qui sont interprétés comme constituant la véritable richesse de la famille.　　R.Sc.

184
Portrait de la famille Heldenstein, dit « des trois bourgmestres »

Aquarelle. H. 0,35; L. 0,43.
Bibliographie: Wirion, 1951, p. 112 et p. 125 sq; Zettinger, Mersch, 1952, p. 458 sq.

Luxembourg, Musée national d'histoire et d'art du Grand-Duché (inv. 1984-18/1).

Le portrait (1799) montre à droite François Heldenstein (1749-1824), pharmacien et bourgmestre d'Echternach. Son fils, Jean-Pierre David, représenté sur la chaise devant lui et futur maire de Luxembourg, relate l'invasion de cette ville par les Français en octobre 1794 comme suit : « J'ai appris de mes parents, qui tenaient outre la pharmacie un commerce d'épicerie, de couleurs, de teintures, que tout avait été ravagé et pillé par ces soldats et que mon père et ma mère avaient été même maltraités en voulant s'opposer à cette rapine, enfin on fit maison nette des cafés, sucres, riz, vins, eau-de-vie, etc. L'on avait brisé tous les meubles... Je me rappelle avoir entendu dire par mes parents que les habitants d'Echternach ne pouvaient se faire au nouveau régime que les conquérants avaient introduit, et il n'y avait dans ma ville que trois républicains. C'étaient mon père, Monsieur Omheffer et Monsieur Helbreuer, docteur en médecine; aussi c'étaient les seuls qui voulurent accepter les fonctions municipales. »

Le personnage à gauche est François Scheffer (1766-1844), qui fera une belle carrière sous le régime français. Il participe à la défense de la forteresse de Luxembourg comme lieutenant d'une compagnie bourgeoise et cela dès le 23 septembre 1794. Lors de l'emprunt forcé de l'an IV, il est imposé pour 1 500 livres. Le 28 décembre 1795, il est nommé officier municipal. Le 10 avril 1798, il est désigné comme administrateur du département des Forêts. Il porte ainsi en partie la responsabilité de la conscription de la jeunesse luxembourgeoise. Il participe activement au salon républicain qui se réunit dans sa maison. Après le coup d'État de Bonaparte en 1799, il devient maire de Luxembourg.　　G.Th.

185
Ce qui allume l'Amour l'éteint ou le philosophe

par Louis-Léopold BOILLY

Huile sur toile. H. 0,450; L. 0,550.
Inscription: portait autrefois au dos une étiquette : « Ce qui allume l'Amour l'éteint ou le... philosophe. Inventé par M. de (Calvet La Palun), peint par Boilly, 1790. »
Historique: collection Calvet de La Palun; don de la baronne J. du Teil Chaix d'Est-Ange en 1921.
Exposition: 1928, Paris, nº 8; 1930, Paris, nº 11.
Bibliographie: Harisse, p. 93, repr. p. 92; Du Teil, pp. 22-24, repr. p. 26; Marmottan, p. 31; Mabille de Poncheville, pp. 19-21, repr.; cat. Saint-Omer, 1981, p. 20, nº 51, repr.

Saint-Omer, musée de l'hôtel Sandelin (inv. 254 CM).

En 1788, Boilly entra en contact avec un amateur du Midi, M. Calvet de La Palun, qui lui commanda de nombreuses œuvres en lui imposant les sujets, souvent légers, mais toujours moralisateurs. Cette peinture n'échappe pas à cette règle, ainsi que le rappelait l'étiquette collée autrefois au dos de la toile. Selon Marmottan, Boilly allait jusqu'à soumettre des dessins à son mécène afin qu'il les corrigeât.

Les productions de cette période se situent toutes dans la tradition du XVIIIᵉ siècle finissant, marqué par une douceur de vivre et un sentimentalisme diffus. Certaines figures de notre tableau, en particulier la vieille femme de droite, sont directement issues de Greuze. Mais la technique lisse et porcelainée rappelle celle des peintres hollandais, Mieris et Ter Borch, dont Boilly possédait des œuvres dans sa collection.

Tandis que la grand-mère joue avec ses petits-enfants, l'amour s'allume dans le cœur des deux jeunes gens. Mais la clé du tableau, qui justifie l'attitude rêveuse du jeune homme, est en fait fournie par son titre.

Boilly, en collaboration avec M. Calvet de La Palun, agit à cette époque un peu à la manière de Carmontelle, qui, en littérature, imagina le « proverbe », saynète illustrant précisément un dicton. **J.Be.**

186
Maximilien de Robespierre (1758-1794)

par Louis-Léopold BOILLY

Huile sur toile. H. 0,410 ; L. 0,320.
Historique : acheté 70 F en 1863.
Expositions : 1918, Valenciennes, n° 36a ; 1961-1962, Paris, p. 38, n° 589 ; 1965, Menton, n° 1105 ; 1975-1976, Calais-Arras-Douai-Lille, p. 35 et p. 34, repr.
Bibliographie : Raynart, 1869 et 1872, n° 41 ; Gonse, 1875, p. 56 ; J. Houdoy, 1877, t. IV, p. 83 ; Beaucamp, 1928, février, pp. 21-34, fig.

Lille, musée des Beaux-Arts (inv. 396).

Connue autrefois comme *Portrait d'homme en costume de la fin du XVIIIᵉ siècle,* cette figure a été identifiée en 1928 par F. Beaucamp, en référence au portrait du musée Carnavalet et au dessin de Boze, conservé au musée de Versailles.

Boilly avait rencontré Robespierre à Arras, entre 1779 et 1785, alors que l'Incorruptible n'était encore qu'un simple avocat. Mais il semble que l'œuvre soit plus tardive, et date des débuts de la Révolution. Élu aux États généraux, Robespierre, qui était pauvre, emprunta dix louis et une malle à Mme Marchand, amie de sa sœur Charlotte (1760-1834), pour se rendre à Paris, où il retrouva Boilly. Celui-ci se trouvait dans la capitale depuis 1785. Selon Beaucamp, ce serait cette malle que le peintre aurait représentée à l'arrière-plan. Peut-on en ce cas dater le tableau de 1789 ? C'est possible mais nous savons également que Robespierre transporta cette même malle, au 398 de la rue Saint-Honoré, chez le menuisier Duplay, dans la maison duquel il logea à partir de juillet 1791 et jusqu'à son exécution. Peut-être est-ce « la pièce étroite, précédée d'un cabinet exigu et meublé pauvrement », qu'il habitait, qui sert de cadre à ce portrait ? Jacobin austère et vertueux, Robespierre était toujours vêtu simplement mais avec raffinement. Le costume qu'il porte ici est encore celui des premières années de la Révolution, sans col ni revers. Il faudrait donc dater la peinture de Boilly vers 1791. **J.Be.**

LA CONDITION FÉMININE

187
Une mère cauchoise dans sa cuisine avec ses deux enfants

par Jean-Baptiste DESCAMPS

Huile sur toile. H. 0,562 ; L. 0,451.
Historique : morceau de réception à l'Académie royale de peinture, le 7 avril 1764 ; musée du Louvre en 1852 ; transféré à l'École des beaux-arts en 1872.
Expositions : 1765, Paris, Salon, hors livret ; 1984-1985, Paris, Monnaie, n° 47 (avec bibliographie).
Bibliographie : Rostand, 1936, p. 275 ; Seznec, 1979, p. 34, fig. 56 ; Diderot, 1979, p. 143 ; Diderot, 1984, p. 175.

Paris, bibliothèque de l'École nationale supérieure des beaux-arts (inv. 3866).

Ce tableau, sévèrement critiqué par Diderot, est plus une scène de genre à caractère moralisateur qu'une œuvre réaliste. Il s'inscrit dans un courant de pensée sentimental et populaire dans lequel écrivains et artistes — Greuze en premier — se complaisaient d'une manière un peu théâtrale et mièvre à raconter les situations de l'enfance. Le décor du tableau fait penser à la peinture hollandaise du XVIIᵉ siècle et à Chardin, mais la manière de faire de l'artiste un peu sèche est bien loin de celle de ces maîtres. Le ton du tableau est le « grisâtre », tant décrié par Diderot (« Vous peignez gris, Monsieur Descamps, vous peignez lourd et sans vérité »). La « grosse, courte et maussade cauchoise » est en fait trop élégante pour être une véritable paysanne : elle se rapproche plutôt des domestiques ou nourrices campagnardes venues travailler à la ville (elle porte des chaussures, un velours noir autour du cou) mais qui continuent à porter leur costume d'origine, comme l'atteste la présence d'une Cauchoise dans la célèbre planche *La Promenade publique* de Philibert-Louis Debucourt. (Paris, Louvre, coll. Edmond de Rothschild. Exp. Paris, Louvre, 1985, nᵒˢ 146-148 et pour le costume de cauchoise, Paris, Grand Palais, 1987, pp. 98-106.) **M.Pi.**

188
Scène d'intérieur : la récitation du rosaire

par Luis PARET y ALCAZAR

Huile sur cuivre. H. 0,57 ; L. 0,40.
Exposition : 1987, Tokyo.

Madrid, Patrimonio Nacional.

Peu de peintures donnent une image aussi éloignée de tout pittoresque superficiel, aussi intimiste et aussi prenante de la vie espagnole.

L'intérieur de la maison où luisent les cuivres et les verreries est sombre ; dehors au contraire c'est le plein soleil. Faut-il voir une intention critique dans le contraste entre l'obscurité de cette chambre, aux murs garnis d'almanachs et d'images pieuses où une femme âgée égrène son chapelet devant une enfant trop sage, et la lumière extérieure vers laquelle le jeune homme tourne ses regards ? La date présumée de l'œuvre (vers 1785-1795) ne plaide pas en faveur d'une telle hypothèse car Luis Paret y Alcazar, d'abord protégé par Charles III, exilé de Madrid pour avoir été mêlé aux intrigues de l'Infant don Luis, n'était rentré en grâce qu'en 1785, et, à partir de 1787, occupait à Madrid une place officielle. Peut-être ne faut-il voir dans ce tableau qu'une variation sur le thème des âges de la vie, et surtout une étonnante étude d'effets de contre-jour.

189
Femmes à la cuisine

par Pehr HILLESTRÖM

Huile sur toile. H. 0,78 ; L. 0,645.
Historique : collection de la reine Désirée de Suède (Désirée Clary), épouse de Charles XIV Jean, premier roi de la dynastie des Bernadotte.
Bibliographie : Cederholm, 1927.

Stockholm, collections royales (inv. O.II st. 219).

Ce beau tableau restauré pour l'exposition, décrit l'activité paisible de deux femmes de la domesticité à la cuisine : pendant que l'une rince du linge dans un baquet, l'autre tourne un pilon dans un mortier de cuivre, à hauts bords, tandis qu'au premier plan un enfant joue avec un bateau qu'il fait flotter dans un seau. Le décor est l'occasion pour l'artiste de peindre avec un vrai bonheur les ustensiles ménagers avec une prédilection toute particulière pour les bassines et chaudrons de cuivre étamé, privilégiant ainsi le rapport délicat des coloris.

Ce goût pour la nature morte se retrouve dans un autre tableau de Hilleström (même titre, Stockholm musée national, inv. NM 4603) dont l'amoncellement des cuivres entassés au premier plan semble être le motif principal ; cette œuvre décrit le dialogue entre la maîtresse de maison, donnant ses instructions et une servante, avec toute l'autorité qui convient à une femme de la bonne société aristocratique ou plus certainement bourgeoise.

Ces œuvres permettent d'évoquer toute une catégorie sociale, souvent oubliée, la domesticité adonnée aux tâches ménagères, si nombreuse dans tous les pays d'Europe.

190
Femme plumant une dinde

par Henry WALTON

Huile sur toile. H. 0,762 ; L. 0,635.
Exposition : 1776, Londres, n° 131.

Une mère cauchoise dans sa cuisine avec ses deux enfants (cat. 187).

Scène d'intérieur en Espagne : la récitation du rosaire (cat. 188).

Femmes à la cuisine (cat. 189).

Le Bénédicité (cat. 193).

...me plumant une dinde (cat. 190).

Femme assise dans une cuisine (cat. 191).

Intérieur (la pomme de terre) (cat. 192).

...Cuisine (cat. 194).

Bibliographie : Fox, 1987, p. 134 ; Waterhouse, 1953, p. 209.

Londres, Tate Gallery (inv. 2870).

A partir du début des années 1740, se développe en Angleterre un genre pictural mettant en scène de jolies servantes. La tradition débute avec les illustrations de Joseph Highmore pour le roman de Richardson, *Pamela*. Elle se poursuit à travers les gravures réalisées d'après les tableaux d'intérieurs de Philippe Mercier pour finalement, dans les années 1760, donner lieu aux représentations de soubrettes aux regards mutins d'Henry Robert Morland et Francis Wheatley. Ces sujets domestiques, au dépouillement recherché, que l'on rencontre dans la peinture anglaise ne peuvent cependant pas se comparer aux scènes de genre de Chardin.

Henry Walton (v. 1746-1813) est un peintre, assez peu connu, de scènes domestiques et de « conversation piece », qui a été l'élève de Zoffany. Il effectua plusieurs séjours à Paris, au cours desquels il put probablement admirer les œuvres de Greuze et de Chardin. Ses quelques peintures de genre, une demi-douzaine, sont les seules de ce type en Angleterre, très proches du style de Chardin quant à la composition, la matière et l'expression de dignité sereine dans le travail. La *Femme plumant une dinde* fut exposé à la Société des artistes à Londres en 1776 et gravé l'année suivante par J.R. Smith.   C.B.-O.

191
Femme assise dans une cuisine

attribué à Jacques SABLET

Huile sur toile. H. 0,31 ; L. 0,39.
Historique : vente Richard de Lédan, 3-18 décembre 1816 (?) ; legs Louis La Caze, 1869, au Louvre (M.I.1408) ; dépôt au musée de Semur-en-Auxois en 1872.
Exposition : 1985, Nantes, Lausanne, Genève, n° 1.
Bibliographie : de Sandt, 1982, n° 1

Semur-en-Auxois, musée municipal.

Attribué un temps à Martin Drolling, ce tableau a été récemment restitué à Jacques Sablet, sous le nom duquel il figurait dans la collection La Caze. Dans la série des représentations de femmes vaquant aux soins du ménage présentée dans cette exposition, il a paru utile, à côté des « bonnes ménagères » dans la tradition de Chardin, de montrer une image moins édifiante. Ce tableau, que J. Thuillier proposait de baptiser « La Souillon » nous montre en effet une femme débraillée, à l'expression revêche, dans une cuisine mal tenue. Cette iconographie a des précédents dans la peinture hollandaise, mais le costume est bien celui des années 1780, et la critique, à la fois morale et sociale, est explicitement exprimée. Même si le modèle n'est pas une future « tricoteuse », ce type humain sera largement exploité par les images contre-révolutionnaires pour stigmatiser la part prise par les femmes du peuple parisien aux « journées » révolutionnaires.

192
Intérieur (la pomme de terre)

par Johann Heinrich Wilhelm TISCHBEIN

Huile sur toile. H. 0,314 ; L. 0,291.
Expositions : 1930, Oldenburg, n° 352, p. 51 ; 1986, Hambourg, n° 325.
Bibliographie : Tischbein, 1861, II, p. 240 ; Pauli, 1925, repr. 331 ; cat. Hambourg, 1956, p. 157, n° 579.

Hambourg, Kunsthalle (inv. 579).

C'est à l'occasion d'un voyage dans les environs de Hambourg que l'artiste trouva le motif de ce tableau, sans doute postérieur à 1806. Ainsi qu'il le rapporte dans son autobiographie, les tenanciers d'une auberge lui apprirent qu'ils n'avaient pu survivre, après les pillages dus aux différentes troupes des guerres napoléoniennes, que parce qu'ils avaient pris la précaution de cacher des pommes de terre. Apercevant une scène dans la cuisine de ladite auberge, l'artiste croit voir là un magnifique symbole de cette lutte pour la survie : « Devant les fenêtres embuées par la fumée, jaunies, rougies, bleuies, se trouvaient des verres et des bouteilles. Les rayons du soleil les traversaient et, à travers la vapeur bleue, se concentraient en un long faisceau semblable à un arc-en-ciel qui venait se poser sur une pomme de terre qu'une servante ne pelait pas mais grattait précautionneusement. (...) Cela me rappelait ces images de saints dont la tête est frappée par un rayon tombé des cieux glorieux. Jamais encore la vertu bienfaisante de la pomme de terre ne m'était ainsi apparue... »
Tischbein qui, en 1799, avait dû fuir Naples à l'approche des Français et s'était installé en Allemagne, fut considéré à partir de 1780 comme l'un des représentants du classicisme. Intime de Goethe, il se consacra à des thèmes mythologiques et historiques. Après 1800, dans ses œuvres tardives, on sent aussi une approche romantique, qui n'est pas sans rapport, ici et là, avec les espoirs que suscitèrent les guerres d'indépendance.
Ce tableau de Hambourg, avec sa description idéalisée des misères du peuple, va aussi dans le sens d'une telle évolution.   K.-D.P.

193
Le Bénédicité

par Jean-Baptiste LALLEMAND

Huile sur toile. H. 0,460 ; L. 0.640.
Historique : collection Joliet ; déposé au musée de Brou en 1954.
Exposition : 1954, Dijon, n° 30.
Bibliographie : Magnin, 1933, p. 262.

Bourg-en-Bresse, musée de Brou (inv. 954-83).

Artiste provincial, Lallemand fut avant tout un peintre de paysage et de scènes de genre, dont le style un peu lourd possède cependant une certaine saveur, qui n'est pas sans rappeler Chardin, mais demeure toujours anecdotique. *Le Bénédicité* est un sujet que le maître parisien avait peint pour le Salon de 1740 (musée du Louvre). Lallemand en réalise pour sa part un tableau nettement moins monumental, non exempt de pittoresque, qui touche à l'imagerie. Document très précieux pour évoquer la vie bourguignonne au XVIIIe siècle, l'œuvre révèle tout le goût de l'artiste pour une évocation de l'atmosphère, donnée à la fois par la multiplication des ustensiles domestiques et le soin apporté au rendu des matières.   J.Be.

194
La Cuisine

par Jean-Baptiste LALLEMAND

Huile sur toile. H. 0,480 ; L. ,640.
Inscription : en bas à droite sur le baquet, « Lallemand ».
Historique : collection Joliet ; déposé au musée de Brou en 1954.
Exposition : 1954, Dijon, n° 29.
Bibliographie : Magnin, 1933, p. 262.

Bourg-en-Bresse, musée de Brou (inv. 954-82).

Pendant du *Bénédicité*, ce tableau est une évocation très détaillée de la vie dans les demeures bourguignonnes du XVIIIe siècle.
Tout comme Chardin, Jean-Baptiste Lallemand, s'inspirant de la tradition flamande et hollandaise du XVIIe siècle, est de ces peintres qui s'intéressent plus à la vie du peuple qu'à celle des aristocrates, témoignant ainsi de la montée de cette nouvelle catégorie sociale dans la conscience de l'époque. Sous la Révolution, malgré son grand âge, il fera preuve du plus grand civisme, et peindra des scènes révolutionnaires (cf. *La Charge du prince de Lambesc aux Tuileries le 12 juillet 1789*, musée Carnavalet).   J.Be.

LES MÉTIERS

195
La Gilde des forgeurs de Bruges

par Bernardus FRICK

Huile sur toile. H. 1,960 ; L. 2,700.
Historique : gilde des forgeurs, puis vraisemblablement, à la suppression de la gilde, passa à la ville ; depuis 1913, en dépôt à la Société d'archéologie de Bruges.
Bibliographie : Pauwels, 1960, n° 188, p. 169.

Bruges, Groeningemuseum (inv. 1285).

Sous l'œil bienveillant de saint Éloi, les

Gilde des forgeurs de Bruges (cat. 195).

*Enseigne de la corporation de Saint-Eloi
de la ville de Luxembourg* (cat. 196).

*Enseigne de la corporation des bouchers
de la ville de Luxembourg* (cat. 197).

*Enseigne de la corporation des boulangers
de la ville de Luxembourg* (cat. 198).

membres de la gilde des forgeurs de Bruges sont réunis dans leur local sous la présidence du doyen assis au milieu de la table. Commandée en 1783 par la gilde au peintre Bernardus Frick, cette œuvre fut exécutée la même année. Depuis le Moyen Âge le système corporatiste n'avait connu aucune réforme profonde dans les Pays-Bas méridionaux. Aussi, en cette seconde moitié du XVIIIᵉ siècle dominé par le rationalisme critique des Lumières, il devenait de plus en plus évident que ce système n'était plus adapté aux nécessités du temps. Il engendrait une accumulation d'abus et de réglementations empêchant toute concurrence, maintenant des prix élevés, étouffant toute initiative, entravant le progrès de la technique, entraînant la spécialisation à outrance, multipliant les métiers et alimentant entre eux des querelles interminables et de coûteux procès. L'incohérence de ce système anachronique n'avait pas échappé à l'impératrice Marie-Thérèse, laquelle avait pris quelques mesures isolées visant à restreindre progressivement les prérogatives des gildes. Joseph II décida, quant à lui, de procéder sans ménagement à son élimination. Le 9 février 1784, une ordonnance brisa le monopole de vente des métiers; trois ans plus tard, le 17 mars 1787, un nouvel édit supprima leur autonomie de gestion. Menacés directement, les Syndics des Nations, regroupant les puissants corps de métiers, décidés avec la même détermination que le clergé à conserver par tous les moyens leurs privilèges, se retrouvèrent au premier rang de l'opposition conservatrice. Leur pression fut telle qu'ils contraignirent, dès le printemps 1787, les autorités autrichiennes à une capitulation générale. Ils réussirent même à revenir à la situation antérieure aux réformes de Marie-Thérèse. Aussi, à l'instar de l'Église, les corps de métiers soutinrent-ils sans réserve le restaurateur de

la Joyeuse Entrée et le défenseur des privilèges, l'avocat Van der Noot.   A.Ja.

196
Enseigne portative de la corporation de Saint-Éloi

Tôle de fer polychromée. H. 0,98; L. 0,56; Pr. 0,105.
Inscription : « S. ELIGI O.P.N. »
Bibliographie : Schmitt, 1963.

Luxembourg, Musée national d'histoire et d'art du Grand-Duché (inv. 1941-129/4).

Conçues et confectionnées toutes à la fois selon un même modèle pour être portées devant les maîtres des treize métiers dans la grande procession jubilaire de Notre-Dame de Luxembourg de 1781, les enseignes illustrent la fierté corporative et la piété confraternelle des artisans sous l'Ancien Régime. Confisquées lors de l'abolition des métiers en 1795 et vendues à l'encan, elles sont rachetées par les confrères qui, dès 1812, se regroupent sinon en corps de métiers, du moins en confréries.
La corporation de Saint-Éloi comprend les maréchaux, les taillandiers, les forgerons, les serruriers, les cloutiers, les selliers, les couteliers, les fondeurs, les armuriers, les fourbisseurs, les éperonniers, les charrons, les chaudronniers, les cordiers, les orfèvres et les horlogers.
L'enseigne représente le saint évêque tenant un marteau. A ses côtés se trouve une enclume sur laquelle est placée un pied de cheval tranché, allusion au miracle du cheval ferré. Le saint protecteur est surmonté d'un emblème couronné portant un marteau, une clé et des tenailles.   G.Th.

197
Enseigne de la corporation des bouchers de la ville de Luxembourg

Tôle de fer polychromé. H. 0,945; L. 0,625; Pr. 0,10 (sans hampe).
Inscription : « S. BARTHOLOMAEUS ».
Bibliographie : Schmitt, 1963.

Luxembourg, Musée national d'histoire et d'art du Grand-Duché (inv. 1941-129/3).

Placé dans un médaillon, saint Barthélemy, patron de la corporation des bouchers de la ville de Luxembourg, est représenté drapé, ayant comme attribut sa propre dépouille suspendue à son bras. Au-dessus, un emblème ovale porte, sur l'une des faces, une hache à double tranchant avec deux couteaux croisés, et sur l'autre, une tête de bœuf entourée de trois étoiles. L'enseigne date de 1781.   G.Th.

198
Enseigne de la corporation des boulangers de la ville de Luxembourg

Tôle de fer polychromé. H. 0,903; L. 0,57; Pr. 0,095.
Inscription : « S. ROCH ».
Bibliographie : Schmitt, 1963.

Luxembourg, Musée national d'histoire et d'art du Grand-Duché (inv. 1941-129/2).

Le patron de la corporation des boulangers de la ville de Luxembourg, saint Roch, porte la pèlerine avec ses accessoires traditionnels, le bourdon et la gourde. A sa droite, un ange montre du doigt la plaie et à sa gauche, se trouve le chien nourricier. Au-dessus, deux emblèmes montrent un bretzel ainsi que trois étoiles. L'enseigne date de 1781.   G.Th.

199
Notre-Dame de Luxembourg, consolatrice des affligés

Plaque en fonte de fer. H. 0,715, L. 0,955; Pr. 0,028.
Inscription : « CONSOLA(TRIX) AFFLICTORUM. O.P.N. »

Luxembourg, Musée national d'histoire et d'art du Grand-Duché (inv. 1987-FC 133/5).

Instauré par les jésuites, le culte de Notre-Dame de Consolation connaît une grande ferveur au XVIIᵉ siècle. En 1666, les autorités de la ville proclament la Vierge patronne de la ville et, en 1678, elle est déclarée patronne du pays entier. En 1781, la procession jubilaire en son honneur est encore tolérée, mais déjà quelques années plus tard, en 1786, Joseph II supprime ce cortège annuel, typiquement baroque.

Notre-Dame de Luxembourg, consolatrice des affligés (cat. 199).

Après l'arrivée des troupes révolutionnaires en 1795, l'ancienne chapelle, construite dès 1625 sur le champ du glacis de la forteresse, est saccagée et détruite. Désormais la statue miraculeuse est vénérée dans l'ancienne église des jésuites, l'actuelle cathédrale de la ville de Luxembourg. G.Th.

200
La Vierge recevant les clefs du duché de Luxembourg

par Jean-Louis GILSON, *dit* Frère ABRAHAM d'OR-VAL

Mine de plomb. H. 0,448; L. 0,359.
Exposition : 1971, Orval.
Bibliographie : Snoy, 1971; Klotz, 1986.

Luxembourg, Musée national d'histoire et d'art du Grand-Duché (inv. 1939-10/13).

Ce dessin est préparatoire d'un grand tableau aujourd'hui disparu qui fut commandé lors du centenaire de l'élection de la Vierge comme patronne du duché de Luxembourg en 1781. L'évêché de Luxembourg conserve toujours une toile qui est une autre version de ce thème. Le duché de Luxembourg, dont on voit les armoiries, se trouve symbolisé par une jeune femme. Les trois vieillards devraient représenter les trois principales rivières luxembourgeoises : la Moselle, la Sûre et l'Alzette. Au fond, à droite, on reconnaît la chapelle du Glacis et la ville de Luxembourg. La composition baroque aux mouvements ascensionnels de ce dessin est équilibrée, le trait n'est pas dénué de grâce. G.Th.

La Vierge recevant les clefs du duché de Luxembourg (cat. 200).

VI
L'EUROPE
DES LUMIÈRES

Le grand mouvement intellectuel qui fait du XVIIIe siècle l'un des plus brillants de toute l'histoire européenne est traditionnellement désigné sous le nom des « Lumières ». Il est évidemment difficile de réduire tout ce qui a précédé cette période de l'Aufklärung à l'obscurantisme absolu. Il est plus difficile encore de ne pas reconnaître que ceux qui furent ainsi « éclairés » par la pensée des philosophes en éprouvèrent un sentiment durable de libération, et un enthousiasme, parfois plus éphémère.

On s'est efforcé dans cette exposition de réunir les portraits des acteurs les plus significatifs de cette période des Lumières, en débordant le cadre strict des « philosophes » pour englober d'autres domaines de la vie intellectuelle et artistique. On peut déplorer quelques absents parmi lesquels des précurseurs comme Pope et Bolingbroke, ou des auteurs qui furent très lus en leur siècle avant d'être quelque peu délaissés comme Condillac. La recherche de ces portraits a parfois réservé des surprises — ainsi le seul portrait certain du baron d'Holbach semble être celui « non prêtable » du musée Condé à Chantilly — et des déceptions, comme ce fut le cas pour Burlamaqui et pour Beccaria que, comme auteur du Traité des délits et des peines, *il aurait été souhaitable de mettre à l'honneur.*

Mais afin d'éviter une confusion chronologique fréquente, qui fait du mouvement des Lumières un précédent immédiat de la Révolution, il a paru préférable de présenter d'abord les prédécesseurs, les contemporains et les successeurs directs de la génération des Encyclopédistes, et de réserver pour un chapitre ultérieur les témoignages concernant les idées nouvellement apparues au cours du dernier quart du XVIIIe siècle, à l'époque même de la Révolution.

Le Triomphe de Voltaire (cat. 212, détail).

LA RÉVOLUTION,
« FILLE DES LUMIÈRES » ?

L E LIEN entre les révolutionnaires et les philosophes des Lumières est en général souligné dans les histoires de la période, cautionné par le transfert des cendres de Voltaire et de Rousseau au Panthéon, en 1791 et 1794, mais il faut se garder de tout malentendu. Robespierre dans son rapport à la Convention (18 floréal an II - 7 mai 1794) déclara : « La puissante et la plus illustre [secte] étoit celle qui fut connue sous le nom d'encyclopédistes. Elle renfermoit quelques hommes estimables et un plus grand nombre de charlatans ambitieux. Plusieurs de ses chefs étoient devenus des personnages considérables dans l'État : quiconque ignoreroit son influence et sa politique n'auroit pas une idée complète de la préface de notre Révolution », mais il établit aussitôt les limites de cette influence : « Cette secte, en matière de politique, resta toujours au-dessous des droits du peuple : en matière de morale, elle alla beaucoup au-delà de la destruction des préjugés religieux[1] ». Comme le dit Daniel Roche, qui « refuse l'identification simple des Lumières et de la Révolution[2] », « la Révolution fera éclater la contradiction réelle entre leur [les philosophes des Lumières] radicalisme philosophique et leur modération politique[3] ».

Ceci est particulièrement évident lorsqu'on examine, à la suite de l'historien, le cas du cénacle entourant le baron d'Holbach, comprenant, outre ce dernier, hôte fastueux, athée militant, des personnalités de premier plan comme Diderot, Grimm, Helvétius, l'abbé Raynal, Marmontel. Au moment de l'événement révolutionnaire, Helvétius, Diderot et d'Holbach étaient morts ; mais la plupart des membres du groupe vivaient encore : « Presque tous les survivants, après avoir suivi le processus révolutionnaire et applaudi à la rénovation qui installe la monarchie du compromis, ont très vite un comportement d'émigré de l'intérieur. Avant 1792, ils se détachent d'un mouvement qui les dépasse[4] ». Raynal se rétracte, Marmontel se cache, Grimm émigre. Les derniers philosophes des Lumières — sauf le cas exemplaire de Condorcet — ont méconnu la Révolution ; et on ne saura jamais qu'elle aurait été l'attitude d'un Mably ou d'un Rousseau[5]. Si la rupture révolutionnaire a désorienté les survivants des Lumières, qui ne se sont pas retrouvés dans la nouvelle modification des rapports sociaux, il n'en faudrait pas moins reconnaître le labourage de l'esprit par les écrivains tout au long du XVIIIᵉ siècle, et la fermentation de leurs idées chez les jeunes intellectuels de 1789, avec cette exigence de la réflexion personnelle qui s'élève contre le principe d'autorité. « Il s'est développé pendant la période révolutionnaire un sentiment d'opposition à l'état social existant, que l'on considère comme absurde et contre nature, le besoin d'intervenir dans cet état, au nom de points de vue rationnels, la connaissance de moyens efficaces en politique, une nouvelle conscience chez l'individu de sa propre valeur, une nouvelle conscience de la valeur de l'homme, doublée d'un élan sentimental pour le peuple ; et plus tard, vers la fin du XVIIIᵉ siècle, une concentration croissante de la pensée et des sentiments sur l'homme, sur la nécessité d'agir pour le bien de l'humanité... l'homme représente la valeur suprême[6]. » Les grands débats du siècle — le droit au bonheur (cher à Saint-Just), le caractère universel de la raison (critère de vérité), le déisme entre religion révélée et athéisme, l'observation de la nature, le droit naturel (principe des constitutions), la morale, le progrès, l'éducation, le sentiment, le contrat social, etc. —, amplifiés par le cosmopolitisme européen et les traductions[7], ont nourri les discours républicains.

1. *Rapport fait au nom du Comité de salut public par Max. Robespierre, sur les rapports des idées religieuses et morales avec les principes républicains, et les fêtes nationales. Séances du 18 floréal* [à la Convention], Paris, l'an second de la République française, pp. 59-60.

2. Daniel Roche, *les Républicains des lettres — gens de culture et Lumières au XVIIIᵉ siècle*, avant-propos, Paris, 1988, p. 14.

3. Daniel Roche, « Salons, lumières, engagement politique : la coterie d'Holbach dévoilée », dans *les Républicains...*, *op. cit.*, p. 252.

4. Daniel Roche, *idem*, p. 251.

5. « Qu'ont fait les hommes des Lumières ? Ils ont combattu la Révolution, dès le moment qu'ils ont craint qu'elle n'élevât le peuple au-dessus de toutes les vanités particulières ; les uns ont employé leur esprit à frelater les principes républicains et à corrompre l'opinion publique [...] ; les autres se sont renfermés dans une lâche neutralité. Les hommes de lettres en général se sont déshonorés dans cette révolution ; et, à la honte éternelle de l'esprit, la raison du peuple en fait seule tous les frais [...] un homme [Rousseau], par l'élévation de son âme, et par la grandeur de son caractère, se montre digne du ministère de précepteur de genre humain... Ah ! s'il avait été témoin de cette révolution dont il fut le précurseur et qui l'a porté au Panthéon, qui peut douter que son âme généreuse eût embrassé avec transport la cause de la justice et de l'égalité ? » (Robespierre, *Rapport...*, *op. cit.*, pp. 62-64).

6. Bernard Groethuysen, *Philosophie de la Révolution française*, Paris, 1956, pp. 212-213.

7. Voir Paul Hazard, « L'Europe et la fausse Europe » dans *la Pensée européenne au XVIIIᵉ siècle*, Paris, 1962, pp. 422-451.

L'examen de certaines bibliothèques et les correspondances ont permis d'étudier le degré de diffusion des Lumières. L'élite parisienne et les Académies (de France et des Sciences) étaient relayées en province par un large réseau d'académies locales, de sociétés savantes et de correspondants ; les livres circulaient, étaient recopiés, traduits, compilés. Un sans-culotte comme Jacques-Louis Ménétra, vitrier parisien et sectionnaire, a lu le *Contrat social, la Nouvelle Héloïse* et *l'Émile*[8]. Hoche, palefrenier de dix-sept ans, lisait Voltaire et Rousseau. Pourchet, paysan d'Aubonne, discute, dans son livre de raison, sur l'origine de la propriété privée et communale[9]. Les idées des Lumières ne se sont point arrêtées dans les bibliothèques des privilégiés de la fortune au bénéfice des réunions mondaines, mais ont atteint, grâce à un tissu de diffusion (librairies, colporteurs), que l'on aimerait mieux cerner, l'élite des couches populaires ; ainsi « de nombreux signes attestent que... [Ménétra] a une fréquentation habituelle du livre et un contact indirect avec la culture des Lumières. Sa consommation et sa production sont à leur façon créatrices, elles mobilisent et recomposent des matériaux divers, elles lui permettent même d'esquisser une vision politique[10]. » [Ménétra est l'auteur d'une autobiographie.]

L'engagement politique d'un sans-culotte obéit bien sûr à d'autres causes et événements que la simple lecture de Rousseau dont on ne peut pourtant douter de l'impact auprès des ténors de la Révolution. L'audience des Lumières — dont il faut souligner que « malgré l'importance du fonds commun et un large accord sur quelques notions fondamentales, la raison, la nature, le bonheur, le progrès... (elles) furent loin de constituer un faisceau unique et un système cohérent[11] » — est un vaste champ d'étude ; il ne faut méconnaître ni les changements de générations, ni le poids de l'événement politique et social qui bouscule l'ancien monde et impose avec des exigences multiples une nouvelle réalité. La Révolution serait moins fille que libre héritière des Lumières.

Guilhem Scherf

8. Daniel Roche, « Ménétra et Simon : autobiographies et ruptures de la conscience sociale », dans *les Républicains..., op. cit.*, p. 376.

9. Daniel Mornet, « la Diffusion des idées philosophiques dans les milieux populaires », dans *les Origines intellectuelles de la Révolution française 1715-1787*, Paris, 1933, pp. 419-430.

10. Daniel Roche, *op. cit.*, pp. 376-377.

11. Albert Soboul, *la Civilisation et la Révolution française*, t. I. Paris, 1970, p. 380.

Louis de Carmontelle, *Le Baron d'Holbach*.
Musée Condé, Chantilly.

204
Première lecture,
chez Madame Geoffrin,
de l'Orphelin de la Chine

par Anicet-Charles-Gabriel LEMONNIER

Huile sur toile. H. 0,625 ; L. 0,960.
Historique : don de la belle-fille de l'artiste, Mme André-Hippolyte Lemonnier à l'académie des Sciences, Belles-Lettres et Arts de Rouen, en 1871. Mis en dépôt au musée des Beaux-Arts de Rouen en 1942.
Expositions : 1927, Paris, Carnavalet, n° 145 ; 1951, Paris, Bibliothèque nationale, n° 349 ; 1955, Bordeaux, n° 220 ; 1983, Rouen, n° 55.
Bibliographie : Sagnac-Robiquet, 1939. I, repr. p. 15 ; Homais, 1944 ; Schommer, 1959, p. 116 ; Popovich, 1978 ; Luna et Reynes, 1984, n° 16, p. 195, F5 ; Sarrazin, 1988.

Rouen, musée des Beaux-Arts (inv. D. 942.1.6).

Ce tableau est une réplique autographe de la grande composition commandée à Lemonnier par l'impératrice Joséphine, exposée au Salon de 1814 et aujourd'hui au musée national de la Malmaison.
Un dessin préparatoire de Lemonnier à la pierre noire, avec rehauts blancs sur papier bleu, longtemps attribué à Boucher, est conservé au musée Borély à Marseille (exp. Paris, Louvre, 1967, n° 308 ; cat. Borély s.d., n° 79). Il ne s'agit pas ici d'une reconstitution historique d'une soirée chez Mme Geoffrin mais plutôt d'« une synthèse idéale » mettant en scène ceux qui ont marqué, par leur talent, le XVIIIe siècle littéraire et artistique. Ce tableau souligne le rôle éminent joué par les salons dans la diffusion des idées philosophiques. Plusieurs femmes règnent sur Paris : Mmes du Deffand et de Tencin, Mlle de Lespinasse et Mme Geoffrin que Paciaudi, bibliothécaire du duc de Parme, baptise la « Tsarine de Paris ». Marie-Thérèse Rodet (1699-1777) épouse à quatorze ans François Geoffrin, administrateur de Saint-Gobain. Vers 1730, elle rencontre Fontenelle, dont elle sera la légataire universelle et dès lors, se réunit autour d'elle, dans l'hôtel de la rue Saint-Honoré, l'élite française et européenne. Vers 1750, elle commence sa galerie de tableaux ; elle possède des œuvres de Van Loo, Boucher, Vien, Greuze, Vernet et protège le jeune Hubert Robert, qui la représente dans plusieurs dessins et peintures (Valence. musée des Beaux-Arts et coll. particulières. Lastic Saint-Jal, 1957). Ce sont les œuvres de ses artistes préférés que représente Lemonnier sur les murs de son salon. Mme Geoffrin reçoit deux fois par semaine, jamais plus de dix invités à la fois, le lundi, les artistes, le mercredi, les hommes de lettres, mais Lemonnier réunit tous les familiers (la « ménagerie ») de Mme Geoffrin dans une seule toile selon un genre qui se développe au cours du XIXe siècle. Tous les portraits exécutés d'après ceux de l'époque (mais on sait aussi que Lemonnier fréquente le salon de Mme Geoffrin) sont identifiés. Autour de l'acteur Le Kain (Henri-Louis Caïn, 1728-1778) et de Mlle Clairon de Latude (1723-1803) faisant la première

lecture en 1755 de *l'Orphelin de la Chine*, tragédie en vers et en cinq actes, sont réunis aristocrates, savants, hommes de lettres et artistes, sans protocole. Voltaire retiré à Ferney est présent grâce à son buste dominant l'assemblée. De gauche à droite, on voit : Buffon, Mlle de Lespinasse, Mlle Clairon, Le Kain, d'Alembert, Carle Van Loo, Helvétius, Duclos, Piron, Crébillon, l'abbé de Bernis, le duc de Nivernais, la comtesse d'Anville, le prince de Conti, Mme Geoffrin, Fontenelle, Vernet, la comtesse d'Houdetot, Montesquieu, Claireau, d'Aguesseau, Mairan, Maupertuis, le maréchal de Richelieu, Malesherbes, Turgot, Diderot, Quesnel, l'abbé Barthélemy, le comte de Caylus, Danville, Soufflot, Bouchardon, Saint-Lambert, d'Argental, le duc de Choiseul, le président Hénault, Rameau, Rousseau, Raynal, La Condamine, Thomas, Vien, Marmontel, Marivaux, Gresset, Vaucanson et Pigalle.

M.Pi.

205
Madame du Deffand (1697-1780)

par Louis CARROGIS, dit Louis CARMONTELLE

Pierre noire, sanguine et aquarelle. H. 0,300 ; L. 0,180.
Historique : vente Bryas, 1898, n° 500 ? ; coll. Hahn-Meyer ; collection du docteur Paul Oulmont, legs à la ville d'Épinal en 1913, n° 13 ; dépôt de la ville d'Épinal.
Exposition : 1933, Paris, galerie André Weil, n° 24.
Bibliographie : Philipe, 1929, n° 13 ; Mierral Guérault, 1948, n° 148, pl. 130.

Épinal, musée départemental des Vosges (inv. D 1920-13).

Marie de Vichy-Chamrond (1697-1780), après un mariage malheureux avec le marquis du Deffand, réunit dans son salon à partir de 1749 ce que Paris et l'Europe comptent comme beaux esprits : Marivaux, Sedaine, Helvétius, Fontenelle, Falconet, Soufflot, Van Loo le fréquentent. Devenue aveugle en 1752, elle prend comme lectrice, Julie de Lespinasse (1732-1766), qui la quitte quelques années plus tard et attire chez elle certains habitués du salon de Mme du Deffand. Elle entretient avec Horace Walpole (1717-1797), dont elle s'éprend, une correspondance suivie dans laquelle elle fait une chronique de la vie parisienne. Elle écrit à d'Alembert, Montesquieu, au président Hénault mais surtout à Voltaire qui la surnomme *l'Aveugle clairvoyante* tant son jugement est fin et subtil ; mais en fait elle n'a que pur d'amitié pour lui. L'iconographie de Mme du Deffand est restreinte ; sans doute, son infirmité y est-elle pour quelque chose. Le portrait que fait d'elle Carmontelle passe pour être le seul : il sert à de nombreux graveurs qui la représentent ; (Paris, B.N. Est. N2). Un portrait par Carmontelle est mentionné dans la correspondance de Mme du Deffand (rééd. 1971, pp. 462-463). Carmontelle est dessinateur militaire au régiment d'Orléans ; il entre en 1763 au service du duc de Chartres dont il devient le lecteur. Il réalise au moins sept cent

cinquante portraits des membres de la société parisienne, à la plume et encre noire et à l'aquarelle, représentés de profil seuls, ou accompagnés d'un ou deux personnages, d'un chien, d'un chat ici blanc ou d'un animal emblématique, un crocodile pour Buffon, bavardant, lisant, parfilant, faisant des nœuds ou jouant de la musique, telle la famille Mozart. Ses dessins sont en fait une dérivation des portraits « en ombre », mis à la mode à la suite des déboires d'Étienne de Silhouette (1709-1767), et perfectionnés par l'invention du *Physionotrace* de Gilles-Louis Chrétien (1754-1811) et de Edme Quenedey (1756-1830 ; Mierral-Guérault). Une grande partie de son œuvre est conservée au musée Condé (F. A. Gruyer, *Chantilly, les portraits de Carmontelle*, Paris 1902) et au musée Carnavalet (exp. : *Paris au XVIIIe siècle. Restif de La Bretonne, le Paris populaire, Carmontelle, le Paris mondain*, Paris, Carnavalet, 1934-1935). Le musée d'Épinal possède trois dessins de Carmontelle (Philippe n°s 13 à 15) provenant du legs de 99 numéros, fait par Charles Oulmont. Par ailleurs, Carmontelle réalise des panoramas de paysages inspirés par les jardins anglais de Paris et ses environs, à la plume, encre noire et aquarelle sur papier transparent de 12 à 18 mètres de longueur sur 50 centimètres de large, destinés à être déroulés derrière la vitre d'une boîte d'optique dont le procédé est décrit dans un manuscrit illustré intitulé *Mémoire sur les tableaux transparents du citoyen Carmontelle en l'an IIIe de la Liberté* (Paris, bibliothèque d'Art et d'Archéologie, ms. carton 8. Georges Poisson, « Un transparent de Carmontelle », *B.S.H.A.F.*, 1986, pp. 169-175). Il est l'auteur de *Proverbes* qui préfigurent ceux d'Alfred de Musset (« Les Écrivains dessinateurs », *Revue de l'Art*, 1979, n° 44, p. 25).

M.Pi.

LES FONDATEURS

206
René Descartes (1596-1650)

par Augustin PAJOU

Statuette, terre cuite. H. 0,50 (dont socle : H. 0,03) ; L. 0,20 ; Pr. 0,18.
Historique : modèle donné par l'artiste à la manufacture de Sèvres pour servir à la confection de biscuits, payé le 3 juin 1784.
Bibliographie : Lami, 1911, p. 216 ; Stein, 1912, p. 246, note 6.

Sèvres, musée national de Céramique (MNC 7967).

Fils d'un conseiller au parlement de Rennes, de petite noblesse, Descartes, après de solides études, mena une vie militaire et, avant de s'installer quasi définitivement aux Pays-Bas en 1629, fut un grand voyageur. A la fin de sa vie il devint l'hôte d'un « despote éclairé », la reine Christine de Suède, chez qui il mourut. Son œuvre immense eut toujours un grand retentissement, en particulier dans le domaine de l'anatomie, des mathématiques et de l'astronomie. Convaincu de l'héliocentrisme, il ne publia pourtant pas son *Traité du monde*, échaudé par la condamnation de Galilée.

L'exigence de Descartes à n'admettre en science que la raison — il faut étendre la certitude des mathématiques à l'ensemble du savoir — ne devait pas rester sans écho dans le débat des Lumières — son corps fut transféré au Panthéon suivant le décret de la Convention du 2 octobre 1793 —, de même que son sens de la liberté de l'homme qui, grâce à la science, est maître de la nature. La découverte par Newton de la loi de la gravité qui semble expliquer tous les mouvements terrestres et célestes va permettre aux yeux des Lumières (notamment de Voltaire) de déterminer encore plus le rôle unique de la raison humaine, qui seule peut expliquer les mécanismes du monde naturel.

Locke, ami de Newton, contredira Descartes, en combattant sa théorie des idées innées — les idées sont soit le produit direct des impressions sensorielles, soit la réflexion de l'esprit sur le témoignage des sens —; l'aboutissement sera le sensualisme de Condillac.

La statue de *Descartes* par Pajou (marbre, Paris, Institut de France) fit partie de la première série des *Hommes illustres* commandée par d'Angiviller aux sculpteurs du roi, en 1776, et fut exposée au Salon de 1777. La terre cuite du musée de Sèvres est une réduction autographe de l'œuvre en marbre que le sculpteur, comme la plupart des artistes sollicités, devait remettre à la manufacture afin qu'elle serve de modèle à l'exécution de biscuits. L'œuvre de Pajou fut mal accueillie et peut-être en effet le sculpteur a voulu trop insister sur les détails vestimentaires, faisant de l'écrivain un homme de cour.

Cette tendance à l'anecdote dans la représentation des costumes fut une des faiblesses de la série, relevée par la plupart des critiques contemporains, mais les difficultés de Clodion pour présenter un *Montesquieu* héroïsé, de même que les longues explications dans le livret justifiant le *Poussin* de Julien, pour ne citer que deux exemples, montrent bien les réticences des amateurs dès lors que l'artiste semblait omettre l'indication historique indispensable.

Avec *Descartes*, Pajou réalisait à peu près au même moment un anti-*Buffon* (statue montrant le naturaliste héroïsé à l'antique, le torse nu; Paris, Muséum), deux esthétiques opposées qui témoignent de l'aisance (de courtisan) du sculpteur, habile à adapter son style selon les circonstances. G.Sc.

207
John Locke (1632-1704)

par John Michael RYSBRACK

Statuette, terre cuite. H. 0,584; L. 0,216.
Historique: vente Rysbrack, 25 janvier 1766.
Bibliographie: Webb, 1954, p. 169; Whinney, 1971, p. 48.

Londres, Victoria and Albert Museum (inv. 33. 1867).

Le philosophe anglais John Locke était, à la fin du XVIIe siècle, le plus ardent défenseur de la liberté d'esprit et de la tolérance. Son système combinait le rationalisme chrétien et l'empirisme. L'idéal de Locke reposait dans la création d'une église nationale professant un credo universel qui tiendrait compte des opinions individuelles, puisque l'entendement humain est trop limité pour qu'un homme puisse imposer ses croyances à un autre homme. Ses *Lettres sur la tolérance* paraissent en 1689, 1690 et 1692. Cependant son ouvrage philosophique le plus fameux, publié en 1690, reste l'*Essai sur l'entendement humain*. Locke examine la nature de la connaissance, étudiée dans le but de guider chacun vers une meilleure utilisation de sa propre intelligence. C'est à la suite de cet ouvrage que John Stuart Mill le nommera « le fondateur indiscuté de la philosophie analytique de l'esprit ».

Depuis les années 1730, J.M. Rysbrack partage avec L.F. Roubiliac le titre de sculpteur le plus éminent en Angleterre. En 1755, Rysbrack, alors âgé de soixante ans, reçut d'un prétendu descendant de John Locke, William Lock, la commande d'une statue du philosophe pour Christ Church College à Oxford. La statue de marbre fut installée dans l'escalier de la bibliothèque du collège en 1758. La grandeur baroque de l'œuvre définitive est déjà perceptible dans le modèle en terre cuite. C.B.-O.

208
Bernard de Fontenelle (1657-1757)

par Jean-Baptiste II LEMOYNE

Buste, marbre. H. 0,675 (dont piédouche: 0,15); L. 0,405; Pr. 0,295.
Historique: resté dans l'atelier de l'artiste; 1778, 26 août, vente après décès du sculpteur, nᵒ 109; avant 1845 au musée historique de Versailles.
Exposition: 1962, New York..., nᵒ 140.
Bibliographie: cat. Versailles [1845], p. 138; Soulié, I, 1854, p. 217, nᵒ 840; [Nolhac], 1896; Brière, 1911, pp. 407-408; nᵒ 202; Lami, 1911, p. 61; Schneider, 1926, p. 85, fig. 53; Réau, 1927, p. 149, nᵒ 107.

Versailles, musée national du Château (inv. L.P. 1828; M.V. 850).

Bernard de Fontenelle, le célèbre centenaire, peut être considéré comme un des préfigurateurs du mouvement des Lumières du milieu du XVIIIe siècle, inspirant directement la pensée d'Helvétius. Ses livres les plus célèbres ont été publiés sous le règne de Louis XIV — la *République des philosophes*, les *Entretiens sur la pluralité des mondes* (1686), la *Digression sur les Anciens et les Modernes* (1687) — et témoignèrent d'un anticonformisme surprenant étant donné leurs dates. Fontenelle en effet se déclarait nettement antichrétien, et même athée, partisan d'une démocratie élective. En disgrâce lors de la toute puissance du père La Chaise, confesseur intransigeant du roi, il fut sauvé par la Régence. Ses derniers écrits furent des fragments, connus par des éditions posthumes, où il revint sur son idée de république fondée sur

---

des élections; il n'en était plus le seul porte-parole.

Le buste de Lemoyne est un des portraits les plus fameux du sculpteur: il fut gravé en particulier par Augustin de Saint-Aubin.

Le marbre resta dans l'atelier de l'artiste, et est mentionné dans sa vente après décès. La terre cuite exposée au Salon de 1748 fut donnée par Lemoyne à l'Académie des sciences de Paris (dont Fontenelle avait été le secrétaire perpétuel à partir de 1699).

On connaît plusieurs versions en plâtre du buste.

Fontenelle est ici représenté alors qu'il avait quatre-vingt-huit ans. Lemoyne comme à l'accoutumée flatte quelque peu son modèle, en accentuant la détermination du visage et le regard spirituel; la présentation est conforme au type courant des portraits du sculpteur avec ce brio dans le jeté du drapé et cette absence de finition qui caractérise ses marbres. G.Sc.

209
Charles de Secondat, baron de La Brède et de Montesquieu (1689-1755)

par Félix LECOMTE

Buste, marbre. H. 0,74 (dont piédouche: 0,15); L. 0,57; Pr. 0,39.
Inscription: sur la tranche, à gauche: « Lecomte F.1779 ».
Historique: 1778, janvier, commande du comte d'Angiviller pour le roi (fait partie d'un échange au bénéfice du marquis de Marigny); 1779, parfait paiement; 1780, livré à Marigny; 1781 (date de publication du livret), vente collection Marigny, nᵒ 200; 1942, 17 décembre, vente Paris hôtel Drouot; 1943, janvier, entré au château de Versailles.
Exposition: 1962, New York..., nᵒ 136.
Bibliographie: Lami, 1911, p. 44; Furcy-Raynaud, 1927, pp. 174-175 et 445-446.

Versailles, musée national du Château (M.V. 6804).

Montesquieu fut un personnage paradoxal. Issu d'une famille de noblesse de robe, parlementaire à vingt-six ans, héritier à vingt-sept ans d'une charge de président à mortier au parlement de Guyenne, il resta toujours un magistrat, par la fonction parlementaire — à ces titres il adjoignit celui de président de l'académie de Bordeaux — et par l'esprit. Défenseur d'intérêts pécuniaires bien compris, son engagement intellectuel alla bien au-delà; amoureux de la liberté, Montesquieu se révolta sans cesse contre l'exploitation des hommes et l'injustice.

En souvenir des *Cannibales* de son compatriote Montaigne, il publia en 1721 ses *Lettres persanes*; il se servit de ce genre épistolaire pour pouvoir passer d'une matière à l'autre « en paraissant glisser sur elles » (d'Alembert) et égratigner ainsi nombre d'idées reçues. L'ouvrage le rendit célèbre; il fréquenta à Paris quelques salons littéraires, voyagea notamment en Angleterre (1729-1731) où il étudia le régime parlementaire, et devint un prosélyte

René Descartes (cat. 206).

John Locke (cat. 207).

Madame du Deffand (cat. 205).

Bernard de Fontenelle (cat. 208).

Charles de Secondat, baron de La Brède et de Montesquieu (cat. 209).

mière lecture, chez Madame Geoffrin, de l'Orphelin de la Chine (cat. 204).

nçois-Marie Arouet, dit Voltaire (cat. 210).

CHAMBRE DU CŒUR DE VOLTAIRE.

La Chambre de Voltaire à Ferney (cat. 211).

de la constitution anglaise à l'instar de Voltaire (*Lettres philosophiques*, 1734), qui louait la liberté politique et l'égalité fiscale du système anglais; Montesquieu collabora à l'*Encyclopédie* (article *Goût*).

Son ouvrage principal, *l'Esprit des lois*, parut à Genève en 1748; il fut mis à l'index par l'Église en 1751. Ce livre essentiel marqua la fondation en Europe des disciplines laïques, de la sociologie, du droit public et privé, établissant le divorce entre le droit naturel et le droit divin. Alors que Locke ne définit que deux pouvoirs, le législatif et l'exécutif, Montesquieu ajoute le judiciaire — qu'il attribue aux parlements — et conçoit la théorie de la séparation des pouvoirs qui fut une des sources de la révolte des parlements contre l'absolutisme royal.

Homme modéré, attaché avec ambiguïté à un certain nombre de privilèges, il voulut réformer le régime monarchique en renforçant le contrôle des corps intermédiaires.

Le buste de *Montesquieu* par Félix Lecomte — important sculpteur du premier néo-classicisme, en particulier dans ses sujets religieux qui forment la partie la plus originale de son œuvre — lui a été commandé, avec un buste du *Chancelier d'Aguesseau*, par le comte d'Angiviller, et devait faire partie d'un ensemble de six bustes de grands hommes. Cette série rappelle bien entendu celle des *Hommes illustres* de la France que parallèlement le même comte d'Angiviller entreprenait de faire sculpter en pied ou assis; Lecomte avait déjà fourni, en 1777, la statue de *Fénelon*. L'artiste réalisa son buste de *Montesquieu* à peu près au moment où Clodion, influencé par le *Voltaire* de Pigalle, exposait au Salon de 1779 son esquisse en terre cuite où le philosophe était héroïsé demi-nu; devant le scandale, Clodion remodela son projet et présenta en 1783 un *Montesquieu* en perruque et habit contemporain plus conforme au *decorum*, à l'esprit de la série, et au souhait de d'Angiviller.

Lecomte dans son buste n'est en rien audacieux; il puise sa référence dans le célèbre buste de l'écrivain par Jean-Baptiste II Lemoyne (marbre, signé et daté 1767, Bordeaux, musée des Arts décoratifs), en accusant peut-être la référence antique — visage plus sévère et moins arrogant, rabat du drapé sur l'épaule gauche, au lieu de la somptueuse courbe de Lemoyne — et en débraillant quelque peu le col ouvert de la chemise; la mise en page garde son apparat, mais l'écrivain nous apparaît moins distant. Le vif parlementaire de Lemoyne s'est mué en législateur attentif.   G.Sc.

210
*François-Marie Arouet,
dit Voltaire* (1694-1778)

par Jean-Antoine HOUDON

Buste, bronze. H. 0,447 (avec piédouche); L. 0,208; Pr. 0,212.
Inscription : à droite, « HOUDON 1778 ».
Historique : 1871, trouvé par le sculpteur Geoffroy-Dechaume provenant des décombres d'un monument public, à la suite de la Commune, et rendu par lui

---

à l'Etat; dépôt des marbres; 1880, entré au musée du Louvre.
Expositions : 1968-1969, Bregenz et Vienne, nº 292a; 1974-1975, Paris, Grand Palais, nº 453; Bordeaux, nº 209; 1988, Brisbane, Tokyo, New-Delhi, nº 38.
Bibliographie : Vitry, 1922, nº 1360; Réau, 1964, p. 45, nº 202; Arnason, 1975, p. 112, note 126.

Paris, musée du Louvre, département des Sculptures (inv. R.F. 345).

La présence de Voltaire au panthéon des philosophes du siècle des Lumières repose peut-être sur un malentendu. A la différence de Diderot et Rousseau, voire de Montesquieu, il n'a pas inventé de système de pensée, et sa célébrité en son temps fut avant tout celle d'un poète et d'un écrivain de théâtre (il écrivit cinquante-deux pièces). Durant sa longue vie il donna une leçon de comportement, voulant imposer la liberté individuelle de dire et de penser. Dès *la Henriade* (1723) il s'éleva contre le fanatisme religieux et le despotisme. Et c'est par sa personnalité ouverte, et par sa soif d'élargir l'univers de la connaissance, qu'il contribua à l'éclosion, puis au développement des Lumières.

C'est ainsi qu'il participa, lui, ancien élève des jésuites, à la grande offensive contre l'Église : son anticléricalisme fut virulent, mais il s'opposa toujours à l'athéisme de d'Holbach ou Naigeon, ou au matérialisme de La Mettrie; il proposa un déisme réfléchi et quelque peu désabusé : l'Être suprême a créé le monde, mais cette fonction de départ, qui prouve qu'il existe, n'implique pas de la part des hommes, créatures libres, d'acte de foi. Adepte un moment des mots d'ordre de Leibnitz et de Pope, déclarant que tout est bien dans le meilleur des mondes possibles (*Zadig*, 1747), Voltaire se révolta contre cette thèse dans son *Poème sur le désastre de Lisbonne* (1756) où il ne se résigna pas à trouver de baume consolateur justifiant le malheur d'innocents frappés par le tremblement de terre; *Candide* (1759) sonna le glas de l'optimisme : la résignation finale « il faut cultiver son jardin » est celle de la conscience de la limitation de l'homme (et de la raison triomphante).

Afin de « découvrir quelle était la société des hommes », il se servit de l'histoire — définissant au passage une méthode d'investigation historique fondée sur une documentation et des vérifications d'informations — et rédigea son chef-d'œuvre, l'*Essai sur les mœurs et l'esprit des nations* (1756), qui veut dépasser l'événement pour établir une « histoire des mœurs et des hommes », et ramener le centre de l'histoire des princes vers les peuples. C'est surtout en désirant obsessionnellement humaniser la loi, combattre l'injustice, défendre la dignité de l'homme — son *Traité sur la tolérance* écrit sous le coup de l'affaire Calas (1763) — que Voltaire reçut le plus d'écho dans l'esprit des rédacteurs de la Déclaration des droits de l'homme (transfert de ses cendres au Panthéon, juillet 1791). Les portraits de Voltaire par Houdon, soigneusement classés par Arnason en cinq types — héroïsé à l'antique sans épaules, à la française (costume contemporain et perruque), en perruque avec draperie, drapé à l'antique sans

---

perruque, et variantes d'après la statue de la Comédie-Française (Voltaire est ceint d'un bandeau à l'antique) —, sont très nombreux. Le buste du Louvre appartient à la première catégorie, comme le beau buste en marbre du musée des Beaux-Arts d'Angers portant l'inscription « le premier fait par Houdon, 1778 ». Les bustes de ce type, qui seuls furent fondus en bronze dans l'atelier de l'artiste, nous donnent l'image peut-être la plus émouvante du philosophe (Houdon eut l'occasion de modeler le visage de l'écrivain d'après nature, lors de son passage à Paris au moment de son triomphe à la Comédie-Française en 1778) : il n'est pas montré ici en représentation de penseur mondain ou sarcastique, mais, très discrètement héroïsé, en humaniste au fin sourire et au regard intériorisé.   G.Sc.

211
La Chambre de Voltaire à Ferney

par NÉE d'après Gaspard Duché de Vancy

gravée par François-Denis Née
Gravure, taille douce. H. 0,326; L. 0,458.
Inscription : en bas à gauche : «Dessiné d'après Duché, d'après nature au château de Ferney en 1781 »; à droite : « gravé par Née »; au milieu : « CHAMBRE DU (buste de Voltaire) CŒUR DE VOLTAIRE. Le long du bord inférieur : NB pour les vues du château de Ferney il faut avoir recours aux deux estampes que nous avons données dans les Tableaux Pittoresques de la Suisse nº 155. »
Bibliographie : Bourg-en-Bresse, 1978, nº 65; Gagnebin, 1984, p. 220; Pinault, 1988, pp. 215-221, notes 17 et 18.

Paris, collection particulière.

Gaspard Duché de Vancy exécute en 1781 cette vue de *la Chambre de Voltaire à Ferney* destinée à être publiée dans le premier volume du *Voyage pittoresque de la France, avec la description de toutes ses provinces* (Paris, 1787) de Jean-Benjamin de Laborde (1734-1794). *La Chambre du cœur de Voltaire* illustre la description du pays de Gex, complétée par un *Monument projeté à la gloire de Jean-Jacques Rousseau*, dessiné par Le Barbier l'aîné, peintre du roi et gravé également par Née. Il en existe un exemplaire dans la collection Hennin (Paris, B.N. Est. t. CXI, p. 18, Duplessis, 1881, nº 9667). Une *Description de Ferney* est conservée au département des Imprimés (*Z. Beuchot 1042*) et une autre figure effectivement dans les *Tableaux topographiques... de la Suisse* par Laborde et le *Voyage pittoresque* du baron de Zurlauben (Paris, 1780-1786). Bernard Gagnebin a bien montré l'histoire des transformations de la chambre du philosophe, après sa mort, lorsque le marquis de Villette prend possession du château. On sait qu'il n'y a que peu de meubles, que Voltaire y a accroché une gravure d'après le dessin de Carmontelle (aujourd'hui au Louvre, inventaire 41215) représentant la famille Calas et surtout une galerie de portraits de ses amis sur quatre rangées, parmi lesquels on peut citer des souverains : Stanislas de Pologne, Frédéric II et

Le Triomphe de Voltaire (cat. 212).

Catherine II ; des philosophes et hommes de lettres : Diderot, donné comme étant de l'Académie française, d'Alembert, Helvétius, Marmontel ; des savants : Condorcet et Franklin, mais aussi des hommes politiques : le duc de Choiseul, Necker et Turgot, ou des aristocrates.

Plusieurs amies de Voltaire sont représentées et montrent ainsi la place qu'elles occupent dans la société mondaine et intellectuelle du siècle. On retrouve, outre Catherine II déjà citée, Mme Geoffrin, la margrave de Bareith, la comtesse d'Angiviller, les marquises du Desfaut de Villette et du Châtelet, Mlle Clairon, ainsi que, allusion au *Siècle de Louis XIV,* Mlle de La Vallière et Ninon de Lenclos. Madame Denis, sa nièce est représentée dans le médaillon ovale au-dessus du lit. L'*Entrée d'Henri IV dans Paris*, placé au-dessus de la pyramide en faïence contenant le cœur de Voltaire, rappelle la mode dont le monarque est l'objet à la fin du XVIIIᵉ siècle. Un autre médaillon ovale représente le marquis Jean-Joseph de Laborde (1724-1794), propriétaire du château de Méréville, protecteur de Voltaire et père des deux infortunés compagnons de La Pérouse, morts tous deux à la baie des Français (Alaska) en 1786, Laborde de Marchainville et Laborde de Boutervilliers. Gaspard Duché de Vancy fit également partie de cette malheureuse expédition qui périt à Vanikoro en Océa-

nie ; quelques années plus tard, Jean-Benjamin de Laborde, que l'on confond souvent avec le marquis, publie une *Histoire abrégée de la mer du Sud... composée pour l'éducation de Monseigneur le Dauphin avec un projet d'armement destiné à partir à la recherche de la Pérouse* (Paris, 1791, Paris, B.N. Impr., Res. Velins, 1198. 1203). **M.Pi.**

212
Le Triomphe de Voltaire

par Jean-Guillaume MOITTE

Mine de plomb, pinceau et encre brune, lavis de bistre et rehauts de blanc. H. 0,620 ; L. 0,890.
Inscription : encre brune, sur le dessin en bas à gauche : « Moitte sculpteur » ; dans la partie basse du montage, à droite : « C... Inv... » ; dessous : « Le Triomphe de Voltaire » ; de part et d'autre, trois strophes :
« Si Rome décernait après une victoire
Les honneurs du triomphe aux citoyens vainqueurs
La France croit devoir payer pareil tribut de gloire,
Aux vengeurs de ses droits, à ses libérateurs./
Tes mânes seront vengés, l'orgueilleux despotisme
Lui-même est à son tour, dans les fers pour jamais.
D'un peuple libre et sage, l'odieux fanatisme
En vain également voudrait troubler la paix :/

Reçois donc, ô Voltaire en ce jour de lumière
Le Prix trop mérité d'un siècle de travaux.
Tu l'as prédit cent fois. Oui, oui, l'Europe entière
Comme nous chassera Ses tyrans, ses bourreaux./
Les yeux sont décillés, grâce à toi l'homme pense.
Il connaît aujourd'hui ses devoirs et ses droits.
Il saura les défendre et par sa résistance
Forcer l'oppresseur même à respecter les loix./
Poursuis, brave Vieillard, que ton bras redoutable
En combattant pour toi venge ton bienfaiteur ;
De tous ces furieux, voilà le plus coupable,
Frappe, frappe surtout Le Calomniateur./
De l'immortalité, reçois donc la couronne
Et Laisse loin de toi tes lâches ennemis ;
L'aspect seul de Calas à tel point les étonne
Qu'on les voit à tes pieds tomber anéantis. » ;
tout en bas du montage : « Le Temps conduit Voltaire sur le char de l'Immortalité au Temple des Grands Hommes./Lutèce, accompagnée de Calliope, Clio, Melpomène et Thalie viennent au devant de lui. Au devant du Temples des jeunes Emules disposent un sacrifice. Un jeune héros tient un bouclier sur lequel est gravée une tête de Le Kain. »
Expositions : 1939, Paris, Carnavalet, p. 152 ; nᵒ 1087 ; 1967-1968, Paris, Archives nationales, p. 55, nᵒ 226 ; 1979, Paris, Bibliothèque nationale, p. 234, nᵒ 705.
Bibliographie : Rouchès et Huyghe, 1938, nᵒ 10819, repr. p. 34 ; Bacou, 1971, fig. 33.
Paris, musée du Louvre, cabinet des Dessins (inv. 31.345).

Cette œuvre de 1778, année de la mort de Voltaire, fut probablement commandée à Moitte par des amis et admirateurs du philosophe, Mme Denis par exemple, ou la loge des Neuf Sœurs. Les *Mémoires secrets* de Bachaumont (vol. XII, 29 novembre 1778, p. 176) évoquent les festivités qui eurent lieu à la loge des Neuf Sœurs le 28 novembre 1778, plusieurs mois après la mort de Voltaire ; il y est question d'un « grand tableau représentant l'apothéose de Voltaire. On auroit désiré » dit-on plus loin « que par une heureuse adresse, on eût en même temps fait succéder à la décoration lugubre de la salle, une décoration brillante et triomphale ». Le dessin de Moitte aurait-il été adéquat pour satisfaire les amis de Voltaire qui souhaitaient honorer le disparu en une célébration « brillante et triomphale » ?

Il semble d'autre part que le dessin ait servi de modèle pour une gravure, comme l'indiqueraient les mentions « Moitte sculpteur » et « C... Inv.... » ; il s'agit vraisemblablement pour le « C... » de Marie-Anne Croisier (1765-1812) qui travailla à diverses reprises pour Moitte.

Voltaire est représenté sur un char triomphal à l'antique que Chronos dirige vers le « Temple des Grands Hommes ». Cette scène trouvera son prolongement « réel » treize ans plus tard avec la cérémonie de l'entrée de l'écrivain au Panthéon. La composition et son sous-titre, « Le Temps conduit Voltaire sur le char de l'immortalité au Temple des Grands Hommes » témoigne ainsi d'une inspiration qui sera bien comprise après 1789 : le bonnet phrygien au-dessus de la trompette de la Renommée fut en effet rajouté à l'époque de la Révolution, de même que les vers écrits sur le montage (*cf.* Bacou, *op. cit.*, p. 93).

Les six strophes inscrites sur le montage du dessin sont une indication quant aux obstacles éventuels qui pourraient en avoir empêché la publication comme modèle de gravure. On y chante en effet un Voltaire qui défend les droits des Français, les libère et triomphe du despotisme et du fanatisme. Il a appris aux Français, qualifiés de « peuple libre », à voir et à penser, si bien qu'ils sauront à l'avenir défendre leurs droits et leurs devoirs et résister à « l'oppresseur même » pour l'obliger à respecter les lois.

Sur l'image, ce n'est en fait pas le peuple qui incarne le rôle bienfaisant de Voltaire mais Chronos. C'est lui qui devient le principal personnage de la scène, lui qui se porte garant pour que soit poursuivie, au-delà de ses heureuses prémices, l'œuvre des Lumières : « Poursuis, brave Vieillard, » dit la dernière strophe « que ton bras redoutable/En combattant pour toi Venge ton bienfaiteur ; /De tous ces furieux. voilà le plus coupable,/Frappe, frappe surtout le Calomniateur. » Il est donc logique que le dieu du temps soit au centre de cette composition qui met en scène de nombreux personnages. Armée d'un couteau, la Calomnie, la « plus coupable de tous ces furieux », s'écroule à ses pieds. Dans sa marche énergique, le dieu regarde d'un air impénétrable en arrière et voit d'autres vices représentés en bas à droite du dessin ; certains sont terrassés, d'autres gisent sur le sol et font des gestes menaçants : le Fanatisme, l'Envie, la Discorde et la Haine. Moitte a opposé ces per-

sonnages sinistres à la ronde joyeuse des trois Grâces qui précèdent Chronos et son cortège triomphal. Au premier plan à gauche, trois autres jeunes filles présentées dans une note comme des « jeunes émules » procèdent à un sacrifice. Derrière elles se tient un jeune héros en armure qui porte un bouclier sur lequel est gravée la tête de Le Kain, acteur célèbre. A l'abri des hautes colonnes du Temple de l'Immortalité, on voit apparaître Lutèce (couronne murale), suivie des muses Calliope, Clio, Melpomène et Thalie ; elle s'avance au-devant du cortège triomphant qui plane au milieu des nuages, accompagné par une multitude d'angelots au son des trompettes de la Renommée. Même si ce *Triomphe de Voltaire* dessiné en 1778 reste globalement dans la tradition baroque de par ses formes d'expression et sa facture, il dénote aussi une certaine tendance au classicisme ; celle-ci se révèle à travers l'architecture antique (arc de triomphe, temple, obélisque), la représentation de Voltaire en philosophe de l'Antiquité et la reconstruction d'un char triomphal antique. De même, la composition du cortège se rapproche-t-elle des bas-reliefs gréco-romains. On retrouve dans les illustrations accompagnant l'édition des *Aventures de Télémaque* de Fénelon, parue en 1780, le goût de Moitte pour un style fortement influencé par l'Antiquité. G.Gr.

LES ENCYCLOPÉDISTES ET LEURS CONTEMPORAINS

213
Claude-Adrien Helvétius (1715-1771)

par Jean-Jacques CAFFIERI

Buste, marbre. H. 0,82 ; L. 0,612 ; Pr. 0,399.

Inscription : au revers : « claude adrien helvetius né en janvier 1715/fait par J.J. Caffieri en 1772 ».

Historique : exécuté peu après la mort du modèle pour Mme Helvétius ; collection de sa famille jusqu'en 1910, puis collection marquis de Balleroy ; acquis par le musée du Louvre en 1912.

Expositions : 1773, Paris, Salon, n° 204 ; 1910, Berlin, n° 36 ; 1966, Vienne, n° 118.

Bibliographie : Guiffrey, 1877, p. 214 ; Michel 1912, pp. 41-42 ; Vitry, 1922, n° 985.

Paris, musée du Louvre, département des Sculptures (inv. R.F. 1541).

Claude-Adrien Helvétius fut une des personnalités littéraires les plus en vue du troisième quart du XVIIIe siècle. Fils du premier médecin de Marie Leczinska, et en grande faveur auprès d'elle, il acheta en 1738 une charge de fermier général (il y renonça en 1750) qui lui assura une jolie fortune, et lui permit de se consacrer à la philosophie dès 1749. Son livre *De l'Esprit* (1758), influencé par le milieu de

l'Encyclopédie, qu'il fréquentait, est marqué par les théories de Locke et de Condillac : la sensation contient toutes nos facultés ; le caractère de l'homme dépend du milieu social : l'égalité des hommes à la naissance devient inégalité par l'éducation. Proche de l'athéisme — Helvétius fit partie de l'entourage de d'Holbach —, ce premier livre fit scandale ; il fut condamné par la Sorbonne et brûlé en public. Helvétius fut contraint de se rétracter. Echaudé par les conséquences de son engagement intellectuel, l'écrivain voyagea en Europe, notamment auprès de Frédéric II.

Son second livre important. *De l'homme, de ses facultés intellectuelles et de son éducation* fut une publication posthume (1772) : il y développe ses commentaires sur l'ordre social, la tolérance, la liberté individuelle, et insiste sur le rôle primordial de l'éducation pour résoudre les problèmes humains.

Sculpté par Jean-Jacques Caffieri, heureux portraitiste rival de Jean-Baptiste Lemoyne, mais plus spécialisé dans les effigies, le plus souvent rétrospectives, de littérateurs, Helvétius nous apparaît ici dans son ambiguïté : ancien fermier général et philosophe aimable, il se présente à son avantage, dans la pure tradition des portraits de parade, où l'effet pompeux de l'ample draperie est à peine corrigé par la simplicité de la chemise ouverte. On peut supposer que ce caractère de portrait d'apparat dut plaire à Mme Helvétius pour qui le buste fut réalisé. Caffieri, dans sa version en plâtre qu'il donna en 1784 à l'Académie française (aujourd'hui au château de Versailles, M.V. 858, après avoir figuré au musée des Monuments français, cat. an IV, n° 86), donne du personnage une vision différente en supprimant la draperie ; le buste est coupé aux épaules et Helvétius, le col de la chemise ouvert, apparaît plus en artiste qu'en « aristocrate » de la littérature. G.Sc.

214
Denis Diderot (1713-1784)

par Jean-Antoine HOUDON

Buste marbre. H. 0,58 (dont piédouche : 0,14) ; L. 0,27 ; Pr. 0,22.

Inscription : au revers, « Houdon sculpcit 1775 ».

Historique : 1911, legs Albert Caroillon de Vandeul, descendant de la fille de Diderot.

Expositions : 1932, Paris, Bibliothèque nationale, n° 335 ; 1951, Paris, Bibliothèque nationale, n° 54 ; 1968-1969, Paris, Archives nationales, n° 220 ; 1974-1975, Paris, hôtel de la Monnaie, n° 66 ; 1986-1987, Paris, Grand Palais, n° 396.

Bibliographie : Vitry, 1922, n° 1356 ; Réau 1964, p. 30, n° 115 ; Arnason, pp. 21-22.

Paris, musée du Louvre, département des Sculptures (R.F. 1520).

Personnalité brouillonne, généreuse, enthousiaste, Diderot n'a rien du philosphe univoque et sectaire. D'une insatiable curiosité, se mêlant de tout, il fut un lieu de rencontre, un honnête homme, participant aux polémiques

— Rameau contre Lulli, Gluck contre Pergolèse et Piccinni... —, entrepreneur courageux, littérateur éclectique, témoignage bien vivant dans ses contradictions du philosophe obsédé par les problèmes essentiels de l'homme. Après une vie de bohème d'estudiantin à Paris, il se lia avec Rousseau qui lui présenta Condillac, d'Alembert avec qui il mit en route l'*Encyclopédie* (le premier tome parut en 1751), d'Holbach, dont l'athéisme lui fut toujours proche, Grimm pour la *Correspondance littéraire* duquel, dès 1759, il envoya ses critiques de Salon. Sa carrière littéraire débuta avec la *Lettre sur les aveugles à l'usage de ceux qui voient* (1749), qui lui valut un bref emprisonnement à Vincennes. Ce séjour le marqua mais n'entama pas sa détermination quand, malgré les condamnations successives — jusqu'à son interdiction en 1759 —, il fallait mener à terme l'*Encyclopédie*, avec d'Alembert relayé comme « secrétaire de rédaction » par Louis de Jaucourt. Inventaire des connaissances, où on démontrait combien le savoir est le fruit de l'expérience et du progrès, démonstration où l'homme est au centre de l'univers (à cet égard Diderot se montre moins déiste que d'Alembert qui accordait quelque crédit à l'Être suprême), ce vaste ouvrage collectif fut une des forces de la nouvelle Europe, et le symbole de l'appropriation méthodique du monde par les intellectuels. La philosophie, par la raison (et l'expérience), donne à l'homme la possibilité de rechercher le bonheur terrestre auquel il a droit.

Un des éléments les plus originaux de l'*Encyclopédie* fut son intérêt pour les arts mécaniques que Diderot, fils du coutelier de Langres, défendait avec conviction. Il découlait de cette démarche le désir de relever la condition des artisans : « On a bien plus loué les hommes occupés à faire croire que nous étions heureux [les spéculateurs des arts libéraux] que les hommes occupés à faire croire que nous l'étions en effet [les artisans des arts mécaniques]. »

La participation propre de Diderot dans le débat des Lumières, à travers *le Neveu de Rameau* ou *Jacques le Fataliste et son maître*, également le *Paradoxe sur le comédien*, où il rend à l'acteur le droit d'être artiste, et *la Religieuse*, plaidoyer pour la liberté, pour ne citer que quelques textes importants, est une défense (et une définition) des droits de l'homme à la liberté politique et d'opinion (dénonciation de l'Inquisition), à l'éducation et aussi à la sécurité et à la propriété.

Mais le rayonnement considérable de Diderot — surtout en Allemagne où il fut l'inspirateur du *Sturm und Drang* et où il compta parmi ses traducteurs, outre Lessing, Goethe et Schiller — doit s'expliquer par le rôle pris par le sentiment dans son œuvre littéraire ; l'exaltation des valeurs émotives, qui forme le fondement de ses drames bourgeois et que l'on retrouve dans ses critiques d'art, en particulier, fut un des traits dominants du romantisme européen dont Diderot, à l'instar de Rousseau, doit être considéré comme un des initiateurs.

C'est au retour de Rome que Houdon exécuta le buste de Diderot (terre cuite, musée du Louvre, R.F. 348) qui fut exposé au Salon de 1771 ; l'écrivain, alors qu'il commentait longuement et spirituellement le portrait d'apparat peint par Louis-Michel Van Loo, se contenta d'indiquer : « très ressemblant » à propos de l'œuvre de Houdon. Le buste en marbre du Louvre — à l'excellente provenance puisqu'il a été donné au musée par un descendant de l'écrivain — reprend la formule de la terre cuite, dont de nombreuses versions en matériaux divers sont connues. Diderot est montré ici sans perruque et sans vêtement, à l'antique, ce qui ne devait pas lui déplaire. Houdon a humanisé cette stricte présentation néo-classique en accentuant l'acuité du regard qui répond à la vivacité des lèvres entrouvertes.

G.Sc.

215
Jean Le Rond d'Alembert (1717-1783)

par Guillaume FRANCIN

Buste, marbre. H. 0,60 (dont piédouche : 0,165) ; L.0,24 ; Pr. 0,235.
Inscription : à droite, sous la découpe : « Exécuté/ p.francin » ; devant : « dalembert ».
Historique : commandé par Alexandre Lenoir pour le musée des Monuments français ; au château de Versailles avant 1830.
Expositions : 1949, Versailles, n° 159 ; 1963, Versailles, n° 183.
Bibliographie : Lenoir, an VIII, n° 503 (et éd. postérieures) ; notice Versailles, 1837, p. 58, n° 395 ; cat. Versailles, [1845], p. 137 ; Soulié, I, 1854, p. 219, n° 846 ; Courajod, I, 1878, pp. 136-137 ; Courajod, 1894, p. 133 ; Lami, I, 1910, p. 359.

Versailles, musée national du Château (inv. L.P. 519 ; M.V. 857).

Abandonné par sa mère sur les marches de la chapelle de Saint-Jean-Le-Rond (d'où son nom), d'Alembert fit de brillantes études avant de se consacrer définitivement aux mathématiques. Dès 1741, il fut membre de l'Académie des sciences, et publia de nombreuses œuvres scientifiques qui alimentèrent l'essentiel de sa renommée : ses découvertes dans le domaine de la mécanique en firent un des fondateurs de la physique mathématique, et ses théorèmes ont fait date dans l'histoire de l'algèbre. C'est ainsi qu'il domina l'Académie des sciences et qu'il influença durablement les principales académies d'Europe.

Mais d'Alembert était un esprit trop curieux pour ne pas vouloir se mêler au débat philosophique ; dès 1747, il participa à la rédaction et à la direction de l'*Encyclopédie* ; son *Discours préliminaire* de l'Encyclopédie (1751) fut son œuvre littéraire majeure : il présenta les trois divisions de l'ordre encyclopédique — la mémoire (crée l'histoire), la raison (crée la philosophie) et l'imagination (crée les beaux-arts) — qui excluait toute intervention divine. La conception religieuse de la vie était détruite : il fallait substituer la raison à la révélation. En 1765, il publia *Sur la destruction des jésuites en France*, qui sanctionna le bannissement des jésuites (dès 1759 au Portugal, puis 1761 en France) et la fin de leur monopole sur l'éducation (la Compagnie fut dissoute par le pape en 1773, abattue par l'esprit des Lumières et la sécularisation des États).

Membre de l'Académie française depuis 1754, il en devint le secrétaire perpétuel en 1772, y imposant les idées des Lumières.

Guillaume Francin, sculpteur obscur mais à la parentèle illustre et habilement mise en avant, sculpta ce buste pour le musée des Monuments français à la demande d'Alexandre Lenoir qui mentionne dans le catalogue du musée de l'an VIII : « J'ai fait faire ce buste sur le modèle qu'en avait fait le cit. Lecomte d'après le philosophe » (il s'agit du buste exposé au Salon de 1775, récupéré par l'Institut après la vente de 1786 où fut dispersée la collection de l'académicien Watelet à qui il appartenait). Le journal de Lenoir édité par Courajod en 1878 mentionne que le 25 fructidor an VII (11 septembre 1798), Lenoir a remis au sculpteur, beau-père de son ami Michallon qui venait de mourir accidentellement, « plusieurs morceaux de marbre de différentes grandeurs, pour l'exécution en marbre des bustes de Gluck et d'Alembert ». On retrouve le buste au château de Versailles où il figurait, selon Courajod, « à la fin de la Restauration » (Courajod, 1894, *op. cit.*, p. 188 et p. 133).

D'Alembert est représenté dans une stricte composition néo-classique, les cheveux courts d'un patriote de la République romaine, sans draperie, en une effigie qui rappelle à dessein le *Diderot* de Houdon. Il lui manque, par rapport à cette dernière œuvre, la flamme du regard, et tout simplement l'esprit ; reste le sourire énigmatique et inquiet déjà présent sur le célèbre pastel de Quentin de La Tour (musée de Saint-Quentin).

G.Sc.

216
Guillaume Raynal (1713-1796)

par Jean Pierre Antoine TASSAERT

Buste, marbre. H. 0,605 (dont piédouche : 0,10) ; L. 0,41 ; Pr. 0,23.
Inscription : au revers : « TASSAERT ft/1784 ».
Historique : 1784, exécution du buste à Berlin ; 1787, l'abbé Raynal lègue le buste à l'académie de Lyon ; 1790, réception du buste par l'académie ; 1793, à la dissolution de l'académie, le buste orne la grande salle de la bibliothèque de la ville ; 1826, retour du buste à l'académie.
Bibliographie : Lami, 1911, p. 355 ; Scherf, 1988, pp. 10-19.

Lyon, académie des Sciences, Belles-Lettres et Arts.

Élève des jésuites à Rodez, puis membre de la Compagnie de Jésus, professeur de collège, Guillaume Raynal fut tôt marqué par les références religieuses ; et, s'il quitta en 1767 son ordre afin de mener à Paris une existence littéraire, il garda toute sa vie accolé à son nom le titre d'abbé.

Personnalité brouillonne et excessive, ses premières œuvres témoignèrent d'une certaine virtuosité dans l'exercice de la compilation et du

Claude-Adrien Helvétius (cat. 213).

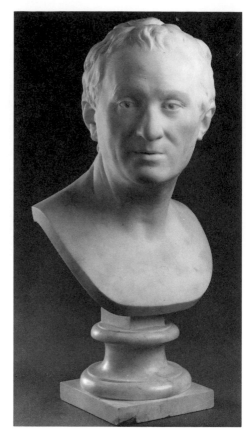

Denis Diderot (cat. 214).

Jean Le Rond d'Alembert (cat. 215).

Guillaume Raynal (cat. 216).

François Quesnay (cat. 217).

Georges Louis Leclerc, comte de Buffon (cat. 219).

...tor Riquetti, marquis de Mirabeau (cat. 218).

Carl von Linné (cat. 220).

Albrecht von Haller (cat. 221).

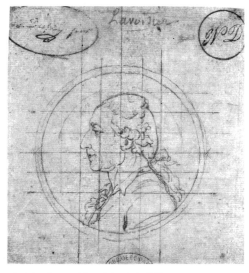

Antoine-Laurent Lavoisier (cat. 223).

...odore Tronchin (cat. 222).

Christoph Willibald von Gluck (cat. 224).

Joseph Haydn (cat. 225).

plagiat, et leur intérêt ne réside guère que dans le choix des sujets historiques, comme l'*Histoire du Parlement d'Angleterre* (Londres, 1748-1751) voulant mettre en relief un type de régime politique opposé à la monarchie absolue, déjà célébré par Voltaire et Montesquieu. Le livre qui fit la célébrité de Raynal, l'*Histoire philosophique et politique des établissements et du commerce des Européens dans les deux Indes*, publié à Amsterdam en 1770, et réédité plusieurs fois par la suite à La Haye et à Genève (l'édition de 1780, riche de nouveaux développements, fut condamnée par le Parlement de Paris, qui promulgua à l'encontre de l'écrivain un décret de « prise de corps » ; l'abbé s'exila en Flandre, à Berlin, à Saint-Pétersbourg, avant de revenir en France en 1787), bénéficia du généreux concours de Diderot, à qui on attribue plus du tiers de l'ouvrage, et du baron d'Holbach. La participation de ces deux personnalités donne le ton de l'ouvrage, apologétique des « principes naturels », partisan d'une nouvelle politique coloniale — à cet égard l'abbé Raynal fut toujours considéré comme un des précurseurs de la lutte contre l'esclavage, et la présence de son buste derrière le conventionnel de Saint-Domingue, Belley, peint par Girodet (musée du château de Versailles) est bien symbolique — et violemment antireligieux.

Après son retour, Raynal vécut en retrait de Paris ; durant la Révolution sa *Lettre à l'Assemblée nationale*, revendiquée en mai 1791, qui était une rétractation de ses idées philosophiques, provoqua un flot de caricatures et de pamphlets qui acheva de le déconsidérer.

Tassaert a représenté l'écrivain alors que ce dernier se trouvait à Berlin et qu'il logeait chez lui. Raynal apprécia ce buste qu'il offrit à l'académie de Lyon. Il est représenté selon une formule nettement néo-classique, un drapé à l'antique mettant en valeur un visage presque sans cheveux, l'œil vif, la bouche ouverte d'un infatigable causeur.   G.Sc.

217
François Quesnay (1694-1774)

par Louis-Claude VASSÉ

Buste, terre cuite. H. 0,388 ; L. 0,243 ; Pr. 0,213.
Inscription : sur l'épaule gauche : « F. Quesnai » ; sur la tranche de l'épaule droite : « Ludovicus/Vassé/Parisinus fecit/Anno 1769 ».
Historique : 1884, 28-29 avril, vente J. Burat, n° 1899, don Euphrosine Beernaert au musée de Bruxelles.
Exposition : 1925, Bruxelles, n° 69.
Bibliographie : Devigne, 1922, pp. 128-129 ; Réau, 1930, p. 47, fig. 9, p. 53.

Bruxelles, musées royaux des Beaux-Arts (inv. 3451).

Médecin consultant de Louis XV et de Mme de Pompadour, François Quesnay fut avant tout un économiste, le chef de file des physiocrates. Il ne publia aucun livre avant l'âge de soixante ans ; il rédigea pour l'*Encyclopédie* les articles *Grains* et *Fermier*. Parfaitement introduit à Versailles, il réunissait autour

de lui Vincent de Gournay, Le Mercier de La Rivière, Victor Riquetti de Mirabeau, Dupont de Nemours, et bien sûr Turgot — comme lui collaborateur de l'*Encyclopédie* (article *Foires et marchés*) — ; ce dernier tenta d'appliquer ses théories, d'abord en Limousin, encourageant les cultures nouvelles (la pomme de terre) et autorisant la libre circulation des grains, puis dans le royaume durant son bref ministère (1774-1776).

Une des particularités de ce groupe de penseurs était d'accorder la première importance à l'agriculture, qui leur semblait l'unique activité productive — détrônant le mercantilisme : « le négociant est étranger dans sa patrie » —, la terre étant le seul élément de la richesse, et la propriété foncière le gage de la prospérité du monde.

Dans son *Tableau économique* (1758), Quesnay systématisa l'analyse économique en différents circuits. Il appliqua à l'économie la doctrine du droit naturel avec le mot d'ordre « Laissez faire, laissez passer », qui fut la préfigure de la libre concurrence élaborée au XIXe siècle. Thomas Jefferson, ambassadeur en France de 1785 à 1789, fut le champion de la pensée physiocratique aux États-Unis, et l'abbé Mably le pourfendeur, dénonçant la propriété privée et l'intérêt personnel comme source de l'inégalité sociale. Avec Adam Smith et la valeur qu'il donnait au travail, le centre de gravité économique se déplaça vers l'usine ; l'ère de l'industrie commençait et sonna le glas du rêve des physiocrates.

Le buste en terre cuite de Vassé est à mettre en rapport avec celui en marbre qu'il exposa au Salon de 1771 (n° 238) et qui a disparu. L'œuvre faillit être brisée lors de son exposition au Salon « par des gens du peuple qui voulaient châtier l'auteur responsable de la cherté des grains (par des spéculations funestes qu'il avait inspirées au gouvernement » (Réau, *op. cit.*, p. 53). On reconnaît dans cette œuvre les qualités de portraitiste de Vassé qui s'étaient exprimées dans la galerie des *Hommes illustres* troyens commandée en 1756 par Pierre-Jean Grosley (Troyes, musée des Beaux-Arts) et qui annonça l'entreprise de d'Angiviller.   G.Sc.

218
Victor Riquetti,
marquis de Mirabeau (1715-1789)

par Antoine de MARCENAY de GHUY, d'après Joseph Aved

Eau-forte. H. 0,375 ; L. 0,285.
Inscription : « Victor de Riquety Marquis — de Mirabeau, comte de / Beaumont Seigneur — du Duché de / Roquelaure, premier — Baron du Limousin » ; sur le socle aux armes, les signatures : « Aved pictor Regius p¹ A. de Marcenay deghuy / S ; bat. 1758 », séparées par la légende : « Ipse Hominum pariter lumen, Amicus, amor » ; en bas, la dédicace : « Offerebat Obsequentissimus servus A. De Marcenay Deghuy. 1758 », l'adresse : « A Paris, chez l'Auteur quay de Conti la 2me Porte Cochere après la Rue Guénégaud », et les mentions : « Planc[h]e N° 16 » et « N° 3 des Hommes illustres gravés par l'auteur ».

Exposition : 1776, Paris, exposition du Colysée, n° 39.
Bibliographie : Bruel, 1914, n° 1849.

Paris, Bibliothèque nationale, cabinet des Estampes (inv. N2).

Grand seigneur provençal, dissipateur de fortune, usager des lettres de cachet à l'encontre de sa famille qu'il estimait — sans doute à raison — se comporter fort mal, le marquis de Mirabeau se voulut bel esprit. Ami de Vauvenargues, et à l'occasion de Montesquieu, il fréquenta quelques salons, et fut en fait l'homme d'un seul livre, l'*Ami des hommes ou Théorie de la population* (1758) où, à côté de son respect de la société traditionnelle, il se fit l'apôtre de l'agriculture et des agriculteurs, ce qui le rapprocha de Quesnay et des physiocrates. Il critiqua le système fiscal, étant en particulier partisan d'un impôt unique sur le produit net de la culture des terres.

La gravure de Marcenay de Ghuy reprend un portrait de Mirabeau en cuirasse, qui fut exposé au Salon de 1758 ; le tableau a disparu et n'est plus connu que par la gravure. Aved avait déjà peint le marquis en genthilhomme, et ami de la littérature (Salon de 1743, Paris, musée du Louvre). Riquetti est ici montré en aristocrate quelque peu hautain, lui qui, selon l'excellente formule de Tocqueville, représentait « l'invasion des idées démocratiques dans un esprit féodal ».   G.Sc.

219
Georges Louis Leclerc,
comte de Buffon (1707-1788)

par Augustin PAJOU

Buste, marbre. H. 0,733 (dont piédouche : 0,155) ; L. 0,525 ; Pr. 0,325.
Inscription : au revers, « Mr. LE COMTE DE BUFFON DE L'ACAD./FRANÇOISE ET DE L'ACAD. DES SCIENCES/INTENDANT DU JARDIN ROYAL DES PLANTES/PAR PAJOU SCUL. DU ROY ET PROFESSEUR DE SON ACAD. DE PEINT. ET DE SCULP. 1773 ».
Historique : saisie révolutionnaire ; 1796, 25 décembre, reçu par Alexandre Lenoir pour le musée des Monuments français, provenant du dépôt de Nesles ; 1818, attribué au Louvre lors de la dispersion du musée, et exposé en 1824 galerie d'Angoulême.
Expositions : 1935-1936, New York, n° 92 ; 1949, Paris, Muséum.
Bibliographie : Lenoir, an V, n° 408 (et éd. postérieures) ; Clarac, VI, 18, n° 3658 ; Courajod, 1878, p. 113, n° 803 ; Courajod, 1894, p. 45, n° 408 et p. 75, n° 80 ; Stein, 1912, p. 164 ; Vitry, 1022, n° 1436 ; Réau, 1923, pp. 57-58.

Paris, musée du Louvre, département des Sculptures (inv. M.R. 2650).

Fils d'un conseiller au parlement de Bourgogne, Buffon fit de solides études scientifiques avant de s'installer en 1732 à Paris (après un voyage italien) et de faire partie de l'Académie des sciences (1734). En 1737, il succéda à Dufay comme intendant du jardin du roi, fonction à laquelle il donna beaucoup d'ampleur.

En 1749 parurent les trois premiers volumes de son *Histoire naturelle*. Ce fut une énorme entreprise dont les trente-six volumes — qu'il rédigea avec des collaborateurs, dont Daubenton — s'échelonnèrent jusqu'à sa mort, en 1788 : son succès fut immédiat et international. Disciple de Locke, traducteur occasionnel de Newton (*Fluxions*, 1740), Buffon participa à l'esprit des Lumières avec sa foi dans le progrès et sa volonté de placer l'homme au centre de l'univers. Dans le discours d'ouverture du premier tome de l'*Histoire naturelle* : « De la manière d'étudier et de traiter l'histoire naturelle », il développa sa thèse en faveur d'une science expérimentale débarrassée des influences religieuses. Buffon pressentit l'évolution organique des espèces — la nature n'est pas une création achevée de Dieu —, mais n'alla pas aussi loin que les thèses novatrices de Maupertuis.

Augustin Pajou fut peut-être le portraitiste de Buffon le plus fécond. Il précéda Houdon dans la conception de types différents de bustes d'un même personnage. Celui du Louvre est à la française : perruque, habit contemporain avec gilet et chemise à dentelle. On en connaît présenté à l'antique sans draperie, reprenant la tête de la statue du Muséum (placée en 1777), où Buffon est « dans le costume d'un philosophe » (selon le mémoire), c'est-à-dire en héros romain demi-nu (terre cuite, datée 1776, Paris, bibliothèque Mazarine ; marbre au Muséum), et à l'antique avec draperie (terre cuite, également datée 1776, Dijon, bibliothèque municipale). Une statuette en terre cuite de Buffon assis dans un fauteuil (Louvre, R.F. 1065), en robe de chambre, est une pensée pour un monument non clairement identifié ; la formule est celle des *Hommes illustres* de d'Angiviller dont Pajou fut un des fournisseurs les plus abondants (quatre statues monumentales en marbre). G.Sc.

220
Carl von Linné (1707-1778)

Gravure de Charles Claude BALVAY (Bervic), d'après un tableau d'Alexandre Roslin.

Stockholm, Nationalmuseum

Médecin et botaniste, Carl von Linné (Linnaeus avant son anoblissement en 1757) établit pour la première fois dans son *Système de la nature* (*Systema naturae*, 1735) une classification méthodique des espèces d'animaux, de végétaux et de minéraux. Dans ses ouvrages suivants, dont *Fundamenta botanica* (1736) et *Species plantarum* (1753), il développa sa nomenclature binaire des plantes, fondant leur distribution sur le système sexuel.

Ses idées eurent un retentissement international et l'Europe vit s'élever partout des jardins botaniques et des musées, à l'imitation de la Suède, où il avait obtenu en 1742 la chaire de botanique à l'université d'Uppsala.

Les *Voyages* à travers la Suède que publia Linné sont, dans l'esprit du XVIII⁰ siècle, de riches documents encyclopédiques, non seulement sur ses trouvailles naturalistes, mais

encore sur les mœurs, l'économie, les antiquités, etc. Écrits dans un style vif et original, ils sont caractéristiques de leur époque aussi par la façon dont ce méthodologiste allie les observations scientifiques, ou pseudo-scientifiques aux belles envolées lyriques et aux témoignages d'une foi religieuse profonde.

La gravure de Balvay fut exécutée en 1779 aux frais de l'Académie des sciences de Stockholm et d'après un portrait de Roslin signé 1775 et exposé à Paris au Salon de 1779, peu après la mort du célèbre naturaliste. P.Gr.

221
Albrecht von Haller (1708-1777)

par Balthazar Anton DUNKER

Eau-forte sur cuivre. H. 0,12 ; L. 0,075.
Inscription : à gauche, « Dunker del. » ; à droite : « et Sculp. ».

Berne, Bibliothèque nationale suisse (inv. 98 ST 7624).

Albrecht von Haller fut avant tout une personnalité scientifique de premier plan. Après de solides études médicales, il se spécialisa dans l'anatomie, et devint, à partir de 1736, professeur à l'université de Göttingen, avant de gagner définitivement Berne en 1753 où il occupa d'importantes fonctions administratives, tout en travaillant à son œuvre. Celle-ci est impressionnante, couronnée par les huit volumes des *Elementa physiologiae corporis humani* (1757-1766), synthèse de l'histoire de la physiologie, et recensement des connaissances. Dans ses travaux de botaniste, il s'opposa à la classification de Linné.

Haller, comme d'autres éminents scientifiques, eut une activité littéraire d'un certain retentissement, en particulier son poème *Die Alpen* (1729), chant du sublime de la montagne, où il déploie un déisme lyrique ; Dieu a donné la conscience corporelle et la conscience morale aux hommes ; à eux de se montrer dignes de la liberté qui leur est octroyée. Le jeune Haller ici n'est pas éloigné de l'optimiste qui caractérisa tout un courant de pensée du deuxième quart du XVIII⁰ siècle, avant que Voltaire ne mette un point final à cette heureuse vision du monde.

Cette gravure conçue et réalisée par Dunker servit de frontispice au recueil de poésies de Haller, *Versuch schweizerische Gedichte*, publié à Berne en 1777. G.Sc.

222
Théodore Tronchin (1709-1781)

par Jean-Antoine HOUDON

Buste, marbre. H. 0,61 (dont piédouche : 0,15) ; L. 0,53 ; Pr. 0,32.
Inscription : sous sur la tranche de l'épaule droite : « Houdon 1781 ».
Historique : 1900, don Charles Martin en souvenir de sa femme Selma née Tronchin.

Exposition : 1781, Paris, Salon, n⁰ 254.
Bibliographie : Gielly, 1929, pp. 240-241 ; Réau, 1964, p. 43, n⁰ 196 ; Arnason, 1975, p. 57.

Genève, musée d'Art et d'Histoire (inv. 1900-34).

Membre d'une illustre famille, apparenté au collectionneur de tableaux (son frère, François) et à l'écrivain ennemi de Rousseau (Jean-Robert), fils de banquier, il est envoyé en Angleterre afin d'étudier auprès de lord Brolingbroke, son parent. Attiré par la médecine, Théodore Tronchin s'installe à Amsterdam afin de suivre les leçons de Boerhaave. Bourgeois d'Amsterdam en 1730, il y est vite célèbre, président du Collège de médecine, inspecteur des hôpitaux, médecin du stathouder. Il retourne à Genève en 1754 pour y être nommé professeur honoraire l'année suivante. Propagateur de l'inoculation, hygiéniste, sa clientèle est illustre et européenne. Il est premier médecin du duc d'Orléans, membre de l'académies et corps savants, ami de Grimm, Diderot (il participe à l'*Encyclopédie*) et Voltaire (qu'il assiste à la fin de sa vie). Son éloge à l'Académie des sciences est établi par Condorcet (1782).

Le buste de Houdon, comme la statue assise de *Voltaire* destinée à la Comédie-Française, fut exposé au Salon de 1781. Diderot le remarque brièvement : « Bon portrait, bien fait, à l'exception de quelques touches dans le visage qui m'ont paru maigres ; mais si elles sont maigres dans l'original, comment faut-il faire ? »

On en connaît plusieurs exemplaires en plâtre, notamment au musée de Chaalis, qui sont datés de 1780. G.Sc.

223
Antoine Laurent de Lavoisier (1743-1794)

par Augustin DUPRÉ

Mine de plomb sur papier calque beige. H. 0,098 ; L. 0,093 ; D. 0,065.
Inscription : marque du deuxième fils de l'artiste, Narcisse Dupré.
Historique : collection Narcisse Dupré ; 1962, Genève, vente publique.
Bibliographie : concernant la médaille : Saunier, 1894, pp. 95, 102, 115, pl. V.

Paris, bibliothèque et archives de la Monnaie (inv. 91, Fonds Dupré, Ms Fol 137, t. II).

D'une famille ayant lentement, depuis le début du XVII⁰ siècle, gravi les échelons de la hiérarchie sociale — de postillon à conseiller secrétaire du roi, poste transmettant la noblesse héréditaire, acquis par le père du chimiste en 1772 —, le jeune Lavoisier, descendant du postillon à la cinquième génération, collégien et étudiant prometteur (droit et physique), eut une carrière administrative brillante : inspecteur régional de la Ferme générale (1768) et l'un des quatre régisseurs de la Régie des poudres et salpêtres créée par Turgot en 1775, il améliora et accrut la fabrication du salpêtre dont la production française doubla de 1776 à

1788, permettant notamment d'approvisionner l'armée américaine.

Parallèlement à ces fonctions, Lavoisier développa une impressionnante activité scientifique; élu à l'Académie des sciences en 1768, il fut le fondateur de la chimie moderne, découvrant en particulier les principes constituants de l'air et de l'eau.

Avec Berthollet, Guyton et Fourcroy, il mit au point la nomenclature chimique, travail considérable de nettoyage du vocabulaire qu'il fallait rationaliser, à la suite des découvertes récentes; on lui doit les termes d'oxygène, hydrogène et azote (publications en 1787 et 1789). Élu député de la noblesse aux États généraux, il devint en 1790 membre de la commission pour l'établissement d'un nouveau système des poids et mesures; Lavoisier présenta à la Constituante en mars 1791 un mémoire sur la richesse territoriale de la France qui lui valut d'être nommé un des six commissaires de la Trésorerie nationale. Il fut emprisonné en novembre 1793 avec ses collègues de la Ferme, comme représentant de la fiscalité honnie de l'Ancien Régime. Il fut guillotiné en mai 1794.

Ce beau dessin d'Augustin Dupré est l'esquisse inversée de la médaille qui fut réalisée vers 1802 (Saunier, *op. cit.*, p. 95); la médaille fut exposée au Salon de 1808, et en 1889 à l'Exposition centennale de l'art français; le coin est toujours conservé au musée monétaire de l'Hôtel de la Monnaie à Paris.

L'œuvre nous permet d'évoquer la personalité de l'artiste qui fut graveur général de la Monnaie de Paris, du 11 juillet 1791 au 12 mars 1803. Après un apprentissage dans une manufacture des armes à Saint-Étienne, Dupré travailla à Paris chez un armurier puis grava des ornements et des bijoux. Assistant de Duvivier à la Monnaie sous l'Ancien Régime, il exécuta sept médailles pour commémorer la révolution américaine, annonçant ainsi un républicanisme militant.

On connaît de lui un assez grand nombre de dessins à la Bibliothèque nationale, à l'Hôtel de la Monnaie, au musée Carnavalet, aux États-Unis (fonds Benjamin Franklin, Philadelphie, American Philosophical Society, également à Boston...), dans lesquels il développe, à côté d'un sens de la ligne qui appartient à la spécialité de médailliste, un goût pour le pittoresque (évocation de paysages) et une liberté de ton pour caractériser ses rares portraits.

G.Sc.

224
Christoph Willibald von Gluck
(1714-1787)

par Guillaume FRANCIN

Buste, marbre. H. 0,70; L. 0,596; Pr. 0,345.
Inscription : sur la tranche du bras gauche : «Exécuté/par francin»; sur le socle, devant : «GLUCK».
Historique : 1797, commandé à Michallon (réalisé par Francin) par Alexandre Lenoir pour le musée des Monuments français; 1821, réclamé par le Louvre au moment de la liquidation du musée; 1824, exposé au Louvre dans la salle Puget de la galerie d'Angoulême; 1928, dépôt au château de Versailles.
Exposition : 1928, Versailles, p. 21, n° 14.
Bibliographie : Lenoir, an V, n° 415 («Houdon»); Lenoir, an VI, n° 415 («Francin fils d'après Houdon»); Clarac, VI, 18, n° 3593 (2); Courajod, 1878, pp. 113-114, n° 807 et pp. 136-137, n° 962; Courajod, 1894, pp. 56 (n° 145), 59 et 75 (n° 86); Lami, 1910, p. 359; Vitry, 1922, n° 1308.

Versailles, musée national du Château
(inv. M.R. 2179; M.V. 6041).

D'origine allemande, Gluck passa sa jeunesse en Bohême. Sa vocation fut précoce, et il n'eut de cesse d'étudier la musique à Prague, Vienne, puis en Italie où il remporta ses premiers succès en écrivant des opéras «italiens» (*Artaserse*, 1741). Il se consacra dès lors exclusivement à la scène, voyageant dans toute l'Europe. Son passage à Paris (1773-1779) est resté célèbre; il y créa ses principaux chefs-d'œuvre (1774, *Iphigénie en Aulide* et *Orphée*; 1776, la version française de *Alceste*; 1777, *Armide*; 1779, *Iphigénie en Tauride*) dont l'esthétique nouvelle allait révolutionner les amateurs parisiens et jusqu'à la cour (querelle des gluckistes et des piccinnistes, du nom de Piccinni, musicien représentant la tradition italienne). L'enjeu était réel : à la tradition italienne du sacrifice de la vraisemblance du récit au profit de la voix et des prouesses du chanteur, de l'agilité des ornements, Gluck opposa une ligne de chant qui cerne la situation de la fable, et se met au service de l'expression. Cet équilibre entre la fiction du drame représenté et l'interprétation musicale qui en donne la couleur marqua une révolution dans l'histoire musicale. Les musiciens actifs sous la Révolution — Gossec, Méhul, Lesueur, Cherubini —, pour ne citer qu'eux, en furent à jamais imprégnés. La gloire de Gluck en France est bien attestée par le souci d'Alexandre Lenoir de le faire figurer dans son musée. Il commanda le buste, selon son *Journal*, le 17 nivôse an V (6 janvier 1797) à Michallon (Courajod, 1878, n° 807), et il lui remit le marbre nécessaire le 18 vendémiaire an VI (9 octobre 1797; Courajod, *id.*, n° 907). Le 25 fructidor an VI (11 septembre 1798), il procure le marbre à Francin, beau-père de Michallon (Courajod, *id.*, n° 962). Un moulage en plâtre fut réalisé pour le musée historique de Versailles (Notice Versailles, 1837, p. 58, n° 399); et on connaît ailleurs de nombreux exemplaires en plâtre d'après le buste de Houdon qui servit de référence. Ce dernier fut exposé au Salon de 1775 (plâtre); le marbre, montré au Salon de 1777, fut détruit lors de l'incendie de l'Opéra. Guillaume Francin a parfaitement reproduit le visage massif et grêlé de petite vérole du musicien puissamment évoqué par le grand sculpteur.

G.Sc.

225
Joseph Haydn (1732-1809)

par William DANIELL

Gravure sur cuivre. Feuille : H. 0,427; L. 0,29; planche : H. 0,271, L. 0,202.

Inscription : sur la plaque en bas au milieu : «Joseph Haydn. / Geo Dance del. March 20.1794. Published by Will. Daniell N° 9 Cleveland Street Fitzroy Square. London. July 1.1809. W.. Daniell Fecit».

Vienne, Historisches Museum der Stadt (inv. 74.409).

Joseph Haydn (né le 31 mars 1732 à Rohrau, Basse-Autriche, mort le 31 mai 1809 à Vienne) est considéré comme le fondateur et le premier représentant de ce que l'on a appelé en histoire de la musique, le classique viennois. Autodidacte zélé, il entama ses premières compositions dans les années 1750 à la suite de commandes occasionnelles. Haydn put assurer correctement sa subsistance à partir de 1761 en devenant maître de chapelle adjoint (et premier maître de chapelle) de la famille des princes hongrois Esterhazy à Vienne; il restera à leur service jusqu'à la fin de sa vie. En 1790, Haydn quitta Eisenstadt pour Vienne où il écrivit ses grands oratorios *La Création* (1798) et *Les Saisons* (1801).

Au début de l'année 1797, il composa son fameux hymne à l'Empereur («Gott! Erhalte Franz den Kaiser...» / Dieu! Protège François l'empereur) sur un texte du poète Laurenz Leopold Haschka (1749-1827); c'était là sa contribution patriotique contre les Français, qui venaient alors d'envahir le nord de l'Italie. Cet hymne, le chant le plus connu de Haydn, resta d'ailleurs l'hymne national autrichien jusqu'à la chute de la monarchie des Habsbourg.

Cette gravure de Daniell, de 1809, est une reproduction inversée du dessin au crayon réalisé par Dance le 20 mars 1794 à Londres (version A qui se trouve depuis 1957 en possession du musée historique de la ville de Vienne). C'était alors le second séjour de Haydn à Londres; il est représenté ici assis sur son siège, dans son habit de tous les jours. Les traits caractéristiques de son visage sont fidèlement rendus. Haydn disait lui-même qu'il s'agissait là de son meilleur portrait. Il existe une deuxième version de ce dessin, daté également du 20 mars 1794; il se trouve actuellement dans la collection du Royal College of Music à Londres.

A.Sc.

LES PRÉCURSEURS

226
Pierre Augustin Caron de Beaumarchais (1732-1799)

par Antoine-Léonard DU PASQUIER

Buste, plâtre. H. 0,63 (dont piédouche : 0,14 ; L. 0,34 ; Pr. 0,30.

Inscription : sur la tranche, à droite : « Du Pasquier an 8 ».

Historique : provenance inconnue ; avant 1837, apporté sur ordre de Louis-Philippe au musée historique de Versailles.

Bibliographie : Notice Versailles, 1837, p. 63, n° 424 (comme Houdon) ; cat. Versailles, [1845], p. 132 ; Soulié I, 1854, p. 61, n° 238 ; Lami, 1910, p. 309.

Versailles, musée national du Château (M.V. 236).

Il est un peu délicat de présenter Beaumarchais parmi les philosophes des Lumières ; si la littérature le séduisit — surtout le drame bourgeois défini par Diderot, où il n'obtint d'ailleurs pas le succès escompté —, il fut surtout attiré par l'aventure et les affaires ; sa vie peut se diviser en étapes marquées par des procès et intrigues en tout genre. Deux chefs-d'œuvre, *le Barbier de Séville* (première représentation interdite en 1773) et surtout *le Mariage de Figaro* (joué en public, après un long suspense, en avril 1784), allaient le hisser jusqu'à la gloire. Le personnage de Figaro, issu des Arlequins, roués de la comédie italienne (Goldoni) devint le porte-parole de la « liberté de blâmer » et, dans sa célèbre tirade du cinquième acte, le pourfendeur de l'autorité des droits acquis des seigneurs. Ayant conçu ce personnage — cet homme qui relève la tête devant l'inégalité, et qui devait être si populaire auprès du public — Beaumarchais peut être considéré comme un des divulgateurs de l'esprit des Lumières.

Le buste de Du Pasquier — sculpteur connu pour s'être révolté contre l'autorité du directeur de l'Académie de France à Rome, en 1779, ce qui lui valut son exclusion et d'être en panne de commandes sous l'Ancien Régime —, fut réalisé après la mort de l'écrivain à la demande de sa fille « en ressouvenir », si l'on en croit le livret du Salon de 1800 (n° 685) où le marbre fut exposé.

Beaumarchais, le crâne dégarni, les cheveux non apprêtés tombant dans le cou, est ici représenté en vieux sage — la découpe du buste en hermès accentue cette vision bien éloignée de celle d'un portrait de courtisan —, au sourire spirituel, dans un style proche de celui de Houdon. G.Sc.

227
Jean-Jacques Rousseau (1712-1778)

par Jean-Antoine HOUDON

Buste, bronze. H. 0,615 (dont piédouche : 0,140) ; L. 0,305 ; Pr. 0,233.

Inscription : à droite sur la tranche : « houdon. f. 1778 ».

Historique : 1838, acquis par le Louvre de Bertrand Barère de Vieuzac.

Expositions : 1962, Paris, Bibliothèque nationale, n° 451 ; 1972, Londres, n° 383 ; 1988, Brisbane, Tokyo, New-Delhi, n° 39.

Bibliographie : Vitry, 1922, n° 1361. Réau, 1964, p. 41, n° 184 ; Arnason, p. 48.

Paris, musée du Louvre, département des Sculptures (L.P. 1729).

Jean-Jacques Rousseau fut certainement l'écrivain qui influença le plus les révolutionnaires (transfert de ses cendres au Panthéon en avril 1794). Il est nommément cité par Robespierre comme précurseur de la Révolution ; on peut voir au musée Carnavalet un très curieux tableau de Jeaurat qui montre le portrait de Rousseau dominant et cautionnant un rassemblement presque complet des emblèmes et devises révolutionnaires (Vovelle, III, 1986, p. 217). Le buste du Louvre est à cet égard exemplaire puisqu'il fut donné par Barère de Vieuzac, membre du Comité du salut public, qui idolâtrait le philosophe.

Au départ musicien sans gloire, Rousseau eut dans sa trente-huitième année (1749) une illumination sur la route de Vincennes, qui décida de son engagement intellectuel ; la lecture d'une question proposée par l'académie de Dijon — *Si le progrès des sciences et des arts a contribué à corrompre ou à épurer les mœurs ?* — fut une révélation. Le *Discours sur les sciences et les arts* qu'il écrivit aussitôt (il parut en janvier 1751) le rendit célèbre. Il y développait les prémices de son système de pensée stigmatisant le progrès des sciences et mettant en garde la dénaturation de l'homme, dans un contexte où les esprits des Lumières se livraient à l'apologie du progrès. En 1755 il publia le *Discours sur l'origine de l'inégalité* où il précisa son idée : les institutions sociales ont corrompu l'homme né bon qui était voué au bonheur et à la vertu. Rousseau va ensuite écrire en moins de quatre ans ses principaux livres dont ses deux chefs-d'œuvre en 1762, *Émile* et *Du contrat social*.

Dans le premier, il développa une conception originale de l'éducation — le sujet avait déjà beaucoup intéressé, en particulier Locke et Helvétius — qui se fonde sur l'idée de la perfectibilité humaine ; l'enfant s'éduquera en s'appuyant sur le milieu naturel, et non sur celui des hommes. Un an après, l'*Essai d'éducation nationale* de La Chalotais (qui prononça le réquisitoire contre les jésuites) préconisait une éducation civique : l'école doit préparer des citoyens pour l'État.

Dans *Du contrat social*, Rousseau élabora véritablement les fondements du droit politique et de la démocratie, en établissant les critères d'une société légitime fondée sur la souveraineté du peuple (république démocratique). L'autorité de cette dernière, source de sécurité et de liberté, est garantie par un contrat qui lie les parties prenantes, définissant leurs droits et leurs devoirs ; le contrat social est « l'aliénation totale de chaque associé avec tous ses droits à la communauté ». L'écrivain fut influencé en partie par un professeur de droit à l'université de Genève, et membre du Conseil d'État, Jean-

Jacques Burlamaqui (1694-1748), qui, dans ses deux livres, *Principes du droit naturel* (1747) et *Principes du droit politique* (1751), définissait les lois comme des conventions entre le peuple et la souveraineté qu'il avait déléguée et à qui il convenait de fixer des limites.

Le buste nous montre Rousseau « héroïsé » à l'antique, en hermès, les cheveux ceints du bandeau « des philosophes » (honneur qui distinguait dans l'Antiquité grecque les poètes, les athlètes et les dynastes), drapé comme un consul de la République romaine. Houdon, qui s'enorgueillait d'avoir pris à Ermenonville l'empreinte du visage du philosophe après son décès, développa, comme pour Voltaire, une iconographie à plusieurs volets : Rousseau « à la française » (en habit contemporain et perruque), Rousseau drapé à l'antique et Rousseau tête nue, non drapé ; alors que le premier type est le plus fréquent, les deux autres sont relativement rares.

La date de 1778 que l'on peut lire sur le buste du Louvre est celle du modèle, non de la fonte, qui est plus tardive ; il est possible que Houdon ait donné l'exemplaire en bronze à Barère lors des douloureuses négociations autour du projet de monument à Rousseau. G.Sc.

228
Marie Jean Antoine Nicolas Caritat, marquis de Condorcet (1743-1794)

par Jean-Antoine HOUDON

Buste, terre cuite. H. 0,715 ; (dont piédouche : 0,12) ; L. 0,49 ; Pr. 0,31.

Inscription : au revers, cachet en cire de l'atelier de Houdon.

Historique : Conservatoire des arts et métiers ; 1896, entré au Louvre.

Expositions : 1932, Paris, Bibliothèque nationale, n° 433 ; 1939, Paris, musée Carnavalet, n° 599.

Bibliographie : Vitry, 1922, n° 1365 ; Réau, 1964, pp. 29-30, n° 110 ; Arnason, p. 71.

Paris, musée du Louvre, département des Sculptures (R.F. 1090).

Le marquis de Condorcet est une des figures les plus attachantes des intellectuels de la seconde moitié du XVIIIᵉ siècle, et une récente monographie témoigne de l'actuelle modernité de son engagement. Sa jeunesse fut celle d'un brillant mathématicien ; à douze ans il publia un *Essai sur le calcul intégral*, puis ses *Essais d'analyse* (1768), qui lui valurent en 1769 d'être membre de l'Académie des sciences. Lancé dans la vie parisienne, celle des salons (celui de Julie de Lespinasse) et des littérateurs, il fréquenta le milieu des physiocrates et se lia d'amitié avec Turgot. Ce dernier le nomma en 1774 inspecteur général des Monnaies. Ce fut l'époque où Condorcet passa du génial savant mathématicien à l'intellectuel des Lumières, préoccupé des progrès de l'humanité. Il écrivit ses *Lettres d'un théologien* (1774), qui marque sa position par rapport à d'Holbach et au déisme, ses *Lettres d'un laboureur de Picardie à Monsieur Necker*, en écho à Quesnay, ses

Pierre Augustin Caron de Beaumarchais (cat. 226).

Jean-Jacques Rousseau (cat. 227).

Marie Jean Antoine Nicolas Caritat, marquis de Condorcet (cat. 228).

Gabriel Bonnot de Mably (cat. 229).

Réflexions sur l'esclavage des nègres (1781) à l'instar de celles de l'abbé Raynal. A la veille de la Révolution, il rédigea les cahiers de la noblesse du baillage de Mantes. Élu député à l'Assemblée législative, puis à la Convention, il se fit remarquer par ses travaux visant à organiser l'instruction publique (rapport du 20 avril 1792 ; l'éducation amène le progrès) et élabora un projet de constitution qui fut repoussé.

En 1794, il écrivit son chef-d'œuvre, *Esquisse d'un tableau historique des progrès de l'esprit humain*, où il développa son idée de l'union des sciences physiques et des sciences morales ; sa foi dans le progrès de l'homme motiva sa lutte pour l'égalité des hommes (membre fondateur de la Société des amis des noirs, il se prononça contre la traite et l'esclavage) et des sexes. Engagé politiquement auprès des Girondins, il dut se cacher pendant huit mois après leur chute ; arrêté, il mourut en prison.

Le buste de Houdon du Louvre — entré au musée avec une fausse identification à Lavoisier — est à mettre en rapport avec un marbre, daté de 1785, conservé à l'American Philosophical Society de Philadelphie ; on en connaît un plâtre patiné terre cuite (États-Unis, collection particulière).

Le buste de Condorcet est mentionné dans la liste autographe des œuvres de Houdon. Représenté strictement — costume contemporain à peine égayé par le jabot, perruque soigneusement lissée —, Condorcet nous apparaît ici comme le porte-parole d'un tiers état responsable.   G.Sc.

229
Gabriel Bonnot de Mably (1709-1785)

par un peintre anonyme de la fin du XVIIIᵉ siècle
Huile sur toile. H. 0,50 ; L. 0,39.
Historique : ancienne collection bibliothèque de Grenoble.
Bibliographie : Royer, 1951.

Grenoble, musée Dauphinois (inv. D. 67.2.9).

Frère de Condillac, un temps membre du séminaire (jésuite) de Saint-Sulpice, Mably eut une activité de diplomate au début de sa vie, jusqu'en 1746, où il rompit avec le cardinal de Tencin, secrétaire d'État aux Affaires étrangères.

Il participa au débat des Lumières en s'opposant farouchement aux physiocrates ; son livre *Doutes proposés aux philosophes économistes sur l'ordre naturel et essentiel des sociétés politiques* (1768) fut une réponse à l'ouvrage principal de Mercier de La Rivière, paru en 1767. Mably, en effet, niait l'ordre naturel de la propriété du sol, et critiquait l'apologie de la propriété privée et de l'intérêt personnel ; il préconisait en particulier la suppression de l'héritage et essayait de construire une société utopique, prônant un communisme agraire qui aurait été celui des origines : l'égalité est la base de la vie privée comme de la vie sociale, et le moyen d'y parvenir est « l'heureuse communauté des biens » (*De la législation ou Principes de lois*, 1776).

La pensée de Mably doit beaucoup à la personnalité, mal connue, de Morelly, qui publia en 1755 le *Code de la nature*. Ce dernier élabora également une société idéale, bannissant la propriété privée, et définissant les droits et les devoirs du citoyen vis-à-vis de la collectivité : droit d'être nourri, entretenu, de travailler, et devoir de contribuer à la prospérité de tous. Morelly inspira Babeuf, qui se réclama ouvertement du *Code de la nature* lors de son procès.   G.Sc.

VOYAGEURS

230
Louis-Sébastien Mercier (1740-1814)

par B.L. HENRIQUEZ d'après Pujos
Eau-forte. H. 0,22 ; L. 0,145.
Inscription : « LOUIS SEBASTIEN MERCIER./ Ancien Professeur de belles-Lettres, Avocat en / Parlement, Membre de plusieurs Académies./Né à Paris » ; dessous, à gauche : « Dessiné par Pujos 1787 » ; à droite : « Gravé par B.L. Henriquez Graveur du Roi » ; dessous : « A Paris, chez Guillot, Libraire de Monsieur, / Rue St Jacques vis-à-vis celle des Mathurins./Gravé pour être mis à la tête des Tomes 9 à 12 du Tableau de Paris. »

Paris, Bibliothèque nationale, cabinet des Estampes (inv. N2).

Ecrivain fécond, Louis-Sébastien Mercier fut un homme nourri par les grands exemples littéraires des Lumières ; il voulut se personnaliser par une attitude frondeuse à leur égard, oscillant entre fascination et rejet, en particulier concernant Voltaire et Rousseau : il publia tout de même en 1791 *De J.-J. Rousseau considéré comme auteur de la Révolution française*.

Déçu par la poésie, il se tourna vers le théâtre, écrivant de nombreux drames historiques qu'il tenta de faire représenter, et publia un *Essai sur l'art dramatique* dans lequel il reprend les idées de Diderot tout en dénigrant Racine et Corneille. En 1771 parut *L'an 2440, rêve s'il en fut jamais*, qui fut interdit comme pamphlet contre la société, mais l'auteur ne fut pas inquiété.

Son œuvre la plus célèbre, le *Tableau de Paris*, parut anonymement en deux volumes en 1781 ; l'ensemble atteignit douze tomes en 1788. Le livre eut un succès considérable, en particulier en Allemagne où il fut abrégé et traduit deux fois. Il s'agit d'un document sur les mœurs et les coutumes du temps selon une formule de récit journalistique apparentée aux *Nuits de Paris* de son ami Restif de La Bretonne. Observateur attentif et humaniste, servi par un style alerte et volontiers plaisant, les pages de Mercier révèlent l'esprit du peuple et l'existence quotidienne des bourgeois, artisans, ouvriers, etc., à la veille de la Révolution, et sont utilisées aujourd'hui par les historiens des relations sociales. L'ouvrage donne également de pré-

cieuses informations sur la topographie parisienne.

Attentif à la vie du peuple, Mercier s'engagea sous la Révolution ; député à la Convention, il fut emprisonné comme favorable aux Girondins. Il siégea au Conseil des Cinq-Cents et resta républicain sous l'Empire.

La gravure de Henriquez d'après Pujos, important créateur d'effigies contemporaines, datée de 1787, servit de frontispice, précisément, au *Tableau de Paris*.   G.Sc.

231
Arthur Young (1741-1820)

par George DANCE
Pierre noire et sanguine. H. 0,255 ; L. 0,193.
Historique : propriété de la famille de l'artiste, vente du Rev. George Dance, Christie's, 1ᵉʳ juillet 1898, lot 146.

Londres, National Portrait Gallery (inv. N.P.G. 1162).

Si les expériences agricoles d'Arthur Young échouèrent quelque peu, en revanche il se révéla un éminent théoricien de l'agriculture au XVIIIᵉ siècle. Dans ses *Annals of agriculture*, parues de 1784 à 1809, il développait de nouvelles idées sur la rotation des cultures et le système des enclosures. Son chef-d'œuvre reste toutefois *Travels in France*, récit de ses voyages en France entre 1787 et 1790, dans lequel Young porte une attention critique aux conditions sociales et économiques de l'Ancien Régime. L'ouvrage, traduit en plusieurs langues, connaît depuis toujours un succès d'estime en France. Il contient la célèbre phrase : « La magie de la propriété change le sable en or. »

George Dance II (1741-1825) est mieux connu comme architecte. A ses heures de loisir il peignait des portraits, presque tous sans exception avec la tête et les épaules de profil. Ceux-ci furent très recherchés à partir de 1790 ; les seuls moments de liberté de Dance en dehors de son activité d'architecte étaient les samedi et dimanche, lorsque ses futurs modèles venaient chez lui à Londres. En 1809 une collection de ces portraits fut gravée et publiée en deux volumes, avec une dédicace de Dance à l'érudit sir George Beaumont. On date le portrait d'Arthur Young de 1804.   C.B.-O.

232
Horace Walpole, quatrième comte d'Orford (1717-1797)

par George DANCE
Mine de plomb sur papier. H. 0,248 ; L. 0,184.
Bibliographie : « les Portraits d'Horace Walpole », *The Walpole Society*, vol. XLII, 1968-1970, pp. 20-21.

Londres, National Portrait Gallery (inv. N.P.G. 1161).

Horace Walpole était le quatrième fils de sir Robert Walpole. En 1739-1741, il visita la

Louis-Sébastien Mercier (cat. 230).

Arthur Young (cat. 231).

Horace Walpole, quatrième comte d'Orford (cat. 232).

France et l'Italie en compagnie du poète Thomas Gray. En 1747, il s'installa dans sa résidence de Strawberry Hill sur la Tamise aux environs de Londres, dont il fit un « petit château gothique ». Cette demeure de Strawberry Hill est importante en ce qu'elle représente une première renaissance du goût romantique pour le Moyen Age dans l'Angleterre de la seconde moitié du XVIIIe siècle. Le roman d'Horace Walpole, *le Château d'Otrante* (1764) fut en littérature ce que Strawberry Hill fut en architecture, inaugurant le genre du « roman noir » gothique. Walpole avait installé dans sa nouvelle maison une imprimerie ; c'est là qu'il publia des descriptions de sa résidence et de son contenu, ses romans et en 1762-1780, *Anecdotes of painting in England*. La correspondance de Walpole est tout à fait remarquable sur le plan autobiographique, social et politique ; toutefois, les lettres qu'il adressa à Mme du Deffand ont été détruites à sa demande.

On trouve mention de ce dessin de Dance représentant Walpole dans le journal d'un paysagiste, Joseph Farington : « Samedi, 13 juillet (1793). Sommes allés tôt ce matin en compagnie de Mr. George Dance et Mr. Samuel Lysons du Temple dans la résidence de lord Orford à Strawberry Hill, où nous avons pris le petit déjeuner avec Sa Seigneurie. Dans l'après-midi, Mr. George Dance a fait un croquis de Sa Seigneurie, de profil, très ressemblant. » (*The Farington Diary*, 1923, vol. I, p. 1).
C.B.-O.

LES LUMIÈRES EN EUROPE

233
Christian Fürchtegott Gellert (1715-1769)

par Jean-Pierre Antoine TASSAERT

Buste, marbre, sur piédouche de marbre blanc. H. 0,480 (dont piédouche : 0,108) ; L. 0,245 ; Pr. 0,265.
Inscription : au revers : « TASSAERT/Fe 1785 ».
Historique : 1785, mention du buste dans une lettre de la mère du sculpteur Schadow, élève de Tassaert, à son fils ; collection privée de l'est de la France ; acquis par le Louvre en 1985.
Exposition : 1988, Paris, musée du Louvre, n° 27, pp. 98-101.

Paris, musée du Louvre, département des Sculptures (R.F. 3716).

Poète méconnu en France, Christian Fürchtegott Gellert fut une des figures importantes de la littérature allemande, influençant Goethe et le mouvement du *Sturm und Drang* annonciateur du romantisme.
Après avoir étudié la théologie à Leipzig, il obtint une chaire (1744) et enseigna la poésie et la morale. Son œuvre littéraire fut toujours marquée par ces deux disciplines, teintée d'idéal chrétien.

Ses *Fables et Récits* (1746 et 1748) marquèrent sa réputation de poète : formellement proches de La Fontaine, elles se caractérisent par un moralisme et un idéal de vertu que l'on retrouve dans ses romans sentimentaux (*Tendres Sœurs*, 1751), qui diffusèrent en Allemagne l'esprit de Richardson et de l'abbé Prévost.
Son buste par Tassaert faisait vraisemblablement partie d'une série d'hommes illustres comme il y en eut notamment à Weimar, pour ne pas citer les exemples français. On sait qu'un buste de *Lessing* (localisation inconnue) fut également commandé en 1785 au sculpteur qui réalisa en 1784 un buste très expressif de *Moses Mendelssohn* (marbre, Berlin-Ouest, musée de la Société juive), ami précisément de Lessing, un des esprits les plus tolérants — notamment en matière religieuse — de son temps. On complétera cette belle galerie de portraits d'intellectuels par celui de l'*abbé Raynal* (1784, Lyon, académie, *cf.* cat. 216).
G.Sc.

234
Salomon Gessner (1730-1788)

par Medardus THOENERT, d'après Anton Graff

Eau-forte. H. 0,15 ; L. 0,09.
Inscription : à gauche, « A. Graff pinx » ; à droite : « Thoenert sc ».

Berne, Bibliothèque nationale suisse (inv. 98 St 7622).

Zurichois, fils de libraire, Salomon Gessner a une vocation artistique précoce, modelant enfant des figurines de cire, peignant. Son goût pour la poésie se développe à Berlin où il est apprenti chez un imprimeur en 1749, et où il découvre Lessing, Ramler, Wieland, Klopstock... De retour à Zurich en 1750, il poursuit une carrière de notable — membre du Conseil en 1767 —, d'entrepreneur — propriétaire d'imprimerie — et de poète, bientôt célèbre dans toute l'Europe avec ses *Idylles* (1756) et la *Mort d'Abel* (1758), inspirée de Milton. Il développe une littérature de sentiment, avec un goût pour une nature élégiaque qui sert de cadre à des saynètes morales de sensibilité un peu naïve.
Gessner fut particulièrement apprécié en France. Dominique Vivant-Denon fit son portrait, que grava Saint-Aubin (Bibliothèque nationale, cabinet des Estampes, série N2). L'écrivain fut notamment traduit par Turgot, et sa correspondance avec Grimm éditée. Parallèlement à ses poésies, Gessner eut une activité de peintre (paysages idylliques) et surtout de graveur (illustrations pour les *Fables* de La Fontaine), en particulier pour certains de ses recueils. Ami de Watelet — à qui il dédie, en 1764, dix paysages gravés à l'eau-forte — et de Winckelmann, son rôle dans l'évolution de la peinture d'histoire mérite d'être souligné. Gessner « évoque, en des compositions pittoresques et délicates, où il associe finement à la nature farouche des Alpes les formes tranquilles et simples de la plastique grecque, d'innocentes visions d'Arcadie » (Jean Locquin, *la Peinture d'histoire en France de 1747 à 1785*, Paris, 1912, rééd. 1978, p. 155).

L'estampe de la bibliothèque de Berne reprend un tableau de Anton Graff daté de 1781 (Zurich, Kunsthaus), qui fut abondamment gravé par des artistes différents, et est devenu l'effigie officielle du poète.   G.Sc.

235
Friedrich Gottlieb Klopstock (1724-1803)

par Johann Martin PREISLER, d'après un tableau de Jens Juel

Gravure sur cuivre (taille douce). H. 0,305 ; L. 0,212.
Inscription : en bas à gauche, « Juel pinx : 1780 » ; en bas à droite : « Preisler sculps : 1782 » ; au milieu : « Klopstock ».
Historique : collection Paul Wolfgang Merkel.
Bibliographie : Vierhaus, pp. 1-15 ; Leitschuh, 1886, p. 70, n° 15.

Nuremberg, Germanisches Nationalmuseum
(inv. Mp 12 789).

Grâce à Klopstock, aux yeux duquel le poète avait une mission de prophète, la prise de conscience de cette activité artistique évolua profondément. Après avoir étudié la théologie à Iéna et à Leipzig, il fut répétiteur pendant plusieurs années avant de se rendre en 1751 à Copenhague sur l'invitation du roi du Danemark, qui lui avait accordé une pension. Il s'installa en 1770 à Hambourg comme écrivain indépendant.
Klopstock fait partie des poètes allemands qui accueillirent avec enthousiasme le déclenchement de la Révolution en France. Dans ses odes *Kennet euch selbst* (1789, *Connaissez-vous vous-même*) et *Sie und nicht wir* (1790, *Eux et pas nous*), par lesquelles il saluait la décision de la Convention nationale du 24 mai 1790 de ne plus mener de guerres de conquête, il chanta des louanges à la gloire du peuple français. L'Assemblée nationale lui accorda, ainsi qu'à d'autres étrangers, la citoyenneté française le 26 août 1792. Impressionné par la Terreur, Klopstock se détourna, déçu. Nombre d'intellectuels allemands opérèrent le même revirement. Klopstock refusa néanmoins de renvoyer son diplôme de citoyen à Paris pour protester contre la dictature des Jacobins.
Johann Martin Preisler, à partir de 1744 graveur officiel à la cour de Copenhague et à partir de 1750 membre de l'Académie, réalisa ce portrait en buste du poète avec la tête tournée vers la droite. C'est un portrait de Klopstock par le célèbre peintre danois Jens Juel qui a servi de modèle.   E.Lu.

236
Christoph Martin Wieland (1733-1813)

par Carl Hermann PFEIFFER, d'après un tableau de Johann Friedrich August Tischbein.

Gravure. H. 0,387 ; L. 0,278.
Inscription : en bas à gauche « Gemahlt von F.

Tischbein » ; en bas à droite : « Gestochen von C. Pfeiffer » ; en bas au milieu : « Wieland » ; « Nürnberg, bey Johann Friedrich Frauenholz 1800 ».
Historique : collection Paul Wolfgang Merkel.
Exposition : 1980, Marbach am Neckar, n° 31.
Bibliographie : Fink, 1974, pp. 5-38.

Nuremberg, Germanisches Nationalmusem
(inv. Mp 26 025a).

Wieland écrivit des romans, des pièces en vers et des essais de critique littéraire ; il fut le troisième poète préclassique de renom avec Klopstock et Lessing. Wieland prit position sur la Révolution française dans plusieurs essais publiés par *Der Teutsche Merkur* et *Der Neue Teutsche Merkur* (à partir de 1790). Editeur de cette revue, il s'était donné pour mission d'informer sur les événements importants de l'actualité en Europe. Comme la plupart de ses contemporains rationalistes en Allemagne, Wieland accueillit favorablement la Révolution française. Mais au lieu de l'enthousiasme de Klopstock, Bürger, Schubart, etc., il adopta, lui, une attitude sceptique. Il considérait que la monarchie était le système de gouvernement le plus adéquat et le plus naturel car c'était celui qui, à son avis, garantissait la plus grande stabilité. Il n'acceptait le droit à la révolte que si c'était contre un tyran. A partir de la mort de Mirabeau en 1791, il prit de plus en plus ses distances par rapport à la Révolution.
Le graveur viennois Carl Hermann Pfeiffer travailla ce portrait selon la technique du pointillé ; il parut dans une série de portraits représentant les intellectuels célèbres, publiée en 1800 par l'éditeur de Nuremberg Johann Friedrich Frauenholz. Il prit comme modèle le tableau de Johann Friedrich August Tischbein. Le poète est assis sur un banc de jardin et regarde vers la gauche.
A l'arrière-plan, on voit un paysage idéal avec une sculpture représentant un groupe des Grâces, allusion à son poème *Die Grazien* publié en 1770.   E.Lu.

237
Gottfried August Bürger (1747-1794)

par Johann Heinrich KLINGER

Gravure. H. 0,16 ; L. 0,118.
Inscription : sur le cadre du médaillon : « G.A.Bürger » ; en bas à droite : « J.H.Klinger sculp. Nornb ».
Bibliographie : Fink, 1983, pp. 249-300 ; Hinderer, 1978.

Nuremberg, Germanisches Nationalmuseum
(inv. Mp 3 164).

Gottfried August Bürger était l'un des rares poètes allemands de son temps à transmettre des contenus politiques concrets dans ses textes. Juriste depuis 1772, il abandonna sa charge en 1784 pour enseigner l'esthétique à l'université de Göttingen.
Sa poésie se réfère à des formes et motifs populaires et donne un nouveau départ à un art qui s'était figé dans le formalisme et l'érudition à

l'époque rococo. Dès les années 1770, il témoigna dans ses ballades et ses poèmes de sa sympathie pour les difficultés sociales du peuple et critiqua l'arbitraire des princes. Bürger préférait renoncer aux sommets lyriques dans le style de Klopstock au profit d'une esthétique populaire ; sa poésie ne devait pas être destinée uniquement à la bourgeoisie cultivée mais toucher également les paysans et les artisans.
La Révolution française conduisit à une radicalisation de sa poésie politique. La diffusion de son œuvre lyrique se heurta à la sévérité de la censure alors en vigueur dans la plupart des États allemands.
La gravure de Johann Heinrich Klinger présente le portrait en buste, le profil tourné vers la droite, dans un cadre ovale. La lyre et la couronne de laurier sur le socle du médaillon font référence aux honneurs que reçut le poète.   E.Lu

---

238
Christian Friedrich Daniel Schubart (1739-1791)

par Johann Elias HAID, d'après le dessin du baron Joseph Franz von Goez.

Eau-forte. H. 0,22 ; L. 0,138.
Inscription : en bas, « Auf der Festung Asperg nach dem Leben gezeichnet » (A la citadelle d'Asperg, peint d'après nature) ; en bas à gauche : « von J.F.Goez » ; en bas droite : « gestochen von J.EliasHaid 1783 » ; en bas, « zu finden in Augsburg bey J.J.Haid u. Sohn. »
Exposition : 1980, Marbach am Neckar, n° 67.

Nuremberg, Germanisches Nationalmuseum
(inv. P 17 652).

Schubart qui, après des études de théologie, gagna d'abord sa vie comme musicien, tint une place importante grâce à ses œuvres de poésie politique et à ses activités de journaliste. Dans la revue *Deutsche Chronik*, qu'il fonda en 1774, il avait l'intention, comme il le dit lui-même, de rapporter « les événements politiques et littéraires les plus marquants » ; il s'y livra aussi à une critique très libre du despotisme. Mais les méfaits du souverain étaient interprétés uniquement comme des erreurs de comportement individuelles ; il n'excluait pas qu'un « bon prince » puisse être à l'abri de telles critiques.
Il fut incarcéré, sans jugement de tribunal, de 1777 à 1787 dans la prison d'État de la citadelle de Hohenasperg, sur ordre du duc du Wurtemberg, qui lui reprochait ses écrits. Grâcié en 1787, il revint à la cour princière de Stuttgart en tant que musicien et reprit en même temps la publication de sa *Deutsche Chronik*, qui devint la *Vaterlandschronik* (chronique de la patrie). Ce sont avant tout ses écrits de journaliste dans sa chronique qui se situent au cœur de son activité littéraire. La plupart des contributions étaient consacrées aux événements et aux développements que connaissait la France depuis la Révolution qu'il considérait comme « l'une des manifestations les plus étonnantes de notre siècle ». Il consacra par exemple un article à la fête de la Fédération à laquelle il

Christian Fürchtegott Gellert (cat. 233).

Christoph Martin Wieland (cat. 236).

Salomon Gessner (cat. 234).

Klopstock

Friedrich Gottlieb Klopstock (cat. 235).

Gottfried August Bürger (cat. 237).

Johann Joachim Winckelmann (cat. 239).

Johannes Ewald (cat. 242).

'Christian Friedrich Daniel Schubart (cat. 238).

Gotthold Ephraim Lessing (cat. 240).

Johann Gottfried Herder (cat. 241).

avait assisté à Strasbourg en 1790. Après la mort de Schubart, la revue *Vaterlandschronik* continua de paraître grâce à Gotthold Friedrich Staüdlin et au fils de Schubart Ludwig, jusqu'à ce qu'elle soit interdite en avril 1793 en raison de ses prises de position trop évidentes en faveur de la Révolution française.

Johann Elias Haid, membre d'une famille de graveurs très célèbre au XVIII° siècle, a réalisé de très nombreuses estampes qu'il se chargea aussi de publier.

Le dessin au crayon fait en 1793 par Joseph Franz von Goez servit de modèle à Haid pour sa gravure ; il se trouve aujourd'hui au Schiller Nationalmuseum de Marbach. Schubart est ici de profil, tourné vers la droite, c'est-à-dire inversé par rapport au dessin.   E.Lu.

239
Johann Joachim Winckelmann (1717-1768)

par Louis-Pierre DESEINE

Buste, terre cuite. H. 0,735 (dont piédouche : 0,16) ; L. 0,50 ; Pr. 0,28.
Historique : 1799, commandé par Alexandre Lenoir à Deseine après le décès de Michallon ; Paris, musée des Monuments français ; 1839, déposé par le Louvre au musée historique de Versailles.
Exposition : 1800, Paris, Salon, n° 421 (écrit dans le livret « en marbre » par erreur).
Bibliographie : Lenoir, an V, n° 401 (et éditions postérieures) ; cat. Versailles [1845], p. 151 ; Soulié, I, 1854, p. 160, n° 637 ; Courajod, I, 1878, n° 80, pp. 113-114 ; Lapparent, II, 1985, pp. 461-464.

Versailles, musée national du Château
(inv. L.P. 515 ; M.V. 646).

L'importance et le rayonnement de Winckelmann furent salués moins de quarante ans après sa mort par une monographie célèbre de Goethe (publiée en 1805), qui s'attacha à évaluer l'écrivain au-delà de ses prises de position esthétiques, et à lui donner une stature intellectuelle en plein accord avec l'esprit des Lumières.

Issu d'un milieu simple, il parvint, après avoir été bibliothécaire à Dresde chez un historien, à obtenir une bourse qui lui permit de visiter l'Italie. Ses *Réflexions sur l'imitation des œuvres grecques dans la sculpture et la peinture* (1755), traduites presque aussitôt en français (puis en anglais), lui valurent la célébrité, et l'aisance matérielle : il devint conseiller du cardinal Albani, ce dernier collectionneur fastueux de sculptures antiques, président des Antiquités et bibliothécaire du Vatican.

Dès ce premier livre il se fait l'apologue de l'art grec qu'il faut imiter sans relâche ; là est le secret de l'équilibre entre la sérénité de l'âme et l'expression des passions.

Nourri en Italie par la fréquentation des collections princières (il rédigea en 1760 le catalogue de la collection du baron Stosch) et des découvertes archéologiques, en particulier celles d'Herculanum, il publia en 1764 son chef-d'œuvre, l'*Histoire de l'art de l'Antiquité*, vaste dissertation où il put développer sa théo-

rie sur le beau en s'appuyant sur les auteurs classiques, et surtout sur la vision directe des œuvres ; ce souci de méthode et de classification en fait un authentique historien de l'art. Mais l'acuité de son jugement d'esthète rejoignait les préoccupations de son temps quand il assimilait l'essor de l'art en Grèce avec l'esprit de liberté qui était censé y régner.

Alexandre Lenoir était un admirateur de Winckelmann ; il voulut dans son musée des Monuments français lui ériger un monument factice ; il demanda à Michallon de réaliser un buste rétrospectif de l'écrivain qui serait placé au-dessus d'un bas-relief antique naguère publié par Winckelmann et qui devait en orner le socle. Le 17 nivôse an V (6 janvier 1797), il note dans son *Journal* qu'il a transmis la commande afin que le sculpteur reçoive du marbre (Courajod, *op. cit.*, n° 807). A la mort de Michallon en 1799, la réalisation échut à Deseine, qui envoya le 3 mai et le 25 juin 1800, deux exemplaires de son buste à Lenoir, le dernier en plâtre. Le buste en marbre (Toulouse, musée des Augustins) fut exécuté bien plus tard, en 1818. Nulle part, semble-t-il, il n'est fait mention d'un buste en terre cuite ; à moins qu'il ne s'agisse du premier envoi à Lenoir en mai 1800.

Il s'agit sans conteste d'un des plus beaux portraits de Deseine. Winckelmann n'est nullement héroïsé à l'antique, comme on pourrait s'y attendre concernant le théoricien du néoclassicisme. Il est représenté en débraillé d'artiste, le col ouvert, dans une mise en page qui évoque Pajou et rattache fortement le buste à la tradition du portrait français du XVIII° siècle.   G.Sc.

240
Gotthold Ephraïm Lessing (1729-1781)

par Johann Friedrich BAUSE, d'après le tableau peint par Anton Graff

Gravure. H. 0,28 ; L. 0,208.
Inscription : en bas à gauche « Anton Graff Pinx » ; en bas à droite : « I.F. Bause sculps.Lips.1772 » ; au milieu : « zu finden in Leipzig bey dem Verfasser ».
Exposition : 1981, Wolfenbüttel, n° 31.
Bibliographie : Berckenhagen, 1967, pp. 243-245.

Nuremberg, Germanisches Nationalmusem
(inv. Mp 13 943).

Lessing joua un rôle déterminant dans l'émergence d'une littérature nationale allemande ; il fut en avance sur son époque en jetant les bases de l'idéal humaniste repris par les classiques allemands.

Après des études de médecine et de théologie, il travailla comme rédacteur et critique à Berlin ; il publia avec Friedrich Nicolai et Moses Mendelssohn la revue *Briefe, die neueste Literatur betreffend* (*Lettres concernant la nouvelle littérature*, 1759-1765). En 1767, il s'installa comme dramaturge au Deutsche National-theater de Hambourg, qui venait d'être ouvert. Dans sa *Dramaturgie de Hambourg* (1767-1769), il accorda beaucoup plus d'importance

à Shakespeare et au théâtre allemand qu'aux auteurs classiques du théâtre français pris jusqu'alors en exemple. En 1779, il publia *Nathan le Sage*, œuvre dans laquelle il plaide pour la tolérance sous forme de poème dramatique. La véritable religion se traduit par des agissements et des sentiments conformes à la morale.

Lessing créa en Allemagne le type du drame bourgeois allemand qui met en relief la prise de conscience croissante d'une classe bourgeoise qui sait exprimer ses propres valeurs et ses propres comportements sans devoir faire référence à la noblesse. Ces normes n'étaient pas présentées comme étant l'apanage d'une seule classe mais comme simplement universelles, humaines, naturelles et valables pour toutes les couches sociales. Johann Friedrich Bause fut le plus célèbre graveur de son temps. Il grava quarante-cinq portraits d'après les tableaux d'Anton Graff, qui avait peint presque toutes les grandes personnalités de l'*Aufklärung*, dont Lessing en 1771. Ce portrait ovale tourné vers la gauche, réalisé en 1772, est inversé par rapport au modèle original.

                                                    E.Lu.

241
Johann Gottfried Herder (1744-1803)

par Carl Hermann PFEIFFER, d'après un tableau de Johann Friedrich August Tischbein

Gravure au pointillé. H. 0,382 ; L. 0,272.
Inscription : en bas à gauche : « Gemahlt von F. Tischbein » ; en bas à droite : « gestochen von C. Pfeiffer » ; en bas au milieu : « Nürnberg, bey Johann Friedrich Frauenholz. 1800 ».
Historique : collection Paul Wolfgang Merkel.
Bibliographie : Verra, 1986, pp. 224-238.

Nuremberg, Germanisches Nationalmuseum
(inv. Mp 10 563ª).

Critique et théoricien littéraire, historien et philosophe, Johann Gottfried Herder exerça une influence importante sur la naissance d'une littérature nationale allemande et contribua à une prise de conscience historique. A partir de 1762, il étudia la théologie et la philosophie à Königsberg, où il fut d'abord l'élève d'Emmanuel Kant avant de se joindre à Johann Georg Hamann. A partir de 1764, il fut plusieurs années enseignant et pasteur à Riga jusqu'à ce qu'en 1776 il obtienne grâce, à l'aide de Goethe, la chaire de premier prédicateur à l'église de la ville de Weimar. En dehors de ses travaux de linguistique, ce sont surtout ses ouvrages traitant de la philosophie de l'histoire qui sont les plus importants. Dans ses *Ideen zur Philosophie der Geschichte der Menschheit* (*Idées sur la philosophie de l'histoire de l'humanité*, 1784-1791), Herder considérait l'histoire de l'Homme depuis les civilisations les plus anciennes jusqu'à l'ère moderne, comme une évolution en direction de plus d'humanité.

La Révolution était considérée comme force active du processus naturel. Après la Révolution française, le concept de la révolution vu par Herder changea. La Révolution, qu'il avait d'abord accueillie comme le lever d'une aube nouvelle, donna lieu ensuite à une condamnation de sa part sous l'effet de la Terreur; mais aussi parce qu'elle représentait quelque chose de totalement nouveau et par conséquent un bouleversement violent de l'ordre naturel de la nature.

Carl Hermann Pfeiffer grava cette œuvre au pointillé d'après le tableau que Johann Friedrich August Tischbein avait réalisé. Le portrait montre l'homme de lettres assis dans un fauteuil à côté d'une petite table sur laquelle tous ses accessoires pour écrire sont prêts à servir.   E.Lu.

242
Johannes Ewald (1743-1781)

par Johann Friderich CLEMENS

Gravure. H. 0,201; L. 0,139.
Inscription: «JOHANNES EWALD / Fød d: 18 Novbr: 1743 / i Kiøbenhavn. Clemens del: et Sculps:».
Historique: orne la page de titre d'un recueil d'œuvres du poète (1780).
Bibliographie: Swane, 1929, n° 121.

Copenhague, Statens Museum for Kunst, cabinet des Estampes (inv. 559, 2).

Ewald est, avec Klopstock, le principal représentant du préromantisme au Danemark. Attentif à toutes les idées littéraires qui fleurissaient à l'époque en Europe de l'Ouest, il écrivit un drame religieux (*Adam og Eva*, 1769), peu après le succès du *Messie* de Klopstock, ainsi qu'une autobiographie dans le style de Laurence Sterne. Le poème d'*Ossian* de Macpherson et le *Recueil de poésie anglaise ancienne* de Percy l'incitèrent à s'intéresser aux anciens textes nordiques. Son projet de compiler les ballades norvégiennes des îles Faroe n'a pas abouti. Mais il a été le premier, avec son drame de *Rolf Krake* (1770, d'après Saxo Germanicus) et surtout son célèbre *Balders Død* (1775), à introduire les légendes et les mythes scandinaves dans la poésie et au théâtre. La beauté majestueuse de ses poèmes lyriques lui a valu une place de choix dans le Parnasse nordique. L'un de ses refrains est devenu l'hymne national.

S'efforçant de vivre exclusivement de sa plume, Ewald fut le premier Danois à exercer pleinement la profession de poète. Il eut une vie brève et tragique mais sa manière de concevoir son art a marqué, à l'époque, un tournant face à l'émergence d'un public bourgeois.

L'illustration des œuvres d'Ewald fut l'objet d'un léger scandale. Clemens et Abildgaard en avaient reçu la commande. Pour *Balders Død* (1779), Abildgaard avait fait appel, avec Peter Cramer, à l'ancien style norvégien. Mais dans les dessins pour *Adam og Eva*, adaptés au nouveau style du poète, la nudité d'Adam et d'Ève choqua et le travail fut confié à Daniel Chodowiecki.   P.Kr.

243
Johan Herman Wessel (1742-1785)

par Johann Friderich CLEMENS

Gravure. H. 0,229; L. 0,161.
Inscription: «Juel del:1784 /Clemens sculps:/ Wessel, Graad smelted hen i Smil,naar Wessels Lune bod, / og Glaedens Smil fprsvandt i Taarer ved hans Dod. / Baggensen».
Historique: exécuté en 1786-1787, aussitôt après la mort de Wessel, d'après un dessin de Jens Juel de 1784; orne la page de titre du recueil de ses poèmes en 1787; répété en 1799.
Bibliographie: Swane, 1929, n° 225.

Copenhague, Statens Museum for Kunst, cabinet des Estampes.

Premier représentant nordique d'une tendance classique qui prenait comme idoles littéraires Pope, et en particulier Voltaire, Wessel fut une figure de proue de la société norvégienne patriotique. La postérité devait voir en lui l'antipode de Klopstock et d'Ewald, qui prônaient un retour au style préromantique nordique. Il est donc paradoxal que ce soit une parodie gaie et bienveillante de la tragédie classique d'inspiration française qui ait établi sa renommée. Chef-d'œuvre d'humour, son *Amour sans bas* (1772) a survécu à l'objet de sa satire. Sorte d'«hilaro-tragédie», l'intrigue est excellente, et le maniement de l'alexandrin témoigne d'une grande maîtrise.

Sa production est peu abondante, mais caractérisée toujours par une extrême finesse stylistique. Les épigrammes grossiers alternent avec les fables légères sur le modèle de La Fontaine. Wessel mourut en 1785, appauvri et alcoolique. J.F. Clemens a illustré tous les grands auteurs de l'époque, célébrés aujourd'hui comme les pères fondateurs de la littérature norvégienne. Travaillant en collaboration avec Wiedewelt, Abildgaard et Juel, ses illustrations sont devenues des classiques.   P.Kr.

244
Johann Friderich Struensee (1737-1772)

par Johann Martin PREISLER, d'après une gravure de Johan Michael Zell

Gravure. H. 0,223; L. 0,185.
Inscription: «Johan Frederic Strueense» «et perisse a jamais/ le citoyen perfide/ qui portant sur l'Etat/ une main parriade/ vou droit par ses/ projekt en troubler/ le repos, et d'un/ etat reglé faire/ un afreux cahors».

Copenhague, Statens Museum for Kunst (inv. 708, 50).

Johann Friderich Struensee était le fils d'un vicaire de Halle. Il fit des études de médecine et, à partir de 1758, exerça dans la ville d'Altona en Holstein. Très intéressé par les problèmes sociaux, il était un lecteur de Voltaire et de Jean-Jacques Rousseau.

En 1768, il fut nommé médecin du roi fou

Christian VII, chargé de l'accompagner dans ses voyages en Allemagne, Hollande, Angleterre et France. Au retour, il demeura à la cour et gagna la confiance de la reine Caroline-Mathilde, délaissée et d'origine anglaise. Il devint son amant et très vite bénéficia du pouvoir absolu, en principe l'apanage du seul roi. En 1770, il devint maître des Requêtes et eut le droit de transmettre les ordres du roi.

Ce pouvoir usurpé et sa relation avec la reine le rendirent extrêmement impopulaire. En outre, l'éducation donnée au prince héritier, d'après les principes de J.-J. Rousseau, le fit accuser de vouloir assassiner ce dernier. En réalité, Struensee entreprit des réformes nécessaires. Il créa un comité chargé d'améliorer la condition des paysans, décréta la liberté de la presse, tenta d'établir l'égalité devant la loi et d'adoucir le châtiment des criminels. Il travaillait indubitablement à l'amélioration de la société danoise et ses intentions étaient louables. Mais il eut le tort d'agir en empruntant le pouvoir qui, légalement, revenait au roi. Malgré son attention aux problèmes de société, de santé et ses réformes éclairées, il fut vite considéré comme un autocrate et un tyran.

En 1772, la reine mère, Juliane-Marie, et le prince héritier, Frédéric, firent un coup d'État contre Struensee. Celui-ci fut arrêté, exécuté, et la reine, divorcée d'avec le roi, exilée du Danemark. Elle vécut jusqu'à sa mort, en 1775, dans une ville du Hanovre (alors possession anglaise). Le nouveau gouvernement annula les réformes de Struensee. La situation redevint la même qu'auparavant jusqu'au nouveau coup d'État de Frédéric VI, en 1784, mené contre la reine mère et son oncle, alors qu'il n'avait que seize ans.   K.Kr.

245
Jean-Nicolas de Hontheim (1701-1790)

par Johann Rudolf STÖRCHLIN, d'après Felix Rhenastein

Gravure au burin. H. 0,295; L. 0,187.
Inscription: «IOANNES NICOLAUS-AB HONTHEIM/EPISCOPUS-MYRIOPHITANUS/SUFFRAGANEUS-TREVIRENSIS»; au milieu les armoiries du prélat: coupé, en chef d'azur au lévrier courant d'argent, lampassé de gueules, colleté d'or, bordé de gueules, en pointe d'or plain; en bas à gauche: «Ludov.Felix Rhenastein pinxit.»; en bas à droite: «Joan Rudolph.Störcklin Cath.Sculps.Aug.Vind».

Luxembourg, Musée national d'histoire et d'art du Grand-Duché (inv. 8-4).

L'évêque auxiliaire de Trèves, Jean-Nicolas de Hontheim, seigneur de Montquintin, coseigneur de Dampicourt et de Rouvroy, est né à Trèves le 17 janvier 1701. Ses parents, Charles-Gaspar de Hontheim et Anne-Margaretha d'Anethan, appartenaient à des familles patriciennes de l'électorat de Trèves, qui était à cheval sur le Luxembourg et le Trévirois. Comme l'archidiaconat de Longuyon appartenait au diocèse de Trèves, Jean-Nicolas de Hontheim exerçait sur une grande

Johan Herman Wessel (cat. 243).

Johann Friderich Struensee (cat. 244)

Jean-Nicolas de Hontheim (cat. 245).

Gaspar Melchor de Jovellanos (cat. 246).

Pedro Rodriguez, comte de Campomanes (cat. 247).

Le Deuxième Duc de Lafões (cat. 248).

António Nunes Ribeiro Sanches (cat. 249).

Abbé José Correia da Serra (cat. 250).

Luis António Verney (cat. 251).

partie du duché de Luxembourg les fonctions d'évêque auxiliaire de trois archevêques de Trèves : François-Georges, comte de Schönborn-Püchheim-Wolfsthal (1729-1756), Jean-Philippe, baron de Walderdorff (1756-1768) et Clément-Venceslas, prince de Saxe (1768-1794, 1803, † 1812). C'est au duché de Luxembourg, dans son château de Montquintin, où il s'était retiré, qu'est mort, le 2 septembre 1790, Jean-Nicolas de Hontheim.

Sous le pseudonyme, *Justinus Febronius*, Jean-Nicolas de Hontheim publia en 1763 son ouvrage : *De statu ecclesiae et legitima potestate Romani Pontificis liber singularis ad reuniendos in religione dissidentes Christianos compositus.* Ce livre est une compilation de griefs de l'Église catholique du Saint Empire contre la Curie et les nonciatures. Il propose de limiter certains pouvoirs du pape et de renforcer le rôle des évêques, de ceux notamment qui exercent aussi un pouvoir temporel. Par là, il prône une plus grande indépendance de l'Église allemande. Le fébronisme, partiellement issu du gallicanisme, sera, plus tard, rapproché du joséphisme. Dès sa parution, *De statu ecclesiae* de Febronius trouva un vaste écho à travers l'Europe catholique et suscita de vives polémiques.

Contraint par le pape Pie VI, Jean-Nicolas de Hontheim finit par se rétracter en 1778. Certains virent en lui un martyr. Souhaitant adapter l'Église catholique romaine aux réalités allemandes de son époque, Jean-Nicolas de Hontheim n'avait-il pas voulu, avant tout, réunir les divers courants religieux du Saint Empire ? Sur sa tombe il fit inscrire : « Tandem liber, tandem tutus, tandem aeternus. » G.Th.

246
Gaspar Melchior de Jovellanos (1744-1811)

par Bartolomé VÁSQUEZ

Gravure. H. 0,177 ; L. 0,121.
Inscription : « Vásquez Lo grabó 1798. El Exmõ. Sr. D. Gaspar de Jovellanos. Secretario de Estado y del despacho universal de Gracia y Justicia, natural de la villa de Gijon ».
Bibliographie : Paez Rioz, III, 1983, p. 234.

Madrid, Bibliothèque nationale, cabinet des Estampes (inv. I-H 4624 - 1).

Noble asturien, Jovellanos commence tôt une brillante, bien que mouvementée, carrière politique (il est procureur à Séville à vingt-quatre ans). Charles III l'appelle à Madrid où il joue un grand rôle jusqu'à la mort du monarque en 1788. Ami de Campomanes, francophile, il est le représentant des Lumières en Espagne. Il est éloigné de Madrid après l'avènement de Charles IV et le règne de Godoy, jusqu'à son rappel en 1797, et son exil définitif en 1808. Son activité littéraire est importante : comédies larmoyantes, recueils de poésies, traductions (Milton). Sa bibliothèque contenait les principaux auteurs du siècle (mais peut-être pas les livres les plus essentiels) : Locke, Gibbon, Montesquieu (l'*Esprit des lois*) Voltaire (poésies et théâtre), Condillac, Buffon, Condorcet (*Vie de*

Turgot), Adam Smith, Rousseau (*les Confessions*), Bernardin de Saint-Pierre, Paine (*Rights of man*), Burke (les *Réflexions sur la Révolution en France*, dont les traductions espagnoles clandestines circulaient à partir de 1790 ; le livre fut interdit par l'Inquisition en 1796), l'abbé Barruel (voir Richard Herr, *The Eighteenth Century Revolution in Spain*, Princeton, 1958, pp. 59, 68 et 373). On remarque ici le double pendant de Jovellanos pour la littérature de sentiment et les théories des physiocrates. En 1795, il rédige à la demande de la société économique de Madrid son livre essentiel, *Rapport sur la loi agraire* (interdit par la censure) où il attaque les privilèges des nobles (il dénonce leur inutilité sociale) et du clergé (il propose des taxations), tout en faisant l'apologie du travail de la terre. Mais s'il accuse violemment, il ne prêche pas la révolte, et propose plus des accommodements que des vraies réformes de fond.

Son attitude envers la Révolution française montre bien les limites de son engagement libéral : il est partisan d'une monarchie constitutionnelle à l'image de l'Angleterre, et devient vite hostile au principe du gouvernement républicain (à plus forte raison celui de l'an II). Patriote, il refuse de participer au régime de Joseph Bonaparte que pourtant certains de ses amis vont rallier. Intellectuel passionné de linguistique, voulant mener son pays dans la modernité en réhabilitant l'éducation, l'étude du castillan (au détriment des humanités gréco-latines) et des sciences, Jovellanos est l'exemple type de l'homme des Lumières s'efforçant de poser les bonnes questions. G.Sc.

247
Pedro Rodriguez,
comte de Campomanes (1723-1802)

par Ferdinand SELMA, d'après Mengs

Gravure. H. 0,440 ; L. 0,315.
Inscription : « D. Anton. Mengs ad rerum pinxit. Ferdin Selma sculp.r el conde de Campomànes ». Au crayon, en bas, à droite : « A ».
Bibliographie : Paez Rios, III, 1983, p. 140 (2020-56).

Madrid, Bibliothèque nationale, cabinet des Estampes (inv. I-H 7989-4).

Homme politique d'importance considérable, le comte de Campomanes est l'image — à l'instar peut-être de Turgot, voire de Pombal — de l'homme d'État influencé par les Lumières. En 1765, il est nommé par Charles III, despote éclairé, au conseil de Castille où il se distingue, avec le comte de Aranda, au moment de l'expulsion des jésuites d'Espagne. Influencé par les physiocrates, il publie en 1764 à Madrid un *Mémoire* sur la liberté du commerce des grains. En 1788, à l'avènement de Charles IV, il est président du conseil de Castille puis ministre d'État. Mais la faveur du comte de Floridablanca va le précipiter dans une tenace disgrâce. Auteur de nombreux ouvrages d'économie politique — il crée les sociétés économiques des Amis du pays, où se regroupe une élite influencée par les Lumières — dans lesquels il développe la nécessité pour l'Espagne d'encourager l'enseignement et l'industrie, Campomanes poursuit également des activités littéraires ; ami de Jovellanos, il est correspondant de l'Académie des belles-lettres de Paris, et membre de la Société philosophique de Philadelphie. En 1775, il recommande la traduction de certains articles de l'*Encyclopédie* (interdite par l'Inquisition depuis 1799 ; l'*Encyclopédie méthodique* de Panckouke put circuler en revanche à partir de 1780) concernant les arts et les métiers. G.Sc.

248
Le Deuxième Duc de Lafões (1719-1806)

par Juste CHEVILLET, d'après Louis Trinquesse

Eau-forte sur cuivre. H. 0,490 ; L. 0,353.
Inscription : « Qui mores hominum multorum vidit er urbs » ; « Peint par Trinquesse en 1779 - Gravé par Chevillet, graveur de Sa Magté Imperiale et Royale en 1781 ».
Exposition : 1982, Lisbonne, n° 51.

Lisbonne, collection Dr. Artur Gouveia de Carvalho.

D. João Carlos de Bragança Sousa Ligne Tavares de Mascarenhas e Silva, fils cadet de l'infant D. Miguel (fils du roi D. Pedro II qu'il légitima), reçut du roi D. João V le titre de « neveu du roi ». Il étudia les humanités et la philosophie, mais n'embrassa pas la vie ecclésiastique qui lui était destinée. Pour des raisons encore mal éclaircies, il s'exila volontairement à Londres pendant le règne de D. José Ier et y fut élu membre de la Royal Society. Engagé volontaire dans l'armée autrichienne pendant la guerre de Sept Ans, il voyagea ensuite à travers une grande partie de l'Europe, ainsi qu'en Égypte et en Orient ; il fréquenta les centres scientifiques les plus célèbres, où on le considéra comme un homme des Lumières accompli. De retour au Portugal au début du règne de D. Maria Ire, il recouvra ses titres et ses biens, et fonda en 1779 l'Académie royale des sciences, dont il fut élu président à vie. A partir de 1780, il exerça diverses charges publiques, notamment dans le domaine militaire (membre du conseil de guerre, gouverneur des armes de la cour, maréchal-général). Rendu responsable de la défaite de l'armée portugaise pendant la courte « guerre des Oranges » (1801), il fut démis de toutes ses fonctions et dut se retirer dans ses terres. A l'âge de 68 ans, il épousa l'une des plus belles jeunes filles de Lisbonne, Henriqueta Maria Júlia de Lorena e Meneses, fille du cinquième marquis de Marialva.

M.-H.C.d.S. et A.M.-D.S.

249
António Nunes Ribeiro Sanches
(1699-1783)

Gravure. H. 0,140 ; L. 0,110.
Inscription : « ANTOINE NUNES RIBEIRO SANCHES NE LE 7 MARS 1699. MORT LE 14 OCTOBRE 1783 ».
Bibliographie : Willemse, 1966.

Lisbonne, collection Dr. Raul Rego.

Ribeiro Sanches a fait une double carrière de médecin et d'écrivain. Dénoncé à l'Inquisition pour judaïsme, il dut s'exiler en 1726 et ne revint jamais au Portugal. Après de courts séjours à Londres, en France et en Hollande, il fut appelé en Russie où il devint médecin des armées impériales et de la cour (1723-1747). A nouveau dénoncé comme juif, il dut se démettre de ses charges et choisit alors de s'installer à Paris, où il vécut de l'exercice de la médecine et d'une pension que lui attribua la nouvelle tsarine Catherine II, en reconnaissance des soins qu'elle avait reçus de lui dans sa jeunesse. Collaborateur de l'*Encyclopédie* de Diderot pour les articles relatifs à la santé, il est l'auteur de plusieurs ouvrages dans le domaine de la pédagogie, des sciences, des beaux-arts, etc. Malgré son exil, il collabora aux réformes entreprises au Portugal par Pombal, auquel il suggéra notamment la création du Collège royal des nobles et l'abolition de la distinction entre « vieux-chrétiens » et « nouveaux-chrétiens » (juifs convertis), afin d'éviter à ceux-ci les persécutions de l'Inquisition.
La gravure fut éditée en frontispice des *Observations sur les maladies vénériennes*. Exécutée dans la tradition du classicisme, elle représente le médecin portugais à un âge avancé, sans perruque et le cou nu. Elle fut réalisée peu après la mort du modèle.

M.-H.C.d.S. et A.M.-D.S.

Les juifs dans la société européenne à la veille de la Révolution française

Le processus historique, intellectuel et politique appelé siècle des Lumières concerne une population européenne qui, depuis la Renaissance, avait accompli d'immenses progrès dans tous les domaines. Seule, la situation des juifs d'Europe restait celle du Moyen Age. Presque partout, les juifs étaient soumis aux lois et réglementations rétrogrades, destinées à les maintenir dans un état d'infériorité et d'exclusion.

Dans la société européenne, l'image du juif restait fort négative. Malgré une présence multiséculaire, le juif était considéré comme un étranger. Sa religion était honnie. Objet de préjugés, soupçonné d'être malhonnête en affaires, le juif était souvent traité de voleur, de parasite, etc. Ces attitudes étaient communes à l'ensemble du monde européen, tant catholique que protestant. Encore que certains pays protestants (l'Angleterre, la Hollande) accordaient aux juifs des droits assez étendus au nom du libéralisme économique et politique, pendant que les pays nordiques leur refusaient le droit de résidence.

Au XVIIIᵉ siècle, la situation des juifs était différente de pays à pays. Certains royaumes catholiques comme la France et l'Espagne avaient expulsé tous leurs juifs dès le Moyen Age. Dans les territoires ou principautés d'Allemagne ou d'Italie, leur statut pouvait changer d'un lieu à l'autre et même d'un moment à l'autre, selon la volonté du souverain du moment.

Le siècle des Lumières allait apporter à cette situation des modifications importantes. Notons l'influence néfaste de Voltaire, dont l'antisémitisme reste notoire et qui professait à l'égard des juifs les préjugés les plus éculés. En outre, Voltaire considérait la religion comme un obstacle à la liberté, et blâmait les juifs d'avoir répandu le monothéisme, père du christianisme.

Parmi les esprits du siècle des Lumières, la position de Voltaire était exceptionnelle. Les grands penseurs de l'époque comme l'Allemand Christian Wilhelm von Dohm, son célèbre disciple français, le comte de Mirabeau et l'Anglais John Towland voulaient supprimer les exclusions dont les juifs étaient victimes. En passant en revue les défauts dont l'opinion affligeait les juifs, ils démontraient que ceux-ci résultaient des discriminations dont les juifs étaient l'objet. Ils démontraient aussi que la persécution des juifs, basée sur la religion, était contraire à l'esprit des Lumières.

C'était également l'opinion des lauréats du concours lancé par l'académie royale des Arts et des Sciences de Metz en 1786, sur la question : « Est-il des moyens de rendre les juifs plus heureux et plus utiles en France ? » On se souvient de la réponse de l'abbé Grégoire qui reprenait et développait l'argumentation des philosophes déjà cités.

La fin du XVIIIᵉ siècle marque une évolution favorable sur le plan de la tolérance religieuse. L'Empire austro-hongrois, qui est multilingue, multinational et multireligieux, joue un rôle de pionnier. Dès 1782, l'empereur Joseph II prend des mesures en faveur des juifs.

Certes, il n'en fait pas des citoyens à part entière ; mais ses « Lettres de tolérance » suppriment les réglementations les plus vexatoires et discriminatoires dont ils étaient victimes. En 1784, Louis XVI supprime également certaines mesures vexatoires, comme la taxe corporelle.

Certains pays protestants les avaient précédés. Au Pays-Bas, les juifs jouissaient de la plupart des droits de citoyens. Lorsque au XVIIᵉ siècle, après quatre cents ans d'absence par une suite d'expulsion, les juifs sont réadmis en Grande-Bretagne, ils vont rapidement être intégrés dans la société anglaise. Dès 1740, ils peuvent solliciter la citoyenneté britannique ; en 1753, le gouvernement britannique leur accorde la naturalisation. Mais les réactions populaires négatives vont retarder l'application de cette loi. Il convient de souligner ici la différence qui existait alors entre nationalité et citoyenneté. Un *national* était le ressortissant d'un pays et *sujet* du roi. Cela n'impliquait pas pour lui des droits de citoyen ; la citoyenneté implique la totalité des droits, comprenant la capacité d'être électeur et éligible et d'exercer toutes les charges publiques.

Cependant, même dans les pays qui avaient adopté une législation égalitaire, la vivacité des anciens préjugés empêchait les juifs d'exercer certaines fonctions, comme celles de juge ou de percepteur. Les anciennes exclusions, entrées dans les mœurs depuis des siècles, ne pouvaient être extirpées d'un coup.

Les juifs eux-mêmes ne restaient pas inactifs dans la lutte pour l'émancipation. Parmi les personnalités les plus remarquables, citons le philosophe Moïse Mendelssohn, que Mirabeau avait découvert lors de son exil en Allemagne et qui lui a inspiré un livre. En France, le bibliothécaire du fonds hébraïque de la Bibliothèque royale, le « juif polonois » Zalkind Hourvitz, qui avait également participé au concours de Metz. Dans le processus menant vers l'émancipation, notons à la veille de la convocation des États généraux, la permission donnée aux juifs de participer à l'élaboration des cahiers de doléances et à élire leurs représentants pour cette assemblée. Les notables juifs élus s'étaient déjà illustrés auparavant par leurs actions pour les droits de l'homme.

Le processus était ainsi engagé qui, en garantissant leurs droits civiques et politiques, allait permettre aux juifs de devenir membres à part entière des sociétés dans lesquelles ils vivaient. Au XVIIIᵉ siècle, la plupart des juifs d'Europe avaient déjà adopté les mœurs et la langue du pays où ils résidaient. Leurs contacts avec la population leur gagnaient des appuis et facilitaient leur lutte pour l'émancipation. Mais même la société révolutionnaire a mis du temps à saisir les divers aspects du problème juif. Les révolutionnaires pensaient que l'égalité allait rendre tous les hommes pareils. Les juifs réclamaient l'égalité *et* le droit à la différence.

Léon Abramowicz

250
Abbé José Correia da Serra (1750-1823)

Lithographie. H. 0,282 ; L. 0,198.
Inscription : «Abbade José Corrêa da Serra.
Commendador da Ordem da Conceição. Conselheiro
da Fazenda. Nasceo na Villa de Serpa em 6 de Junho
de 1750. Foi educado em Roma, aonde tomou ordem
de Presbytero em 1775. Secretário da Academia Real
das Sciencias de Lisboa e um dos seus fundadores
em 1779. Conselheiro da legação em Londres em
1801. Ministro Plenipotenciario nos Estados Unidos
d'America em 1816. Deputado às Cortes Ordinarias
em 1822. Membro correspondente do Instituto de
França. Socio da Sociedade Real de Londres e das
dos Antiquários e de muitas outras Sociedades Scien-
tificas e Litterarias, Philologo, Naturalista, e Histo-
riador. Escreveu sobre Botanica, Agricultura, Geo-
logia, Historia, Antiguidades & Faleceu nas Caldas
da Rainha a 11 de Setembro de 1823.»
Exposition : 1987, Queluz, nº 251.

Lisbonne, Museu nacional de Arte Antiga
(inv. MNAA 11171).

L'abbé Correia da Serra, élevé à Rome, y fut
ordonné prêtre en 1775. De retour à Lisbonne,
il fut l'un des fondateurs et le secrétaire de
l'Académie royale des sciences créée en 1779.
Esprit libre et ouvert aux Lumières, il s'intéressa aux sciences naturelles aussi bien qu'à
l'agriculture, à la philologie ou à l'histoire. Il
fut conseiller à la légation du Portugal à
Londres (1801), puis ministre plénipotentiaire
aux États-Unis (1816), enfin député aux Cortes
à Lisbonne (1822).

M.-H.C.d.S. et A.M.-D.S.

251
Luis António Verney (1713-1793)

par NOLLI

Gravure sur cuivre. H. 0,220 ; L. 0,140.
Inscription : «ALOYSIUS ANTONIUS VERJENUS
/ REGII ORDINIS CH. EQUES TORQUATUS /
ARCHIDIAC EBORENSIS». «Nolli Pinx - Sc.»
Exposition : 1982, Lisbonne, nº 108.

Lisbonne, collection Dr. Artur Gouveia de Carvalho.

Verney, philosophe et pédagogue d'origine
française, occupe une place de premier plan
dans l'histoire de la culture au Portugal.
Eduqué chez les jésuites, puis chez les oratoriens, il étudia la théologie à Evora et fut
ordonné prêtre avant de partir définitivement
pour Rome en 1736. Auteur de plusieurs traités
de philosophie, logique, théologie et métaphysique, ainsi que d'une grammaire latine et d'une
grammaire portugaise, il est principalement
connu pour l'ouvrage qu'il publia à Naples, en
1746, sous le titre de *Verdadeiro método de estu-
dar (Véritable méthode pour étudier)*. Dans ce
traité en forme de lettres, on trouve une discussion approfondie de l'enseignement au Portugal — notamment une violente critique de la
pédagogie des jésuites. Cette œuvre a inspiré
partiellement les réformes de l'enseignement

entreprises par Pombal. En 1780, Verney fut
élu membre correspondant de l'Académie
royale des sciences de Lisbonne, mais il ne
revint jamais au Portugal.

M.-H.C.d.S. et A.M.-D.S.

252
Adam Smith (1723-1790)

par James TASSIE

Bas-relief en médaillon, pâte de verre. H. 0,075.
Inscription : sur la découpe, «Adam Smith/...
YEAR/1787».
Bibliographie : cat. Edimbourg, 1889 ; Forrer, 1916,
p. 24 et p. 31.

Edimbourg, Scottish National Portrait Gallery
(inv. P4 157).

Universitaire brillant — à 28 ans il fut nommé
professeur de littérature à Glasgow, et à 30 ans
titulaire de la chaire de philosophie morale —,
il voyagea en France où il rencontra, muni de
lettres de recommandation de David Hume, les
physiocrates (1763-1766) avant de se consacrer à l'ouvrage qui le rendit célèbre, *la Richesse
des Nations* (1776) où il développe une théorie
de la croissance d'une économie nationale ; il
distingue les trois facteurs de production, travail, capital et terre. La partie la plus neuve de
son livre réside dans l'importance qu'il donne
au travail — le travail est la source de la
richesse — et au salaire qui en découle, préfigure des travaux de Karl Marx.

L'extraordinaire retentissement du livre dès sa
parution doit également être replacé dans le
contexte de l'économie anglaise qui s'engage
dans l'industrialisation, et va puiser chez
Adam Smith les grands principes du libéralisme.
James Tassie fut un des plus célèbres mode-
leurs de son temps. Après avoir étudié à Dublin
chez un physicien, Henry Quin — qui s'occupait durant ses loisirs à faire des imitations
d'après des gemmes antiques —, il inventa une
sorte de pâte de verre qui devait lui servir de
matériau de prédilection. Il reçut un prix de la
Société des Arts de Londres en 1766-1767, et
dès 1769 collabora avec Wedgwood et Bentley ;
ce fut lui qui prépara en particulier les premiers
moulages en plâtre du *Vase Portland* (cat. 341).
Il reçut avant 1783 d'importantes commandes
de Catherine II qui souhaitait recevoir une
collection complète de gemmes et camées
reproduits dans sa pâte de verre. En 1791, il
publia un catalogue de 15 800 pièces d'après
l'antique.
Parallèlement à cette activité de diffuseur des
modèles antiques, James Tassie eut une carrière d'artiste original. Il réalisa une impressionnante galerie de portraits modelés d'après
nature (parfois rétrospectivement, par exemple
les effigies de Fénelon ou Newton) en cire, puis
moulés dans sa pâte de verre blanche.
La Scottish National Portrait Gallery conserve
environ cent cinquante médaillons de Tassie.
Celui-ci exécuta trois variantes de son portrait
d'Adam Smith. Son œuvre fut continué après
sa mort, mais à un moindre niveau de qualité,
par son neveu William Tassie.

G.Sc.

Adam Smith (cat. 252).

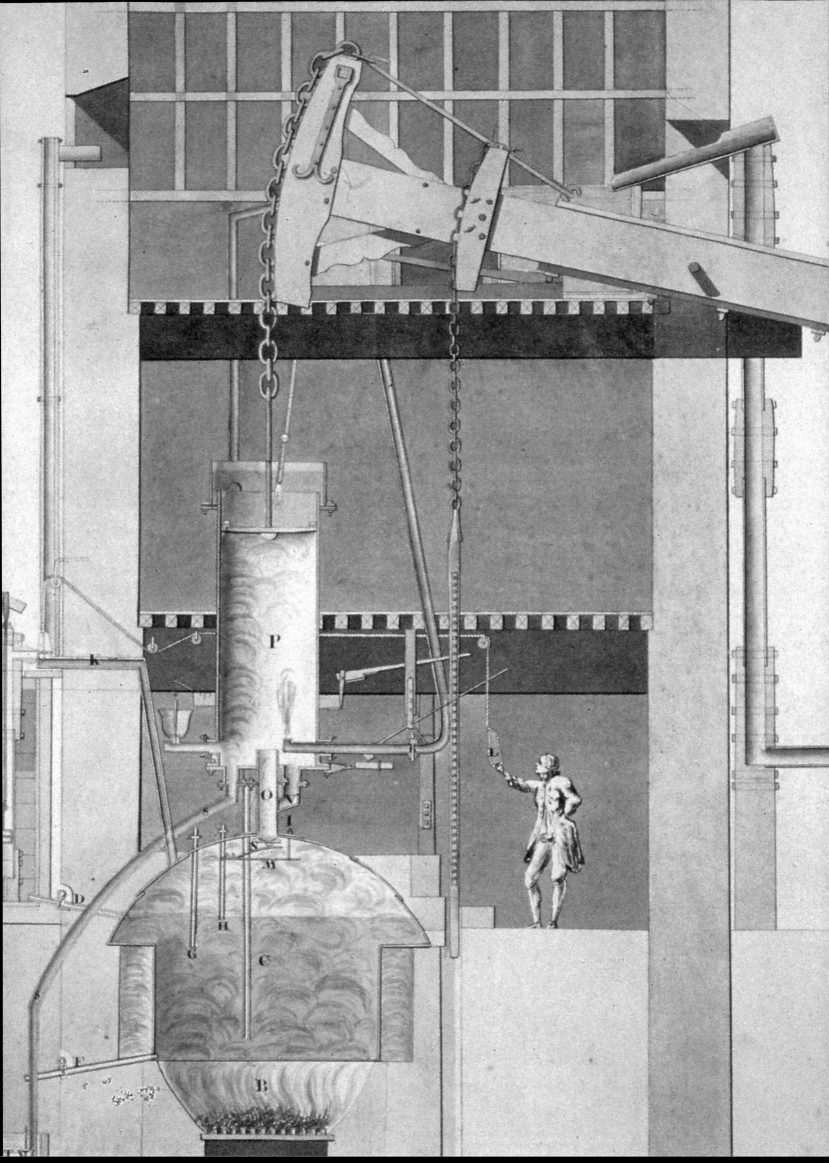

VII
SCIENCE
ET CONNAISSANCES

La philosophie des Lumières engendrait le besoin de connaissance. L'Encyclopédie, à la fois conséquence et moteur de cette curiosité insatiable attira l'attention vers des domaines qui ne captivaient guère « l'honnête homme » de la période précédente. Le phénomène est particulièrement frappant à propos des « arts mécaniques », mais il s'applique aussi à tous les domaines des sciences naturelles et physiques. Au souci de l'explication rationnelle des phénomènes s'ajoute presque toujours celui des applications pratiques. Effet induit de cette modification des comportements intellectuels, les cabinets, rassemblant les objets de ces études, se multiplièrent, sans rupture avec les « cabinets de curiosité » de l'âge précédent, mais avec moins de prédilection pour les « raretés » et singularités naturelles et artistiques et

beaucoup plus d'attention à l'égard des instruments scientifiques, des relevés exacts, des projets théoriques — voire utopiques. Il était impossible, même si l'idée était séduisante et plus rigoureuse sur le plan des principes, dans le cadre de cette exposition de vouloir reconstituer une collection précise : les ensembles composés au XVIIIᵉ siècle furent éphémères et les inventaires les concernant (en particulier ceux consécutifs à la saisie des biens des émigrés), si précieux soient-ils, n'ont pas la précision nécessaire à l'identification des œuvres, surtout en ce qui concerne les objets. Il a paru cependant souhaitable d'évoquer ce que pouvaient être ces collections de dessins, d'estampes et d'objets, en réunissant dans un « cabinet des arts et des sciences » imaginaire des témoignages de la diversité des préoccupations des hommes des Lumières.

Coupe de l'élévation de la machine de Newcomen (cat. 283, détail).

LE CABINET DES SCIENCES ET DES ARTS

L ES ŒUVRES présentées dans *le Cabinet des sciences et des Arts*, choisies pour leur intérêt scientifique ou leur côté artistique, sont regroupées pour permettre au visiteur de mesurer l'ampleur de l'intérêt des hommes des Lumières pour les sciences et de souligner les diverses directions que prennent certaines disciplines à la fin du XVIIIᵉ siècle. L'essor incontestable du mouvement scientifique de l'époque est le fruit d'une longue évolution qui prend naissance au siècle précédent dans les académies, et dans lequel les arts plastiques et mécaniques ont une part non négligeable. Les académies de province, les sociétés de pensée, la franc-maçonnerie, les salons et la presse sont associés à ce large mouvement européen.

En France, les institutions royales jouent un rôle important dans cet essor. La bibliothèque du roi, riche de livres, de manuscrits, certains de la plus haute antiquité, d'albums dessinés et gravés sert de « centre d'études[1] » où chacun peut venir travailler avec l'appui bienveillant de ses gardes, souvent des abbés. Le prêt à domicile, même de publications importantes comme *l'Antiquité expliquée*... de Montfaucon en dix volumes in-folio qu'emprunte Diderot[2], favorise la circulation des idées. Voltaire a également recours à ce procédé. Dans les années précédant la Révolution, les autorités officielles se penchent sur les moyens d'agrandir les bâtiments et demandent à Boullée des projets qui ne sont pas exécutés. Le souci d'ouvrir plus largement les collections royales au public se retrouve dans les nombreuses démarches effectuées en vue de la création d'un musée où seraient regroupées toutes les formes d'art. Le même mouvement d'idées se produit dans toute la France, où sous l'impulsion des académies, on élabore des projets de musées ou de bibliothèques publics[3]. La notion de cabinet, lieu clos de réflexion et lié au phénomène de curiosité est encore très forte comme le confirment les nombreux cabinets de physique, de chimie, d'histoire naturelle répertoriés en Europe, à Paris, comme en province[5].

L'éducation donnée joue également un rôle important. Chaque prince, chaque gentilhomme reçoit une éducation politique, religieuse à laquelle on ajoute des connaissances scientifiques plus ou moins importantes. Le premier dauphin, fils de Louis XVI, étudie surtout en prévision de son futur rôle, la marine et la géographie. Tout jeune homme se doit d'avoir des notions de mathématiques, d'astronomie, d'agriculture, etc., et surtout il doit voyager. La curiosité telle qu'elle est conçue au XVIIᵉ siècle ne suffit plus à l'homme des Lumières. Le chevalier de Jaucourt dans l'article *Curiosité*, de *l'Encyclopédie* s'en fait l'écho[6] et même, elle est désormais opposée, selon les affirmations de Descartes, à la science pure. Ce souci de rigueur

scientifique est constant dans les archives conservées de l'Académie royale des sciences.

L'Académie royale des sciences regroupe depuis sa création ce que la France connaît de plus brillant dans le domaine scientifique[7]. Aristocrates et roturiers se côtoient, selon une hiérarchie bien établie, dans des séances au cours desquelles le travail communautaire des académiciens permet de débattre par la parole et la démonstration des grandes questions scientifiques et humaines. On y favorise les recherches sur l'électricité, les montgolfières et les paratonnerres mais on y condamne très fermement les théories de Mesmer et de Marat[8]. Tous les travaux des plus élaborés aux plus modestes sont étudiés ; les académiciens se penchent ainsi sur les écrits de Newton que certains combattent, mais que la majorité des autres accepte d'emblée avec respect et admiration, mais ils ne dédaignent pas de s'intéresser aux petites inventions tels une cuisinière portative ou un lit mécanique pour les malades dans le seul souci du bien public, qui est dans les dernières années du siècle l'une des préoccupations constantes de l'Académie ; les académiciens et les autorités militaires se penchent aussi sur le grave problème des subsistances. C'est au sein de cette institution que se développent à la fin du siècle plusieurs sciences : la chimie, avec la grande figure de Lavoisier ; diverses branches de la minéralogie : la cristallographie avec Haüy, la géomorphologie avec Giraud-Soulavie, la paléontologie avec Cuvier. D'autre part, c'est sous l'impulsion des savants que pour la première fois la science pure est appliquée à l'industrie : Berthollet est en liaison constante avec les inspecteurs et les directeurs de manufactures et son rôle dans les progrès de l'art de la teinture est primordial ; d'autres exemples peuvent être cités, dans le domaine du tissage notamment.

1. Exp. Paris, Orangerie, 1977-1978.

2. Paris, B.N., Imprimés, registres des prêts, nᵒˢ 5-7 ; Proust, 1967.

3. Germain Bazin, *le Temps des musées*, Liège-Bruxelles, 1967.

4. Krzystof Pomian, *Collectionneurs, amateurs et curieux, Paris-Venise XVᵉ-XVIIIᵉ siècle*, Paris, 1987.

5. Taton, 1964, pp. 617-712.

6. T. IV, Paris, 1754, pp. 577-578. Voir Pomian, *op. cit.* ; Antoine Schnapper *le Géant, la Licorne, la Tulipe, collections françaises au XVIIᵉ siècle*, Paris, 1988.

7. Claire Salomon-Bayet, *l'Institution de la science et l'expérience du vivant. Méthode et expérience de l'Académie royale des sciences 1666-1793*, Paris, 1978; Roger Hahn, *The Anatomy of a scientific institution The Paris Academy of Sciences 1666-1803*, Los Angeles-Londres, 1971.

8. Robert Darnton, *Mesmerism and the end of the enlightenment in France*, Cambridge (Mass.), 1968 (éd. française, Paris, 1984).

Les publications de l'Académie sont un véhicule de la pensée scientifique. Parmi elles, il faut citer la collection *Histoire et Mémoire de l'Académie*[9], publiée à raison d'un volume par an, où sont regroupés les textes les plus significatifs lus au cours de l'année et la *Description des arts et métiers* destinée à promouvoir les arts mécaniques en France. L'influence des publications académiques dans la conception de l'*Encyclopédie* est évidente en dépit des affirmations des libraires, de d'Alembert, de Diderot et de Grimm. La collection des mémoires de *Savans étrangers* fait connaître les travaux des savants étrangers, souvent correspondants des académiciens[10].

L'Académie royale des sciences rayonne en Europe et permet des liens constants entre les divers académies et instituts étrangers. Ainsi, Duhamel du Monceau est membre de la société royale de Londres, de l'institut de Bologne, des académies des Sciences de Saint-Pétersbourg, de Stockholm, d'Édimbourg, de Palerme et de Padoue et des sociétés d'agriculture de Padoue et de Leyde. Des savants étrangers viennent travailler en France, c'est le cas de Van Marum qui fait admettre par la suite dans la société Teyler de Haarlem, Lavoisier et Berthollet et qui y reçoit les savants français se rendant en Hollande ou de Franklin qui fonde à Philadelphie l'American Philosophical Society dans laquelle la culture française occupe encore de nos jours une place très importante. Ainsi grâce à la convivialité obligatoire en cette fin de siècle, la diffusion des idées scientifiques se fait partout dans le monde.

C'est cette même convivialité, soulignée par Daniel Roche[11] que l'on retrouve dans les sociétés et académies de province qui jouent elle aussi un rôle important. Certaines se réclament de l'Académie française, d'autres de l'Académie royale des sciences mais toutes ont des liens avec les principaux savants et le milieu scientifique parisiens (aucune œuvre provenant de ces institutions n'est exposée dans *le Cabinet des sciences et des arts* dans la mesure où les diverses manifestations provinciales prévues durant l'année 1989, ne manqueront pas de souligner la part prise par la province dans le mouvement scientifique). Le souci de faire progresser les connaissances et de les appliquer à la vie quotidienne entraîne une réorganisation du système scolaire en pratique dans les couches moyennes de la société et la création de corps techniques spéciaux qui vont former la future élite de la Révolution et de l'Empire. Plusieurs écoles d'ingénieurs dans lesquelles les questions artistiques ne sont pas exclues sont ainsi créées : l'École royale des ponts et chaussées en 1747, l'École royale des mines en 1783. Ces deux écoles sont significatives de leur époque : les Ponts et Chaussées étant la préoccupation première des autorités dans les années 1750-1760 et son importance augmente à la fin du siècle ; l'exploitation scientifique des mines confirme l'essor de la minéralogie à la fin du siècle. Les nombreuses écoles gratuites de dessin fondées à Paris comme en province et l'École gratuite de boulangerie participent de ce même mouvement d'idées[12].

Le souci de progrès se retrouve aussi dans les institutions médicales : l'Académie royale de chirurgie et la Société royale de médecine et l'Académie royale des sciences s'intéressent de près à la grande et petite chirurgie, à l'orthopédie, à la vue. Les archives conservées font apparaître une constante préoccupation devant le douloureux problème des enfants abandonnés mais aussi devant tous ceux posés par les hôpitaux où sont le plus souvent regroupés d'une manière carcérale les orphelins, les malades physiques et mentaux, les femmes de mauvaise vie. On assiste à un essai d'humanisation des hôpitaux, de classification des cas et à une nouvelle conception architecturale des bâtiments, plus salubres et plus ouverts. Mais parallèlement à ce mouvement d'idées, rationnel, la seconde moitié du XVIIIᵉ siècle voit monter peu à peu le goût de plus en plus fort pour la mort, l'irrationnel particulièrement visible dans les recueils d'anatomie. Ici, la pensée de l'artiste est tout aussi importante que sa conception de l'art et de la réalité et participe au même titre que la philosophie, la poésie et la littérature à cette montée des ténèbres dont Goya est le plus fort représentant[13].

La « grande affaire » du siècle est une initiative privée, dont les qualités scientifiques ont été largement surestimées, mais qui par son message philosophique sert de « phare » au siècle des Lumières : l'*Encyclopédie* marque non seulement son époque mais aussi les deux siècles qui suivent. Elle a pour but « de rassembler les connaissances éparses sur la surface de la terre ; d'en exposer le système général aux hommes avec qui nous vivons et de le transmettre aux hommes qui viendront après ; afin que les travaux des siècles passés n'aient pas été des travaux inutiles pour les siècles qui succéderont », écrit Diderot au début de son article *Encyclopédie*[14]. Cette universalité demandée au livre n'est pas neuve mais il revient aux hommes des Lumières de l'affirmer avec force[15]. Le libraire David, l'auteur de l'article *Catalogue* rédigé d'après les manuscrits de l'abbé Girard, compare le système des connaissances à un arbre, « au tronc qui porte des branches, des rameaux et des feuilles. La difficulté à surmonter pour établir entre toutes ces parties l'ordre qui leur convient est premièrement de fixer le rang que les classes primitives doivent tenir entre elles ;

9. R. Rademaker, l'*Académie royale des sciences, une bibliographie (1666-1790)* (à paraître).

10. Rademaker, *ibid.*

11. Daniel Roche, *le Siècle des Lumières en province. Académies et académiciens provinciaux*, 1680-1789, Paris-La Haye, 1978. Voir aussi son récent ouvrage, *les Républicains des lettres. Gens de culture et Lumières au XVIIIᵉ siècle*, Paris, 1988.

12. R. Taton, 1964.

13. *Goya y el Espíritu de la Illustración*, Madrid, musée du Prado, 1988 ; Boston, Museum of Fine Arts, New York, Metropolitan Museum, 1989.

14. Article *Encyclopédie*, Paris, 1755, pp. 635-648. Diderot, *O.C.*, VII, 1976, pp. 174-262.

15. *Histoire de l'édition française*, tome II. *Le livre triomphant 1660-1830*, sous la direction de Henri-Jean-Martin et Roger Chartier, avec la collaboration de Jean-Pierre Vivet, Paris, 1984.

deuxièmement, de rapporter à chacune d'elles la quantité immense de branches, de rameaux, et de feuilles qui lui appartiennent[16]. » Cette manière de voir le savoir figuré comme un arbre est antérieure à l'*Encyclopédie* : Christophe de Savigny dès le XVIᵉ siècle dresse une chaîne ou Arbre encyclopédique de toutes les sciences ou arts libéraux[17]. Une planche intitulée *Essai d'une distribution généalogique des sciences et des arts principaux*, à l'insérer ou non, selon la reliure, dans l'*Encyclopédie*, reprend le principe de l'arbre[18].

C'est le système général de la connaissance du chancelier Bacon qui sert de trame à l'*Encyclopédie*[19] : l'entendement est formé de trois classes, l'imagination, la raison et la mémoire. C'est de la raison que sont issues la philosophie, la théologie et la métaphysique. La philosophie comprend les sciences de l'homme et les sciences de la nature, et ces dernières sont formées des diverses disciplines scientifiques : les mathématiques, la mécanique, l'astronomie, l'optique. Les sciences physiques particulières regroupent la zoologie, la botanique (également comprises dans la mémoire), la chimie et l'astronomie physique. Cette conception du savoir augmentée des arts issus de l'imagination : la poésie, la peinture, la gravure, l'architecture, la sculpture et la musique est reprise dans le *Frontispice* de Cochin et dans l'article *Catalogue* où David regroupe sous le titre « Sciences et arts », la philosophie, la médecine, les mathématiques, les arts libéraux et mécaniques[20].

La gloire de l'*Encyclopédie*, en dehors de ses articles philosophiques et politiques, est de faire une large part aux arts mécaniques et de réhabiliter en quelque sorte le travail manuel, même si la méthode adoptée par Diderot et ses collaborateurs n'est pas celle proposée par d'Alembert dans le *Discours préliminaire* qui affirme : « Tout nous déterminait donc à recourir aux ouvriers. » Les recherches actuellement menées concernant les planches montrent que bien peu d'enquêtes sont faites dans les ateliers et que l'illustration de l'*Encyclopédie* est une synthèse de sources antérieures. L'importance des douze volumes de l'*Encyclopédie* est de donner au dessin et à la gravure une place prépondérante et de souligner que le dessin est un moyen employé pour la démonstration de la pensée humaine, les croquis de Lavoisier en marge de ses manuscrits en témoignent, au même titre que l'écrit[21]. La gravure est désormais aussi l'élément indispensable à toute publication scientifique : on n'imagine pas l'*Encyclopédie* et la *Description des arts et métiers* sans les planches. Les maquettes en bois construites en grand nombre à l'époque ont un pouvoir pédagogique tout à fait novateur : à défaut de connaître les collections de l'Académie royale des sciences dispersées à la Révolution, les maquettes commandées par Mme de Genlis « gouverneur » des enfants d'Orléans pour l'éducation des princes, aujourd'hui au musée national des Techniques[22] et celles, conservées dans les musées européens montrent bien que la connaissance scientifique se fait d'une manière concrète à l'aide de démonstrations pratiques plus qu'avec un discours théorique. Le Cabinet des machines du roi dû à Vaucanson répond à cet objectif.

La grande révolution de la fin du siècle est que le savant quitte son cabinet pour aller étudier, ce que plusieurs historiens, appellent le *Laboratoire de la nature*[23]. Il parcourt désormais le monde, seul ou accompagné d'un dessinateur ou encore dans le cadre d'une circumnavigation. Plus aucune partie du globe n'échappe à l'investigation scientifique. La démarche intellectuelle du savant se transforme radicalement : son étude, auparavant faite entre les murs clos d'un cabinet, ne se porte plus sur l'objet de curiosité, unique et séparé de son contexte originel, mais sur place dans un ensemble de faits scientifiques reliés entre eux, qu'il reprend ensuite point par point. Il ne s'attache pas seulement à un sujet précis mais aussi à l'ensemble du pays qu'il traverse, à son histoire, à sa géographie, à ses richesses naturelles, mais aussi à ses hommes et à leur travail. Par la force des choses, le savant ou l'ingénieur deviennent dessinateurs, comme Cuvier ou Jossigny, le littérateur et l'artiste, savants : les herbiers de Rousseau montrent que le philosophe connaît bien la botanique ; Houel écrit sur le basalte. Dans les expéditions maritimes, une place importante est donnée aux artistes : Parkinson, également naturaliste, Hodges et Webber accompagnent le capitaine Cook qui lui-même dessine ; trois dessinateurs et un géographe sont embarqués avec La Pérouse. Si ces dessinateurs ne peuvent totalement se détacher de l'enseignement académique, leurs dessins forment des ensembles suffisamment cohérents pour servir de base à des études scientifiques.

La connaissance de nouveaux pays, de civilisations différentes fait éclater le cadre restreint de la culture savante et de la sensibilité classique. Cet intérêt pour un monde plus ouvert se manifeste en peinture et en dessin dans des œuvres d'un esprit très nouveau où se mêlent à la fois, une sensibilité profonde devant la nature, imprégnée surtout des écrits de Rousseau, des allusions constantes aux phénomènes météorologiques, l'arc-en-ciel ou l'orage, ou géographiques, volcans, grottes, glaciers. Ce goût, partagé par le public, pour le paysage grandiose où les « singularités » de la nature sont soulignées permet à l'artiste comme au savant ou au philosophe de méditer sur l'origine de la terre, de la vie et de la place de l'homme dans la nature.

Madeleine Pinault

16. Article *Catalogue*, t. II, Paris, 1751, p. 759.

17. *Tableaux accomplis de tous arts libéraux contenans… par singulière méthode de doctrine une générale et sommaire partition des dicts arts amassez et réduicts en ordre pour le soulagement et profit de la jeunesse…*, Paris, 1587, 2ᵉ éd. 1619 ; François Moureau et Claude Lebédel, « Note de Jamet à Diderot », *Recherches sur Diderot et sur l'Encyclopédie*, avril 1988, pp. 148-152.

18. Becq-Magnan, 1987, (à paraître).

19. « Observations sur la division des sciences du chancelier Bacon », t. I, Paris, 1751, pp. lj-lij.

20. Article *Catalogue, op. cit.*, p. 760.

21. Exp. Paris, Louvre, 1984.

22. Exp. Paris, Conservatoire national des arts et métiers, 1963.

23. Broc, 1975 et Stafford, 1984 qui donnent une importante bibliographie sur les voyages et les nouvelles tendances du paysage.

CABINETS BIBLIOTHÈQUES ET MUSÉES

253
Projet pour la bibliothèque du roi

par Étienne-Louis BOULLÉE

Plume, encre noire et lavis gris. H. 0,620 ; L. 0,984. Collé en plein.

Inscription : Signé en bas vers la gauche, à la plume et encre brune : « Boullée ». Sur le montage, en haut : « Vue de la Nouvelle Salle Projetée pour l'Agrandissement de la Bibliothèque du Roi ; en bas : VUE DE LA NOUVELLE SALLE PROJETEE POUR L'AGRANDISSEMENT DE LA BIBLIOTHEQUE NATIONALE. »

Historique : legs Boullée, le 15 ventôse an VII, à la Bibliothèque nationale, avec usufruit à Pierre-Nicolas Benard, son neveu.

Expositions : 1967-1968, États-Unis, exposition itinérante, n° 36 ; 1970, Baden-Baden, n° 36.

Bibliographie : Pérouse de Montclos, 1969, p. 244, fig. 38 ; Kaufman, 1978, pp. 86-87, fig. 45 ; Madec, 1986, pp. 86-91, repr. p. 90.

Paris, Bibliothèque nationale, cabinet des Estampes (Ha 56, pl. 36).

En 1780, le comte d'Angiviller demande à Boullée des plans pour la construction d'une nouvelle bibliothèque royale. Quatorze planches, conservées à la Bibliothèque nationale, représentent des élévations de l'intérieur comme de l'extérieur, des coupes transversale et longitudinale (Est. Ha 56, fol. 32-40, 42-46). Il rédige, en 1785, sur ce sujet un mémoire intitulé *Mémoire, moyens de procurer à la bibliothèque dite du roi, les avantages que ce monument exige* (Est. Ha 43) dans lequel il montre ses ambitions, donne des précisions sur le fonctionnement de son projet et décrit même le prêt des livres (éd. Paris, 1968, pp. 127-132, avec quelques changements). Il écrit : « Le monument le plus précieux pour une nation est sans doute celui qui renferme toutes les connaissances acquises. Un souverain éclairé favorisera toujours les moyens qui peuvent contribuer aux progrès des sciences et des arts » et rappelle les rôles éminents de Louis XIV et de Louis XV dans l'accroissement de la bibliothèque. Boullée propose l'agrandissement de la Bibliothèque royale à l'emplacement même de la Bibliothèque en transformant la cour en une « immense basilique éclairée par le haut » qui offrirait « l'image la plus grande et la plus frappante des choses existantes ». Pour lui les richesses littéraires doivent être présentées dans un lieu « grand », « noble », « extraordinaire », d'un « magnifique aspect » qui ne peut être qu'un « vaste amphithéâtre de livres ». La grandeur de ce projet vient de son immensité, de sa vaste voûte en maçonnerie. Boullée essaie de retrouver dans son projet intérieur, la *Sublime conception de l'École d'Athènes* de

Raphaël ; on y retrouve effectivement plusieurs souvenirs dans l'architecture, notamment l'ouverture cintrée au fond, et dans les groupes de personnages vêtus à l'antique ; celui de droite est une allusion directe aux *géomètres* de Raphaël. Le projet de Boullée reçoit l'approbation de tous mais n'aboutit pas ; cependant, une maquette est exécutée et exposée à la Bibliothèque royale en 1790 (Pérouse de Montclos, 1969, pp. 163-166).

Un dessin, daté 1788, représente la façade d'entrée du bâtiment aux murs aveugles, décorée d'une frise à l'antique au sommet. La porte est flanquée de deux immenses atlantes qui soutiennent un globe terrestre avec les signes du zodiaque en ronde bosse. L'aspect monumental de l'architecture est ici aussi accentué par les hommes représentés d'une manière infime. En 1784, Boullée reçoit une commande de l'État pour une bibliothèque publique à construire sur le terrain du couvent des Capucines pour lequel il dessine des projets tout aussi grandioses que ceux pour la Bibliothèque royale (B.N. Est. Ha 55, pl. 1-3, 5). M.Pi.

254
Projet de musée français

par un artiste anonyme

Plume, encre noire, lavis de couleurs. H. 0,645 ; L. 0,501.

Inscription : en bas au milieu, à la plume et encre noire : DEDIE AU ROI MUSEE FRANCAIS PROJETTE CONTENANT LES CHEFS D'ŒUVRES DES ARTS EN TOUT GENRE, TANT ANTIQUES QUE MODERNES : EGALEM^T LES STATUES EN MARBRE DES HOMMES CELEBRES DE LA NATION ET CELLE DU ROI LOUIS XVI REGNANT FIXEE AU CENTRE DU MONUMENT. Sur le socle de la statue de Louis XVI : REGI BENEFICO. Sur le tambour de la coupole, fleurs de lys, chiffre *L* et MUSAEUM GALLICANUM.

Historique : projet non identifié et non signalé dans le legs Boullée ; rattaché au fonds Boullée.

Bibliographie : Pérouse de Montclos, 1969, pp. 163 et 248 ; Kaufman, 1978, p. 94, fig. 15 ; Mantion, 1988, pp. 101-102, fig. 7.

Paris, Bibliothèque nationale, cabinet des Estampes (Ha 56 Grand-fol., fol. 47).

Ce dessin doit être retiré, comme le propose Jean-Marie Pérouse de Montclos, de l'œuvre de Boullée ; l'esprit et la manière de cette feuille sont à l'opposé des projets du muséum qu'il propose (Est. Ha 56, pl. 26-31). Seule la fenêtre en demi-cintre placée dans la coupole, rappel de l'*École d'Athènes* de Raphaël, et l'ouverture sur l'escalier monumental décoré de marbres antiques font penser aux projets de Boullée. Les personnages représentés sont proches de ceux en vogue dans les illustrations plus que des hommes drapés à l'antique de Boullée. Quel que soit son auteur, ce dessin s'inscrit dans le vaste mouvement d'idées élaboré en vue de la création au palais du Louvre, où sont déjà conservées les collections des académies, notamment celles très riches de l'Académie

royale des sciences, et le Cabinet du roi, d'un musée regroupant toutes les manifestations du savoir, faisant de ce lieu un établissement à caractère universel, héritier de l'*Encyclopédie*. Ce dessin est très explicite à ce sujet : contre les colonnes de la rotonde sont disposées des trophées avec les attributs du dessin, de la peinture, de la sculpture, de la marine et de la guerre. Les statues des « hommes célèbres de la nation », placées autour de la rotonde sont des rappels à l'histoire et des exemples de vertu. Particulièrement importante est l'inscription MUSAEUM GALLICANUM, qui marque une orientation nouvelle de l'intérêt pour le passé de la France. Désormais, Athènes et Rome ne sont plus les seuls modèles et références ; en effet, la fin du XVIIIe siècle voit la naissance de l'archéologie de la France. Plusieurs personnalités à Paris, le comte de Caylus ou l'acteur-archéologue Pierre de Beaumesnil (dessins, Paris, B.N. Est.) comme, en province, dom Fontenau (Poitiers, bibl. municipale, ms. 455-543), par exemple, se penchent sur les antiquités nationales. Il est significatif que dans le supplément des planches de l'*Encyclopédie* (Paris, 1777), deux planches soient consacrées à la colonne de Cussy en Bourgogne sous la rubrique *Antiquités*. Dans la *Description de la France* de Laborde une large part est faite aux monuments de l'ancienne Gaule (dessins, Paris, B.N. Est. coll. Destailleur). M.Pi.

255
Un monument des sciences et des arts

par Jacques-Pierre GISORS

Quatre dessins - pierre noire, plume et encre noire, lavis gris et rose ; traits à l'encre rouge. 1) H. 0,105 ; L. 0,505. En haut à droite, à la plume et encre noire : *1779 musée 1er Gd prix Gisors 1779.* 2) et 3) H. 0,195 ; L. 0,507. Au centre : *Mr. Gisors Esquisse originale.* 4) H. 0,343 ; L. 0,510 - Montés sur une feuille de papier cartonné : H. 0,725 ; L. 0,555. Dans le sens vertical : *Mr. Girors l'esquisse originale* ; en bas à gauche : *N° 4.*

Historique : Académie royale d'architecture.

Exposition : 1965, Paris, E.N.S.B.A., n° 145.

Bibliographie : Joyant, *B.S.H.A.F.* 1937, p. 272 ; Pérouse de Montclos, 1984, p. 164, n° 1.

Paris, École nationale supérieure des Beaux-Arts, Bibliothèque, 547. D. 14. Recueil d'esquisses originales du grand prix, vol. Ier, p. 4.

En 1779, Gisors élève de Guillaumot et de Boullée obtient le grand prix au concours de l'Académie royale d'architecture dont le programme porte cette année sur : « ... Un édifice destiné à former un muséum, contenant les productions et le dépôt des sciences, celui des arts libéraux et celui des objets de l'histoire naturelle. » Cet édifice sera construit à proximité d'un jardin destiné à la culture des plantes étrangères ou à la promenade publique. Le dépôt des sciences comprendra une bibliothèque, un cabinet de médailles et plusieurs salles pour la géographie et les estampes. Celui

Projet pour la bibliothèque du roi (cat. 253).

Projet de musée français (cat. 254).

Un monument des sciences et des arts (cat. 255).

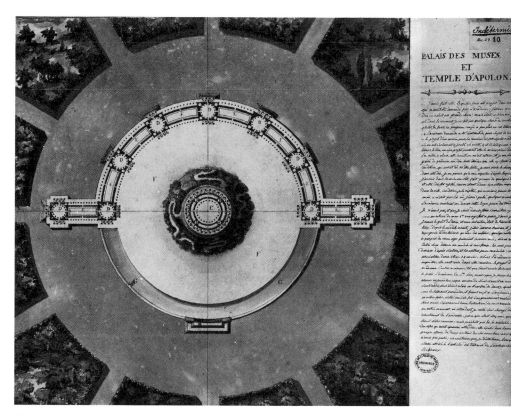

Plan du palais des muses et du temple d'Apollon (cat. 256).

La Bibliothèque d'un collectionneur (cat. 257).

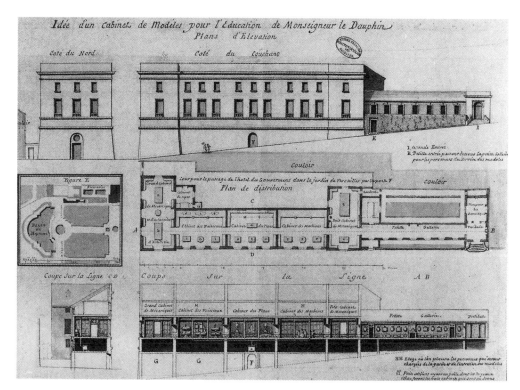

Projet pour le cabinet des maquettes du dauphin (cat. 258).

*Portrait de Duhamel du Monceau
dans un intérieur paysan* (cat. 259).

des arts comprendra des salles et galeries pour la peinture, la sculpture et l'architecture. Celui de l'histoire naturelle comprendra des salles pour les dépôts d'anatomie, injections, conservation d'animaux, plantes et coquillages : on disposera dans le plan un salon commun précédé par une salle, vestibule et grand escalier. « Il sera pratiqué dans l'étage principal, et à la suite de chacune des parties du muséum, des cabinets pour les personnes destinées au service public et pour l'étude des savants et amateurs. »

Le rez-de-chaussée sera occupé par une imprimerie, des laboratoires et dépôts divers. Ces quatre dessins sont préparatoires aux dessins de grands formats également conservés à l'École des Beaux-Arts et gravés par Prieur dans la *Collection des prix* (les cahiers, les projets). Plusieurs candidats se présentent à ce concours : Delannoy obtient le premier prix, Jacques Barbier le deuxième. Des projets sont dus à Moitte, Patu, Fournerat, Houette, Mauduit et Jean-Nicolas-Louis Durand (1760-1834), élève de Perronet et deuxième prix au concours de 1778. La participation de ce dernier confirme une nouvelle fois les liens étroits établis entre l'Académie royale d'architecture et l'École royale des ponts et chaussées dont les travaux sont essentiellement consacrés au génie civil (Pérouse de Montclos, *ibid.*, pp. 162-166). Le programme de 1779 est proche du mouvement d'idées en marche depuis longtemps en faveur de la création de musées encyclopédiques dans lesquels toutes les branches du savoir sont représentées ; il suit de près l'article *Catalogue* de l'*Encyclopédie* (Paris, 1751, II, pp. 759-765) et rejoint également les projets contemporains concernant les bibliothèques. M.Pi.

256
Plan du palais des muses et du temple d'Apollon

par Jacques GASTAMBIDE

Plume et encre noire, lavis de couleurs. H. 0,472 ; L. 0,638.
Inscription : signé et daté à la plume et encre noire, en bas à gauche : « Gastambide 1786 », à droite : longue légende manuscrite : « PALAIS DES MUSES ET TEMPLE D'APOLON »... Cotations manuscrites.
Historique : entré vers 1840 aux archives municipales avec les portraits de Jacques Gastambide.
Bibliographie : Mouilleseaux, 1983, p. 39, cat. nº 11 et repr. fig. 5 ; Rapetti, 1987, p. 11, repr. p. 10.

Bordeaux, archives municipales (recueil 29, indéterminé 10).

Pour son morceau de réception à l'Académie des arts, Gastambide élabore un projet de musée, « lieu d'étude et d'encouragement », inspiré par Piranèse, porteur d'une symbolique ésotérique, qu'il définit lui-même dans un texte manuscrit conservé dans les papiers de l'Académie. Au centre, sur une butte faite de rochers factices, s'élève le temple d'Apollon, salle de réunion commune à tous les arts. Dans cette

butte, sont aménagés des ateliers et fourneaux pour la physique et la chimie. Neuf pavillons ou écoles, disposés autour en demi-cercle sont reliés entre eux par des galeries, salles d'exercices. Comme beaucoup d'architectes, Gastambide joue avec la forme circulaire et intègre lui aussi au musée, non seulement les arts, sous toutes leurs formes, mais aussi, les sciences exactes et appliquées. Le projet rejoint, comme celui de Gisors, l'esprit de l'*Encyclopédie*. En fait, l'esquisse est refusée par les académiciens ; par deux fois, encore, Gastambide propose des projets qui sont de nouveau refusés et l'architecte ne devient jamais académicien. La plupart des dessins de Gastambide sont restés à l'état de projets. En 1789, il part tenter fortune à l'île Maurice où il demeure cinquante ans et où il donne des plans pour la loge maçonnique de la Triple Espérance de Port-Louis (Mouilleseaux, 1983). M.Pi.

257
La Bibliothèque d'un collectionneur

par PINEL

Traits de pierre noire, plume et encre noire, lavis de couleurs. H. 0,139 ; L. 0,384.
Historique : collection Jean Masson ; don à l'École nationale des Beaux-Arts.
Expositions : 1965, Paris, E.N.S.B.A., nº 167 ; 1986, Milan, nᵒˢ 1/2/nº 6, repr. p. 55.

Paris, École nationale supérieure des Beaux-Arts (inv. 0.809).

Ce dessin est l'œuvre d'un artiste dont la bibliothèque de l'École des Beaux-Arts possède un autre projet, un *Palais à rotonde* (exp., E.N.S.B.A. 1965, nº 166). Il est le reflet des catalogues de vente d'œuvres d'art et des bibliothèques et de ce que doit être la bibliothèque d'un amateur. De chaque côté d'une cheminée de marbre blanc, sont placés des meubles d'acajou vitrés aux rideaux verts protégeant les volumes reliés et rangés selon les formats. Au-dessus, des vases moulés côtoient des bustes, des antiques en marbre ou en bronze (on reconnaît notamment l'*Apollon du Belvédère*). Sur le mur bleu, une série de cadres, ronds avec des nœuds, rectangulaires de grands et petits formats abritent des profils d'hommes et de femmes, des scènes — probablement antiques — avec des personnages. A droite, une silhouette à sa fenêtre peut être un tableau ou un dessin hollandais, apprécié à la fin du XVIIIᵉ siècle. Une note de gravité est donnée par la pendule, décorée avec le *Temps portant une faux* et le sablier, posé devant. M.Pi.

258
Projet pour le cabinet des maquettes du dauphin

par un artiste anonyme

Plume et encre noire, lavis gris et de couleurs : H. 0,420, L. 0,440.
Inscription : en haut au milieu : « Idée d'un Cabinet de Modèles pour l'Education de Monseigneur le Dauphin-Plans d'Elevation...Plan de distribution .... coupe sur la ligne CD, coupe sur la ligne AB ».
Historique : Direction générale des bâtiments du roi.
Exposition : 1985-1986, Paris, Archives nationales, nº 166.
Bibliographie : Gallet-Guerne, 1983, nº 751, p. 162.

Paris, Archives nationales (0¹ 1774², nº 46).

Ce dessin, datant probablement de 1787, montre l'installation du cabinet des maquettes du dauphin (1781-1789), premier fils de Louis XVI dans un des bâtiments du château de Versailles, près du bassin de Neptune et des réservoirs. Cette suite est composée d'un grand cabinet de mécanique, d'un cabinet des vaisseaux et des plans, d'un cabinet des machines, d'un petit cabinet de mécanique, d'une galerie et d'un vestibule et montre les préoccupations marines et géographiques de Louis XVI, concrétisées par plusieurs grands projets, certains réalisés. Des maquettes présentées sont essentiellement marines. On voit des plans en relief des ports de Brest, Toulon, Rochefort, des modèles de bateaux, galères modernes, bâtiments chinois ou indiens, des machines pour lancer les vaisseaux, fabriquer la corde, forger les ancres. Sur les murs sont présentés les portraits du roi, des plans et des vues des ports, des atlas et des livres. Un magasin est réservé pour les objets d'armement destiné à la chaloupe frégate que l'on fait manœuvrer devant le dauphin en personne, sur la pièce d'eau des Suisses. Louis XVI fait exécuter par dom Claude Bergevin (1743-1789) pour l'éducation du dauphin, un globe terrestre, de neuf mètres cubes de volume et de sept cent quarante kilos destiné à témoigner des découvertes faites en géographie jusqu'à son règne (Versailles, musée national du Château ; Destombes, 1977). M.Pi.

259
Portrait de Duhamel du Monceau dans un intérieur paysan

par Georges MALBESTE

Manuscrit et dessin. Page de gauche : dessin. Plume et encre noire, lavis de couleurs. H. 0,359 ; L. 0,233.
Inscription : signé et daté en bas à droite à la plume et encre noire : « G. Malbeste inv. et deli. 1777 » ; au-dessous, trophée d'instruments agricoles et branches d'oliviers. A droite : manuscrit. En haut au milieu, à la plume et encre noire, « extraits de l'Epitre à M. Duhamel Bienfaiteur de l'agriculture par M. François de Neufchâteau ». Pages 88 verso et 89 recto du Tome I d'un manuscrit en deux volumes, le premier

de 350 pages, le second de 352 pages intitulé : *les Richesses littéraires de la France destinées pour l'institution de la jeunesse* recueillies par P.C. Lefébure. Reliure maroquin rouge par Bertrand en 1790.
Historique : don de Pierre-Charles Lefébure à l'Académie royale des sciences.
Bibliographie : Bouteron-Tremblot, 1928, n° 846.

Paris, bibliothèque de l'Institut de France (ms. 846).

Ce recueil de divers textes techniques est représentatif des disciplines enseignées aux jeunes gens de la noblesse éclairée : sciences exactes, beaux-arts, état ecclésiastique, militaire, justice, « science des propriétaires, des cultivateurs, du commerce » et « utilité que l'on peut retirer des voyages lorsqu'ils sont bien faits ». Les exemples humains cités pour leur valeur personnelle et intellectuelle sont significatifs : Fénelon (1651-1715), dont le *Télémaque* (Paris, 1699), reste encore, en dépit de l'*Émile* de Rousseau, un modèle d'éducation ; Charles Rollin (1661-1741), recteur de l'université de Paris et auteur d'un *Traité des études* (Paris, 1726). Henry-Louis Duhamel du Monceau (1700-1782) apparaît comme propriétaire mais surtout comme agronome et membre de l'Académie royale des sciences, dont on connaît le rôle au sein de l'institution et particulièrement en ce qui concerne la *Description des arts et métiers* (Pinault, 1984 ; Jaoul-Pinault, 1982 et 1986). Il est représenté ici dans un intérieur paysan, dans la gravure exécutée d'après le tableau de François-Hubert Drouais (1727-1775), accrochée au-dessus de la cheminée. L'introduction de ce portrait aristocratique dans un intérieur paysan symbolise, avec l'épître de Nicolas François de Neufchâteau (1750-1828), la dette de l'agriculture envers cet académicien. Matthieu Tillet (1714-1791), également membre de l'Académie et agronome, est représenté dans son cabinet. Sur le carton à dessin, posé près du bureau, on lit, *Recherches sur les maladies qui attaquent les blés*. Le texte en regard du dessin traite des maladies du blé étudiées par Tillet et qui intéressent autant les milieux officiels que Diderot (O.C., III, 1981, pp. 113-121). On trouve aussi des textes sur les pommes de terre d'après Mustel, les arts du meunier et du boulanger de Malouin, les bêtes utilitaires, bœuf ou cheval, la bière et le vin. Le second volume concerne surtout le commerce, les arts et métiers et les voyages. La référence aux publications de l'Académie royale des sciences, l'*Histoire et Mémoires...* et la *Description des arts et métiers* est constante. Une autre version de ce manuscrit est conservée à la bibliothèque de la Chambre des députés (mss 1136-1137 ; Jaoul-Pinault, 1986, p. 7). Malbeste est connu comme graveur, de Moreau-Le Jeune par exemple, et illustrateur de Rousseau et de Voltaire.   M.Pi.

INSTITUTIONS

260
Intérieur d'une raffinerie de sucre

par Pierre PATTE d'après Aignan-Thomas Desfriches

Taille douce. H. 0,323 ; L. 0,211 au trait carré.
Inscription : en haut, au milieu : « Rafinerie » ; à droite : « PL. III » ; en bas à gauche : « Desfriches del. » ; à droite : « Patte Sculp. » — Planche III de *l'Art de rafiner le sucre de Duhamel du Monceau*, Paris, 1764, 78 p., 10 pl., reliure cartonnée.

Paris, Muséum national d'histoire naturelle, bibliothèque centrale (Y³ 172 (9)).

L'Art de rafiner le sucre permet de souligner le rôle de l'Orléanais, au sein du monde des Lumières. La présence de Desfriches n'étonne pas : issu de la bourgeoisie fortunée, il se consacre à ses affaires et au dessin. Il dessine avec soin l'intérieur de cette halle à chaudière de la raffinerie proche d'Orléans de M. de Vandebergue et les « attitudes de la plupart des ouvriers en besogne ». Les autres planches du volume représentent un moulin à écraser les cannes en usage aux Antilles (Harvard, Houghton Library ; Jaoul-Pinault, 1982) et les diverses étapes de la fabrication des pains de sucre (Pinault, 1984, n°ˢ 1165-1196 bis).
L'Art de rafiner le sucre fait partie de la *Description des arts et métiers*, publiée par les soins de l'Académie royale des sciences de 1761 à 1785 sous la direction de Duhamel du Monceau. L'histoire de cette collection est liée à celle de l'*Encyclopédie* et trop connue pour qu'on s'y attache (Fabricius, 1973 et Pinault, 1984 ; pour ses rapports avec l'*Encyclopédie*, Proust, 1965 et 1967). Le graveur Pierre Patte est d'ailleurs au centre de l'affaire des plagiats qui oppose l'Académie royale des sciences aux Libraires Associés, éditeurs de l'*Encyclopédie* (Matthieu, 1940). Cette collection comprend 113 cahiers qui peuvent être reliés séparés et réunis selon les titres et consacés aux métiers (cuir, fer et forges, mines, textile, teinture) écrits par les académiciens : Duhamel du Monceau, Auguste-Denis Fougeroux de Bondaroy, son neveu (1732-1789), (Jaoul-Pinault, 1982 et 1986), l'astronome Joseph Le François de Lalande (1732-1807), le chimiste Pierre-Joseph Macquer (1718-1784), le maître des forges Étienne-Jean Bouchu (1714-1773), le marquis Gaspard de Courtivron (1715-1785), mathématicien (Cole et Watts, 1952).
Desfriches dessine les ponts de la région, dont celui d'Orléans construit par son ami, l'ingénieur Soyer, qui collabore également à l'ouvrage de Duhamel (Orléans, M.B.A. et coll. particulières. Exp. : Orléans, M.B.A., 1965-1966, n°ˢ 184-196). Il est aussi l'auteur d'un procédé de préparation à base de plâtre pour le « papier tablette », sur lequel il exécute un grand nombre de dessins (Ratouis de Limay, 1907). Une partie de sa collection d'œuvres d'art figure au musée d'Orléans fondé en 1825 par le comte de Bizemont (exp. : Sully-sur-Loire, 1988), avec lequel il crée en 1786, à Orléans, l'école académique de Peinture, Sculpture, Architecture et autres arts dépendants du dessin.   M.Pi.

261
Intérieur d'une meunerie

par Chrétien de MÉCHEL
Taille-douce. H. 0,249 ; L. 0,190.
Inscription : en haut, au milieu : « Meunier » ; à droite : « Pl. II » ; en bas à droite : « Gravé sous la Direction de Chrétien de Méchel à Basle en 1770 ». Planche II de *l'Histoire abrégée de l'origine et des progrès de la boulangerie et de la meunerie* par M. Malouin paru dans le tome I de la *Description des arts et métiers faites ou approuvées par Messieurs de l'Académie royale des Sciences de Paris. Publiée avec les observations, G augmentée ...* par J.E. Bertrand, Neuchâtel, 1771, in-4°, reliure veau marbré.
Historique : don en 1974.

Paris, musée national des Arts et Traditions populaires, bibliothèque (inv. 74.841, Res 1° B TCH 357).

La publication à Neuchâtel, par les soins de la Société typographique, constituée en 1769, d'une édition in-4°, à partir de 1771 de la *Description des arts et métiers* montre le souci d'une bourgeoisie éclairée, « libérée des servitudes corporatives » et animée d'un esprit de libre entreprise, de divulguer de la manière la plus large les connaissances réunies depuis plus de cinquante ans par les académiciens français. Cette édition est due au pasteur Bertrand. La publication se poursuit jusqu'en 1783 et comprend dix-neuf volumes (Cole et Watts, 1952) ; le caractère européen de l'entreprise est souligné par les dédicaces : le premier volume est dédié à Frédéric II de Prusse (Neuchâtel est alors sous domination prussienne), le deuxième à Catherine II de Russie, le neuvième au roi de Danemark et de Norvège. L'ordre de la parution ne suit pas celui adopté par la série française ; les titres sont regroupés d'une manière méthodique. Le premier tome comprend des arts du meunier, du boulanger et du vermicelier avec diverses additions. Certains titres sont abandonnés dont ceux qui n'ont pas eu de succès à Paris (*Arts du menuisier, du facteur d'orgues*). En revanche, d'autres sont ajoutés tels l'*Art du vinaigrier* et du *tourbier*. Le vingtième volume, compris tardivement dans la collection, contient l'*Art de l'imprimerie* par Bertrand Quinquiet (Paris, an VII) et reprend les travaux antérieurs de l'Académie royale des sciences (Pinault, 1988). L'histoire de la Société typographique de Neuchâtel est connue grâce aux travaux de Jean Jeanprêtre et de Jacques Rychner et montre les liens à la fois familiaux, amicaux et financiers qui existent, grâce à des hommes comme les frères Oslervald, entre Neuchâtel, Paris et Lyon et les différents milieux d'affaires qui ne restent pas indifférents aux idées progressistes (notamment Rychner, 1969).

Intérieur d'une raffinerie de sucre (cat. 260).

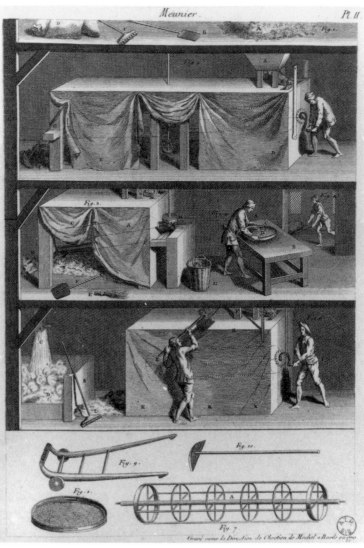

Intérieur d'une meunerie (cat. 261).

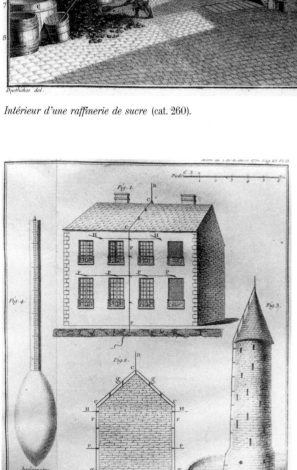

Un paratonnerre sur une maison (cat. 262).

Plan d'une partie de la ville de Saint-Emor et de ses environs (cat. 263).

Pour l'illustration des volumes, plusieurs dessinateurs et graveurs sont employés de 1769 à 1783 : Charles-Ange Bailly (vers 1738/1739-1813) ; Pierre Duflos (1701-1786) ; Balthasar-Anton Dunker (1747-1806) ; Geoffroy Eichler (1748-1815) ; H. Billé (?-1779), Isaac Jacob Lacroix (1751-après 1800) ; François-Noël Sellier (1737-début XIXᵉ siècle). Le plus connu d'entre eux, Chrétien de Méchel, qui dirige à Bâle un important atelier, est associé à l'entreprise de 1769 à 1773 (Pinault, 1984, introduction, pp. 103-111).

Le volume présenté comprend le texte de Paul-Jacques Malouin (1701-1777), un *Art du vermicelier*, un *Art du boulanger*, des additions à ces arts tirées de livres allemands et un *Traité des diverses sortes de graines et de pain*, et une *Manière de faire le pain* lue par Xavier Manetti (1723-1785) à la Société impériale de physique et de botanique de Florence. Ces textes se replacent dans les recherches entreprises dans toute l'Europe, par les savants, les économistes et les médecins, concernant les problèmes de subsistance. Méchel représente une blutterie complète, une blutterie à manivelle et des tamis : « la blutterie », indique Malouin, « ne se fait nulle part aussi bien qu'en France, pas même dans les pays où l'on fait remoudre ».

M.Pi.

262
Un paratonnerre sur une maison

par Yves-Marie LE GOUAZ d'après Fossier

Taille-douce. H. 0,243 ; L. 0,400.
Inscription : en haut à droite : « Mém. de l'Ac. R. des Sc. 1770 Pag.68 Pl.V ». En bas à gauche : « Fossier del » ; à droite : « Y. Le G. Sc. » Echelle en pieds et en toises en haut à droite. Annotations et cotations lettrées ; figure d'Aréomètre à gauche. Illustre un *Mémoire sur les VERGES OU BARRES METAL-LIQUES, destinées à garantir les Edifices des effets de la poudre ; avec la manière dont ces barres doivent être disposées pour que leur effet soit aussi certain qu'il est possible de Jean-Baptiste Le Roy, publié dans l'Histoire et Mémoire de l'Académie royale des sciences*, Paris, 1770, pp. 53.67, reliure moderne.
Bibliographie : Sjöberg, 1974, XIII, p. 534 ; Fichman, 1973, pp. 258-259.

Paris, Conservatoire national des arts et métiers, bibliothèque (inv. 4°, B.8).

La foudre est considérée au XVIIIᵉ siècle comme un véritable fléau aussi bien sur terre que sur mer. Anglais, Hollandais et Français essaient de trouver un moyen pour remédier aux dégâts souvent irréparables qu'elle cause sur les bateaux (Paris, C.N.A.M./M.N.T., portefeuille industriel, n° 457). A terre, de nombreuses personnes étudient le phénomène de la foudre : le chevalier de Romas (1713-1776) découvre l'origine électrique des nuages, Benjamin Franklin perfectionne le paratonnerre. Lors de son séjour parisien, Franklin rencontre de nombreux savants parisiens, dont Le Roy ou l'abbé Nollet (Torlais, 1956 ; Exp. :

Paris, B.N., 1956, nᵘˢ 1 à 7 et Franklin Papers, New Haven, Yale University Library et Philadelphie, American Philosophical Society, *Proceedings of the APS*, 1955, vol. 99, n° 6 et 1956, vol. 100, n° 4 notamment). Son influence se fait sentir partout en Europe.

En 1786, le père oratorien Besile envoie à l'Académie des sciences un mémoire, illustré de dessins de Hénon, sur la foudre tombée sur le collège de Riom (Exp. Paris, Louvre, 1984, nᵒˢ 18-19). Le Roy propose de placer des barres métalliques sur les bâtiments pour lutter contre la foudre et cite plusieurs ouvrages antérieurs, les *Mémoires* de Nollet et *Della Elletricita terrestre atmosferico* de Beccaria. Il précise que des barres métalliques sont installées dans la république de Venise et que le grand-duc de Toscane « qui ne connaît pas de délassement plus agréable... que l'étude de la physique » a ordonné qu'on établisse des barres au-dessus de tous les magasins à poudre de ses États. L'installation de paratonnerres sur les édifices ne va pas sans critiques, comme en témoigne l'affaire du paratonnerre au cours de laquelle le jeune Robespierre est amené à défendre l'avocat de Saint-Omer, Charles-Dominique de Vissery de Bois-Valé (1703-1784) qui, ayant installé un paratonnerre sur sa maison, est condamné à le démolir en 1780. Il intente un procès contre le jugement des échevins de la ville. Au cours de deux plaidoiries, Robespierre, son avocat, se montre brillant et plus connaisseur des problèmes scientifiques que certains auteurs ne le laissent croire. Vissery gagne son procès (Birembaut, 1958).
Le mémoire de Le Roy est publié dans l'un des volumes de l'*Histoire et Mémoire de l'Académie royale des sciences* dont la publication commence en 1790 et se poursuit jusqu'en 1799 à raison d'un volume pour chaque année. Certains mémoires sont illustrés. Fossier est l'un des dessinateurs de l'Académie, il apparaît dans plusieurs documents d'archives et dans la correspondance de Lavoisier. Quelques dessins de lui sont connus (Paris, Carnavalet. Exp. : Marseille, n° 132 ; Philadelphie, A.P.S.). Quant au graveur, Le Gouaz, gendre de Nicolas-Marie Ozanne, il est réputé pour ses dessins de marine (Paris, Louvre, inv. 30446-30479 ; Guiffrey Marcel, IX, 1921, pp. 8-15). Physicien, Jean-Baptiste Le Roy, est élu membre résidant de la section des arts mécaniques de la première classe de l'Institut national, le 18 frimaire an IV (9 décembre 1795). Le Roy continue par la suite ses recherches sur les paratonnerres à établir sur les vaisseaux et les ports (1790). Le paratonnerre est au centre de nombreuses discussions pendant la Révolution : des voix s'élèvent alors pour s'opposer à la destruction des bâtiments religieux qui portent des paratonnerres (Mongez, Paris, arch. Académie des sciences, séances 1791). M.Pi.

263
Plan d'une partie de la ville de Saint-Emor et de ses environs

par un artiste anonyme

Plume, encres noire et rouge, Lavis de couleurs. Ovale. H. 0,371 ; L. 0,510. La bordure décorative imitant un cadre est rapportée.
Inscription : dans la marge de la partie gauche, à la plume et encre noire : « PLAN d'une partie de la VILLE de ST-EMOR et de ses environs ». Annotations manuscrites à la plume et encre noire.
Historique : fonds des dessins d'élèves ; archives de l'École nationale des ponts et chaussées.
Exposition : 1987-1988, Paris, Archives nationales, n° 151 g.
Bibliographie : Pinault, 1984, n° 7.

Paris, École nationale des ponts et chaussées, bibliothèque (D. 4.15).

L'enseignement du dessin à l'École royale des ponts et chaussées est rythmé de manière régulière par des concours destinés au perfectionnement et à l'émulation des élèves. En 1775, Turgot, contrôleur général des finances, réorganise l'école fondée par Daniel Trudaine (1703-1769) en 1747, dans laquelle Jean-Rodolphe Perronet (1708-1794) dirige le « bureau des dessinateurs du roi ». Dans l'*Instruction concernant la direction des élèves, des sous-ingénieurs et des inspecteurs des Ponts et Chaussées*, datée du 10 février 1775, Turgot établit une hiérarchie dans les concours : les concours de mathématiques et d'architecture sont les plus difficiles, ceux de dessin et d'écriture occupent les dernières places. Le concours de dessin est divisé en trois parties : le dessin de carte géographique et topographique figure en premier rang, la figure et l'ornement la deuxième, le paysage la troisième (Yvon, *in* cat. Exp. : Paris, A.N., 1987-1988). La bibliothèque de l'École nationale des ponts et chaussées conserve un important fonds de dessins relatifs à ces concours (Exp. : Paris, Union de banques, 1981 ; Louvre, 1984, nᵒˢ 7-10 ; Conciergerie, 1986, nᵒˢ 114-119, 121, 126 à 133). La carte géographique et topographique toujours soigneusement exécutée est la mieux représentée, sous une forme utopique. Les éléments réels de la carte sont mêlés à des motifs décoratifs imaginaires. Tous les reliefs, plaines, rivières, collines, forêts et montagnes sont ainsi regroupés sur une même feuille, véritable résumé d'un traité de la carte. Des hommages sont aussi rendus d'une manière plus ou moins allégorique à Perronet, à Sage, à Voltaire (le citoyen Brûlé, dans sa carte de 1793 a attribué un domaine au baron Thon der den Tronk), à l'*Encyclopédie*. Ici, sous le nom de Saint-Emor, on retrouve celui de Rome. M.Pi.

264
L'Art du mineur

par Jean-Pierre GUILLOT-DUHAMEL

Manuscrit et dessins. Plume, encre noire, lavis de couleurs. H. 0,384 ; L. 0,270.

Inscription : en haut à droite, à la plume et encre noire : « Pl.2 » ; en bas à droite : « art du mineur » ; lettres et chiffres à l'encre noire et rouge en bas vers la gauche : « échelle de 36 pieds ». Planche 2 de *l'Art du mineur en manière d'exploiter les mines métalliques, ou l'on traite aussi de la préparation des minéraux pour les disposer à la fonte, ainsi que des machines les plus usitées dans ces sortes de travaux. Avec figure en taille douce,* 436 p. 13 pl. in-fol., reliure moderne.

Historique : remis en 1820 par Jean-Baptiste Guillot-Duhamel, fils de l'auteur à M. Becquey, directeur des Ponts et Chaussées et des Mines pour être déposé à la Bibliothèque royale des mines.

Exposition : 1983, Paris, E.N.S.M., p. 1.

Bibliographie : Guillon, 1889 ; Lacroix, 1929, p. 17 ; Birembaut, 1964, p. 395.

Paris, École nationale supérieure des mines, bibliothèque (ms. 32).

Ce manuscrit est accompagné d'un feuillet manuscrit ajouté, en date du 26 janvier 1789 : Condorcet y certifie le rapport que Sage et Desmarest ont rédigé après examen, sur l'*Art du mineur* de Duhamel et en autorise la publication sous le privilège de l'Académie des sciences dans la collection de la *Description des arts et métiers.* Duhamel traite en neuf chapitres du métier de mineur, des connaissances en travaux publics, en physique, en hydraulique, qu'il doit avoir, des divers minerais, des problèmes d'économie et administratifs qui s'y rattachent. Il renvoie au livre de Morand en ce qui concerne les mines de charbon. Ce traité abonde de renseignements recueillis par Duhamel au cours de ses voyages : ingénieur des Ponts et Chaussées, protégé par Perronet, il accompagne Jars dans ses inspections de l'est de la France au cours desquelles il visite les forges de Buffon (Paris, A.N. 12 F 1300). Il collabore aux *Voyages métallurgiques* (Paris, 1774-1781). Duhamel présente un mémoire à l'Académie royale des sciences, avec des dessins très soignés, sur les forges catalanes (Paris, arch. Académie des sciences, séances, 13 avril 1785). Le volume de Duhamel ne paraît pas du fait sans doute des événements révolutionnaires. Pourtant, un prospectus, en date de l'an IV, met en souscription un *Traité de l'exploitation des mines* par Duhamel, de huit cents pages et d'une trentaine de planches (Palaiseau, École polytechnique, arch. VII 2.b.1). L'ouvrage sera en deux parties, l'une traitant des mines métalliques, la seconde des mines de houille ou de charbon de terre. « Le gouvernement, connaissant la nécessité de faire exploiter les mines de la république, ne néglige rien pour en tirer parti et c'est en suivant les principes que nous annonçons, que nous arracherons de notre sol les métaux et la houille, dontnous étions autrefois tributaires envers les étrangers. » Le nom de Guillot-Duhamel est lié à celui de l'École royale des mines, l'une des grandes créations de Louis XVI. En 1778, Balthazar Sage (1740-1824), nommé professeur par le roi, ouvre dans l'une des grandes salles de l'Hôtel des monnaies à Paris un cours gratuit de minéralogie et de métallurgie docimastique, qui préfigure l'École des mines et dont Gabriel de Saint-Aubin donne trois vues (Dacier, 2,1931, nᵒˢ 435-437. Exp. : Paris, Louvre, 1984, nᵒ 3). L'École des mines est créée en 1783 : Sage est nommé professeur de minéralogie et directeur général des études, Duhamel devient professeur de géométrie souterraine et « démonstrateur de toutes les machines servant à l'exploitation des mines ». (Birembaut, 1964, pp. 386-418. Exp. : Paris, E.N.S.M., 1983). Il rédige pour ses élèves un volume sur la *géométrie souterraine* (Paris, 1787). Le volume présenté correspond au cours qu'il donne dans cet établissement avant la Révolution et qui sera encore en vigueur au début du XXᵉ siècle. La planche exposée montre le travail en strates, en gradins et en filons. Duhamel rédige également un manuscrit sur *l'Art du métallurgiste* aujourd'hui perdu. M.Pi.

265
Machine pour élever les ouvriers

par François-Philippe CHARPENTIER

Dessins : a) Ensemble. Pierre noire, plume et encre noire, lavis gris. H. 0,307 ; L. 0,448.
Inscription : en haut au milieu, à la plume et encre noire : « fig. I » ; en bas au milieu : « F.P. Charpentier inv. et Delin. 1779 ». Cotations chiffrées et lettrées - Accompagné d'un feuillet sur lequel est écrit : « Nᵒ 389. Nᵃ. La machine a été remise à l'auteur ».
b) Détails. Pierre noire, plume et encre noire, lavis gris. H. 0,295 ; L. 0,442.
Inscription : de haut en bas, à la plume et encre noire : « fig. 2 » à « fig. 15 » ; en bas vers la gauche : « F.P. Charpentier inv. et Delin. 1779 ».
Historique : papiers Louis-Henry Duchesne ; saisie des condamnés.

Paris, Archives nationales (T 160²²).

Louis-Henry Duchesne (1737-1793), intendant de la maison de la comtesse de Provence, réunit un important ensemble de documents sur différents sujets qui sont le reflet des préoccupations de la bourgeoisie et de l'aristocratie. On y trouve des rapports provenant de la Société libre d'émulation de France pour l'encouragement des arts, métiers et inventions utiles, et datés des années 1776 à 1779 ; parmi les souscripteurs de la société, on relève les noms, de 1778 à 1782, de la comtesse de Genlis (1746-1830), de Vergennes, de Necker, du duc de la Rochefoucauld, de Condorcet, de Turgot, de Lavoisier et de son beau-père Paulze, du comte Nicolas-Christian de Thy, du comte de Milly (1728-1784), de l'abbé de Saint-Non (1727-1791) et de dom Courdemanche, procureur de l'abbaye royale de Jumièges, du peintre Joseph Vernet. Chaque membre verse une cotisation ; tout ce que l'Ancien Régime compte d'« éclairé » se retrouve dans cette société (ouverte aux dames !), qui se réunit à l'hôtel Soubise (aujourd'hui, les Archives nationales), et se préoccupe avant tout du bien général. La Société libre d'émulation est créée, à l'imitation de celle de Londres pour l'encouragement des inventions qui tendent à « perfectionner la pratique des arts et métiers utiles » ; des inventions sont examinées et approuvées par chacun des comités particuliers : un concerne les arts et métiers relevants des mathématiques, deux autres des connaissances chimiques, le dernier relevant des arts qui tiennent de « l'adresse des mains ». L'Académie royale des sciences sera consultée s'il y a lieu. La société doit être en relation directe avec les provinces du royaume. Les mémoires couronnés sont publiés tous les ans. Ils traitent de sujets souvent débattus à l'Académie royale des sciences : calorifère, échelle à incendie, machines diverses permettant un travail plus facile aux ouvriers ou une amélioration de la vie quotidienne (cuisinière, lit pour les malades, vaisselle de cuivre), méthode pour conserver les grains, les moutures de farine, tissage, aérostation, voitures diverses, machine à feu, machine solaire destinée à favoriser les cultures. Charpentier, qui s'intitule lui-même « mécanicien », présente en 1779 deux machines, « échafaud volant », pour élever les peintres, les sculpteurs et les ouvriers ; cette machine facilite le travail des hommes et évite les échafaudages souvent dispendieux. Parmi le fonds Duchesne, on trouve également des textes sur le lycée des Arts fondé par Jean-François Pilâtre de Rozier (1754-1785) en 1781, installé au Palais-Royal où se donnent des cours de sciences exactes ou appliquées, de langues vivantes, d'anatomie ou d'art. Un carton entier est consacré aux plantes contenues dans l'herbier de Duchesne. En l'an IX, un certain Jean-François Charpentier, alors juge de paix de la division des Invalides, obtient pour une machine sur le même sujet un brevet de cinq ans (*Répertoire général des inventions avec brevets...,* Paris, 1806, p. 103, nᵒ 136 et C.N.A.M., bibl. nᵒ 172). M.Pi.

266
Salle de sciences naturelles à Felix Meritis

par R. VINKELES, d'après P. Barbiers

Gravure. H. 0,45 ; L. 0,54.
Bibliographie : Muller Atlas, 1876, nᵒ 5124.

Amsterdam, Rijksprentenkabinet, Rijksmuseum (inv. F. M. 5124).

La Société des arts et sciences qui avait pour devise « Felix Meritis » était fréquentée par la moyenne bourgeoisie d'Amsterdam. On y pratiquait les arts et on y étudiait les sciences naturelles. Sur la gravure (1789), on voit le public suivre avec intérêt la démonstration de la célèbre machine électrostatique construite par l'homme de sciences, Jan van Swinden (1746-1823). B.K. et M.J.

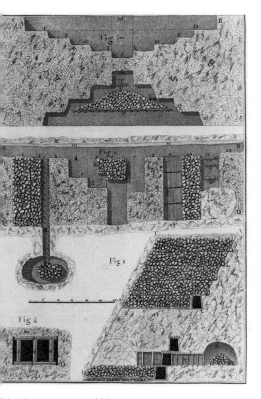

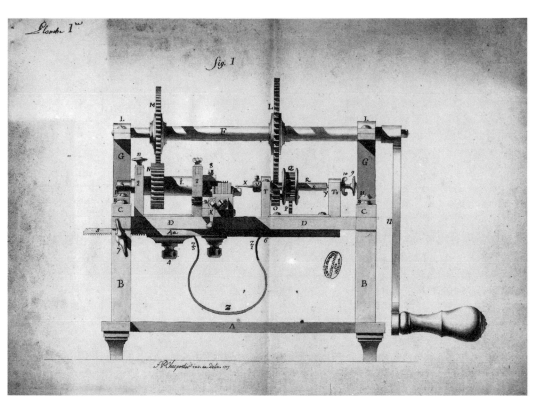

'Art du mineur» (cat. 264).

Machine pour élever les ouvriers (cat. 265).

ZAAL DER NATUURKUNDE
IN HET GEBOUW der MAATSCHAPPYË FELIX MERITIS
BINNEN AMSTERDAM.

SALLE DE PHYSIQUE
DANS L'EDIFIÇE de la SOCIÉTÉ FELIX MERITIS
A AMSTERDAM.

Salle de sciences naturelles de la société Felix Meritis à Amsterdam (cat. 266).

267

Décoration de l'université de Copenhague pour l'entrée du prince héritier et de la princesse héritière au mois de septembre 1790

par Heinrich August GROSH, d'après une décoration de Peter Meyn

Plume, encre de Chine et lavis d'encre de Chine.
H. 0,405 ; L. 0,480.
Bibliographie : Kryger, 1986, pp. 25-27. repr. 25.
Copenhague, Hendes Majestat Drommingen Hånd-bibliotek (inv. G.K.M. 7 N2 39 bl. N° 2).

Le 31 juillet 1790 était célébré au château de Gottorp le mariage du prince héritier de Danemark, Frédéric et de la princesse Marie-Sophie Frédérique de Hesse. Le jeune couple, très populaire, faisait son entrée dans Copenhague le 14 septembre de la même année.
A cette occasion, la ville était brillamment décorée par ses habitants, qui avaient fait preuve d'un esprit créatif.
La décoration réalisée à l'université de Copenhague mettait l'accent sur les vertus du prince, évoquant la Rome antique. Un temple à l'image de celui de Minerve était construit. Le décor intérieur était composé de trois figures en ronde bosse : Minerve, Cupidon et l'Hymen, de deux niches ornées de représentations de la science et de trois reliefs ; sur le premier relief, le prince héritier drapé à l'antique, en héros ou en empereur romain, soutenait un paysan et un soldat ; sur le second, la princesse guidée par l'Amour s'avançait sur le chemin de la vertu, enfin était figurée la Félicité du temps recevant des présents des saisons.
Deux statues de l'Honneur et de la Vertu décoraient l'extérieur de l'édifice. Les montants, situés de part et d'autre du temple rond, recevaient des inscriptions composées en l'honneur du couple princier. Elles étaient surmontées de deux figures allégoriques : à gauche, la Liberté

coiffée du bonnet phrygien, symbole de la Révolution française, placée au-dessus du texte concernant le prince héritier et, à droite, la Fertilité associée à la princesse royale.
Le prince était appelé « ami du peuple », qualifié « d'aimant, de juste, de tenace et de diligent » ; « protecteur des droits de l'homme », il était « l'ange gardien de la liberté à l'ère de l'absolutisme suivant ainsi l'exemple de Nerva et de Trajan ».
Il paraît extraordinaire que ce symbole de la Révolution française ait été utilisé pour glorifier la maison royale ; des représentations de la Liberté et de ses attributs avaient déjà été utilisées dans des décorations royales antérieures. Cependant peu après cette entrée princière, l'utilisation de la figure de la Liberté fut rendue impossible, elle apparaissait compromise d'un point de vue monarchique, car trop associée à la Révolution française.
L'entrée de 1790 a fait l'objet d'une chanson célèbre de Peter Andreas Heiberg dans laquelle la noblesse était ridiculisée.
L'auteur, partisan de la Révolution française, a été expulsé en 1789 et a vécu à Paris jusqu'à sa mort en 1841.
Cette feuille appartient à une série de huit dessins.

K.Kr.

268 A, B et C

Encyclopédie, ou dictionnaire raisonné des sciences, des arts et des métiers, par une société de gens de lettres

Inscription : « Mis en ordre et publié par *M. Diderot*, de l'Académie Royale des Sciences et Belles Lettres de Prusse ; et quant à la Partie mathématique, par *M. D'Alembert*, de l'Académie Royale des Sciences de Paris, de celle de Prusse, et de la Société Royale de Londres. A Paris, chez Briasson, rue Saint-Jacques, à la Science. David l'aîné, rue saint-Jacques,

à la plume d'or. Le Breton, Imprimeur ordinaire du Roy, rue de la Harpe. Durand, rue Saint-jacques à Saint Landry, au Grillon M. DCC.LI », 17 vol. de texte, 12 vol. de pl., 4 vol. de suppl., 2 vol. de tables, infol., reliure veau marbré.
Bibliographie : Proust, 1965, 1967 (avec bibliographie) ; Schwab-Rex, 1971-1972 ; Diderot, O.C., V-VIII, Paris, 1976.

Paris, musée du Louvre, bibliothèque des Musées nationaux.

L'*Encyclopédie* est sans doute la publication du XVIIIᵉ siècle qui a le plus marqué son époque et les deux siècles suivants. Née de l'esprit d'entreprise de plusieurs libraires qui s'attachent les esprits les plus éclairés de Paris comme de province, l'*Encyclopédie* est la synthèse et l'aboutissement des mouvements d'idées qui tendent tous à la clarification et à la classification du savoir. La chronologie de la publication et sa présentation matérielle sont étudiées dans le catalogue de l'exposition *Diderot et l'Encyclopédie* (Paris, B.N., 1951). L'*Encyclopédie* comprend dix-sept volumes de textes partagés en deux époques : la première de 1751 à 1757 voit la parution de sept volumes de textes. Le tome I comprend l'*Épître dédicatoire* au comte d'Argenson, ministre et secrétaire d'État de la Guerre, le *Discours préliminaire* de d'Alembert, le *Système figuré des connaissances humaines* d'après le chancelier Bacon et généralement le *Frontispice*.
Après la condamnation de l'*Encyclopédie*, en même temps que *De l'esprit* d'Helvétius, puis la révocation du privilège, la publication des volumes de textes cesse ; les libraires obtiennent par ailleurs un nouveau privilège pour la publication de volumes de planches initialement prévus au nombre de deux. Elle reprend en 1765 avec un nouveau titre : *Encyclopédie, ou Dictionnaire raisonné des sciences, des arts et des métiers, par une société de gens de lettres mis en ordre et publie par Mr**** et l'adresse du libraire Samuel Faulche à Neuchâtel, mais en fait l'édition des dix volumes tous datés 1765 se fait à Paris, grâce aux protections officielles. Le rôle de Malesherbes dans l'histoire de l'*Encyclopédie* doit être souligné. Directeur de la librairie, il favorise l'œuvre des encyclopédistes, membre de l'Académie royale des sciences, il la défend vigoureusement lors de l'affaire des plagiats, qui oppose l'Académie aux libraires accusés de copier les planches de la *Description des arts et métiers*.
L'une des grandes qualités de Diderot, directeur de la publication est de faire appel en dehors de toute considération de classe, de hiérarchie sociale ou corporative à des collaborateurs d'horizons intellectuels différents : aristocrates, religieux, ingénieurs et techniciens amateurs, hommes issus du monde officiel, semi-officiel ou simples citoyens publient ainsi ensemble sans doute pour la première fois, ce qui marque une révolution dans l'histoire du livre et des mentalités mais ce qui entraîne inévitablement des inégalités dans la qualité des articles. Chaque rédacteur signe avec un symbole ses articles : Diderot avec une « étoile » (que les historiens ont transformé en astérisque), d'Alembert avec *O*, Rousseau *S*,

Décoration de l'université de Copenhague pour une entrée princière (cat. 267).

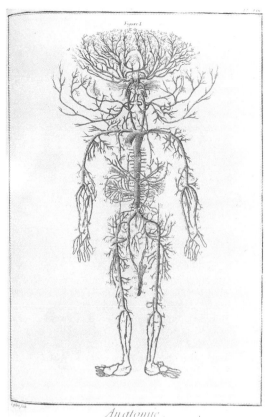

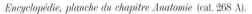

Anatomie.

Encyclopédie, planche du chapitre Anatomie (cat. 268 A).

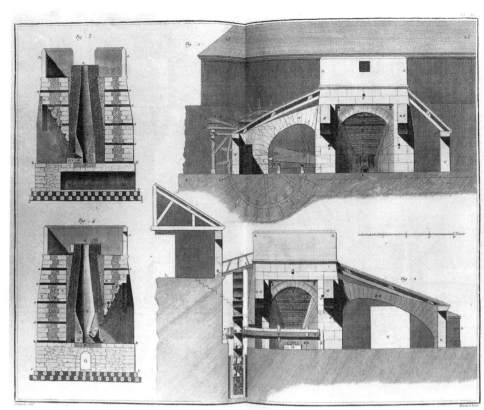

Forges, 2e Section, Fourneau à Fer. Élévations et Coupes d'un Fourneau.

Encyclopédie, planche du chapitre Grosses Forges (cat. 268 B).

d'Holbach avec (-) ; le chevalier de Jaucourt est l'un des rares rédacteurs à garder ses initiales (Proust, 1967, pp. 511-531 ; Schwab-Rex, 1971-1972). Les articles sont publiés par ordre alphabétique, un système de renvoi dont la richesse n'est pas encore totalement évaluée, permet un jeu subtil et parfois osé de comparaisons. Les onze volumes de planches portent pour titre *Recueil de planches sur les sciences, les arts libéraux et les arts méchaniques, avec leur explication*, Paris, chez Briasson, David, Le Breton, Durand, et paraissent de 1762 à 1772... Ils comprennent un état général avec la liste des matières traitées, classées par ordre alphabétique. Seul le onzième volume consacré au tissage est thématique. Peu de dessinateurs sont occupés à l'illustration : Goussier est le premier à être engagé dès 1749 pour compléter les figures déjà connues et les planches achetées à divers artistes. Lucotte et Radel sont dessinateurs, Defehrt et Prévost dessinateurs et graveurs. La gravure des planches est essentiellement l'œuvre de l'atelier de Bénard (Gardey, 1964/1 ; Pinault, 1972 ; 1984/1 et 2 ; Schwab, 1984). L'inventaire actuellement en cours des sources des planches de l'*Encyclopédie* fera apparaître les nombreux emprunts de Diderot et de ses collaborateurs aux livres imprimés, aux gravures, aux dessins et peintures antérieurs, confirmés par les achats des libraires et les prêts à Diderot de volumes de la Bibliothèque royale, dont plusieurs gardes, les abbés Capperonnier, Joly (Gardey, 1964/2) et Sallier sont ses fidèles collaborateurs même s'ils ne signent pas d'articles. Ces emprunts montrent avec ceux faits aux autres institutions royales (Académie royale des sciences, École royale des ponts et chaussées, jardin du Roi) combien le mouvement encyclopédique est

l'héritier dans beaucoup de domaines des ambitions intellectuelles de Louis XIV et de Colbert (Exp. : Paris, Orangerie, 1977-1978 ; Louvre, 1984 ; Pinault, 1988/3).

Diderot ne participe pas à l'édition des quatre volumes de *Supplément* publiés de 1776 à 1777 par les soins de Panckoucke, Stoupe et Brunet à Paris, de Rey à Amsterdam, ni à celle du volume de planches, qui paraît en 1777 avec la même adresse. Les deux volumes de tables comprennent les références à tous les volumes de la publication (1780).

L'*Encyclopédie* connaît un immense succès partout dans le monde, autant en Amérique qu'en Russie (quelques exemplaires y parviennent malgré la censure impériale). Plusieurs éditions étrangères sont répertoriées en Italie, en Suisse ou en Allemagne : parmi celles-ci, les plus connues sont les éditions de Lucques (28 vol., 1758-1776), Livourne (33 vol., 1770-1779), Yverdon, édition revue et augmentée par Fortuné-Barthélemy de Félice (1723-1789 ; 58 vol., dont 10 de pl., 1770-1780), Genève (39 vol. dont 3 dépl. 1777-1781) et Lausanne-Berne (36 vol. dont 3 de pl. 1778-1782).

Dès la fin des années 1770, le libraire Charles-Joseph Panckoucke (1736-1798, Tucoo-Chala, 1977), met en chantier une nouvelle encyclopédie dérivée de la précédente, non plus alphabétique, mais méthodique, classée selon les grandes sections des connaissances humaines. Elle comprend 166 ou 167 volumes (selon la reliure) de textes et 6439 planches qui paraissent chez Panckoucke de 1782 à 1792 puis chez Agasse de 1792 à 1832 (Brunet, 1861, II, p. 974). De nombreux collaborateurs de l'*Encyclopédie* de Diderot participent à cette entreprise ainsi que des nouveaux venus tels

Fougeroux de Bondaroy, ou Condorcet. Le rôle de l'Académie royale des sciences y est prépondérant. Les travaux de Robert Darnton mettent en évidence l'importance de la publication des *Encyclopédies* (1979) dans la diffusion des idées les plus avancées du siècle, mais aussi, dans l'organisation matérielle et financière du milieu international de l'imprimerie et de la librairie et dans le clivage des milieux sociaux et intellectuels. Notre conception actuelle du savoir dérive de l'ordre encyclopédique adopté par Diderot et ses collaborateurs.   M.Pi.

A. Planche VIII du *Volume I des Planches*. Paris, 1762.

Taille-douce.

Inscription : en haut à droite : « Pl. VIII » ; en bas à gauche : « Defehrt fecit » ; au milieu : « Anatomie ».

Le chapitre *Anatomie* comprend 33 planches pratiquement toutes copiées sur des gravures antérieures publiées dans les livres de Vesale, Albinus, Haller. Cette planche est reprise presque sans changement de la planche II du tome I de la *Cyclopedia* de Chambers. Elle représente les artères selon Drake (Pinault, 1972, I. p. 53).

B. Planche II du *Volume IV des Planches*. Paris, 1765.

Taille-douce.

Inscription : en haut à droite : « Pl. II » ; en bas à gauche : « Goussier Del. » ; à droite : « Prevost Fecit » ; au milieu : « Forges, Le Section, Fourneau à Fer Élévations et Coupes d'un Fourneau. »

Le chapitre *Grosses Forges* ou *Art du fer* est publié en cinq sections comprenant 51 planches

Encyclopédie, planche du chapitre Serrurerie (cat. 268 C).

inspirées par celles exécutées pour la *Description des arts et métiers* (dessins préparatoires : bibl. de l'Institut, ms. 1064 ; Pinault, 1984, n°s 374 à 596) et publiées dans *l'Art des forges et fourneaux à fer* du marquis de Courtivron et de Bouchu (Paris, s.d.). Alors que les dessinateurs de l'Académie représentent dans leurs œuvres les ouvriers au travail, ceux de l'*Encyclopédie,* sous la direction de Diderot, gomment très souvent la présence humaine.

C. Planche XVII *du Volume IX des Planches*, Paris, 1771.

Taille-douce.

Inscription : en haut à droite : « Pl. XVII » ; en bas à gauche : « Lucotte Del. » ; à droite : « Benard Fecit » ; en bas au milieu : « Serrurerie, Grands Ouvrages, Couronnement, Vase et Porte-Enseignes. »

Le chapitre *Serrurerie* comprend 57 planches plus inspirées que copiées de celles exécutées pour la *Description des arts et métiers,* (dessins préparatoires : bibl. de l'Institut ms. 1065 ; Pinault, 1984, n°s 1394-1597) publiées par la suite dans *l'Art du serrurier* de Duhamel du Monceau (Paris, 1767). La figure 131 représente une croix, ce qui peut étonner dans une publication souvent opposées aux Églises, alors que le dessin de l'Académie royale des sciences proche (Pinault, n° 1426) reproduit la couronne et les armes de France. Il y a dans les planches de l'*Encyclopédie* tout un monde symbolique dont l'étude esquissée par Roland Barthes (1964) et Jacques Proust (1969) est à faire.

LE CULTE
DE NEWTON

269
Cénotaphe de Newton la nuit

par Étienne-Louis BOULLÉE

Plume et encre noire, lavis gris. H. 0,391 ; L. 0,640 - Collé en plein.

Inscription : signé en bas à gauche, à la plume et encre noire : « Boullée ».

Historique : legs Boullée, le 15 ventôse an VII, à la Bibliothèque nationale, avec usufruit à Pierre-Nicolas Benard, son neveu.

Expositions : 1967-1968, États-Unis, exp. itinérante, n° 10 ; 1970, Baden-Baden, n° 10.

Bibliographie : Pognon, 1959, p. 87 ; Rosenau, 1964, pp. 173-190 ; Pérouse de Montclos, 1969, pp. 200-204, 246 ; Caso, 1976, pp. 17-18 ; Kaufman, 1978, p. 115 ; Stein Hauser, 1983, pp. 8-47 ; Bandiera, 1983, p. 25 ; Pérouse de Montclos, 1984, p. 233 ; Madec, 1986, repr. p. 63 ; Stafford, 1986, p. 465 et fig. 268 ; Vovelle, 1986, IV, p. 272.

Paris, Bibliothèque nationale, cabinet des Estampes (inv. Ha 57, pl. 9).

Tout au long du siècle, la personnalité de sir Isaac Newton (1642-1727) inspire les artistes qu'ils soient peintres comme Giambattista Pittoni (1687-1767), qui peint un *Tombeau allégorique de sir Isaac Newton* (Cambridge, Fitzwilliam Museum), ou architectes. Pour les hommes du XVIIIᵉ siècle, Newton représente le génie universel et son influence est grande sur les savants comme sur les philosophes, de Diderot et Voltaire à Lamarck. On sait par son inventaire que Boullée possède des portraits de Newton et de Copernic. Dans son *Essai sur l'art* (1783-1793), il rend hommage au savant et écrit : « Nous aimons à trouver dans un de nos semblables cet éminent degré de perfection qui divinise pour ainsi dire à nos yeux notre nature... » (Paris, BN, MS, ms. fr. 9153 ; Boullée, 1968, pp. 137-138). Il donne le thème du *Tombeau de Newton* des projets grandioses qui sont des poèmes sur le génie et l'immortalité. Le choix du sujet, le cénotaphe, n'est pas une nouveauté : le pèlerinage à la tombe est cher aux hommes du XVIIIᵉ siècle et apparaît maintes fois dans la littérature. Boullée écrit : « Temples de la mort, votre aspect doit glacer nos cœurs ! Artiste, fuis la lumière des cieux ! Descends dans les tombeaux pour y tracer les idées de la lueur pâle et mourante des lampes sépulcrales » (*op. cit.*, pp. 132-133) et s'inspire de l'architecture colossale de l'Antiquité romaine, principalement du mausolée d'Haliscarnasse, mais aussi de Piranèse, de Desprez et de Legeay. A cela s'ajoute la connaissance des écrits théoriques des architectes de la Renaissance et des recherches techniques et scientifiques.

Il est certain que le choix de la sphère par Boullée est la conséquence des recherches faites non seulement en géométrie mais surtout en physique et en minéralogie. La manière de disposer la nature autour du projet architectural est caractéristique de l'enseignement donné aux futurs ingénieurs de l'École royale des ponts et chaussées à laquelle Boullée est lié. Boullée rejoint également, par son souci d'intégrer l'architecture au monde cosmique et physique, les réflexions philosophiques du siècle et celles des autorités politiques, juridiques et scientifiques faites autour de la mort et des cimetières. Les architectes élaborent, à l'image des monuments de l'Égypte, des projets grandioses de cités pour les morts, où pyramides et sphères sont employées de manière égale (Caso, 1976, et Bandiera, 1983). Boullée dessine six projets pour ce monument, techniquement irréalisable à l'époque, un plan, une élévation perspective, une autre coupe géométrale, une coupe présentée de jour avec effet de nuit à l'intérieur, la coupe exposée de nuit, avec effet de lumière à l'intérieur ainsi qu'une vue intérieure inachevée (B.N., Est. Ha 57, pl. 5 à 10). Boullée propose un monument vide, marquant ici la prédominance de l'esprit sur la matière. Le dessin exposé est sans doute le plus spectaculaire de toute la série : le tombeau est remplacé par une sphère dont le système est pour certains historiens celui de Copernic. La clarté qui en émane est une allusion directe aux travaux de Newton sur la lumière et l'optique publiés dans *Opticks, or a treatise of the reflexione, refractions, inflexions and colours of light* (Londres, 1704) traduit en français par Coste en 1720, puis par Marat en 1787. Les dessins de Boullée ouvrent la voie à ce que J.-M. Pérouse de Montclos appelle « les fabriques astronomiques » (*op. cit.*, 1969, p. 200) et qui connaissent un vif succès. Plusieurs projets de *Tombeaux pour Newton* sont contemporains des œuvres de Boullée comme ceux de Pierre-Jules Delespine (1765-1825) tandis qu'un projet de monument funéraire par Jean-Nicolas Sobre reprend le parti de la sphère vide adopté par Louis-Étienne Boullée. Enfin, en brumaire an IX (1800), l'Institut de France propose un concours sur ce thème (Pérouse de Montclos, 1984, p. 233).   M.Pi.

270
Newton (1642-1727)

par William BLAKE

Gravure en couleurs rehaussée à la plume et à l'aquarelle. H. 0,46 ; L. 0,60.

Bibliographie : Bindman, 1978, n° 336 (12) ; Butlin, 1981, n° 306 ; Essick, 1980, pp. 132, 148, 181 ; Bindman, 1982, p. 118.

Londres, the Tate Gallery, (inv. N 050 58).

William Blake, poète mystique et peintre, était un ardent partisan de la Révolution française. Il espérait qu'elle conduirait à la liberté et à la renaissance morale. Mais le caractère apocalyptique de ses opinions le marginalisait par rapport au courant radicaliste britannique.
La découverte de l'attraction universelle et sa théorie de la lumière et des couleurs valurent

Newton (cat. 270).

Cénotaphe de Newton (cat. 269).

Le Planétaire (cat. 271).

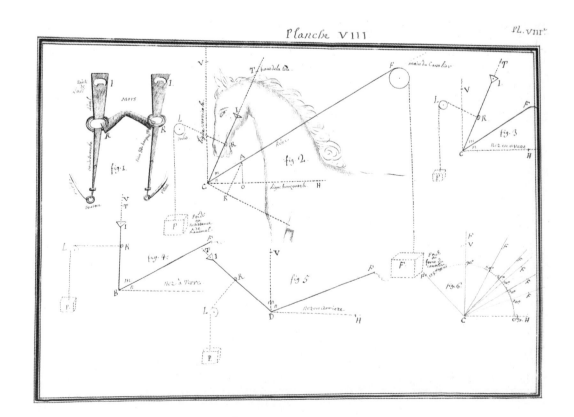

Mémoire de mécanique sur l'équitation (cat. 272).

à Isaac Newton la première place parmi les hommes de science du XVIIᵉ et du début du XVIIIᵉ siècle. Après sa mort, son œuvre devint la référence du mouvement rationaliste : « La Nature et la loi de Nature étaient plongées dans l'obscurité : Dieu dit, *Que Newton soit!* et la lumière fut ».   (A. Pope, *Epitaphs.*)
Pour Blake, ces philosophes empiristes étaient responsables du déisme et Newton, notamment, représentait le matérialisme mécaniste le plus extrême.
Après 1789, William Blake a tenté, à travers plusieurs volumes et en utilisant son procédé de gravure en relief, de créer une « Sublime Allegory » qui démontrerait comment le matérialisme était parvenu à dominer l'histoire de l'humanité avant que ne surviennent les révolutions, notamment américaine et française. En 1791, paraissait le premier volume de son poème en prose, *la Révolution française.*
L'unique autre tirage répertorié de cette planche en couleurs (1795) appartient à l'église luthérienne Glen Foerd à Torresdale, Philadelphie.   C.B.-O.

271
Le Planétaire (« The Orrery »)

par William PETHER, d'après Joseph Wright of Derby
Gravure à la manière noire. H. 0,483 ; L. 0,582.
Bibliographie : Vaughan, 1978, pp. 45-46.

Londres, Victoria and Albert Museum (inv. 29445.2).

Joseph Wright of Derby (1734-1797) a été le premier peintre à capter l'intérêt pour l'enquête scientifique qui prévalait au XVIIIᵉ siècle dans les classes moyennes éclairées des Midlands. Dans les années 1760, il peignit une série de scènes éclairées artificiellement. Si le procédé n'était pas nouveau (mais inspiré de l'art des caravagesques et des peintures hollandaises « à la chandelle »), il revêt néanmoins une profonde originalité, appliqué par Wright of Derby à des sujets modernes et scientifiques tels que le *Planétaire*, daté de 1768, et l'*Expérience avec la machine pneumatique.*
« Planétaire : mécanisme conçu pour représenter les mouvements des planètes autour du Soleil au moyen d'un rouage d'horlogerie. » (Oxford, *English Dictionnary*). L'instrument doit son nom à Charles Boyle, quatrième comte d'Orrery (1676-1731), pour lequel il a été inventé. La lampe qui éclaire les spectateurs dans la peinture de Wright et se trouve masquée par la silhouette du jeune garçon au premier plan, occupe la place du soleil dans le planétaire. Les visages des spectateurs ne sont pas ceux d'une assemblée anonyme, mais des portraits : ainsi le philosophe lui-même serait John Whitehurst, un horloger local. Wright a peint en 1766 *Philosophe expliquant le Planétaire*, aujourd'hui dans la collection de la Derby Museum and Art Gallery.
Le graveur William Pether (1738 ?-1821) était particulièrement admiré pour ses œuvres

d'après Rembrandt et d'après Wright of Derby, dont il excellait à graver à la manière noire les peintures des années 1760, fortement contrastées.   C.B.-O.

MATHÉMATIQUES

272
Mémoire de mécanique sur l'équitation

par DEZ
Manuscrit et dessins. Plume et encre brune et noire : H. 0,304 ; L. 0,404.
Inscription : annotations et cotations à la plume et encre noire ; en haut au milieu : « Planche VIIIᵉ » et à droite : « PL. VIIIe ». Planche VIII d'un manuscrit intitulé *Recueil de mémoires de mathématiques dont la plupart sont applicables à l'usage de la vie civile,* 304 p. plus p. A.K et 10 pl. in-4°. Reliure en maroquin rouge aux armes du comte d'Artois.
Historique : présenté au comte d'Artois à Versailles ; apporté de Versailles le 20 mai 1789 à l'Arsenal ; saisie des émigrés ; huitième dépôt national littéraire de Paris, 1792 ; Institut de France, 1796 ; bibliothèque nationale et publique de l'Arsenal, 1797.
Bibliographie : Martin, 1887, n° 2526 ; VIII, 1899, p. 352, note 4.

Paris, bibliothèque de l'Arsenal (ms. 2596).

Cette planche illustre le *Mémoire de mécanique sur l'équitation, ou Essai d'une théorie du mors, et sur l'embouchure du cheval* par Dez, professeur de mathématiques à l'École royale militaire inséré dans ce recueil de mémoires mathématiques repris de divers textes imprimés : *Mémoires de l'Académie des sciences, Journal des savants,* l'*Encyclopédie méthodique.* Dez étudie les connaissances mathématiques et mécaniques que doit avoir tout cavalier ainsi que les relations de puissance et de résistance établies entre l'animal et le mors, appareil qui entretient un « commerce de sentiments » entre l'animal et son maître. Les autres mémoires traitent de problèmes d'hydrodynamique, des machines aérostatiques, de mécanique et d'un arc-en-ciel lunaire observé en 1778.
Le comte d'Artois achète le 20 juin 1785 la bibliothèque du marquis de Paulmy, installée à l'Arsenal (Exp. : Paris, Arsenal, 1987). Cette bibliothèque est l'une des plus belles de Paris et les encyclopédistes y puisent de nombreuses informations, pour la rédaction de leurs articles (Pinault, 1984). Le 20 mai 1789, une partie de la collection du comte d'Artois, plus d'une centaine de manuscrits, est transportée de Versailles à l'Arsenal, que l'on ne confond pas avec le fonds du marquis de Paulmy (d'Argenson) et que l'on installe dans une galerie baptisée galerie d'Artois. D'autres manuscrits du comte sont également apportés du Temple à l'Arsenal. Certains sont inventoriés au moment de la saisie d'émigré du prince (Paris, A. N., F¹⁷ 1165.1166).   M.Pi.

GÉOMÉTRIE ET TOPOGRAPHIE

273
Char topographique

par FLACHON de la JOMARIÈRE
Plume, encre noire, lavis de couleurs. H. 0,416 ; L. 0,548.
Inscription : signé en bas vers la gauche à la plume et encre noire : « Flachon de la Jomarière » ; au-dessous : échelles de trois pieds et de six pieds. Au verso, à la plume et encre brune : « Char topographique par Mr Flachon de la Jomarière 1786. »
Historique : Académie royale des sciences, séance du 26 juin 1786.

Paris, archives de l'Académie des sciences (séances, 26 juin 1786).

Ce dessin est complété par un manuscrit de six feuilles, signé et daté du 5 janvier 1786 à Strasbourg. Le char est composé de deux roues et d'un essieu traversant un assemblage de pièces de bois qui font partie d'un coffre servant de table. Une des roues est mobile mais l'autre actionne un système de roues qui s'imbriquent les unes dans les autres ; la cinquième et dernière entraîne une règle en crémaillère qui glisse dans des coulisses et porte à son extrémité un stylet qui peut monter ou descendre sur la table en suivant le mouvement du stylet. L'Académie reconnaît que ce char peut être d'une grande utilité pour lever rapidement le plan d'un terrain en temps de guerre mais ne peut être employé que pour des levées de courtes distances. Dans le même esprit, Perronet propose une planchette portant un crayon qui mesure exactement les angles au moyen d'une alidade mobile et une machine pour lever les plans la nuit (Lesage, 1805, chap. V). L'établissement de cartes et de plans est l'une des préoccupations majeures des autorités ; l'enseignement distribué dans les écoles militaires et civiles comprend une section cartographique développée (Hahn, *in* Taton, 1964 et Exp. : Vincennes, 1988).   M.Pi.

274
Équerre pliante

par un artiste anonyme
Deux parties égales. H. 0,017 ; L. 0,142. Graduations.
Inscription : en bas : « Pouces du Roy. Lignes. »
Historique : collection Nicolas Landau ; legs en 1980.

Paris, musée du Louvre, département des Objets d'art (inv. OA 10.802).

Règles, rapporteurs, compas et équerres sont bien représentés dans les collections (Paris, Arts décoratifs, par exemple) ; certains de ces instruments portent, et c'est le cas du modèle présenté, des graduations permettant un usage plus grand de chaque objet (Daumas, 1953, pp. 36-39). Ces instruments sont souvent réunis dans une boîte de bois destinée aux dessinateurs mais les ensembles complets sont aujourd'hui rares. Tous ces instruments servent aux ingénieurs (Paris, E.N.P.C.; exp.: Paris, Louvre, 1984, nº 7), aux dessinateurs ou architectes, tel Jean-Jacques Lequeu (Paris, B. N., Ha 80; exp.: Paris, Louvre, 1984, nº 5 et Roland-Michel, 1987, frontispice et p. 26), aux géomètres et aux topographes (Laussedat, 1898, I, p. 80).   M.Pi.

275
Rapporteur

par Jacques BARADELLE

Laiton. H. 0,070; L. 0,105. Arc gradué à 180 degrés.
Inscription: signé à la base: «Baradelle Paris».
Provenant d'une trousse.
Historique: collection Nicolas Landau; legs en 1980.
Exposition: 1984, Paris, Louvre, hors catalogue.

Paris, musée du Louvre, département des Objets d'art (inv. OA 10.796).

Un rapporteur identique est dessiné par l'un des élèves de l'École royale des ponts et chaussées qui concourt en 1784 pour l'établissement de la carte (Exp.: Paris, Louvre, 1984, nº 7). Jacques Baradelle est établi dès 1752, quai de l'Horloge du Palais, à l'enseigne, *l'Observatoire*. Son atelier est, avec celui des frères Dumotiez, le plus important pour la fabrication du «petit matériel» de physique destiné aux cabinets; vers 1750, il travaille notamment à des sphères dédiées au dauphin et présentées à l'Académie royale en 1774. Son fils aîné, Nicolas-Éloi, lui succède et continue son activité dans le domaine des instruments de mathématiques; il demande alors la place de Canivet, ingénieur de l'Académie royale des sciences. Et en 1787, il est avec Lenoir, Larochez, Fortin, Charité et Billeau, l'un des six premiers constructeurs à recevoir ce titre. Lavoisier possède une équerre de lui; l'abbé Alexis-Marie de Rochon (1741-1817) l'emploie à la fabrication de microscopes (Daumas, 1953, notamment pp. 380-381 et pl. 45, fig. 104).   M.Pi.

276
Écritoire de géomètre

par Jean-François CARRON

Boîte cintrée en haut, en acajou naturel offrant des compartiments symétriques garnis de plusieurs objets. Compas et porte-mine en argent et acier. Pied de coq et grattoirs en ivoire; deux encriers cylindriques en argent portant les poinçons du maître orfèvre Jean-François Carron et de Paris pour 1787-1788 et le coq de titre pour 1798-1809. H. 0,048; L. 0,346; Pr. 0,305.

Historique: collection David-Weill; collection Nicolas Landau; legs en 1980.
Exposition: 1936, Paris, Arts décoratifs, nº 473.

Paris, musée du Louvre, département des Objets d'art (inv. OA 10.835).

Tous les amateurs possèdent ce genre de boîtes où sont réunis les divers instruments nécessaires à l'élaboration des cartes et des plans. L'écritoire de géométrie ayant appartenu à l'abbé Jean-Antoine Nollet (1700-1770) est conservé au musée du Louvre (inv. OA 10.827) ainsi qu'un jeu de solides géométriques (inv. OA 10.785). La géométrie entre dans l'éducation de tout jeune homme et les nombreux recueils manuscrits répertoriés illustrés de planches sont l'œuvre de professeurs, ou d'élèves. Jean-Jacques Rousseau dessine des figures dans des pages d'exercices (Genève, dépôt de Saussure à la Société Jean-Jacques-Rousseau).   M.Pi.

277
Méridienne à canon

par ROUSSEAU

Cuivre doré. H. 0,343; L. 0,242; Pr. 0,332.
Inscription: «ROUSSEAU INVENIT FECIT A PARIS 1783».
Historique: collection Nicolas Landau; legs en 1980.

Paris, musée du Louvre, département des Objets d'art (inv. OA 10.763).

La méridienne est un instrument destiné à enregistrer le passage du soleil au méridien, c'est-à-dire au midi solaire. L'objet présenté, d'une exécution particulièrement soignée, a un mécanisme élaboré qui se compose notamment d'un canon miniature posé sur un socle et d'une lentille fixée au milieu d'un portique en cuivre; l'instrument doit être orienté de façon à ce que les rayons de soleil à midi, viennent frapper la lentille et chauffer par effraction la poudre contenue dans la culasse du canon qui s'enflamme, le coup de canon part à ce moment. Beaucoup de bâtiments publics sont équipés de ces instruments: le plus connu d'entre eux est celui installé au Palais-Royal, mais disparu aujourd'hui (Demoriane, 1974, p. 64). Un instrument très proche, également construit par Rousseau en 1780 est conservé dans une collection particulière (Turner, 1787, pl. XXX).   M.Pi.

278
Podomètre en forme de montre

par SPENCER et SPERKINS

Boîtier en galuchat vert avec bords cloutés d'or. Hampe et crochet en laiton doré. Diamètre: 0,050; H. avec hampe et crochet: 0,077. Cadran en émail blanc avec trois cercles gradués et trois aiguilles sur le cadran.

Inscription: «SPENCER ET SPERKINS LONDON».
Historique: collection Nicolas Landau; legs en 1980.

Paris, musée du Louvre, département des Objets d'art (inv. OA 10.780).

Le podomètre est inventé en Allemagne du Sud au milieu du XVIe siècle et sert à compter les pas d'un piéton, ou d'un cheval, mais dans ce cas l'instrument est de grande proportion et prend alors le nom d'odomètre. On porte le podomètre attaché au gilet ou à la ceinture; il est commandé par une tirette reliée par un cordon à l'un des genoux ou pieds du marcheur. Chaque pas fait environ deux pieds (65 centimètres) et il suffit de multiplier cette longueur par le nombre de pas pour obtenir la distance parcourue. Le podomètre connaît une grande vogue au XVIIIe siècle, lorsque les voyageurs commencent à voyager d'une manière scientifique, notant scrupuleusement leurs itinéraires, les diverses expériences auxquelles ils se livrent. Le modèle du Louvre, comme plusieurs autres exemplaires connus, comprend trois cadrans: le premier compte les pas, le deuxième les dizaines et le troisième les centaines (Demoriane, 1974, p. 87). De présentation raffinée, ce podomètre est très représentatif de la production de qualité des ateliers anglais, dans lesquels l'utilisation du galuchat pour les gaines est fréquente. Perronet donne un modèle d'odomètre (Paris, École nationale des ponts et chaussées, bibl., ms. 2126. Lesage, 1805, chap. V). Diderot cite plusieurs fois l'odomètre de Perronet dans ses textes romanesques. D'Alembert et de La Chapelle lui consacrent un article dans l'*Encyclopédie* (1765, XI, pp. 350-351).   M.Pi.

CHIMIE

279
Feuillets du manuscrit autographe du traité élémentaire de chimie

par Antoine-Laurent de LAVOISIER

Manuscrit. Deux doubles feuilles portant pour titre: «De la Calcination des métaux». H. 0,315; L. 0,207.
Inscription: Feuille de gauche: un croquis à la plume et encre noire dans la marge, au-dessous: «+ planche IV fig. 6». Feuille de droite: deux croquis à la plume et encre noire dans la marge. Les autres pages comprennent également des croquis.
Historique: papiers Lavoisier saisis lors de l'arrestation de Lavoisier; restitués à Mme de Lavoisier en 1795; legs en 1836 à Léon et Gabrielle de Chazelles, petits-neveux de Mme de Lavoisier; remis avant 1846 à l'Académie des sciences par M. de Chazelles.

Paris, archives de l'Académie des sciences, papiers Lavoisier (dossier 1268).

L'Académie royale des sciences reçoit en 1846, plus de vingt cartons de manuscrits, carnets, feuilles manuscrites et imprimés divers, pro-

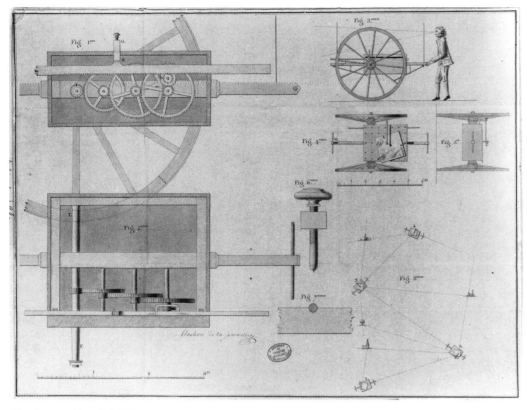

Char topographique (cat. 273).

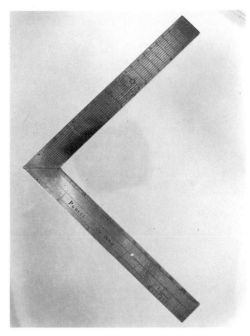

Equerre pliante (cat. 274).

...pporteur (cat. 275).

Podomètre en forme de montre (cat. 278).

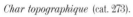

...ritoire de géomètre (cat. 276).

Méridienne à canon (cat. 277).

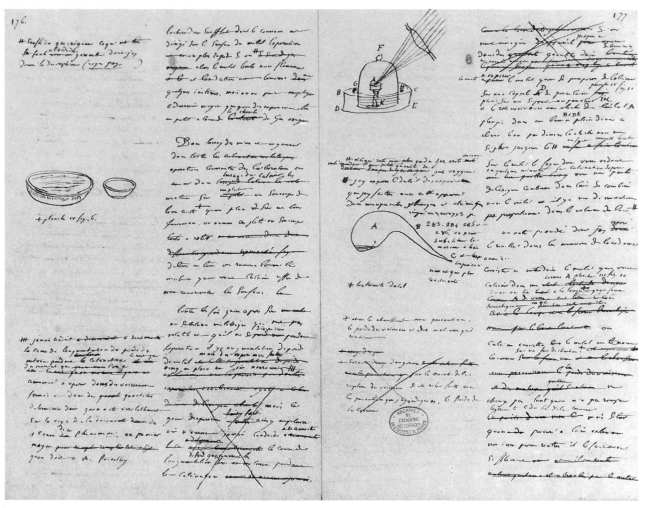

Feuillets du manuscrit autographe du Traité élémentaire de chimie de Lavoisier (cat. 279).

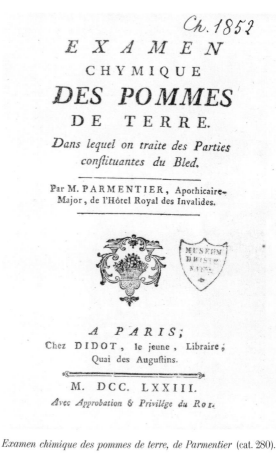

EXAMEN
CHYMIQUE
DES POMMES
DE TERRE.

Dans lequel on traite des Parties
constituantes du Bled.

Par M. PARMENTIER, Apothicaire-
Major, de l'Hôtel Royal des Invalides.

A PARIS;
Chez DIDOT, le jeune, Libraire,
Quai des Augustins.

M. DCC. LXXIII.
Avec Approbation & Privilége du Roi.

Examen chimique des pommes de terre, de Parmentier (cat. 280).

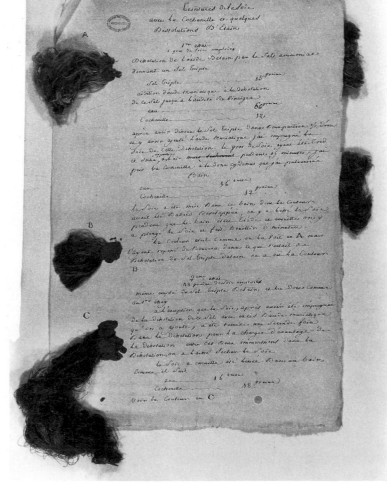

Teinture de la soie avec la cochenille (cat. 281).

venant de Lavoisier (Guerlac, 1979). Parmi les manuscrits, se trouve celui du *Traité élémentaire de chimie présenté dans un ordre nouveau et d'après les découvertes modernes*, qui paraît en deux volumes en 1789 (Guerlac, 1973). Peu d'exemplaires du premier état de l'édition originale de ce livre capital pour la chimie sont connus : quatre sont reliés en maroquin rouge aux armes de Louis XVI (Versailles, bibliothèque municipale), de Marie-Antoinette (Paris, B.N.), de Provence (Paris, bibliothèque Sainte-Geneviève), d'Artois (Paris, Arsenal) ; trois en veau (Paris, B.N. et Mazarine et Ithaca, Cornell University. MacKie, 1961).

Le Traité élémentaire de chimie est l'œuvre la plus importante de Lavoisier, dont les centres d'intérêt sont cependant très divers (Duveen-Klickstein, 1954 et Duveen, 1965). Il se préoccupe aussi bien de l'éclairage des ville (Exp. : Paris, Louvre, 1984, n° 146), de teinture (Exp. : Marseille, 1987, n° 133) que des grands problèmes que posent l'éducation, les hôpitaux et les prisons. Cependant, c'est dans le domaine de la chimie qu'il donne, avec ses collaborateurs, ses œuvres capitales, qui ouvrent les voies de la chimie moderne (MacKie, 1952). Le manuscrit présenté correspond à la planche IV du tome II et illustre le chapitre VII consacré aux opérations relatives à la combustion proprement dite et à la détonation, et qui traite de l'oxydation des métaux. Les croquis sont préparatoires à gauche à la figure 6, à droite en haut à la figure 11 et au milieu à un détail de la figure (pp. 514-516). Ces feuilles sont caractéristiques de la manière de travailler de Lavoisier, qui use à la fois de l'écriture et du croquis dessiné pour formuler sa pensée. Les premiers carnets d'expériences du savant sont de petits formats in-12 ou in-8° ; puis il utilise des registres petit in-folio pour ses notes, mais rédige d'une écriture rapide le manuscrit de son œuvre sur des doubles pages (Daumas, 1950). Ses croquis sont repris et mis au net par sa femme Marie-Anne Paulze (1758-1836), qui lui sert à la fois de secrétaire et de dessinatrice. C'est elle qui dessine et grave, en signant *Paulze Lavoisier Sculpsit*, les planches du *Traité élémentaire de chimie*. Un dessin original correspondant, une épreuve avec état final approuvé pour la planche VIII sont conservés à la Cornell University Library (Exp. : Ithaca, 1963, n° 116). Marie-Anne Paulze passe pour être l'une des élèves du peintre Jacques-Louis David (1748-1825). Jean-Henri Hassenfratz (1755-1827) lui propose, dans une lettre datée du 20 février 1788, trois idées de dessins : le premier représenterait Mme de Lavoisier donnant une cocarde à M. [Guyton] de Morveau ; le deuxième, le « Combat de l'oxigène contre le phogistique au 3/4 vaincu » ; le troisième « absolument allégorique, moins plaisant que les autres se rapportant d'une manière plus exacte à M. de Lavoisier, c'est de présenter le génie de la chimie nouvelle terrassant l'hypothèse. [...] On représenterait le génie habillé modestement et simplement. La figure belle et noble, tenant dans une des ses mains des balances, une toise, un thermomètre et un baromètre, symboles de l'exactitude actuelle que l'on met dans les expériences de chimie et de l'autre un flambeau dirigé sur l'hypothèse. » (Arch. Chabrol ; Lavoisier, *Correspondance*, à paraître. Note du Professeur R. Taton et de M. De Valence.) Mme Lavoisier se représente dans son rôle de secrétaire, un peu à l'écart dans les deux dessins présentant les expériences de Lavoisier sur la respiration de l'homme au travail et au repos (MacKie, 1952, pl. 15 et 16). Elle aurait aussi exécuté un portrait de Franklin (lettre de Philadelphie, 23 octobre 1788).

Dans ses dessins, Lavoisier reproduit les divers objets de son riche laboratoire installé d'abord à l'Arsenal, où il habite en tant que régisseur des Poudres et des Salpêtres, puis, à partir de 1792, dans un hôtel près de la Madeleine. Ces objets sont en majorité les œuvres des meilleurs fabricants de Paris : Mégnié et Fortin, dont on conserve une facture adressée à Lavoisier, datée du 20 juillet 1785, concernant des instruments relatifs à la décomposition et la recomposition de l'eau (Lavoisier, *Corr.*, IV, 1986, pp. 137-140 ; autre facture, pp. 212-213). La majorité des objets (400 n^os) est aujourd'hui conservée au musée national des Techniques grâce à la générosité de la famille Dupont de Nemours qui en fait don en 1966, après achat en 1952 à la famille de Chazelles, en souvenir de l'amitié qui lia Mme Lavoisier à Pierre-Samuel Dupont de Nemours (1739-1817). On connaît en rapport avec cette collection diverses pièces d'archives et surtout les inventaires dressés lors de l'arrestation du savant et la restitution des biens à Mme Lavoisier (Paris, A. N. ; E.N.S.M., bibl., ms. 29 ; coll. particulières). C'est aussi des instruments de Lavoisier dont se sert David quand il peint le portrait de *Lavoisier et sa femme* (New York, The Rockfeller University. Exp. : Paris, 1974-1975, n° 33). En dehors de l'intérêt artistique de ce portrait peint en 1788 (quittance du paiement conservée dans les arch. Chabrol), on remarque plusieurs instruments : un grand ballon en verre et laiton destiné à la fermentation (un modèle proche de Fortin, 1789, au M.N.T. n° 7551), un tube en verre et laiton, un bocal en verre mais surtout le gazomètre destiné à recueillir le gaz sec au moyen du mercure qui symbolise à lui seul les recherches du savant (Truchot, 1879, pp. 25-26, Paris, C.N.A.M., M.N.T.).

L'exécution de Lavoisier, purement politique, fauche en pleine maturité le plus grand savant de la fin du XVIIIe siècle. Hommage lui est rendu dès le lendemain de sa mort par ceux qui ont été ses amis et ses collaborateurs dans la gloire mais pas dans l'adversité : une notice sur la vie et les travaux de Lavoisier précédée d'un discours sur les funérailles, et suivie d'une ode sur l'immortalité de l'âme paraît en l'an IV. Une gouache anonyme, datée 1794, *Hommage rendu à la mémoire de Lavoisier*, est récemment passée en vente (Paris, Drouot, 11 mars 1985, n° 34, repr.) tandis qu'un médaillon en terre cuite exécuté à l'occasion de l'hommage rendu par le lycée des Arts en 1796, probablement l'œuvre de Pierre-Nicolas Beauvallet (1750-1818), est conservé à l'American Philosophical Society à Philadelphie (Scheler, 1964, face p. 97). **M.Pi.**

280
Examen chimique des pommes de terre

par Antoine-Augustin PARMENTIER

Imprimé. Page de titre de l'*Examen chimique des pommes de terre dans lequel on traite des parties constituantes du bled*. Par M. Parmentier, apothicaire-major de l'hôtel royal des Invalides, à Paris, 1773, 248, p., in-8° ; suivi du *Traité physiologique et chimique, sur la nutrition. Ouvrage qui a remporté le prix de physique de l'Académie royale des Sciences et Belles-lettres de Berlin en 1766*. Par M. Durade de Genève, à Paris, 1767, 158 p., reliure veau marbré.

Historique : bibliothèque de Michel Eugène Chevreul ; legs en 1889.

Paris, Musée national d'histoire naturelle, bibliothèque centrale (CH 1852).

Parmentier joue un rôle important dans la généralisation en France de la pomme de terre, introduite en Europe par les navigateurs européens revenant du Chili et reproduite par Clusius dans son *Rariorum plantarum historia* (Anvers, 1601). La pomme de terre est alors utilisée en France comme nourriture pour le bétail ; en revanche la *patate* ou *batate*, douce et sucrée, ainsi que les topinambours sont bien introduits. Parmentier commence ses travaux sur ce légume quand, pharmacien militaire de l'armée de Hanovre, il est fait prisonnier en Allemagne ; il étudie alors la chimie avec Meyer. Revenu en France en 1763, il se consacre à la culture de la pomme de terre et, soutenu par Turgot, effectue ses premiers essais en 1786, avec peu de succès, dans la plaine des Sablons à Neuilly concédée par le gouvernement. A la même époque, plusieurs personnages s'intéressent au sujet, le frère Côme (Jean Baseilhac dit le, 1703-1781), Falguet, qui présente en 1761 un pain de pommes de terre, Guillaume-François Rouelle (1703-1770), Antoine Baumé (1728-1804). François-Georges Mustel lit à la Société royale d'agriculture de Rouen, un *Mémoire sur les pommes de terre et sur le pain économique* (Rouen, 1767) que l'on peut fabriquer avec elles et remplaçant ainsi le pain. Mustel rejoint ici les travaux de Duhamel du Monceau (Paris, A.N. 127 AP6 ; Jaoul-Pinault, 1986, pp. 12-16 et Philadelphie, American Philosophical Society, dossier sur la pomme de terre). Parallèlement, Parmentier, s'intéresse à divers produits de subsistance (marrons, glands, racines d'iris, etc.) et crée en 1780, avec Antoine-Alexis Cadet de Vaux (1743-1828), l'école gratuite de Boulangerie (Birembaut, *in* Taton, 1964, pp. 493-509) et publie *le Parfait Boulanger* (Paris, 1778). Un portrait d'homme par Guillaume Doncre (1743-1820), conservé à Amiens (musée Berny) se rattache aux travaux de Parmentier et Cadet. L'homme, un notable, représenté en pied, devant un arrière-plan où un couple de paysans ramasse des pommes de terre, est peut-être l'intendant de Picardie, François-Bruno d'Agay (1722-1805), protecteur de l'académie d'Amiens. On sait qu'en 1788, Parmentier et Cadet de Vaux donnent en sa présence des cours sur les subsistances. **M.Pi.**

281
Teinture de la soie avec la cochenille

par un auteur anonyme

Manuscrit. 1 feuille, 2 p. ms.

Inscription : en haut au milieu, à la plume et encre noire : « Teinture de la soie avec la cochenille et quelques Dissolutions d'Etain » : H. 0,353 ; L. 0,229 verso : trois échantillons de soies roses ; verso : deux échantillons de soies roses.

Historique : papiers de Claude-Louis Berthollet ; legs à Jacques-Étienne Bérard ; famille Bérard ; don en 1928 à l'Académie des sciences par André Paillot.

Bibliographie : Sadoun-Goupil, 1977, pp. 137-143.

Paris, archives de l'Académie des sciences, (dossier Berthollet).

Ce manuscrit fait partie de tout l'ensemble des documents donnés par Berthollet à Jacques-Etienne Bérard (1798-1869), son élève et disciple qui vit à Arcueil chez Berthollet de 1807 à 1814 et que le savant, après la mort tragique de son fils Amédée-Barthélemy (1780-1810) songe à adopter. Outre les nombreuses pièces concernant la teinture, on y trouve un *Traité de minéralogie* qui montre un aspect peu connu des intérêts de Berthollet (Sadoun-Goupil, 1974). Après de longues années passées en tant que médecin auprès du duc d'Orléans et une activité de plus en plus importante de chimiste, qui le met en liaison étroite avec Lavoisier, Berthollet est nommé par Calonne, en 1784, à la mort de Macquer, directeur des Teintures auprès de la manufacture royale des Gobelins. Il occupe cette fonction jusqu'en 1791, date à laquelle le poste est supprimé. La même année, il présente à l'Académie royale des sciences les deux tomes de ses *Éléments de l'art de la teinture*, synthèse des travaux antérieurs mais dans lesquelles Berthollet aborde en chimiste les problèmes tinctoriaux, après de nombreuses recherches faites dans les ateliers, « malgré les mystères des teinturiers », par lui-même, son fils ou ses correspondants (Puymaurin, Descroizilles). Si Berthollet se montre le continuateur des travaux de Jean Hellot (1685-1766), l'auteur de l'*Art de la teinture des laines* (Paris, 1772), et de Pierre-Joseph Macquer (1718-1784), qui publie dans la *Description des arts et métiers*, l'*Art de la teinture sur soie* (Paris, s.d.), il ouvre en revanche la voie à la recherche industrielle qui applique la science pure et théorique au service des arts et métiers et qui dans le domaine des teintures va se poursuivre avec Michel-Eugène Chevreul (1786-1889) durant tout le XIXe siècle. (Sadoun-Goupil, 1974 ; exp., Marseille, 1987, pp. 135-141 et 143-146). Berthollet consacre toute une section du tome II de ses *Éléments*, au rouge et un chapitre propre à la cochenille dans lequel il donne l'historique de cette teinture que l'on a d'abord pris pour une graine mais que les naturalistes ont reconnu comme un insecte. La cochenille provient en majorité du Mexique, elle est introduite à Saint-Domingue par M. Thieri de Ménouville (« Traité de la culture du nopal et de l'éducation cochenille dans les colonies françaises de l'Amérique, précédé d'un voyage à Guaxaca », *Annales de chimie,* t. V). Berthollet étudie les deux teintures que donne la cochenille, l'écarlate et le cramoisi. A côté de cette publication fondamentale que sont les *Éléments*, on connaît plusieurs mémoires de Berthollet sur les teintures à l'indigo ou à la cochenille, avec la dissolution de l'étain, lus au cours de séances de l'Académie royale des sciences et de l'Institut.   M.Pi.

PHYSIQUE

282
Expérience à l'aide d'une pompe à air

par Valentine GREEN, d'après Joseph Wright of Derby

Gravure à la manière noire, premier état. H. 0,478 ; L. 0,583.

Bibliographie : Lambert, 1987, p. 80.

Londres, Victoria and Albert Museum (inv. 29445.1).

L'effet dramatique de la scène, que décrit ce tableau de Joseph Wright, est accentué par l'éclairage artificiel. Un groupe de spectateurs se rapproche pour assister à une expérience au cours de laquelle une colombe, placée sous un globe, s'asphyxie par manque d'air aspiré par une pompe. La peinture (conservée à la National Gallery de Londres) fut exposée à Londres en 1768 et répondait à ce que l'avant-garde de l'époque attendait de l'art. Voltaire, Diderot et Goethe auraient apprécié le choix du sujet et la manière de le traiter.

Au milieu du XVIIIe siècle en Angleterre, la belle société assistait volontiers aux expériences présentées par des scientifiques ou des démonstrateurs itinérants. Beaucoup d'amateurs possédaient même leur propre matériel : les pompes à air, notamment, étaient fabriquées en grand nombre dans les Midlands durant les années 1765-1770. Or, c'est précisément dans cette région que Joseph Wright avait établi son atelier où venaient lui rendre visite ses amis et commanditaires — des industriels éclairés, tels que Josiah Wedgwood, pénétré de l'esprit de recherche scientifique.

Les planches de Valentine Green (celle-ci date de 1769), aux riches tonalités, ont toujours été très recherchées. La technique de la gravure « à la manière noire », qui consiste à gratter la planche pour faire ressortir le dessin à partir du noir, permettant également d'obtenir des blancs très purs, est particulièrement adaptée au rendu de scènes éclairées artificiellement.   C.B.-O.

283
Coupe de l'élévation de la machine de Newcomen

par un artiste anonyme

Manuscrit et dessin.

Inscription : page de gauche à la plume et encre noire : « Coupe de l'élèvation AB prise sur la ligne EF ou la situation de chaque partie est la même que dans l'instant où le régulateur venant à se fermer, l'injection d'eau froide commence à donner. » Page de droite : plume et encre noire, lavis de couleurs. H. 0,595 ; L. 0,832. En haut, à cartouche, à la plume et encre noire : « COUPE DE L'ELEVATION AB prise sur la ligne... EF » ; au milieu, du bord gauche : « Echelle de 2 toises » et « 12 pieds » à la plume et encre noire. Cotations manuscrites en lettres majuscules Planche VII du recueil contenant les dessins de la machine à feu de Newcomen ; comprenant une *Idée générale de la machine* et 9 planches, de format divers, pliées. Pliures renforcées de soies bleues, Grand in-fol. Reliure en maroquin rouge, armes non identifiées. Sur le revers en papier marbré, du plat supérieur, étiquette collée portant : « Emig. BOURGEVIN HOND ».

Historique : Charles-Paul de Bourgevin Vialart de Saint-Morys conservé au château d'Hondainville (Oise) avec la collection de dessins ; saisie des émigrés ; dépôt national de Nesle, 1794 ; envoyé au dépôt de physique et de machines.
Exposition : 1963, Paris, C.N.A.M., n° 358.
Bibliographie : Deforge, 1981, pp. 34 et 36, 37 note 29 ; Pinault, 1987 ; Arquié-Bruley, Labbé, Bicart-Sée, 1988, I, p. 74.

Paris, Conservatoire national des arts et métiers, musée national des Techniques, portefeuille industriel (n° 276).

Thomas Newcomen (1663-1729), mécanicien anglais, propose en 1705 la première machine à vapeur ou plutôt atmosphérique, capable d'être utilisée dans l'industrie et qui connaît immédiatement un grand succès principalement dans les mines, les écluses, les canaux, mais aussi les villes. A la même époque, plusieurs ingénieurs Thomas Savery ou Denis Papin (1647-1712) obtiennent des résultats identiques. Le système est perfectionné par la suite par James Watt (1736-1819), qui nous renseigne lui-même sur ses travaux (Mantoux, 1959, pp. 323-329 et Rolt, 1963). Plusieurs

Expérience à l'aide d'une pompe à air (cat. 282).

Coupe de l'élévation de la machine de Newcomen (cat. 283).

ouvrages techniques vont reproduire dans toute l'Europe la machine de Newcomen; l'ouvrage de John Desaguliers, *A course of experimental Philosophy* (Londres, 1734, traduit en français en 1751) inspire l'artiste français, auteur des planches de l'album du Conservatoire national des arts et métiers et celles de l'exemplaire identique de la bibliothèque de l'École nationale des ponts et chaussées (ms. 521, note de Michel Yvon). L'exemplaire des Ponts et Chaussées provient de Perronet et lui sert pour la rédaction de son mémoire sur la pompe à feu qu'il remet à Diderot et que ce dernier utilise pour la rédaction de son article *Feu (pompe à)*, (Paris, 1756, VI, pp. 603-609). Diderot rend hommage, mais sans le citer, à Perronet « homme d'un mérite distingué, qui a bien voulu s'intéresser à la perfection de notre ouvrage ». Dans les deux albums, neuf planches illustrent le texte et montrent la machine dans son ensemble et en détail. La chaudière de la machine en cuivre, le cylindre en « fer de fonte » communiquent entre eux par l'action d'un régulateur que l'on ouvre ou ferme. Dans le cylindre est attaché un piston relié à l'une des extrémités du balancier de bois, à l'autre extrémité sont installées les pompes. La planche VII montre un ouvrier actionnant le régulateur.

Un manuscrit avec quinze planches, concernant le détail de la machine à feu établie dans le Hainaut par Mandoux (1749), est conservé au service historique de l'Armée de terre (G.T.G. in-fol., ms. 136). L'album exposé est entré au Conservatoire national des arts et métiers après la saisie de la collection d'œuvres d'art de Charles-Paul-Jean-Baptiste de Bourgevin Vialart de Saint-Morys (1743-1795) dont la collection de dessins, aujourd'hui en partie au Louvre forme un ensemble de feuilles récemment étudiées (Arquié-Bruley, Labbé, Bicart-Sée, Paris, 1988, 2 vol.). Saint-Morys possède également des dessins chinois (Paris M.N.H.N. ou musée Guimet), des études de fleurs (Sèvres, manufacture nationale de Porcelaine, arch.).

Sa belle bibliothèque, venant en grande partie de son père, Moligny, est également saisie et dispersée dans les bibliothèques parisiennes ou les Écoles (polytechnique). Plusieurs manuscrits à caractère scientifique sont répertoriés : *le Recueil d'arithmétique ou sciences des nombres* par Ch.-A. de Bourgevin (XVIIᵉ, Paris, B.N., ms. n.a. fr. 4666), le *Traité de fortification ou de l'architecture militaire* (Vincennes, service historique de l'Armée de terre, G.T.G., ms. 31). L'album de la machine de Newcomen est remis à Molard en même temps qu'une « corne de licorne » qui n'a pu être localisée. Une cuillère en jade est envoyée au Muséum national d'histoire naturelle (Arquié-Bruley, 1983). Saint-Morys dessine des paysages ou des scènes de genre (Louvre, inv. 32760 à 32801, 34810, 34812 et 34813) et grave d'après les maîtres (Paris, B.N., Est.). Il s'intéresse à l'agriculture et particulièrement à la garance. **M.Pi.**

284
Une expérience de physique

par un anonyme français
Huile sur toile. H. 0,829 ; L. 0,990.
Historique : achat à Mme Rohart, 1912.
Expositions : 1933, Paris, Carnavalet, n° 134 ; 1970, Reims.

Reims, musée Saint-Denis (inv. 912.11).

Cette œuvre passe pour représenter Nicolas Bergeat et sa sœur, Mme de Maisoncel, se livrant à une expérience de physique. On possède quelques renseignements sur Nicolas Bergeat (1733-1815), chanoine au chapitre de Notre-Dame de Reims dès 1748, puis vidame en 1758, jusqu'en 1790. Il joue sans doute le rôle d'un chanoine mondain, amateur d'art et de science et écrivain des poèmes (Reims, bibl. municipale, mss 1156, 1161, 1299). On lui attribue une satire sur le chapitre des chanoines, chapelains et vicaires de Reims intitulée, *Avis aux curieux ou bibliothèque choisie* (1758) condamnée et brûlée (*id.* mss 1777 et 1792). Un *Éloge de Louis XV roi de France et de Navarre par monsieur de Prémarais, soldat au régiment de Béarn* calligraphié par Perseval est signé par lui en 1774 (*id.*, mss. 1477). A la Révolution, il signe le serment de 1790 et dès lors, il s'attache à l'organisation du musée de Reims, créé à partir des saisies des biens religieux, et en devient le premier conservateur (mss 1874, 2026). Il écrit un catalogue sur les collections comprenant notamment des « machines et instruments de physique » (ms. 2057). Mme de Maisoncel, donnée comme étant la sœur de Nicolas Bergeat, dans une lettre adressée au musée lors de l'achat de l'œuvre par Mme Rohart est sans doute l'une des « muses rémoises ». Plusieurs dictionnaires indiquent que le peintre Jacques Wilbaut (1729-1816) est l'auteur d'un portrait de Nicolas Bergeat (Thieme et Becker ; Benezit). Cette peinture est contemporaine de la vogue des expériences de physique que de nombreux amateurs font en public devant une assemblée de connaisseurs (Torlais, *in* Taton, 1964, pp. 619-645). **M.Pi.**

285
Grande machine électrostatique

par Barent de BAKKER, d'après Wybrand Hendriks
Imprimé. Gravure. H. 0,285 ; L. 0,615.
Inscription : en haut à droite : Pl. I. ; en bas à gauche : « W. Hendricks delin. » ; en bas à droite : « B. de Bakker fecit. » Planche I du Troisième document par Martinus Van Marum, in *Verhandelingen uitgeven door Teyler's tweede Genootschap*, 1785, in-4°, relié.

Haarlem, Teylers Museum (inv. 60-C 3).

Il s'agit de la représentation de l'« extraordinairement grande machine électrostatique » de Martinus Van Marum (1750-1837), construite par John Cuthbertson d'Amster-

dam dont le disque central est le plus grand construit en Europe à cette époque. Avec cette machine, Van Marum peut obtenir des décharges électriques de grande intensité. (Bruyn et Forbes, 1969-1976 ; 1987). Les expériences de Van Marum sont suivies dans toute l'Europe, par Franklin, Volta et Lavoisier. Il rencontre ce dernier lors de son passage à Paris en 1785 et lui écrit le 25 mai 1786 : « J'ai continué dans l'hyver passé mes expériences électriques avec la grande machine électrique, dont je vous ai présenté la description. Le détail de ces expériences est sous la presse ; j'espère avoir le plaisir de vous en faire parvenir un exemplaire en peu de temps. » (Arch. Chabrol ; Lavoisier, *Correspondance*, IV, p. 217). Parmi les instruments scientifiques conservés au musée national des Techniques à Paris, figure une machine électrique de Van Marum permettant de recueillir à volonté de l'électricité positive et narrative (C.N.A.M./M.N.T., inv. 16309) publiée dans les *Observations de physique* (juin 1791, pp. 447-459, pl. I et II). Van Marum travaille également sur les machines pneumatiques et les gazomètres. Plusieurs machines électrostatiques sont encore conservées à Leyde au Museum voor Geschiedenis der Wetenschappen (Michel, 1966, pp. 199-200, n° 102). Professeur de physique de la Société de Haarlem, Van Marum est aussi le directeur du Cabinet de physique et d'histoire naturelle et de la librairie du musée Teyler à Haarlem, fondé par testament en 1778 par Pieter Teyler Van der Hulst et qui comprend plusieurs sections : sciences, philanthropie et art (exp. : Paris, Louvre, 1972). Secrétaire de la Société néerlandaise des sciences en 1794, il reçoit à ce titre de nombreux savants ou hommes politiques, Français venus en Hollande : Claude Roberjot ou Barthélemy Faujas de Saint-Fond, le 1ᵉʳ ventôse 1795 (*ibid.*, n° 100). Van Marum s'intéresse également à la paléontologie, la géologie et à la botanique (Muntendam, 1974). Wybrand Hendriks est conservateur du musée Teyler de 1786 à 1812. Son œuvre dessiné et peint est important : on lui doit des paysages et des scènes de genre, ainsi que des copies des œuvres des maîtres hollandais du XVIIᵉ siècle et des bouquets de fleurs (Exp. : Paris, Institut néerlandais, 1986). Il représente plusieurs fois la machine de Van Marum notamment dans une peinture consacrée à la salle ovale du musée Teyler (Haarlem, musée Teyler. Exp. : Haarlem, 1972, n° 52, repr. fig. 68), dont les boiseries sont visibles dans la gravure exposée. **M.Pi., B.K. et M.J.**

286
Gazomètres

par Barent de BAKKER, d'après Wybrand Hendriks
Imprimé. Gravure. H. 0,270 ; L. 0,695.
Inscription : en haut à droite : « PL.I » ; au milieu : « Gazomètres Hydrostatiques et Appareil pour la Combustion de l'Eau par la Combustion de Gaz Hydrogène » ; en bas à gauche : « H. Hendriks delin » ; en bas à droite : « B. de Bakker fecit ».

Une expérience de physique (cat. 284).

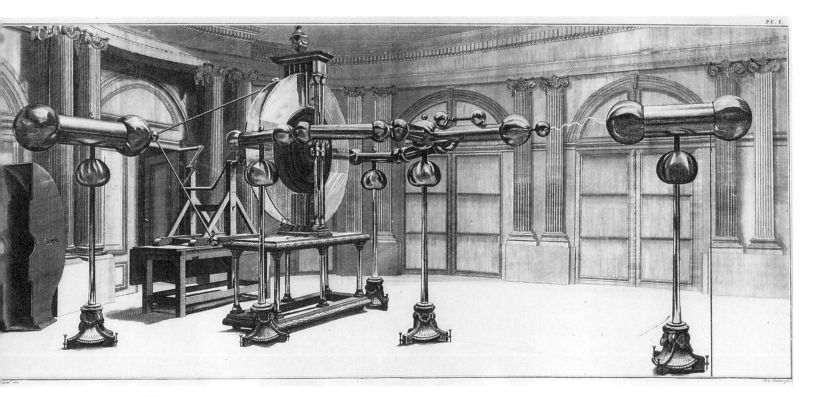

nde machine électrostatique (cat. 285).

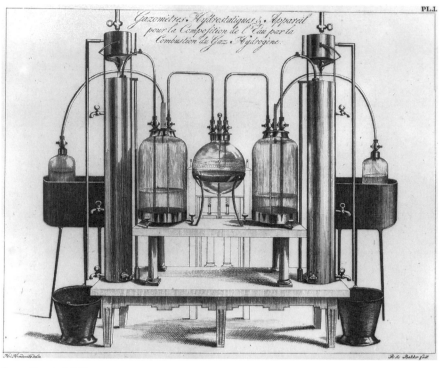

Gazomètres (cat. 286).

Appareil du «mouvement composé» (cat. 287 A).

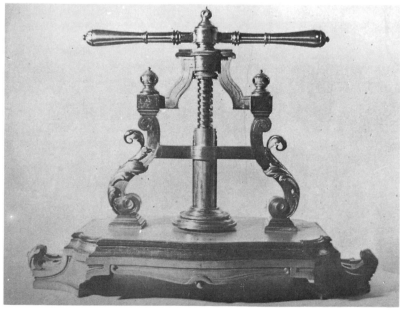

Équilibriste (cat. 288 A).

Éolipile (cat. 288 B).

Modèle de poulies (cat. 287 B).

Presse (cat. 288 C).

Microscope (cat. 288 D).

Planche IV du Dixième document par Martinus Van Marum, in *Verhandelingen mit uitgeven door Teyler's tweede Genootschap*, 1789, in-4°, relié.

Haarlem, Teylers Museum (inv. 60 C 10).

Van Marum crée plusieurs gazomètres conçus de manière sensiblement différente de celle de Lavoisier (voir le modèle représenté dans le portrait de David). Il contribue à introduire aux Pays-Bas, les théories chimiques du savant français en publiant les *Schets der Leer Van Lavoisier* comme supplément aux *Verhandelingen uitgeven door Teyler's tweede Genootschap* (1787). Il fait nommer Lavoisier, membre de l'Académie hollandaise des sciences de Haarlem (Lavoisier, *Correspondance*, IV, pp. 217 et 219, 239-240).   M.Pi., B.K. et M.J.

---

287 A et B

A. *Appareil du «mouvement composé»*
servant à montrer la composition des forces

Bois peint en noir et rouge, chiffres en or. H. 0,350; L. 0,400.

B. *Modèle de poulies fixées*
servant à changer la direction d'une force

Bois acajou et cuivre. H. 0,300; L. 0,200.
Historique : cabinet de physique constitué vers 1745 au château de Chenonceau par Dupin de Francueil et Jean-Jacques Rousseau.
Bibliographie : Dubois, 1975, pp. 516-518; 1978, p. 616; 1979, p. 60; 1983, pp. 525-540; et à paraître (1989).

Tours, société archéologique, musée de l'hôtel Gouin.

Rousseau est accueilli à Chenonceau chez les Dupin pour élever Dupin de Chenonceau, fils des propriétaires, le riche financier Claude Dupin qui épouse en 1724 Louise-Marie-Madeleine de Fontaine, fille naturelle de Samuel Bernard. L'intérêt de Mme Dupin se porte sur les problèmes de la condition féminine et elle est sans doute la première informée par Rousseau de l'abandon de ses enfants (Neuchâtel, bibl. publique et universitaire, ms. 7885. Milliat, 1972 et cat. Exp. : Paris, B.N., 1962, nᵒˢ 83-98). Plus qu'à son élève, Rousseau s'attache à Dupin de Francueil, fils né du premier mariage de Claude Dupin, amateur de sciences autant qu'artiste, dont on connaît plusieurs œuvres gravées (B.N. Est.), pour lequel il rédige des *Institutions chymiques*. Rousseau sera toujours reconnaissant aux Dupin de leur accueil et de l'amitié dont ils l'entourent lors de ce séjour tourangeau calme et serein au cours duquel Jean-Jacques s'adonne à la géométrie et à la physique. Le cabinet de physique de Chenonceau comprend des instruments concernant la mécanique, l'optique, l'électricité, la chimie. Plusieurs d'entre eux sont conformes à ceux décrits par l'abbé Nollet qui préconise de peindre en noir et rouge les instruments scientifiques (*l'Art des expériences*, Paris, 1770, I. p. 467). Ces deux instruments servent à mesurer les forces. Dernièrement

quelques pièces provenant vraisemblablement de l'académie de Dijon sont venues compléter le fonds de Chenonceau. Ces objets montrent que les cabinets de physique, moins nombreux que ceux d'histoire naturelle, sont cependant en vogue au XVIIIᵉ siècle. Le roi, Orléans, des collectionneurs, tels Bonnier de la Mosson, le duc de Chaulnes, La Rochefoucauld-Liancourt, des savants, Marat, des collèges et académies possèdent tous des cabinets où sont conservés ces objets soit à la grandeur naturelle, soit réduits (Tordais, *in* Taton, 1964, pp. 619-645). L'enseignement de l'École royale des ponts et chaussées, et plus tard de l'École polytechnique se fait également à base de modèles comme de dessins. Parmi les nombreux instruments de physique conservés on peut citer ceux de l'abbé Nollet (Paris, C.N.A.M./M.N.T.) et ceux en bois noir et rouge à décoration dorée provenant du cabinet de Joseph-Aignan Sigaud de La Fond (1730-1810), auteur de la *Description et usage d'un cabinet de physique expérimentale*, Paris, 1755 (Bourges, lycée Alain-Fournier; C.N.R.S., 1964, p. 136 bis). M.Pi.

---

288 A, B, C et D
Instruments scientifiques du XVIIIᵉ siècle
appartenant au cabinet de physique
expérimentale de l'université de Coimbra

A. Équilibriste
Bois peint et laiton. H. 0,61.
Instrument destiné à montrer l'influence du centre de gravité.
Bibliographie : index Instrumentorum, B.IV.95.
Coimbra, Departemento de Fisica da Universidade (inv. 95).

B. Éolipile
Cuivre. H. 0,115; L. 0,19; D. 0,115.
Modèle inspiré par la marmite de Papin, pour démontrer la force de la vapeur. Le petit chariot se met en mouvement quand le jet de vapeur d'eau portée à ébullition sort par l'orifice de droite.
Bibliographie : index Instrumentorum, O. III.267.
Coimbra, Departemento de Fisica da Universidade (inv. 267).

C. Presse
Fer et laiton. H. 0,47; L. 0,32.
Cet instrument permet de comprimer des sphères en plomb remplies d'eau et de mesurer ainsi la compressibilité des liquides.
Bibliographie : index Instrumentorum, A.II.b.13.
Coimbra, Departemento de Fisica da Universidade (inv. 13).

D. Microscope
H. 0,45.
Inscription : «Jacob de Castro Sarmento, medicus lusitanus, regali collegii medicorum londinensium collega, regiaeque sociatatis socius, donavit academiae conimbricensi, in usum medicinae professorum ad observationes botanicas et anatomicas conficiendas. M.D.C.C.XXXI. (Cuepeper, londineus, invenit et fecit). »

Construit à Londres par E. Cupeper, il fut offert en 1731 à l'Université de Coimbra par le médecin portugais, Jacob de Castro Sarmento, comme le dit l'inscription gravée sur le socle. Il possède un oculaire, quatre objectifs de puissances différentes, quatre lames en ivoire et une lame en cuivre jaune.
Bibliographie : index Instrumentorum, V.IV.358.
Coimbra, Departemento de Fisica da Universidade (inv. 358).

La création de ce cabinet résulte de diverses réformes pédagogiques effectuées en 1772 par le ministre Pombal. L'enseignement des mathématiques et de la physique étant alors supprimé au Collège royal des nobles de Lisbonne, toutes les machines et instruments qui s'y trouvaient conservés furent transférés à l'université de Coimbra, afin que les étudiants du cours philosophique puissent non seulement « voir exécuter les expériences grâce auxquelles on démontre les vérités connues de nos jours en physique, mais encore acquérir l'habitude de les faire avec la sagacité et l'habileté qu'on requiert des explorateurs de la nature » (statuts de l'Université, 1772).
À l'époque, cette collection, particulièrement riche dans le domaine de la mécanique, était considérée comme supérieure à celle de Padoue; elle comportait, cinq cent quatre-vingts pièces, les unes en provenances d'Angleterre, les autres construites au Portugal, dont la plupart en bois du Brésil doré. Malheureusement, elle souffrit peu à peu des dommages du temps et de la négligence, et selon un inventaire de 1878, plus de deux cents pièces avaient alors disparu. Au fil des ans, la collection, désormais mêlée à de nouveaux spécimens, continua à se dégrader, et ce n'est qu'à partir des années 1930 qu'on commença à la reconstituer, en restaurant ce qui en subsistait et en rachetant les pièces qui venaient sur le marché.   M.-H.C.d.S. et A.M.-D.S.

MÉTÉOROLOGIE

289
Boussole de déclinaison

par George-Frederik BRANDER

Bois, marbre, laiton et verre. H. 0,395; L. 0,270; Pr. 0,055.
Inscription : «G.F. Brander fecit Aug[uston] Vind[elicorum] ». Au centre : «Cardus Theodorus Elector Palatinus Anno 1780» et graduations.
Historique : instrument offert à l'Académie impériale et royale par la Société météorologique palatine de Mannheim; cabinet de physique de la ville de Bruxelles (Observatoire de physique de Bruxelles). Déposé à l'Institut royal météorologique, lors de sa fondation en 1913.
Exposition : 1974, Bruxelles.

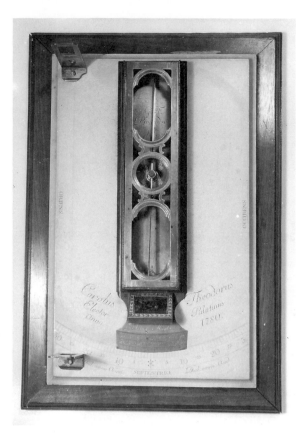

Boussole de déclinaison (cat. 289).

Bibliographie : Troumüller, 1885 ; De Ridder, n° 145 ; Michel, 1866, n° 101, repr.

Bruxelles, Institut royal météorologique.

Dès le XVIIᵉ siècle, de nombreux savants font des observations météorologiques. Philippe de La Hire (1640-1718) fait installer à l'Observatoire de Paris, plusieurs instruments destinés aux mesures du vent et de la pluie. Plus tard, Duhamel du Monceau et Fougeroux de Bondaroy font des observations au château de Denianvilliers (Jaoul-Pinault, 1986, pp. 20 et 26), tandis que l'Académie royale de chirurgie

Sablier de voyage (cat. 290).

et la Société royale de médecine se penchent aussi sur ces problèmes (Exp. : Paris, A.T.P., 1984-1985, pp. 76-102 et Paris, arch. de l'Académie nationale de médecine). A Florence, le grand-duc, Ferdinand II de Toscane, fait faire également des expériences.

Après des études scientifiques à Leyde et à Louvain, le prince électeur, Karl-Theodor, fonde la Société météorologique palatine à Mannheim et fait distribuer à diverses académies des instruments afin de coordonner toutes les mesures faites en Europe dans diverses institutions : quatre instruments sont remis à l'Académie royale et impériale : un baromètre avec son thermomètre, un thermomètre, un hygromètre et ce déclinatoire qui sert à mesurer « la déclinaison magnétique c'est-à-dire l'angle dont l'aiguille de la boussole diverge par rapport au méridien de chaque lieu » (Michel, 1966, p. 199). Ces instruments ainsi que d'autres figurent dans le tome I des *Éphémérides societatis météorological palatinae.* Cette boussole est également remarquable par son côté esthétique. Une autre boussole de déclinaison due à Brander est conservée à Utrecht (Daumas, 1953, p. 335). Brander (Ratisbonne, 1713 ; Augsbourg, 1783) travaille à Augsbourg ; il est l'auteur d'un télescope grégorien de l'observatoire des bénédictins de Gremsmünster en Haute-Autriche (*ibid.*, 1953, pp. 167-168). M.Pi.

290
Sablier de voyage

France

Deux globules superposés. Monture cylindrique en cuir vert, frappé de deux cartouches en or, à cœur enflammé, décoré de fleurs et de fleurons. Extrémités en velours vert. H. 0,100 ; diamètre 0,090.
Historique : collection Nicolas Landau ; legs en 1980.

Paris, musée du Louvre, département des Objets d'art (inv. OA 10.795).

Le sablier fait partie, comme les thermomètres et les instruments de dessin, des objets que les voyageurs emportent durant leurs périples. Certains très élaborés servent d'horloge pour la marine (Exp. : Paris, Louvre, 1985, n°ˢ 103-104). La plupart de ces pièces ne sont ni signées, ni datées (Guye et Michel, 1970, pp. 261-266). D'Alembert publie dans l'*Encyclopédie*, les articles *Sablier* (Neuchâtel, [Paris], 1765, XIV, p. 466) et *Clepsydre* (Paris, 1753, III, pp. 522-523) et renvoie aux travaux de Bernoulli, Varignon, et Newton étudie la notion de temps d'une manière scientifique. Le sablier figure également dans tous les cabinets et laboratoires : Lavoisier en possède un en argent de fabrication très soignée (Paris, C.N.A.M./M.N.T.). Un sablier apparaît dans le projet de bibliothèque de Pinel, Paris, E.B.A.). M.Pi.

INVENTIONS

291
Baratte mécanique

Hollande

Bois. H. 0,400 ; L. 0,500 ; L. 0,250.

Wageningen, Museum Historische Landbouwtechniek (inv. LH 170).

Cette baratte est inventée par C. Dashorst de Velzen auquel les États de Hollande octroient, en 1757, un brevet d'invention. Le fonctionnement mécanique de l'instrument allège le travail du barattage : le mouvement de la batte dans le tonneau est plus régulier, plus puissant et l'ensemble moins coûteux que dans la plupart des barattes ordinaires. Un autre modèle de baratte est publié par J. Le Francq Van Berkhey dans l'*Histoire naturelle de Hollande* (1811, pl. LVII et LVIII, Amsterdam, Universiteitsbibliotheek, inv. 2327 G 12). Au cours du XVIIIᵉ siècle, des maquettes sont construites : en effet, les mémoires présentés dans les académies ne sont plus seulement accompagnés de dessins explicatifs mais aussi de modèles en bois, parfois démontables. De nombreux musées abritent aujourd'hui ces objets, tels, à Paris, le musée national des Techniques et la bibliothèque centrale du Muséum national d'histoire naturelle, où sont regroupées les maquettes construites pour André Thouin (1747-1823) et publiées dans *l'Atlas du cours de culture et de naturalisation des végétaux*, publié après sa mort (Paris, 1827. Exp. : Paris, Grand Palais, 1980, n°ˢ 26-31).

M.Pi., B.K. et M.J.

292
Études pour la conservation des grains

par MARÉCHAL

Manuscrit et dessin. Plume et encre noire, lavis de couleurs. H. 0,253. L. 0,424. Collé par le bord vertical gauche à la page du recueil.
Inscription : en haut à droite, à la plume : « Planche 7me » ; de gauche à droite : « figure IIme Assemblage de la petite armoire du fond. figure 12me Vue intérieure d'un tuyeau vertical de la petite armoire, figure 13me, Coupe d'un Tuyeau collatéral d'une grande armoire. figure 14me Vue intérieure du Tuyeau Collatéral d'une grande armoire. » En bas à gauche : échelle de « 6 Pieds » ; à droite de 4 Pieds. Planche 7 d'un manuscrit intitulé *Traité de la parfaite conservation des grains et en particulier du froment et du seigle*, 153 pages. H. 0,254. L. 0,194. 9 planches de formats divers. Reliure veau marbré.
Historique : acquis en 1986.

Paris, musée national des Arts et Traditions populaires (archives Ms. 86.3).

...atte mécanique (cat. 291).

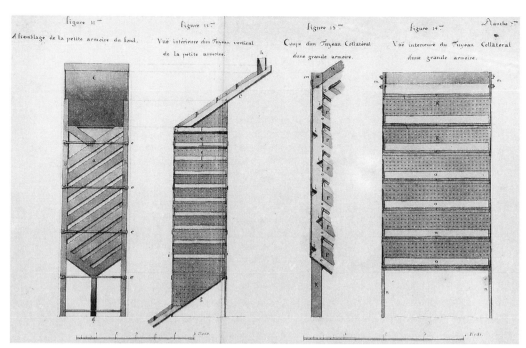

Etude pour la conservation des grains (cat. 292).

La conservation des grains est dans la seconde moitié du XVIIIe siècle l'une des grandes préoccupations des autorités politiques de toute l'Europe. En France, les académiciens, les ingénieurs civils et militaires, et même les philosophes se penchent sur ce problème dès la récolte du grain (Parmentier), sur les maladies du blé (Tillet) et sur les insectes nuisibles (Duhamel du Monceau). Diderot publie une recension du *Blé miellé* de Tillet dans la *Correspondance littéraire* (15 juin 1755. Diderot, *O.C.*, IX, pp. 115-121). En ce qui concerne les greniers, très souvent humides, ils s'inspirent essentiellement des travaux de l'abbé Galiani, publiés sous le pseudonyme de Barthélemy Intieri (Naples, 1751) dans un traité intitulé *Della perfetta conservazione del Grano* (sept planches dessinées par Galiani et gravées par Cepparuli). Ce livre est traduit en français par M. de Bellepierre de Neuve-Église (Paris, 1770), avec pour titre *l'Art de conserver les grains par B. Intieri*. Galiani propose comme moyen de conservation le séchage des grains dans une étuve de bois, à claire-voie chauffée par un four qui sèche le grain et élimine les parasites. Ce procédé est connu depuis l'Antiquité et même en Chine (Sigaut, 1978-1985). Duhamel s'en inspire, ainsi que d'un modèle déjà existant en Angleterre, quand il publie en 1753 son *Traité de la conservation des grains et en particulier du froment* et, en 1765, son *Supplément au Traité de la conservation des grains avec plusieurs mémoires d'agriculture adressés à l'auteur*. Les papiers de Duhamel du Monceau montrent la multiplicité des recherches effectuées dans de nombreuses villes, Lyon, Corbeil, Pithiviers, Chaumont, Lille, Genève, etc. (Paris, A.N. 127 AP 6 ; Jaoul-Pinault, 1986, pp. 13-16), ou à Turin (Davico, *in* Sigaut, 1985). A Paris, on établit en 1762 sur l'ordre de Pâris-Duverney (1684-1770) une étuve connue par les archives Duhamel. C'est précisément sous les ordres de Pâris-Duverney que travaille à l'approvisionnement de l'armée Mareschal, ou Maréchal, l'auteur de ce manuscrit, commissaire à la Guerre et chevalier de

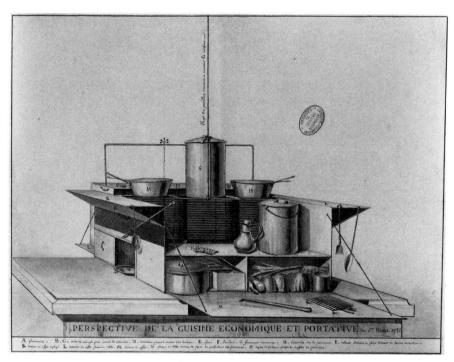

Cuisinière portative (cat. 293 A et B).

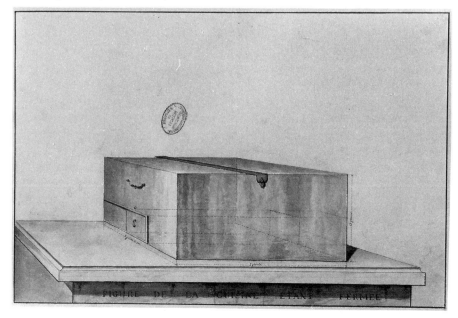

Saint-Louis. Maréchal fait grief à Duhamel de n'avoir guère utilisé pour ses travaux le système d'étuve simplifiée qu'il met au point dans les années 1750 (*Journal de Paris*, 30 avril 1781; Paris, A.N. F¹² 153, fol. 38). Cependant Duhamel cite ses travaux dans son *Traité* (pp. 121-122; Kaplan, 1984, pp. 55 et 523, note 94). Maréchal dans son manuscrit (difficile à dater puisqu'il est écrit par plusieurs mains) précise son invention : il se rend en Italie en 1748 pour voir l'étuve de Galiani et en fait établir une semblable à Lille en 1750. Il cite d'autres installations à Strasbourg, à Nancy et à la Salpêtrière. Il en fait construire une à Colmar, non plus en bois mais en fer, inspirée par l'armoire en fer du père Pezenas, et dont plusieurs planches donnent des détails.   M.Pi.

293 A et B
Cuisinière portative

par NIVERT

Deux dessins. A) Pierre noire, plume et encre noire, lavis de couleurs. H. 0,245; L. 0,356.
Inscription : en bas au milieu, à la plume et encre noire : «FIGURE DE LA CUISINE FERMEE» et cotations manuscrites.
B) Pierre noire, plume et encre noire, lavis de couleurs. H. 0,284; L. 0,365.
Inscription : en bas au milieu, à la plume et encre noire : «PERSPECTIVE DE LA CUISINE ECONOMIQUE ET PORTATIVE DU S. NIVERT 1782»; au-dessous légende manuscrite.
Historique : Académie royale des sciences, séances du 14 août 1782.

Paris, archives de l'Académie des sciences (séances, 14 août 1782).

Ces projets sont accompagnés d'un manuscrit dans lequel Nivert indique qu'il a déjà présenté à «l'Académie un fourneau économique, en relation avec les travaux de Lavoisier sur le calorifère»; il s'agit ici d'une cuisine portative formée d'une boîte, que l'on peut ouvrir : on y trouve alors une marmite, huit casseroles à manches «postiche» avec leur couvercle, des broches, deux cafetières, des cuillères, des écumoires, etc. On peut y faire des ragoûts et de la pâtisserie. Pour faire fonctionner la petite cuisinière, on utilise du charbon, du bois et même des lampions. Ce projet, qui peut paraître futile, doit convenir aux voyageurs, aux officiers de guerre et peut servir sur les vaisseaux. Plusieurs modèles réduits de cuisinières destinés à la Marine sont conservés au musée de la Marine à Paris. Le projet de Nivert, si modeste soit-il, s'inscrit dans les recherches effectuées à la fin du siècle, qui ont pour base les travaux scientifiques et pour but le bien public. Un mémoire sur le chauffage, accompagné d'un dessin représentant une «cocotte minute» est conservé dans les papiers de Duchesne (Paris, A. N., T 160¹⁸)   M.Pi.

ANATOMIE ET MÉDECINE

294
Intérieur d'hôpital pour les enfants abandonnés

par François-Jacques DELANNOY

Plume, encre noire et lavis gris. H. 0,483; L. 0,342.
Inscription : annoté en bas au centre à la plume et encre : «Fig. IV». Au verso, à la plume et encre noire : «Mémoire de M. Iberti n° 2 avec le n° 1 en une seule planche. Mémoire de la Société royale de médecine, tome X, années 1787 et 1788, planche 1ère.»
Historique : Société royale de médecine.
Exposition : 1984, Paris, Louvre, n° 84.

Paris, Académie nationale de médecine, bibliothèque (SRM carton 133-33).

Ce dessin ainsi que trois autres (plan, élévation de l'hôpital et instruments pour l'éducation des enfants) illustrent un mémoire perdu de Iberti (qui publie à Londres, en 1788 des *Observations générales sur les hôpitaux suivies d'un projet d'hôpital* (avec 3 pl. gravées par Gaitte d'après des dessins de Delannoy) puis un mémoire sur l'hôpital de Saragosse, intitulé : *la Médecine éclairée par les sciences physiques* (*Journal des découvertes relatives aux différentes parties de l'art de guérir*, Paris, 1791, t. II, pp. 315-318). Dans ses écrits, Iberti propose de faire des hôpitaux, de véritables écoles de médecine et cite de nombreux établissements étrangers (principalement en Espagne et en Italie) dans lesquels des réformes humanitaires sont faites depuis de nombreuses années. Il prône, ce qui fait de lui un précurseur, les soins à domicile, l'externat et l'internat des malades, en soulignant le rôle que joue à Madrid le comte de Florida Blanca, protecteur de Goya, en faveur des *Jitanos* ou bohémiens; pour lui, des mesures d'hygiène doivent être prises, comme la propreté et le renouvellement de l'air, et l'architecture de l'hôpital doit être adaptée aux besoins; les services pour les femmes enceintes, les malades, les «fous» seront séparés. Iberti rejoint sur beaucoup de points les observations de Schweighaeuser. Ce dessin est proche mais cependant en opposition de celui, véritable maison des morts, que Thomas Rowlandson (1756-1827) exécute sous le titre *The ass-Room-House of Correction* (Sutton, 1977, p. 285). Si le dessin de la Société royale de médecine est rationnel et symbolise, malgré son côté carcéral, le désir de progrès des savants et des médecins de la fin du siècle, celui de l'artiste anglais est, sans aucun doute, malheureusement proche de la réalité quotidienne des hôpitaux-prisons.
La condition des enfants trouvés, principalement illégitimes, au XVIIIᵉ siècle n'est guère enviable. Pour un d'Alembert, beaucoup succombent dès leur abandon. Plus âgés, ce sont les enfants abandonnés qui grossissent les

rangs de la prostitution en ce qui concerne les jeunes filles, de la délinquance grande et petite, pour les jeunes gens. Dans les dernières années de l'Ancien Régime, un mouvement se dessine en faveur de l'emploi des orphelins dans les manufactures (ce qui explique la présence de lits dans les inventaires et les plans). La Révolution amplifie et institue même cet état qui est en fait à la base du prolétariat particulièrement démuni du siècle suivant (Sandrin, 1982).
          M.Pi.

295
Observations générales sur les hôpitaux, suivies d'un projet d'hôpital

par IBERTI, docteur en médecine. Plans par F.-J. Delannoy

Londres, 1788, in-8°, 73 p., 3 pl. h. t. H. 0,48; L. 0,65.

Paris, bibliothèque du musée de l'Assistance publique.

Iberti, d'origine italienne, qui avait pratiqué en Espagne, se montre particulièrement sévère pour l'organisation matérielle des hôpitaux français, et pour la relative indifférence du gouvernement à l'égard de ce qui devrait être un de ses premiers devoirs. L'essentiel de son livre est consacré au commentaire d'un hôpital idéal, dont Delannoy a dessiné les plans et les coupes en se conformant strictement à la «programmation» d'Iberti, qui se réjouit «que l'architecte daignât écouter le médecin».
Le plan de l'édifice, qui s'organise autour d'une grande croix grecque, au centre de laquelle s'élève la cuisine, n'est pas très original, et Iberti avoue d'ailleurs son emprunt à l'hôpital Santa Maria Nuova de Florence. On peut noter, par contre, la laïcisation de l'édifice (la chapelle, logée au-dessus du vestibule n'apparaît pas en façade), le souci de la commodité des soins et de la surveillance (toutes les salles sont sur un seul niveau, au premier étage) et l'attention apportée à tous les problèmes de ventilation. Dans son commentaire, Iberti établit un parallèle entre le système de corridors de service, conçu par Poyet (et critiqué par une commission nommée par l'Académie des sciences), et celui qu'il a imaginé. L'auteur insiste aussi sur les «maisons de convalescence» indépendantes de l'hôpital, sur l'autonomie des salles de chirurgie, et sur la nécessité d'un amphithéâtre anatomique, pour l'enseignement, qui ne doit pas être séparé de l'activité hospitalière.
Iberti n'évoque qu'avec réticence les expériences hospitalières anglaises, et se réfère plus volontiers à ce qui a été fait en Espagne, sous le ministère de Florida Blanca; l'asile d'aliénés de Saragosse lui paraît un modèle du genre. Incidemment, et en se référant au goût romain authentique, il critique une certaine tendance de l'architecture néo-classique qui «confond» les bureaux ou l'habitation d'un simple particulier avec un temple, au point de mêler et de

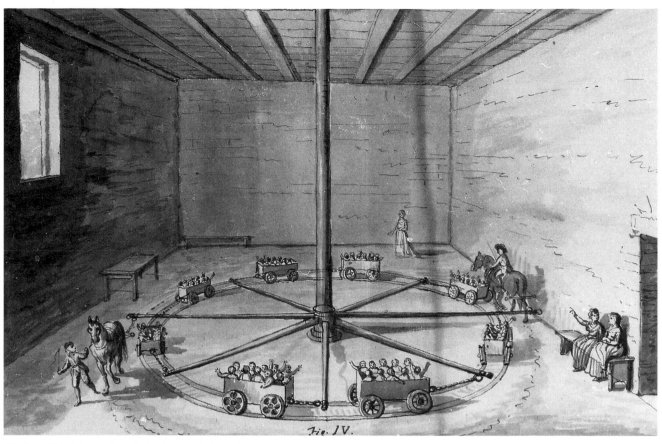

Intérieur d'hôpital pour les enfants abandonnés (cat. 294).

Projet d'hôpital (cat. 295).

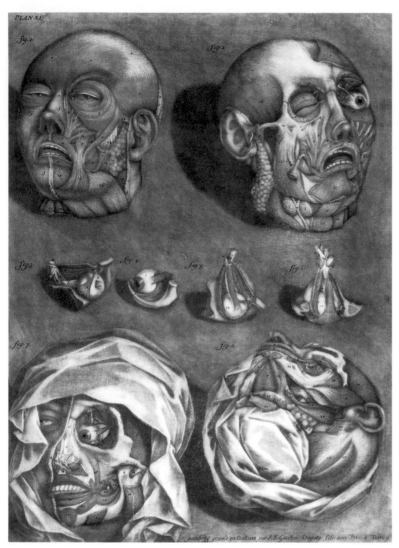

Têtes d'écorchés (cat. 297).

Clavicule du levreau (cat. 298).

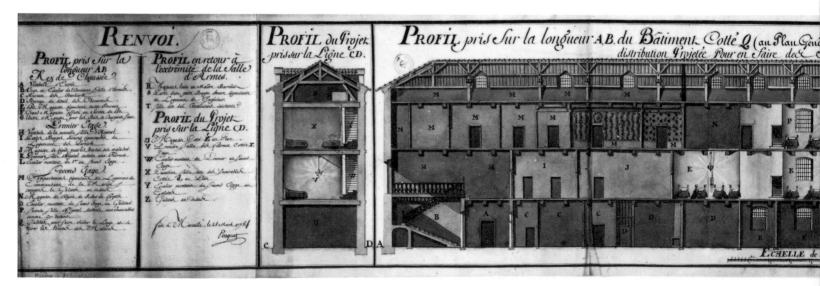

Projet d'aménagement de l'hôpital de Marseille (cat. 296).

grouper, de la manière la plus bizarre, ce que l'architecture eut de plus recherché dans les siècles brillants de la Grèce et les essais de son enfance.

296
Projet d'aménagement de l'hôpital de Marseille

par PORQUET

Traits de pierre noire, plume et encre noire, lavis gris et de couleurs. H. 0,332; L. 1,752.
Inscription : dans la partie droite, explication des figures. Signé et daté au-dessous, à la plume et encre noire : « fait à Marseille, le 28 mars 1778. I. Porquet. »
Historique : ancienne administration de la Marine.

Paris, Archives nationales, Marine (G 212/45A).

Ce dessin est exécuté lors des transformations effectuées dans l'arsenal de Marseille, ville exposée aux épidémies (Exp. : Marseille, 1987/2). On installe alors des salles sanitaires destinées aux marins malades, dans les anciennes salles d'armes. Plusieurs plans sont en relation avec ce chantier (n°s 44, 44 B et C). L'influence des travaux des Académies royales des sciences et de chirurgie se fait sentir dans le souci d'humaniser et de rendre confortable et plus salubre cet hôpital. Un magasin est consacré aux hardes des malades, un autre aux robes de forçats. Des salles sont réservées aux malades fiévreux, aux incurables et aux convalescents soignés séparément. Chaque salle comprend des lits individuels avec draps, traversin et couverture verte. L'éclairage et le chauffage se font par des vasques.
L'incendie de l'Hôtel-Dieu à Paris, le 29 décembre 1772, par Saint-Aubin et Robert, entraîne de nombreux travaux et mémoires de Condorcet, Coulomb, Daubenton, Laplace, Lassone, Lavoisier et Le Roy sur la nécessité

de reconstruire cet établissement, de le rendre plus humain, voire de le transférer hors de Paris (Jacques-René Tenon, 1724-1816), *Mémoire sur les hôpitaux de Paris*, Paris, 1788 ; Greenbaum, 1974). L'amélioration des hôpitaux est surtout due à la ventilation et l'aération étudiées pour la Marine par Duhamel du Monceau, puis Franklin (Philadelphie, A.P.S., Franklin's papers) et à la séparation des malades en pavillons selon leurs affections (*Dix-huitième siècle*, 1977, n° 9). Le modèle le plus cité est celui de la Marine à Plymouth visité par Lazare Paulze, beau-frère de Lavoisier (Ithaca, Cornell University Library, ms. 30). L'Académie royale d'architecture suit les travaux des savants et plusieurs programmes sur des bâtiments hospitaliers sont donnés aux concours de 1774 à 1792 (Hôtel-Dieu, 1787 ; Lazaret, 1791 ; Hôpital, 1792 ; Pérouse de Montclos, Paris, 1984). Ces recherches sur la salubrité des hôpitaux concernent également les prisons qui leur sont administrativement liées (l'inspecteur général des hôpitaux civils est responsable des maisons de force). Le Roy présente en 1780 un *Rapport sur les prisons* (histoire et mémoire de l'Académie royale des sciences, Paris, 1784, pp. 409-424) et Claude-Léopold Gennevé (1706-1782), un livre consacré à la *Purification de l'air croupissant dans les hôpitaux, les prisons et les vaisseaux de mer* (Nancy, 1767). **M.Pi.**

297
Têtes d'écorchés

par Arnauld Éloi GAUTIER-DAGOTY

Imprimé ; gravure en couleurs. H. 0,540 ; L. 0,395.
Inscription : en haut à gauche : « PLAN XI » ; en bas vers la droite : « peint et gravé en couleurs par A.E. Gautier Dagoty fils avec Prév. à Nancy » ; figures numérotées « fig. 1 à fig 8 ». Planche IX du *Cours COMPLET D'ANATOMIE PEINT ET GRAVE EN*

COULEURS NATURELLES par M.A.E. GAUTIER D'AGOTY, second fils. *ET EXPLIQUE PAR M. JADELOT*. Professeur d'anatomie de la Faculté de médecine de Nancy, et de l'Académie des Sciences et Belles-lettres de la même ville, Nancy, M. DCC. LXXIII, in-plano. Reliure cartonnée.
Bibliographie : Hébert, Pognon, Bruand, 1968, pp. 34-36.
Paris, Bibliothèque nationale, cabinet des Estampes (Jf8, in-fol.).

Arnauld Éloi Gautier Dagoty est le second fils de Jacques Fabien Gautier Dagoty (Binet et Descargues, 1980, pp. 120-122). Il se consacre comme son père et ses frères aux gravures imprimées en couleurs. Il illustre le livre de Nicolas Jadelot (1738-1793), inspiré des travaux d'Albinus, Ruysch et Haller, en cinq parties : l'ostéologie, la myologie, la splanchnologie, l'angiologie et la névrologie, avec quinze planches qui vont de la représentation réelle de l'homme et de la femme, puis successivement à l'écorché de plus en plus décharné, et au squelette. Les dernières planches représentent des têtes, des pieds, des mains et un tronc disséqué, posés comme des objets sur une panoplie. Le fond verdâtre renforce le côté saisissant de ces planches. A la fin du XVIIIe siècle, plusieurs livres d'anatomie sont publiés dans lesquels la mort intervient, non plus seulement comme raison même de la dissection et de l'étude du corps humain mais aussi comme moyen pour l'artiste d'exprimer ses propres pensées et il le fait le plus souvent d'une manière théâtrale et surréaliste. *Le nouveau recueil d'ostéologie et de myologie dessiné d'après nature pour l'utilité des sciences et des arts*, par Jacques Gamelin (Toulouse, 1779), mêle les études strictement anatomiques aux squelettes ou écorchés aux attitudes vivantes (tradition qui revient à Vésale et qui est reprise par l'*Encyclopédie*), accompagnées de devises à caractère moral : l'écorché est crucifié avec ou sans la croix ; un squelette lit les Psaumes du *Dies Irae*. Plusieurs planches représentent des combats militaires, grands fournisseurs de morts, dominés par la Mort sur un cheval, tenant une faux (allusion directe aux nombreuses dissections, confirmées par les archives, sur les soldats morts mais aussi condamnation sans appel de la guerre). Gamelin comme Gautier Dagoty quitte le siècle des Lumières rationnel pour entrer de plain-pied dans le monde des ténèbres du préromantisme. Ce n'est pas sans raison que plusieurs historiens ont souligné les rapports entre Goya et les recueils d'anatomie, principalement celui de Gamelin (Pupil, 1982). Jadelot écrit une *Adresse à Nosseigneures de l'Assemblée nationale sur la nécessité et les moyens de perfectionner l'enseignement de la médecine* (Nancy, 1790). Quant à Gautier Dagoty il est, au cours d'une promenade géologique dans les environs d'Allemond en Dauphiné, le compagnon de Faujas de Saint-Fond. Il grave en couleurs plusieurs échantillons ramassés alors ; des *Bois des cerfs* sont publiés dans le *Mémoire sur des bois de cerfs fossiles trouvés en creusant un puit dans les environs de Montelimar* (Grenoble, 1776) dans lequel Faujas donne des indications biographiques concernant son dessinateur. **M.Pi.**

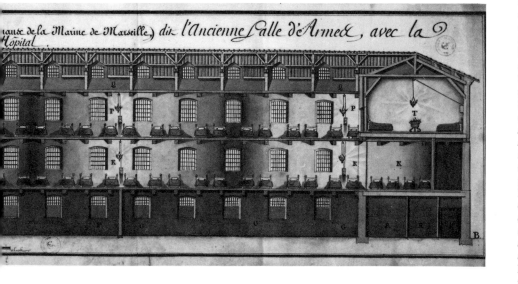

298
Clavicule du levreau

par Angélique BRICEAU

Plume, encre noire, lavis gris et jaune. H. 0,283;
L. 0,210.
Inscription : sur le montage à bordure de lavis vert,
décoré de rubans bleus découpés, à la plume et encre
noire : « CABINET D'ANATOMIE »; au-dessous dans
un cartouche bordé de lavis rose : « Clavicule du
Levreau S.L.D. de M. Vicq d'Azir »; en bas à gauche :
« Melle Briceau del ».
Historique : collection Félix Vicq d'Azir; collection
Jean-Baptiste Huzard (1755-1838); entrée au XIXᵉ siè-
cle au Muséum national d'histoire naturelle.
Bibliographie : Laissus, 1965, nᵒ 2221; Exp.: Paris,
Louvre, 1984, sous le nᵒ 70.

Paris, Muséum national d'histoire naturelle, bibliothèque centrale, (ms. 2221).

Fille du dessinateur Alexandre Briceau, Angélique Briceau exécute avec son père plusieurs
dessins sous la direction de Vicq d'Azyr destinés à paraître dans son *Traité d'anatomie et
de physiologie* dédié au roi, avec des planches
coloriées représentant « au naturel » divers
organes de l'homme et des animaux, mais en
fait seul le cerveau est représenté dans la publication (Paris, 1786). Alexandre Briceau est
l'auteur des feuilles concernant le corps
humain en relation avec les travaux de
Albrecht von Haller (1708-1777) et ceux sur
la dissection du renne; Angélique se consacre
aux dessins représentant les petits animaux, le
pitèque, le cochon d'Inde et le levreau. Tous
ces dessins sont exécutés très soigneusement
et montés d'une manière proche de celle utilisée
pour les dessins de « maîtres » avec une bordure
au lavis vert très en faveur à la fin du siècle;
malheureusement, ces montages sont mutilés
à la Révolution et les nœuds bleus qui les sur-
montent systématiquement découpés. Cette
collection de dessins réunie en cabinet d'anatomie montre le rôle de démonstration
demandé au dessin dans l'enseignement des
sciences. Un autre manuscrit de Vicq d'Azyr
est conservé au Muséum; il s'agit de notes et
observations d'histoire naturelle notamment
une dissection du rhinocéros mort sous la
Révolution et effectuée par les citoyens Mer-
trud, Louis-Jean-Marie Daubenton (1716-
1800) et Vicq d'Azyr (ms. 219). Félix Vicq
d'Azyr (1748-1794), gendre de Daubenton,
médecin de Marie-Antoinette et du comte d'Artois, est le premier secrétaire perpétuel de
l'Académie royale de médecine, fondée en
1776. Il est élu à l'Académie française en 1788,
au fauteuil de Buffon. Il est également membre
de la Société d'agriculture et s'intéresse à l'art
vétérinaire (Huard, *in* Taton, 1964, pp. 206-
209). Angélique Briceau devient en 1791 la
femme du graveur Louis-Jean Allais (1762-
1833); elle collabore en 1789 à la série des
portraits des députés de l'Assemblée nationale
(Mirabeau, Marat) et donne plusieurs gravures
d'esprit révolutionnaire (Roux, 1930, pp. 117-
125).   M.Pi.

LE « LABORATOIRE DE LA NATURE »

299
Plan du jardin royal des Plantes et de son agrandissement

par Edme VERNIQUET

Plume, encre noire, lavis gris, sépia et de couleurs :
H. 0,794; L. 0,541. Bords irréguliers. Double trait
d'encadrement à la plume et encre noire.
Inscription : signé et daté, à la plume et encre noire,
en bas à gauche : « VERNIQUET Architecte du Jardin
du Roi fecit 1783 ». Nombreuses annotations manuscrites, à la plume et encre noire, en haut au milieu :
« 1783 »; à gauche : « PLAN DU JARDIN ROYAL DES
PLANTES et de son aggrandissement Nota. le fond
bleu indique l'ancienne étude du Jardin, les fonds
rouges indiquent les aggrandissements faits, et les
fonds jaunes, les aggrandissements à faire »; à droite :
« RENVOI » et légende.
Historique : jardin du Roi (Buffon)?
Exposition : 1988, Paris, Musée national d'histoire
naturelle, sans catalogue.
Bibliographie : Benoît, Grinevald, Laissus, Piveteau
et Régnault, 1988, repr. p. 50.

Paris, Muséum national d'histoire naturelle, bibliothèque centrale (réserve).

Verniquet, géomètre-arpenteur, arrive à Paris
en 1774. Grâce à la protection de Buffon, il
achète la charge de commissaire-voyer de la
ville. Il lève le plan de Paris et collabore
aux aménagements du jardin du Roi (Nadault
de Buffon, 1863, pp. 392-398). Les légendes du
plans indiquent l'ancienne étendue du jardin,
les travaux faits et ceux à faire. On voit les
carrés de plantes vulnéraires pour les pauvres,
pour les arts, la médecine et la pharmacie, les
arbres étrangers et les bâtiments, l'ancien
amphithéâtre d'anatomie, les cabinets d'histoire naturelle et laboratoire aujourd'hui
détruits. L'intendance est partiellement
conservée; les serres chaudes dessinées par
Hilaire seront terminées à la Révolution par
Jacques-Henri Bernardin de Saint-Pierre
(1737-1814). La partie gauche du dessin
montre le labyrinthe au sommet duquel est
construit le kiosque chinois surmonté de la
méridienne. Au pied du labyrinthe on peut voir
le buste de Linné, détruit à la Révolution et le
célèbre cèdre du Liban, rapporté d'Angleterre
par Bernard de Jussieu (1699-1777) en 1734.
Verniquet dessine au bas du plan une vue pittoresque du jardin, avec ses élégantes visi-
teuses accompagnées d'amateurs ou de naturalistes herborisant et à gauche, les branches
de l'arbre forment des médaillons montrant des
vues des bâtiments et monuments du jardin
                                            M.Pi.

300
Tabatière

par Gérard Van SPAENDONCK

Tabatière d'écaille brune tachetée, non à gorge d'or.
Forme ovale à base horizontale — couvercle incrusté
en plein d'une miniature ovale en largeur, sous cristal.
Inscription : sur le bord de l'entablement à gauche :
« Van Spaendonck ». Cadre formé d'un rang de petites
perles fines.
Historique : collection de Georges Louis Leclerc,
comte de Buffon (1707-1788); son fils Georges-Louis-
Main (1764-1793); sa vente à Montbard en 1794;
Théodore Dablin; legs en 1861.
Bibliographie : Nadault de Buffon, 1863, pp. 384-385,
note 3; Darcel, 1883, nᵒ D.907; Dreyfus, 1922, nᵒ 663;
Le Corbeiller, 1966, fig. 210; Van Boven et Segal,
1980, cat. nᵒ 64, repr.; Grandjean, 1981, nᵒ 204.

Paris, musée du Louvre, département des Objets
d'art (inv. OA 80).

Gérard Van Spaendonck et son frère Corneille
(1756-1840) sont d'orgine hollandaise mais travaillent à Paris où ils se spécialisent dans la
nature morte et les fleurs. Gérard Van Spaendonck succède à Madeleine Basseporte (1701-
1780), en 1774, comme peintre de miniatures
au jardin du Roi et à ce titre, peint une importante série de vélins pour la collection royale
(Jouin - Stein, 1889, pp. 183-186 et Exp.:
Maarsen, 1980, pp. 171-177). Il expose au
Salon de 1781, un *Vase de marbre rempli de
fleurs, et dans le bas un groupe de fleurs et de
fruits*, morceau de réception de l'artiste à l'Académie (nᵒ 156). Van Spaendonck devient par
la suite professeur au Muséum et publie un
*Recueil de fleurs... utile aux amateurs, aux jeunes
artistes, aux élèves des écoles centrales et aux
dessinateurs des manufactures*. Il exécute les
deux tabatières conservées au Louvre, celle
exposée ainsi qu'une autre en hauteur (OA 81;
Grandjean, 1981, nᵒ 205) ayant appartenu à
Buffon sans que l'on sache dans quelles conditions elles lui sont remises; on sait que Buffon
apprécie l'artiste avec qui il entretient des relations amicales. Ces deux tabatières ont un
décor semblable et sont caractéristiques du
courant naturaliste et décoratif dans lequel de
nombreux artistes s'illustrent dans la peinture
comme dans la miniature, parallèle à l'étude
stricte de la nature où pourtant excelle Van
Spaendonck. Ces deux pièces passent à la mort
de Buffon dans les mains de son fils, guillotiné
en 1793 à Paris, et sont vendues publiquement
à Montbard avec le reste de la collection de
Buffon dans la vente au profit de la nation,
sous la présidence de Touzet, délégué par le
district de Semur. Un inventaire est dressé et
la collection d'œuvres d'art de Buffon reflète
bien l'estime dans laquelle le savant est tenu
dans toute l'Europe. Les objets d'art offerts
par les souverains et les princes français et
étrangers sont conservés à Montbard dans le
« cabinet des porcelaines ». On y voit *Un ange*
en cuivre doré sur un piédestal d'ébène donné
par Louis XVI, alors dauphin, ainsi que les
dons de Louis XV et Marie-Antoinette.
Catherine II de Russie se montre particulièrement généreuse et remet à Buffon fils, lors

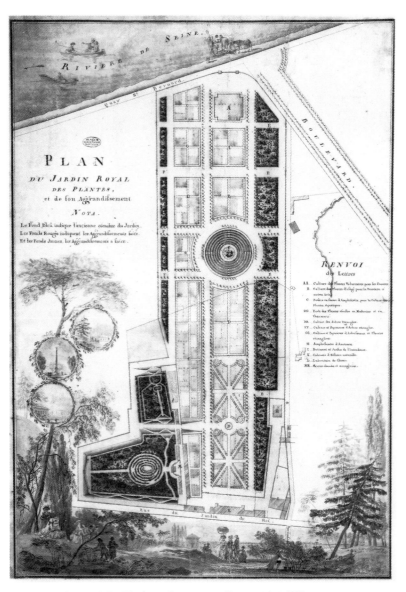

Plan du jardin royal des Plantes et de son agrandissement (cat. 299).

Tabatière ayant appartenu à Buffon (cat. 300).

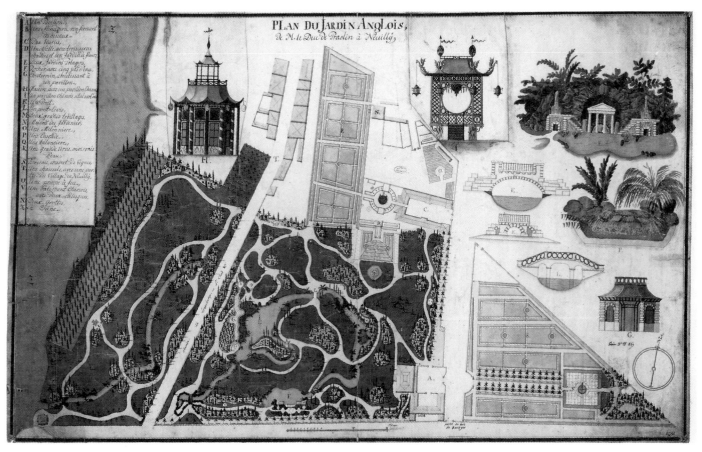

Jardin anglais du duc de Praslin (cat. 301).

du voyage de ce dernier en Russie, à l'intention de son père, une tabatière d'or enrichie de diamants avec son portrait, ainsi que des médailles et des fourrures (*Portrait de madame de Buffon en fourrure* par Drouais. Nadault de Buffon, 1863, p. 193). Beaucoup de porcelaines figurent parmi les cadeaux du comte de Provence, du prince de Condé ; Frédéric II de Prusse envoie un vase en porcelaine de Saxe. Buffon possède également une importante collection de peintures, dessins et gravures (276 n°s) représentant en majorité des sujets d'histoire naturelle (Nadault et Buffon). **M.Pi.**

301
Jardin anglais du duc de Praslin

par un artiste anonyme

Pierre noire, plume et encre noire, lavis de couleurs. H. 0,600 ; L. 0,750.
Inscription : en haut, au milieu, à la plume et encre noire : « PLAN DU JARDIN ANGLAIS DE M. LE DUC DE PRASLIN A NEUILLY » ; légende, échelle à la plume et encres noire et rouge.
Expositions : 1977, Paris, hôtel de Sully, n° 254 ; 1979, Nanterre, n° 65.
Bibliographie : Hébert - Thirion, 1958, p. 332, n° 2077, pl. VII.

Paris, Archives nationales (N III Seine 867).

Ce jardin fait partie du domaine que le trésorier général de la Marine et des colonies, Claude Baudart, baron de Saint-James, fait construire en 1781, par l'architecte François-Joseph Bellanger (1744-1818). Ruiné par des spéculations hasardeuses, mais aussi compromis dans l'« affaire du collier », Saint-James meurt après un séjour à la Bastille et sa propriété est alors vendue au duc et à la duchesse de Praslin (Ozanam, 1969). Ce jardin se compose d'un pavillon chinois, de temples, ponts, rochers et cascades, d'une ménagerie renfermant des oiseaux, de serres chaudes, d'un cabinet d'histoire naturelle contenant des pierres, oiseaux et crabes, d'un jardin de fleurs, d'une glacière, d'une melonnière, d'un berceau couvert de vignes, mais aussi conformément aux intérêts de nombreux aristocrates pour les progrès techniques, d'une pompe à feu près de la Seine. Un autre plan, également aux Archives nationales, indique les bâtiments de la propriété (N III Seine 145).
La vogue des jardins anglais pittoresques et libérés de l'ordonnance classique est due à plusieurs facteurs bien étudiés ces dernières années, et qui démontrent ce goût n'est pas spontané et qu'il mûrit dans l'esprit à la fois des amateurs et des architectes. Partout, en Europe, on voit naître des jardins où l'influence de multiples tendances se fait sentir : on y retrouve les textes théoriques anciens, le goût de l'archéologie naissante (principalement nationale), de l'architecture colossale et le résultat des voyages introduisant de nouvelles formes architecturales (le pavillon chinois est alors courant ; Georges-Louis Le Rouge, *Jardins anglais-chinois…*, Paris, 1775-1788) et des

espèces botaniques inconnues, mais aussi les rêveries des promeneurs et des poètes, tels l'abbé Jacques Delille (1738-1813) et Jean-Antoine Roucher (1745-1794). La relation entre la nature et l'homme, réflexion souvent issue de la franc-maçonnerie se concrétise par la présence constante, naturelle ou artificielle, de l'eau, de la minéralogie, du rocher (Mosser, 1982-1983). Le « rocher » du jardin anglais de Saint-James, qui coûte 1 600 000 livres, pour la construction duquel Bélanger construit une machine pour traîner les pierres (Paris, B.N., Est. Va 92a fol., t. III), existe encore aujourd'hui inclus dans le lycée Saint-James à Neuilly. **M.Pi.**

302
Iris germanica

par Barbara Regina DIETZSCH

Gouache sur vélin, bordé d'or. H. 0,286 ; L. 0,204.
Inscription : annotation en bas à droite : « B.R. Diezshin » (sans doute postérieure).
Historique : Levine and Mosley, 1941 ; achat par Henri Broughton, deuxième lord Fairhaven ; don en 1973.
Expositions : 1978, Cambridge, n° 13 a ; 1979, Cambridge, n° 11 a ; 1983-1984, États-Unis, exp. itinérante, n° 20.

Cambridge, Fitzwilliam Museum - Broughton Collection (PD 328 - 1973).

Barbara Regina Dietzsch est l'aînée des enfants de Johann Israël Dietzsch (1681-1754), dont sept enfants sont peintres ; elle est, avec son frère Johann Christoph (1710-1769) et sa sœur Margareta-Barbara (1716-1795), employée comme dessinateur à la cour de Nuremberg. A sa mort, cent vingt gouaches représentant des oiseaux, des insectes et des fleurs sont inventoriées au palais Grüner de Nuremberg. Elle se fait une spécialité des vélins entièrement peints en noir, négation même du vélin recherché essentiellement pour sa blancheur. Cette manière d'utiliser le vélin, à l'opposé de celle adoptée par la collection des *Vélins du roi* (Paris, bibl. M.N.H.N. ; Jouin-Stein, 1889) où au contraire le motif est peint sur le vélin le plus blanc possible, semble être une spécialité germanique, employée par d'autres peintres : Christoph-Ludwig Agricola (1667-1719) peint des oiseaux sur fond de paysage, avec des effets d'éclairage parfois appuyés (Paris, Institut néerlandais, fondation Custodia, D. 1407. Exp. : Paris, Louvre, 1984, n° 50). De plus, Barbara Regina Dietzsch mélange, à la manière hollandaise, les genres : sur les feuilles de l'iris se promènent une chenille et un scarabée. Plusieurs vélins, des Dietzsch, sont conservés dans l'admirable collection de Cambridge : *Un auricula avec papillon* est l'œuvre de Barbara Regina, un autre *Iris germanica* est de Johann-Christoph célèbre pour ses paysages ; des chardons proches de Margareta-Barbara. Leurs œuvres sont particulièrement appréciées par les amateurs anglais et hollandais mais méconnues des Français qui leur préfèrent les œuvres des artistes du roi :

Madeleine Basseporte, Gérard Van Spaendonck et Pierre-Joseph Redouté. **M.Pi.**

303
Page d'herbier

par Jean-Jacques ROUSSEAU

Manuscrit. Carnet de 52 folios numérotés en haut à droite à la plume et encre noire et 16 folios non numérotés. H. 0,159 ; L. 0,100. Reliure en papier marbré marron. Pour des raisons de conservation, le carnet sera ouvert à plusieurs pages différentes au cours de l'exposition.
Inscription : pages reproduites : à gauche, à la plume et encres noire et rouge : « M. Trouvée à Monquin au printemps en abondance, couchée dans le limon d'une eau courante selon la direction du fil de l'eau. Feuillage assez âpre et rigide au toucher, sans aucun vestige de fructification O. Bryum coespititium .p. Mnium undulatum » ; à droite : 11 échantillons de mousses cotés « o », « p » et « 12 ».
Historique : vente au comte de Rambuteau, par Leclerc qui l'avait acheté en 1910 chez l'antiquaire de Berlin, Breslauer ; legs avec la partition du *Devin du village* aux armes de Mme d'Épinay par le comte de Rambuteau ; entré en 1912.
Expositions : 1962, Paris, Bibliothèque nationale, n° 427 ; 1978, Paris. Arts décoratifs, sans cat.
Bibliographie : Gagnebin, 1962, pp. 160, 176, p. repr. face p. 176 ; Mabille, 1978, pp. 60-61.

Paris, musée des Arts décoratifs (inv. 18912).

Le goût de la botanique a sans doute aidé Rousseau à surmonter, outre les persécutions officielles, ses propres difficultés à vivre. Au fil des ans cette distraction devient un intérêt profond et même une passion. L'amour de la botanique date de 1762, lors de son séjour à Môtiers près de Neuchâtel, où il se réfugie après l'état d'arrestation du Parlement de Paris. Il rencontre alors plusieurs amateurs (d'Ivernois, Du Peyron, Pury) qui s'adjoignent le secours d'un naturaliste confirmé Abraham Gagnebin de la Ferrière. Ils font de longues promenades botaniques et Rousseau complète son éducation par l'étude de traités scientifiques. Le *Systema naturae* de Carl von Linné (1707-1778) fera tout au long de sa vie son admiration. Il écrit au savant suédois en 1771 (éd. 1962, pp. 201-202) et ajoute les références à Linné sur les livres prêtés par Malesherbes et sur *la Botanique…* de Régnault (Paris, 1774, Paris, bibl. de l'Assemblée nationale, mss 1190-1191. Cheyron, 1981). De Suisse, il passe en Angleterre où il rencontre Lady Margaret Cavendish Harley, duchesse de Portland, avec qui il correspond pendant plusieurs années et échange des échantillons et des graines. Revenu en France, il continue ses observations. Il rencontre Buffon à Montbard, les Jussieu et Bernardin de Saint-Pierre. Il constitue plusieurs herbiers, dont quelques-uns sont conservés ; au musée de Chaalis, une canne en bois de rose, ayant appartenu à Rousseau, provient du marquis de Girardin. A Paris, le laboratoire de phanérogamie du M.N.H.N. conserve quinze cartons de plantes de Guyane recueillies par Jean-

sectes dessinés par Georges Cuvier (cat. 304).

«Iris germanica» (cat. 302).

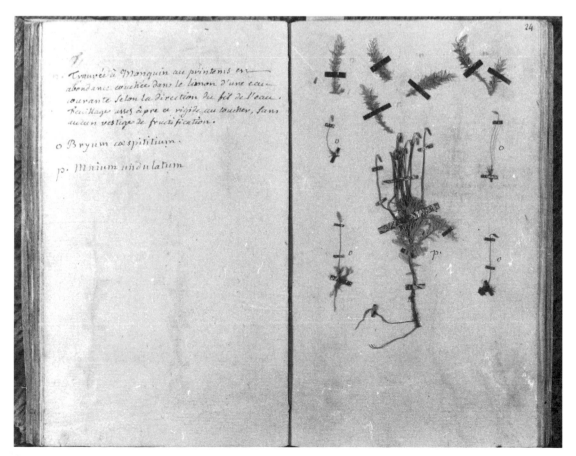

Page d'herbier de Jean-Jacques Rousseau (cat. 303).

Baptiste-Christophe Aublet (1720-1778) avec quelques annotations de la main de Rousseau, passés successivement entre les mains de Lebègue de Presle, du marquis de Girardin et de Duhamel du Monceau. Sont conservées au musée Carnavalet, quelques feuilles provenant de Mme Delessert, née Boyer La Tour, pour laquelle il écrit les *Lettres élémentaires sur la botanique* (brouillons autographes, Neuchâtel, bibl. municipale, ms. 7884). L'herbier du musée des Arts décoratifs contient des algues, des mousses et des lichens accompagnés de leurs noms et de notes autographes de Rousseau. Il est certainement en relation avec les promenades que Rousseau fait en compagnie de Malesherbes dans le parc de son château et à qui il envoie de 1771 à 1773 plusieurs lettres sur la botanique (éd. 1962, pp. 172-200). Il lui annonce son souhait de faire des herbiers «mignons à mettre dans la poche» pour les plantes «en miniature» que sont les mousses. Cependant l'indication du village de Monquin dans l'Isère, où Rousseau réside de la fin de 1769 à mai 1770, permet de dater d'une manière postérieure ce précieux volume.

L'ouvrage qui sert de référence à Rousseau pour ses études est l'*Historia muscorum...* de Johann Jakob Dillen, ou Dilenius (Londres, 1763), cité dans l'herbier des Arts décoratifs. La constitution d'herbier demande à Rousseau beaucoup d'attention. Il emploie des couleurs pour enluminer les plantes. En 1765, il écrit à Du Peyron et lui demande de lui faire parvenir du papier doré pour retenir les plantes (utilisé dans l'exemplaire exposé) et ajoute : «Je préférerais du papier doré en plein à celui qui a des ramages.» Il achète du papier blanc, mais aussi du bleu et du rouge pour faire ressortir les plantes à fleurs blanches. Pour Rousseau, les herbiers des correspondants composés pour lui, ou à but lucratif, vont lui permettre de réfléchir sur la nature (il s'oppose toujours à reconnaître les vertus médicinales des plantes) et comme le souligne Bernard Gagnebin, ils vont devenir la mémoire des souvenirs heureux (éd. 1962, p. XXXIV).　　　　　M.Pi.

304
Divers insectes

par Jean-Léopold-Nicolas-Frédéric, dit Georges CUVIER

Manuscrit et dessin. Plume et encre noire, lavis de couleurs : H. 0,214 ; L. 0,173.

Inscription : en haut, à droite, à la plume et encre noire : «Tab. IV». Insectes numérotés de 1 à 30. Dessin collé sur une des feuilles d'un manuscrit in-4° de 92 pages, et 9 planches (la huitième est manquante) intitulé *Diarum Zoologicum prosertium Entomologicum exhibens Animalia a me in aestate 1787 examinata Illorumqs descriptiones et Icones stuttgardiae M. DCCLXXXVII, G.L. Cuvier.* Demireliure, cuir et papier marbré. Au verso nombre des insectes «picta» (peints), 302 et «descripta» (décrits), 303.

Historique : don à l'Institut de France de la famille de Frédéric Cuvier (1773-1838), naturaliste, frère de Georges Cuvier.

Bibliographie : Dehérain, 1908, p. 9 ; Dehérain, 1922 ; Bouteron-Tremblot, 1928, n° 3046 ; Petit-Théodoridès, 1961, pp. IV-XX.

Paris, bibliothèque de l'Institut de France (ms. 3046).

Ce dessin correspond aux observations sur les insectes, les phalènes et la libellule, faites par Cuvier du 26 mai au 1ᵉʳ juin 1787. Cuvier, issu d'une famille protestante de Montbéliard alors dépendante du Wurtemberg, est admis de 1784 à 1788 comme élève à l'académie Caroline de Stuttgart où il se livre particulièrement à l'étude de l'histoire naturelle, prenant de nombreuses notes et dessinant. De 1788 à 1795, Cuvier séjourne en Normandie, à Caen ou au château de Fiquainville près de Valmont, comme précepteur d'Achille de Hericy, le fils du propriétaire. Il y poursuit ses observations et correspond avec les savants parisiens tels que Haüy ou Lacépède. Il rédige quotidiennement des *journaux* ; on connaît quatre *Diarum botanicum* (Paris, bibl. de l'Institut de France, mss 3041-3044) et quatre *Diarum zoologicum* écrits en Wurtemberg ou en Normandie ; parmi ces derniers, quatre sont en latin, un en français et datent des années 1787 à 1789 (*id.* mss 3046-3049, tome III en deux volumes ; Hyères, bibl. municipale, ms. 27, provenant sans doute d'Étienne Geoffroy Saint-Hilaire (1772-1844)). Ces carnets procèdent de l'observation directe de la nature et sont illustrés de dessins soigneusement exécutés. Ils concernent les insectes et les oiseaux. On sait qu'un serviteur noir au château de Fiquainville chasse pour Cuvier aux alentours du château. Il s'intéresse aussi aux poissons. Tout au long de sa vie, Cuvier ne cesse de dessiner se montrant ainsi l'héritier du siècle des Lumières, où le dessin est considéré comme une discipline à part entière (ms. bibl. du M.N.H.N. ; Boinet, 1914). En avril 1795, Cuvier devient membre de la section d'anatomie et de zoologie de la première classe de l'Institut, puis secrétaire de la classe pour les sciences physiques en 1799-1800, enfin secrétaire perpétuel, le 31 janvier 1803. Son œuvre scientifique et administrative est immense et difficile à résumer ; protestant, il a joué aussi un rôle important dans la diffusion de sa foi et la mise en place de structures éducatives d'obédience non catholique (Bourdier, 1971, pp. 521-528). Son frère, Frédéric est naturaliste, membre de la section d'anatomie et de zoologie de l'Académie des sciences et professeur au Muséum national d'histoire naturelle (*ibid.*, pp. 520-521). Le don de la famille Cuvier à la bibliothèque de l'Institut comprend 347 volumes (mss 3001-3347).

　　　　　M.Pi.

---

305 A et B
Modèle de cristaux

par un artiste anonyme

A) Prisme hexagonal à terminaison trigonale. Bois de poirier. Long. : 0,050.
B) Scalenoèdre à nombreuses modifications. Bois de poirier. Long. : 0,068.

Historique : René-Just Haüy.
Bibliographie : Birembaut, *in* Taton, 1964, p. 394 ; cat. Exp. Paris, E.N.S.M., 1983, p. 10.

Paris, Muséum national d'histoire naturelle, galerie de Minéralogie.

Ces deux modèles de cristaux en bois ont appartenu à René-Just Haüy (1743-1822) et font partie de l'importante collection, une centaine de pièces, conservée au Musée national d'histoire naturelle. Ordonné prêtre en 1770, élu adjoint botaniste à l'Académie royale des sciences en 1783, il y lit plusieurs mémoires illustrés de dessins sur la cristallographie déjà étudiée par Cronstedt, Werner, Romé de l'Isle, et dont Patrin et Gautier-Dagoty donnent des représentations. Son essai d'une théorie sur la *Structure des cristaux* (Paris, 1784) est le fondement de la minéralogie moderne. Arrêté pendant la Révolution, il devient en 1794 conservateur du Cabinet puis professeur en 1795 de l'École des mines et prépare son *Traité de minéralogie* (Paris, 1801), dans lequel il reconnaît que les pierres ont des formes géométriques : ainsi le cristal de calcite à la forme d'un rhomboèdre, le sel gemme se divise en cubes et le gypse en prismes ; cette subdivision ne peut se poursuivre indéfiniment et doit s'arrêter à de petites particules qu'il appelle «molécules intégrantes» : on peut ainsi concevoir un solide équivalent à ces formes, ce qui explique la constitution de la collection du Muséum. Il possède également des spécimens minéralogiques, dont une partie provient sans doute de Romé de l'Isle (Muséum d'histoire naturelle ; ancienne coll. d'histoire naturelle du duc de Buckingham. Voir : Paris, A.N. AJ¹⁵ 547 coll. Haüy). L'inventaire du cabinet de minéralogie de l'École royale des mines, dressé en l'an XII, fait aussi apparaître 440 polyèdres en terre cuite d'après la *Cristallographie* de Romé de l'Isle (Paris, 1792), de Claude Lermina et Arnould Carangeot, qui lui élabore à cette occasion le goniomètre (Birembaut, *in* Taton, 1964, p. 371 ; sans doute la collection de polyèdres en terre cuite également au Muséum). Haüy devient membre de l'Institut national en 1795, puis professeur de minéralogie au Muséum national d'histoire naturelle. Son frère Valentin (1745-1822) est interprète de l'amirauté et membre de l'Académie d'écriture. Il est fondateur d'une maison d'éducation pour les jeunes aveugles (Institut national des jeunes aveugles). On lui doit l'invention des caractères en relief destinés à leur éducation (Paris, B.N., ms. fr. 20840, fol. 28-31). M.Pi.

306
Apprêt du charbon de terre pour le chauffage

par Claude-Matthieu FESSARD

Taille-douce : H. 0,317 ; L. 0,213 au trait carré.
Inscription : en haut au milieu : «Apprêt du charbon de Terre pour le chauffage» ; à droite «2è Part. Pl. LVI. n° 1» ; en bas à gauche : «Fessard. Sculp.» Pl. LVI de l'*Art d'exploiter les mines de charbon de*

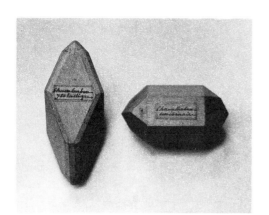

Modèles de cristaux (cat. 305 A et B).

Iran de mine (cat. 308).

Apprêt du charbon de terre pour le chauffage (cat. 306).

Carte minéralogique de la Franche-Comté et de l'Alsace (cat. 307).

terre de Morand, seconde partie, suite de la 4ᵉ section, Paris, 1768-1779, in-fol. pl., paru dans la *Description des arts et métiers*. Reliure cartonnée.

Paris, Muséum national d'histoire naturelle, bibliothèque centrale (Y³ 172 (3)).

Le livre de Jean-François-Clément Morand (1759-1784) marque une étape importante dans l'histoire de la minéralogie et de l'industrie françaises. Morand souligne que l'usage du charbon de terre « dédommage complètement l'Angleterre du bois qui lui manque » et qu'en Allemagne beaucoup de manufactures préfèrent l'usage du charbon de terre à celui du bois plus onéreux. Morand, afin de démontrer l'importance d'ouvrir des mines en France fait plusieurs voyages d'étude dans le pays houiller de Liège, étudie les mines d'Anjou sur lesquelles l'ingénieur de Voglie écrit plusieurs mémoires. Il se sert également d'observations faites en Angleterre, de textes et travaux antérieurs tels ceux de Philippe Buache (1700-1773), de Jean-Étienne Guettard (1715-1786) et des Jars, Gabriel (1729-1808) et Antoine-Gabriel (1732-1769). Morand ordonne son texte en deux parties : la première est consacrée à l'histoire du charbon de terre, dans laquelle il énumère les connaissances nécessaires à tout mineur ; la seconde comprend trois sections et traite du commerce en Europe et en France, de la théorie pratique et de l'usage du charbon pour les manufactures et ateliers. Comme tous les volumes de la *Description des arts et métiers*, le livre de Morand est illustré de nombreuses planches dessinées par Caresme de Fécamp, Fessard et Benoît-Louis Henriquez (1732-1806), etc. Ils reprennent des planches publiées antérieurement dans des volumes étrangers, allemands notamment, imprimés ou manuscrits (album de la machine de Newcomen). La planche présentée et la suivante illustrent l'apprêt du charbon de terre pour le chauffage. Des femmes sont employées à ce travail qui permettra l'usage de poêles, calorifères et cuisines portatives.   M.Pi.

307
Carte de la Franche-Comté et de l'Alsace

par Jean-Louis DUPAIN-TRIEL

Taille-douce, rehaussée d'aquarelle. H. 0,234 ; L. 0,445 ; un trait carré.
Inscription : en haut : « CARTE MINERALOGIQUE D'UNE PARTIE DE LA FRANCHE-COMTE ET DU PAYS ENTRE LA FRANCHE-COMTE ET L'ALSACE OU SE TROUVENT LURE, BELFORT ET MONTBELLIARD ». Sous le trait : « Dressée et Exécutée par le Sr Dupain-triel. géog. du Roi 1770 ». Explication des signes minéralogiques à droite ; échelles gravées. fol. 89 de l'*ATLAS ET DESCRIPTION MINERALOGIQUES DE LA FRANCE. Entrepris par ordre du Roi, par MM. GUETTARD ET MONNET. Publiés par M. MONNET,* d'après ses nouveaux voyages, Paris, MDCCLXXX, in-folio.
Historique : sans doute Monnet.

Bibliographie : Duveen et Klickstein, 1954, pp. 236-248 ; Rappaport, 1969, pp. 272-287 ; Duveen, 1965, pp. 129-132.

Paris, École nationale supérieure des mines, bibliothèque (Fol. Res. 73).

La publication de l'*Atlas et description minéralogique de la France* est complexe et connaît bien des vicissitudes. Le ministre Henri-Léonard-Jean-Baptiste Bertin (1719-1792) adopte en 1767 le projet de l'*Atlas minéralogique* et charge Jean-Étienne Guettard (1715-1786) d'une mission dans l'est de la France (Rappaport, 1972, pp. 577-579). Guettard, qui suit les travaux minéralogiques de Lavoisier depuis 1763, lui propose de l'accompagner ; ils partent en juin 1767, emmenant des instruments scientifiques pour leurs expériences météorologiques. Ils inspectent les mines et les carrières et Lavoisier recueille de nombreux échantillons de pierres et forme un cabinet. Lavoisier sera intéressé toute sa vie, comme ses contemporains, par la minéralogie et la géologie (Rappaport, 1967 ; 1973). Dans la région de Thann, ils font appel à un artiste local qui exécute plusieurs œuvres dont il subsiste aujourd'hui six exemplaires de 35 centimètres de haut et qui, mis bout à bout, forment un panorama (sans doute à la Cornell University Library ; Scheler, 1964, p. 17) Lavoisier rédige un journal de voyage (arch. Académie des sciences, carnet n° 3) et des mémoires publiés dans *les Observations de physique* ou dans les *Mémoires* de l'Académie comme celui, lu en 1777, sur les *Mines de charbon de terre* (ms., arch. Académie des sciences). En 1770, seize cartes sur les deux cent cinquante prévues sont dressées ; deux ans plus tard, par manque d'argent le projet s'essouffle, Lavoisier s'adjoint les services de Dupain-Triel, ingénieur cartographe. Une cabale contre Guettard le force à démissionner. Il est alors remplacé par Monnet qui prend la direction des travaux, sans beaucoup de scrupules. Une première partie de l'*Atlas et Description minéralogique de la France* paraît en 1780, avec trente-deux cartes. La méthode pour représenter les différentes couches géologiques est de Lavoisier.
L'exemplaire de l'*Atlas* conservé à l'École des mines comprend plusieurs planches publiées après 1794 (peut-être en 1799) sous le titre de *Collection complète de toutes les parties de l'Atlas minéralogique de la France qui ont été faites jusqu'aujourd'hui. Publié par A.G. Monnet, inspecteur des Mines.* La planche 89 fait partie du groupe de dix cartes préparées par Guettard et Lavoisier. Trois exemplaires complets contenant l'ensemble de toutes les cartes sont connus (Philadelphie, Academy of Natural Sciences ; ancienne coll. Dr Lemay et Paris, École des mines ; Duveen, 1965, pp. 131-132).   M.Pi.

308
Cadran de mine

par Johann Oberhauser von SCHWAZ

Ivoire incrusté de bois de racine. Cercle gradué en laiton doré et boussole en argent (?). Trois vis en laiton. H. 0,140 ; L. 0,080.
Inscription : signé sur une tranche : « Johann Oberhauser Von Schwaz » et « 1777 » sur chacun des bords gauche et droit.
Historique : collection Nicolas Landau ; legs en 1980.
Bibliographie : Guye et Michel, 1970, repr. p. 239.

Paris, musée du Louvre, département des Objets d'art (inv. OA 10.740).

Les pays germaniques sont, avec l'Angleterre, l'un des hauts lieux de fabrication d'instruments scientifiques ; l'Allemagne et l'Autriche se font une spécialité des instruments pour les mineurs. Les cadrans de mine, le plus souvent en ivoire et d'exécution très soignée, sont utilisés dès le XVIᵉ siècle pour détecter les veines de minerai, mesurer les distances pour les mines et en relever les orientations. Ils peuvent être ronds ou rectangulaires (Demoriane, 1974, p. 28). Morand dans son *Art d'exploiter les mines de charbon de terre* donne un long paragraphe sur les instruments nécessaires aux mineurs : gnomons, montres et cadrans (pp. 764-773). Il fait référence aux travaux de l'Académie royale des sciences et à l'*Encyclopédie*. Il étudie les cadrans solaires et ses différentes parties, les cadrans directs ou réguliers, les cadrans déclinants ou irréguliers. Un matériel de mine de Baradelle l'aîné, daté 1788 comprend plusieurs instruments rangés dans une boîte (Turner, 1987, p. 214, pl. XXIX).
                                          M.Pi.

309
Éruption du Vésuve

par Pierre-Jacques VOLAIRE

Huile sur toile. H. 0,990 ; L. 0,650.
Inscription : signé en bas à droite et daté « 1785 ».
Historique : achat en 1985 de la ville de Toulon avec l'aide du F.R.A.M.
Exposition : 1985, Toulon, n° 32.

Toulon, musée des Beaux-Arts (inv. 985.8.110).

Le chevalier de Volaire se fait une spécialité dans les années 1760 du thème de l'*Éruption du Vésuve* qu'il représente la nuit pour accentuer le côté dramatique du phénomène volcanique (musées de Brest, Le Havre, Nantes, Narbonne, Rouen, Toulouse, Naples, Leningrad, Chicago, Richmond. Exp. : Paris, Grand Palais, 1974-1975, n° 203 ; Chicago, 1982, n° 76).
L'énumération des œuvres de Volaire souligne le goût des collectionneurs pour ce sujet que tous les artistes, voyageurs (Goethe) ou savants passant à Naples, représentent dans des croquis rapides ou dans des œuvres plus achevées (Exp. : Boston, 1978). L'Italie est le

pays des volcans et des phénomènes géologiques (solfatares, grottes, pétrole). Quatre planches sont consacrées dans l'*Encyclopédie* à l'éruption du Vésuve de 1754 et une à la solfatare de Pouzzoles. L'abbé de Saint-Non publie une « saisissante représentation » à « l'effet » du relief volcanique de la région de Pouzzoles où l'on voit, à vol d'oiseau, les cratères de cette région (repr. *in* Broc, 1975).

Avec le Vésuve, les sites géologiques de la Sicile sont les plus représentés : Wright of Derby peint *l'Etna* (Londres, Tate Gallery) ; Houel étudie les phénomènes basaltiques et donne plusieurs vues de l'Etna, du Stromboli, des îles Lipari et des rochers de la côte sicilienne publiées par la suite dans *le Voyage pittoresque des Isles de Sicile, de Lipari et de Malte* (Paris, 1783-1787, 4 vol. Dessins : Paris, Louvre, inv. 27.147 à 27.192, et Leningrad, Ermitage). Les Anglais lui consacrent également de nombreuses pages : William Hamilton, dans ses *Observations en Etna Vésuvius and other volcanoes* (Londres, 1772), le chevalier de Brydone dans son *Tour through Sicily and Malta* (Londres, 1773). Les volcans font l'objet d'études tout autour du monde, de la part du chanoine Pingré en Islande, de Chappe d'Auteroche en Sibérie ; William Hodges peint le cratère du Mauna Loa aux îles Sandwich, lors du deuxième voyage de Cook (Greenwich, National Maritime Museum). Parallèlement à ce goût pour le descriptif et le dramatique, où le spectateur regarde et montre du doigt le phénomène, un mouvement d'intérêt se dessine envers les volcans éteints. Guettard est le premier à se pencher sur les volcans de la France (ms., bibl. Muséum national d'histoire naturelle), suivi, dix ans plus tard, par Nicolas Desmarest (1725-1815) qui, en compagnie du dessinateur Jean-Jacques de Boissieu (1736-1810), fait en 1766 un voyage en Auvergne (Perez-Pinault, 1985-1986) et publie un *Mémoire sur l'origine et la nature du basalte* (*Mém. de l'Académie royale des sciences*, 1771), considéré jusque-là comme roche sédimentaire et non comme volcanique, entraînant ainsi de nombreuses discussions entre savants qualifiées de « querelle du basalte » (Broc, 1975, pp. 423-431). L'un des sites les plus étudiés, le célèbre *Pavé des géants en Irlande* est reproduit dans l'*Encyclopédie*, dessiné par La Rue et gravé par Benard d'après Susannah Drury (Paris, 1768, VI ; Pinault, 1984, pp. 26, 36, note 72). Faujas de Saint-Fond poursuit avec ses *Recherches sur les volcans éteints du Vivarais et du Velay* (Grenoble, 1778, pl. par Fessard et Gautier-Dagoty) la voie ouverte par Desmarest et qui est continuée par l'abbé Jean-Louis Giraud Soulavie (1752-1813) qui jette les bases de la morphologie terrestre (Broc, 1975, pp. 429-431, exp. : Paris, Louvre, 1989).

M.Pi.

310
L'éruption du Vésuve et scène de naufrage

par Abraham-Louis-Rodolphe DUCROS

Aquarelle, rehauts de gouache et d'huile sur papiers vergé collés, puis marouflés sur toile. H. 1,030 ; L. 0,727.
Historique : atelier de l'artiste ; Lausanne, vente 1811 ; propriété de l'État de Vaud en 1816.
Expositions : 1810, Berne, n° 43 ; 1953, Lausanne, n° 43 ; 1982, Londres, n° 37, et 1985, Kenwood-Manchester, n° 37 ; 1986, Lausanne ; 1986, Paris, Centre culturel suisse, sans n°.
Bibliographie : Chessex, 1986, n° 80, pl. VII.

Lausanne, musée cantonal des Beaux-Arts (inv. D 819).

Au dos de cette œuvre figure une étiquette ancienne portant : *Éruption du Vésuve dite des cendres*. Ducros représente ainsi l'éruption de juin 1794 au cours de laquelle un nuage de cendres assombrit toute la région de Naples pendant plusieurs jours. Mais en fait ce phénomène est pour l'artiste le prétexte à mélanger deux scènes, l'éruption elle-même et le naufrage au premier plan qu'il dramatise en faisant intervenir l'orage. Il n'y a pas d'« intention documentaire dans cette aquarelle, mais une tentative de composer un tableau sur le thème des forces naturelles élémentaires (tempête, éruption) témoignant du goût pour la représentation de catastrophes qui devient de plus en plus fréquent vers 1800 » (Chessex). Plusieurs autres œuvres de Ducros tendent vers le même esprit. Une vue identique et deux dessins sont conservés à Lausanne (M.C.B.A., inv. D. 815, 75, 129 et 270). Le thème de l'orage est repris dans le célèbre orage nocturne de Cefalu, qui illustre « l'émergence de l'imaginaire et du fantastique vers 1800 » (Lausanne M.C.B.A., inv. D. 812. Exp. : Lausanne-Paris, 1986, n° 86). Les représentations du Vésuve se divisent en deux groupes bien distincts : le premier comprend les œuvres à caractère typographique dont Volaire se fait une spécialité ; le second apparaît plus tard dans le siècle : lié à la découverte d'Herculanum et de Pompéi, à la mort d'une région entière que l'on exhume peu à peu, il permet aux artistes d'exécuter des tableaux à caractère philosophique montrant la vie propre de la terre et la fragilité de l'homme et ouvre la voie aux peintres du XIXᵉ siècle qui représenteront de nombreuses fois les *Derniers jours de Pompéi*. Quelques années plus tard, Pierre-Henri de Valenciennes (1750-1819), qui travaille dans les années 1775-1780 à Naples et critique violemment Volaire, exécute en 1813 une *Éruption du Vésuve* à caractère historique, évoquant l'éruption du 24 août 79 au cours de laquelle meurt Pline, modèle de l'historien pour l'homme du XVIIIᵉ siècle (Toulouse, musée des Augustins. Exp. : Melbourne, 1981, n° 115).

M.Pi.

311
La grotte du Pausilippe

par Louis-Jean DESPREZ et Francesco PIRANESI

Eau-forte rehaussée de lavis de couleurs et d'aquarelle : H. 0,695 ; L. 0,470 au trait carré.
Inscription : en bas à gauche, à la plume et encre

noire : « ll » sur le montage en bas à gauche, à la plume et encre brune : « Desprez ».
Historique : collection du marquis de Clermont-d'Amboise ; saisie révolutionnaire le 6 juin 1793, à son hôtel, rue Montholon ; déposée avec dix autres œuvres de Desprez, par le dépôt national de la rue de Beaune à l'École centrale des travaux publics, qui devient l'École polytechnique.
Expositions : 1955-1956, États-Unis, exp. itinérante ; 1983, Palaiseau, n° 10.
Bibliographie : Brière, 1906, p. 135 ; Pinet, 1910, p. 26, pl. X ; Wollin, 1933, pp. 112-113, n° 6.

Palaiseau, École polytechnique, bibliothèque.

Elève de Blondel, Desprez remporte en 1776 le grand prix de Rome d'architecture. A son arrivée en Italie, il est chargé par l'abbé de Saint-Non, ainsi que d'autres artistes, de dessiner des planches destinées au *Voyage pittoresque en description des royaumes de Naples et de Sicile* (Paris, 1781-1786, 4 vol.). De 1778 à 1779, il voyage dans l'Italie du Sud et amasse croquis et dessins (cent vingt-neuf dessins destinés au *Voyage pittoresque* se trouvaient dans la coll. Paignon-Dijonval). Il se lie avec le fils de Piranèse, Francesco, qui l'initie à la gravure et qui grave de nombreux dessins que Desprez rehausse lui-même à l'aquarelle et au lavis. Le dessin préparatoire pour cette gravure est conservé au British Museum à Londres (inv. 1864-12-10-438. Wollin, 1935, pp. 162-163, repr. p. 160 et exp. : Rome-Dijon-Paris, hôtel de Sully, 1976, n° 60).

Cette gravure fait partie d'un groupe d'œuvres, toutes caractérisées par le grandiose et les effets de lumière et rehaussées d'aquarelle, parfois assimilées à des dessins, et qui comprend *l'Illumination de la Croix à Saint-Pierre, le Château Saint-Ange avec la girandole, l'Éruption du Vésuve le 8 août 1778*, auxquelles on ajoute l'*Intérieur de la chapelle Pauline*. On connaît une dizaine d'exemplaires de cette série, plus ou moins complète, qui semble très prisée dans les écoles d'ingénieurs ; outre la série de Polytechnique, il faut citer la *Grotte de Pausilippe* et *l'Illumination de la Croix*, conservées à l'École nationale des ponts et chaussées et qui proviennent peut-être des collections de Perronet, certainement de Le Sage. On sait qu'en 1782 Perronet, dont Desprez exécute le portrait et auquel il dédie un projet de décoration pour la galerie de l'hôtel, présente à l'Académie royale d'architecture l'*Intérieur de Saint-Pierre de Rome* de Desprez, qui en fait hommage (autre version au Louvre : inv. 26.219). Desprez est qualifié d'architecte et de professeur à l'École royale militaire. Une série complète est conservée au musée de l'Assistance publique à Paris (Exp. : Paris, Louvre, 1984, n° 30). La grotte de Pausilippe est en fait un tunnel creusé à l'époque antique, qui permettait de relier Naples à Pouzzoles, long de 308 mètres avec une hauteur variant de 7 à 25 mètres. La monumentalité de l'ensemble inspire de nombreux artistes (Cochin, Bellicard, Châtelet ou Robert), mais aucun n'atteint l'ampleur de Desprez qui accentue le caractère grandiose de l'architecture au moyen d'un éclairage théâtral qui rappelle Piranèse et qui préfigure ses compositions ultérieures (Exp. : Paris, Centre culturel suédois, 1974). Il note avec vivacité les personnages pittoresques et colorés accompagnés de leurs animaux et qui prennent parfois des formes inquiétantes (le lieu était d'ailleurs dès le Moyen Âge associé à des cérémonies secrètes et de sorcellerie). L'intérêt de Desprez pour la pierre, le mur, le rapport entre la monumentalité et le petit, le rapproche de Houel et fait d'eux, à des degrés différents, des artistes visionnaires.   M.Pi.

312
Intérieur des grottes de Caumont

par Jean-Pierre-Laurent HOUEL

Pierre noire, plume et encre noire, lavis de bistre, rehauts de gouache blanche sur papier bleu. H. 0,295 ; L. 0,428.
Inscription : signé et daté à la plume et encre noire, en bas à gauche : « J. Houel f. et an 8 à Caumont » ; annotations « *D.C.A.* » au centre.
Historique : marquis de Chennevières, acquis à sa vente, 1900, partie du n° 234 ; Gaston Le Breton, conservateur du musée des Beaux-Arts, de 1898 à 1905 ; don au musée en 1909.
Expositions : 1948, Rouen, n° 275 ; 1977-1978, Londres, n° 112 ; 1981-1982, Washington, New York, Minneapolis, Malibu, n° 50.
Bibliographie : Le Carpentier, 1813, p. 13 ; Chennevières, 1895, IX, p. 96 ; Minet, 1911, n° 1032 ; Vloberg, 1930, p. 187 ; F. Gueroult, ms., n° 64 ; Vilain, *in* cat. Exp. Paris, 1974-1975, sous le n° 101.

Rouen, musée des Beaux-Arts (inv. 909.34.83).

Houel exécute ce dessin ainsi qu'un autre de même technique, également conservé au musée de Rouen, lors d'un séjour en Normandie entre septembre 1799 et août 1800. Ces deux œuvres marquent l'abandon de la couleur chez Houel, qui désormais utilise de préférence l'encre noire, le lavis gris ou sépia. Il représente ici l'*Intérieur des grottes de Caumont*, près de Rouen, à La Bouille, célèbres pour leurs stalactites et stalagmites, d'où l'on tire les pierres de construction pour les bâtiments de la ville de Rouen. Afin d'accentuer le côté fantastique du site, proche d'un décor de théâtre, Houel utilise un papier gris-bleu et fait ressortir les singularités naturelles avec de la gouache blanche. Ces deux œuvres montrent l'intérêt de Houel pour la minéralogie et s'inscrivent dans toute une série d'œuvres de divers artistes représentant des caves (Houel, *la Cave de sel de Dieppedalle*, Rouen, M.B.A.), des grottes, des mines ou des intérieurs de glaciers dont le goût remonte, comme le souligne Roger Caillois (1965), au XVIe siècle mais qui trouve son apogée à la fin du XVIIIe et au début du XIXe siècle. Ces thèmes se trouvent renforcés par les dessins rapportés de leurs voyages par les artistes de plus en plus nombreux à courir le monde : la grotte Antiparos en Grèce est publiée par Tournefort (1718) et par Choiseul Gouffier (1785) (Stafford, 1984, fig. 63). Celle du Pausilippe à Naples est représentée tout au long du XVIIIe siècle. Les mines de Java, de Norvège sont connues et celle de Fingal est promise à un grand succès. L'*Encyclopédie*

publie plusieurs planches sur les mines, dont une sur celles de Wieliczka en Pologne (Paris, 1768, VI), et annonce ainsi les études scientifiques à venir, mais prochaines, concernant l'art du mineur ; plusieurs dessins représentant les carrières des environs de Paris sont conservés dans un album factice, dû à un artiste anonyme (Louvre, inv. RF 12.305, 12.318 et 12.322). Toutes ces représentations conjuguent à la fois le grandiose, quelquefois le colossal, souvent le sublime et soulèvent des interrogations concernant les origines de la vie, l'une des préoccupations des hommes de la fin du XVIIIe siècle. Sébastien Mercier écrit alors : « La nature travaille dans le fond des abîmes, ténébreux et souterrains, comme elle rit et verdoie en surface, des minéraux s'engendrent, les pierres croissent... Une vertu génératrice s'insinue dans les rochers les plus durs : une mine a son organisation, comme le chêne qui se balance au sommet des montagnes. » (*Mon bonnet de nuit*, Neuchâtel, 1785, I. 47 ; Stafford, 1976).   M.Pi.

313
La Chute de Sarp en Norvège

par Erik PAUELSEN

Huile sur toile. H. 0,635 ; L. 0,790.
Inscription : en bas à gauche « E.PAULSEN pinx 1789 ».
Historique : Frederiksborg, 1868.
Expositions : 1928, Paris, Jeu de paume, n° 175 ; 1954, Copenhague, n° 35 ; 1952, Londres, n° 282 ; 1964, Stockholm, n° 217, ill.
Bibliographie : Ramdohr, 1792, p. 209 ; Schnitler, 1920, pp. 22, 32, 36, 46, 56 ; Bramsen, 1935, pp. 17-18, fig. 8 ; Hintze, 1937, p. 86 ; Martius, 1956, p. 59 ; Zahl, 1947, pp. 122, 123, ill. ; Nørregaard-Nielsen, 1983, p. 139 ; cat. Copenhague, n° 911.

Frederiksborg, Nationalhistorike Museum (inv. 1870).

La Norvège, l'un des deux royaumes de l'union dano-norvégienne placés sous la souveraineté d'un seul roi, était considérée, cependant, comme une monarchie indépendante du Danemark. En fait, si la Norvège était gouvernée depuis Copenhague, la capitale du Danemark, les deux pays gardaient leurs lois propres : les paysans norvégiens, par exemple, étaient dispensés du service militaire. De même, la société différait par bien des aspects, du fait des conditions distinctes de vie et d'environnement.
En 1787, le régent et prince héritier, Frederik, effectua un voyage en Norvège et, l'année suivante, le peintre Erik Pauelsen s'y rendait à son tour, avec l'aide du prince royal, pour réaliser des études de paysage. Les paysages norvégiens d'Erik Pauelsen, peinture romantique et d'une grande sensibilité, révèlent une grande délicatesse dans l'interprétation de ce pays, au décor si radicalement différent des paysages danois. Il projetait de publier une suite de vues de Norvège d'après ses études, mais ce projet n'aboutira pas car, en 1790, il se donnait la mort. La *Chute de Sarp en Norvège*, peinture

forte par le thème, traduit également une approche fine et sensible de la grandeur du phénomène naturel.
Au congrès de Vienne réuni après les guerres napoléoniennes, la Norvège retomba sous la domination de la couronne suédoise jusqu'en 1905, où elle conquit son indépendance.   K.Kr.

314
Ascension de Saussure au glacier du Tacul

par Henri LEVEQUE

Gravure colorée. H. 0,284 ; L. 0,370.
Inscription : en bas à gauche : « H. Levêque délin, et Sculpt. » au milieu : « Monsieur Desaussure son fils et ses guides arrivant glacier du Tacul au Grand Géant où ils ont habité 17 jours sous des tentes en juillet 1788 ».

Zurich, Musée national suisse (inv. L H 61408).

Horace Bénédict de Saussure (1740-1799), dont on connaît les traits grâce au portrait de Jean-Pierre Saint-Ours (1752-1809), est issu d'une vieille famille de Genève imprégnée des Lumières. Homme de lettres autant que savant, il est l'auteur de *Voyages dans les Alpes* (Neuchâtel, 1779-1796), illustré par Bourrit notamment, qui ouvre la voie à des recherches nouvelles en minéralogie, en physique et particulièrement en glaciérologie dont il fixe le vocabulaire. Saussure fait l'ascension en 1770 du Grindelwald, en compagnie de lord Palmerstone et de deux Anglais. En 1787, il escalade, un an après Jacques Balmat (1762-1834), mais en sa compagnie et avec dix-sept hommes, le mont Blanc. Chrétien de Mechel grave deux planches relatant cet exploit (Paris, B.N., Est. Va 74 (5) ; Exp. : Paris, B.N., 1984, n°s 57-58) ; l'une montre l'ascension « pénible et dangereuse », longue de dix-huit heures, l'autre la descente. L'année suivante, il monte avec son fils Nicolas (1767-1845) et des guides, dont Lévêque lui-même, au sommet du Tacul au Grand-Géant où ils demeurent dix-sept jours sous des tentes pour faire diverses observations. La gravure de Lévêque (un exemplaire, Paris B.N. Est. Va 74 (5). Exp. : Paris, B.N., 1984, n° 59) montre l'organisation de la cordée. Saussure est au milieu entouré de ses compagnons qui portent une échelle, un piolet, une hotte en osier, des couvertures, la batterie de cuisine. Cette gravure, ainsi que celles de Mechel, montre bien la popularité qui entoure Saussure à la fin de sa vie et salue un exploit humain (Exp. : Paris, B.N., 1971, n°s 154 à 172).   M.Pi.

315 A
Sable imprégné de pétrole
Perte-du-Rhône, Ain, France

H. 0,09 ; L. 0,06 ; Ép. 0,03.
Historique : prélevé par H.-B. de Saussure, collection H.-B. de Saussure.
Bibliographie : Saussure, 1779-1796, I, chap. XVII, paragraphe 414.
Genève, Muséum d'histoire naturelle, département de Géologie et Paléontologie des invertébrés, collection H.-B. de Saussure (inv. 41426 (112)).

La région genevoise possède des roches imprégnées de pétrole. Toutefois la concentration est trop faible pour une exploitation rentable. La collection H.-B. de Saussure comporte 1266 échantillons (8 échantillons ont été perdus). Cette roche fait partie des 115 échantillons prélevés dans la région genevoise. A ce propos, il faut noter que seules, deux roches (« charbon » de la molasse de Dardagny) proviennent du sous-sol genevois. La diversité de la collection témoigne de l'importance du travail réalisé par de Saussure. Il écrit en effet dans le « Discours préliminaire » des *Voyages dans les Alpes* : « J'ai traversé quatorze fois la chaîne entière des Alpes par huit passages différents ; j'ai fait seize autres excursions jusques au centre de cette chaîne ; j'ai parcouru le Jura, les Vosges, les montagnes de la Suisse, d'une partie de l'Allemagne, celles de l'Angleterre, de l'Italie, de la Sicile & des Iles adjacentes ; j'ai visité les anciens Volcans de l'Auvergne, une partie de ceux du Vivarais, & plusieurs montagnes du Forez, du Dauphiné & de la Bourgogne. J'ai fait tous ces voyages le marteau de mineur à la main, sans aucun autre but que celui d'étudier l'Histoire Naturelle, gravissant sur toutes les sommités accessibles qui me promettoient quelqu'observation intéressante, & emportant toujours des échantillons de mines & des montagnes, de celles surtout qui m'avoient présenté quelque fait important pour la Théorie... »
D.De.

315 B
Rocher du sommet de Brévent
détaché par de Saussure lui-même,
Haute-Savoie, France

H. 0,08 ; L. 0,05 ; Ép. 0,04.
Historique : prélevé par H.-B. de Saussure, collection H.-B. de Saussure.
Bibliographie : Saussure, 1779-1796, II, chap. XVI, paragraphe 646.
Genève, Muséum d'histoire naturelle, département de Géologie et Paléontologie des invertébrés, collection H.-B. de Saussure (inv. 41517 (203)).

Cet échantillon est une roche métamorphique appelée gneiss, c'est-à-dire une roche qui a été transformée, à l'état solide, à cause d'une élévation de température et/ou de pression, lors de la formation des Alpes, il y a quelques millions d'années. L'annotation « détaché par de

Saussure lui-même » est particulièrement intéressante et reflète l'importance que le savant accorde aux échantillons dans leur contexte géologique. Il « invente » la géologie de terrain en sortant les géologues de leur cabinet d'histoire naturelle. Son laboratoire est la montagne. Ses excursions géologiques sont préparées avec minutie et sur le terrain il récolte non seulement une multitude de roches mais il prend aussi de nombreuses notes. En résumé, avec de Saussure, la voie de la recherche moderne est ouverte. Si de Saussure entreprend tous ces voyages dans des conditions le plus souvent pénibles et difficiles et recueille de nombreux échantillons, c'est pour faire une théorie de la Terre. Malheureusement, il s'éteint en 1799 sans avoir réalisé son projet. Vraisemblablement, il n'a eu ni le temps ni la tranquillité de l'esprit pour réfléchir (il a de nombreuses activités politiques à Genève). Son œuvre *Voyages dans les Alpes*, un recueil d'observations avec quelques interprétations qui ne sont pas nécessairement à jour, se termine par un « Agenda ou tableau général des observations et des recherches dont les résultats doivent servir de base à la théorie de la terre. » Il existe aussi à côté de cela des carnets de terrain et des manuscrits inédits qui témoignent de l'évolution de la pensée du géologue.
D.De.

315 C
Poudingue
de la montagne de Balme-sur-Vallorcine,
Haute-Savoie, France

H. 0,014 ; L. 0,09 ; Ép. 0,03.
Historique : prélevé par H.-B. de Saussure, collection H.-B. de Saussure.
Bibliographie : Saussure, 1779-1796, II, chap. XX, paragraphes 687-695.
Genève, Muséum d'histoire naturelle, département de Géologie et Paléontologie des invertébrés, collection H.-B. de Saussure (inv. 41613 C (299)).

La localité de Vallorcine est devenue célèbre au sein de la communauté des géologues alpins par son poudingue découvert par de Saussure en 1776 à Belle-Place au cours d'un itinéraire vers Balme. Un poudingue est une roche formée de galets arrondis comme ceux roulés par les rivières et les torrents, et soudés par un ciment. A Belle-Place, cette formation intercalée dans des schistes est verticale et datée du permien (dernière période de l'ère primaire, il y a environ 250 millions d'années). Prisonnier des idées de l'époque, en 1774, de Saussure pense que les roches des Alpes se sont formées par cristallisation dans un océan qui couvrait toute la Terre. Ensuite le feu ou l'explosion d'autres fluides renfermés dans l'intérieur du globe ont soulevé les montagnes et l'eau de l'océan universel a été refoulée dans des cavernes creusées et vidées par l'explosion des fluides. Le savant combine donc la théorie « neptuniste » de Werner (océan universel) et la théorie préplutoniste (mouvements dus à des causes internes). Au cours des années 1775 et

1776, il abandonne l'idée de cristallisation ; il reconnaît que les couches de terrain ont été déformées postérieurement à leur formation et est conscient des grands changements qui ont dû intervenir au cours des temps géologiques. En effet, la découverte du poudingue de Vallorcine en situation verticale conduit de Saussure à une double conclusion. Tout d'abord, l'existence même de ce poudingue indique qu'il y a eu érosion du granite puisqu'il renferme des galets de granite. D'autre part sa position verticale actuelle montre qu'il a été redressé par une puissante force extérieure. Le savant écrit : « Mais qu'une pierre toute formée, de la grosseur de la tête, se soit arrêtée au milieu d'une paroi verticale, & ait attendu là que les petites particules de la pierre vinssent l'envelopper, la souder & la fixer dans cette place, c'est une supposition absurde & impossible. Il faut donc regarder comme une chose démontrée, que ces poudingues ont été formés dans une position horizontale, ou à-peu-près telle, & redressés ensuite après leur durcissement. Quelle est la cause qui les a redressés ? c'est ce que nous ignorons encore ; mais c'est déjà un pas, & un pas important, au milieu de la quantité prodigieuse de couches verticales que nous rencontrons dans les Alpes, que d'en avoir trouvé quelques-unes dont on soit parfaitement sûr qu'elles ont été formées dans une situation horizontale. »
D.De.

315 D
Protogine vitrifiée par la foudre,
Nant du Fouilly, Haute-Savoie, France

H. 0,12 ; L. 0,10 ; Ép. 0,04.
Historique : prélevé par H.-B. de Saussure, collection H.-B. de Saussure.
Bibliographie : Saussure, 1779-1796, II, chap. XXIII, paragraphe 721.
Genève, Museum d'histoire naturelle, département de Géologie et Paléontologie des invertébrés, collection H.-B. de Saussure, (inv. 41658 C (344)).

La protogine est un type de granite qui constitue une part importante du massif du Mont-Blanc. Au sein de la collection de Saussure, il faut relever l'existence de plusieurs échantillons de roches fondues par la foudre (fulgurites) telles que cette protogine. Ce phénomène est rarement noté par les géologues. Ceci prouve les grandes qualités d'observation de H.-B. de Saussure et surtout l'ampleur de ses études sur les Alpes et les régions avoisinantes. L'illustre savant genevois est en effet « un naturaliste » au sens complet et noble du terme tel qu'on le conçoit au XVIIIe siècle. Célèbre dans le monde scientifique grâce à la géologie, il fait autorité dans les domaines de la botanique, de la minéralogie, de la physique et de la météorologie. Il « crée » aussi l'alpinisme avec en particulier l'ascension du mont Blanc en 1787 et ses nombreuses randonnées à travers les Alpes. Il invente (hygromètre à cheveux, cianomètre...) ou améliore les instruments dont il a besoin pour ses recherches. En outre, il joue un grand rôle dans la politique genevoise, ainsi

L'Éruption du Vésuve et scène de naufrage (cat. 310).

L'Éruption du Vésuve (cat. 309).

La Grotte du Pausilippe (cat. 311).

Intérieur des grottes de Caumont (cat. 312).

La Chute de Sarp en Norvège (cat. 313).

Ascension de Saussure au glacier de Tacul (cat. 314).

antillons de roches prélevés par de Saussure :

le imprégné de pétrole (cat. 315 A).

her du sommet de Brévent (cat. 315 B).

dingue de la montagne de Balme sur Vallorcine (cat. 315 C).

togine vitrifiée par la foudre (cat. 315 D).

ticulaires de la Perle-du-Rhône (cat. 315 E).

Pont de glace et arc-en-ciel (cat. 317).

Vue de l'Oberland (cat. 316).

certains voyages correspondent à des périodes de calme politique et ses retours à des périodes de crise.   D.De.

315 E
Lenticulaires
de la Perte-du-Rhône, Ain, France

H. 0,09 ; L. 0,09, Ép. 0,02.
Historique : prélevé par H.-B. de Saussure, collection H.-B. de Saussure.
Bibliographie : Saussure, 1779-1796, I, chap. XVIII, paragraphes 415, 424 à 429.

Genève, Muséum d'histoire naturelle, département de Géologie et Paléontologie des invertébrés, collection H.-B. de Saussure (inv. 41429 C (115)).

Les « Lenticulaires » récoltées par de Saussure à la Perte-du-Rhône sont des orbitolines, c'est-à-dire des foraminifères (protozoaires) fossiles qui ont vécu dans les mers chaudes qui recouvraient la région au crétacé (dernière période de l'ère secondaire, il y a environ 100 millions d'années). Le savant genevois, toutefois, ne pense pas qu'il s'agit d'organismes marins fossilisés. Il en arrive à cette conclusion après une longue argumentation et une comparaison avec d'autres microfossiles : les nummulites (foraminifères en forme de pièce de monnaie d'où leur nom). A ce propos, il faut mentionner que de Saussure a déjà constitué une petite collection de microfossiles dont l'étude, la micropaléontologie, ne se développera qu'à partir des années 1960 avec la recherche pétrolière. De Saussure ne consacre que peu de lignes à la paléontologie dans *Voyages dans les Alpes*. Cependant, il s'intéresse quand même aux fossiles et avec ses contemporains tels que les savants genevois J.-A. Deluc et G.-A. Deluc, il pressent le rôle qu'ils peuvent jouer. Mais malheureusement, ces savants ne peuvent en tirer beaucoup d'informations car il n'y a pas encore suffisamment de travaux paléontologiques.   D.De.

316
Vue de l'Oberland

par Claude-Louis CHATELET

Huile sur toile. H. 0,960 ; L. 1,29.
Inscription : en bas vers la gauche : « C.L. Chatelet 1787 ».
Historique : achat en 1955 ; Paris, musée du Louvre, département des Peintures ; dépôt du Louvre en 1955.
Bibliographie : Foucart-Walter, 1986, p. 224.

Annecy, musée du Château (inv. RF 1955-11).

La découverte de la montagne, principalement des Alpes, dans la seconde moitié du XVIIIe siècle marque un changement profond de la sensibilité de l'homme face à la nature. Auparavant, l'honnête homme ou l'artiste se rendant en Italie traversait avec effroi les Alpes, domaine presque sacré, et ne se hasardait que dans les vallées ; au milieu du XVIIIe

siècle, Rousseau et d'autres parcourent à basse altitude les pieds des Alpes fascinés par les cascades mais aussi effrayés par leur bruit. La publication des *Tableaux topographiques, physiques, historiques, moraux de la Suisse* par La Borde et les *Voyages pittoresques* du baron de Zurlauben (Paris, 1780-1786) est de ce point de vue significative (Pinault, 1986). Peu à peu la montagne cesse de faire peur : les naturalistes parcourent les sommets élevés à la recherche d'échantillons qu'ils étudient ensuite dans leurs laboratoires (Broc, 1969 et 1975). Les amateurs se transforment en excursionnistes, puis deviennent alpinistes (Joutard, 1986). Les artistes suivent la même évolution ; partis des vallées plus ou moins escarpées, qu'ils soient anglais, allemands, suisses ou français, ils dessinent les forêts sombres, les cascades, les grottes profondes et s'attachent à dessiner les sommets tout d'abord de loin, comme le fait Jean-Jacques de Boissieu (1736-1810) (Perez-Pivot, 1982, 2/1, nº 50.60), puis les sommets de plus en plus près, participant même aux expéditions (Exp. : Annecy, 1986). Les vues de montagnes sont appréciées : Louis XVI achète au peintre suisse, Marc Théodore Bourrit (1739-1819), un tableau, la *Vue de la Deschinen See* et lui assure une pension ; Bourrit lui dédie la *Description des Alpes pennines* (Genève, 1781). (Exp. : Genève, Dijon, 1984, chap. IV.)
Châtelet est l'un des dessinateurs employés par La Borde. On connaît de nombreuses feuilles de sa main. Deux aquarelles conservées au musée du Louvre, parmi les anonymes français *Une vue de montagne* (inv. 34.879) et une *Vue de Salenche* (inv. 31.489) lui reviennent. Un deuxième tableau de Châtelet, *Vue du val de Travers*, plus conventionnel est également conservé au musée d'Annecy (Louvre, RF 1955-10). Cette œuvre, comme celles de ses contemporains Wolf ou Wüest, montre que désormais, l'homme a vaincu sa peur devant la montagne, ses pics, ses glaciers et ses brouillards. Quand Bonaparte choisit quelques années plus tard la voie des Alpes pour se rendre en Italie, il marque bien le point ultime de cette évolution, à laquelle se relie le désir de l'homme, qui va en s'accentuant, de connaître l'évolution de la nature et de dominer la matière (Exp. : Paris, B.N., 1984).   M.Pi.

317
Pont de glace et arc-en-ciel

par Caspar WOLF

Huile sur toile. H. 0,820 ; L. 0,540.
Inscription : en bas à gauche : « C. Wolff 1778 ».
Historique : collection Dr Willi Raeber, Bâle.
Exposition : 1979, Bâle, nº 179, repr. pl. XIV.
Bibliographie : Raeber, 1979, pp. 300-301, nº 381.

Bâle, Kunstmuseum (inv. G. 1960-10).

Caspar Wolf n'est pas le peintre le plus connu des « Védutistes » suisses mais il est sans doute l'un des premiers à représenter les paysages alpins dans ce qu'ils ont de plus grandiose et fantastique. Par le choix de ses compositions

et de son coloris, il annonce directement le préromantisme. Ses œuvres restent dans leur majorité à l'état d'esquisses et il exécute un grand nombre de dessins. Élève de Loutherbourg, qui se plaît à représenter des avalanches (Londres, Tate Gallery), Wolf au début de sa carrière peint des paysages classiques et calmes, puis peu à peu choisit, comme son maître, des « instants » rencontrés au cours de ses excursions : gouttes d'eau tombant d'une roche, cascades à demi gelées (celles de Deltenbach en hiver, Winterthur, fondation Oskar Rheinhardt), orages avec ou sans éclair (Aarau, Aargauer, Kunsthaus). Il s'attache à reproduire, comme beaucoup de ses contemporains la pierre, le roc, la neige et la glace dans une nature gigantesque, accentuée par le fait, artifice utilisé par de nombreux artistes, que ses personnages ou animaux sont représentés infiniment petits, solitaires ou en petits groupes, silhouettés souvent en ombres mais toujours dominés par la nature. Wolf représente ici dans un environnement dur et rude, brun et bleu, le phénomène de l'arc-en-ciel dans les Alpes bernoises, avec la chaîne du Wetterthorn et le glacier de Rosenlain où naît le Reichenbach, célèbre pour sa cascade. L'arc-en-ciel est d'ailleurs lié à l'eau et plusieurs fois décrit dans les *Tableaux topographiques pittoresques... de la Suisse*, surtout visibles devant les cascades (Pinault, 1986). Dans la préface des *Vues remarquables de montagnes de la Suisse avec leur description* (Berne, 1776), Haller présente d'une manière élogieuse le travail de l'imprimeur Wagner, fruit de huit années de voyages, pour lequel Wolf exécute cent cinquante-cinq tableaux à l'huile, qui seront livrés par lots de dix planches gravées par John Storklin, ou Pfeninger (Paris, B.N.). Wolf dessine des arcs-en-ciel dans les planches consacrées à la vallée du Lauterbraun, à la chute du Staubbach (qu'il représente également gelée). L'arc-en-ciel devient un phénomène scientifiquement étudié par les savants au cours des XVIIe et XVIIIe siècles tant du point de vue physique que météorologique, et lié aux théories des couleurs de Newton, qui y voit sept couleurs : le rouge, l'orange, le jaune, le vert, le bleu, l'indigo et le violet. L'arc-en-ciel apparaît de nombreuses fois dans l'œuvre des peintres et leur permet ainsi de donner, d'une manière détournée, leur propre définition des couleurs. Wolf reproduit ici un arc-en-ciel à bord blanc, à dominante jaune et bleu, géométriquement dessiné. Il exécute une seconde version de ce tableau, avec quelques changements (Berne, Kunstmuseum. Exp. : Tokyo-Coire, 1977, nº 17).   M.Pi.

318
Le Glacier du Rhône

par Johann Heinrich WÜEST

Huile sur toile. H. 1,26 ; L. 1,00.
Historique : donation H. Escher Zum Wollenhof, 1877.
Expositions : 1973, Copenhague, nº 50 (avec bibliographie) ; 1976, Hambourg, nº 330 ; 1977, Coire, nº 18 ;

Le Glacier du Rhône (cat. 318).

1978, Zurich; 1979, Zurich; 1984, Neuchâtel; 1988, Atlanta.
Bibliographie: Brandenberger, 1941, p. 33; Gradmann-Letto, 1944, pp. 31, 42; cat. Zurich, 1968, n° 146; Deuchler-Roethlisberg-Lüthy, 1975, p. 136; cat. Zurich, 1976, n° 179; Zehmisch, 1979, pp. 280-281; cat. Zurich, 1982, n° 47.

Zurich, Kunsthaus (inv. 386).

Après plusieurs années passées en Hollande, Wüest s'installe à Zurich, où il forme de nombreux élèves dont Freudweiller. Il exécute des peintures représentant des vue du Rhône, des glaciers et des cascades (Winterthur, Kunstmuseum, n° 986). *Le Glacier du Rhône* (vers 1795) est l'un des sites les plus représentés par les peintres, qui choisissent de le peindre soit comme Wüest, en contrebas, soit comme le font Wolf (Aarau, Aargauer Kunsthaus; Exp.: Coire, n° 16) ou Johann Heinrich Bleuler (1758-1823), dans un dessin (Zurich, Zentral Bibliothek, Graphische Sammlung, Exp.: Coire, n° 24) de la vallée au-dessus de Gletsch, privilégiant ainsi la masse immense du glacier. Ces œuvres s'inscrivent dans la période au cours de laquelle l'homme conquiert les sommets et où la nature grandiose, ici une mer de glace, ne l'effraie plus; mais Wüest le représente comme toujours infiniment petit. Il joue avec la luminosité bleutée de la glace et du ciel, souvenir de la peinture hollandaise, rochers et nuages sombres. Cette œuvre, ainsi que d'autres vues du Valais sont commandées par un amateur anglais, lord Strange. Elles sont caractéristiques des vues topographiques destinées aux cabinets dans lesquelles l'aspect documentaire n'exclut pas le sublime. **M.Pi.**

319
Ludwig Hess dessinant

par Heinrich FREUDWEILER
Huile sur bois. H. 0,480; L. 0,370.
Historique: legs de J.J. Hess, fils de Ludwig Hess, 1858.
Expositions: 1887, Zurich, n° 24; 1946, Zurich, n° 56.
Bibliographie: cat. Zurich, 1982, n° 46; Orlando, 1987, p. 12.

Zurich, Kunsthaus (inv. 286).

Freudweiler étudie d'abord avec Wüest, puis à Düsseldorf, Mannheim, Dresde et Berlin où il se lie avec Chodowiecki, dont il devient l'ami. Il peint essentiellement des tableaux représentant des scènes de la vie quotidienne, comme en témoigne son dessin, *la Leçon de dessin* (Zurich, Kunsthaus) en relation avec les cours de dessin que donnent à Zurich, pour les artisans, dans l'appartement même de Freudweiler, le peintre et Heinrich Füssli (Exp.: Zurich, 1988, n° 2). Il est également l'un des premiers artistes suisses à aller dessiner en plein air en compagnie de ses amis. Il peint ici le peintre et graveur, Ludwig Hess (1760-1800), qui se spécialise dans la peinture de vues des Alpes et d'Italie. Le thème de l'artiste dessinant sur le motif devient de plus en plus fréquent dans la seconde moitié du XVIIIᵉ siècle: il apparaît

d'une manière constante dans les recueils de vues topographiques, comme ceux de Laborde, soit seul, soit en compagnie d'un ami qui le regarde et le consulte, confirmant ainsi la véracité de l'œuvre publiée. Un dessin d'inspiration tout à fait semblable au tableau présenté, également à Zurich, dû à Adrian Zingg, montre Anton Graff (1736-1813) et son fils Carl Anton (1774-1832) dans un paysage boisé (Exp.: Zurich, 1988, n° 71). Maints autres exemples peuvent être cités parmi les paysagistes du XVIIIᵉ siècle: Fragonard, Houel, Robert, Vincent se plaisent à montrer le dessinateur devant les ruines ou dans la campagne romaine (Roland-Michel, 1987, pp. 94-96, 98-99). Freudweiler est également l'auteur d'un tableau tout à fait proche de Salomon Gessner (1750-1788) où il se représente en chasseur, en compagnie de sa femme et de sa belle-sœur dans un sous-bois rocheux, où serpente un ruisseau (Zurich, Kunsthaus). Cette conception rêveuse, calme et sereine de la nature, se retrouve dans l'*Oberman* de Senancour. **M.Pi.**

320
Manière de faire les briques en Russie

par un artiste anonyme
Plume et encre noire, lavis de couleurs. H. 0,357; L. 0,522.
Inscription: en bas à gauche, à la plume et encre noire: «1768».
Historique: ancien fonds.

Paris, Conservatoire national des arts et métiers, musée national des Techniques, portefeuille industriel (n° 481).

La Russie connaît au XVIIIᵉ siècle une grande vogue auprès des artistes et des philosophes (Lortholary, 1951 et Exp.: Paris, Grand Palais, 1986-1987) et des savants (Broc, 1975, pp. 383-391). De nombreux contacts scientifiques sont établis depuis la venue en France, de Pierre le Grand en 1717, entre les Académies des sciences de Paris et de Saint-Pétersbourg: le mathématicien Louis-François Arbogast (1759-1803) est le dernier correspondant français nommé en 1791 par l'Académie russe (Taton, 1970). Les fonds de documents conservés dans diverses institutions et des livres imprimés apportent de nombreuses indications à caractère ethnographique: Paris, Bibliothèque nationale, Archives nationales, Observatoire et Vincennes, service historique de la Marine, pour le voyage de Joseph-Nicolas Delisle (1688-1741) et son frère Louis Delisle de la Croyère (1690-1741); Philadelphie, Rosenbach Library et Paris, musée du Louvre, pour les dessins préparatoires de Jean-Baptiste Le Prince (1734-1781) et de Moreau le Jeune aux planches du *Voyage en Sibérie fait par ordre du roi en 1761*, (Paris, 1768) par l'astronome et abbé, Jean-Baptiste Chappe d'Auteroche (1728-1769). (Exp.: Philadelphie, Rosenbach Museum et Library, 1986.) Le dessin exposé bien que postérieur rejoint cet état d'esprit,

comme l'indique le costume du gentilhomme regardant la manœuvre des ouvriers. Il s'inscrit dans le mouvement d'idées qui voit le jour à la fin du XVIIIᵉ siècle et qui tente d'améliorer la situation de la paysannerie russe (ce sont les paysans qui dans les villages fabriquent les poteries et les briques) (Indova, 1964). Ce dessin est complété par un croquis de la machine et un dessin des détails. L'influence de l'Antiquité que l'on retrouve dans de nombreux dessins de voyageurs se fait sentir ici dans les paysans russes représentés avec un caractère grec très appuyé. **M.Pi.**

321
Diderota amphicarpa

par Paul-Philippe SAUQUIN DE JOSSIGNY
Plume et encre noire sur papier blanc jauni: H. 0,493; L. 0,356.
Inscription: signé en bas à gauche à la plume et encre: «P. JOSS..***» Le long du bord inférieur sur six lignes, explications des figures cotées avec lettres capitales et minuscules. A la fin: «omnia ai prototypum natura lum delineata». Au verso, en haut à gauche: «Diderota amphicarpa»; à droite: «Le bois jaune de Bourbon» et signature de Commerson «DM. Nat. du Roi» et annotation manuscrite.
Historique: papiers Commerson légués au jardin du Roi; apportés en trente-deux caisses de l'île de France, en France par Jossigny.
Bibliographie: Boinet, 1914, n° 280; Laissus, 1978, pp. 131-162.

Paris, Muséum national d'histoire naturelle, bibliothèque centrale, (ms. 280, dossier 8).

Le naturaliste Philibert de Commerson (1727-1773) est embarqué sur l'*Étoile*, l'un des deux vaisseaux engagés dans l'expédition autour du monde, commandé par Louis-Antoine de Bougainville (1729-1811) de 1766 à 1769 (Taillemite, 1977, 2 vol.). Au cours du voyage, outre la collecte d'herbes et d'échantillons, Commerson prend des notes et des croquis sur les types humains, les objets usuels, qui montrent la diversité de ses intérêts. Sur la route du retour, Commerson choisit de rester à l'île de France où il est reçu par l'intendant Pierre Poivre (1719-1786) et commence avec l'ingénieur et dessinateur Jossigny une mise au net de ses dessins et une classification botanique. Il baptise de nouvelles espèces jusqu'alors inconnues de noms latins dérivés de ceux des savants qu'il admire le plus; il crée ainsi les *Kaempferia, Thouina, Sonneratia, Cossignia, Rouellana, Daubentonia, Maqueria, Marchantia, Nassauvia* en l'honneur du prince de Nassau qui participe à l'expédition. Un arbuste à fleurs éclatantes de la famille des nyctaginacées *la Belle-de-nuit* devient la *Bougainvillier*; l'arbre du voyageur de Madagascar ou le *Ravenala*, le *Dalembertia*. Il donne le nom de *Diderota amphicarpa* au bois jaune de l'île de Bourbon, bois de *Morus Tinctoria*, utilisé pour la teinture (ce qui confirme l'intérêt déjà connu de Diderot pour l'art de la teinture). Les papiers de Commerson, avec les dessins de Jossigny, de Pierre Sonnerat (1749-1814) qui y sont joints,

...dwig Hess dessinant (cat. 319).

Manière de faire les briques en Russie (cat. 320).

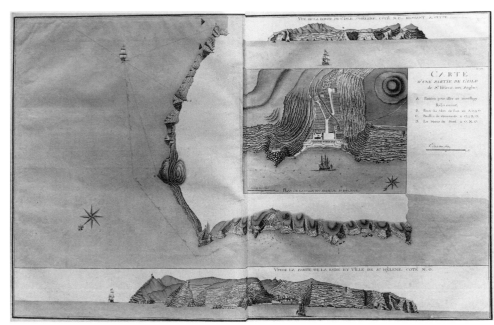

Carte d'une partie de Sainte-Hélène (cat. 322).

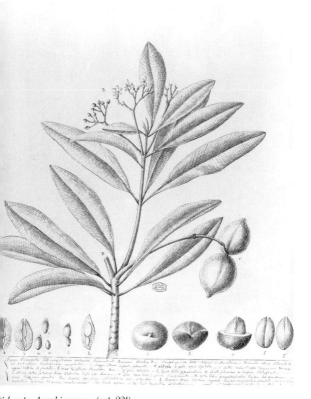

...derota Amphicarpa » (cat. 321).

Prise d'eau du côté de la montagne de la Tranquillité à Saint-Domingue (cat. 323).

forment un fonds important pour notre connaissance de la flore et de la faune des océans Pacifique et Indien (Exp. : Paris, Louvre, 1984, n° 54 ; Marseille, 1987, n° 17). L'herbier de Commerson est conservé au laboratoire de phanérogamie du Muséum (Exp. : Marseille, 1987, n° 12). Commerson laisse aussi des écrits de réflexions ; fortement marqué par Rousseau, il est l'auteur de textes utopistes sur la société humaine. Son témoignage sur les populations du Pacifique montre un esprit éclairé en dehors de tout parti pris.

M.Pi.

322
Carte d'une partie de Sainte-Hélène

par le chevalier de SOLMINIHAC de la MOTHE

Atlas de cartes, plume, encre noire, lavis de couleurs. H. 0,673 ; L. 1,050.
Inscription : quatre figures : en haut à la plume et encre noire : VUE DE LA PARTIE DE L'ISLE SAINTE-HELENE COTE N.E. RESTANT A OUEST » ; au-dessous : « PLAN DE LA VILLE ET RADE DE SAINTE-HELENE » ; en bas : « VUE DE LA PARTIE DE LA RADE ET VILLE DE SAINTE-HELENE COTE N.O. » ; à droite : « CARTE D'UNE PARTIE DE L'ISLE DE SAINTE-HELENE AUX ANGLAIS... » La partie gauche est occupée par le trajet emprunté par les navires. Folio 3 d'un manuscrit grand folio intitulé *ATLAS TOPOGRAPHIQUE DE L'INDE REDIGE PAR ORDRE DE MGR LE MARECHAL DE CASTRIES par le Chevalier de Solminihac de la Mothe, d'après toutes les cartes antérieurement publiées. Les plans récemment levés et ses reconnaissances particulières. 1786*, 31 cartes dessinées de formats divers.
Historique : comité technique du Génie.
Bibliographie : Tuetey, 1911, comité technique du Génie, n° 1055.

Vincennes, service historique de l'Armée de terre, bibliothèque du Génie (Atlas 163).

Cet important atlas topographique, peu connu, reflète l'état d'esprit du roi et de son ministre de la Marine, le marquis Charles de Castries (1727-1801), soucieux de voir la marine fran-

çaise occuper une place de premier plan dans l'océan Indien, et de ce fait relancer le commerce avec l'Inde. Les planches du recueil sont consacrées au Sud-Est asiatique (Macao, Cochinchine), à l'Inde et à Ceylan. On y voit des plans de rivières, des villes avec les quartiers blancs, juifs et noirs, les cimetières arabes et étrangers, les constructions militaires. La planche 2 représente d'une manière fantastique le cap de Bonne-Espérance. Le plan de Sainte-Hélène, sur la route des navigateurs, montre le côté peu hospitalier de cette île, où se tourne définitivement, trente-cinq ans plus tard, une page de l'Histoire de France. M.Pi.

323
Prise d'eau du côté de la montagne de la Tranquillité

par COUREJOLLE

Plume et encre noire, lavis de couleurs. H. 0,407 ; L. 0,662.
Inscription : dépôt des cartes et plans de la Marine et des directions des fortifications ; dépôt des Fortifications ; inspection générale de l'artillerie de Marine en 1880 ; archives du ministère des Colonies avant 1914 ; Archives nationales.
Exposition : 1980, Bordeaux-Nantes, n° 109.

Aix-en-Provence, Archives nationales, section Outremer, DFC Saint-Domingue (542 B).

Ce dessin daté 1777 fait partie d'un dossier comprenant neuf dessins (plan, coupe, élévation) consacrés au canal construit au pied de la montagne de la Tranquillité à Saint-Domingue (534 à 542). Il met en scène d'une manière presque théâtrale plusieurs personnages blancs et noirs qui témoignent des habitudes de la vie coloniale : un noir tient un parasol au-dessus de la tête d'une jeune femme blanche accompagnée d'un homme blanc, un autre parle avec un autre blanc, tandis que deux noirs conduisent l'un un attelage, l'autre un cab. Le rôle des colonies dans le développement des sciences est incontestable : en histoire naturelle et en médecine de nombreux

progrès sont faits grâce à la connaissance d'espèces zoologiques et botaniques nouvelles. Les richesses naturelles du pays sont exploitées. En contrepartie, des progrès sont effectués dans les Antilles : on introduit une pompe à vapeur à Saint-Domingue (Payen, 1969, pp. 167-169). Les ingénieurs des Ponts et Chaussées sont particulièrement actifs : des routes, des ponts et des canaux sont construits pour faciliter la vie quotidienne et surtout le commerce. On crée des hôpitaux et des maisons d'éducation. La collection de Louis-Frédéric Moreau de Saint-Méry (1750-1819), ancien conseiller du conseil supérieur de Saint-Domingue, aujourd'hui conservée aux Archives nationales de Paris (colonies F3 ; Boyer - Menier - Taillemite, 1980, pp. 351-357) est le reflet de l'activité des îles dans les dernières années de l'Ancien Régime et sous la Révolution. Les rapports scientifiques et techniques sont à la base de nombreux écrits littéraires dans lesquels interviennent l'exotisme, l'esclavage et des considérations philosophiques sur la nature même de l'homme (Duchet, 1977). M.Pi.

324
Boîte en laque d'or

Japon, époque Edo, ère genroku (XVIIIe siècle).

Bois laqué à décor en laque d'or (maki-e). H. 0,095 ; L. 0,070 ; Ép. 0,030.
Historique : collection de Marie-Antoinette à Versailles ; Paris, musée du Louvre, département du Mobilier et de l'Extrême-Orient.

Paris, musée Guimet (inv. MR 380-18).

Les boîtes en laque sont, parmi les objets rapportés d'Extrême-Orient, les plus prisées des amateurs de la fin du XVIIIe siècle. L'inventaire des « Bibelots » de Marie-Antoinette, dressé le 26 frimaire an II, fait apparaître, parmi les objets en pierre, en porcelaine du Japon, les minéraux, une collection importante de laques de toutes formes regroupés dans la caisse n° 6 : boîtes rondes, ovales, carrées, « contournées », en trèfle, en forme d'animaux, de fruits, de maisons en pagode. La plupart de ces objets sont alors attribués au Muséum des arts et figurent aujourd'hui au musée Guimet (Tuetey, 1916). Les catalogues de vente reflètent également ce goût : à celle de Gaignat, en 1769, figure parmi d'autres objets « une boîte d'ancien laque du Japon » d'un genre tout particulier. C'est une grosse grenade vernie en rouge, avec des ouvrages en or en dedans ; le dehors représente la nature et la couleur du fruit qui est sur une branche vernie de plusieurs feuilles « en laque verd » dont on connaît précisément l'aspect grâce au croquis que Grabriel de Saint-Aubin fait en marge de son catalogue (n° 171 ; Dacier, 1921, XI, 78-79). Une boîte en laque, portant le monogramme de Linné, sans doute un hommage du naturaliste suédois Thunberg, qui voyage au Japon à la fin du XVIIIe siècle, est conservée au Muséum d'histoire naturelle de Paris (Hamy, 1896). M.Pi.

Boîte en laque d'or du Japon ayant appartenu à Marie-Antoinette (cat. 324).

325
*Costumes des habitants
de la baie de Castries*

par Jean-Michel MOREAU le Jeune et Louis DEN-
NEL, d'après Gaspard Duché de Vancy

Imprimé — Gravure taille-douce : H. 0,365.
Inscription: sur le bord vertical droit : «Atlas du
Voyage de la Pérouse n° 5»; en bas au milieu :
«COSTUMES DES HABITANS DE LA BAIE DE
CASTRIES»; à gauche : «Dessiné par Duché de
Vancy»; au milieu : «Réduit par J.M. Moreau le
Jeune»; à droite : «Gravé par Dennel et L. Aubert
Scripsit». Planche 54 de l'*Atlas du voyage de la
Pérouse*, Paris, 1797, 30 pl., Grand folio. Demi-reliure
cuir rouge.
Bibliographie: Joppien, 1978, pp. 234-245; Gaziello,
1984, pp. 229-230; Dunmore et Brossard, 1985, II,
p. 344, fig. 139; Bellec, 1985, pp. 164-165; Pinault,
1988, pp. 213-223.

Paris, musée de la Marine, (inv. 2423).

L'expédition de Jean-François Galaup de La
Pérouse (1741-1788) met un point final d'une
manière tragique aux ambitions maritimes et
encyclopédiques de Louis XVI, pourtant désireux de rivaliser avec les Anglais et principalement de donner une réplique française aux
voyages de Cook publiés en 1784 (Gaziello,
1984, Dunmore-Brossard, 1985). Des *Projets,
Instructions et Mémoires* préparatoires donnent
les grandes orientations du voyage et sont
illustrés de dessins de Duché de Vancy représentant des paniers et des caisses destinés à
rapporter en Europe des espèces exotiques
(Paris, bibl. Mazarine, ms. 1546 et A.N.
Marine 3 JJ 388 fol. 390. Exp. : Paris, Louvre,
1984, n° 28; Rouen, bibl. municipale, ms. 1790,
Montbret 43). La Pérouse et ses compagnons
ont pour mission de faire des observations «eth-
nologiques» et «anthropologiques», scientifiques (botaniques et minéralogiques essentiellement), astronomiques et géographiques. Plusieurs savants sont embarqués sur l'*Astrolabe*
et la *Boussole* ainsi que trois dessinateurs et un
ingénieur-géographe, Bernizet qui dresse des
cartes et rédige des mémoires. Duché de Vancy
est engagé comme «dessinateur en figure et
paysage»; les Prévost, oncle et neveux sont
chargés des dessins d'histoire naturelle. Le
lieutenant de frégate, Blondela, se révèle au
cours du voyage un dessinateur de talent et
donne plusieurs dessins de paysages et de
bateaux. On connaît quelques-uns de leurs dessins grâce à l'album factice conservé aujour-
d'hui au service historique de la Marine à Vincennes (ms. SH 352) qui provient de l'ensemble
de documents rapportés en France par Jean-
Baptiste-Barthélemy de Lesseps (1766-1832),
qui quitte l'expédition au Kamtchatka, rejoint
Saint-Pétersbourg, puis Versailles où il est présenté au roi et à la reine. L'ensemble de ces
documents est publié en 1797, le texte en quatre
volumes, les planches réunies en atlas par les
soins de Louis-Marie-Antoine Destouf - Milet
- Mureau (1751-1817) et comprend un frontispice, trente-quatre cartes et trente-cinq
planches gravées par divers artistes. L'importance des dessins de Duché de Vancy est à

*«Costumes des habitants de la baie de Castries»,
planche de l'Atlas du voyage de La Pérouse* (cat. 325).

souligner même si l'artiste fait partie de ces
petits maîtres qui travaillent d'une manière un
peu mièvre dans le sillage de Fragonard. Treize
dessins de lui sont conservés; plusieurs sont
connus : parmi eux les *Insulaires et Monuments
de l'île de Pâque*, véritable Arcadie si différente
des vues sombres que donne William Hodges
(1744-1797), artiste embarqué dans le
deuxième voyage de Cook, ou *la Vue du port
des Français en Alaska* d'une très grande vérité
(Exp. : Paris, Marine, 1987, n° 518). Il dessine
ses personnages d'une manière élégante qui
rappelle ses dessins parisiens, teintée parfois
de souvenirs antiques. Il représente ici les *Costumes des habitants de la baye de Castries sur la
cote de la Tartarie orientale*; le dessin est daté
1787 (fol. 21). Les habitants, les bons et pacifiques Orotchis, sont dans leur maison de bois
au toit ouvert sur le ciel, et présentés tels des
objets, comme dans les planches de l'*Encyclopédie*, en panoplie. Le dessin de Duché de
Vancy s'inscrit dans les réflexions des philosophes et des écrivains du siècle des Lumières
concernant le passage de l'homme de l'«état
de nature à l'âge des cabanes» souligné par
Rousseau (*Essai sur l'origine des langues*,
Genève, 1781) et étudié par Michèle Duchet,
qui met en évidence les rapports de l'anthro-
pologie et de l'histoire (1977, pp. 283-291). L'influence des voyages au XVIIIe siècle est incontestable dans la formation de nombreuses idées
philosophiques et l'«exotisme» est souvent une
arme dans le combat philosophique, notamment dans la démonstration de l'incohérence
du système familial et moral européen (Didier,

1976). La gravure publiée est conforme au
dessin sauf dans le fait que Moreau le Jeune
et Dennel accentuent, comme leurs contemporains, le caractère néo-classique du personnage agenouillé au premier plan (Smith, 1960;
Pinault, 1987, à paraître).
De la Tartarie, La Pérouse redescend vers le
Pacifique, rencontre le capitaine anglais Phillip
à Botany Bay (Australie), puis remonte vers
les îles. On sait que l'expédition est alors moralement et physiquement en perdition, après
trois ans de voyage, ponctués par plusieurs
morts douloureusement ressenties. Les circonstances exactes du naufrage à Vanikoro ne
sont pas déterminées. Il est plus que vraisemblable qu'il y ait des survivants; certains sont
mangés par les indigènes, d'autres font souche.
Dès lors, La Pérouse et ses compagnons,
marins perdus dans la tempête, entrent dans
la légende. A côté des images sereines que
donnent Duché de Vancy et John Webber
(1750/52-1793), qui accompagne Cook dans
son troisième voyage, soulignant ainsi les
contradictions du siècle, Goya représente plusieurs scènes de cannibalisme d'une grande
intensité dramatique (Besançon, musée des
Beaux-Arts; Madrid, coll. part.; Exp. : Paris,
Orangerie, 1970 n°s 23-24). Le cannibalisme
n'est pas inconnu en Espagne, grâce aux
archives conservées notamment à Séville
(Archivo general de Indias) mais il est certain
que les relations de voyage du XVIIIe siècle, qui
soulignent le côté rituel du cannibalisme, ne
sont pas sans influencer Goya.

M.Pi.

VIII
LES MANUFACTURES
ET
LES PROGRÈS TECHNIQUES

La nature des liens qui unissent la mutation économique désignée sous le nom de « révolution industrielle » et la « grande Révolution » de 1789 a fait l'objet de nombreux débats. Un rapport mécanique direct de cause à effet ne paraît pas pouvoir être démontré : même si l'émeute ouvrière dont le quartier du faubourg Saint-Antoine fut le théâtre, au moment même où se réunissaient les États généraux, a contribué à augmenter la tension au sein de la population parisienne, elle ne peut être considérée comme la première des « journées » de la Révolution. Les députés du tiers état étaient d'ailleurs bien plus préoccupés de régler des problèmes agraires et d'assurer la libre circulation des denrées que de mettre en place les conditions favorables au développement de l'industrie même si, dans une certaine mesure la suppression des privilèges et des corporations allaient en ce sens. Le retard de la France par rapport à l'Angleterre, en matière d'industrialisation comme en matière de progrès technique (notamment pour le tissage), a été souvent souligné et s'explique à la fois par un certain manque d'intérêt et par la priorité donnée à des investissements beaucoup moins productifs mais plus satisfaisants pour l'ascension sociale. Le chef d'une petite ou moyenne entreprise, en France sous l'Ancien Régime, appartient à peine à la bourgeoisie et, sous la Révolution, se retrouvera souvent du côté du « parti populaire » comme Santerre, riche brasseur et commandant de la garde nationale de Paris ou Duplay, menuisier établi à la tête d'un important atelier et hôte de Robespierre.

Mais si le développement industriel encore embryonnaire et surtout très dispersé de la France n'a pas joué un rôle déterminant dans le déclenchement du processus révolutionnaire, la crise qui frappa les manufactures, anciennes ou nouvelles, principalement dans la moitié nord de la France, à la suite du traité de commerce avec l'Angleterre, a contribué à augmenter le mécontentement de larges catégories de la population et à rendre encore plus impopulaire le gouvernement royal qui avait transformé la relative défaite militaire de l'Angleterre en une victoire économique.

Mise en place d'un cône de la digue de Cherbourg (cat. 353, détail).

TECHNIQUES ET INDUSTRIE EN FRANCE
À LA FIN DE L'ANCIEN RÉGIME

VERS LA FIN des années 1780, le grand mouvement de transformation technique et économique, qui a pris naissance en Angleterre et auquel il convient, croyons-nous, de conserver le nom de révolution industrielle, termine sa première phase. Tout un ensemble de techniques nouvelles ont achevé leur mise au point autour de 1780. Il faut du reste considérer ces innovations en bloc et non d'une manière isolée ; en effet c'est bien vers cette date que l'on observe la constitution d'un équilibre entre techniques nouvelles et liées de façon nécessaire. Ainsi, comme nous le dit Bertrand Gille, un nouveau système technique est né. Certes, ce n'est que dans la période ultérieure que ces techniques trouveront leur pleine valorisation, mais les éléments fondamentaux de cette future croissance économique nouvelle sont bien ceux qui sont mis en place à la fin du XVIIIᵉ siècle. « La trilogie fer-houille-vapeur, enchaîne le même auteur, sert de base au nouveau système qui sera celui de presque tout le XIXᵉ siècle. On renonçait par là même aux deux éléments de base du système classique, le bois et l'eau. La mutation apparaît donc comme complète... Les dates concordent parfaitement pour fixer l'achèvement de l'essentiel de cette mutation à la décennie 1780-1790. »

On voudra bien nous permettre d'énumérer quelques repères chronologiques indispensables. L'emploi du coke en sidérurgie, œuvre des Darby, débute en 1709 et connaît son expansion vers 1735. En 1712, les premières machines à vapeur de Newcomen commencent à fonctionner. C'est en 1735 que John Kay invente la navette volante. En 1748 c'est la création de la machine à carder le coton par Daniel Bourn. Vers 1740-1750, Huntsman commence à Sheffield la production de l'acier au creuset. La mécanisation de la filature du coton commence vers 1765 avec l'apparition de la jenny de Hargreaves et se poursuit presque aussitôt en 1767 avec le waterframe ou continu d'Arkwright. En 1777, la mule-jenny de Crompton combinera les principes et les avantages des deux machines précédentes et, de 1783 à 1790, la construction ne cesse de se perfectionner et le nombre des broches d'augmenter.

Watt prend ses premiers brevets de machine à vapeur en 1769, le tour à aléser de Wilkinson apparaît trois ans plus tard en 1772 et est un facteur important dans le succès des premières machines de Watt en 1776. Celui-ci va continuer à perfectionner son invention et, de 1782 à 1785, il en fait la machine à double effet, moteur industriel quasi universel. En métallurgie enfin, Henri Cort en 1783-1784 apporte deux innovations qui font franchir une étape décisive : la transformation de la fonte en fer forgé au moyen du four à puddler, puis la fabrication de la tôle et bientôt des profilés, non plus par martelage mais au laminoir.

Les grandes puissances européennes — c'est la France qui nous intéresse ici, mais il sera difficile de ne pas évoquer au moins l'Espagne de Charles III — sont parfaitement conscientes des transformations qui sont en train de s'opérer outre-Manche et de la nécessité d'effectuer leur mise à jour par transfert de technologie dans un but de sauvegarde de leur autonomie. Mais c'est ici que va s'observer toute la différence entre un développement spontané et une acclimatation délibérément voulue.

Avant d'entrer dans plus de détails à ce sujet, une observation liminaire nous paraît nécessaire. C'est que les documents iconographiques originaux rassemblés dans l'exposition ont un caractère souvent unique en ce sens qu'ils présentent l'état réel de la technique à la fin du XVIIIᵉ siècle. Ils peuvent donc contribuer à dissiper un profond malentendu, trop généralement répandu, qui consisterait à imaginer l'état des moyens de production vers 1780-1790 à travers les planches trop vues et revues de l'*Encyclopédie*. Rien ne saurait être plus faux. L'*Encyclopédie*, qui s'appuie largement sur des publications ou des matériaux inédits souvent très antérieurs, appartient, dans la perspective où nous nous plaçons ici, à une période tout à fait révolue.

Empruntons à Charles Ballot une définition générale du caractère du développement français. La transformation de l'industrie, dit-il, « au lieu d'être spontanée et due uniquement à l'initiative privée (comme en Angleterre) eut en France un caractère voulu, factice, fut le résultat de l'action du gouvernement... au lieu d'avoir pour cause fondamentale une cause interne, comme le fut l'extension commerciale en Angleterre, elle eut une cause déterminante toute extérieure : la concurrence étrangère ; au lieu d'amener un bouleversement de la vie économique, elle modifia presque toujours l'industrie française pour ainsi dire sur place (et) permit la persistance de l'industrie rurale. » Ce n'est pas que le gouvernement lui-même n'ait essayé de lutter contre cette tendance ; ainsi des patentes de 1779 prévoyaient de restreindre la création de manufactures royales. Le fameux traité de 1786 va dans le même sens : il fut voulu par Vergennes pour stimuler une concurrence naturelle, tout en créant vers l'Angleterre un débouché pour la production encore prédominant des produits agricoles français.

Aussi y eut-il très peu de troubles luddites en France ; en tout cas rien de sérieux n'est à signaler avant l'hiver 1788-1789. Quant aux autorités révolutionnaires, elles sauront fort bien faire respecter les nouvelles machines. Un décret du 9 septembre 1791 prévoyait formellement l'indemnisation des industriels propriétaires de machines importées de l'étranger au cas où celles-ci auraient été détruites lors de troubles populaires.

Trop de perturbations politiques, sociales et financières devaient nécessairement s'opposer à une grande diffusion du machinisme durant la période révolutionnaire proprement dite. Cette dernière sera pourtant d'une importance capitale à ce point de vue, instaurant la liberté industrielle au même titre qu'en matière politique. Outre la suppression toujours rappelée des corporations et des règlements de fabrication, il faudrait citer aussi en 1791 la loi sur les brevets, qui substitue à l'ancien privilège la notion de propriété industrielle, limitée du reste dans le temps.

Un autre effet favorable de la période révolutionnaire sera l'enrichissement de la bourgeoisie, qui acquiert à bon compte les bien nationaux ; d'autre part, de vastes locaux provenant d'établissements ecclésiastiques supprimés se prêteront excellemment à l'installation d'usines et de manufactures.

Revenant en fin de compte aux dernières années de l'Ancien Régime, on voudrait pouvoir retracer l'activité de tous ceux qui, à cette époque, ont œuvré dans le sens du transfert des technologies anglaises et du développement de l'industrie en France. Deux silhouettes, croyons-nous, méritent d'être évoquées.

La première sera celle de John Holker, un Anglais francisé et qui acclimata en France la filature mécanique du coton au moins dans sa première phase, celle de la jenny et du water-frame. Holker, né en 1719, était catholique et jacobite. Vers 1741, on le trouve s'occupant de l'industrie du coton à Manchester, mais il rejoignit le prétendant lors de son débarquement. Fait prisonnier à Culloden, il fut condamné à mort, s'évada et servit dans l'armée française de 1746 à 1751. A cette date, quittant la vie militaire il monta une manufacture de coton à Rouen, ce qui lui fit constater l'infériorité des machines françaises. A la suite de contacts avec Trudaine, et malgré sa qualité de proscrit, il ne cessa dès lors de multiplier les missions en Angleterre et de faire connaître les machines les plus perfectionnées. Il avait été naturalisé dès 1756 et son fils lui fut adjoint en 1768. Lui-même se retira en 1780 ; il devait mourir en 1786. Son influence fut certes considérable dans l'industrie textile, mais on rencontre également des traces de son activité dans la plupart des autres domaines.

L'autre personnage dont nous voudrions esquisser le profil est à la fois un grand de ce monde et un grand calomnié. Il s'agit de Charles-Alexandre de Calonne, né à Douai en 1734 dans une famille parlementaire et qui fut, on le sait, au Contrôle

général de 1783 à 1787. Ses propositions d'égalité devant l'impôt provoquèrent sa disgrâce lors de l'Assemblée des notables. On ne doit pas oublier qu'il a joué un rôle utile jusque dans ses défauts. En fait, il traitait les affaires industrielles de l'État comme si elles eussent été les siennes propres — forme à coup sûr peu orthodoxe, mais pas nécessairement malfaisante, de privatisation. Lorsqu'une entreprise lui paraissait bonne, il n'hésitait pas à y associer le Trésor royal (au Creusot par exemple) ou bien à y contribuer de ses propres deniers (entreprise des fers-blancs de Blendecques). Dans son choix des hommes il fut également heureux. Autre exemple de son savoir-faire, il alla jusqu'à donner le privilège de la même invention à plusieurs industriels différents, dans le but réel de stimuler la concurrence. Après sa disgrâce, Calonne, qui devait mourir en 1802, tenta vainement, ce qui est peut-être regrettable, de se faire élire député aux États généraux ; de 1784 à 1798, il publia une quinzaine de brochures, trop oubliées, dans lesquelles il défendait ses idées économiques. Est-ce un hasard si Jacques-Constantin Périer conserva jusqu'à sa mort, survenue en 1818, un portrait de Calonne dans son salon ?

Il est encore un trait général de la modernisation de l'industrie française à cette époque qu'on ne saurait passer sous silence, c'est que cette transformation revêtit un caractère très différent selon les différentes branches de l'industrie. En effet si le milieu antérieur était fortement organisé, il fut nécessaire de lutter contre les habitudes, la routine, les intérêts établis ; tel fut le cas dans le si important domaine de la métallurgie. En revanche les choses furent plus faciles s'il s'agissait d'une industrie nouvelle comme celle du coton, car il n'existait alors aucune inertie à vaincre.

Nous examinerons donc maintenant quel point de développement la France avait atteint dans les différents domaines industriels les plus importants : filature et tissage, toiles imprimées et papiers peints, sidérurgie, machine à vapeur, industries chimiques diverses. Nous finirons par quelques domaines de la technique dont l'importance est considérable, mais dont les conditions de développement, si elles sont tributaires du niveau général de la prospérité, ne sont pas exactement celles de l'industrie. Il s'agit de ce qu'on regrouperait peut-être aujourd'hui sous le terme d'équipements collectifs, mais dans un sens élargi, puisque nous y ferons entrer à côté des travaux publics de voierie comme les ponts et chaussées, certains aspects des techniques militaires comme l'artillerie (étroitement liée aux progrès de la métallurgie et de la construction mécanique), ainsi que les ports et arsenaux. Nous serons du reste aidés ici par des informations qui procèdent du souci général à l'époque qu'est celui des transferts de technologies.

En ce qui concerne la filature du coton, la période antérieure à la Révolution est celle de l'introduction de la jenny, puis du continu, enfin du perfectionnement des machines à carder. Il faut relever ici le rôle de Jacques Milne, efficacement soutenu par Calonne. Dans l'établissement qui fut créé à La Muette, on produisit des machines à partir de 1787. Le duc d'Orléans fonda lui-même, en 1789, deux grandes manufactures à Orléans et Montargis. Dès 1791, il y aura du reste une machine à vapeur à la manufacture d'Orléans. Une conséquence imprévue de la crise de 1788 fut, en 1789, l'apparition des premières mule-jennies (rôle de Morgan et Delahaye à Amiens). Cette nouveauté tend dès lors à provoquer une certaine décadence des établissements antérieurs. Cependant, au début du Consulat on ne pourra pas encore considérer la mule-jenny comme naturalisée en France ; on commence seulement à la connaître et elle est beaucoup moins répandue que le continu. La consolidation définitive de la filature du coton en France sera l'œuvre de Bauwens et de Richard-Lenoir, dont l'activité se situe durant la période du Consulat et de l'Empire.

Il en va de même de la filature de la laine, cardée d'abord, peignée ensuite. L'activité des grands initiateurs, Douglas, Cockerill, Ternaux, se situe à une époque ultérieure, comme du reste les premières tentatives de mécanisation du peignage.

Quant à la filature du lin, on sait que ce fut à partir de 1808 une préoccupation de Napoléon, qui aurait voulu s'affranchir de l'importation des cotons « en laine » ; cette question ne fait pas partie de l'horizon des dernières années de l'Ancien Régime ; elle surgira plus tard, un peu comme de nos jours les problèmes pétroliers, et se révélera du reste aussi inéluctable qu'eux.

C'est la filature de la soie qui avait fait l'objet de tous les soins de Vaucanson (mort en 1782) ; de ses nombreuses innovations seul a survécu le tour à tirer à double croisure, qui constitue un perfectionnement sérieux, encore amélioré par Tabarin. En matière de mécanisation du tissage il faut se garder de confondre automatisation de la production du tissu et automatisation de l'ornementation. Le métier à tisser entièrement automatique en est encore à ses premiers balbutiements en Angleterre, même à la fin du XVIIIe siècle. Seule la navette volante de John Kay a déjà connu un grand développement, alors qu'en France cette invention a été dans l'ensemble mal accueillie, malgré le séjour de Kay en 1747 dans notre pays. Quant au métier Jacquard, c'est une création des premières années du XIXe siècle ; on lui doit sans doute le salut de la soierie lyonnaise face à une demande sérieusement diminuée (sobriété du nouveau costume masculin, disparition de la clientèle ecclésiastique). Mais il ne faut pas oublier que Jacquard a eu des précurseurs et le métier Falcon était déjà assez répandu dans la soierie lyonnaise durant la seconde moitié du XVIIIe siècle.

On sait que le métier à tricoter était connu depuis le temps de Colbert ; les perfectionnements qui apparaissent en Angleterre dans la seconde moitié du XVIIIe siècle sont le métier à côtes, celui faisant le tricot à jour, et le métier à tulle-chaîne ; leur introduction en France, assez laborieuse et tardive, fut commencée par Le Turc, établi aux Quinze-Vingts en 1788 ; mais beaucoup restait encore à faire en ce domaine. On sait que la fabrication des toiles imprimées ne fut libérée qu'en 1759. Au cours des trente années suivantes, elle fut appelée à

connaître un développement très considérable. C'est bien sûr le nom d'Oberkampf qui vient ici tout de suite à l'esprit. La manufacture de Jouy commença sa production en 1760 avec un succès grandissant. Le grand bâtiment à cinquante fenêtres de façade sera construit de 1790 à 1793. Les perfectionnements ultérieurs sont plus tardifs : l'impression au rouleau débute en 1797, avec une machine construite par les Périer à Chaillot ; trois ans plus tard, on créera la machine à graver les cylindres, qui permet de varier plus facilement les modèles ; c'est encore une réalisation des Périer, associés cette fois-ci à Widmer.

L'industrie des papiers peints présente une certaine parenté avec celle des indiennes, et, comme elle, elle est largement pratiquée à la fin du XVIIIe siècle ; mais la mécanisation, c'est-à-dire ici aussi l'impression au rouleau, n'est même pas encore envisagée, et elle n'aura lieu que dans le premier quart du XIXe siècle.

En ce qui concerne la sidérurgie au coke, on voit Holker s'en préoccuper dès 1764. C'est lui qui provoqua alors la mission en Angleterre de Gabriel Jars (1732-1769). Ce dernier fit parvenir des mémoires très détaillés qui seront publiés de 1774 à 1781. Au retour, quelques mois avant sa mort, Jars avait réussi, chez de Wendel à Hayange, une toute première coulée de fonte au coke ; c'est lui aussi qui avait indiqué le site de Montcenis comme se prêtant bien à l'installation d'une future usine. Après la disparition de Jars on se mit en relation avec le plus réputé des métallurgistes anglais, John Wilkinson, qui délégua en France son frère William. Force nous est de glisser sur les vicissitudes de l'organisation financière de cette affaire. En 1781, le principe de la création au Creusot d'une grande usine à vapeur produisant fonte et fer forgé était acquis. Les travaux commencèrent en 1782, et en novembre 1785 la première gueuse de fonte fut coulée. La technique était donc maîtrisée en France, mais elle sera longue à se généraliser, précisément en raison du caractère semi-rural conservé par l'industrie française et qui est tout à fait évident dans le domaine des forges.

Quant au laminage, ce n'est encore que celui du plomb qui se pratique en grand au moment où la Révolution éclate, avec l'installation récente de Romilly-sur-Andelle. En ce qui concerne le fer, le laminage reste limité au fer-blanc, avec l'établissement de Blendecques, près de Saint-Omer, créé en 1777. Le laminage de la tôle ne se développera du reste en Angleterre même qu'après l'invention du puddlage.

Le manque de bon acier paralysait encore en France la construction des machines-outils et la production de la quincaillerie, alors que les produits de Birmingham inondaient le marché. On ne savait guère produire en France que l'acier « naturel », propre seulement à être employé en taillanderie. Le secret de fabrication de l'acier au creuset de Sheffield fut longtemps bien gardé. Ce n'est qu'une manufacture d'acier cémenté qui fut installée à Amboise au cours de notre période, mais elle semble n'avoir bien réussi que dans la mesure où elle accepta d'employer comme matière de départ des fers suédois.

C'est Jackson qui importera à partir de 1814 la fabrication de l'acier au creuset, quand il viendra s'installer en France.

En bref, vers 1789 dans le domaine de la métallurgie les efforts demeurent sans doute dispersés, fragmentaires, mais ils sont cependant importants et surtout le sens dans lequel l'évolution doit se faire est nettement perçu.

Les circonstances de l'introduction en France de la machine à vapeur de Watt sont bien connues. On sait que ce sont les Périer qui traitèrent avec Watt et Boulton en février 1779 pour la fourniture des machines destinées à la pompe à feu de Chaillot, entreprise relevant de la Compagnie des eaux de Paris qu'ils avaient eux-mêmes créée. Parallèlement les Périer établirent à Chaillot, dès 1778, une fonderie qui fut la première usine de construction mécanique moderne de France, où ils abordèrent bientôt avec succès la construction des machines à vapeur. La pompe de Chaillot commença à fonctionner en 1781. Quinze jours avant, une autre machine fournie par Watt à Jary, un propriétaire de mines de houille de la région de Nort-sur-Erdre, avait été mise en route. Elle ne marcha jamais convenablement. En revanche le succès des Périer s'explique par l'infrastructure que représentaient leurs vastes entreprises (ils furent partie prenante dans l'affaire du Creusot et dans bien d'autres), ainsi que par le fait de pouvoir s'appuyer sur un atelier de construction mécanique bien équipé.

Dans cette première phase, il ne s'agit encore que de machines à simple effet. C'est Bétancourt, l'agent du roi d'Espagne dont nous aurons à reparler, qui observa en Angleterre les Albion Mills en cours de construction, comprit le principe du double effet et s'en ouvrit aux Périer. On construisit alors (1790) une superbe minoterie à vapeur à l'île des Cygnes, située à l'époque à l'emplacement actuel du quai d'Orsay. Ces moulins fonctionnèrent fort bien jusqu'en 1793, puis l'établissement fut transformé en filature de laine.

Mais les Périer avaient décidément implanté en France la construction des machines à vapeur et leur activité ne se démentit jamais, malgré les périodes difficiles traversées. On ignore le nombre exact des installations qu'ils réalisèrent, mais quoi qu'il en soit on peut les considérer comme les constructeurs mécaniciens les plus importants de France en leur temps.

Des progrès importants ont été réalisés dans diverses branches de l'industrie chimique. Bien à tort on leur prête souvent moins d'attention qu'aux transformations spectaculaires de la métallurgie et surtout du textile.

Par ordre d'importance, citons d'abord la papeterie dite hollandaise, qui remplace le pourrissoir par des actions mécaniques : cylindre à effilocher, cylindre à affiner. La première papeterie à la hollandaise de France fut celle d'Essonnes. Elle fut autorisée en 1775 et en 1783, son activité était satisfaisante. En 1782 les Montgolfier à leur tour adoptaient la nouvelle technique, dont la diffusion était générale vers 1789. Mais à cette date il n'est pas encore question d'autre chose que du papier à la cuve.

Le blanchiment des toiles au chlore, que Berthollet fit connaître à partir de 1785, supprimait dans la fabrication des indiennes un goulot d'étranglement dont on imagine difficilement l'importance, le blanchiment sur pré. La première usine fonctionnant d'une manière satisfaisante fut celle créée par Descroizilles près de Rouen. Désormais la préparation d'une pièce de toile cessait d'être une question de mois. Dans la production de l'acide sulfurique, le nouveau procédé à la chambre de plomb connut sa pleine diffusion en Angleterre dès le milieu du XVIIIe siècle. C'est à Holker encore que l'on doit l'introduction en France de cette technique, mais l'usine installée à Saint-Sauveur près de Rouen conserva son secret de fabrication. Un nouveau transfert de cette technologie fut opéré par Scanegatty, et les établissements se multiplièrent dès lors de 1776 à 1789.

Non moins important est le problème de la fabrication de la soude artificielle à partir du sel marin, ce dont la science chimique avait indiqué la possibilité dès 1736 par la voix de Duhamel du Monceau. Le sujet fut mis au concours de façon officielle, mais inutilement, en 1775 et 1783. On essaya diverses filières de fabrication qui ne menèrent à rien. C'est La Métherie qui proposa en 1789 la calcination du sulfate de soude en présence du charbon ; cette idée conduisit Le Blanc à son brevet de 1790 et à la fondation de l'usine de Saint-Denis, avec l'appui du duc d'Orléans. La production atteignit bientôt de 250 à 350 kilos par jour. Certes, Le Blanc connaîtra de grandes difficultés au cours des années suivantes, mais sous l'Empire la manufacture de Saint-Denis se développera et on en créera une à Saint-Quentin.

Il serait difficile de ne pas évoquer l'œuvre de Gribeauval dans le domaine de l'artillerie. Né en 1715, après une longue et brillante carrière militaire, il fut nommé premier inspecteur de l'artillerie en 1776. Il occupa ses dernières années — il devait mourir en 1789 — à ordonner les réformes les plus utiles dans l'organisation des corps de l'artillerie et des mines ainsi que dans le matériel des arsenaux. Dans la fabrication des canons, qu'il allégea beaucoup, ce sont ses tables de proportions qui servirent aux ingénieurs pratiquement jusqu'à l'époque de Napoléon III.

Regrettons que l'espace ne nous permette pas de développer davantage ce qui concerne les travaux publics. En effet, en cette matière nous avons à notre disposition une source, qui constitue une sélection opérée avec la compétence la plus sûre par l'agent d'information bien connu du roi d'Espagne Charles III, Augustin de Bétancourt. Il s'agit de la description des modèles, dessins et mémoires formant le Cabinet de machines du roi d'Espagne à Madrid, achevé en 1792.

Un tour d'horizon rapide nous permettra cependant de signaler au passage les réalisations les plus importantes. Nous parcourons les régions françaises d'Est en Ouest et du Nord au Sud.

Ports d'Amiens et de Boulogne, écluses flamandes, mémoire sur la question des corvées en Picardie adressé en 1777 par La Touche au directeur de la Ferme générale, voilà pour le

Nord. En Normandie, voici les ports de Dieppe, du Havre, de Rouen et, dans l'autre partie de la province, un épais dossier sur les travaux de la rade de Cherbourg, où l'immersion du premier « cône » donna lieu aux solennités que l'on sait. Citons ensuite les ponts de Saumur et de Nantes, avec, comme il est de règle, le détail des travaux (machines, charpentes) effectués en vue de la construction. La pièce maîtresse dans cette région est la fonderie d'artillerie de marine d'Indret, décrite très en détail. On rencontre ensuite le port de Rochefort avec toutes les installations qui l'entourent. A Bordeaux, la charpente du théâtre est une construction qui fit époque, car elle fut réalisée en fer par le fameux architecte Victor Louis. En revenant vers le Centre, on trouve plusieurs ponts importants : ceux d'Orléans, de Tours, de Moret, de Moulins ; ainsi que les travaux du canal, dit du Loing ou de Montargis, faisant communiquer les bassins de la Loire et de la Seine.

A propos du canal du Midi il faut citer la fameuse retenue de Lampy dont la réalisation avait marqué une date dans l'histoire des barrages.

Nous n'insisterons pas sur différents ponts de la région Sud-Est (Briançon, à 1 300 mètres d'altitude, Romans, les deux ponts de Lyon). La Bourgogne retient spécialement l'attention avec son célèbre canal (entre Saint-Jean-de-Losne et La Roche) dont il était question depuis François Ier et qui sera achevé... en 1832-1834. Dans la même région, nous trouvons bien sûr la fonderie du Creusot, avec ses cinq machines à vapeur à simple effet, dont certaines actionnent cependant les martinets.

La région parisienne fait l'objet de nombreuses descriptions et on ne peut en évoquer que quelques-unes : pompes à feu et moulins à vapeur bien sûr, travaux de la place Louis-XV, puis une demi-douzaine de ponts importants : Mantes, Brunoy, Pontoise, Neuilly, Pont-Sainte-Maxence et Chantilly, travaux du pont Louis-XVI. Non seulement Neuilly mais plusieurs autres ponts de la région sont dus à Perronet, auteur également d'une écluse construite à Anglure sur l'Aube.

Terminons par les grandes surfaces couvertes. Ce sont la charpente de Saint-Philippe-du-Roule, celle de l'Opéra (reconstruit à la porte Saint-Martin après l'incendie de 1781), la charpente du Théâtre-Français au Palais-Royal par Victor Louis, la coupole du Panthéon réalisée par Jean Rondelet qui avait succédé à Soufflot en 1781, enfin la coupole de la Halle aux blés, encore en bois, avec une couverture de plomb et de verre et qui va disparaître dans un incendie en 1809.

On voudrait terminer, tout près du Paris d'alors et à l'intérieur de ses limites actuelles, par les machines-outils de la fonderie installée à Chaillot par les Périer. La machine décrite avec les plus grands détails est celle destinée à fabriquer vis et boulons en fer, dont l'emploi pour les assemblages était encore assez nouveau à cette époque.

Nous omettons bien entendu ici un grand nombre de machines ou d'installations spécialisées pour tel ou tel emploi dans les travaux publics ; nous avons seulement voulu passer en revue les principaux « grands chantiers » susceptibles de retenir l'attention d'un observateur professionnel de l'époque.

Jacques Payen

MANUFACTURES

327
Le Zèle et la Paresse,
Planche 1 : les deux apprentis à leur métier

par William HOGARTH

Gravure publiée le 30 septembre 1747. H. 0,10 ; L. 0,13.
Bibliographie : Paulson, 1965, pp. 194-195, pl. 180.
Londres, British Museum (inv. 1896-7.10.3).

Le *London Evening Post*, du 15-17 octobre 1747 annonçait : « Ce jour est publiée, au prix de 12 s, conçue et gravée par Mr. HOGARTH, une série de DOUZE estampes, sous le titre LE ZÈLE et LA PARESSE : montrant les effets bienfaisants pour le premier, et les effets néfastes pour le second, à travers les destins différents de deux apprentis. »

Le Zèle et la Paresse vient relativement tard dans les fameuses séries des « sujets moraux actuels » de Hogarth, précédées par *La Carrière d'une prostituée* (v. 1731), *La Carrière d'un roué* (1735) et *Le Mariage à la mode* (1743). Dans la planche 1, l'apprenti paresseux se tient devant son métier qui n'a pas servi, sur lequel est posée une chope de bière marquée « Spittle Fields » ; sa pipe est fichée dans la poignée du métier, un chat joue avec sa navette ; son exemplaire du *Guide des apprentis* tombe en poussière à ses pieds, sa bobine est vierge de fil ; le roman de la *Moll Flanders* (de De Foë) est cloué au châssis au-dessus de sa tête, et il s'est endormi. L'apprenti industrieux, quant à lui, tient son fuseau et fait marcher son métier ; sur son rouleau est enroulé du lin ; son exemplaire du *Guide des apprentis* est en bon état ; sur le mur derrière sa tête sont accrochés les romans plus prometteurs *Whittington Ld Mayor* et *The London Prentice*.

Il y avait, au milieu du XVIIe siècle, des tisserands français établis à Spitalfields, en bordure de la City of London. Après la révocation de l'édit de Nantes en 1685, ils furent rejoints par une vague d'émigrants huguenots. A l'époque, le tissage était devenu le métier artisanal le plus important à Londres. Beaucoup d'émigrants français venaient de Lyon et la soie de Pitalfields devint très vite réputée pour la finesse de ses modèles tissés.

C.B.-O.

328
Le Ménage du menuisier

par Nicolas-Bernard LÉPICIÉ

Pierre noire, plume et encre noire, lavis de bistre. H. 0,227 ; L. 0,281.
Inscription : signé en bas à gauche, à la plume et encre noire : « LEPICIE ».
Historique : Gaspard Parfait de Bizemont Prunelé (1752-1837) ; legs de sa petite fille, l'amirale de Candé, en 1888.
Expositions : 1931, Paris, Orangerie, nº 106 ; 1962, Paris, Bibliothèque nationale, nº 264 ; 1973, Münster, nº 59 ; 1975-1976, Orléans, nº 64 ; 1983, Tokyo, Yma-guchi, Nagoya, Kamakura, nº 102.
Bibliographie : Davoust, 1891, nº 979 ; Gaston-Drey-

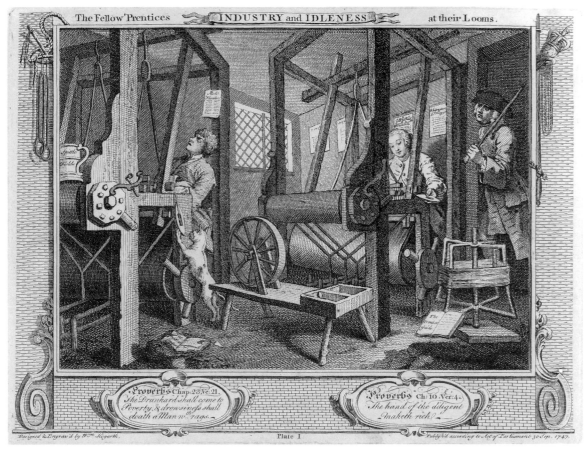

Deux apprentis à leur métier : « le Zèle et la Paresse » (cat. 327).

Le Ménage du menuisier (cat. 328).

241

fus, 1910, pp. 25-32 ; Gaston-Dreyfus, 1922, nᵒ 408 ; Diderot, 1967, p. 244, repr. fig. 113.

Orléans, musée des Beaux-Arts (inv. 855).

Lépicié est l'un des artistes du XVIIIᵉ siècle qui développe la scène de genre à la manière des peintres hollandais du XVIIᵉ siècle. Ses sujets sont pris dans la vie quotidienne : marchands, paysans, braconniers, mendiants ou « cris de Paris » sont représentés d'une manière très humaine, seuls ou parfois regroupés dans des œuvres plus ambitieuses, telle la *Douane* (Salon de 1775, coll. part.) et son pendant la *Halle* (Salon de 1779, coll. part.) commandées par l'abbé Terray. Au Salon de 1775, Lépicié expose une toile ayant pour titre, *L'Atelier du menuisier* (coll. part.) et dont Diderot dit par l'intermédiaire de Saint Quentin : « Voilà un *Atelier du menuisier* dont la composition me plaît ; cela est dans la vérité. Je vois qu'il travaille d'après nature ; l'effet en est piquant. Je me serais seulement gardé de mettre cet ouvrier en linge blanc. » Si l'on compare cette œuvre à *L'Atelier du menuisier* d'Amand, exposé au Salon de 1767 (nᵒ 136), on voit que Lépicié n'exécute pas une œuvre à caractère documentaire comme c'est le cas pour l'œuvre d'Amand, mais une œuvre proche de la réalité, dont le sujet, au-delà de la réalité, devient un modèle de vertu. Ce caractère se retrouve dans plusieurs œuvres exposées au même salon : *L'Amour paternel* d'Aubry ou l'*Heureux Ménage* de Théaulon. Pour être tout à fait dans ce courant moralisateur, Lépicié retouche son tableau : le jeune menuisier courtisant la jeune fille assise, initialement peinte, devient un père de famille vertueux. Plusieurs dessins en rapport avec cette œuvre sont connus et celui du musée d'Orléans est exécuté d'après la peinture retouchée. Comme dans les œuvres hollandaises du XVIIᵉ siècle, *Le Ménage du menuisier* est une allusion directe au Nouveau Testament et rejoint Rousseau, pour lequel le travail est un devoir et une nécessité. Dans le livre III de l'*Émile*, Rousseau consacre plusieurs pages au choix d'un métier et pour lui « de toutes les conditions, la plus indépendante de la fortune et des hommes est celle de l'artisan. » L'artisan ne dépend que de son travail. » Parmi les métiers possibles pour Émile, « Tout bien considéré, écrit Rousseau, le métier que j'aimerais le mieux qui fut du goût de mon élève est celui de menuisier. Il est propre, il est utile, il peut s'exercer dans la maison ; il tient suffisamment le corps en haleine ; il exige dans l'ouvrier de l'adresse et de l'industrie, et dans la forme des ouvrages que l'utilité détermine, l'élégance et le goût ne sont pas exclus. » L'une des maquettes exécutées par Mme de Genlis est consacrée à l'atelier de menuiserie (Paris, C.N.A.M./M.N.T., inv. 128). M.Pi.

329
Ouvroir de fileuses à deux mains

par Gabriel de SAINT-AUBIN

Pierre noire, plume et encre noire, lavis brun, et noir,

aquarelle, rehauts de gouache blanche : H. 0,231 ; L. 0,373.

Inscription : en bas à la plume et encres noire et brune : « OUVROIR DE FILEUSES A DEUX MAINS SELON M. DE BERNIERE, dessiné par Gabriel de Saint-Aubin en 1776 et 1777 avec la manière d'accoutumer les enfants à se servir également des deux mains de rendre les enfants ambidestres, usitée en Angleterre » ; à droite à la pierre noire, plume et encre noire : « Mr Voisar graveur de Mr l'abbé Rosier, 15 louis ».

Historique : Henri Destailleur ; sa vente, Paris, 27 avril 1866, nᵒ 198, 30 ; acquis par Armand Valton ; legs en 1908 de Mme Armand Valton, en souvenir de son mari.

Expositions : 1965, Paris, E.N.S.B.A., nᵒ 91 ; 1981, Paris, E.N.S.B.A., nᵒ 161 (avec bibliographie).

Bibliographie : Dacier, 1931, nᵒ 482 ; Pinault, 1984/2, p. 25 ; cat. exp. : Biot, 1985, p. 41, repr. fig. 26.

Paris, École nationale supérieure des Beaux-Arts, bibliothèque (inv. 1533).

Le contrôleur général des Ponts et Chaussées de 1751 à 1783, N. de Bernières (mort en 1783) présente à la reine, le 14 décembre 1777, un modèle de *Rouet à filer des deux mains à la fois* qu'il publie dans un mémoire imprimé « dédié aux dames » (Paris, 1777 ; deux exemplaires à la B.N. dont un relié aux armes de Marie-Antoinette) avec une planche gravée par Étienne-Claude Voysard (1746-1812) d'après le dessin de Saint-Aubin.

L'idée de ce rouet est venue à l'auteur à la fin de 1765 quand il emploie à la campagne un certain nombre de femmes pauvres à filer dans le but de leur procurer des moyens de subsister pendant l'hiver. Les unes travaillent au rouet à pédale et forment le fil avec la main gauche conservant ainsi la main droite libre ; celles qui travaillent au rouet à manivelle ont les deux mains employées. De cette observation, Bernières conçoit un modèle de rouet à pédale ; il conserve une seule quenouille mais ajoute une seconde bobine ; ainsi pour le même temps de travail, l'ouvrière fait le double de fil, ce qui fait également baisser le prix de toutes les toiles fabriquées en France.

Bernières propose d'établir des rouets fixes et stables dans des ateliers, sur des tréteaux communs ; il engage « les particuliers riches, les négociants, les amateurs du bien de l'humanité » à créer des fileries qui pourraient être également installées dans des hôpitaux « pour occuper les pauvres qui y sont enfermés ; les vieilles femmes, les jeunes enfants des deux sexes et même des hommes infirmes et estropiés pourraient être employés ». A la tête de cette filerie, on placerait « une ou deux sœurs ou une femme choisie comme la plus raisonnable et la plus entendue ». Bernières continue son exposé avec des observations d'ordre moral, hygiénique (on devra mettre de l'eau imprégnée du suc de graine de lin ou de gomme avec un morceau d'éponge commune ou un linge pour mouiller le fil afin que les ouvrières ne se servent pas de leur salive, ce qui est dangereux pour leur santé : « Il y va de la vie, écrit Bernières, celle des pauvres ne doit pas être négligée ». Bernières termine par des réflexions sur l'usage bénéfique qu'il y a à se servir de la main gauche et cite des exemples célèbres de per-

sonnages ayant travaillé avec cette main : le peintre Jouvenet et l'intendant Poivre.

Saint-Aubin exécute son dessin sur les indications de Bernières ; il représente à droite, en grand, le modèle de rouet et l'intérieur d'une filerie imaginaire, mais Saint-Aubin, infatigable spectateur de la vie parisienne, s'inspire sans aucun doute d'un atelier bien réel visité au cours de ses promenades. Les fileuses sont disposées sur deux rangs, de part et d'autre d'une allée centrale. Il s'agit là d'un atelier à mi-chemin entre l'atelier familial occupant seulement quelques personnes, et la grande manufacture telle qu'elle sera conçue à la fin du siècle à Jouy-en-Josas chez Oberkampf, à Harfleur ou chez les Boyer-Fonfrède. Ici, on compte moins de cinquante ouvrières et quelques petits enfants, ne travaillant pas, mais regardant faire. D'un trait rapide, et méticuleux, Saint-Aubin ne fait qu'une seule forme des femmes vêtues de châles et coiffées de bonnets et des rouets placés sur les établis. Cette seule unité, humanité/machine, sera celle des grandes usines du XIXᵉ siècle. Ce groupe minuscule et fourmillant tout en lignes courbes est en opposition avec la salle de grandes dimensions nette et sans décor, avec seulement quelques rideaux pour se protéger du soleil. Saint-Aubin joue avec la perspective de la pièce, les ombres et les lumières et détache, à la manière d'une ombre de théâtre, une figure humaine, visiteur ou symbole de l'autorité. Le monde de l'*Encyclopédie* est ici loin, avec ses ateliers parfaitement rangés, ses ouvriers qui ne travaillent pas mais qui montrent aux lecteurs non pas la réalité du travail, mais la manière de faire. Saint-Aubin nous révèle plus que tout autre document, la condition précaire de ces ouvrières à la vie oscillante entre l'ordre monacal et le monde carcéral. En revanche, Voysard, dans sa gravure rejoint l'*Encyclopédie*. Tout d'abord, il ferme l'atelier, retire les rideaux et ajoute une grande armoire au fond à gauche : il gomme les effets d'ombres et de lumière et utilise, comme dans l'*Encyclopédie*, une fausse perspective pour mieux montrer l'ordonnancement de l'atelier ; les ouvrières, comme celle de l'*Encyclopédie* ont une attitude figée et les enfants ont disparu ; il n'y a plus d'humanité dans cet atelier. M.Pi.

330
L'Atelier de couture à Arles

par Antoine RASPAL

Huile sur bois. H. 0,325 ; L. 0,405.

Historique : coll. Jacques Réattu (1760-1833) ; legs Élisabeth Grange, 1868.

Expositions : 1906, Marseille ; 1925, Arles, nᵒ 3 ; 1939, Paris, Carnavalet, nᵒ 1439 ; 1947, Paris, Galerie Charpentier, nᵒ 120 ; 1958, Bordeaux, nᵒ 190 ; 1962, Rome-Milan, nᵒ 167 ; 1964, Paris (Exp. itinéraire du Service éducatif des musées), nᵒ 34 ; 1972-1973, Le Mans, sans nᵒ ; 1977, Arles, nᵒ 5.

Bibliographie : Charles-Roux, 1914, p. 381, repr. 373 ; Benoit, 1927, repr. p. 193 ; Gillet, Paris, p. 345 ; Vaudoyer, 1946, p. 71, repr. pl. 47 ; Benoit, 1949, pl. XIII ;

Alauzin, 1962, pp. 91-92 ; Vergnet-Ruiz-Lacotte, 1962, p. 91, n° 113 ; Cabane, 1964, repr. ; exp. Paris, Grand Palais, 1987, n° 120 (photographie) ; Biehn, Marseille, 1987, p. 59.

Arles, musée Réattu (inv. 868.1.130).

Toute la carrière de Raspal se déroule, à part quelques années à Paris, à Arles, où il exécute d'une manière minutieuse et un peu archaïque des tableaux de genre, en dehors des modes, représentant des jeunes Arlésiennes aisées dans leurs occupations quotidiennes et de nombreux portraits des membres de sa famille ou de la société arlésienne (musées d'Aix-en-Provence, Arles et Marseille). *L'Atelier de couture à Arles*, daté des années 1760, est considéré comme le chef-d'œuvre du peintre et illustre d'une manière vivante la vie d'un atelier de couture, exclusivement féminin et souvent familial où se côtoient les générations. Ici, il s'agit sans doute d'une scène de vente d'une robe : la femme de droite, vêtue d'une belle robe en indienne semble être une cliente que conseille la femme, mise plus simplement, mais cependant élégamment vêtue, assise à gauche, les pieds posés confortablement sur une chaufferette, et qui dirige l'atelier. Une jeune femme fait office de vendeuse et propose les robes aux coloris chatoyants à la cliente hésitante. Deux autres jeunes femmes travaillent sur une table, tandis qu'une fillette est assise sur une petite chaise basse. Les femmes portent une jupe en coton d'indienne dont la région de Marseille et d'Orange se fait une spécialité locale (Exp. : Marseille, 1987, pp. 219-234), le casaquin corseté ; leurs cheveux sont en partie cachés par un fichu en indienne noué autour du cou.

M.Pi.

331
L'Herberie du fabricant de cire Verstraete

par J.B. VAN HOUTTE

Huile sur toile sur masonite. H. 1,520 ; L. 2,050.
Inscription : « J.B. Vanhoutte i.f. 1771 ».
Historique : collection Mme Léon Verstraete ; acquis par la ville de Bruges en 1968 ; entre ensuite au Groeningemuseum et en 1970 subit une restauration.
Expositions : 1970, Bruges, n° 17 ; 1972, Bruges, n° 12.
Bibliographie : cat. Bruges, 1973, p. 116 ; Janssens de Bisthouen, 1977, n° S 18.

Bruges, Groeningemuseum (inv. 0.1633.I).

Cette toile représente sans aucun doute les installations de la fabrique de cire érigée en 1770, de l'industriel brugeois, Verstraete. Ce dernier, visible au premier plan à gauche, présente lui-même son entreprise. La matière première, la cire brute et jaunâtre des abeilles est dans un premier temps versée dans des longs bacs couverts d'une toile (troisième et quatrième bac à partir de la gauche). Elle est ensuite étalée en vue de son blanchissage (premier et deuxième bac à partir de la gauche), lequel est obtenu par l'exhalaison du gazon et l'action conjointe du soleil ; l'arrosage permet

quant à lui d'accélérer le processus. La cire blanchie qui se présente alors sous forme de paillettes (troisième et quatrième bac à partir de la droite) est comprimée et moulée dans des petites mesures en étain d'une dizaine de centimètres de diamètre. Les petits disques de cire ainsi obtenus sont finalement disposés dans des sacs, lesquels gagneront l'atelier de confection des bougies. Verstraete est le représentant type de cette nouvelle classe d'hommes d'affaires, d'industriels et d'entrepreneurs qui, en cette fin du XVIIIe siècle, attendaient avec impatience qu'une réforme profonde et énergique des institutions supprime les réglementations corporatistes qui entravaient leur propre prospérité. Aspirant jouer un rôle politique proportionné à leur importance économique, ils n'adhérèrent pas aux réformes de Joseph II, qui leur apparaissaient elles aussi contraires à leur idéal de liberté politique et économique. Aussi, mus par des idées compatibles avec leurs aspirations bourgeoises comme la constitution d'un gouvernement national et libéral, ils s'allièrent à Vonck et à ses amis pour former le parti des démocrates.   A.Ja.

La blanchisserie de cire de M. Verstraete est fondée en 1770 et le tableau de Van Houtte peut être considéré comme une allusion à l'inauguration de la fabrique brugeoise située Oostmeers 7, près de l'église Notre-Dame et du couvent des Conceptionnistes. Verstraete, en compagnie de sa femme et de sa fille montre l'opération du blanchissage de la cire en plein air, qui se fait à la belle saison à partir de la mi-mai. Auparavant, la cire est séparée du miel et fondue en gros pains qu'un ouvrier coupe en morceaux et fait fondre dans une chaudière. Après des opérations successives, on obtient des rubans de cire que l'on place dehors sur des châssis ou *quarrés* recouverts de toiles tendues. La cire régulièrement remuée, puis étalée, reste ainsi à blanchir exposée pendant quinze à vingt jours, sous l'action de l'air et de la pluie. Elle devient plus dure et plus cassante (*Encyclopédie*, I, pp. 273-274 ; III, pp. 471-475 ; pl. III, 3 pl.). Le parfum des bougies est donné par des herbes que l'on place sous les quarrés. Les manufactures de bougies doivent être situées dans des endroits protégés du vent et demandent beaucoup d'eau. A côté de petites fabriques comme celle de M. Verstraete, il existe des établissements plus importants. Duhamel du Monceau cite dans son *Art du Circei* (Paris, 1762) la manufacture royale des cires située à Antony, ainsi que celle du feu de M. Pronteau, près de Pithiviers.   M.Pi.

332
Les Repasseuses

par Jean-Jacques LEQUEU

Manuscrit et dessin. Plume et encre noire, lavis de bistre. H. 0,196 ; L. 0,174. Bordure d'encadrement à la plume et encre noire, et lavis gris.
Inscription : signé en bas à droite, à la plume et encre noire : « Jean Jacques Le Queu delin ». 2 lettres *Y* et *Z* à la plume et encre rouge. Collé sur le folio

du volume. Planche 2 d'un manuscrit de 14 p., 12 p. ms et 5 planches, intitulé *Lettre sur le beau Savonnage qu'on pourrait appeler Savonnement de Paris, Adressée aux Mères de Famille, An II de la République, et Méthode de savonner et repasser le Linge recueillie par Jean Jques Lequeu A Madame de C****. Reliure moderne.
Historique : don de l'artiste à la Bibliothèque royale en 1825.

Paris, Bibliothèque nationale, cabinet des Estampes (inv. Lh 34.4°).

Lequeu raconte son enquête sur le savon en partant de l'histoire d'Alxiore, jeune blanchisseuse, veuve depuis peu, dont l'histoire émeut l'artiste jusqu'aux larmes. Son texte destiné aux mères de famille se veut édifiant, glorifie les vertus et le courage des femmes et contraste avec la réputation de galanterie des blanchisseuses. Lequeu traite du savonnage en général, la manière de donner le « beau blanc » au linge, de le détacher, de le colorer, de l'empeser et de le repasser et termine avec le blanchissage des bas de soie. Il dessine deux scènes de lessive et de repassage et trois planches de détails avec les divers instruments nécessaires (fontaines, baquets, chaudron, pincettes pour le charbon, paniers et formes en vannerie pour les jupons). Lequeu reprend le thème de la blanchisseuse, illustré aimablement par Fragonard, Chardin, Greuze ou Boilly et d'une manière plus dramatique au siècle suivant par Degas, Picasso et bien d'autres artistes (Exp. : Fresnes, 1986). Lequeu conçoit son dessin comme les vignettes de l'*Encyclopédie* dans lesquelles toutes les allusions aux conditions de travail (effort du bras sur le fer — plus le fer est lourd, plus il conserve la chaleur — humidité de l'air, feu et vapeur) sont gommées au profit d'une représentation didactique. Cependant l'emploi du lavis, presque « porcelainé », le jeu d'ombre et de lumière, donnent à ce dessin un caractère mystérieux que l'on trouve constamment dans l'œuvre de Lequeu aujourd'hui conservé presque en totalité à la Bibliothèque nationale. Architecte malchanceux, dessinateur dans les bureaux de l'École des ponts et chaussées, de Polytechnique, du ministère de l'Intérieur, sous les ordres de Prony, pour lequel il exécute des copies de ses dessins, Lequeu dessine, à côté de ses projets visionnaires (HA 80 à 80c, 8 vol.), des planches soignées sur le Vexin normand (Exp. : Paris, Louvre, 1984, n° 101), le lavis (Exp. : Paris, Louvre, 1984, n° 5) et le dessin (Kc 17), la mécanique (Ia 36).
Les progrès techniques, le souci du bien-être des particuliers entraînent de nombreuses recherches de la part des savants et techniciens et la création d'établissements fonctionnels destinés à améliorer la vie de chacun. *L'Art du savon* n'échappe pas aux académiciens ; dès le début du XVIIIe siècle, Réaumur fait exécuter des enquêtes sur les savonneries, qui sont publiées par Duhamel du Monceau avec des informations plus contemporaines, des gravures de Nicolas Ransonnette (1745-1810) d'après des dessins anonymes (Jaoul-Pinault, 1982, p. 341, 1986, pp. 17, 30-31) dans l'*Art du savonnier* (Paris, 1774 ; Pinault, 1984, nos 1377-1390) ; l'*Encyclopédie* consacre à ce sujet un article général par le chevalier de Jaucourt

Ouvroir de fileuses à deux mains (cat. 329).

L'Atelier de couture à Arles (cat. 330).

L'Herberie du fabricant de cire Verstraete (cat. 331).

Les Repasseuses (cat. 332).

(Neuchâtel, [Paris], 1765, XIV, pp. 719-720) et cinq planches par Radel et Bernard (Paris, 1771, IX). Un projet de lavanderie est exécuté pour Marie-Antoinette (Versailles, musée national du Château, inv. DES. 296. Exp. : Fresnes, 1986, repr. p. 30). On y voit en coupe, au rez-de-chaussée, les cuves pour le blanchissage, puis au-dessus les diverses salles destinées au séchage, à l'étendage, au repassage et aux phases du linge. Cette représentation d'un atelier, reprise plusieurs fois à la fin du XVIIIe siècle (Moette, *Manufacture de papier peint*, Paris, musée des Arts décoratifs, inv. 37.360, Exp. : Paris, Louvre, 1984, n° 103) préfigure les coupes systématiques d'ateliers et de manufactures du XIXe siècle.   M.Pi.

333
La Visite à la manufacture Wetter

par Jean-Gabriel ROSSETTI

Huile sur toile. H. 2,480; L. 4,640.
Historique : salon de la maison Féraud, ayant appartenu à la famille Wetter, rue de la Fabrique-d'Orange; achat le 11 juillet 1959.
Bibliographie : Féraud, 1887, pp. 8-11; D'Allemagne, 1942, pp. 122-123; Biehn, 1987, pp. 46 et 50; Exp. Marseille, 1987, sous le n° 281.

Orange, musée municipal.

Jean-Rodolphe Wetter, originaire d'Appenzell en Suisse, fonde en 1736, à Marseille, une manufacture de toiles peintes, mais fait faillite en 1755. Deux ans plus tard, il s'installe à Orange, dans les États pontificaux où l'indiennage n'est pas prohibé et emploie plus de cinquante ouvriers. Il recrute des dessinateurs de l'académie de Marseille tels Jean-Antoine Isnard ou Gabriel Dubois de Genève, hommes de talent qui assurent un temps la réputation de la manufacture. Parmi les décisions prises au cours de la période de prospérité de l'entreprise, l'une d'entre elles mérite particulièrement d'être soulignée : le 20 février 1764, soixante et onze graveurs et imprimeurs fondent une société destinée à pourvoir à leur « soulagement » en cas de maladie. Peu d'échantillons de la manufacture Wetter nous sont parvenus ; parmi eux, il faut citer des robes de mariage offertes par la Ville de Paris à vingt orphelines méritantes, à l'occasion du mariage du comte d'Artois, le 25 novembre 1773 (Paris, A. N., AE II 2632 K 1016, n° 192 ; exp. : Marseille, 1987, n° 281). Les cinq peintures de Rossetti conservées au musée d'Orange proviennent du salon de la maison Féraud, construite vers 1760, pour Pignet, le directeur de la manufacture de l'époque. Elles sont dues à un artiste d'origine italienne dont on ne connaît rien. Rossetti commence sa décoration en 1764 et la termine l'année suivante. Féraud signale, comme étant déjà perdu, en 1887, un carnet avec les noms, qualités et professions des personnages représentés. Dans l'œuvre exposée, Jean-Rodolphe Wetter et sa femme sont à gauche ; au centre, le directeur de la manufacture, Pignet (?) s'entretient avec un personnage

suffisamment important pour qu'il garde son chapeau et à qui un ouvrier présente une planche d'impression. Derrière eux, on voit l'atelier où s'activent des ouvriers et des enfants qui travaillent sur de longues tables. A gauche, une machine à impression au rouleau fonctionne avec un mécanisme à grande roue mû par un homme ; à droite, une pièce est destinée au séchage des toiles après impression.
Une autre peinture représente l'extérieur de la manufacture, au même format que la scène précédente, avec au fond le mont Ventoux ; on voit les divers ateliers, les frères Wetter sont placés au centre de la peinture ; sur l'une des caisses, on peut lire : « A Messieurs Wetter et Compagnie à Orange. » Le trois autres toiles de plus petit format montrent les intérieurs des ateliers de pinceautage, de calandrage et de préparation des planches et des couleurs. Rossetti — comme de nombreux artistes de son temps, peut-être plus tardifs, Defrance, Hilleström, Houel, Coclers, qui représentent des scènes de travail — introduit dans la peinture un nouveau thème, celui de la visite du directeur et de sa femme, ou de personnages élégamment vêtus dont la présence tranche avec la réalité du travail. Manufacturier des Lumières, Wetter s'intéresse à l'histoire naturelle, à la littérature et à la poésie ; il meurt en 1788 ; l'un de ses frères, Adrien, capitaine suisse, défend Orange le 29 juillet 1789, lorsqu'une troupe de Piémontais venant du Dauphiné menace de saccager la ville   M.Pi.

334
Intérieur de la manufacture de glaces de Saint-Gobain

par un artiste anonyme

Pierre noire et sanguine. H. 0,946; L. 0,604.
Inscription : en bas au milieu, à la plume et encre noire : « *DESLANDES 1754-1790* ».
Historique : manufacture royale de Saint-Gobain.
Exposition : 1982, Paris, Arts décoratifs, s. n°.
Bibliographie : Hamon, 1977, repr. p. 36; Hamon, 1988 (à paraître).

Paris, Compagnie de Saint-Gobain.

En 1665, la manufacture royale des Glaces est créée à Paris, à l'initiative de Colbert et reçoit un privilège exclusif aboli à la Révolution, pour la fabrication des glaces et de tout objet en verre. Parallèlement, l'importation du verre de Venise est prohibée (Exp. : Paris, Hôtel de la Monnaie, 1983, n°s 228-238). Installée tout d'abord au faubourg Saint-Antoine, puis à Tourlaville près de Cherbourg, la manufacture s'installe ensuite à Saint-Gobain où un verrier orléanais, Bernard Perrot, met au point, vers 1680, la méthode de coulage en table qui marque le début d'une révolution technologique qui va assurer à la manufacture un renom international. Cette innovation technique entraîne la construction de grandes halles verrières en vigueur jusqu'au XXe siècle et dont les planches consacrées à la *Verrerie* de l'*Encyclopédie* (Paris, 1772, X, 69 pl.) et aux

Glaces (Paris, 1765, IV, 47 pl.), inspirées des dessins exécutés pour la *Description des arts et métiers*, dont les dessins appartiennent à la Compagnie de Saint-Gobain; deux autres dessins sont l'œuvre du même artiste, et de conception et d'esprit très semblables : l'un représente le défournement d'un pot chauffé à blanc, toujours en présence du directeur. Plusieurs dessins de Parnois sont datés des environs de 1800 (Deforge, 1981, pp. 100 et 111, note 2). On connaît l'aspect extérieur des bâtiments de la manufacture grâce à l'aquarelle de Tavernier des Jonquières (Paris, B.N., Est., coll. Destailleur, départements, t. V, Ve 26 j. Folios 63 et 112, cat. n°s 1218 et 1270). Un dessin attribué à Cochin est daté 1744.
L'article *Manufacture* de l'*Encyclopédie* (Neuchâtel, [Paris], 1765, X, pp. 60-62) décrit deux types de manufactures : les unes « réunies » auxquelles appartiennent les verreries, comme Saint-Gobain, les forges, les manufactures de porcelaine ou de tapisserie, dans un même lieu, avec le concours d'un grand nombre de personnes et où s'exécutent toutes les opérations nécessaires à la fabrication du produit manufacturé. Leur produit est fixé et élevé, la hiérarchie des tâches et des salaires établie. Ces manufactures ont la protection du gouvernement et reçoivent des soutiens tels que la diminution des droits de sortie pour l'étranger et l'interdiction de favoriser les produits étrangers identiques. Le second type de manufacture étudié par l'*Encyclopédie* est celui de la manufacture dispersée pour laquelle les tâches s'exécutent dans la maison de chaque ouvrier. Ce système est utilisé principalement dans le domaine textile. Dans l'article *Verrerie* (Neuchâtel, [Paris], 1765, XVII, pp. 102-156) un important chapitre est consacré par Antoine Allut fils aux *Glaces coulées*. Allut publie par la suite un *Mémoire sur la fabrication du flint-glass et projet d'un établissement en ce genre* (1782) et soumet à l'Académie royale des sciences un manuscrit sur *l'Art des glaces coulées* destiné à figurer dans la *Description des arts et métiers* et examiné par Lavoisier et Monge (*Lavoisier, correspondance*, 1986, pp. 147-149). Le directeur de la manufacture jusqu'en 1790 est Deslandes, anobli et chevalier de l'ordre de Saint-Michel en 1775. Il laisse des mémoires manuscrits concernant la manufacture (Paris-La Défense, Arch. de Saint-Gobain). Il est représenté ici, vers 1780-1785 en compagnie de sa femme et de son fils visitant une des halles où se tiennent autour de la table de coulage des ouvriers vêtus de l'habit propre aux verriers avec les chemises rembourrées, les chapeaux à large bord, les chaussures à guêtres. L'artiste, comme ses contemporains plus talentueux Wright of Derby ou Hilleström, joue avec les ombres et la lumière, le rouge et le noir.
Lavoisier s'intéresse de près au même en compagnie de Fougeroux de Bondaroy (Paris, coll. part. ms. divers ; Jaoul-Pinault, 1986, pp. 17-18 et note 25). Il visite Saint-Gobain et lève un plan général (vente Paris, hôtel Drouot, 7 mars 1756, n° 13) et correspond avec le sous-directeur, Pierre Loysel (1751-1813), (bibliothèque du Muséum national d'histoire naturelle, papiers Guettard

et arch. Chabrol. *Lavoisier, correspondance*, 1986, pp. 213, 218-219). C'est aussi la manufacture de Saint-Gobain qui coule les deux glaces de 52 pouces de diamètre, coupées et travaillées sur une portion de sphère, destinées à la grande loupe inventée par M. de Bernières et construite pour l'Académie royale des sciences, sur l'ordre de Trudaine et expérimentée par Brisson, Lavoisier, Macquer et Montigny. Charpentier, « mécanicien au Vieux Louvre » en donne une représentation dont on connaît deux états (Paris, B.N., Est., Ia 73 et Ef 22 ; Roux, 1940, p. 218)   M.Pi.

335
Extraction de marbre Sainte-Anne d'une carrière

par Léonard DEFRANCE

Huile sur bois. H. 0,410 ; L. 0,570.
Inscription : en bas à droite : « L. Defrance de Liège ».
Historique : achat par Paul Marmottan en 1918 à S. Lion et fils ; legs de Paul Marmottan à l'Institut.
Expositions : 1791, Paris, Salon, n° 202 ; 1939, Paris, Carnavalet, n° 1196 ; 1958, Charleroi, n° 19 ; 1981, Londres, n° 56 ; 1985-1986, Bruxelles, n° 331.
Bibliographie : Lefuel, 1934, n° 280 ; Dehousse - Paco - Pauchene, 1985, n° 306.

Paris, musée Marmottan (inv. 690).

Après un apprentissage à Liège et à Rome, Defrance vient à Paris, où il séjourne plusieurs fois par la suite, et se lie avec le monde des Lumières. Il illustre ses convictions personnelles par de nombreuses citations d'Helvétius ou de Beccaria qu'il peint sur les murs de ses *Imprimeries* ou *Intérieurs*. Au moment de la Révolution, il se réfugie à Paris et ne revient à Liège qu'en 1794, en même temps que les Français avec lesquels il collabore de 1795 à 1797. Il est personnellement engagé dans la démolition de la cathédrale de Liège et l'envoi à Paris d'œuvres d'art de cette ville. Ses œuvres représentent essentiellement des scènes populaires qui mettent en scène le peuple vu avec réalisme et bienveillance. Fortement marqué par les idées de l'*Encyclopédie*, Defrance s'en détache d'une manière radicale par son souci de voir l'homme en action, au travail, dans ses tâches quotidiennes. Il inclut lui aussi dans ses représentations de manufactures de tabac, de forge et de clouterie, de tannerie ou d'imprimerie (en majorité conservées à Liège et à Bruxelles), le thème de la visite du lieu de travail par un couple élégant. Dans l'*Extraction de marbre Sainte-Anne d'une carrière*, il montre l'un des gisements de marbre « noir » dit marbre Sainte-Anne ou bleu belge.
Il joue, comme le fait Houel dans la *Cave de Dieppedalle*, avec le relief bleuté de la roche aux diagonales très accentuées donnant ainsi à sa composition un caractère fantastique. Un couple de citoyens français visite la carrière : lui porte vraisemblablement le costume de la milice wallonne avec une bicorne à cocarde tricolore, elle un chapeau de paille avec un ruban tricolore. Leur attitude un peu raide contraste

---

avec la bonhomie du personnage vêtu de rouge et les ouvriers représentés à leur travail d'une manière maternelle (Vissol, 1985-1986).M.Pi.

336
La Forge d'ancres de Söderfors

par Pehr HILLESTRÖM le Père

Huile sur toile. H. 1,37 ; L. 1,85.
Historique : acquis par le propriétaire de Söderfors Adolf Ulrik Grill ; achat du musée en 1862.
Expositions : 1955, Paris, musée national des Travaux publics, n° 90 ; 1977-1978, Le Creusot, Chalon-sur-Saône, p. 11.
Bibliographie : Rönnow, 1929, pp. 301-306.

Stockholm, Nationalmuseum (inv. NM 961).

Les ancres provenant de la forge de Söderfors, établie au centre de la Suède en 1670, étaient réputées pour leur qualité et constituaient au XVIIIᵉ siècle un important produit d'exportation suédois. Elles pesaient entre cinq cents et six cents kilos et étaient fabriquées d'après une méthode propre à Söderfors.
De 1781 à 1798, Pehr Hilleström le Père a peint douze tableaux de la forge de Söderfors. Celui-ci est un des premiers, datant de 1781-1782, et le plus important par ses dimensions. Il fut acquis par le propriétaire de la forge, A.U. Grill, membre d'une des plus riches familles de la bourgeoisie commerçante du pays. C'est lui qu'on aperçoit à l'extrême droite, venu visiter l'usine en compagnie de sa femme et de deux hôtes. Sans doute a-t-il demandé en achetant la toile que ce groupe soit ajouté à une scène qui à l'origine ne représentait apparemment que le travail des ouvriers métallurgistes.
Ces visiteurs semblent surtout admirer l'effet pittoresque produit par l'activité des forgerons devant les âtres aux feux jaunâtres et ils « représentent, en cette fin du XVIIIᵉ siècle, la force progressiste de la société détenant des moyens de production moderne. Ils sont curieux, fiers de voir et de montrer leur usine dotée, bien souvent, des derniers perfectionnements technologiques. Les hommes affairés aux différentes tâches qui leur sont attribuées se fondent dans le système mécanique fidèlement décrit. » (cat. expo. : 1977, le Creusot, *op. cit.*).   P.Gr.

337
Usine à coton de Boyer-Fonfrède

par un artiste anonyme

Plume, encre noire, lavis de couleurs. H. 0,649 ; L. 0,924.
Inscription : en haut, à gauche, à la plume et encre noire : « COUPE prise sur la ligne AB de la seconde Feuille » ; à droite : « Feuille 4ème » ; en bas au milieu : « Echelle de 6 toises ».
Historique : ancien fonds.
Exposition : 1963, Paris, C.N.A.M., n° 387.

Bibliographie : Ballot, 1923, pp. 92-93 ; Daumas, 1980, p. 212.

Paris, Conservatoire national des arts et métiers, musée national des Techniques, portefeuille industriel (n° 170).

En 1790, François Boyer-Fonfrède (mort après 1816), frère du Conventionnel, se rend en Angleterre et ramène plusieurs ouvriers pour fonder une manufacture de coton, qu'il installe en compagnie de son associé dans les bâtiments des bénédictins et des jacobins achetés à la ville de Toulouse. Cette entreprise connaît des vicissitudes dues principalement à des problèmes politiques et la Révolution disperse les ouvriers qui essaiment en France la filature mécanique. Le Directoire lui cède le bâtiment des jacobins ; il monte alors la plus grande filature existante dans la République. Trois ateliers sont en activité : celui de la Daurade avec 4 944 broches, celui proche du Bazacle avec 60 métiers hydrauliques et un atelier de tissage aux Jacobins avec 110 métiers à navette volante. Boyer-Fonfrède fait construire également sur place, les machines nécessaires à la bonne marche de son établissement ; on y voit quatre tours de fer et quatre tours à bois (Ballot, 1923, pp. 93-94). Le dessin présenté fait partie d'un dossier de cinq feuilles : plan des cuves, du rez-de-chaussée, du quatrième étage et deux coupes. Au verso de l'une d'elles, une note indique que ces dessins sont copiés sur des « originaux communiqués par M. S. Ovide ». Le bâtiment est sur la rivière, les roues et engrenages au sous-sol ; le rez-de-chaussée et les quatre étages sont occupés par les 133 machines dont 118 mues par la même roue, en l'an VII ; les deux derniers étages servent de magasin. Boyer-Fonfrède y emploie 336 ouvriers. Lorsqu'en 1790, le ministre de l'Intérieur invite les patrons à prendre des « enfants assistés », Boyer-Fonfrède engage 250 garçons et 150 filles et fonde pour eux en l'an XI, une école gratuite d'industrie (Ballot, 1923, pp. 39 et 94). Boyer-Fonfrède développe sa filature et y installe des mull-jennies. Comme à Harfleur, la filature est par la suite transformée en moulin à blé. Boyer-Fonfrède est le commanditaire de deux œuvres de François-André Vincent (1746-1816), la *Leçon d'agriculture* (Salon de 1798, Bordeaux, musée des Beaux-Arts) et les *Négociants sur le port de Marseille* (dessin, Marseille, musée de la Marine), destinées à une peinture jamais exécutée et devant former avec d'« autres parties intéressées de l'éducation » une suite pédagogique. Un dessin, représentant une mère de famille (Mme Boyer-Fonfrède ?) encourageant ses enfants à secourir les malheureux, est peut-être une allusion à l'emploi des enfants dans les ateliers considéré alors comme un geste humanitaire. Le *Portrait de Boyer-Fonfrède et de sa famille* toujours par Vincent est conservé au musée de Versailles (Exp. : Paris, Grand Palais, 1974-1975, n° 130). Ovide travaille avec les frères Périer aux greniers à grains de Harfleur, et avec Boyer-Fonfrède qu'il quitte en 1803. Il établit alors à Toulouse dans le moulin à Bazacle, un « moulin économique » proche de ceux de Philadelphie (probablement le système d'Oliver Evans, 1755-1811 ; Daumas,

La Visite à la manufacture Wetter (cat. 333).

La Forge d'ancres de Söderfors (cat. 336).

Extraction de marbre Sainte-Anne d'une carrière (cat. 335).

Intérieur de la manufacture de glaces de Saint-Gobain (cat. 334).

Usine à coton de Boyer-Fonfrède (cat. 337).

Métier à tisser (cat. 338 A).

Métier à tisser (cat. 338 B).

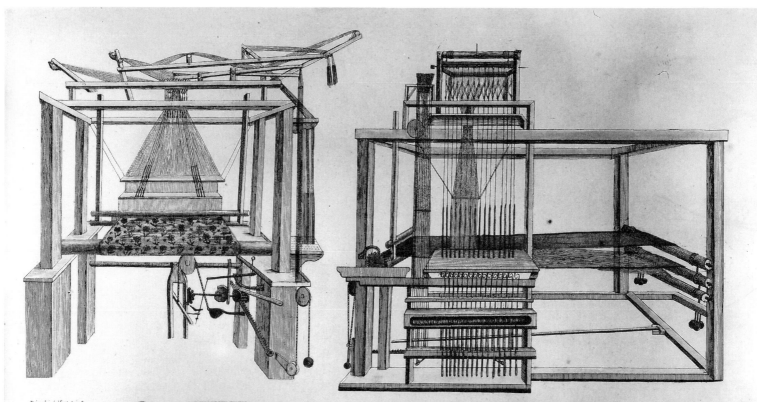

Nouveau Métier pour fabriquer toutes sortes d'Etoffes en soye, façonnées et autres.
Dédié et présenté à la Nation, à Louis Seize Roy des françois Restaurateur de la Liberté en 1791.
Par Claude Rivey de Lyon Inventeur, Artiste et Mechanicien, demeurant à Paris Rue Richer faubourg Montmartre.

Ce Nouveau Métier réuni 3 objets principaux, et 2 accessoires des plus desirés, le 1er objet est la réduction des 200 à 800 poulies à une seule enforme de Cilindre, ce qui rend le travail des Etoffes beaucoup plus doux, le 2eme objet est la suppression du tireur de bouton qui met l'ouvrier dans le cas de travailler seul et de rendre son Etoffe au teur fixé par ses commetans, le 3eme objet réduit les 20 à 24 marches ou pédales à une seule ce qui exempte à l'ouvrier les maux de jambes, hernies et descente auxquels il étoit sujet, rend l'Etoffe plus parfaite, l'exécution plus facile, surtout à celles qui exigent plusieurs armures réunies, comme satin, prunelle, croisé, gros de tours ou tissélas; les ouvriers par ce 3eme seront plus tentés de continuer ces travaux, et les jeunes gens de vouloir les apprendre, ce qui en général facilitera nos Manufactures et le commerce à se maintenir en bonne vigueur.

Les accessoires sont 1° le prompt changement du fond de l'Etoffe par des nouveaux crochets à rénures au lieu des noeuds aux cordes et fils d'Arcades, comme cy devant, le 2eme le changement aussi prompt des dessins par la manière de déboyder, au lieu de dénouer les dites cordes.

Ces grands avantages ont été reconnus et approuvés par l'Académie des sciences, les fabriquants de Lyon, les sections de Paris, les Comités d'Agriculture et de commerce de l'Assemblée Nationale qui en demandent la publicité; c'est par ces motifs que l'Auteur patriote l'offre à tous les départements du Royaume afin d'engager les Capitalistes commerçants ou autres à former des sociétés pour répondre plus facilement aux commissions Nationales et Etrangeres, et procurer plus abondament des fonds et des travaux aux Citoyens.

Rivey est aussi l'inventeur des métiers méchaniques en tricot à fleurs, des métiers en Etoffes riches et brochées, le 1er surtout a procuré une Nouvelle branche de Commerce très importante, reconnue approuvé et rendu publics en 1774. et celui des dites Etoffes brochées en 1780.

Métier à tisser la soie de Rivey (cat. 339).

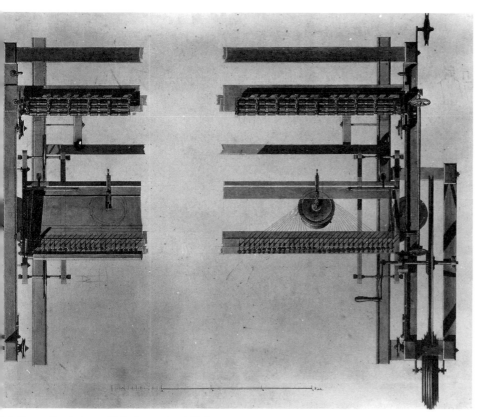

...ail d'un métier à tisser « Mule Jenny » (cat. 338 C).

1980, pp. 220-221), qui comprend, selon une lettre, datée 1804, d'Ovide adressée à Molard, 20 jeux de meules pouvant réduire 1 200 sacs de blé par jour. A cette date, le Préfet et les administrateurs civils souhaitent y établir une filature de coton pouvant occuper 1 000 à 1 200 enfants (Paris, C.N.A.M., bibl., n° 358).

M.Pi.

338 A, B et C
Métier à tisser

par un artiste anonyme

Deux dessins :

A. Face et détails. Plume, encre noire, lavis de couleurs. H. 0,458 ; L. 0,385. Annotations manuscrites à la plume et encre noire.
Inscription : en haut à gauche : « 1ère Planche » ; au milieu : une figure ; puis en bas, de gauche à droite : « 2ème figure à 8, figure ».

B. Profil. Plume, encre noire, lavis de couleurs. H. 0,330 ; L. 0,300. Annotations manuscrites à la plume et encre noire.
Inscription : en haut à gauche : « 2ème planche ; 2ème planche » ; au milieu : « 9ème figure ».
Historique : ancien fonds.

Paris, Conservatoire national des arts et métiers, musée national des Techniques, portefeuille industriel (inv. 191).

C. Détail d'un métier mule-jenny
par un artiste anonyme
Pierre noire, plume, encre noire et lavis de couleurs. H. 0,453 ; L. 0,576.
Inscription : en bas au milieu : échelle à la plume et encre de « 4 Pieds ».
Historique : ancien fonds.

Paris, Conservatoire national des arts et métiers, musée national des Techniques, portefeuille industriel (inv. 541).

L'industrie du textile connaît au XVIIIe siècle de profonds changements autant dans ses structures que du point de vue technique. Les métiers du textile sont dispersés et effectués au sein même des familles, à domicile ; ce qui entraîne un archaïsme certain du matériel. Avec la fin du XVIIIe siècle tout bascule, comme l'a démontré Charles Ballot (1923), sous l'influence non seulement des autorités royales désireuses de concurrencer l'Angleterre mais aussi d'hommes entreprenants, tel François-Nicolas Brisont de Barneville, qui se heurtent parfois au corporatisme et aux habitudes des ouvriers. On assiste alors à la formation d'une bourgeoisie capitaliste. Le rôle des inspecteurs des manufactures est primordial : Roland de La Platière est parmi eux l'un des plus actifs. Des savants sont envoyés dans les manufactures, des modèles réduits sont conçus, des mémoires avec dessins rédigés. On fait également appel à des techniciens étrangers, John Holker (né en Angleterre, 1719) étant le plus connu, au courant des progrès réalisés dans leur pays d'origine pour fonder des établissements et proposer de nouvelles méthodes de tissage.

Les métiers du textile connaissent des stades divers : le fil est fabriqué manuellement ; l'industrie de la soie est plus élaborée ; les métiers à rubans et à bas automatiques depuis plusieurs années, tandis que l'industrie de la laine s'est développée depuis le XVIIe à l'intérieur de grandes manufactures comme celle des Van Robbais à Abbeville. Les métiers à tisser dispersés sont alors regroupés dans un même établissement n'entraînant que peu de déplacements de population, mais plutôt une transformation non seulement de l'industrie mais aussi de la classe ouvrière : ce regroupement des activités augmente le personnel ouvrier, essentiellement des femmes et des enfants, moins payés que les hommes.

L'introduction du machinisme se fait progressivement. La navette volante de John Kay (né en 1704) est utilisée en France dès 1747 et transforme le tissage de la laine et du coton. Les frères Sévenne, représentés par Isabey dans deux dessins, *Bonaparte visitant à Rouen la manufacture des frères Sévenne en novembre 1802* (Paris, Louvre, inv. 27.233 et Rouen, musée des Beaux-Arts), inventent un procédé pour fabriquer les velours et piqués avec deux navettes fonctionnant simultanément. Holker agit à la fois dans le domaine du tissage et de la teinture (Exp. : Marseille, 1987, n°s 159-160). Il fonde plusieurs manufactures et crée des écoles de filature destinées à mieux former les ouvriers. Il introduit un grand nombre de machines pour le coton comme pour la laine : presses à chaud, moulins à retordre, machines à carder et à filer. En 1771, le fils d'Holker se rend en Angleterre et réussit à ramener en France, une jenny dont le modèle ne tarde pas à se répandre et à se perfectionner. Les travaux de Charles Ballot ont bien montré la genèse de cette évolution que l'on peut suivre à travers les documents de la série F12 des Archives nationales à Paris et les nombreux dessins et maquettes conservés dans divers fonds (Paris, A.N., C.N.A.M./M.N.T., B.N./Est. et Lyon, musée historique des Tissus). C'est sans doute dans le domaine de la soie que les techniciens se montrent les plus créatifs et plusieurs personnages se détachent : Jacques de Vaucanson (1709-1782), lié à toute l'histoire du machinisme en France, est nommé inspecteur des manufactures de soie. Il est l'auteur de machines pour tirer et mouliner de la soie (Ballot, 1923, pp. 316-327). Les travaux menés à Lyon, par plusieurs inventeurs, Basile Bouchon, maître passementier, et surtout Falcon (mort en 1765), qui crée un métier à cartons perforés sur lequel Fougeroux de Bondaroy donne de nombreuses indications dans son *Journal* (Lyon, bibl. municipale, ms. 5973 ; Jaoul-Pinault, 1986, p. 30 ; Paris, A.N. F12 2183 et 2201), et Philippe de La Salle (1723-1804), dessinateur de modèles pour tissus et mécanicien, dont Jean-Jacques de Boissieu fait le portrait dessiné (Lyon, musée historique des Tissus, inv. 2308 ; Perez-Pivot, 1932, vol. 2/2 n° 398), préfigurent ceux de Joseph-Marie Jacquard (1752-1834) qui transforment radicalement les méthodes de tissage de la soie (Ballot, 1923, pp. 334-382).

M.Pi.

339
Métier à tisser la soie de Rivey

par P.A.F. DECACHÉ

Taille-douce, lavis de couleurs. H. 0,254 ; L. 0,405 au trait carré. Emargé.
Inscription : en bas à gauche : « Decaché Del. et Sculp. » ; le long du bord inférieur : « Nouveau Métier, pour fabriquer toutes sortes d'Etoffes en Soye, façonnées et autres. Dédié et présenté à la Nation à Louis Seize Roy des françois. Restaurateur de la Liberté en 1791. Par Claude Rivey de Lyon, Inventeur-artiste et méchanicien, demeurant à Paris Rue Richer Faubourg Montmartre » et longue légende explicative.
Historique : ancien fonds.
Bibliographie : Ballot, 1923, p. 359, note 4.

Paris, Conservatoire national des arts et métiers, musée national des Techniques, portefeuille industriel (n° 193).

Claude Rivey réunit « les suffrages et les attestations les plus flatteuses de tous les corps constitués, communautés de Lyon et Paris, chambres de commerce, Académie des sciences », comme le remarque Ballot qui suppose que son métier coûteux et compliqué est resté à l'état de modèle. Il est surtout connu pour un métier à bas destiné au tricot à fleurs, approuvé et rendu public en 1774. Les diverses archives des institutions conservent un grand nombre de documents relatifs aux propositions de projets et sollicitations de pensions continuelles que ne cesse de demander Rivey (Paris, A.N. ; Ballot, *op. cit.*, et T 6021 ; C.N.A.M./M.N.T., archives 10-389 et bibl. n° 364 ; Académie des sciences, archives). En 1780, Rivey présente au roi un modèle de métier pour les étoffes brochées et lui dédicace une gravure de Bordier en tant que « Respectueux et très Fidèle Sujet » (portefeuille industriel, n° 193). La gravure exposée porte une dédicace à « Louis seize Roy des français. Restaurateur de la Liberté en 1791 », Rivey n'est plus sujet mais « Inventeur artiste et Méchanicien ». Le métier présenté réunit selon son auteur trois avantages dont le troisième à caractère humanitaire : il réduit les vingt à vingt-quatre marches ou pédales à une seule, ce qui exempte à l'ouvrier les maux de jambes, hernies ou descentes auxquels il était sujet... « Quelques portraits » du graveur Decaché, originaire de la région rouennaise sont connus (B.N., Est. ; Roux, VI, Paris, 1949, pp. 191-193).

M.Pi.

340
Vase du premier jour (First Day's vase)

Manufacture de Wedgwood.

Imitation de basalte noir avec peinture rouge à l'encaustique. H. 0,254.
Inscription : « JUNE XIII.M.DCC.LXIX./One of the first Days Productions/at/Etruria in Staffordshire,/by/Wedgwood and Bentley./ » ; en bas : « Artes Etruriae renascuntur ».
Historique : resté dans la famille de Wedgwood ; donné au musée en 1911.

Expositions : 1978, Londres ; 1984, Londres.
Bibliographie : cat. expo. Londres, 1951, p. XI ; Wedgwood, 1984, p. 17.

Barlaston, The Wedgwood Museum (inv. 73).

Josiah Wedgwood (1730-1795) fonda, en 1759, à Burslem dans les Midlands, la Wedgwood Pottery. Elle connut un tel succès que, dix années plus tard, il créait, tout près de la première, une autre splendide manufacture. Dénommée *Etruria* en souvenir des vases grecs dits « étrusques » mis au jour à l'époque en Italie, la nouvelle manufacture fut inaugurée le 13 juin 1769. Wedgwood lui-même lança, pour commémorer l'événement, six vases ornementaux en « basalte noir », connus comme les « First Day's Vases » (les « Vases du premier jour »). Seuls quatre vases ont survécu jusqu'à aujourd'hui dont deux conservés au musée de Barlaston. Le « basalte noir » était le nom donné à une faïence noire, très fine et dure, obtenue par un mélange d'argile du Staffordshire, d'ocre calcinée, de scories de fer et de bioxyde de manganèse, que Wedgwood mit au point avant 1769.

Ces vases adoptaient des formes grecques, ici un *lebes gamikos.* Les personnages classiques figurés sur une face représentent Hippothion, Antiochus et Clyménos, l'artiste ayant emprunté ces figures au catalogue du baron d'Hancarville, *Collection d'antiquités étrusques, grecques et romaines provenant du cabinet de l'honorable William Hamilton* (1756-1767), (vol. I, planche 129).

La peinture à l'encaustique fut exécutée en grande partie dans les ateliers de décoration de Wedgwood à Chelsea, sous le contrôle de son associé, Thomas Bentley. **C.B.-O.**

341
Le Vase Portland

Jaspe noir, orné de bas-reliefs blancs. H. 0,267.
Historique : resté dans la famille de Wedgwood ; donné au musée.
Exposition : 1978, Londres.
Bibliographie : cat. expo. Londres, 1951, p. XI ; Wedgwood, 1984, p. 17.

Barlaston, The Wedgwood Museum (inv. 4878).

Le vase romain d'origine en verre dit « vase Portland », daté de 25 ap. J.-C. environ, est conservé au British Museum de Londres. Sir William Hamilton, ambassadeur de Grande-Bretagne à la cour de Naples, qui l'avait acheté en Angleterre, le vendit en 1785 à la duchesse douairière de Portland. Josiah Wedgwood (1730-1795) emprunta le vase, pour l'étudier et en exécuter une copie en jaspe, au troisième duc de Portland, après la vente en 1786 de la collection de sa mère. Après des mois de discussions avec son principal modeleur, Henry Webber (1754-1826), et trois années consacrées à étudier la cuisson, Wedgwood produisait en 1789 sa première bonne copie en jaspe du vase Portland. Il la considéra comme son chef-d'œuvre. Il en exécuta une cinquantaine

Manufacture de Wedgwood, « First Day's vase » (cat. 340).

Manufacture de Wedgwood, le Vase Portland (cat. 341).

d'exemplaires (dont une quinzaine dans la version définitive) vers 1790, et vendit les plus achevés pour le prix d'environ trente guinées chacun.

L'identification de la scène peinte sur le vase n'a jamais été totalement éclaircie. Traditionnellement, elle représenterait Pélée et Thétis, et le personnage figuré sur le socle serait Pâris. Le nombre « 25 » est peint en manganèse à l'intérieur du bec de ce vase, qui est la propre copie par Josiah Wedgwood de son vase Portland. **C.B.-O.**

342
Papier peint lampas

par la manufacture Réveillon

Impression à la planche, une couleur sur fond brossé « cheveu ». Papier H. 0,960 ; L. 0,540.
Inscription : verso, à la plume et encre noire : « N° 681 fond cheveu et blanc ».
Historique : ancienne collection Follot ; acquis à la vente Sotheby, Monte-Carlo, février 1982.
Bibliographie : Musée rétrospectif de la classe 68, Paris, p. 23 ; Clouzot et Follot, 1935, p. 99.

Paris, musée des Arts décoratifs (inv. 50306).

La tradition manufacturière rapporte que ce papier peint est le dernier lampas imprimé au moment de la mise à sac en 1789 de la Folie-Titon. Il est tout à fait caractéristique de la production de la manufacture, basée essen-

tiellement sur des motifs textiles fleuris se détachant, sur des fonds colorés : « cheveu », bleu, rouge, jaune, vert (Exp. : Marseille, 1987, n° 105). Une soierie identique est conservée dans les archives de la maison lyonnaise Prelle (sous la cote 2614 — ancien document Lami et Gautier 2192. Achat en 1906). **V.deB.**

Manufacture Réveillon, Papier peint lampas (cat. 342).

La manufacture Réveillon et les journées d'avril 1789

« La manufacture royale de papiers peints & de papiers veloutés pour les ameublemens. »

Cette manufacture, formée par le sieur Réveillon, qui en est l'entrepreneur, est la plus considérable de cette espèce qui existe en Europe.

Les papiers peints & les papiers velouté qui s'y fabriquent surpassent, tant pour la beauté & la richesse des dessins, que par l'exécution fine & soignée les papiers anglais autrefois si estimés, & qui, dans le principe, leur avaient servi de modèles.

On y fait des papiers veloutés & nués de diverses couleurs, qui imitent les étoffes les plus précieuses.

Des Dessinateurs & des Peintres, artistes habiles et choisis, y sont employés à exécuter des panneaux, tant en arabesques que dans les goûts les plus nouveaux, pour la décoration des salons, boudoirs, &t.

Enfin les productions qui sortent de cette manufacture sont portées à un degré de perfection qui lui a mérité l'attention et les grâces du Gouvernement, & particulièrement le titre de Manufacture Royale, par Arrêt du Conseil d'Etat, du 13 Janvier 1784, revêtu des Lettres Patentes données à Versailles le 28 du même mois, enregistrées au Parlement le 27 Février suivant.

Cet établissement est situé sur partie du terrain de la maison bâtie en 1711, par Maximilien Titon, Secrétaire du Roi, nommée depuis la Folie-Titon,...

Les atteliers vastes et magnifiques de cette Manufacture, où l'on occupe journellement près de 400 ouvriers, sont ouverts au Public et aux étrangers. Ils méritent d'être vus[1]. »

Aux premiers jours de 1789 cette description de la manufacture Réveillon demeure des plus actuelles et évoque fort bien le lieu où éclatent les émeutes des 27-29 avril.

Jean-Baptiste Réveillon, manufacturier prospère du faubourg Saint-Antoine, a été élu électeur suppléant dans le district de Sainte-Marguerite lors de la constitution des assemblées préliminaires chargées de désigner les électeurs siégeant aux États généraux.

Or « Le 27 Avril, trois heures après-midi, dans le moment où les Electeurs assemblés s'occupaient de nommer des Commissaires pour la rédaction des Cahiers, un Electeur répandit la frayeur dans l'Assemblée, par un rapport qui n'était malheureusement que trop vrai. Il déclara que, dans le faubourg Saint-Antoine, environ 3000 ouvriers s'étaient réunis & projettaient de grossir leur troupe, en enrôlant avec eux les ouvriers du faubourg Saint-Marceau : que ces hommes, armés de buches, portaient une effigie offensante pour un des membres de l'Assemblée, & que, par un effet de la fureur qui les animait comme le sieur Réveillon qui, loin d'avoir des torts à leur égard, s'était montré leur bienfaiteur dans la dernière calamité, ils se proposaient de venir l'arracher à l'Assemblée, & de le mettre à mort[2]. »

« Le Sieur Réveillon qui a différentes fabriques de papier où il employe un grand nombre d'ouvriers et qui les a tous nourris l'hyver dernier quoique la rigueur de la saison ne leur permit pas de travailler, s'étant permis de dire la semaine dernière qu'un ouvrier peut vivre avec 15 sols. Ce propos a été mal interprété ... De la grande rumeur on s'est assemblé, on a proscrit Réveillon et un salpetrier son ami, on les as condamné à être brûlé par un arrêt de la cours du tiers, on a été avant hier dans un magasin de Réveillon qu'on a détruit ... et une quantité assez considérable du peuple a promené dans Paris un mannequin qu'on appelait Réveillon et on a été le brûler à la Grève.

Tout cela s'est passé sans effusion de sang et sans que personne ait paru pour s'y opposer.

La sédition a été plus sérieuse le 28... un grand nombre se sont assemblés auprès de la Maison de Réveillon pour la piller et la bruler, il y avait été établi une garde qui l'a défendue autant qu'elle a pû, mais elle n'a pu empêcher qu'elle fut pillée et que tout ce qu'elle enfermait ne fut détruit, on a fait approcher deux Compagnies de Royal Cravattes qui ont été enveloppées et ont couru grand risque, deux soldats ont été tués, on a fait venir a leur secours les gardes françaises et les gardes suisses, on les a fait suivre par dix pièces de campagne pour former un cordon et empêcher qu'on ne pénétrat dans la ville, le peuple était monté sur les toits dans le faubourg Saint-

Antoine et assommait le soldat dans les rues avec les thuiles, les bois et tout ce qu'on pouvait se procurer, les troupes de leur côté — ont tiré on a employé le canon et on assure qu'il y a beaucoup de monde péri, le carnage a cessé cette nuit ... Paris Ce 29 Avril 1789[3]. »

Un autre bourgeois ajoute : « 30 Avril. Les troupes répandues dans Paris sont aujourd'huy retirées.

Le nombre des morts parait beaucoup plus grand qu'on ne l'avait dit d'abord. Ils sont tous (ceux qui n'ont pas été reconnus sur le champ) au Cimetière de Montrouge... Ils sont exposés à la visite de tous ceux qui peuvent avoir intérêt à les reconnaître on en portait encore hier soir et des blessés à l'hotel Dieu...

Il parait constant aujourd'huy qu'il n'y a eu qu'un grenadier du Guet à cheval blessé d'un coup de fusil à la tête. on a trouvé beaucoup de séditieux morts en expirant dans les caves de Réveillon, où ils ont bu des liqueurs servant à la préparation des couleurs.

Il n'y a plus d'attroupement, il y a un détachement de Royal Cravat logé dans le Faubourg Saint-Antoine pour assurer le bon ordre[4]. »

Un autre témoin encore écrit : « Du 29 Avril au soir. Il a été arrêté 22 particuliers prévenus d'avoir eu part à la terrible *révolution* qui a si fort allarmé la capitale. 2 ont été jugés à 6 heures et condamnés prévotalement a être pendus à l'entrée du faubourg Saint-Antoine... Ces 2 malheureux sont l'un un cardeur de matelats rue faubourg Saint-Marceau, l'autre un commissionnaire demeurant rue Saint-Sauveur l'execution sera sur les 7 a 8 heures du soir. On ne voit que les troupes dans Paris, à pied et à che-val, on dirait être dans une ville de guerre[5]. »

Si tous les récits s'accordent sur le déroulement de l'émeute et sur ses causes immédiates, il est beaucoup plus difficile de déterminer le nombre de victimes. Seul un certain Vallet donne des chiffres et note « les uns disent qu'il y a eu 1200 personnes de tuées, d'autres disent 600[6]. »

Quant à Réveillon, quelles furent les pertes matérielles dont il souffrit ? Il rapporte lui-même : « (Ces furieux) allument trois feux différens, dans lesquels ils jettent successivement mes effets les plus précieux, & ensuite tous mes meubles, sans en excepter un, mes provisions même, mon linge, mes voitures, mes registres.

N'ayant plus rien à brûler, ils se jettent sur les décorations intérieures de mes appartements : ils brisent toutes les portes, toutes les boiseries ; tous les châssis des fenêtres ; ils mettent en morceaux ou plutôt en poussière toutes mes glaces, ils enlèvent les chambranles de marbre, de toutes les cheminées, & les brisent aussi ; ils arrachent même jusqu'à des rampes de fer ; enfin, joignant la bassesse à la fureur, ils m'emportent une grande partie de mon argent.

Une perte immense, une maison... qui présente par-tout l'image de la désolation, mon crédit ébranlé, ma Manufacture détruite... et surtout, mon nom qui a été voué à l'infamie[7]. »

Il est certain en tout cas que Jean-Baptiste Réveillon fut profondément marqué par ces journées d'avril 1789 puisque, plus jamais, il ne participa aux activités de cette manufacture qu'il avait su conduire à un si grand niveau de prospérité à la veille de la Révolution.

Véronique de Bruignac

L'orthographe de l'époque a été respectée.
B.H.V.P. : Bibliothèque historique de la Ville de Paris.

1. *Guide des amateurs & des étrangers voyageurs à Paris*, publié par M. Thiéry en 1787. B.H.V.P. 930 035 et bibliothèque U.C.A.D. S 1894.

2. « Acte patriotique de trois électeurs du Tiers-État, ou la Sédition dissipée », B.H.V.P. 6460 (n° 14).

3. B.H.V.P. NA ms. 108 folio 47.

4. B.H.V.P. NA ms. 108 folio 57.

5. B.H.V.P. NA ms. 108 folio 51.

6. B.H.V.P. NA ms. 108 folio 45 Vallet A Paris Ce 29 Avril.

7. « Exposé justificatif pour le sieur Réveillon, Entrepreneur de la Manufacture royale de papiers peints. *Fauxbourg Saint-Antoine.* » 4 septembre 1789. B.H.V.P. 965 622.

343
La Salpêtrière

par Louis-Jean-Jacques DURAMEAU

Gouache. H. 0,528 ; L. 0,402.
Inscription : signé à la plume et encre noire sur le montage d'origine : « Du Rameau in Roma 1765 ». Marque *P* à sec en bas à droite non identifiée. Au verso au crayon noir : « la fabrique de l'huile de vitriol et du vitriol à Rome par Rameau ».
Historique : acquis en 1921 de Mme Mallet, veuve de M. Mallet, monteur de dessins au musée du Louvre.
Expositions : 1767, Salon, n° 164 ; 1984, Paris, Louvre, n° 123.
Bibliographie : Diderot, *Salons*, III, 1767, Oxford, 1963, pp. 40, 296, pl. 67 ; Proust, 1973, p. 77, repr. en couverture ; Sandoz, 1980, pp. 61, 78, n° 18, repr. fig. 19 ; Bukdhal, Copenhague, 1980, I, p. 203 ; Leclair, in Exp. Paris, Hôtel de la monnaie, 1984-1985, pp. 197-198, repr. ; Pinault, 1984/2, p. 25 ; Leclair (à paraître).

Paris, musée du Louvre, cabinet des Dessins (inv. RF 5227).

« Cette salpêtrière, avec ses cuves, ses bassins, ses fourneaux et ses fabriques est une chose excellente... le tout éclairé d'une lumière vaporeuse et chaude dont l'effet est on ne saurait plus piquant », écrit Diderot devant cette gouache exécutée par Durameau lors de son séjour à Rome en 1764 (exposée au Salon avec une autre gouache, *La Cocagne du carnaval à Naples en 1764*). L'œuvre de Durameau est unique dans ce siècle où paraissent simultanément la *Description des arts et métiers* et l'*Encyclopédie*, dont les planches didactiques et ordonnées ne cherchent pas à traduire le monde du travail tel qu'il est réellement, avec la situation difficile des ouvriers, les conditions de travail souvent précaires, mais plutôt à reproduire le monde d'une manière utopique. Par l'ampleur de sa composition, la manière dont il dispose les silhouettes en ombres des ouvriers, Durameau annonce les représentations du travail du XIXe siècle et rejoint ainsi les artistes visionnaires. Par le coloris et la lumière, auxquels Diderot est surtout sensible, il préfigure l'impressionnisme. Le titre de salpêtrière est sans doute erroné, il s'agit certainement comme l'indique l'annotation apposée sur le montage d'une fabrique d'huile de vitriol ou du vitriol dont la région de Rome, riche en alun, s'est fait une spécialité (*Encyclopédie*, Neuchâtel, [Paris], 1765, XVII, p. 365).
M.Pi.

344
Vue de la mine de Falun,
à Falktrappan

par Pehr HILLESTRÖM le Père

Huile sur toile. H. 0,79 ; L. 0,65.
Historique : conseil national des Mines, jusqu'en 1858, conseil supérieur du Commerce ; bureau des Minerais à l'administration des Industries nationales ; au Musée national depuis 1982.
Exposition : 1986, Milan.

Bibliographie : Sirén, 1900, n° 306 ; Rönnow, 1929, p. 270.

Stockholm, Nationalmuseum (inv. NM 6749).

Parmi les entreprises industrielles de la Suède, les mines de fer et de cuivre, les forges et les fonderies tenaient la première place au XVIIIe siècle. C'est tout particulièrement l'extraction des minerais de Falun en Dalécarlie qui constituait la base économique essentielle de la politique qui avait fait de la Suède une des grandes puissances de l'Europe au siècle précédent. Cette mine de cuivre, célèbre depuis le Moyen Âge, fut exploitée pendant plus de six cent cinquante ans. La partie nommée Falktrappan était située à une profondeur de plus de 210 mètres.
Le tableau fait partie d'une série de six sujets tirés de la mine de Falun par Hilleström et peinte probablement lors de la première visite qu'il y fit en 1781. Entrée dans les collections du Musée national en 1982, la série orne un salon du siège du gouvernement suédois à Stockholm.
P.Gr.

345
Coalbrookdale de nuit

par P.J. de LOUTHERBOURG

Huile sur toile. H. 0,68 ; L. 1,067.
Inscription : signé et daté en bas à droite : « R.A.1801 / P.I. de Loutherbourg. »
Historique : acquis par le musée des Sciences de D. Reder en 1952.
Expositions : 1801, Londres, Salon, n° 54 (sous le titre : a view of Colebrook Dale by night) ; 1968, Manchester ; n° 32, repr. V ; 1969, Prague, Bratislava, Vienne, n° 95 ; 1970-1971, Tokyo, Kyoto, n° 18 ; 1973, Londres n° 52 ; 1973-1974, Londres, n° 133, p. 33 ; 1975, Milan n° 116 ; 1976, Washington, n° 113 ; 1979, Londres, n° 60 ; 1988-1989, Londres.
Bibliographie : Bowyer, 1805, pl. 11 ; Reder, 1952, p. 258 ; Nicolson, 1968, p. 417, Klingender, Elton-Clatham, 1968 ; Raistrick, 1953.

Londres, Science Museum (inv. 1952-452).

Coalbrookdale de nuit est une peinture à l'huile de Philippe Jacques de Loutherbourg (1740-1812), qui se trouve exposée dans la galerie du Fer et de l'Acier au musée des Sciences (Science Museum). Cette toile est aujourd'hui considérée comme une image-symbole de la révolution industrielle en Grande-Bretagne.
C'est une vue de nuit des hauts fourneaux de Bedlam, à Madely Dale, dans le Shropshire, en aval du pont de fer construit sur la Severn. En 1801, on avait coutume d'appeler l'ensemble du site « Coalbrookdale ». Ce nom est réservé aujourd'hui aux usines de la partie haute du village. Des creusets des hauts fourneaux à ciel ouvert s'échappent de puissantes flammes et de la fumée.
Les constructions qui se trouvent sur la gauche, pour la plupart des maisons d'habitation, furent démolies au moment de l'implantation de l'usine à gaz d'Ironbridge, en 1830. On trouve sur la droite d'autres édifices : les

hauts fourneaux, une forge, une menuiserie, derrière, le bâtiment des machines et, tout à fait à droite, sous le ventilateur, la fonderie. Le long de la rivière, sont alignés des tuyaux et diverses pièces métalliques et l'on aperçoit au premier plan, en bas à droite, un cylindre de machine à vapeur. Au centre, une charrette chargée de bois et tirée par deux chevaux emprunte un chemin longeant la rivière qui est aujourd'hui une portion de Waterloo Street. Pourtant très tôt en usage à Bedlam, les rails pour les wagonnets n'apparaissent pas ici. Une mère et son enfant regardent travailler les ouvriers.
W.Sh.

346
L'Intérieur d'une fonderie,
à Brosely

par Wilson LOWRY, d'après George Robertson

Gravure en taille-douce. H. 0,406 ; L. 0,568.
Bibliographie : Klingender, 1968, pp. 89-91.

Ironbridge, Gorge Museum Trust (inv. AE 185.762).

La découverte de charbon et d'anthracite à proximité de la localité minière de Coalbrookdale, dans les Midlands, fit de cette région l'un des berceaux de la révolution industrielle dans l'Angleterre du XVIIIe siècle. Coalbrookdale, d'où le regard embrassait à la fois un site pittoresque et des réalisations industrielles d'avant-garde, représentait en outre une attraction pour les artistes de l'époque. Le peintre de paysage George Robertson (1724-1788) fut l'un de ces artistes séduits par ce contraste. Il divisa ses séries de six peintures (aujourd'hui disparues) de Coalbrookdale en deux groupes, l'un consacré aux beautés, l'autre aux horreurs de la vallée. Sa vue de la fonderie — un vaste bâtiment où l'on fondait coke et minerai de fer pour en extraire le fer — appartient au second groupe. Quelques figures, écrasées par l'architecture du hall, que l'on aurait dit de Piranèse, sont éclairées par le métal fondu que l'on voit se déverser d'un haut fourneau à l'arrière-plan. Comme pour accuser les caractéristiques infernales de la scène, Robertson a introduit, à l'extérieur, une vue de paysage au clair de lune.
Wilson Lowry, F.R.S. (1762-1824), était un artiste de marque, spécialisé dans les sujets de mécanique et d'architecture. Il inventa aussi des instruments de dessin, de même qu'on lui doit en partie l'invention de la gravure sur acier. On date la gravure exposée de 1788.
C.B.-O.

347
La Forge entre Dolgelly et Barmouth
dans le Merionethshire

par Paul SANDBY

Eau-forte et aquatinte. H. 0,215 ; L. 0,297.

La Salpêtrière (cat. 343).

Vue de la mine de Falun, à Falktrappan (cat. 344).

Vue des hauts-fourneaux de Coalbrookdale (cat. 345).

L'Intérieur d'une fonderie, à Brosely (cat. 346).

La Forge entre Dolgelly et Barmouth dans le Merionethshire (cat. 347).

Exposition : 1973-1974, Londres, p. 47, n° 70.
Bibliographie : Robertson, 1985, p. 74, n° 94.

Londres, British Museum (inv. 1854 8.12.216).

Paul Sandby (1725-1809) fut, avec son frère Thomas, peintre topographique à la cour. Il s'illustra par ses gravures à l'aquatinte, qui contribuèrent à développer, dans les années 1770, l'art du paysage en Grande-Bretagne. Si Paul Sandby ne fut pas l'inventeur de l'aquatinte (technique développée en France une décennie avant), ni le premier artiste anglais à l'utiliser, ce fut lui qui inventa le mot et contribua à répandre le procédé. L'utilisant aussi bien comme technique de reproduction des lavis d'aquarelle que dans les croquis de paysage, il démontra sa supériorité sur les procédés de gravure existants.

Sandby effectua au moins trois voyages, pour réaliser des croquis, à travers le pays de Galles, dont l'un en 1771 en qualité de maître de dessin chez sir Watkin Williams-Wynn. Les dessins exécutés au cours de ce voyage servirent à produire une série d'aquatintes : *XII Vues du nord du pays de Galles lors d'une excursion à travers ce pays fertile et romantique sous la protection de l'Honorable Sir Watkin Williams-Wynn Bart,* éditées en 1776.

La présence d'une forge au milieu des sites pittoresques traduit probablement l'intérêt de son mécène pour ses sociétés commerciales : la société Williams-Wynn possédait des mines de charbon fort rentables au pays de Galles. Comme dans les gravures d'après George Robertson, nature et science se conjuguent dans cette composition de façon à créer un effet rude et dramatique.   C.B.-O.

PROGRÈS TECHNIQUES

348
Le Pont d'Ironbridge
à Coalbrookdale, vu de Lincoln Hill

par Francis CHESHAM, d'après George Robertson
Gravure. H. 0,406 ; L. 0,568.
Bibliographie : Klingender, 1968, pp. 89-91.

Ironbridge, Gorge Museum Trust (inv. AE 185. 765).

Les fonderies d'Abraham Darby étaient situées sur les bords de la Severn, à Coalbrookdale. De là le fer était ensuite transporté par chaland jusqu'à Bristol, d'où il était distribué dans toute l'Angleterre, puis le cas échéant en Europe et dans le reste du monde. A la fin du XVIIIe siècle, la production était devenue trop importante pour être acheminée uniquement par voie d'eau. La firme Darby entreprit alors de construire un pont à travée unique, tout en fer. Conçu par Thomas Farnold Pritchard et coulé à la fonderie d'Abraham Darby à Made-

ley, le pont d'Ironbridge représenta un chef-d'œuvre technique. Il fut inauguré en 1788. George Robertson produisit une série de vues de Coalbrookdale : trois de ces paysages dépeignent la beauté romantique de la vallée, offrant un vif contraste avec les trois autres illustrant les laideurs du progrès industriel. Cependant, dans la gravure de Francis Chesham, nature et industrie semblent plus équitablement équilibrées : la fumée s'élève des cheminées d'usine uniquement pour se fondre avec les nuages, et l'élégante arche du pont représente tout ce que la recherche du progrès peut offrir de mieux à l'homme.   C.B.-O.

349
Vue de l'aqueduc du duc de Bridgewater

par Peter Perez BURDETT, vraisemblablement d'après Jean-Jacques Rousseau

Aquatinte. H. 0,223 ; L. 0,320.
Inscription : signé par Burdett à la plume en bas à droite.
Bibliographie : Griffiths, 1987, III, pp. 262-263.

Londres, British Museum (inv. 1897-11-17-214).

Cette admirable estampe conjugue trois caractéristiques différentes de la culture européenne à la fin du XVIIIe siècle. C'est l'une des deux fameuses gravures de Burdett évoquant le Bridgewater Canal, toutes deux intitulées *Vue du canal du duc de Bridgewater près du pont de Worsley* (impression à la Manchester City Library).

En 1750, le duc de Bridgewater obtenait du Parlement l'autorisation de construire le canal de Worsley à Manchester, pour l'évacuation de la houille extraite de ses terres. Ce canal, le premier du genre en Angleterre, construit par l'ingénieur James Brindley, fut ouvert au trafic en 1761. Sa caractéristique la plus sensationnelle était l'aqueduc à Darton, où le canal débouchait dans l'Irwell enjambé par un pont à trois arches de pierre, dont la travée ne mesurait pas moins de 63 pieds (20 mètres). L'estampe montre un chaland à demi caché, qui avance le long de l'aqueduc à la fois à la voile et par halage. Le pont fut démoli en 1887 lors de la construction du Manchester Ship Canal par sir E. Leader Williams, qui le remplaça par le premier aqueduc basculant du monde.

Durant sa retraite en Angleterre, le philosophe Jean-Jacques Rousseau, invité de Richard Davenport, séjourna, de la mi-mars 1766 au début de mai 1767, à Wooton Hall dans le Staffordshire. Selon toute vraisemblance, il visita ces mois-là le canal de Bridgewater, et en exécuta les deux aquarelles, dont Burdett s'inspira plus tard pour ses aquatintes. Cette attribution n'est toutefois pas absolument certaine, si l'on considère que l'œuvre de Rousseau n'a que peu de points communs avec les vues de Burdett. Mais on ne connaît pas d'autre J.-J. Rousseau ayant travaillé comme peintre au XVIIIe siècle ; de même l'inscription en français et l'emplacement peu conventionnel du

nom du peintre font pencher fortement en faveur de la référence au philosophe.

Troisième élément de cette estampe : Burdett était originaire de Derby et ami du peintre Joseph Wright, qui l'inclut dans le groupe de spectateurs dans sa célèbre peinture *Une expérience avec la machine pneumatique* (exposée en 1768, aujourd'hui à la National Gallery). Burdett était l'une de ces figures typiques d'expérimentateurs audacieux dans les Midlands de la fin du XVIIIe siècle. Il s'essaya à la cartographie avec un succès considérable, partit en 1768 à Liverpool, où il devint le premier président de la Société des arts de Liverpool ; en 1771, il expérimentait l'aquatinte, le nouveau procédé révolutionnaire de gravure tonale, qui s'était développé en France au début des années 1760, mais n'avait jamais encore été pratiqué en Angleterre. Il tenta vainement d'intéresser à la nouvelle technique Wedgwood et Benjamin Franklin et, criblé de dettes, émigra à Karlsruhe, où il finit ses jours au service du margrave de Baden comme ingénieur-géographe.

Il ne subsiste malheureusement pas de documentation sur ces deux estampes ; mais on peut raisonnablement supposer qu'à son départ Rousseau laissa les aquarelles (ou des copies) à Staffordshire, où Burdett s'en inspira pour une démonstration de son nouveau procédé d'aquatinte aux connaisseurs, dont la curiosité était éveillée à la fois par le sujet et par l'artiste. Les deux estampes furent utilisées par Wedgwood pour le service du Green Frog commandé par Catherine II la Grande (information de Martin Hopkinson, qui prépare actuellement une étude sur Burdett).   A.Gr.

350
Le Décintrement du pont de Neuilly

par RADEL

Plume, encre noire, lavis gris et brun clair. H. 0,457 ; L. 0,968.
Inscription : signé et daté en bas à droite à la plume et encre brune : « Radel delineavit 1772 » ; le long du bord horizontal inférieur, à la plume et encre noire : « DECINTREMENT DU PONT DE NEUILLY FAIT EN PRESENCE DU ROY LE VINGT DEUX SEPTEMBRE MILLE SEPT CENT SOIXANTE ET DOUZE SOUS LA CONDUITE DU MR. PERONNET » ; au centre, les armes de France.
Historique : ancien fonds
Bibliographie : Pinault, 1984/2, p. 35, note 47.

Paris, musée du Louvre, cabinet des Dessins (inv. 32696).

Radel est l'un des dessinateurs employés pour les planches de l'*Encyclopédie* (Pinault, *op. cit* pp. 22-23, notes 47, 49). Un de ses dessins, *Le Feu d'artifice tiré à Soissons au passage de la dauphine en 1771* est conservé au Louvre (Inv. 32.695. Exp. : Paris, Louvre, 1959, n° 87). Le pont de pierre de Neuilly est l'œuvre de Jean-Rodolphe Perronet (1708-1794), premier directeur de l'École royale des ponts et chaus-

Le Pont d'Ironbridge (cat. 348).

Vuë de l'Aqueduc du Duc de Bridgewater.
Par J.J. Rousseau.

Vue de l'aqueduc du duc de Bridgewater (cat. 349).

Projet pour Port-Vendres (cat. 352).

Le Décintrement du pont de Neuilly (cat. 350).

Construction d'une cale de la forteresse de Sveaborg (cat. 351).

se en place d'un cône de la digue de Cherbourg en présence de Louis XVI (cat. 353).

sées fondée en 1747 par Daniel Trudaine (1703-1769). Perronet innove sur deux points qui font de ce pont l'une des grandes prouesses techniques du XVIIIᵉ siècle : le couronnement horizontal est utilisé pour la première fois (auparavant les ponts sont à dos d'âne) et l'épaisseur des piles est égale au dixième de celle des arches (le rapport était avant inférieur à un cinquième). La construction du pont qui relie le village de Neuilly au rond-point de La Défense commence sous la conduite de M. Dumoutier, ingénieur en chef du département de la Seine et de M. de Chézy, en juillet 1768, et chaque étape des travaux fait l'objet de manuscrits et de dessins (Paris, bibl. de l'E.N.P.C.) dont certains sont publiés dans l'ouvrage de Perronet, *Description des projets et de la construction des ponts de Neuilly, d'Orléans et les autres...*, (Paris, 1782-1783). Le décintrement des arches a lieu le 22 septembre 1772 en présence du roi, de l'abbé Terray (1715-1778) et du chancelier de Maupeou (1714-1792), des ministres et de toute une foule de Parisiens (Petit, 1932). Plusieurs artistes représentent cet événement et principalement le moment où les cintres de bois sont détachés de la maçonnerie. Radel donne un autre dessin du pont (Sceaux, musée de l'Île-de-France, 1975, p. 132). Hubert Robert exécute plusieurs esquisses et dessins de cet événement. Au Salon de 1775, il expose un *Décintrement du pont de Neuilly* (nᵒ 70) appartenant alors à M. de Trudaine (1769-1777), directeur des Ponts et Chaussées, aujourd'hui perdu mais connu par l'esquisse conservée au musée Carnavalet. Une étude appartenant à une collection particulière montre le décintrement d'une seule arche (Seznec, 1967, pp. 250-151) ; une autre esquisse est passée à la vente Cossé en 1778 (nᵒ 85). La construction de nombreux ponts en France, comme celle des routes entreprise par l'abbé Terray (Joseph Vernet, *La Construction d'un grand chemin*, 1774, Salon de 1775, nᵒ 31 ; Paris, Louvre, Peintures, inv. 8.331 ; Seznec, 1967, p. 246), sert de point de départ à toute une série d'œuvres d'art, dessins, peintures et objets d'art qui renouvellent le thème de la rivière, mais aussi de la ville désormais plus accessible. Souvent à mi-chemin entre le dessin purement technique (dessins à l'E.N.P.C. et au C.N.A.M./M.N.T., portefeuille industriel) et la peinture d'artistes, ces représentations de vues préfigurent les visions des cités industrielles du XIXᵉ siècle mais aussi le thème pictural du pont si souvent traité par les impressionnistes. **M.Pi.**

351
Construction d'une cale de la forteresse de Sveaborg

par Elias MARTIN

Huile sur toile. H. 0,49 ; L. 0,59.
Historique : ancienne collection de Gustave III.
Expositions : 1948, Sveaborg Helsingfors ; 1972, Sveaborg Helsingfors ; 1987, Stockholm.

Stockholm, Nationalmuseum (inv. NM 951).

La construction de la forteresse de Sveaborg sur quelques îles rocheuses de la Baltique près d'Helsinki, en Finlande, fut la plus vaste entreprise de ce genre dans le royaume suédois au cours du XVIIIᵉ siècle. La forteresse était destinée à servir de rempart contre l'expansion de l'Empire russe voisin.
Le jeune peintre Elias Martin passa deux ans à Sveaborg, de 1763 à 1765, en qualité de maître de dessin des officiers et du jeune Carl August Ehrensvärd, fils du feld-maréchal, Augustin Ehrensvärd, qui avait pris l'initiative de la construction et qui la dirigea jusqu'en 1771. Martin a laissé une dizaine de peintures et de nombreux dessins de la progression de ces travaux difficiles qui durèrent un quart de siècle ainsi que de la vie des ouvriers et de la garnison de Sveaborg. **P.Gr.**

352
Projet pour Port-Vendres

par Charles de WAILLY

Pierre noire, plume et encre noire, lavis gris et de couleur. H. 0,830 ; L. 0,555.
Inscription : en bas, à la plume et encre noire : « VUE PERSPECTIVE DE LA PLACE AU PORT DE VENDRE », suit une longue explication manuscrite.
Historique : peut-être Salon de 1781, nᵒ 109 ou 111. Saisie des émigrés ?
Expositions : 1976, Rennes, nᵒ 302 ; 1979, hôtel de Sully, nᵒ 282.
Bibliographie : Furcy-Reynaud, 1912, p. 335 ; Pressouyre, 1963, repr. p. 209 ; Seznec, 1967, pp. 302, 325.

Paris, musée du Louvre, cabinet des Dessins (inv. 33.343).

A partir de 1772-1773, le comte de Mailly, commandant en chef du Roussillon entreprend à Port-Vendres, la construction d'un grand ensemble architectural militaire et civil, destiné à devenir le seul port français sur la côte méditerranéenne, de Marseille à l'Espagne, et à être à mi-chemin entre la Méditerranée et l'océan Atlantique. De nombreux documents écrits et iconographiques témoignent de l'ampleur des travaux, qui défraient la chronique et qui ne se terminent qu'au printemps 1789. En 1778, Charles de Wailly est appelé sur le chantier pour continuer les travaux, selon les décisions prises de longue date par les ingénieurs militaires. Il dessine l'obélisque, premier monument érigé en l'honneur de Louis XVI, la place, la chapelle, le chemin de Collioure bordé de magasins ; l'ensemble conçu par l'architecte n'est pas entièrement réalisé, seule la partie occidentale, le quartier de l'Obélisque, est exécutée. Plusieurs dessins de Charles de Wailly pour cet ensemble sont connus et conservés au Louvre : le dessin présenté, une *Vue du Port Vendre en entrant dans le port* (Inv. 33.341 et 33.342) et un groupe de dessins, signés et datés *1783* représentant, en trompe-l'œil, avec quelques différences, les quatre bas-reliefs de la base de l'obélisque. Les thèmes abordés sont significatifs de l'état d'esprit du roi à cette époque : il s'agit d'allusions au rôle de la France

dans la guerre d'Indépendance avec *l'Amérique indépendante* (Inv. 33.353 et 33.354) et aux ambitions du royaume concernant la liberté des mers et du commerce, avec *le Commerce protégé* (Inv. 33.348 et 33.349), *la Servitude en France abolie* (Inv. 33.350 et 33.351) et *la Marine relevée* (Inv. 33.352 ; Exp. : Paris, Grand Palais, 1976-1977, nᵒ 210). Toujours au Louvre, une gravure représente *l'Obélisque élevé à la gloire de Louis XVI sur la place de Port-Vendres en Roussillon* (Inv. 33.343 bis). Plusieurs de ces dessins, dont celui exposé, sont gravés par Née, dans le *Voyage pittoresque de la France* de Laborde (Province du Roussillon, III, Paris, 1787), avec un plan par Moithey d'après de Wailly, une vue générale gravée par Née d'après le chevalier Louis-Nicolas de Lespinasse (1734-1808). Les bas-reliefs sont donnés à Charles Monnet, peintre du roi (1732-1808). Le chantier de Port-Vendres, comme ceux du Havre, de Cherbourg ou de Brest (pour lequel l'architecte Jallier de Savault donne en 1786 des projets monumentaux dont l'un, exposé au Salon de 1791, est conservé au Louvre ; Inv. 27.317 ; Lossky, 1976) montrent bien la volonté de Louis XVI et de ses ministres de donner à la France non seulement des ports capables à la fois de s'ouvrir au commerce extérieur et de servir de bases militaires défensives et offensives, mais aussi de redonner à la Marine un lustre perdu au cours du siècle et la maîtrise des mers. **M.Pi.**

353
Mise en place d'un cône de la digue de Cherbourg en présence de Louis XVI

par Pierre OZANNE

Pierre noire, plume et encre noire. H. 0,340 ; L. 0,600.
Historique : coll. de Mᵐᵉ Coiny, née Marie-Amélie Le Gouaz, nièce de Nicolas Ozanne ; acquis avec la majorité de la collection de dessins d'Ozanne par le Louvre en 1829 ; dépôt au musée de la Marine en 1921. Musée du Louvre, inv. 31.580.
Expositions : 1935, Paris, Arts décoratifs, nᵒ 504 ; 1947, Paris, musée de la Marine, nᵒ 252.
Bibliographie : Gaudillot, 1967, p. XLIII ; Duclaux-Prache, 1975, nᵒ 554 (avec bibliographie) ; cat. exp. Paris, Louvre, 1984, sous le nᵒ 94.

Paris, musée de la Marine (inv. 27.OA.18).

Pierre Ozanne est l'auteur, avec son frère cadet Nicolas Ozanne (1728-1811), de dessins consacrés à la marine, aux campagnes militaires ou scientifiques, aux modèles de bateaux conservés en majorité au musée du Louvre (Duclaux-Prache, 1975, nᵒˢ 400 à 754). En 1786, Pierre Ozanne reçoit l'ordre de se rendre à Cherbourg pour dessiner plusieurs vues des manifestations qui ont lieu, lors de la mise en place du neuvième cône, le 23 juin, en présence du roi et d'une foule enthousiaste qui conforte la position royale de Louis XVI. Le dessinateur exécute trois vues conservées au Louvre (dépôt, musée de la Marine) ; deux représentent la mise en place du cône, celui exposé et un autre (Inv. 31.527. Duclaux-Prache, n° 553), proche d'un autre dessin conservé au musée de la Marine (Inv. 27.OA.19). On connaît par ailleurs d'autres dessins d'Ozanne sur ce sujet (Paris, vente Galliéra, 28 novembre 1972, n°s 20 à 22 ; 21 mars 1977, n°s 2 et 3 ; Gaudillot, 1967, pp. XLII-XLIII) ainsi qu'une très grande feuille de Moreau le Jeune (Louvre, RF 19 ; dépôt musée de la Marine. Exp. : Paris, Louvre, 1984, n° 94). De nombreuses œuvres (peintures, dessins, gravures, médailles, etc.) sont en rapport avec le vaste chantier de Cher-bourg, commandées plus ou moins officielle-ment et destinées à conserver le souvenir de ce voyage triomphal (Gaudillot, 1967, pp. XXV à XLIV et bibliographie pp. XLV à L). L'École nationale des ponts et chaussées possède un important ensemble de documents techniques concernant la construction des cônes (Michel, 1983, pp. 77-92). Parmi les nombreux comptes rendus de ce voyage, plu-sieurs livres traitent soit du voyage de Louis XVI de Paris à Cherbourg (ouvrage attribué à Letellier, *Voyage de Louis XVI dans sa province de Normandie*, Philadelphie, 1787), soit de la visite du roi à Cherbourg (*Description de Cherbourg et de ce qui s'est passé de plus intéressant pendant le voyage du roi*, Paris, 1787). Des maquettes en bois sont exécutées ; l'une est conservée au musée national des Techniques, une autre, provenant de l'arsenal de Brest, au musée de la Marine (Inv. 1 PA 1) ; un modèle est mentionné dans les inventaires manuscrits de l'École polytechnique. De leurs côtés les manufactures célèbrent l'événement : *le Port de Cherbourg* est imprimé à Nantes chez Petitpierre et Compagnie (Paris, musée des Arts décoratifs).   M.Pi.

L'aménagement de la digue de Cherbourg

Les combats navals dans la Manche avaient démontré dès le XVIIᵉ siècle la nécessité d'un port de guerre et d'une rade qui put servir de base d'opérations et de lieu de refuge. Malgré l'intérêt porté dès 1686 par Vauban à la « position audacieuse » de Cherbourg, après la défaite de la bataille navale de La Hougue en 1692 et l'incursion anglaise à Cherbourg en 1758, il fallut attendre le début du règne de Louis XVI pour qu'une décision fût prise et que des travaux fussent commencés.

L'aménagement d'un port et de sa rade dans la Manche vise au moins trois objectifs : circonscrire en mer un espace capable de contenir une flotte de cent vaisseaux, donner du calme dans la rade, mettre les vaisseaux à l'abri des attaques ennemies. Après l'inauguration d'un bassin à flot construit pour un port de commerce à Cherbourg en 1775, le roi ordonne en 1776 que l'on fasse sur le choix de l'emplacement d'un port de guerre de nouvelles études. Le département de la Marine et le département de la Guerre désignent chacun de son côté des missions de reconnaissance. Pour la marine, le vicomte de La Couldre de La Bretonnière, capitaine de vaisseau, et l'astronome Méchain sont chargés de reconnaître la côte de France de Dunkerque à Granville. C'est La Bretonnière qui choisit Cherbourg et conçoit le dessein de construire une digue pour en fermer la rade et mettre ainsi à couvert les manœuvres d'appareillage et de mouillage. Il est approuvé par Lefebvre, ingénieur en chef des Ponts et Chaussées de la généralité de Caen et soutenu par le duc d'Harcourt, gouverneur de la province, qui fait adopter ces projets en 1777 par le roi et M. de Sartine, alors ministre de la Marine. De son côté, une commission du ministère de la Guerre, dont fait partie celui qui sera plus tard le célèbre général Dumouriez, le vainqueur de Valmy et de Jemmapes, alors colonel, recherche le meilleur emplacement à choisir pour créer un grand port militaire de la Manche. Le ministre de la Guerre, le comte de Saint-Germain, puis ses successeurs, dont le maréchal de Ségur, approuvent le choix de Cherbourg et le roi nomme Dumouriez commandant de Cherbourg en 1778. Si La Bretonnière, nommé commandant de la Marine à Cherbourg, et Dumouriez sont d'accord sur le choix de ce site, ils s'opposent sur le choix et la priorité des travaux à réaliser. Le premier veut pour les marins un refuge ouvert à toute marée contre les gros temps si fréquents dans la Manche et contre les ennemis. Le second veut surtout une place forte et un port militaire, jugeant la rade naturelle suffisante.

Si le génie a commencé des travaux de fortifications, il est cependant décidé de construire la digue pour fermer la rade avant de construire le port. De 1777 à 1781, divers projets voient le jour et s'opposent tant sur l'emplacement de l'édifice que sur le système de sa construction. Certains, comme les ingénieurs du génie et La Bretonnière, veulent une digue entre le fort du Hommet et l'île Pelée, d'autres une digue plus éloignée, isolée en mer, intégrant l'anse Sainte-Anne, entre la pointe de Querqueville et l'île Pelée. C'est cet emplacement qui est choisi en 1778.

La différence vient surtout des systèmes de construction proposés. Trois types principaux peuvent être retenus.

Le premier, présenté par La Bretonnière dès 1777, consiste à couler à l'emplacement prévu, pour former le noyau d'une digue, de vieux navires remplis de maçonnerie de 80 pieds de longueur (25,92 mètres), qui auraient été ensuite recouverts d'un enrochement à pierres perdues de 50 ou 55 pieds environ (16,20 à 17,80 mètres) au-dessus du fond de la mer.

Le deuxième, présenté avec des variantes tant par le directeur des fortifications de Basse-Normandie, l'ingénieur du génie Pierre-Jean de Caux, que par Dumouriez, est une digue formée de caissons remplis de maçonnerie, établis en retrait les uns sur les autres et recouverts du côté du large par un enrochement à pierres perdues.

Le troisième système est celui des fameux cônes de Cessart. Louis-Alexandre de Cessart (1719-1806), alors ingénieur en chef des Ponts et Chaussées de la généralité de Rouen, est consulté pour Cherbourg en novembre 1781 par le ministre de la Marine, le maréchal de Castries. Cessart est déjà un ingénieur connu par ses innovations et sa conduite des travaux de la construction des ponts de Tours (avec l'ingénieur de Voglié) et de Saumur (l'actuel pont Cessart), par ses importants travaux maritimes à Rouen, Dieppe, Le Havre, etc. Cessart propose pour l'établissement de la digue entre la pointe de Querqueville et l'île Pelée, à environ un mille marin et demi du rivage, et suivant une ligne brisée en plan aux deux tiers de sa longueur, de faire échouer côte à côte, sur une longueur de deux mille toises (3 898 mètres), 90 cônes tronqués en charpente ayant environ 50 mètres de diamètre à leur base inférieure, 20 mètres au sommet et 20 à 24 mètres de hauteur perpendiculaire. Ces cônes seront construits sur la terre ferme, remorqués puis échoués et remplis de pierres. On pourra élever ensuite sur ces 90 rochers artificiels une plate-forme en béton avec parement et recouvrement en granit. Des pierres perdues, jetées entre les cônes à leurs pieds compléteront le môle. Des chaînes seront tendues d'un cône à l'autre en temps de guerre. La rade offrirait ainsi un mouillage pour cent vaisseaux de ligne et tous les bâtiments en général n'y pénétreraient que par les deux passes des extrémités, et sur leurs batteries.

Pour s'assurer de la qualité et de la validité du projet, le ministre de la Marine ordonne, en juin 1782, à Cessart de procéder à une expérience de flottaison d'un cône en charpente au Havre. Cette expérience réalisée le 8 novembre est un succès : le cône a flotté durant quatre heures. Le ministre satisfait, le roi est conquis et bientôt la cour et la ville, pour ne pas dire la France entière, s'enthousiasment pour ce projet grandiose. Effectivement chaque cône est un monument, qui devra peser environ 800 tonnes à vide avant flottaison et 50 000 tonnes au total, une fois échoué et rempli.

C'est dans l'anse de Chantereine qu'est établi le chantier de construc-tion des cônes sur la terre ferme. Chaque caisse est construite à jour et faux fond, élevée sur des plans inclinés pour être lancée comme ▶

un navire. Elle est chargée de 194 000 livres de pierre avant son lancement. Pour faire flotter les 1 600 000 livres de poids de chaque caisse on utilise 84 grosses tonnes ou barriques et 31 petites. Au moment de la haute mer, le cône, glissant sur ses patins, est mis à flot puis remorqué par un dispositif de bateaux comprenant quatre grandes chaloupes canonnières à rames et à voiles, un ponton de retenue et un ponton conducteur, et six chasse-marée pour seconder la manœuvre. Par ce moyen, la caisse peut être remorquée horizontalement avec une vitesse estimée de quatre ou cinq toises par minute. L'immersion se fait en une heure de temps, en retirant successivement les tonnes au moyen de couteaux à longs manches, qui communiquent du haut des caisses jusqu'aux câbles qui attachent ces barriques et qui sont manœuvrés par les ingénieurs et les marins, qui ont pris place au sommet du cône. Une fois le cône bien stabilisé sur le fond de la mer, il est rempli de pierres.

Les travaux commencent en 1783. La première caisse est remorquée et échouée avec succès le 6 juin 1784 en présence de 10 000 personnes. Commencée à huit heures du matin, l'opération est terminée à quatre heures de l'après-midi. Une deuxième caisse est mise en place le 7 juillet, mais elle est brisée par la tempête le 18 août. Trois caisses sont échouées en 1785, cinq en 1786, cinq en 1787 et trois en 1788. Finalement seulement dix-huit caisses auront été placées en mer de 1784 à 1788.

Louis XVI, très attaché à la réalisation de la digue et aux projets de Louis-Alexandre de Cessart, décide d'assister en personne aux opérations au cours d'un « voyage officiel » en Normandie en juin 1786. Parti de Versailles le 21 juin, il arrive à Cherbourg le 22 à dix heures du soir, après être passé à Harcourt et Caen, où il gracie six condamnés à mort. Le 23, dès trois heures du matin, il préside, en présence d'une foule nombreuse et brillante qui ne cesse de l'acclamer, aux manœuvres complètes de flottaison et d'échouage du neuvième cône. Vers neuf heures du matin, l'opération d'échouage a lieu en vingt-huit minutes, le roi étant alors monté sur le cône voisin de celui qui allait être immergé. Après avoir visité Le Havre et Caen, Louis XVI rentre à Versailles le 29 juin. Le succès des opérations de Cherbourg et les manifestations d'enthousiasme dont le roi est l'objet transforment ce périple en voyage triomphal.

Cependant, tout au long des travaux, Cessart et les Ponts et Chaussées sont en butte à l'opposition des ingénieurs de la Marine et de la Guerre. A cause de la violence des marées et du manque de personnel, on calcule qu'il faudra au moins dix-huit ans pour mettre en place les 90 cônes. Les marins réussissent à dénaturer le projet en imposant d'espacer les cônes de 6 puis 100, puis 250 et 500 mètres. Les intervalles vont être remplis en enrochement. C'est donc un système

mixte qui est construit et qui ne satisfait personne. Après une violente tempête, La Bretonnière fait recéper en 1788 les dix-huit cônes à moitié détruits. En 1791, Cessart, découragé, se retire. De nombreuses critiques ont eu lieu sur les divers projets, la conduite des travaux et surtout sur leur coût. Les travaux sont arrêtés et repris au gré des nominations et commissions d'études et de contrôle, qui se succèdent à partir de 1792. Il faut attendre 1813 pour qu'un avant-port militaire soit inauguré et 1853 pour que la digue soit achevée.

Il n'en reste pas moins que, si l'aventure des cônes s'achève sur un demi-échec, les projets de Cessart et leurs innovations techniques peuvent être reconnus comme les prémices des constructions « offshore » de notre époque, et que le voyage du roi en Normandie démontre que Louis XVI reste très populaire en 1786.

Michel Yvon

BIBLIOGRAPHIE

Manuscrits

De nombreux manuscrits de L.-A. de Cessart et autres ingénieurs sont conservés à la bibliothèque de l'École nationale des ponts et chaussées, cf. *Catalogue des manuscrits de la bibliothèque de l'École des ponts et chaussées*, Paris, 1886, nos 1880, 2515, 2531, 2549, 2574 à 2590, 2686-2687, 2721 à 2754.

Imprimés

A.P.E. Batailler, *Description générale des travaux exécutés à Cherbourg pendant le Consulat et l'Empire...*, Paris, 1848.

J. Bonnin, *Travaux d'achèvement de la digue de Cherbourg...*, Paris, 1857.

J.M.F. Cachin, *Mémoire sur la digue de Cherbourg...*, Paris, 1820.

L.-A. de Cessart, *Description des travaux hydrauliques...*, Paris, 1806-1808.
Description de Cherbourg et de ce qui s'y passe de plus intéressant pendant le voyage du Roi, Paris, 1787.
Dessin et sciences, XVIIe-XVIIIe siècle, exposition, Paris, musée du Louvre, 1984, cat., Paris, 1984, n° 94.
Examen des divers projets présentés depuis 1777 jusqu'en 1790 pour former une rade à Cherbourg, Cherbourg, 1791.

P.F. Frissard, *Notice sur Cherbourg*, Paris, 1853.

J.M. Gaudillot, *le Voyage de Louis XVI en Normandie, 21-29 juin 1786*, Caen, 1967.
Guerre d'Amérique et liberté des mers, 1783-1983, exposition, Paris, mairie de Paris, 1983, cat., Paris, 1983, nos 210-216.

C. Hippeau, *la Rade et le port militaire de Cherbourg...*, Caen, 1864.
L'Ingénieur artiste : dessins anciens de l'École nationale des ponts et chaussées, exposition, Paris, Union des banques, 1981, Bourges, musée du Berry, 1984, cat., Paris, Bourges, 1984, nos 47, 51, 55-57, 59.

J. Michel, « Art et création technique. Un ingénieur, un projet, une innovation, la conception de la digue de Cherbourg par L. A. de Cessart », dans *les Cahiers du SEFI*, 1983, pp. 77-92.

Revue d'information Total, 1977, n° 7.

354
Lancement d'une montgolfière à Aix-en-Provence

par Jean-Antoine CONSTANTIN

Plume et encre noire, lavis gris. H. 0,345 ; L. 0,430.
Inscription : sur le montage, en bas à gauche, à la plume et encre noire : « A. Constantin, 1784 ».
Historique : don Charles Magne en 1902.
Exposition : 1985-1986, Marseille, n° 15 (avec bibliographie).

Marseille, musée des Beaux-Arts (inv. BA 214).

L'événement représenté est sans doute lié aux expériences de montgolfière faites à Aix-en-Provence par Rambaud (Dollfus et Bouché, 1932, p. 31 et p. 32 repr. de la gravure de Denis-

Claude Richaud exécutée d'après le dessin de Constantin). D'autres expériences ont lieu à Marseille par Brémond et Mazet, en Avignon, après celle des frères Montgolfier, par le duc de Brantes. Le thème du ballon aérostatique est constant chez les artistes de la fin du XVIIIe siècle. Certains artistes donnent à leur représentation un caractère scientifique (dessins de Desmart, Paris, arch. de l'Académie des sciences, séances, 9 février 1785, ou Renoux, Paris, C.N.A.M./M.N.T., portefeuille industriel, n° 462). D'autres traitent ce sujet sur le mode allégorique comme *L'allégorie sur le premier ballon* de Jean Guillaume Moitte (1746-1810), (Paris, École des Beaux-Arts. Exp. : E.N.S.B.A., 1965, n° 60) qui commémore la première ascension du physicien Jacques-Alexandre Charles (1746-1923) ; d'autres encore dessinent les événements à la

manière d'un reportage : c'est le cas de Jean-Jacques de Boisieu représentant à Lyon, le *Flesselles*, le 19 janvier 1784 (Lyon, musée historique, inv. 3.999 ; Perez-Pivot, 1982, vol. 2, tome I, n° 271). Certaines ascensions se terminent heureusement (Louis-Joseph Watteau de Lille, *XIVe expérience aérostatique de Monsieur François Blanchard 1738-1809, accompagné du chevalier de Lepinard, faite à Lille, le 26 mars 1785 et leur retour* ; Lille, Musée des Beaux-Arts), d'autres tragiquement (anonyme français, *Mort de Pilâtre de Rozier*, Paris, Louvre, coll. Edmond de Rothschild, inv. 3.622 LR et 24.321 LR). Parmi les nombreuses collections d'œuvres « au Ballon », il faut citer, outre le musée de l'Air et de l'Espace qui a reçu la collection Charles Dollfus, le musée Carnavalet et la collection Edmond de Rothschild, au Louvre (Exp. : Paris, Louvre, 1976). De

Lancement d'une montgolfière à Aix-en-Provence (cat. 354).

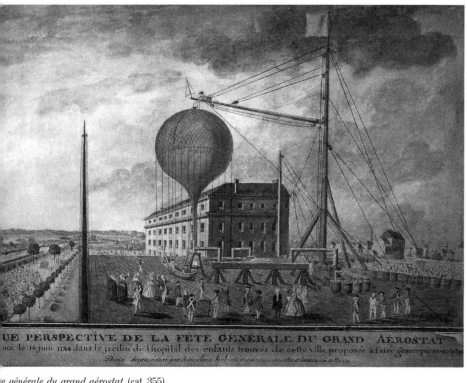

UE PERSPECTIVE DE LA FETE GÉNÉRALE DU GRAND AEROSTAT
nce le 14 juin 1784 dans le jardin de l'hopital des enfants trouves de cette ville, proposée à faire graver par souscription
Dessiné d'après nature par Antoine Pierre Archiviste et chanoine de la ville et Communauté de Rodez

e générale du grand aérostat (cat. 355).

Expérience aérostatique au Buen Retiro par Vicente Lunardi (cat. 356).

nombreux livres sont également consacrés à ce sujet : Barthélemy Faujas de Saint-Fond (1741-1819) publie une *Description des expériences de la machine aérostatique de MM. de Montgolfier* (Paris, 1783-1784) suivie par beaucoup d'autres. Les travaux de Numa Broc, puis ceux de Barbara-Maria Stafford ont bien montré combien, à la fin du XVIIIe siècle, savants, amateurs et artistes ont relié entre eux la minéralogie, la physique, la météorologie, l'air et les ballons, plaçant ainsi leurs travaux parmi les manifestations du néo-classicisme visionnaire et du préromantisme.   **M.Pi.**

355
Fête générale du grand aérostat

par Antoine HÉNON

Plume et encre noire, lavis de couleurs. H. 0,445 ; L. 0,650.
Inscription : signé et daté : « VUE PERSPECTIVE DE LA FETE GENERALE DU GRAND AEROSTAT, lancé le 14 juin 1784 dans le jardin de l'hôpital des enfants trouvés de cette ville, proposée à faire graver par souscription. Dessins d'après nature par Antoine Hénon, Architecte et Dessinateur de la Ville et Communauté de Nantes. »
Exposition : 1975, Montrouge - Poitiers, no 16.
Bibliographie : Cosneau, 1978, no 266 ; Chapalain-Nougaret, 1984, pp. 165-191, repr. p. 176.

Nantes, musée départemental de Loire-Atlantique, musée d'Archéologie, musée Thomas Dobrée (inv. 56.3218).

Le lancement d'une montgolfière est le prétexte à de nombreuses réjouissances princières et populaires. A Nantes, le 14 juin une ascension est menée par Anne-Pierre Coustard de Massi et le R.P. Mouchet, après bien des recherches auxquelles prennent part les oratoriens de Nantes qui, dès décembre 1783, font voler un ballon sans passager, et l'expérience malheureuse d'Aligant de Morillon. L'ascension du ballon, baptisé *le Suffren,* est rendue possible après une souscription et a lieu sur le terre-plein avoisinant l'hôpital des Enfants trouvés, derrière Saint-Clément ; le ballon a une enveloppe en taffetas vert, verni par les ouvriers de la manufacture de toiles peintes près de Diot ; la nacelle bleu et or, en forme de gondole, avec têtes de lion et d'aigle est due aux fiers Bourmeau. Le ballon est arrimé à du matériel portuaire amené sur les lieux pour la circonstance. Une foule nombreuse est venue assister de toute la région, du Poitou et de l'Anjou à l'événement. Malgré le vent, le ballon s'élève à 18 h 10, et, 58 minutes plus tard, les aéronautes se posent à Gestre, près de Cholet, mais le ballon reprend son envol et chute près de Bressuire à vingt lieues de Nantes. Les deux pilotes, héros du jour, sont fêtés à leur retour, en musique et par l'image et entrent dans la

---

Les montgolfières à la conquête de l'air

Lorsque la Révolution française éclate le 14 juillet 1789, l'aérostation n'est qu'une science naissance, dont la pratique ne date que de six années seulement.

Bien que l'idée de vol soit « dans l'air » depuis très longtemps, ce n'est qu'en novembre 1782, que deux frères, Joseph et Étienne Montgolfier, originaires d'Annonay en Ardèche, imaginent un moyen de s'élever dans l'atmosphère par l'intermédiaire d'une « machine » de leur propre invention.

En Avignon, en ce mois de novembre 1782, les frères Montgolfier ont l'idée de gonfler une enveloppe de papier en forme de globe dont l'ouverture inférieure et béante reçoit de l'air dilaté par un foyer : la légèreté ainsi obtenue par de l'air chaud maintenu dans l'enveloppe de papier provoque, selon une loi de physique de la dilatation, une force ascensionnelle.

Cet engin capable de s'élever dans les airs, simplement grâce à de l'air chaud emprisonné dans une enveloppe, prend dès lors le nom de montgolfière.

C'est le 4 juin 1783, à Annonay, que les deux frères Montgolfier officialisent leur invention en réalisant un lancement de montgolfière en présence des membres de l'assemblée des États particuliers du Vivarais. Cette expérience est un succès : c'est en fait le point de départ de toute la conquête de l'air, conquête qui de nos jours est sans limite vers les espaces interplanétaires.

Puis tout s'accélère : la consécration de l'expérience d'Annonay incite les deux frères à venir présenter leur invention à Paris et à Versailles.

A Paris, d'abord, une montgolfière de taille déjà respectable, décorée d'ornements couleur or et bleu azur (chiffres et couleurs du roi) s'élève, mais retenue par un câble, les 11 et 12 septembre 1783, du jardin d'un fabricant de papier peint, M. Réveillon, rue de Montreuil, près du faubourg Saint-Antoine.

Quelques jours plus tard, les frères Montgolfier sont priés de présenter leur invention au roi et à la cour, grâce à l'intervention de Pilâtre de Rozier, ami de la reine.

C'est l'occasion de montrer avec éclat que des êtres vivants peuvent survivre dans l'atmosphère dont on ignorait presque tout.

Sur le parvis du château de Versailles s'élève alors, en ce 19 septembre 1783, une magnifique montgolfière bleu azur et or qui cette fois emporte avec elle dans un panier d'osier un coq, un canard et un mouton. On veut savoir si l'air reste respirable en altitude.

L'ascension dure huit minutes et l'aérostat atterrit sans encombre pour ses trois passagers dans le bois de Vaucresson à environ trois kilomètres de son point de départ.

A ce propos, il faut se souvenir qu'il y a une trentaine d'années, les Soviétiques ont répété l'expérience des Montgolfier en envoyant dans l'espace la chienne Laïka.

Les Américains ont eux aussi envoyé dans l'espace des chimpanzés.

Fort de ce succès, Étienne Montgolfier décide d'aller encore plus en avant : il fait construire une très grande montgolfière susceptible d'emmener des hommes.

Faujas de Saint-Fond, écrivain et chroniqueur scientifique, la décrit ainsi : « Sa forme était ovale, sa hauteur de 70 pieds, son diamètre de 49 et sa capacité de 60 000 pieds cubes ; la partie supérieure, entourée de fleurs de lys, était ornée des douze signes du zodiaque en couleur d'or ; le milieu portait les chiffres du roi entremêlés de soleils et le bas était garni de mascarons, de guirlandes et d'aigles à ailes déployées, qui paraissent supporter en volant cette superbe sphère à fond d'azur. Une galerie circulaire, construite en osier et revêtue de toiles sur lesquelles on avait peint des draperies et autres ornements, était attachée par une multitude de cordes au bas de la machine : elle avait trois pieds de largeur, il y régnait de droite à gauche une balustrade de trois pieds et demi de hauteur. Cette galerie ne gênait ni n'interrompait en aucune manière l'ouverture d'environ quinze pieds de diamètre qui était en bas de la machine, elle lui servait au contraire de prolongement, et c'était au milieu de cette ouverture qu'on avait placé un réchaud en fil de fer suspendu par des chaînes, au moyen duquel les personnes qui étaient dans cette galerie avec des approvisionnements de paille, avaient la possibilité de développer du gaz à volonté... » (gaz = air dilaté).

Après quelques essais réussis en captif, c'est-à-dire retenue par une corde, et, après la levée de l'interdiction du roi (en effet, celui-ci ne voulait pas laisser des êtres humains partir en vol libre dans cette machine, sauf deux condamnés à mort), le 21 décembre 1783, la montgolfière s'élève du château de la Muette, en présence du dauphin, avec à son bord Pilâtre de Rozier et le marquis d'Arlandes.

Le pas décisif est franchi : deux hommes ont, pour la première fois, voyagé dans l'atmosphère.

La montgolfière traverse tout Paris et descend sans encombre sur la Butte-aux-Cailles (actuel 13e arrondissement près de la place d'Italie).

Un procès-verbal est établi et contresigné par de hautes person- ▶

légende de la ville. Hénon exécute trois dessins sur cet événement, et plusieurs gravures en relation, dont l'un est dédié à Coustard de Massi (Nantes, musée Dobrée). Une seconde ascension du *Suffren* a lieu en septembre 1787 toujours avec Massi mais accompagné cette fois par Deluynes. Hénon, cité comme architecte, travaille pour la ville de Nantes (Surgères, 1898, pp. 261-266) et les oratoriens (Exp. : Paris, Louvre, 1984, nᵒˢ 18 et 19).

M.Pi.

356
*Expérience aérostatique
au Buen Retiro par Vicente Lunardi*

par José RODRIGUEZ
Eau-forte. H. 0,220 ; L. 0,296.

Inscription : signé en bas à gauche : « JO Rᵤ » en bas : « Globo 9e se elibo en el buen retiro el dia la de Agosta por Dr Vicente Lunardi y bajo en Daganzo a 5 liguas d madrid en aplauso de todos a d 1792 ».
Bibliographie : Pãez Rios, 1983, nᵒ 1866 (2).

Madrid, Bibliothèque nationale (inv. 14861).

Vincenzo Lunardi (1759-1806) est le secrétaire de l'ambassadeur de Naples à Londres, le prince Caramanico. Il est le premier aéronaute, en 1784, de l'espace aérien anglais. Plusieurs portraits de lui sont connus : Richard Cosway et Gaspard Duché de Vancy le représentent (O'Donoghue, 1912, p. 105, Paris, Louvre, coll. Edmond de Rothschild ; exp. : Paris, Louvre, 1976 et Le Bourget, musée de l'Air et de l'Espace, coll. Dollfus). Vincenzo Lunardi n'est pas le premier aéronaute à s'élever dans le ciel espagnol : le 5 juin 1784, le Français Boucle s'envole à bord d'une montgolfière dans le parc d'Aranjuez, lors d'une ascension au cours de laquelle le Français est

blessé. Une toile d'Antonio Carnicero (1748-1814, Madrid, Prado) rappelle cet événement. D'autres expériences aérostatiques ont lieu en Espagne : une gravure de Bresse, représente *Le Poisson aérostatique s'enlève à Plazentia ville d'Espagne* le 10 mars 1784. Partout en Europe des expériences avec ou sans passagers humains sont effectuées en présence d'une foule enthousiaste et donnent lieu à une riche iconographie. Francisco Goya (1746-1828) subit l'influence des ballons et des expériences de vol humain contemporaines, dans plusieurs de ses œuvres : la planche 5 des *Disparates* est intitulée *Volante Sottise*, la 13, *Manière de voler* et dans le *Ballon aérostatique* (Agen, musée des Beaux-Arts, Exp. : Paris, Arts décoratifs, 1963, nᵒ 122). Une grande partie de l'œuvre gravé de Goya est inspirée par les sciences (optique, physique et médecine) et par l'illustration populaire.

M.Pi.

►nalités : le duc de Polignac, le duc de Guines, le comte de Vaudreuil et Benjamin Franklin.

C'est à la suite de cette expérience historique que Louis XVI anoblit les Montgolfier.

Le retentissement de ce premier vol humain résonne alors dans toute la France et dans toute l'Europe.

Dès janvier 1784, les expériences reprennent à Lyon avec l'envol d'une énorme montgolfière *le Flesselles* avec à son bord sept personnes, dont Pilâtre de Rozier et Joseph Montgolfier pour qui c'était la première ascension.

Le 4 juin 1784, toujours à Lyon, une autre montgolfière *la Gustave* s'élève avec à son bord une femme : Mme Tible sera la première passagère aérienne de l'histoire.

Le roi ne cesse alors en cette année 1784 de s'intéresser à la nouvelle découverte : il faut montrer au monde que la France est à la pointe des découvertes scientifiques de son temps.

En juin, Louis XVI demande à Pilâtre de Rozier de réaliser une expérience aérostatique en l'honneur de la visite du roi de Suède à Versailles : une splendide montgolfière, *la Marie-Antoinette*, s'envole avec à son bord Pilâtre de Rozier et le chimiste Proust. Pour la première fois de l'histoire, on atteint une altitude de 3 500 m et on dépasse même une couche nuageuse dont on ignorait tout des effets sur l'homme.

Une émulation entre les villes du royaume et d'autres États se crée : Rodez, Aix-en-Provence, Chambéry, Vienne, Milan lancent des montgolfières montées par des notables, des ecclésiastiques ou des aristocrates locaux. Il y a même un phénomène de mode : le roi ayant accordé sa confiance, toute une partie de la noblesse s'approprie la montgolfière.

Le règne de la montgolfière aura pourtant vite une fin. Trois raisons essentielles à ce déclin rapide.

La première raison, c'est la fréquence des accidents. De nombreuses montgolfières non montées s'enflamment. Ceci provoque alors la mise en place de la première législation aérienne : le 23 août 1784, une ordonnance de police interdit le lancement sans autorisation, des ballons à feu.

La deuxième raison est l'accident mortel de l'aéronaute du roi, Pilâtre de Rozier : celui-ci voulant traverser la Manche en aérostat, met au point une aéro-montgolfière, mélange savant d'une montgolfière classique et d'un ballon à gaz. L'aéro-montgolfière s'enflamme et Pilâtre de Rozier meurt près de Boulogne-sur-Mer le 15 juin 1785.

La dernière cause du déclin de la montgolfière est le succès, sans cesse croissant, du ballon gonflé au gaz hydrogène.

Inventés par le physicien Jacques Charles et expérimentés presque

Auteur anonyme, Accident de Pilâtre de Rozier, Louvre, cabinet des Dessins, collection Rothschild.

en même temps que les premières montgolfières (1er décembre 1783), ces aérostats paraissent plus fiables.

Le succès de cette aérostation à gaz est parallèle à celui des montgolfières mais il est plus populaire (un million de personnes aux Tuileries le 1er décembre 1783). De plus, le roi n'a jamais prêté une grande attention à ces concurrents préférant la montgolfière au ballon à gaz.

Pourtant quelques années plus tard, lors des guerres révolutionnaires, c'est le ballon à gaz qui sera utilisé comme arme stratégique d'observation des mouvements de l'ennemi.

Peu à peu, la montgolfière s'effacera et au XIXᵉ siècle, c'est presque toujours des aérostats à gaz que l'on utilisera à diverses fins.

Georges Delaleau

Expérience de Jouffroy d'Abbans à Lyon (cat. 357).

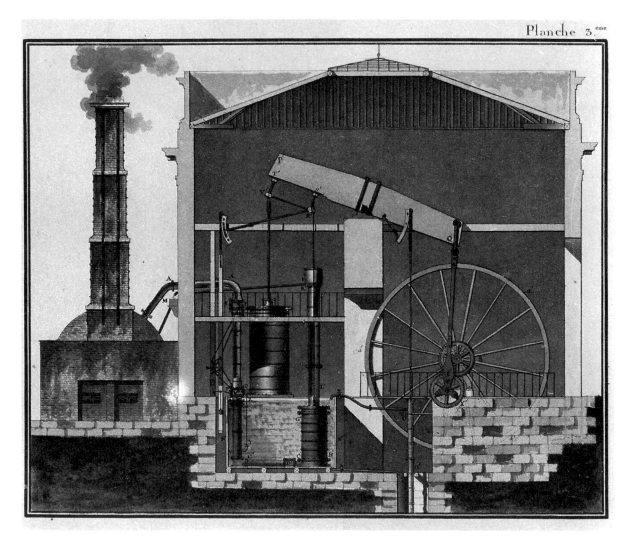

Machine à vapeur à double effet (cat. 358).

357
Expérience de Jouffroy d'Abbans à Lyon

par Marthe de JOUFFROY

Plume, encre noire et lavis gris. H. 0,497; L. 0,322.
Inscription : en bas à gauche à la plume et encre noire : « Marthe de Jouffroy ».
Historique : famille Jouffroy : don de Marie de Jouffroy à la bibliothèque municipale en 1921.
Expositions : 1951, Paris, 52, rue de Bassano; 1979, Mâcon; 1980, Lyon; 1983, Lyon, n° 34.

Besançon, bibliothèque municipale
(inv. Yc Ext. Jouffroy).

Le nom de Claude-François-Dorothée, marquis de Jouffroy d'Abbans (1751-1832), est lié à l'histoire de la navigation à vapeur. Après un séjour parisien, au cours duquel il visite la pompe à feu de Chaillot, il fait part devant Perrier, le marquis Ducrest, frère de Mme de Genlis, Joseph d'Auxiron et son associé Charles de Follemay, de ses recherches concernant la vapeur appliquée à la navigation. Chacun de ces hommes mène des recherches sur ce sujet avec plus ou moins de bonheur ou s'intéresse de près à ces problèmes (Payen, 1969, pp. 59, 97). Jouffroy fait des premiers essais, pas entièrement couronnés de succès, sur le Doubs à Baume-les-Dames en 1776, avec un bateau muni d'une pompe à feu à simple effet, un artiste franc-comtois dessine le lieu même de l'expérience (Prost, 1890, p. 118). Il continue ses recherches en les améliorant et remplace les volets mobiles par des roues à aubes. Il place le dispositif mécanique sur un bateau de cent trente pieds de long, comportant une machine à feu de type Newcomen, construite par les ateliers lyonnais de chaudronnerie de MM. Frèrejean. Il effectue des essais le 15 juillet 1783 en présence d'une foule de Lyonnais et des membres de l'académie de Lyon, embarqués sur le bateau même. C'est cet événement que Marthe de Jouffroy représente dans ce dessin et dans un autre conservé au musée Savoisien de Chambéry (Exp.: Lyon, 1983, n° 35). Dès lors, Jouffroy essaie de créer une compagnie dont le rôle est d'exploiter ce bateau sur les rivières et d'améliorer ainsi la navigation interne du royaume. Il présente un mémoire, examiné le 22 novembre 1783, à l'Académie royale des sciences, qui nomme une commission, laquelle, à la demande de Perrier, malheureux dans ses essais de bateau à vapeur, ne se prononce pas. Calonne renvoie en 1784, le dossier à Jouffroy, qui ne continue pas ses recherches. Il est l'un des premiers émigrés et ne revient en France que sous le Consulat; à cette époque, Fulton fait ses essais de navigation marine et sous-marine. Jouffroy obtient un brevet le 23 avril 1816 (Paris, institut national de la Propriété industrielle) et crée une compagnie pour l'exploiter, mais se ruine. Il publie à la même époque un livre sur les bateaux à vapeur dans lequel il relate l'histoire de ses essais. La bibliothèque de Besançon possède de nombreux documents concernant les expériences de Jouffroy (mss 1781 à 1790, provenant de la coll.

d'Auxiron; mss 2005-2207, papiers de Claude et de son fils Achille de Jouffroy). Le manuscrit 325 conservé à l'académie des Sciences, Belles-Lettres et Arts de Besançon concerne également ses travaux (Payen, 1969, p. 22); un modèle en bois représentant le bateau à vapeur de Jouffroy figure au musée de la Marine à Paris (inv. 506). **M.Pi.**

358
Machine à vapeur à double effet

par Augustin de BETANCOURT Y MOLINA

Manuscrit et dessins. Plume et encre noire, lavis de couleurs. H. 0,247; L. 0,301.
Inscription : en haut à droite, à la plume et encre noire : « Planche 3ème » Planche 3 d'un manuscrit de 26 p.ms. et 6 pl., intitulé *Mémoire sur une Machine à Vapeur, à double effet par M. le Ch^er de Betancourt, Capitaine au Service d'Espagne.* Signé et daté : « Paris le 15 décembre 1789. Le Chevalier de Betancourt Capitaine au Service d'Espagne ».
Historique : Académie royale des sciences, séances du 16 décembre 1789.
Bibliographie : Payen, 1967, pp. 187-198; Payen, 1969, pp. 22, 157-161, pl. 15; Deforge, 1981, pp. 91-93, 97 notes 16-17; exp. Paris, Louvre, 1984, sous le n° 138).

Paris, archives de l'Académie des sciences, séances du 16 décembre 1789.

Bétancourt est l'une des personnalités les plus attachantes du monde des Lumières. Descendant de Jean de Béthencourt qui découvre les îles Canaries en 1402, il complète ses études en France en 1788, où la Cour d'Espagne le charge de réunir une collection de modèles relatifs aux travaux publics; il passe ensuite en Angleterre, où il prend connaissance des travaux de James Watt (1736-1819) et de Matthieu Boulton (1728-1809). A son retour à Paris, il présente à l'Académie royale un mémoire dans lequel il donne l'historique de la machine à vapeur, la manière dont il s'est procuré, contre la volonté des Anglais, le modèle d'Albion Mills et les caractéristiques de la machine à vapeur, notamment du point de vue économique, avec sa chaudière de petites dimensions qui laisse sortir la vapeur continuellement et qui dépense de ce fait moins de combustible — le mémoire est rapporté par Monge et par Charles de Borda (1733-1799) et il précède de peu la *Nouvelle Architecture hydraulique* de Prony dans lequel l'auteur remercie Bétancourt (Paris, 1790). Un autre exemplaire de ce manuscrit est conservé à la bibliothèque de l'École nationale des ponts et chaussées (ms. 1258 - Note de Michel Yvon) ainsi que plusieurs mémoires concernant des travaux de l'ingénieur espagnol (mss 184, 704, 1258, 1554, 1558, 1808, 2420). Bétancourt meurt en Russie où, appelé par le gouvernement il crée le corps des ingénieurs des voies et communications à Saint-Pétersbourg. L'iconographie concernant les pompes à feu est importante : les artistes sont sensibles à l'architecture monumentale des bâtiments d'où s'échappent des fumées. Leurs œuvres sont les premiers témoignages de la mutation des villes,

qui deviennent des centres industriels où la vie sociale et la vie au travail doivent désormais cohabiter. C'est à cette date aussi que l'homme s'apparente à la machine au point qu'il en devient l'une des pièces maîtresses (Lequeu, *Ouvrier à sa machine,* Paris. E.N.P.C., ms. 1810. Exp. : Paris, Louvre, 1984, n° 140). Sous le Consulat, on propose de créer des « prisons hydrauliques » basées sur la force physique des prisonniers qui, travaillant cinq heures dans la journée, élèveraient l'eau dans des réservoirs (Fortier, 1977). A Paris de nombreuses pompes à feu sont construites au Gros Caillou (aquarelle de Tassy, Carnavalet D 3017), dans les résidences princières (Bagatelle, Monceau, Le Raincy, Neuilly, etc.) mais aussi les manufactures, au Creusot (Payen, 1969, pp. 146-150; Saddy, 1980) ou à Jouy-en-Josas chez Christophe-Philippe Oberkampf (1738-1815), dans des projets de rénovation de la machine de Marly, on songe à installer une pompe à feu, afin de remettre en état son système hydraulique et lui redonner son utilité (Paris, arch. de l'Académie des sciences, bibl. de l'Institut de France). Des ingénieurs étrangers travaillent en France, tel l'Anglais Edward Boury, protégé par le duc d'Orléans, dont on connaît deux projets dessinés de machines construites selon les procédés des frères Périer (Paris, C.N.A.M./M.N.T., inv. 16.680. Exp. : Paris, Louvre, 1984, n° 138). La visite d'une pompe à feu, comme celle des manufactures fait désormais partie de tout itinéraire d'un voyageur éclairé, comme en témoigne par exemple le *Guide des amateurs et des étrangers voyageurs à Paris* de Thiery (Paris, 1787, I, p. 44, II, p. 619). Sous la Révolution, de nombreux projets de pompes à feu sont élaborés : Vachette propose « une superbe machine hydraulique » destinée à la pointe de l'île de la Cité et surmontée d'un globe et d'une statue en cuivre de la Liberté planant sur la France (Paris, Bibliothèque historique de la Ville de Paris, ms. 33; Fortier, 1977, pp. 199-200, pl. 8). **M.Pi.**

IX
LE MOUVEMENT
DES IDÉES
À LA FIN DU XVIIIᵉ SIÈCLE

Le lien qui unit la philosophie des Lumières et les évé-nements de 1789 a paru si évident, tant aux admirateurs qu'aux détracteurs de la Révolution (« C'est la faute à Voltaire »), que l'on a longtemps négligé le fait que ces événements sont survenus alors que l'ensemble de l'Europe était parcouru par de nouveaux courants de pensée. L'heure n'était plus à l'enthousiasme pour l'En-cyclopédie qui faisait sur Goethe « le même effet qu'on éprouve quand, dans une grande manufacture, on passe au milieu des broches et des métiers innombrables en mouvement : ce tintamarre et ce fracas… troublent les yeux et l'esprit ». En simplifiant beaucoup on peut déceler trois tendances assez différentes, qui souvent cohabitent avec l'influence multiforme et largement répandue des idées de Jean-Jacques Rousseau.

On assiste, d'une part, à un nouveau développement de la pensée philosophique, dans une direction assez éloignée du matérialisme radical d'Helvétius, d'Holbach ou Cabanis, au profit d'une morale du sentiment et surtout du criticisme de Kant. On peut noter, d'autre part, l'importance prise par les préoccupations philanthro-piques, distinctes de la traditionnelle bienfaisance d'ins-piration religieuse, et qui sont liées à des notions d'utilité

publique et de « régénération », terme qui sera largement utilisé par les révolutionnaires.

Mais la critique radicale du christianisme et des formes traditionnelles de la vie religieuse a aussi laissé le champ libre à toutes les manifestations de la pensée irrationnelle. A côté de Cagliostro, de Mesmer et de Swedenborg, présents dans cette exposition, on aurait pu placer Mar-tinez Pasqualis ou Louis-Claude de Saint-Martin.

Le foisonnement des sociétés de pensée, secrètes ou non, l'importance réelle, mais difficile à cerner, de la franc-maçonnerie, l'alliance entre des courants idéologiques très différents, et parfois opposés, dans une même hostilité à l'absolutisme et à l'Église, ont contribué à accréditer la légende du « complot », qui aurait décidé la destruction de la monarchie française et que l'abbé Barruel dénonça dès 1798. Cette diversité, proche parfois de la confusion, explique surtout l'âpreté des luttes au sein même de la Révolution et permet de comprendre comment, à l'ap-parente unanimité des écrits de la fin de 1788 et du début de 1789, qui réclamaient tous la réforme de la monarchie par les États généraux, vont, dès les premiers événements, succéder les plus violentes polémiques.

Emmanuel Kant (cat. 362).

NOUVELLES TENDANCES IDÉOLOGIQUES

LES EUROPÉENS n'imaginaient pas en 1788 que leur monde était à la veille d'une révolution, ou s'ils le pressentaient, l'idée d'une révolution politique revêtait pour eux un sens beaucoup moins historique que pour nous : ce qu'ils gardaient présent à l'esprit, c'était surtout la valeur originelle de la métaphore, l'idée qu'ils se faisaient de la révolution était davantage celle d'un mouvement cyclique que progressif. Une révolution représentait, certes, une activité politique entraînant des bouleversements, mais sans forcément déboucher sur un monde nouveau, bref une révolution ne constituait pas une expérience radicale ; quand Prudhomme fit paraître, pendant l'été de 1789, un nouveau journal à Paris, il l'intitula *les Révolutions de Paris* : le pluriel est suggestif. Les Européens, qui en 1788 avaient prévu la naissance d'un monde nouveau, l'attendaient d'un dieu millénaire.

Il n'est pas sûr du tout que les principales idées qui firent leur apparition à l'époque, à savoir l'importance de l'individu, la place essentielle de l'expérience émotionnelle dans l'épanouissement de la personnalité, le rôle capital joué par la déraison dans la vie humaine, l'importance des représentations collectives à long terme de la société humaine telles que la nation et le langage, ou l'ensemble des additions historiques, qui en vinrent à caractériser la liberté pour des hommes comme Burke, bref que toutes ces idées aient forgé de façon significative le cours de la Révolution, encore qu'elles forgèrent en grande partie les réactions européennes, et aient coloré l'histoire de l'après-Révolution.

Pour bien comprendre l'influence des idées sur le cours de la Révolution, il ne suffit pas de comprendre les nouvelles idées, mais aussi les anciennes idées, les vieilles mentalités : ce sont elles qui rendirent impossible pour les politiques toute compromission ou toute concession, ou qui imposèrent, pour comprendre les nouvelles situations, le langage et les concepts dérivés de la pratique des vieilles institutions de compromis et de conflit ; du système légal ou du monde des corporations[1].

Mais, en définitive, pour saisir le jeu des idées dans l'Europe de 1788-1789, il ne s'agit pas tant d'accumuler les listes de « vieilles » ou « nouvelles » idées, que de réaliser que les idées, qu'elles soient anciennes ou nouvelles, peuvent convaincre et mobiliser certaines personnes dans certaines circonstances ; et que les gens de la fin du XVIIIe siècle se servirent des idées exactement comme nous le faisons aujourd'hui, comme une aide pour survivre face à la nature et à la société. Car une idéologie ne se réduit pas à un simple nom à la mode appliqué à une idée. Une idéologie est une idée dans sa relation avec un groupe social, sur laquelle s'appuie ce groupe social pour maintenir son identité ou sa cohérence, ou encore pour défendre ou promouvoir sa place dans la société. Parler d'idéologie, c'est reconnaître la valeur de ce que Karl Marx disait : « Les idées dominantes de chaque époque sont les idées du groupe dominant. »

Il existe donc une différence fondamentale entre l'histoire des idées et l'histoire des idéologies. Dans l'histoire des idées, le récit est constitué par l'émergence de nouvelles idées et la transformation des anciennes idées. Dans l'histoire de l'idéologie, ce ne sont pas ces nouveautés qui font le récit, mais la modification des lignes de démarcation entre idées et groupes sociaux. Dans l'histoire de l'idéologie, une nouvelle idée n'a pas en soi davantage de sens qu'une ancienne idée dans une nouvelle relation avec un groupe social.

Sur de très vieilles idées peuvent se bâtir de nouvelles idéologies. Prenons par exemple l'idée de la royauté charismatique. Dans les années 1790, le roi en tant que l'Oint du Seigneur devint soudain une idée dotée d'un futur, une idée parée d'une force matérielle aux yeux d'un groupe nouveau de personnes, la noblesse sophistiquée, mondaine et auparavant rationaliste, qui vit dans l'idée une arme et une justification de la défense du roi et de ses propres intérêts. Un grand nombre se mirent à croire en cette vieille idée avec une totale conviction, comme l'atteste le couronnement de Charles X en 1825.

Aujourd'hui encore on doit se demander : l'idée de quoi ? dans quel but ? On ne doit pas cesser de dire et redire que cette idéologie est un instrument : elle produit des résultats concrets dans des circonstances historiques particulières. On doit toujours reconnaître que le monde des idées sur le papier n'est pas le même que le monde des idées que l'on applique et selon lesquelles on agit. Si les idéologies comportent des pratiques étroitement structurées par des idées explicites, elles incluent aussi des pratiques qui ne sont pas sujettes à intellectualisation : cruauté envers les animaux, hostilité à l'égard des étrangers, tendance à passer ses heures de loisir en compagnie de personnes de son sexe ou de son âge.

Un aspect essentiel des idéologies du XVIIIe siècle, et qui se modifia lentement, si tant est qu'il se modifia avant la Révolution, est le rôle des idées dans l'établissement des rapports entre la collectivité et l'individu. Des idées ont été formulées, accueillies et mises en œuvre par l'intermédiaire de collectivités

1. W. Sewell, *Work and revolution. The language of labour from the Ancien Regime to the Revolution*, 1980 ; M. Sonenscher « Journeymen, the Courts and the french trades » *Past and Present*, 114, 1978, pp. 77-109.

à but sociable ou de survie, plutôt que par des individus isolés en quête d'un système de croyances permettant d'établir des liens avec une collectivité sympathique. On peut arguer que des groupes sociaux plus riches pouvaient trouver davantage d'espace permettant à l'individu d'exercer son autonomie[2] (à lui, guère à elle) ; mais il semble que l'univers du *monde* des salons a réussi à structurer la conscience de ses membres tout comme le monde du peuple. On pourrait prétendre que les idéologies de l'élite renfermaient des contradictions plus porteuses de rupture que les idéologies du peuple : mais comment quantifier et comment prouver ? Une chose est certaine : la Révolution, en faisant éclater des collectivités existantes, a contraint le peuple à en créer de nouvelles et à en réhabiliter d'anciennes sur la base d'idées, contribuant ainsi de façon significative au développement de ce que nous appelons l'individualisme romantique. En tout cas, l'importance du lien existant entre l'individu et la collectivité dans l'*Ancien Régime idéologique* concentre notre attention sur les moyens de diffusion des idées et autres comportements idéologiques. On trouve des images dans les « médias » qui jouèrent un rôle puissant. Elles transmirent rarement avec exactitude des équivalents visuels des idées verbales en tant que telles. Mais elles proposèrent plutôt toutes sortes de représentations collectives à des collectivités différentes, représentations de la nature de la royauté, de la nature de la valeur individuelle, de l'authenticité de la culture de l'élite, ou de leur poids et de leur confiance en leur richesse.

En ce qui concerne la population cultivée des villes, on peut sans doute prétendre que l'expression imprimée, davantage même que peinte, d'une idée apporte la preuve de son existence en tant qu'idéologie, du moment que l'on ne suppose pas que toutes les idéologies ont été maniées comme des idées, ou que l'idée exprimée est la même que l'idéologie à laquelle elle se réfère. Et pourtant, le pauvre illettré des campagnes, qui ignorait à peu près tout de la chose imprimée, se servit lui aussi des idées[3]. Comment parler des mentalités de ces hommes et de ces femmes ? Leur existence s'est écoulée sans laisser de traces orales, mais nous pouvons trouver leurs idéologies à l'œuvre lorsqu'ils s'accrochèrent, ou au contraire abandonnèrent, d'anciennes formes, ou encore les modifièrent pour faire face à des circonstances nouvelles : pensons à la relation entre le « mai » et l'arbre de la Liberté[4].

2. L. Stone, *The family, sex and marriage in England 1500-1800*, 1977.

3. R. Mandrou, *De la culture populaire*, 1964 ; R. Chartier, *Lectures et lecteurs dans la France d'Ancien Régime*, 1987.

4. Mona Ozouf, *la Fête révolutionnaire 1789-1799*, 1976.

5. A. Mayer, *Ther persistence of the Old Regime : Europe to the Great War*, 1981.

6. R. Muchembled, *Culture populaire et culture des élites dans la France moderne, XVᵉ-XVIIIᵉ siècle*, 1978.

7. M. Vovelle, *Piété baroque et déchristianisation : attitudes provençales devant la mort*, 1971.

8. F. Furet, J. Ozouf, *l'Alphabétisation des Français de Calvin à Jules Ferry*, 1977.

L'outillage idéologique du pauvre, rural ou citadin, comportait principalement des concepts et des pratiques polyvalents pouvant donner un sens à des circonstances anciennes, nouvelles ou récurrentes. Dans l'Europe du XVIIIᵉ siècle, nous sommes encore dans un monde où la vie des paysans était dominée par la « longue durée », et ce serait une entreprise désespérée que de vouloir rechercher des preuves de l'évolution des idéologies du pauvre, plutôt que de leur modulation. En fait, les conditions de la masse de la population, en France comme ailleurs en Europe, avaient déjà commencé à changer dans la génération précédant 1790. Tout d'abord, avec l'accroissement général de la population, se créa une nouvelle configuration de la « pyramide des âges », et par là même une nouvelle insécurité touchant la tenure. Les relations de marché jouèrent un rôle accru dans le monde agraire, tandis que se répandaient de nouvelles exploitations, de nouvelles technologies à partir de centres d'innovation variés. Et pourtant, dans l'Europe toute entière, l'*Ancien Régime économique* et même l'*Ancien Régime social* allaient se prolonger jusqu'au XIXᵉ siècle[5]. Ce sont le pauvre rural, et dans une certaine mesure, le pauvre citadin qui fournirent la base de cette stabilité, et il n'y a pas à voir le progrès là où il y eut avant tout adaptation.

Sous un seul rapport, on observe ce que l'on pourrait appeler un progrès dans l'idéologie de la classe rurale pauvre. Au milieu du XVIIIᵉ siècle, la Contre-Réforme fournit un clergé de paroisse instruit, doté de l'énergie et des ressources nécessaires pour convertir la population de la campagne à une religion plus spécifiquement catholique qu'avant. Cet effort doit être considéré comme participant de l'attaque à long terme contre la culture populaire, et comme une tentative pour la remplacer par des formes plus respectables de croyance, de divertissement et de sociabilité[6]. Les pauvres résistèrent à cet assaut, se séparant dans certains cas de cette Église instruite[7]. Toujours s'associant à cet assaut, l'instruction se répandit dans les églises, très partiellement et à des rythmes variables, ce qui n'entraîna pas seulement la possibilité d'une observance religieuse plus fidèle, mais aussi d'une éducation personnelle : les armes de la discipline étaient également les instruments avec lesquels un paysan pouvait parvenir[8].

Le combat du paysan contre le seigneur était un vieux combat qui utilisait des idées dérivées de la justice naturelle et de la justice divine, les armes de la solidarité commune et la menace ou la réalité de la force collective. Dans la France du XVIIIᵉ siècle et, par exemple, sur les terres des Habsbourg, ce combat se trouva lié à une attaque réformatrice contre le « féodalisme », si bien qu'on peut voir parfois des paysans et leurs porte-parole adapter un nouveau langage à une ancienne croyance.

Avant d'aborder le cas des idéologies plus reconnaissables dans le domaine des idées articulées, il y a lieu de noter un développement idéologique, très peu « nouveau » au XVIIIᵉ siècle, mais qui tout au long du siècle, et notamment dans l'Europe atlantique, revêtira une importance grandissante. Par suite de l'accroissement des relations de la production capitaliste et des échanges, des hommes et des femmes en vinrent à considérer le monde matériel, voire des parties du monde humain, comme des séries de marchandises. Même si l'on ne partage pas toutes les positions de Jean Baudrillard, on ne peut que reconnaître l'importance de ses aperçus dans *la Société de consommation*[9] : le modèle de monde humain qui nous présente des individus en relation avec les marchandises plutôt que des êtres sociaux dans leurs rapports avec les collectivités pouvait paraître plus convaincant au fur et à mesure que le siècle avançait ; et l'une des plus grandes réussites des Lumières a été de fabriquer des idées comme on fabrique des marchandises entre lesquelles on est libre de choisir, ou en vérité on a le devoir de choisir ; donc les comportements idéologiques ne changent pas aussi vite que les idées : au fur et à mesure que le XVIIIe siècle avançait, parallèlement à la lente histoire des idéologies émergentes, dominantes et résiduelles, on assista à la naissance d'une idéologie, la tendance des idées à devenir à la mode et à se démoder sur la place du marché. Les Lumières restèrent jusqu'à la fin de l'Ancien Régime une nouveauté radicale à maints égards : mais, dans la génération qui précéda la Révolution, on constate çà et là en Europe des évolutions d'idées en relation avec des groupes sociaux représentant une réelle nouveauté, mais qui ne constituèrent pas une « vision du monde » érigée en système. Parmi ces idées : la montée du radicalisme politique en Angleterre ; le développement de théories établissant des liens entre le rôle de l'État et la politique économique en Écosse et en France ; l'évolution de nouvelles et importantes formes d'expérience religieuse collective, populaire et populiste ; et, notamment en Allemagne, une nouvelle façon, extrêmement féconde, de penser les rapports entre l'histoire, la collectivité et l'individu, que, pour simplifier, l'on pourrait définir comme un nationalisme romantique historiciste. On peut considérer les deux premières tendances comme des prolongements de la pensée rationaliste des Lumières, les deux dernières comme des développements de sa concentration sur l'individu comme source d'authenticité.

Le « radicalisme » en Grande-Bretagne n'a pas représenté une force politique constante ou achevée, mais sporadique et souple. Il est incontestable qu'il devint l'idéologie de certaines parties de la population artisanale et contribua à « faire la classe ouvrière britannique[10] ».

Il concentra toute son action sur la manière de représenter les intérêts de la population au Parlement, et sur les rapports entre l'Église anglicane et l'État. Il se fit tantôt conspirateur, tantôt quasiment insurrectionnel, lors du combat de Wilkes pour siéger au parlement de Westminster. Il est tout à fait significatif que cette politique urbaine populaire ait fait son apparition en Angleterre, familiarisant le peuple avec le langage et la logique du *statu quo* politique, plutôt qu'en France où un débat politique sur la nature et les fonctions de l'État, au moins aussi radical, était mené par une élite et se reflétait dans la politique populaire d'une façon qui, loin de l'incorporer, écarta le peuple citadin de la culture politique[11].

Un nouvel aspect du débat en France a été la « physiocratie », l'idée que le pouvoir de l'État était en définitive un pouvoir économique, et que la couronne userait de son pouvoir pour favoriser la croissance de l'économie : comme l'a vu Quesnay, essentiellement le libre-échange des biens et des services, l'accent étant mis sur le maintien des excédents agricoles sous la forme d'une capitalisation agricole accrue. Ce qui provoqua une attaque contre un grand nombre des structures de l'Ancien Régime. Les préoccupations des physiocrates, sinon toutes leurs conclusions, coïncidèrent avec celles de l'école britannique d'Économie politique de plus en plus influente, notamment grâce aux écrits de l'Écossais Adam Smith[12].

C'est de la Révolution et de l'après-Révolution que devait dériver la notion de l'importance fondamentale des représentations collectives telles que le langage et la nation dans toute culture humaine authentique et viable. L'idée était toutefois déjà apparue en Allemagne avant la Révolution, avec les *Critiques* de Kant, qui allaient exercer une si grande et si durable influence sur l'histoire des idées. Les œuvres de Herder, Schiller et du jeune Goethe firent de l'idée du devenir, plutôt que celle de l'être, l'élément central d'une compréhension de la croissance des collectivités en tant qu'individus. En Angleterre, Edmund Burke devait insister sur de semblables métaphores de moralité politique : dans ses *Reflections on the Revolution in France* (1790), il apporta une contribution décisive au développement d'une nouvelle idéologie conservatrice.

Il n'est pas certain que le « matérialisme » de La Mettrie ou d'Holbach soit devenu à partir de 1789 une idéologie, encore moins une idéologie populaire ; en revanche il n'y a aucun doute sur l'apparition d'un déisme optimiste informel, proposant une alternative digne à la croyance en un Dieu spécifiquement chrétien.

Le moins qu'on puisse dire est que l'Église catholique n'a pas traversé le XVIIIe siècle avec succès[13]. Son influence sur la masse de la population varia incontestablement d'une paroisse à l'autre, d'une région à l'autre ; mais au cours de cette période, l'Église catholique s'éloigna à la fois du quiétisme ou du rigorisme, créant un corps de doctrine trop semblable au déisme pour imposer une large dévotion. En Allemagne, l'*Aufklärung* engendra un engagement théologique réel, et en Angleterre on fut quelque temps sans savoir si l'Église anglicane serait capable de contenir et de mettre à profit l'énergie réformatrice populiste du méthodisme. Pour finir, elle s'en révéla incapable. Les francs-maçons se répandirent dans toute l'Europe : à la Révolution il devait y avoir quelque six cents loges en France.

9. J. Baudrillard, *la Société de consommation*, 1970.

10. E.P. Thompson, *The making of the english working class*, 1963.

11. R. Darnton, *The literary underground of the Old Regime*, 1982.

12. A. Smith, *Enquiry into the nature and causes of the wealth of nations*, 1776.

13. L.J. Rogier, G. de Bertier de Sauvigny, Joseph Hajjar, *Nouvelle histoire de l'Église*, vol. 4, Paris, 1966.

La franc-maçonnerie à l'époque n'était pas incompatible avec la religion catholique, pas plus qu'elle ne l'était avec les églises anglicanes et luthériennes ; mais son succès prouve que l'Église n'était plus capable d'intégrer toutes les aspirations de l'humanité et les désirs de foi des communautés, que les hommes, particulièrement de la « bourgeoisie satisfaite », commençaient à ressentir.

L'éclipse de l'autorité intellectuelle absolue de l'Église, le développement des visions historiques d'évolution politique et sociale, l'élaboration d'une science de l'économie et l'incorporation politique des groupes d'artisans et de petits bourgeois constituèrent d'authentiques développements, appelés à s'intensifier au siècle suivant.

On peut aussi déceler l'influence d'un mouvement de « pendule » plus simple : alors que les penseurs et artistes européens, sur trois générations depuis 1680, avaient eu tendance à mettre l'accent sur l'importance de la raison, les penseurs européens, après 1760, soulignèrent davantage l'intérêt des domaines de l'expérience humaine échappant au contrôle de la raison. Il est encore trop tôt en 1789 pour parler d'un mouvement romantique, mais des hommes et des femmes cultivés étaient plus disposés qu'ils ne l'avaient été pendant une centaine d'années, avec complaisance, angoisse ou effroi, à reconnaître la valeur de la maxime de Pascal « Le cœur a ses raisons que la raison ne connaît pas. » L'extraordinaire succès international de *la Nouvelle Héloïse* de Rousseau, ou des *Night Thoughts* de Young, témoigne de cette nouvelle sensibilité, comme aussi du développement d'une civilisation de l'enfance distincte, dotée d'une littérature distincte, à la fois pédagogique et divertissante. Il n'y a certes pas lieu de se représenter la Révolution comme

14. P. Bourdieu, *la Distinction. Critique sociale du jugement*, 1979.

plus « irrationaliste » qu'un soulèvement populaire au XVIIe siècle, ou même la guerre des Farines des années 1770 : il n'en reste pas moins que les événements de la Révolution ont contribué à favoriser l'émergence d'une vision de la nature humaine plus tragique que celle qui a dominé la pensée du XVIIIe siècle. Les éléments de cette vision tragique étaient apparus avant 1789, et il serait insensé de penser que pour la grande majorité des Européens, hommes ou femmes, qui pouvaient s'attendre à une vie peu agréable, inhumaine et courte, une vision tragique pouvait avoir une pertinence idéologique à tout moment au XVIIIe siècle.

Durant la génération qui précéda 1789, les idées du groupe dominant, l'aristocratie terrienne, semblèrent de moins en moins capables de représenter les idées dominantes. L'idéologie du service de l'État, par exemple, se trouva de plus en plus en contradiction avec l'idéologie du pouvoir aristocratique, même si toutes deux parvinrent à paraître « réformistes » dans la crise de l'Ancien Régime. Dans cette crise, un groupe social nouveau prit une conscience plus aiguë de son existence et de ses intérêts mal servis par les idéologies existantes. Avant 1789 on peut difficilement parler de l'émergence de l'idéologie « bourgeoise » en tant que telle, mais il est difficile d'ignorer la force « bourgeoise » du radicalisme de la science économique, de la glorification de l'individu, et de la religiosité intériorisée du déisme.

Quand on regarde ces objets matériels que l'on appelle l'art, il est facile de les voir dans leur relation avec des groupes sociaux, mais difficile de les voir en tant qu'idées. Néanmoins, lorsque nous les examinons, leur existence en tant qu'idées se clarifie, et leur existence en tant qu'idéologie, consolidant des positions vieilles ou nouvelles, devient plus facile à saisir[14].

Thomas Gretton

LA PHILOSOPHIE ET LA POÉSIE

359
Une rosière pleurant la mort de son fondateur et montrant l'image de son cœur

par François-Nicolas DELAISTRE

Statuette, terre cuite. H. 0,485 ; L. 0,28 ; Pr. 0,115.
Inscription : au revers, « Le modelle/est exeçuté/en marbre/de grandeur/naturel/à la falaize/par Delaistre. »
Exposition : 1793, Paris, Salon, n° 86.
Bibliographie : Lami, 1910, p. 262 ; cat. Chaalis, 1913, p. 77, n° 479.

Chaalis, musée Jacquemart-André.

Cette statuette peu connue est un excellent

témoignage du renouveau d'intérêt durant le dernier tiers du XVIIIe siècle pour une coutume dont l'origine est fort ancienne. La « fête de la Rose » aurait en effet été instituée par saint Médard, évêque de Noyon et seigneur de Salency, en 530. « Il s'agissait de couronner une jeune fille "vertueuse", symbole de la jeunesse de son pays et du village qui l'élisait de façon assez démocratique. Symboliquement, la virginité de la jeune fille garantissait l'inviolabilité de la ville. » (Martine Segalen, « la Rosière de Nanterre », cat. expo. : *Hier pour demain*, Paris, Grand Palais, 1980, p. 238).
Une fois l'an, les habitants de Salency (puis de nombreux autres villages en France) élisaient trois jeunes filles, qui étaient ensuite conduites au seigneur afin qu'il décidât du choix final, couronné par la remise d'une couronne de roses, symbole de sa vertu. « Afin d'assurer la perpétuité de cette institution, saint Médard préleva sur son domaine une portion de douze arpents qui porta depuis lors le nom de « fief de la Rose ». Les revenus de ce fief étaient destinés d'une part à couvrir les dépenses de la fête populaire, d'autre part à assurer à la

rosière une somme d'environ vingt-cinq livres, « en matière de dotation » (Arlette de Bennetot, « Salency élit sa rosière », dans *Aux carrefours de l'histoire*, juin 1961, pp. 44-45). On trouve ainsi dès l'origine le couplage entre, d'une part, la vertu choisie par la communauté, et symboliquement récompensée par la fête et le « chapel de roses », et, d'autre part, la gratification d'une somme d'argent servant de dot à la jeune fille pauvre.
De généreux fondateurs, religieux ou laïcs, vont suivre l'exemple de saint Médard, et de nombreuses fêtes de la rosière vont se dérouler dans les communes de France. Une des plus célèbres fondations est celle d'Antoine Belloy de Francières à Saint-Denis (1640), dont parle Félibien ; Dupuis en fit le sujet d'une médaille en 1784. La rente constituée par Belloy était perçue par l'abbaye de Saint-Denis qui la versait aux jeunes filles méritantes. En 1793, le conseil municipal se substitua à la communauté religieuse : l'administration civile ne pouvait se désintéresser d'une tradition aussi populaire (Fernand Bournon, *les Rosières de Saint-Denis*, Saint-Denis, 1896).

En effet durant le dernier tiers du XVIII° siècle, on remarque une floraison de fondations de rosières, autour de Paris — la rosière de Romainville (1774) devait être « la fille la plus modeste, respectueuse envers ses parents et la plus attachée à ses devoirs » — mais également en Normandie, Picardie, Lorraine (Martine Segalen et Joselyne Chamarrat, « Notes pour une analyse historique et sociologique des fêtes de la rosière à Nanterre », *Bulletin du Centre d'animation de l'histoire de Nanterre*, n° 8, juin 1979).

On peut supposer que l'« affaire » de Salency, qui fit un certain tapage, relança l'intérêt pour la manifestation. En 1773, le suzerain du village, nommé Danré (un roturier), voulut, au mépris des usages, choisir lui-même la rosière ; il la couronna et refusa de lui payer la dot. Les Salenciens poursuivirent Danré devant les tribunaux : « Le Parlement de Paris prononça en décembre 1774, aux dépens de l'accusé, une sentence de règlement dont les dix-sept articles donnent gain de cause aux Salenciens et rétablissent, en la précisant dans les moindres détails, la cérémonie de la fête de la Rose. » (Bennetot, *op. cit.*, pp. 45-46). La victoire des villageois contre leur suzerain eut un grand retentissement. La fête de la rosière devint très populaire. Déjà, en 1766, Favart avait écrit une comédie sur ce sujet ; après le procès, une autre fut jouée sur une musique de Grétry devant Marie-Antoinette à Fontainebleau ; Mme de Genlis en écrivit une également. On trouve au quatrième acte du *Mariage de Figaro* une cérémonie qui est bien proche d'un couronnement de la rosière. Si chez Beaumarchais la fête est la récupération symbolique de l'ancien droit de cuissage que le seigneur avait sur les jeunes filles à marier, on ne trouve pas cette inspiration « politique » chez la comtesse de Genlis. L'ancienne maîtresse du duc d'Orléans et la préceptrice de ses fils eut la vocation de la pédagogie, influencée par la lecture de Rousseau ; ses livres traitent des principes d'éducation et de morale qu'illustre parfaitement une institution comme celle de la rosière. On a remarqué en effet dans cette fête, « la vertu est associée à la nature car elles correspondent à la sensibilité du temps (rousseauisme) qui exalte la pureté des mœurs de la campagne en les opposant à la corruption de celles qui règnent dans les villes » (Segalen et Chamarrat, *op. cit.*).

Si le biscuit de Sèvres modelé par Boizot en 1776, *la Rosière de Salency* ([E. Bourgeois], les *Œuvres de la manufacture nationale de Sèvres 1738-1932, la Sculpture de 1738 à 1815*, s.l.n.d., pl. 45, n° 562) se rattache à la tradition souriante, voire mondaine, de Favart, on ne peut en dire autant de la statuette de Delaistre, dont la simplicité, et la fibre sentimentale, sont proches de l'esprit de Mme de Genlis.

Ce « petit modèle » présenté au Salon de 1793 fut réalisé en marbre blanc dans la chapelle du château de La Falaise près de Mantes (Yvelines) afin d'orner le mausolée du cœur du marquis Gallyot de Tourny.

Ce dernier avait fondé l'institution d'une rosière et décidé lui-même de l'iconographie de son tombeau : « Une jeune fille de seize à vingt ans décorée des attributs et ornements d'une rosière tenant dans ses mains une urne aussi de marbre blanc sur laquelle serait posé mon cœur qu'elle gardera avec reconnaissance, et paraîtra présenter avec complaisance. » Le mausolée a disparu, et fut peut-être vendu en Russie, le château, reconstruit, ayant changé de propriétaires à de nombreuses reprises (voir Michel Lhéritier, « Tourny en Seine-et-Oise », article classé sans référence, documentation musée de l'Île-de-France, Sceaux).

La jeune fille de Delaistre est contemporaine des images de Wille, à la suite de Greuze ; figure d'une « noble simplicité », héroïne de Diderot, elle caractérise bien la sensibilité qui touche le cœur et la morale. L'aspect funéraire de l'œuvre est accentué par la présence sur le socle de deux lécythes, discrète présence de l'Antiquité. L'œuvre est exécutée d'une manière large et monumentale qui ne sacrifie pas à l'anecdote ; le visage rappelle le style de Pajou.

G.Sc.

360
Nouveaux éléments de la science de l'homme

par Paul-Joseph BARTHEZ

Livre imprimé.
Montpellier (J. Martel, aîné) 1778, tome I (seul paru), in-8°, XXXVII-348 p.

Paris, bibliothèque Sainte-Geneviève (inv. 2437).

Barthez (1734-1806), qui, après ses études de médecine à Montpellier, était venu à Paris et s'était lié à d'Alembert, avait été l'un des col-

(cat. 360).

laborateurs du *Journal des savants* et de l'*Encyclopédie* (pour les articles concernant l'anatomie et la physiologie).

D'abord dans un traité (*De principio vitali hominis*) paru en 1773, puis sous une forme plus accessible dans les *Nouveaux Éléments de la science de l'homme*, Barthez formule une doctrine qui, tout en se réclamant d'Aristote et d'Hippocrate, s'inspire aussi des conceptions de Paracelse et de J.B. von Helmont : les données de l'expérience sont récusées au profit de l'affirmation non démontrée d'un principe vital qui obéit à ses lois propres et ne relève pas des mécanismes quantifiables et déterminés des phénomènes physico-chimiques. En écrivant « j'appelle principe vital de l'homme la cause qui produit tous les phénomènes de la vie dans le corps humain. Le nom de cette cause est assez indifférent et peut être pris à volonté », Barthez définit, dans une certaine mesure, l'autonomie de la biologie comme science ; mais il ouvre aussi la voie à des interprétations irrationnelles des processus physiologiques : le « principe vital » de l'homme ne serait-il pas en définitive assimilable à l'âme humaine ? Même s'il refuse d'aborder les problèmes métaphysiques, le livre de Barthez est pourtant la manifestation d'une certaine inquiétude largement répandue à la fin du XVIII° siècle devant l'application à l'homme des méthodes d'analyse des sciences exactes. Il a pu contribuer à conforter la religiosité imprécise et le panthéisme de bien des hommes de la Révolution.

361
Edward Gibbon (1737-1794)

par John HALL, d'après sir Joshua Reynolds
Gravure (taille-douce). H. 0. 0,305 ; L. 0,245.
Londres, National Portrait Gallery.

Edward Gibbon est un historien anglais, dont l'œuvre la plus connue est l'*Histoire du déclin et de la chute de l'Empire romain*, parue entre 1776 et 1788. Il y fait preuve d'une grande lucidité, de sens de la synthèse et de précision dans l'observation. Bien que Gibbon ait été cultivé, qu'il ait beaucoup voyagé et vécu en Suisse, en Italie et en France, il n'a jamais perdu son indépendance toute insulaire : « ... L'opulence de la capitale de la France est due aux défauts de son gouvernement et de sa religion. [...]. Le faste des nobles français se limite à leur résidence en ville ; celui des Anglais est mieux réparti à travers le pays. » (A propos d'une visite à Paris, 1763, extrait de *Memoirs of my life*).

Il entra au Parlement en 1774, comme membre tory, mais cela n'ajouta rien à sa renommée. En 1783, il se retira à Lausanne où il put observer avec horreur, en rationaliste qu'il était, l'arrivée en 1789 d'« ... un essaim d'émigrants des deux sexes, qui ont fui la ruine générale [...]. Beaucoup de particuliers et quelques communautés paraissent atteints de la maladie française, par les théories barbares d'égalité et de liberté effreinée ; mais je veux espérer que

le gros du peuple restera fidèle à son souverain et à lui-même ; et je me réjouis que de l'échec ou du succès d'une révolte résulte pareillement la ruine du pays. »*(Memoirs of my life.)*
La gravure de Hall a été réalisée d'après le portrait en buste de Gibbon par Reynolds en 1779 (coll. privée). Publiée par Strahan et Cadell en 1780, elle a servi de frontispice à l'édition de l'*Histoire du déclin et de la chute de l'Empire romain.*   C.B.-O.

362
Emmanuel Kant (1724-1804)

par Emanuel BARDOU

Buste, marbre. H. 0,455 ; L. 0,292 ; Pr. 0,230.
Inscription : devant, « EMANUEL KANT » ; au revers, « E. Bardou fecit 1798 ».
Historique : réalisé en 1798 ; après la mort de Bardou, appartint au sculpteur Christian Daniel Rauch, Berlin ; exposé depuis 1844 dans le jardin du gendre de Rauch à Halle ; acquis en 1923 pour les musées de Berlin.
Bibliographie : Clasen, 1924, pp. 13-14 ; Demmler, 1923-1924, pp. 209-212 ; Demmler, 1924, pp. 316-320 ; Demmler, 1930, p. 464 ; Essers, 1974, pp. 53-54.

Berlin, Staaliche Museum Preußischer Kulturbesitz, Skulpturen-galerie (inv. 8321).

Emmanuel Kant, l'un des plus grands philosophes allemands du XVIIIᵉ siècle, naquit en 1724 à Königsberg et y resta en permanence en menant une vie très retirée. Partant de la philosophie de la nature, il fonda une philosophie non spéculative, considérée comme une science conforme à la raison. Partisan déclaré de l'*Aufklärung,* il proclama la liberté de penser et d'agir dans son essai, *Was ist Aufklärung ?* (1794). Dans sa *Critique de la raison pure* (1781), il formula les principes de la philosophie scientifique. La *Critique de la raison pratique* (1788) contient les fondements moraux d'une doctrine de la vertu ; elle postule chez l'homme une « loi morale » interne qui commande son action dans la société en termes de raison. Dans la *Critique du jugement* (1790), il élabora pour finir une esthétique qui laisse l'art et la nature exister en tant que tels, sans but précis.
La philosophie de Kant a eu une influence décisive sur la pensée des Lumières et sur l'idéalisme allemand. Contrairement à nombre de ses admirateurs, Kant resta un fidèle partisan des idées de la Révolution française. Même si lui-même était plutôt convaincu que c'était l'individu et les États qui étaient susceptibles d'évoluer, la démocratie représentative introduite en France correspondait à ses propres convictions en matière de droit et de morale.
Il existe seulement quelques portraits sculptés de Kant mais celui de Bardou, sculpteur à la cour de Prusse, est le plus important malgré son mauvais état de conservation. Il montre le philosophe à soixante-quinze ans ; le buste est en hermès avec un effet de draperie à l'antique. La tête est légèrement tournée par rapport à l'axe, elle est maigre, la forme des traits est simple et dépouillée à l'extrême. Ce buste est très clairement inspiré par les portraits de philosophes romains.   R.Sc.

363
Johann Wolfgang von Goethe (1749-1832)

par Johann Heinrich LIPS

Gravure. H. 0,34 ; L. 0,29.
Inscription : « Goethe ».
Bibliographie : Schulte-Strathaus, 1910, p. 40, nº 76.

Frankfurt am Main, Freies Deutsches Hochstift, Frankfurter Goethemuseum (inv. Ia-gr. 3139).

Comme écrivain à succès, Goethe avait remis en cause les conventions sociales dans *Werther* (1774) ; comme essayiste, il avait adopté un ton patriotique dans *De l'architecture allemande* (1773), et comme poète, il avait fait preuve d'opinions révolutionnaires en matière de littérature dans *Prométhée* et *Götz von Berlichingen* (1773) ; il ne fut néanmoins jamais partisan d'un changement révolutionnaire en politique. Sa nomination à l'âge de vingt-cinq ans (1775) à la *Musenhof* (palais des Muses) de Weimar constitue aussi un tournant pour son activité littéraire. Son poste de conseiller privé et de ministre d'État fit de lui un observateur sceptique, distant et néanmoins favorable à des réformes rationalistes. Mais ses intérêts étaient trop liés à ceux de l'absolutisme éclairé pour que, en 1789, il puisse prendre parti pour la Révolution française.
Des passages de son épopée bourgeoise *Hermann und Dorothea* (1796-1797) témoignent certes de sa sympathie pour la Déclaration des droits de l'homme ; ce qui ne l'empêcha pas de prendre à plusieurs reprises ses distances par rapport au désordre et au « pouvoir de la populace » : plus particulièrement dans ses comédies antirévolutionnaires *le Grand Cophta* (1792), *Der Bürgergeneral (le Général citoyen,* 1793) et *Die Aufgeregten (les Enragés),* qui furent des échecs. Goethe vécut la guerre de la première coalition dans la suite du duc Carl-August, qui commandait une partie de l'armée prussienne en Champagne. De ses recueils rédigés rétrospectivement, *la Campagne de France* et *le siège de Mayence* (1820-1822), il ressort que, durant cette campagne fort peu glorieuse, ses études scientifiques l'intéressaient au moins autant que le conflit militaire. Cependant il se savait au tournant d'une ère nouvelle, comme il le constata le soir de la bataille de Valmy : « Ici et d'aujourd'hui naît une nouvelle époque de l'histoire du monde, et vous pourrez dire que vous y étiez. »
Le portrait de Lips, qui devait à Goethe sa nomination à l'Académie de dessin de Weimar, date de 1791. Un dessin grandeur nature de l'artiste servit de modèle. Il montre le poète et ministre de face, déjà dans l'attitude inaccessible du prince des poètes.   R.Sc.

364
Johann Christoph Friedrich Schiller (1759-1805)

par Johann Gotthard von MÜLLER, d'après Anton Graff

Gravure (taille-douce). H. 0,338 ; L. 0,256.
Inscription : en bas à gauche, « Gemahlt von A. Graff » ; en bas à droite : « Gestochen von J.G. Müller » ; au milieu : « bey J.F. Frauenholz zu Nürnberg ».
Bibliographie : Andresen, 1865, pp. 1-27, nº 12 ; Luther, 1988, pp. 112-116.

Nuremberg, Germanisches Nationalmuseum (inv. 3666, chap. 1498).

Dès le début, Friedrich Schiller fut très sceptique à l'égard de la Révolution française ; même l'année de la prise de la Bastille, on ne trouve guère trace d'une sympathie inconditionnelle de sa part. En 1792, Schiller fut nommé « citoyen français » comme d'autres étrangers, une distinction que Schiller avait acquise surtout pour la critique de la société contenue dans ses œuvres de jeunesse. Dans ses drames, *les Brigands* (1781), *Intrigue et Amour* (1784), et dans son essai historique *Histoire du soulèvement des Pays-Bas* (1788), il plaida en faveur des droits de l'homme et des libertés civiles.
Ses *Lettres sur l'éducation esthétique de l'homme* (1793-1795) ne peuvent se comprendre que dans le contexte d'une confrontation avec la Révolution française. D'après Schiller, l'homme doit d'abord parvenir à une liberté intérieure par le biais de l'éducation, et c'est seulement ensuite qu'il peut être mûr pour la liberté civile. Sinon, le rapport entre liberté et oppression ne ferait que changer mais ne se transformerait pas en un règne de la liberté.
Anton Graff, qui était alors le portraitiste le plus fameux d'Allemagne, fit le portrait de Schiller en 1791 à l'occasion d'un séjour de ce dernier à Dresde. La gravure du portrait, exécutée en 1793 par von Müller, présente Schiller en buste ; il est assis et tourné vers la gauche.
E.Lu.

365
Charles IX ou l'École des rois... *représentée par les comédiens de la Nation*

Livre imprimé. Tragédie en cinq actes par Marie-Joseph Chénier.

Paris (chez les marchands de nouveautés) 1790. In-8º, 56 p.

Paris, bibliothèque de l'Arsenal.

La tragédie de *Charles IX,* écrite en 1788, fut interdite de représentation, y compris par Bailly, premier maire de Paris, jusqu'au 4 novembre 1789 où elle connut un très vif succès, tant du fait de son sujet qu'en raison de la victoire sur la censure qu'elle symbolisait. Strictement classique dans sa forme, assez froide dans son expression, cette pièce rompt

Une rosière pleurant la mort de son fondateur (cat. 359).

Emmanuel Kant (cat. 362).

Edward Gibbon (cat. 361).

Jacques Delille (cat. 366).

Richard Brinsley Sheridan (cat. 367).

Johann Wolfgang von Goethe (cat. 363).

Johann Christoph Friedrich Schiller (cat. 364).

Laurence Sterne (cat. 368).

Manuel Maria Barbosa du Bocage (cat. 369).

La Marquise de Alorna (cat. 370).

cependant avec les tragédies du XVIIIᵉ siècle, non pas tant par le caractère « national » de son sujet (il y avait eu des précédents comme le *Siège de Calais* de Belloy en 1765) que par la violence même de son contenu. Le fanatisme du cardinal de Lorraine, du duc de Guise et de la reine Catherine de Médicis y sont montrés sans concessions, de même que la faiblesse et la versatilité de Charles IX. A ces héros totalement négatifs s'opposent les personnages de Coligny, de Michel de l'Hôpital et du roi de Navarre, le futur Henri IV. La scène la plus dramatique, au cours de laquelle le cardinal de Guise bénit les poignards des conjurés de la Saint-Barthélemy, semble avoir fortement influencé le discours et l'imaginaire révolutionnaire, mais en deux directions opposées : la « conjuration des poignards » est un thème rémanent dans la dénonciation des complots de la contre-révolution ; mais l'idée du serment solennel avant l'action est un motif fréquent dans l'art de la période révolutionnaire (Philippe Bordes a même rapproché précisément la composition du *Serment du Jeu de paume* de David de l'estampe de Moitte représentant la tragédie de Chénier).

Il faut noter que cette pièce, écrite à la veille de la Révolution, louée par Danton et Camille Desmoulins et dont le sous-titre *l'École des rois* serait emprunté à l'exclamation d'un spectateur enthousiaste, n'est pas particulièrement novatrice ; elle est plus traditionnelle que les drames historiques de Mercier et n'annonce nullement les développements ultérieurs de la littérature théâtrale. Elle connut plusieurs éditions mais à partir de l'an VII le sous-titre est modifié : *Charles IX ou la Saint-Barthélemy.*

366
L'Abbé Jacques Delille (1738-1813)

par Vincent VANGELISTI, d'après André Pujos

Estampe (eau-forte). H. 0,41 ; L. 0,28.
Inscription : « J. DELILLE/L'un des quarante de l'Académie française/Lecteur royal etc. etc./Né à Clermont en Auvergne... Se vend à Paris chez Mᵉ Pujos, quay Peletier, chez Md Lequin, Orfèvre près de la Grève. », « A. Pujos ad vivum, 1777/Vin. Vangelisty sculp. 1777 ».

Paris, Bibliothèque nationale, cabinet des Estampes (inv. N²).

Enfant naturel, né à Aigueperse (et non à Clermont, patrie de son père putatif) très doué pour les études, brillant dans sa conversation, improvisateur habile, Jacques Delille se fit remarquer dès 1769 par une traduction des *Géorgiques* de Virgile qui lui valut les louanges de Voltaire, la chaire de poésie latine au Collège de France, un fauteuil à l'Académie française (1774) et le titre d'abbé commendataire de Saint-Séverin, sans avoir à entrer dans les ordres, mais avec les revenus qui y étaient attachés. Ce portrait le montre dans l'éclat de cette jeune gloire, au milieu d'un encadrement de pampres, d'oliviers, de fruits et d'instruments agricoles qui font allusion au poème de Virgile. La vignette

sous le médaillon illustre le passage du quatrième livre des *Géorgiques* où le berger Aristée est consolé de la perte de ses abeilles par sa mère, Cyrène, et les autres nymphes marines. L'œuvre de Delille marque une certaine rupture dans l'histoire de la poésie française ; lui-même dans son *Discours préliminaire* s'interrogeait sur le fossé qui séparait le langage courant du langage poétique et, non sans hésitation, osa utiliser des mots « avilis par les préjugés », mêlant « des termes nobles et des termes roturiers ». Il pratiqua largement, avant Chénier, la coupe irrégulière de l'alexandrin. Le jugement de Rivarol sur « l'abbé Virgile » (« il fait un sort à chaque vers et néglige la fortune du poème ») est probablement exact. Mais la plupart de ses contemporains, séduits par ce « dupeur d'oreilles » apprécièrent autant les *Jardins* (1782) que plus tard *l'Imagination* ou *l'Homme des champs*. Suspect durant la Terreur, il fut protégé par Chaumette, procureur de la Commune, et reçut même la commande d'un *Hymne à l'Être suprême*. Son poème *la Pitié*, publié seulement en 1803 mais connu bien avant par des récitations semi-publiques, parut à beaucoup d'auditeurs exprimer le sentiment général de lassitude en face des événements violents qui avaient agité la France durant une décennie. Moins chanceux que Bernardin de Saint-Pierre, quoique précurseur, comme lui, du romantisme, il tomba rapidement dans l'oubli au XIXᵉ siècle.

367
Richard Brinsley Sheridan (1751-1816)

par John HALL, d'après sir Joshua Reynolds
Gravure (taille-douce). H. 0,622 ; L. 0,495.

Londres, National Portrait Gallery.

Pendant les vingt premières années de sa carrière, Sheridan se distingua surtout en tant qu'auteur dramatique et directeur de théâtre. Sa première comédie, *les Rivaux*, fut jouée à Covent Garden en 1775, alors qu'il n'avait que vingt-quatre ans. D'autres pièces suivirent et, en 1777, il produisit son chef-d'œuvre, *l'École de la médisance*. Entre-temps, il était devenu l'un des directeurs du théâtre de Drury Lane et, en 1794, il ouvrait son propre théâtre.
Sheridan retourna au Parlement en 1789 pour soutenir le porte-parole des whigs, Charles James Fox et, peu de temps après, se consacra aussi aux affaires publiques. Au Parlement, il répliqua avec éloquence, en 1794, au discours du comte de Mornington contre la République française et fit campagne pour la liberté de la presse, malgré les constantes calomnies dont il était l'objet. Il devint aussi le conseiller personnel du prince de Galles, George.
Il appartenait au *Literary Club*, un cercle fondé par Reynolds et composé de personnalités telles que le Dr Johnson, Edmund Burke ou Edward Gibbon qui se retrouvaient régulièrement pour dîner. Reynolds fit plusieurs portraits de Sheridan. Il est représenté ici, non en dramaturge adulé, mais en homme d'État. La gravure fut publiée en 1791.   C.B.-O.

368
Laurence Sterne (1713-1768)

par Edward FISHER, d'après sir Joshua Reynolds
Gravure à la manière noire. H. 0,457 ; L. 0,355.
Bibliographie : Chaloner Smith, 1883, 2ᵉ partie, p. 506.

Londres, National Portrait Gallery.

Reynolds fait le portrait de Sterne, prêtre, vêtu de l'habit noir du curé de Coxwold et écrivain, un coude appuyé sur une liasse de papiers sur laquelle on peut lire : « [Lif]e and opinions/ of Tristram Shandy ». Les deux premiers volumes du roman parurent au début de 1760 ; les volumes suivants, en 1761, 1765 et 1767. L'œuvre est si humoristique et riche en digressions que le héros n'apparaît qu'au quatrième volume pour disparaître peu après. L'ouvrage a eu immédiatement un retentissement considérable. En 1768, Sterne publiait *Voyage sentimental en France et en Italie* à partir de son propre séjour en France en 1765. La sinuosité du récit dans *Tristan Shandy* y fait place à l'exploration de sensibilités délicates. Les deux romans furent largement traduits.
Il est probable que Reynolds exécuta ce portrait par intérêt car, en 1760, Sterne était une célébrité. Il avait, en outre, fait en sorte que Fisher en tire une gravure afin que le portrait d'une telle personnalité en vogue apparaisse promptement dans les vitrines des marchands d'estampes. La gravure à la manière noire de Fisher fut exposée au Salon de la Société des artistes de 1761 où Reynolds présentait en même temps sa toile. Par la suite, S.W. Ravenet et S.W. Reynolds en tirèrent également d'autres gravures. Le tableau appartient désormais à la collection de la National Portrait Gallery de Londres.   C.B.-O.

369
Manuel Maria Barbosa du Bocage
(1765-1805)

par C. LEGRAND
Gravure.

Lisbonne, Biblioteca nacional (inv. E. 372.P).

Considéré comme l'un des grands poètes portugais, Manuel Maria Barbosa du Bocage, d'ascendance française, a fait partie du mouvement de la « Nouvelle Arcadie » sous le pseudonyme de Elmano Sadino. Auteur de poèmes satiriques, libre-penseur, menant une vie de bohème notoire, il fut poursuivi par l'Inquisition et emprisonné de 1797 à 1799. La légende s'est emparée de lui et en a fait un personnage très populaire.

                    M.-H.C.d.S. et A.M.-D.S.

370
La Marquise de Alorna (1750-1839)

par Sendim LITH

Gravure. Copie d'une miniature faite en 1824.

Lisbonne, Biblioteca nacional (inv. E. 407.P).

D. Leonor de Almeida Portugal Lorena e Lencastre, fille du deuxième marquis de Alorna, fut enfermée au couvent à l'âge de huit ans, en conséquence du procès auquel fut mêlé son père (affaire de l'attentat contre le roi D. José Iᵉʳ en 1758). Elle y reçut une éducation particulièrement soignée qui lui permit, quand elle recouvra la liberté après la chute de Pombal, d'être tenue pour l'une des femmes les plus cultivées de son époque. Liée à l'aristocratie autrichienne par son mariage avec le comte d'Oeynhausen, elle connut les grandes cours européennes (Madrid, Paris, Vienne) et des personnalités célèbres, comme Mme de Staël. Poétesse, elle appartint au mouvement littéraire de *l'Arcádia Lusitana* sous le nom d'Alcipe, et fut liée d'amitié avec le poète portugais Filinto Elysio, en exil à Paris. Peintre, elle fut chargée en 1795 de la décoration d'une partie du palais royal de Ajuda, à Lisbonne. Fâcheusement mêlée à la politique étrangère du Portugal, elle dut vivre en exil à Londres.

M.-H.C.d.S. et A.M.-D.S.

LA PHILOSOPHIE ET LE CIVISME

371
Le Philanthrope Howard visitant les prisons (v. 1726-1790)

par George ROMNEY

Plume, encre brune, lavis gris-brun sur traces de crayon et de pierre noire. H. 0,375 ; L. 0,556.

Bibliographie : Jaffé, 1977.

Cambridge, Fitzwilliam museum (inv. B.V. 152).

John Howard fut un réformateur du système pénitentiaire, dont l'influence s'étendit dans toute l'Europe. Nn content de courir les prisons et les hôpitaux britanniques, en 1775-1776 il visita ceux de France, des Pays-Bas, d'Allemagne et de Suisse ; en 1777 il publiait les résultats de ses recherches dans *State of the Prisons*. Il visita également les léproseries en France, en Italie et en Turquie, insouciant des risques de contagion qu'il courait à pénétrer dans les cellules et les asiles. En 1789, il publiait son *Account of the principal lazarettos in Europe*. Howard succomba à la fièvre des camps alors qu'il se trouvait en 1790 à Kherson avec l'armée russe.

Après 1784, Romney adopta des idées de plus en plus radicales, encouragé par ses amis Tom Paine et William Blake. D'un côté il continuait à travailler sur des sujets shakespeariens et des peintures d'imagination d'Emma, Lady Hamilton ; de l'autre il méditait sur les « scènes de misère humaine » telles qu'elles apparaissent dans les visites de prisons d'Howard.

L'esquisse montre Howard entouré des pensionnaires d'une prison dans des attitudes de souffrance et de supplication. Elle fait partie d'un groupe d'esquisses, datées vers 1791-1792, présentées en 1818 au Fitzwilliam Museum par le fils de George Romney, John. « Ces neuf esquisses étaient des études pour deux ou trois grands tableaux, que Mr. R se proposait de peindre... » Il n'existe aucune peinture de George Romney représentant John Howard visitant les prisons.

C.B.-O.

372
John Wesley (1703-1791)

par James FITTLER, d'après William Hamilton

Gravure (taille-douce). H. 0,622 ; L. 0,495.

Bibliographie : Kerslake, 1977, vol. I, p. 298-99.

Londres, National Portrait Gallery.

John Wesley était un prédicateur très couru et, avec son frère (le compositeur de cantiques), l'un des principaux chefs du mouvement méthodiste, fondé à Oxford en 1729. Le méthodisme se développa en réaction contre l'immobilisme qui caractérisait l'Église d'Angleterre au début du XVIIIᵉ siècle et se proposait de favoriser un regain de piété et de moralité. Wesley, homme de savoir, souhaitait demeurer au sein de l'Église d'Angleterre mais il se rendit coupable de schisme en ordonnant un prêtre en 1784. Il publia vingt-trois recueils de cantiques (1737-1786) et des *Écrits* (1771-1774). Infatigable, il prêcha l'Évangile dans toute la Grande-Bretagne. Il prononça son dernier sermon le 23 février 1791.

Ce portrait le représente âgé de quatre-vingt-six ans, alors qu'il était au faîte de sa gloire, prêchant en chaire. La gravure fut réalisée et publiée l'année même où William Hamilton réalisa sa peinture, en 1788. Celle-ci se trouve à présent dans la National Portrait Gallery à Londres.

C.B.-O.

373
Martinus Van Marum (1750-1837)

par Jordanus HOORN

Huile sur parchemin. D. 0,062.

Haarlem, Frans Halsmuseum (inv. I 497).

Martinus Van Marum est essentiellement connu pour avoir popularisé et perfectionné le travail scientifique des autres. De formation il était botaniste et docteur en médecine, mais dès qu'il devint membre de la Société hollandaise des sciences, il se consacra à l'électricité et construisit un nouveau type de machine électrostatique. Ses publications, faites aussi en langues étrangères, lui apportèrent de nombreux contacts internationaux et la considération de tout l'univers scientifique. Les expériences de chimie et de physique réalisées par van Marum témoignent de sa conception « utilitaire » des sciences : le paratonnerre, la pompe à incendie et l'autocuiseur, entre autres, réclamaient son attention.

En 1777, Van Marum devint directeur du « cabinet de sciences naturelles » de Teyler et ensuite, en 1784, il fut nommé directeur et bibliothécaire du musée Teyler. En tant que fervent collectionneur, Van Marum a jeté les bases de ce musée, le plus ancien des Pays-Bas.

On date le portrait de 1781.

B.K. et M.J.

374
Médaille d'honneur de la Société théologique de Teyler

par J.G. HOLTZHEY

Argent. D. 0,08.

Inscription : sur l'avers, « La vraie connaissance religieuse s'épanouit grâce à la liberté » (traduction) ; sur le revers, « Médaille d'honneur de la Société Théologique de Teyler décernée à Jeronimo de Bosch » (traduction).

Bibliographie : Vervolg Van Loon, nº 522.

Amsterdam, Rijkmuseum (inv. V. G. 2796).

Une des occupations les plus importantes des sociétés érudites de la république était de mettre au concours des questions touchant les sciences (populaires), l'amélioration de l'enseignement et de l'éducation ou les réformes économiques. La société décernait ensuite une médaille d'honneur à l'auteur de la meilleure dissertation.

L'iconographie de cette médaille (1778) montre clairement les caractéristiques des Lumières néerlandaises : la Liberté conduit la Vérité vers la Religion. L'affranchissement des préjugés et de la contrainte morale est symbolisé par un joug brisé et des menottes défaites gisant sur le sol.

B.K. et M.J.

375
Médaille d'honneur de la « Branche économique »

par J.G. HOLTZHEY

Argent. D. 0,05.

Inscription : sur l'avers ; « Honneur et Profit » « (traduction), « J.G. Holtzhy fec. » ; sur le revers, « Prix d'honneur de la Branche économique » (traduction) ; le nom du lauréat : « Mr. Jean Timmerman de Haastrecht MDCCLXXXII. »

Bibliographie : Vervolg Van Loon, nº 532.

Amsterdam, Rijkmuseum (inv. V. G. 2859).

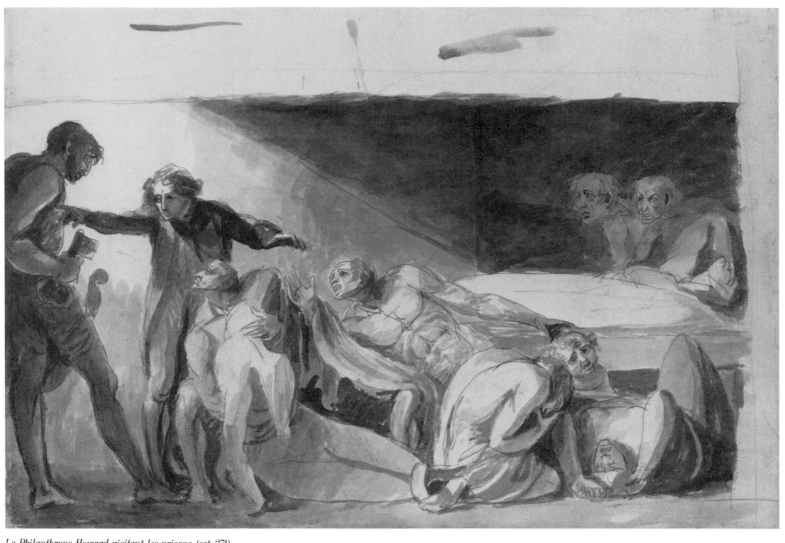

Le Philanthrope Howard visitant les prisons (cat. 371).

John Wesley (cat. 372).

Martinus van Marum (cat. 373).

Jan Nieuwenhuijzen (cat. 376).

Médaille d'honneur de la Société théologique de Teyler (cat. 374).

Médaille d'honneur de la «Branche économique», filiale de la Société des Sciences de Haarlem (cat. 375).

Joan Derk baron van der Capellen tot den Pol (cat. 377).

La société qui s'occupait de l'industrie et du commerce, la « Branche économique », était une filiale de la « Société hollandaise des sciences » (1777) de Haarlem, et avait pour objectif la publication et la réalisation de plans de redressement économique. Les membres de cette société souhaitaient le rétablissement de la prospérité néerlandaise.

Sur cette médaille (1782), on voit l'Amour de la Patrie en tenue de guerre poser une couronne de feuilles de chêne sur la tête de l'Industrie (la ruche et la corne d'abondance).

B.K. et M.J.

376
Jan Nieuwenhuijzen (1724-1806)

par Adriaan de LELIE

Huile sur toile; H. 0,62; L. 0,505.
Bibliographie: cat. Amsterdam, 1976, n° A 2856.

Amsterdam, Rijksmuseum (inv. A 2856).

Jan Nieuwenhuijzen était pasteur mennonite à Monnickendam. Il appartenait donc à une minorité religieuse qui était exclue de toutes les fonctions publiques. Fondateur de la « Société d'utilité publique » (1754), il est un représentant du mouvement typiquement néerlandais des Lumières réformées dont l'idéal était la diffusion effective des connaissances des Lumières parmi toutes les couches de la population. Éclairer le peuple, sous le signe de la religion et de la vertu civique, devait favoriser le redressement de la république tout entière.

Adriaan de Lelie passait, au même titre que Hodges, pour l'un des plus grands portraitistes de la république. En 1786, il s'installa à Amsterdam et devint membre de la Société « Felix Meritis ».

B.K. et M.J.

377
Joan Derk baron Van der Capellen tot den Pol (1741-1784)

par un auteur anonyme

Buste, biscuit. H. 0,225; D. 0,086.
Bibliographie: Blaauwen, 1988, n° 267.

Nieuw-Loosdrecht, Kasteel Sypesteyn (inv. 8533).

Le baron Van der Capellen tot den Pol, originaire d'Overijssel, était l'un des plus importants personnages politiques du mouvement des patriotes et après sa mort, il fut vénéré par les patriotes comme un véritable héros de la patrie. Le buste doit dater des environs de 1784. Le pamphlet (anonyme) intitulé *Au peuple des Pays-Bas* et qui fut répandu dans toute la république en septembre 1781, était de sa main. Dans ce texte, van der Capellen indiquait le moyen d'action à utiliser pour lutter contre la famille d'Orange : l'armement des civils. Outre la violence critique contre le pouvoir du stathouder Guillaume V et de ses prédécesseurs, le pamphlet exprimait aussi l'idée de souveraineté du peuple. Le pamphlet se terminait par cet appel : « Armez-vous tous et perdez même ceux qui doivent vous commander... » Cet appel fut très bien compris des patriotes et il fit de Van der Capellen l'initiateur de l'armement des civils au sein du mouvement des patriotes.

B.K. et M.J.

378
Aux Bataves sur le stathoudérat

par le comte de MIRABEAU

Livre imprimé. H. 0,205; L. 0,125; Pr. 0,03.

Bibliographie: Knuttel 21756/21508; Knuttel, 263/423.

Amsterdam, Rijksmuseum (inv. NG 473).

Ce livre (1788) contient la traduction française du pamphlet de Van der Capellen *Au peuple des Pays-Bas* repris sous le titre : *le Despotisme de la maison d'Orange, prouvé par l'histoire*. Cet écrit fut, en ces termes, longtemps attribué à Mirabeau.

B.K. et M.J.

379
Le Procès des trois rois
Louis XVI de France-Bourbon,
Charles III d'Espagne-Bourbon
et George III d'Hanovre
fabriquant de boutons.

Plaidé au Tribunal des Puissances européennes par Appendix. L'Appel au Pape. Traduit de l'Anglois, Londres, 1781.

Ouvrage anonyme attribué à GOUDAR.

Paris, bibliothèque Sainte-Geneviève (inv. A 52.155 FA).

Sans être un livre aussi « stupidement pensé et stupidement écrit » que l'affirme une note manuscrite (du XVIIIᵉ siècle) portée sur l'exemplaire ici exposé, le *Procès des trois rois*, qui, exceptionnellement et assez absurdement, associe au roi de France, un souverain « éclairé » (Charles III) et un souverain constitutionnel (George III) est révélateur d'un mouvement antimonarchique dont il est difficile de mesurer l'étendue à la veille de la Révolution. Le schéma souvent développé selon lequel l'opinion est passée progressivement d'un profond désir de réforme dans le cadre de la monarchie, à l'adhésion au principe d'une

(cat. 378).

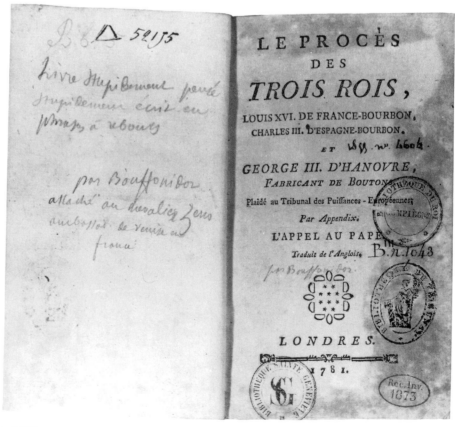

(cat. 379).

monarchie constitutionnelle puis enfin à un refus de l'institution monarchique doit être nuancé : si les républicains ne furent peut-être jamais vraiment majoritaires, il y avait dès avant 1789 une minorité irrémédiablement hostile tant à la personne du roi qu'à l'existence même de la royauté.

Cet antimonarchisme viscéral trouvera sa forme extrême avec l'étrange drame de Sylvain Maréchal, le *Jugement dernier des rois*, (1794), qui montre les rois de l'Europe, déportés dans une île volcanique et finalement engloutis par un tremblement de terre.

380
Journal historique et littéraire

Rédacteur principal : François Xavier de FELLER

Publié à Luxembourg.

Luxembourg, Bibliothèque nationale.

François Xavier de Feller, né à Bruxelles en 1735, fut d'abord membre de la Compagnie de Jésus et enseigna dans divers collèges. A la suppression de l'ordre des Jésuites il se lança dans la littérature polémique et défendit non sans talent les positions les plus traditionnelles, notamment contre Buffon et contre les théories de Newton. Cet adversaire des Lumières se fit tout naturellement le champion des Brabançons révoltés et publia plusieurs pamphlets regroupés sous le titre de *Réclamations belgiques*.

L'IRRATIONNEL

381
Un maître franc-maçon

Manufacture de porcelaine de Vienne.

Figurine, porcelaine blanche émaillée. H. 0,10.
Inscription : écusson bleu sous couverte ; initiale en creux du modeleur « C ».
Exposition : 1984, Vienne, n° 9/1.
Bibliographie : cat. Rosenau, 1987, n° 76, repr. 13.

Roseneau, château, Freimaurermuseum.
(inv. 2201).

Le tablier et le triangle sont des attributs qui permettent d'identifier cette figurine comme représentant un franc-maçon. Le socle est directement relié au mur constitué de pierres taillées. C'est un rappel symbolique de la construction du Temple de Salomon. Dans l'esprit des francs-maçons, il faut ériger le temple de l'Amour humain universel, il sera construit à partir des hommes, qui s'imbriqueront telles des pierres taillées dans l'édifice du monde où chacun aime et respecte son prochain comme un frère. Sur le pan de mur on voit une pierre taillée (symbole du maître franc-maçon) et au-dessus une équerre, un fil à plomb et une truelle.

La première loge viennoise « Aux trois canons » fut fondée par le comte de l'empire, Albrecht Joseph von Hoditz le 17 septembre 1742. Hoditz appartenait à la loge de Breslau dite « Aux trois squelettes » qui, sous le marteau du prince-évêque Philipp Gotthard Graf Schaffgotsch, favorisa la création de loges maçonniques à Vienne. On peut dater la figurine vers 1755-1760. C'est la seule pièce de ce type que l'on connaît.

Vienne, Loge Quatuor Coronati.

382
« Vive Sarastro » (la Flûte enchantée)

par Joseph et Peter SCHAFFER

Estampe en couleurs. H. 0,505 ; L. 0,345.
Inscription : « Es lebe Sarastro/Achzehenter Auftritt I Act. »

Vienne, Historisches Museum der Stadt.

La Flûte enchantée (die Zauberflöte), opéra en deux actes de Mozart sur un livret d'Emmanuel Schikaneder, fut créé au « Theater an der Wien » à Vienne, le 30 septembre 1791. La légende orientale, connue à travers une version de Liebeskind, de la fille de la reine de la nuit enlevée par un cruel sorcier et délivrée par un prince armé d'une flûte magique, est devenue dans le livret de Schikaneder (créateur par ailleurs du rôle de Papageno) le récit d'un parcours initiatique qui aboutit à un renversement des valeurs : le sorcier dénommé désormais

Sarastro, est un sage prêtre d'Isis tandis que la reine de la nuit, mère éplorée au premier acte, se révèle ensuite une puissance tyrannique et destructrice. La scène représentée correspond au moment clé de cette transformation : dans la clairière où s'élèvent les trois temples de la *Sagesse*, de la *Raison* et de la *Nature*, la véritable personnalité de Sarastro est révélée à Pamina (à gauche) et à Papageno (à droite).

Mozart et Schikaneder, francs-maçons tous les deux, ont incontestablement voulu faire connaître, sous le voile du merveilleux, une partie de l'idéal maçonnique. Le musicien créa la figure de Sarastro d'après le modèle d'un célèbre franc-maçon de l'époque, le minéralogiste Ignaz Edler von Born (1742-1791), qui était hautement révéré comme vénérable de la loge viennoise « Zur wahren Eintracht » (A l'union véritable). Faut-il aller plus loin et voir dans l'ensemble de l'œuvre une allégorie qui montrerait Joseph II (Tamino) délivrant l'Autriche (Pamina) avec l'aide du petit peuple (Papageno) et sous l'inspiration des hauts dignitaires de la franc-maçonnerie (Sarastro et ses prêtres) de la tyrannie de l'obscurantiste Marie-Thérèse (la reine de la nuit) et du clergé (Monostatos) ? Il est peu vraisemblable que les allusions soient aussi précises et, à la date de la création de l'œuvre, Joseph II était déjà mort.

Bien que l'action de *la Flûte enchantée* ait été située en Égypte, ni le décor ni les costumes n'ont ici le caractère égyptisant qui deviendra de règle, en particulier après la création à Paris (1811) de la version française de l'œuvre (*les Mystères d'Isis*). L'ensemble évoque bien plutôt une « turquerie » traditionnelle.   L.Po.

383
Cagliostro (1743-1795)

par VINSAC, d'après André Pujos

Estampe (eau-forte).
Inscription : « Le comte de Cagliostro/se trouve chez M. Pujos, quai Pelletier près la Grève » ; à gauche : « Pujos Delineavit ad vivum, anno 1785 » ; à droite : « Vinsac, Sculp ».
Bibliographie : Bruel, n° 1104.

Paris, Bibliothèque nationale, cabinet des Estampes (inv. N²).

Durant tout le XVIII° siècle, la haute société parisienne, nombreuse, assez mêlée, et souvent étrangement crédule, avait été un terrain de choix pour les escrocs en tout genre : Casanova, gagnant la confiance de personnages haut placés grâce à la « cabale » et à ses oracles, n'était pas un cas isolé. Celui de Joseph Balsamo, originaire de Palerme et connu sous le nom d'emprunt de comte de Cagliostro, est cependant plus exceptionnel : charlatan, mais pourvu de connaissances médicales qui lui permirent des guérisons spectaculaires, passablement mythomane mais probablement sincère dans certaines de ses spéculations philosophiques, vivant dans l'opulence tout en étant mêlé aux trafics les plus sordides (y compris

Un maître franc-maçon (cat. 381).

Cagliostro (cat. 383).

« Vive Sarastro » (la Flûte enchantée) (cat. 382).

Adolf Knigge (cat. 385).

«l'Affaire du Collier de la reine»), Cagliostro reste un personnage énigmatique. De nombreux portraits gravés (notamment celui de Christophe Guérin, 1781, souvent imité) attestent sa célébrité, notamment à partir de son installation à Paris en 1785 ; presque tous le montrent, comme c'est le cas ici ou dans le buste de Houdon (Aix, bibliothèque Méjanes) les yeux levés au ciel avec une expression mystique qui contraste avec la lourdeur de son visage et sa forte encolure. Les liens de Cagliostro avec la franc-maçonnerie sont assurés et expliquent en partie l'accueil qu'il reçut en Allemagne, en France et en Angleterre. Ils eurent aussi pour conséquence son emprisonnement à Rome et sa mort au château Saint-Ange. L'opinion publique n'hésitait pas à voir en lui un «initié», doué du don de prophète ; sa gloire passagère est en tout cas un symptôme significatif de la fascination pour l'irrationnel largement répandue en Europe à la fin du XVIIIe siècle.

384
Emanuel Swedenborg (1688-1772)

par Per KRAFFT l'aîné

Huile sur toile. H. 0,61 ; L. 0,53.
Inscription : sur le volume : «Apocalypsis/Relevata/ in qua/ Deleguntur Arcana/quae ipsi/Praedicta Sunt».
Historique : exécuté entre 1768 et 1772, pour le compte de l'homme politique A.J. von Höpken.

Gripsholm, musée national d'Art (inv. Grh 1040).

La vie de Swedenborg illustre de manière exemplaire deux courants parallèles et contraires du siècle des Lumières. Inspiré d'une conception mécaniste du monde selon le modèle cartésien, il fit d'abord des recherches scientifiques qui lui valurent une réputation internationale dans les domaines de la mécanique, la métallurgie, l'anatomie du cerveau, etc. Entre autres ouvrages il publia *Opera philosophica et mineralia* (1734). Puis, passé l'âge de cinquante ans et à la suite de visions mystiques, il se consacra sans partage à la propagation d'une théologie illuministe dont il développa la doctrine dans de nombreux livres, dont *Arcana cœlestia* (1749-1756). De ses entretiens avec Dieu, avec les anges et les âmes des morts il conclut que le véritable sens spirituel des Écritures, perdu depuis le temps de Job, lui avait été révélé et que sa mission était de fonder la Jérusalem nouvelle annoncée dans l'Apocalypse. Cette nouvelle Église eut de nombreux adeptes, et en conserve encore. La première communauté de Swedenborgistes fut constituée en Angleterre en 1787.
Ce portrait de Swedenborg, exécuté vers la fin de sa vie, le montre tenant son livre *Apocalypsis revelata* de 1766. P.Gr.

385
Adolf Knigge (1752-1796)

par Johann Philipp GANZ

Gravure (eau-forte). H. 0,155 ; L. 0,95.
Inscription : «FREYH : von Knigge» ; en bas à droite : «Ganz sc».
Exposition : 1977, Braunschweig, n° 75.

Nuremberg, Germanisches Nationalmuseum (inv. P 8144).

Cette gravure en frontispice du *Jahrbuch für die Menschheit (Annales pour l'humanité)* montre le baron Adolf von Knigge sous son profil gauche, dans un médaillon décoré. Poète de théâtre, romancier et critique littéraire, Knigge fut un adversaire acharné de l'absolutisme féodal en Allemagne et défendit avec engagement les idées de 1789. Son œuvre majeure *De la fréquentation des hommes* (1788), fut l'un des grands succès populaires de l'*Aufklärung*. Le baron Adolf von Knigge qui, par conviction politique, avait renoncé à la particule nobiliaire, écrivit ici un livre exemplaire qui présentait une certaine vision bourgeoise de la vie, loin des scléroses du féodalisme. Même s'il se consacra beaucoup plus à l'écriture qu'à la politique, il fut durant vingt ans membre de différentes loges maçonniques et de l'*Ordre des illuminés*. En 1790, il participa à Hambourg à la fête de la Liberté organisée par le négociant Georg Heinrich Sieveking pour le premier anniversaire de la prise de la Bastille. Le gouvernement de Hanovre le bannit pour des raisons politiques en 1795, un an avant sa mort, et il dut quitter Brême pour Stade.
K.Ku.

386
Lavater et la lanterne magique

par Balthazar-Anton DUNKER

Eau-forte. H. 0,176 ; L. 0,128.
Historique : illustration destinée à l'ouvrage de B.L. Walthard, *Das Jahr MDCCC in Bildern und Versen Talpa mundum ferens*, publié à Berne.

Berne, Bibliothèque nationale suisse (inv. 98 ST 7643).

Johann Kaspar Lavater (1741-1801) est une des plus étonnantes personnalités de la fin du XVIIIe siècle : pasteur zurichois, mais soupçonné de penchants pour le catholicisme, auteur d'ouvrages mystiques et poète, ami de Füssli et de Goethe, il se fit connaître à travers toute l'Europe après qu'en 1772 Zimmermann, médecin «philosophe» alors fort célèbre, eut publiquement loué ses travaux sur le visage et la physionomie humaine. La publication des *Physiognomische Fragmente zur Beförderung der Menschenkenntnis und Menschenliebe* (Leipzig et Winterthur, 4 vol. 1775-1778) confirma sa réputation.
Pour Lavater sa méthode n'avait pas cependant un caractère scientifique mais était de nature artistique et morale. Certaines de ses

Emanuel Swedenborg (cat. 384).

démonstrations recèlent cependant d'étonnantes intuitions, telles celles qui par vingt-quatre stades successifs mènent d'une tête de grenouille à une tête d'Apollon (*cf.* dessin de J.H. Liss, au Kunstmuseum de Bâle, KK, inv. 1955. 166.I.24 signalé par F. Viatte et M. Pinault). Son influence, à travers en particulier des éditions illustrées relativement tardives, fut considérable au XIXe siècle où la physiognomonie fut souvent associée à la phrénologie, qui était considérée comme une démarche scientifique. Lavater eut peu de détracteurs (Lichtenberg, Musaeus). Dans la gravure présentée ici, Dunker ne fait qu'indirectement référence à la physiognomonie et semble bien plutôt railler les visions mystiques de Lavater qui, après avoir montré l'expulsion de créatures sataniques, s'apprête à projeter un transparent de la «Nouvelle Jérusalem».

Lavater et la lanterne magique (cat. 386).

Le Mesmérisme confondu (cat. 387).

Le Magnétisme animal (cat. 388).

«*Le Songe de la raison engendre des monstres*» (cat. 389).

387
Le Mesmérisme confondu

par un auteur anonyme

Aquatinte (couleur rouge). H. 0,215 ; L. 0,285.
Inscription : « Sculape appuyé sur la Justice foudroye Mesmer et ses deux proneurs desquels le Chien Cerbère s'empare pour leur faire subir le sort dû à leur ignorance/ Aux pieds de Sculape est une Femme Mesmérisée à qui la Faculté s'empresse d'apporter ses secours » ; sur la pyramide : « Court de Gebelin / L'Echevin-Bourgade / Marquise de Fleury - M^{se} L.B. ».

Paris, Bibliothèque nationale (inv. M 98127).

L'édition de cette estampe est sans doute liée à la publication des conclusions de la commission mixte (Faculté de médecine et Académie des sciences), nommée par le gouvernement français pour examiner le bien-fondé des théories de Mesmer et plus encore la réalité des guérisons obtenues. Cette commission où figuraient Borie, Sallin, Darcet et Guillotin (pour la Faculté), Bailly, Leroy, Majault, Franklin, Lavoisier et Jussieu (pour l'Académie), rendit en 1784, sur un rapport de Lavoisier, un jugement très défavorable et seul Jussieu parut admettre la réalité du « magnétisme animal ». Malgré son caractère allégorique cette estampe montre de façon assez exacte le fameux « baquet de Mesmer » : « grande caisse ronde, fermée hermétiquement, et en gros bois de chêne... plusieurs trous dans le couvercle dans lesquels entraient à l'aise des barres de fer coudées jouant à la volonté du malade, de grosses cordes d'un pouce passant de même dans d'autres trous, se rattachaient à la barre de fer du milieu » (Dufort de Chevigny). Les deux « prôneurs » de Mesmer pourraient être l'avocat Nicolas Bergasse et le banquier Kornmann qui l'aidèrent à monter une société dont les actionnaires étaient à la fois les bailleurs de fonds et les disciples de Mesmer et qui compta, parmi ses membres La Fayette, le duc de Chartres, Jaucourt, Cabanis, Duval d'Esprémenil, Adrien Duport, Lauzun, etc. Mais on pourrait aussi reconnaître dans le personnage en robe et bonnet, le président de Salaberry.
Sur le monument funéraire en forme de pyramide figurent les noms de quelques personnages décédés peu après leur « guérison » par Mesmer et en particulier celui de l'écrivain Court de Gebelin, mort quelques mois après avoir écrit une apologie du magnétisme animal. Mais le message contenu dans cette estampe n'est pas sans ambiguïté : le portrait de Mesmer dans le médaillon, n'a rien de caricatural et l'empressement des deux docteurs de la faculté envers la malheureuse « mesmérisée » paraît plus galant que thérapeutique, alors que l'on reprochait précisément à Mesmer le caractère indécent de certains aspects de son traitement. On rattache traditionnellement l'engouement pour les théories de Mesmer au grand retour de l'irrationnel qui marque effectivement le dernier quart du XVIIIe siècle. En fait ces théories, fondées sur quelques expériences dans le domaine des aimants et sur l'intuition du rôle de l'électricité dans les phénomènes physiolo-

giques, appartiennent, comme la querelle du phlogistique, au domaine de l'histoire des sciences. La caractéristique de Mesmer est d'avoir lié l'exposé de sa doctrine à une opération de caractère financier et à une démarche initiatique mêlant ainsi science, argent et mystère (*cf.* R. Darnton. *Mesmerism and the end of the Enlightenment in France*, 1968). Mais Mesmer apparut aussi comme une victime de l'Académie des sciences, de la Faculté de médecine et même de l'arbitraire royal. De ce point de vue il y a un certain parallélisme entre Mesmer et Jean-Paul Marat qui, en 1780, avait vu ses théories sur le feu rejetées par l'Académie des sciences.

388
Le Magnétisme animal

par un auteur anonyme

Estampe.
Inscription : « LE MAGNETISME ANIMAL/Importante Découverte par Mr Mesmer, Docteur en Médecine, de la Faculté de Vienne en Autriche,/Il est prodigieux la quantité des Malades guéris par cette méthode qui consiste dans l'application d'un fluide ou agent que ce medecin dirige tantôt avec un / de ses doigts, tantôt avec une Baguette de Fer qu'un autre dirige à son gré sur ceux qui recourent à lui Il se sert aussi d'un Baquet auquel sont attachez des / Cordes que les malades nouent autour deux et des fers recourbez qu'ils approchent du creux de l'Estomach, ou du foye, ou de la Ratte, et en général de la / partie du corps dans laquelle ils souffrent. Les malades sur tout les Femmes éprouvent des Convulsions ou crise qui amenent leur guerison. Nombres de personne / ataques de Paralisie, d'hidropisie, de la Goute, du Scorbut, de Surdité accidentel, ont été gueris, Mr Mesmer recommande la Gaieté et ce qui peut l'inspirer ».

Paris, musée Carnavalet (série Mœurs, P.C. 44 bis).

A la différence de l'estampe précédente, fort critique à l'égard de Mesmer, malgré certaines ambiguïtés, celle-ci se présente comme un véritable placard publicitaire dont la longue légende vante tous les bienfaits de la méthode du « Docteur en médecine de la Faculté de Vienne ». Si la figuration du « baquet » est des plus sommaires, on notera le luxe des locaux, l'élégance de la clientèle et les « secours » donnés à la femme en convulsion. Il ne manque à ce tableau que la figuration de l'orchestre qui charmait les oreilles des malades et qui, en faisant de Mesmer un précurseur de certaines psychothérapies contemporaines, était peut-être l'aspect le plus positif de sa « découverte ».

389
Le Songe de la raison engendre des monstres

par Francisco GOYA Y LUCIENTES
Eau-forte. H. 0,315 ; L. 0,221.
Historique : planche 43 du recueil des « Caprices ».

Madrid, Bibliothèque nationale (inv. 45667-43).

Le recueil des *Caprichos* fut publié en 1799 et son succès, assez médiocre en Espagne, fut beaucoup plus vif auprès des amateurs étrangers. Dès 1793, Goya, tout juste rétabli de la grave maladie qui lui laissa, en séquelle, une surdité incurable, travaillait à ces « satires » qui fustigeaient les vices et les tares de la société espagnole et dont les légendes furent, semble-t-il, rédigées par Cean Bermudez, ami de Jovellanos et partisan des Lumières.
Peu d'eaux-fortes de Goya sont aussi célèbres que cette planche, conçue sans doute comme un frontispice pour l'ensemble du recueil, puis reléguée en quarante-troisième position.
Mais au-delà de l'adhésion au réformisme optimiste de ses amis éclairés, il y a chez Goya une incontestable fascination pour les perversions de la nature humaine comme pour l'abîme d'où surgissent les monstres nocturnes qui investissent l'homme endormi. Le thème des oiseaux fantastiques, plus ou moins anthropomorphes, version satanique des chérubins de l'art baroque se retrouve dans d'autres planches des *Caprices*. Goya est aussi éloigné des *Scherzi di Fantasia* et des *Capricci* de Tiepolo que de la critique sociale de Hogarth, si virulente soit-elle. Au nom de la raison, il entreprend d'explorer l'inconscient individuel et collectif et révèle les fantasmes et les terreurs d'un monde qui a perdu toute foi dans les valeurs établies.

L'APPROCHE DES ÉTATS GÉNÉRAUX

390
Principes de morale, de politique et de droit public,
puisés dans l'histoire de notre monarchie, ou Discours sur l'Histoire de France...

par Jacob-Nicolas MOREAU

Livre imprimé. Paris (Imprimerie royale), 1781, 11 vol., in-8°.
Bibliographie : Godechot, 1961, pp. 18-21.

Paris, bibliothèque Sainte-Geneviève (inv. 51.478 p 2 Rés).

La carrière de J.-N. Moreau fut celle d'un littérateur entièrement dévoué à la cause de la monarchie. Agent de la diplomatie secrète de Louis XV puis de Louis XVI, il publia de 1755 à 1759 *l'Observateur hollandais*, périodique hostile à l'Angleterre, et les *Mémoires pour servir à l'histoire des Cacouas* (1757), pamphlet contre les philosophes. Mais c'est en tant que responsable de l'éducation des petits-fils de Louis XV qu'il doit retenir l'attention. Dans ses *Leçons de morale* (1773) puis dans ses *Devoirs d'un prince réduits à un seul principe* (1775), et enfin dans les *Principes de morale* ici exposés, il se fait le théoricien le plus complet de l'absolutisme inté-

(cat. 391) (cat. 393) (cat. 394)

gral. S'il réprouve la violence (en particulier à l'égard des protestants), il estime que le pouvoir royal n'est limité que par la loi naturelle assimilée à la loi divine.

Il est certain que l'influence de cet érudit intransigeant sur les principes mais prêt à certaines concessions tactiques (il approuva la convocation des États généraux) fut considérable sur Louis XVI, Louis XVIII (qui en fit son conseiller privé) et Charles X.

391
De l'administration des finances de la France

par Jacques NECKER

Livre imprimé. Paris, 1784.

Paris, bibliothèque Sainte-Geneviève (inv. 1227-1229 Rés.).

Le Compte rendu au roi de 1781, qui décrivait pour la première fois le budget de la monarchie française fut l'ouvrage le plus célèbre de Necker dont il entraîna la disgrâce. Mais *l'Administration des finances...* qui se ressent moins de la contrainte des circonstances puisqu'il fut écrit au moment où l'auteur était éloigné, et pouvait-on croire définitivement, du ministère, est un véritable traité de science économique, mise à la portée d'un large public. Sa publication envenima sans doute la polémique avec Calonne qui attaqua violemment Necker devant l'Assemblée des notables en 1787. Le comte de Buat dans son *Examen impartial du livre de Necker* (1785) avait, de son côté dénoncé la substitution d'une aristocratie financière, dont les « hauts barons » seraient les membres de la Caisse d'escompte, à l'aristocratie traditionnelle des « gens de cœur ».

392
Lettre adressée au roi

par M. de CALONNE, le 9 février 1789

Livre imprimé. Londres, De l'Imprimerie de T. Spilsbury, Snow-hill. H.0,200 ; L. 0,125..
Historique : bibliothèque du Roi à Compiègne.

Paris, bibliothèque Sainte-Geneviève (inv. 52.133 FA).

Contrôleur général des Finances, Charles Alexandre de Calonne (1734-1802) avait présenté en 1786 un *Plan d'amélioration des finances* qui prévoyait une répartition équitable de l'impôt et libérait le commerce des entraves administratives.

Le clergé et la noblesse ayant refusé d'accéder aux propositions de Calonne, celui-ci fut limogé le 9 avril 1787. Convoqué devant les Parlements, il préféra s'exiler à Londres, où il publia sa justification. C'est l'ouvrage exposé ici, œuvre lucide d'un notable pour qui l'intérêt de la France passait avant celui de sa caste. Les idées de Calonne furent finalement acceptées, mais elles le furent dans des circonstances dramatiques, dans la nuit du 3 au 4 août 1789.
Rentré en France au début de 1789, Calonne avait cherché inutilement à se faire élire aux États généraux. Son rôle eût pu être important dans les débuts de la Révolution, mais déçu, il émigra à Londres et joua dès lors un rôle important auprès du comte d'Artois. J.Be.

393
Recueil de pièces historiques sur la convocation des États généraux, et sur l'élection de leurs députés

par Louis-Marie-Buffile de BRANCAS, comte de Lauraguais

Livre imprimé. A Paris, Ce 20 septembre 1788. H. 0,200 ; L. 0,130.

Paris, bibliothèque Sainte-Geneviève, (inv. 3441 FA s (pièce 2).

Le 5 juillet 1788, Loménie de Brienne promettait de réunir les États généraux pour le 1er mai 1789. Le 8 août, le fait était confirmé par le roi. Aussitôt, un immense espoir secoua la France, et les brochures politiques se multiplièrent : *Lettres aux États généraux* de Target, *Appel à la nation artésienne...* de Robespierre, etc. C'est dans ce contexte que le comte de Lauraguais, auteur de plusieurs mémoires, fit paraître ce recueil, qui était l'un des premiers à proposer une méthode pour les élections. Celles-ci se déroulèrent en mars et jusqu'en mai 1789 à Paris, le tiers-état ayant été doublé. J.Be.

394
Qu'est-ce que les Tiers État ?

par Emmanuel-Joseph SIEYÈS

Livre imprimé. H. 0,200 ; L. 0,130. Troisième édition.
Historique : bibliothèque du collège Sainte-Barbe.

Paris, bibliothèque Sainte-Geneviève (inv. F 8° sup. 9033 Rés. pièce 3).

Manquant totalement de vocation religieuse, Sieyès, « la taupe de la Révolution », selon Robespierre, grand vicaire de l'évêque de Chartres à la veille de 1789, fut rapidement gagné par les idées nouvelles. En janvier 1789, il publiait un pamphlet qui remporta un succès énorme, et connut rapidement plusieurs éditions : *Qu'est-ce que le Tiers État ?* Ouvrage d'une ironie mordante, il montrait que le tiers état représentait à tous points de vue l'essentiel de la population de la France. On connaît les phrases elliptiques que Sieyès posait d'emblée dans son pamphlet : « Qu'est-ce que le Tiers État ? Tout. Qu'a-t-il été jusqu'à présent dans l'ordre politique ? Rien. Que demande-t-il ? A y devenir quelque chose. » Immédiatement, Sieyès avait compris l'enjeu du débat de la Révolution, en glorifiant le tiers et en définissant les conditions d'accessibilité du pouvoir, qui passait nécessairement par le vote par tête aux États généraux et non par ordre. Il fut d'ailleurs élu par Paris à cette assemblée, mais bien vite dépassé par les événements, il ne réussit guère qu'à survivre, malgré son élection à la Convention. Entretenant habilement sa réputation d'homme essentiel, la vérité éclata quand on lui demanda ce qu'il avait fait sous la Terreur : « J'ai vécu », répondit-il. J.Be.

X
LES NOUVEAUX THÈMES
DANS LES ARTS PLASTIQUES

On peut soutenir l'idée que le tableau le plus révolutionnaire dans tous les sens du terme est le Brutus de David ; or ce tableau, présenté à l'occasion du Salon de 1789, est dans sa conception antérieur aux débuts de la Révolution elle-même.

De nombreuses recherches, au premier rang desquelles il faut placer celles de Robert Rosenblum, ont mis l'accent sur l'apparition (dans la seconde moitié du XVIIIᵉ siècle) de nouveaux thèmes ou la reprise de sujets délaissés qui tous, d'une manière ou d'une autre, exaltent les vertus civiques, les actes d'héroïsme mais aussi d'humanité, la simplicité des mœurs et parfois ce qu'il faut bien appeler les malheurs de la vertu, victime de la tyrannie ou de l'ingratitude des princes plus que de la fatalité. Si la date de ces œuvres pour la plupart antérieures à 1789, et parfois de deux décennies, n'était pas connue en toute certitude, il serait tentant de les lier chronologiquement aux développements de la Révolution, tant elles paraissent marquées parfois par l'esprit républicain. Même si l'on connaît le rôle joué par le comte d'Angiviller, et donc par l'administration royale dans le succès de ces thèmes, même si l'on peut affirmer par ce que l'on sait de la suite des événements que le fait d'avoir peint les héros de la République romaine est compatible avec une position politique très modérée, voire franchement contre-révolutionnaire, il faut admettre que toutes ces œuvres ont, à leur manière, préparé l'explosion de 1789 et plus encore les rigueurs de 1792-1794. Il n'est pas sans conséquence d'exalter Lucius Brutus, contempteur des rois ou Marcus Brutus, assassin de César, de plaindre Bélisaire infirme et mendiant, de donner en exemple Manlius Torquatus, Curius Dentatus, Guillaume Tell ou les Horaces. De telles images, surtout lorsqu'elles sont parées de l'attrait des nouveautés formelles et nourries de références érudites, préparent insensiblement aux nécessaires révoltes contre l'arbitraire, aux ruptures irréversibles, mais justifient aussi le sang versé au nom des principes et la mort, donnée ou reçue, comme élément normal de la vie politique.

Les licteurs rapportant à Brutus les corps de ses fils (cat. 404, détail).

LES NOUVEAUX THÈMES
DANS LES ARTS PLASTIQUES
ÉVOLUTION ET CONTINUITÉ

« Ce sont les arts qui éclairent les hommes,
qui agrandissent leur âme et qui leur font aimer la liberté. »
Philippe Chéry, 1791.

L'APPARITION d'un style nouveau dans les arts plastiques, commodément appelé « néo-classicisme » et l'apparition concomitante d'une iconographie nouvelle ont déjà été brillamment étudiés par plusieurs auteurs, notamment par H. Honour, R. Rosenblum, et les auteurs de l'exposition *de David à Delacroix*, pour ne citer que quelques exemples parmi les plus célèbres[1]. Aussi, nous sommes nous efforcés dans la mesure du possible, de ne pas répéter ce qui a été plus d'une fois explicité avec talent.

Il n'est plus à démontrer que l'origine des thèmes nouveaux et d'une expression artistique différente se place au milieu du XVIIIᵉ siècle[2]. Dès 1747, une certaine décadence de la situation artistique française fit dire à La Font de Saint-Yenne[3] que « le peintre-historien est le seul peintre de l'âme, lui seul peut former des héros à la postérité, par les grandes actions et les vertus des hommes célèbres qu'il présente à leurs ïeux... » Ainsi revint-on peu à peu à un style « noble et sévère », dont J. Locquin a étudié l'évolution, qui se fit grâce aux efforts conjoints des écrivains, des critiques et des théoriciens de l'art. Mais c'est certainement la nomination du comte d'Angiviller à la tête de la Direction générale des bâtiments du roi, en 1774, qui systématisa « l'encouragement du Grand Genre » en passant commandes aux artistes de tableaux dont les sujets se montraient susceptibles de « régénérer » la peinture. Parmi ces grandes commandes « pour le roi » on pourra juger ici de celles faites à Nicolas-Guy Brenet en 1777. L'un des sujets est, fait nouveau, inspiré de l'histoire nationale, il s'agit des *Honneurs funèbres rendus à Du Guesclin* (cat. 438), le second est un sujet tiré de l'histoire romaine toujours riche en traits de vertu, *Caïus Furius Cressinius* (cat. 424).

Dès lors, les artistes consultèrent avec passion Rollin qui rencontra, avec son *Histoire ancienne* et son *Histoire romaine*, un vif succès attesté par les nombreuses rééditions faites au XVIIIᵉ siècle. Plutarque dont les *Vies* tant des grecs que des romains se montraient riches en épisodes austères et vertueux. Il fut du reste expressément recommandé aux artistes de lire la même histoire chez plusieurs auteurs, ce qui « *contribue infiniment à la fécondité et à la justesse des pensées*[4] ».

Tous les schèmes de l'époque révolutionnaire sont déjà présents dans cet engouement pour une peinture d'histoire qui, peu à peu, allait devenir le seul genre « noble » et dont les sujets se devaient déjà d'être moraux et patriotiques.

Il ne faut en effet pas négliger le fait que des exemples aussi célèbres que la *Cornélie, mère des Gracques* de Peyron (cat. 429) et le *Bélisaire* de David (cat. 410) sont respectivement datés de 1779 et de 1781.

Ces exemples seront pour ainsi dire « récupérés » par la symbolique patriotique du mouvement révolutionnaire.

A la veille de la Révolution, le Salon de 1785 impressionna déjà particulièrement la critique et le public « par le ton sévère et soutenu » qui y régnait (*Journal de Paris*, 3 septembre 1785). C'est bien entendu le Salon du *Serment des Horaces* de David (cat. 405), qui devint dès lors le symbole même de « l'Amour de la Patrie », mais c'est aussi celui d'un exemple de dévotion civique extrême, *Manlius Torquatus condamnant son fils* de Berthélemy (cat. 403), illustrant « la victoire de l'amour des lois sur l'amour paternel[5]. »

Ainsi le glissement d'une peinture destinée à « élever l'âme » vers un art engagé dont le but était « d'ébranler l'âme » se fit insensiblement : « Le sentiment appartient à tous les hommes ; ils peuvent tous juger de l'effet que produit un tableau sur leurs âmes. Qu'un des apôtres de la Révolution nous représente *Bélisaire* victime de l'ingratitude et de la jalousie d'un tyran ; tous les spectateurs désireront un poignard à la main, rencontrer Justinien pour venger dans son sang la vertu outragée[6]. »

1. R. Rosenblum, *Transformations Late Eighteenth Century Art*, 1967 ; H. Honour, *Neoclassicism*, 1968 ; *De David à Delacroix, la peinture française de 1774 à 1830*, exposition, Paris, Grand Palais, 1974-1975.

2. J. Locquin, *la Peinture d'histoire en France*, 1912, rééd., 1978.

3. *Réflexions sur quelques causes de l'état présent de la peinture en France...*, 1747, p. 8.

4. Dandré-Bardon, *Traité de peinture*, t. I, pp. 89-90.

5. Collection Deloynes, t. XIV, nº 331.

6. Espercieux rapporté par Détournelle dans *Aux Armes et aux arts*, an II, p. 116.

Les hauts faits des héros de l'Antiquité furent utilisés en tant que métaphore intemporelle permettant une propagande efficace à la dévotion civique « le symbolisme *[étant]* le caractère distinctif de l'art révolutionnaire[7] ».

En effet, derrière les figures de Brutus ou Virginius (cat. 404 et 414) sacrifiant comme Manlius Torquatus leurs propres enfants à un amour sans partage pour la Patrie, derrière celles, images de désintéressement et de rigueur morale, de Cornélie, Cincinnatus, Curius Dentatus (cat. 428 et 429, 423, 401), ou encore d'Épaminondas[8] ou celles, admirables de stoïcisme de Socrate et de Bélisaire (cat. 416), derrière les héros martyrs, victimes de leur générosité, Caïus Gracchus et Agis (cat. 426, 427), derrière toutes ces figures symboliques se dessine la représentation toute puissante du dévouement absolu à la nation et aux principes sur lesquels elle repose[9].

Si les artistes choisirent d'eux-mêmes de représenter telle ou telle action patriotique tirée de l'histoire ancienne, c'est que l'inconscient collectif dut jouer un rôle capital, l'artiste percevant le poids des événements et l'énorme bouleversement politique auquel il est mêlé mais aussi parce qu'il participe de cette évidente continuité de la création artistique. En effet, et nous y avons fait allusion plus haut, les sujets patriotiques tirés de l'Antiquité n'apparaissent pas brutalement avec les événements révolutionnaires mais appartiennent à la ligne créatrice de la peinture d'histoire existant déjà depuis une dizaine d'années. Ainsi peut-on considérer que, nonobstant une évolution et des changements dans le style et dans les schémas de représentation, principalement de par l'influence prépondérante de David (voir par exemple à ce propos, les différentes représentations de la *Mort de Socrate*), il y eut une certaine continuité dans le choix des sujets tirés de l'Antiquité.

Parmi tous ces exemples sublimes de « vertu en action » qui participent à cette propagande symbolique en l'honneur de la patrie, nous devons une parenthèse au rôle tenu par la femme. On rencontre en effet plusieurs « exempla virtutis » dont la femme est l'héroïne, tel l'exemple déjà cité de *Cornélie* ou celui, révélateur, de *Piété et générosité des dames romaines* qui, nous l'avons analysé (cat. 430), de symbolique deviendra un fait réel avec le don à la nation des femmes artistes.

Autre « exemplum virtutis » féminin, celui de cette jeune femme allaitant sa mère condamnée à mourir de faim en prison ; cet exemple pourtant remarquable de piété filiale, tiré de Valère-Maxime (Lib. V, Chap. IV, 7) ne retint, semble-t-il, guère l'attention des artistes ; Alceste, enfin, qui, acceptant de mourir pour sauver son époux, est pour Platon (*le Banquet*) la représentation même du pur héroïsme dont l'ardeur et la force émanent de l'amour. Ce thème a été abordé par Peyron en 1785 dans sa pathétique *Mort d'Alceste*[10] (cat. 431 et 432).

Outre ces exemples, il faut noter la présence quasi rituelle d'une entité féminine dans les thèmes tirés de l'histoire ancienne qui eurent la faveur des artistes dans ces années 1780. Cette présence, mère ou épouse, jamais accessoire, articule le plus souvent l'action représentée, magnifiant parfois encore le courage et la détermination d'un héros. Il en est ainsi de *Caïus Gracchus quittant sa maison* (cat. 426) où Licinia son épouse sait à la fois qu'il va mourir et combien cette mort est inutile. Dans *Régulus partant pour Carthage* (cat. 398), le héros repousse fièrement sa femme qui tente en vain de le retenir. Coriolan dont l'orgueil ne fléchira que par les larmes et les prières de sa mère, Véturie, et de son épouse, Volumnie. On trouvera aussi dans la *Consternation de la famille de Priam* de Garnier cette importance du rôle de la femme qu'elle soit épouse du héros mort, Andromaque évanouie de douleur, sœur, Cassandre retenant son père Priam, ou mère, Hécube déchirée de chagrin ; ces trois femmes sont les trois points centraux de la composition et en permettent la compréhension.

Les exemples les plus marquants se trouvent chez David, pour qui cette opposition de l'entité féminine éplorée face à l'inflexibilité du héros viril devient une sorte de constante (R. Michel, 1981). Cette antinomie revêt ainsi, par sa seule

Peyron, *La mort d'Alceste*.
Paris, musée du Louvre.

7. Champfleury, *Histoire des faïences patriotiques sous la Révolution*, 1867, chap. II, « l'Art sous la Révolution », p. 25 et sq.

8. *Le Désintéressement d'Épaminondas qui préfère son amour pour sa patrie à tout l'or et l'argent que lui fait offrir Antaxercès*, sujet traité par Forty au Salon de 1791 (n° 199) ; tiré de Cornélius Népos, XV, 4.

9. D.L. Dowd, *l'Art comme moyen de propagande pendant la Révolution française*, 1953.

10. Paris, musée du Louvre, inv. 7175.

Boilly, *L'héroïne de Saint-Milhier.*
Collection particulière.

TRAIT DE COURAGE HÉROÏQUE.

Cazenave, gravé par Thouvenin, *L'héroïne de Saint-Milhier.*
Paris, Bibliothèque nationale, cabinet des Estampes.

L'HÉROÏNE DE MILHIER.

Des Brigands vinrent pour piller la Maison de cette femme et lui faire violence; Ils la trouvèrent entourée de ses Enfans, ayant deux pistolets, l'un dirigé sur eux, et l'autre sur un baril de poudre sur lequel elle étoit assise, elle les défia d'avancer; Cette intrépide résolution les effraya tellement qu'ils s'enfuirent, et n'y revinrent plus.

Le Sueur, *L'héroïne de Saint-Milhier.*
Paris, musée Carnavalet.

répétition, une valeur de symbole dans les représentations exhaltant l'héroïsme ou l'auto-abnégation. On peut le voir ici dans son *Brutus* (cat. 404) et dans *Le serment des Horaces* (cat. 405).

On assiste donc à une exhortation métaphorique des valeurs morales reposant sur les actions des héros de l'Antiquité, actions sur lesquelles tout bon citoyen se devait de calquer son comportement. À cette sorte de propagande indirecte s'appuyant sur un système de symboles, s'ajoute l'action de la propagande exercée par l'État, principalement à partir de 1793. Le gouvernement essaya alors d'engendrer une expression artistique à proprement parler révolutionnaire. Et s'il fut décrété que : « La Révolution a ouvert au Génie une carrière nouvelle... »[11], l'appel fut semble-t-il assez mal entendu et peu nombreux furent les artistes qui se firent, dans leur art, l'écho de convictions révolutionnaires en nous laissant des œuvres dites « engagées ».

Il y eut pourtant pléthore de discours où les exhortations aux artistes rivalisaient de ferveur dans l'expression d'un zèle passionné pour l'honneur et la défense de la patrie : « ... Les travaux incroyables des Héros de la Liberté, les sublimes leçons de vertus civiques que nous devons transmettre à la postérité, tout nous fait un devoir d'élever les Arts à la hauteur des Vertus républicaines, alors ils seront utiles à la patrie...[12] »

L'échec de cette volonté de propagande révolutionnaire par l'art a été démontré par D.L. Dowd et par J. Leith[13].

Signalons que, une fois la Terreur passée, le gouvernement n'en continua pas moins à exhorter les artistes aux représentations héroïques et patriotiques. Ainsi, le 9 floréal an IV (27 avril 1796), Bénézech, très efficace ministre de l'Intérieur fit éditer à l'intention des artistes une circulaire particulièrement significative du parti gouvernemental :

« Peignez notre héroïsme et que les générations qui vous succéderont ne puissent point vous reprocher de n'avoir point paru français dans l'époque la plus remarquable de notre histoire ! »

La propagande révolutionnaire fut particulièrement active sous le gouvernement montagnard avec l'estampe comme principal véhicule. Dans le domaine pictural, c'est par le grand concours, institué en l'an II, que l'État incita les artistes à reproduire « les époques les plus glorieuses de la Révolution » et leur donna par là même le moyen de montrer leur dévouement patriotique et leur engouement pour les nouvelles idéologies.

L'étude de ce concours se montre très enrichissante quant à l'expression des nouveaux thèmes directement liés à l'histoire contemporaine. Ce concours étant étudié plus loin (voir cha-

11. F.R.J. Pommereul, « Des institutions propres à engager et perfectionner les beaux-arts en France », dans *La Décade Philosophique*, an IV.

12. Extrait d'une pétition de la *Société populaire et républicaine des Arts*, rédigée par le peintre Le Sueur (an II).

13. D.L. Dowd, *op. cit.* et J. Leith, *The Idea of Art as Propaganda in France, 1759-1799*, 1964.

pitre XXX) dans le cadre des « Prix d'encouragement », nous ne ferons allusion ici qu'à quelques exemples caractéristiques du choix des concurrents.

Le *Recueil des actions héroïques et civiques des républicains français présenté à la Convention nationale par Léonard Bourdon en l'an II* apparaît comme la principale source d'inspiration des participants. Ce recueil est une compilation consciencieuse de faits d'héroïsme qui, le plus souvent, prennent place sur les champs de bataille. On y rencontre des soldats amputés et mourant criant « Vive la République », un autre ayant perdu la vue disant : « Mes amis, je ne regrette plus mes yeux puisque la République est triomphante. » Tous ces hauts faits militaires, rivalisant souvent d'horreur, ne furent pas ceux qui eurent la faveur des artistes. On trouvera toutefois un certain Laurent Dabos qui n'hésita pas à représenter dans son esquisse *Un canonnier mettant un bras qu'un boulet de canon lui avoit emporté dans son canon pour le faire tirer sur les ennemis*, épisode pour le moins sanglant qui ne fut du reste pas primé. On trouvera encore, par Swebach, *La Réponse* — qu'on imagine héroïque — *du canonnier Michau mortellement blessé*. Mais, dans l'ensemble, les artistes dédaignèrent cette violence guerrière lui préférant des sujets comme *La Ville de Toulon reprise par les français*, dont on trouve cinq esquisses parmi lesquelles celles de Demarne et de Taurel furent récompensées, ou encore l'épisode représentant *Les Hussards sortant de Thionville pendant le siège de la ville* que présenta Carle Vernet.

Parmi les exemples d'héroïsme civique toujours issus de cet étonnant recueil, l'épisode vendéen de *L'Héroïne de Saint-Milhier* particulièrement évocateur, fut, de fait, un sujet de choix, plusieurs fois traité par les artistes. Une autre vendéenne, *La Citoyenne Bergougnaux défendant de son corps l'arbre de la Liberté contre les brigands* inspira Petit-Coupray, J.-J. Bidault et également Le Sueur, révolutionnaire convaincu, membre de la société populaire et républicaine des arts. Enfin, trois peintres, dont Guérin, présentèrent des esquisses du *Maire de Brive s'enrôlant pour donner l'exemple aux jeunes gens de la commune*. Autre exemple impressionnant d'héroïsme civique, celui du *Trait de courage du citoyen Rouzeau qui terrassa un ours de sept pieds et demi qui ravageoit les bestiaux du mont Senard dans le Jura* ; l'esquisse permit à Van der Burch d'être primé et d'exécuter le même sujet en une grande toile qu'il présenta au Salon[14]. Cette œuvre, un des rares exemples d'héroïsme contemporain dont nous avons pu retrouver la trace, est hélas aujourd'hui ruinée. Bien peu de ces tableaux traitant de thèmes tout à fait nouveaux puisque en rapport avec des événements du moment sont parvenus jusqu'à nous ; seules les Archives nationales et la précieuse collection Deloynes nous ont permis de connaître les sujets que les artistes choisirent de traiter[15].

14. Exposé au salon de 1799 ; rentré au musée du Louvre, inv. 3092 ; déposé au musée de Béziers en 1872.

15. A.N. F17 1056, dossiers 5 et 6 ; B.N. coll. Deloynes, t. LVI, nos 1724-1736.

Le Sueur, *La citoyenne Bougougnon défendant de son corps l'arbre de la Liberté contre les brigands*. Paris, musée Carnavalet.

Avec ces différents exemples de plain-pied dans une réalité guerrière et héroïque, nous trouvons également représentée *La Journée du 10 août*, peinte par J.-J. Lagrenée, Regnault et Gérard ainsi que l'épisode célèbre du *Brûlement des titres féodaux et des attributs de la tyrannie* illustré par Demachy et G.-G. Lethière.

Mais c'est manifestement par la voie de l'allégorie que les artistes ont préféré exprimer leurs convictions révolutionnaires — ou celles qu'on leur demandait d'avoir. Ainsi le concours de l'an II nous présente-t-il un vaste échantillonnage d'allégories tant peintes que dessinées, où rivalisent des *Libertés triomphantes, ... sortant des ruines de la Bastille, ... terrassant tous les partis*, ou... *le despotisme*, ou encore accompagnées des figures de *l'Égalité* (le plus souvent), de celles de *La Justice*, de *la Force* et de *l'Abondance*. Contrairement aux participants peintres, les sculpteurs ayant des sujets imposés, durent exécuter pour leurs esquisses des représentations de *La Nature*

Demachy, *Destruction des emblêmes de la monarchie, le 10 août 1793*. Paris, musée Carnavalet.

295

régénérée sur les ruines de la Bastille, de *La Liberté* destinée à la place de la Révolution, du *Peuple, figure colossale à ériger sur la pointe du Pont-Neuf*[16].

Dans ce cadre précis, l'allégorie fut imposée aux artistes, mais bien d'autres exemples de *Paix*, de *Victoire* ou de *Raison* rencontrés au hasard des livrets des Salons prouvent combien les artistes eurent facilement recours à l'allégorie. Celle-ci, loin d'être pour eux un langage nouveau, était au contraire un moyen d'expression qui leur était familier, et leur permit donc une facilité d'adaptation aux idéologies nouvelles pour rendre hommage à la patrie et aux valeurs révolutionnaires. Toutefois, l'allégorie restait assez mal aimée des critiques. Diderot, déjà, lui reprochait d'être « *rarement sublime* [et] *presque toujours froide et obscure* » ; on l'accusa aussi de rester incompréhensible à une grande partie du public « *point assez lettré pour deviner le sujet...*[17] »

Elle permettait pourtant par la richesse de l'imagerie et de la symbolique un langage poétique qui, même s'il n'était pas compris de tous, avait du moins l'avantage de faire appel à l'imaginaire. Si le genre restait difficile, Prud'hon fut un de ceux qui sut manier l'allégorie avec une élégance suprême (cat. 903), bien d'autres s'y essayèrent de manière plus ou moins heureuse. Ainsi Mouchet, pastelliste discret qui, avec son *Allégorie du triomphe de la justice ou le 9 thermidor*[18] tenta de prouver, par cet ambitieux tableau, ses talents comme ses convictions patriotiques. Mais si l'œuvre impressionna par ses dimensions, elle « n'évitait l'horreur qu'en tombant dans la platitude[19]. »

L'allégorie, maniée avec plus ou moins d'aisance par les artistes, fut indubitablement une des expressions privilégiées des nouveaux thèmes. Fréquente en peinture et en sculpture, elle apparaît en très grand nombre sur les gravures et les vignettes, on la rencontrera aussi sur les médailles, notamment avec Dupré.

Les sujets religieux ayant disparu totalement de la scène artistique, les croyances nouvelles auraient pu engendrer un certain nombre de représentations mais elles ne semblent guère avoir inspiré les artistes. On trouvera toutefois *Tous les peuples du monde venus* adorer l'Être suprême de Forty, *La République française rend hommage à l'Être suprême* de Garnier, *La Nation française à l'Être suprême* par Pierre Lélu et la *Célébration de la fête de l'Être suprême* de Demachy.

Nous citerons enfin deux genres dits « mineurs », le portrait et le paysage, dont la stabilité semble inébranlable durant ces années de grande mouvance.

Le Salon, réservé aux artistes académiciens et agréés, fut décrété « libre » par l'Assemblée nationale le 21 août 1791. Il est significatif de noter que, à partir de ce premier Salon libre, le nombre des portraits comme celui des paysages ne fit pas moins de tripler par rapport à 1789.

La recrudescence de ces deux genres se fit nettement sentir après thermidor. En effet, pour le portrait, apparaissent dès 1796, de nouveaux commanditaires issus d'une bourgeoisie

enrichie, *le Journal de Paris* du 23 fructidor an VII (10 septembre 1799) note que sont exposés au Salon douze tableaux d'histoire pour deux cents portraits... En ce qui concerne le paysage, même si le *Rousseauisme* est resté très présent aux mémoires et aux cœurs durant toutes les années révolutionnaires, il connut un succès encore plus vif avec le Directoire.

Le public comme les artistes sont saturés de violence et sans doute aussi quelque peu lassés de l'austérité et de la rigueur antiques ; s'opéra alors une réaction qui provoqua un immense besoin de sentimentalisme, de fraîcheur et d'émotion. Chaussard, ardent républicain et auteur, en l'an VI, d'un *Essai philosophique sur la dignité des arts*, nous livre à ce propos un texte révélateur :

« ... Peintre de la Nature, de la vérité, devenez les Orateurs de la vertu et de la morale. Créez le genre sentimental.

Fatigué d'images de servitude, de superstition, de barbarie, de courage, d'atrocités ou de ridicules, que le pinceau se repose avec amour sur des scènes attendrissantes (...), qu'il retrace tout ce qui peut charmer l'esprit, toucher le cœur, élever le caractère. »

Ce revirement du goût après 1795 entraîna souvent le rejet des scènes sanglantes. Ainsi le *Brutus condamnant ses fils* de Lethière (gravure de Coqueret) exposé en l'an IV puis de nouveau en l'an IX se vit-il ainsi apostrophé par « Arlequin au Muséum » (n° II, p. 41) : « Toujours du sang, des échafauds, Lethiers *(sic)* cachez donc vos esquisses. »

Le Directoire verra de plus apparaître des allusions clairement contre révolutionnaire, réquisitoires contre la dictature exercée par Robespierre et contre la violence qui régna sous la Terreur. *Le Retour de Marcus Sextus* de Guérin (cat. 842) qui remporta un vif succès au Salon de 1799, fut interprété comme une allusion au retour des émigrés. Un dessin de Gros terriblement évocateur et représentant *La Mort de Timophane* sera lu, quant à lui, comme le souvenir direct des massacres commis sous la Terreur[20].

Nous avons vu, dans ce rapide panorama des thèmes traités durant la période révolutionnaire, l'existence d'une large parenthèse faite à un art à proprement dit engagé pourtant loin de représenter le plus gros de la production artistique du moment, ce qui est indubitablement associé à l'échec du gouvernement quant à sa volonté de propagande par l'art.

Outre cette production artistique spécifique, nous apparaît

16. AN. F¹⁷ 1056, dossier 6.

17. G.M. Raymond, *De la peinture considérée dans ses effets sur les hommes en général et de son influence sur les mœurs et le gouvernement des peuples*, 1799.

18. Esquisse exposée au Salon de 1795, tableau définitif au Salon de 1799 ; le tableau fut exposé un temps à Versailles et disparaît en 1814 ; voir A. Callet, 1918-1919, dans *la Cité*, Bulletin de la Société historique du 4ᵉ arrond. de Paris, pp. 52-53.

19. J. Renouvier, 1863, p. 407.

20. M. Carlson, *le Théâtre de la Révolution française*, 1966, p. 246.

comme évidente la continuité dans le choix des sujets tirés de l'histoire ancienne. Leur portée symbolique sera toutefois sensiblement déplacée de par l'influence des événements du moment.

L'utilisation de l'allégorie, un des véhicules les plus anciens de la création artistique, qui renvoie à une longue lignée vieille de plusieurs siècles, participe de façon évidente à cette continuité, même si son propos s'est déplacé et si elle ne semble alors exister que dans le but de servir l'idéologie du moment. Il faut noter à ce propos que, comme pour les sujets tirés de l'Antiquité, la frontière est parfois subtile entre un art dit engagé et un art qui ne voulait pas l'être, cette frontière dépend parfois, pour beaucoup, de la vision de l'historien.

Si, de 1789 à 1800, la mouvance politique à l'intérieur du pays, les complications croissantes dues à la guerre extérieure, l'effondrement des valeurs, les énormes difficultés matérielles rencontrées par les artistes ont entraîné un bouleversement capital, celui-ci s'est pourtant toujours vu accompagné d'une création artistique restée vivante, riche et diversifiée. Nous avons sans doute là une des plus belles démonstrations de la puissance créatrice que l'histoire ait connue.

Cette puissance créatrice trouva pour l'essentiel sa force dans la pérennité des grands principes de création préexistants. Les artistes éprouvèrent sans aucun doute le besoin — conscient ou non — de s'appuyer sur leur passé artistique afin de pouvoir engendrer une création *nouvelle*. Le néo-poussinisme, illustré notamment par Peyron peut, du reste, être considéré comme une illustration de cette pérennité.

L'art de l'époque révolutionnaire demeure profondément original car, directement issu de la lignée des créations antérieures, il n'en subit pas moins la très forte influence de l'histoire.   Brigitte Gallini

« *Étrange époque où le lyrisme perce à travers l'emphase…*
Déclamatoire et touchant, tel est le caractère général de l'art
de l'époque, où chacun, orateur, poète, peintre, statuaire
ou musicien trouve le grand sans le chercher. »
Champfleury, 1867

Gros, *La mort de Timophane.*
Paris, musée du Louvre, cabinet des Dessins.

HÉROS
DE L'ANTIQUITÉ
ET PATRIOTES

396
Le Spartiate Othryadès mourant

par Julius Tobias SERGEL

Statuette, terre cuite. H. 0,235 ; L. 0,35 ; Pr. 0,26.
Historique : 1923, 18 avril, Marseille, vente collection Livon-Daime, n° 27 (comme de Giraud).
Expositions : 1947, Paris, musée Carnavalet, n° 554 ; 1964, Paris, Archives de France, n° 449 ; 1958, Paris, Orangerie, n° 132.
Bibliographie : Vitry, 1923, p. 247 ; Vitry, 1933, n° 1910 ; Antonsson, 1942, p. 280, n° 84, pl. 65.

Paris, musée du Louvre, département des Sculptures (R.F. 1786).

Le héros Othryadès fut une figure héroïque de l'histoire de Sparte ; son exploit est connu grâce au récit d'Hérodote (l'*Enquête*, éd. Gallimard, la Pléiade, p. 85). Il se situe à un moment des luttes entre Sparte et Athènes : Othryadès a lutté pour la possession de la ville de Thyrea ; seul survivant parmi les trois cents Spartiates engagés contre trois cents Argiens, il rapporte les dépouilles de ces derniers ; ne voulant pas survivre à ses camarades, il se tue. Ce récit est complété iconographiquement par le geste du héros ensanglantant son bouclier levé vers Zeus de l'inscription : « J'ai vaincu. » Ce geste esquissé ici est plus explicite sur la version de Stockholm. La source littéraire de ce complément biographique ne se trouve pas chez Hérodote (ni chez Plutarque) et il semble qu'il s'agit d'une analogie tardive avec l'histoire de Léonidas inscrivant sa fière devise — voir le tableau de David — aux Thermopyles (*Paulys Realencyclopädie der Classischen Altertumswissenschaft*, t. XXXVI, Stuttgart, 1942, p. 1872). On retrouve ce détail iconographique sur la plupart des sculptures traitant du thème, sujet de plusieurs concours (1784 à l'École de Dijon, remporté par Petitot, prix de Rome en 1810 avec David d'Angers en seconde position).
Sergel fut un brillant sculpteur suédois, actif principalement à Rome de 1767 à 1778 où il réalisa ses meilleures œuvres dans un style néoclassique marqué par l'esthétique de Winckelmann et les modèles antiques (*Diomède*, musée de Stockholm), mais imprégné du regard porté sur le modèle vivant et l'Antiquité bacchique insouciante de l'Arcadie (*Faune*, idem). A son retour de Rome, il séjourna à Paris ; il y présenta, soutenu par son compatriote Roslin, un morceau d'agrément à l'Académie royale, *Othryadès*, dont il exposa au Salon de 1779 (n° 293) un modèle en plâtre ; ce dernier, mentionné dans un inventaire de l'an II à l'École nationale des Beaux-Arts, a disparu. Une terre cuite de grandes dimensions (H. 0,62 ; L. 0,91) est conservée au musée national de Stockholm (inv. NMSK 454). On n'en connaît aucune transposition autographe en marbre. Deux

plâtres originaux se trouvent en Suède (musée et Académie des Beaux-Arts), le premier réalisé d'après la grande terre cuite [communication écrite de Magnus Olausson]. On remarque peu de variantes entre la grande terre cuite de Stockholm et l'esquisse du Louvre qui possède la nervosité et le brio des bozzetti connus de Sergel.
Signalons dans l'ancienne collection Pomme de Mirimonde (Gray, musée du baron Martin) une petite esquisse en terre cuite représentant le héros, attribuée à Cerrachi, artiste surtout connu par ses austères bustes néo-classiques et ses opinions jacobines. G.Sc.

397
Caïus Mucius Scaevola

par Louis-Pierre DESEINE

Statue, marbre. H. 1,02 ; L. 0,42 ; m Pr. 0,42.
Historique : 1791, 26 mars, morceau de réception à l'Académie royale de peinture et de sculpture ; collections de l'Académie jusqu'à sa dissolution, en juillet 1793 ; École nationale des Beaux-Arts ; 1868, entré au musée du Louvre.
Exposition : 1939, Paris, musée Carnavalet, n° 1147.
Bibliographie : livret du Salon de 1791 (qui n'eut pas lieu), n° 255 ; Vitry, 1922, n° 1243 ; Lapparent, pp. 332-335.

Paris, musée du Louvre, département des Sculptures (R.F. 2987).

Héros du patriotisme romain, son histoire soigneusement décrite par Tite-Live, Mucius Scaevola fut une figure emblématique de la jeune République au moment où elle s'efforçait de garder son indépendance.
Le roi étrusque Porsenna — allié du dernier roi de Rome, Tarquin le Superbe, avide de reconquérir le pouvoir deux ans après en avoir été chassé par le peuple — assiégea la ville ; le jeune Mucius, inquiet de la longueur du siège, et de son issue, se faufila dans le camp ennemi avec l'intention de poignarder Porsenna ; il se trompa de cible, fut fait prisonnier ; devant le roi, il plongea sa main droite (d'où son surnom « Scaevola », le gaucher) dans un brasier en affirmant que trois cents jeunes Romains étaient prêts à sacrifier leur vie pour l'assassiner ; effrayé de cette perspective — et convaincu par tant de détermination — Porsenna négocia la paix.
Le choix d'un tel sujet était conforme à l'esprit du temps, avide de thèmes empruntés à l'histoire de la République romaine ; Edme Dumont, en 1795, exposa au Salon un *Mucius Scaevola* qui, dans le contexte républicain d'alors, eut une résonance politique plus évidente que celui de Deseine. Sous la Révolution, pour ne citer que deux exemples, il y eut à Paris une section Mucius Scaevola, et à Versailles une rue Scaevola (1793), nouveau nom de la rue Sainte-Anne.
La longue élaboration de l'œuvre, que Anne-Marie de Lapparent a récemment cernée, s'étend de 1785 — Deseine présenta à l'Académie son morceau d'agrément, qui fut accepté — à 1791, date de sa réception, en passant par

1787 — *Tête de Scaevola* exposée au Salon — et surtout 1789 où la première version du morceau de réception fut refusée.
L'œuvre est marquée par une influence antique discrète, qui s'exprime surtout par le visage et la chute du drapé ; le trépied supportant le brasier est un peu éclectique, rappelant irrésistiblement le XVI⁰ siècle ! Le mouvement de torsion du buste, ainsi que la violence du bras qui se jette dans le feu, les jambes écartées avec détermination, sont un hommage au *David* de Bernin que Deseine connut lors de son séjour à Rome. Cette double parenté témoigne, de la part d'un jeune artiste désireux de plaire à une Académie sourcilleuse, d'une assimilation de modèles. Le visage impassiblement idéalisé du héros ne correspond pas vraiment à l'impétuosité de son geste, mais peut être compris comme une illustration — un peu gauche — des théories de Winckelmann. G.Sc.

398
Régulus retournant à Carthage

par Louis LAFITTE

Pierre noire et rehauts de blanc sur papier beige. H. 0,276 ; L. 0,415.
Inscription : en bas à gauche : « Lafitte invt. » ; en bas à droite : « Gois (professeur) ».
Historique : portefeuille Taylor ; anc. coll. Saunier ; coll. Baderou ; donation Baderou au musée de Rouen en 1975.
Bibliographie : Vilain, 1980, pp. 117-118.

Rouen, musée des Beaux-Arts (inv. 975.4.1336).

Le sujet vient d'Horace (*Odes*, III, 5). Le consul Régulus (IIIᵉ s. av. J.-C.), laissé en liberté sur parole par les Carthaginois qui l'ont vaincu, doit, malgré les prières de sa famille et du Sénat, quitter Rome pour retourner prendre les fers à Carthage où la mort l'attend. Le thème du départ de Régulus pour Carthage, symbole du sens de l'honneur, semble avoir largement attiré les artistes de cette seconde moitié du XVIIIᵉ siècle puisque, après Nicolas-Bernard Lépicié en 1779 (musée de Carcassonne), nous le trouvons au Salon de 1793 avec Pajou fils, qui réexposera son tableau de Régulus au Concours de l'an VII ; ce qui lui valut un « encouragement de quatrième classe » (Deloynes, t. LVI, n°ˢ 1755, 1758). Enfin, sujet du prix de Rome en 1791, il permit à Jean-Baptiste Debret d'obtenir un second prix (Montpellier, musée Fabre) et à Louis Lafitte d'emporter le grand prix en même temps que Thévenin.
C'est une étude dessinée de Lafitte pour son prix que nous présentons ici avec, au centre de la composition, un Régulus fièrement campé, repoussant de la main un de ses enfants ; sur la gauche, sa femme s'évanouit dans les bras de ses suivantes et, au premier plan, deux personnages agenouillés tentent de le retenir. B.Ga.

399
Marius à Minturnes

par Jean-Baptiste WICAR

Pierre noire sur papier blanc. H. 0,247; L. 0,263.
Historique : coll. Camillo Domeniconi, élève et légataire de Wicar en 1834; coll. Fusignani, époux de la nièce de C. Domeniconi; donné par ce dernier au musée de Lille en 1871.
Expositions : 1974-1975 (1), Paris, Grand Palais, n° 33 (comme J.G. Drouais); 1982, Stockholm, n° 18 (comme J.G. Drouais); 1983, Lille, n° 150.
Bibliographie : Bordes, 1979, p. 209, n° 10. Cresti, 1983, n° 150; Ramade, 1985, pp. 48-54.

Lille, musée des Beaux-Arts (inv. W. 2483).

Le sujet est tiré de la *Vie de Marius* de Plutarque. Après les proscriptions de Sylla, Marius (156-86 av. J.-C.) s'est réfugié dans les marais de Minturnes; arrêté, il est condamné à mort et un soldat cimbre est chargé d'exécuter le héros, voyant « les yeux de Marius lancer des flammes », le soldat prend la fuite, terrorisé à l'apostrophe de Marius : « Oseras-tu frapper Caïus Marius ? » On connaît la grande fortune de ce sujet qui, après avoir été traité par Peyron en 1783 (dessin à Madrid, Biblioteca nacional), remporta auprès des artistes un très vif succès à la suite de l'illustre tableau de Drouais de 1786. Le thème, traité, entre autres, par Lethière en 1790 (dessin à Montpellier, musée Fabre), en 1796 par Gautherot et par Fabre (Montpellier, musée Fabre pour le dessin et University of Notre-Dame, États-Unis, pour le tableau) et par Gamelin (musée de Carcassonne), est ici l'œuvre de Jean-Baptiste Wicar, datable, d'après M.V. Cresti, des années 1787-1793. Jusqu'à ce que Philippe Bordes réattribue ce dessin à J.B. Wicar en 1979, il passait pour être une première pensée de *Marius à Minturnes* de Drouais.
Moins spectaculaire que Drouais, Wicar gagne en élégance dans cette composition parfaitement réussie et construite sur les deux diagonales des jambes des protagonistes qui se rejoignent au centre du dessin; le bel équilibre de l'ensemble, la souplesse des drapés et l'attitude superbe dans sa noblesse hiératique de Marius justifient sans peine l'épithète de David, « le plus fameux dessinateur de France », à propos de son brillant élève aujourd'hui oublié.

B.Ga.

400
La Mort de Caton d'Utique

par Philippe-Laurent ROLAND

Statuette, terre cuite. H. 0,22; L. 0,27; Pr. 0,13.
Historique : 1869, 19 mars, vente de la collection Jules Boilly, n° 337; 1894, don docteur Worms.
Bibliographie : Marcel, 1901, I, pp. 177-187; Vitry, 1922, n° 1479.

Paris, musée du Louvre, département des Sculptures (R.F. 976).

Il n'est pas une personnalité plus exemplaire que celle de Caton d'Utique aux yeux des zélateurs de la vertu. Arrière-petit-fils du déjà irréprochable Caton l'Ancien, il fut le symbole même du patriotisme républicain. Ennemi des corrompus (Catilina) et des tyrans (de Sylla à César), il se suicida en stoïcien — après avoir relu le *Phédon* de Platon —, tirant la leçon des victoires militaires de César, et de la fin de la République. Tribun de la plèbe, sa vie fut un constant dépassement des contraintes du corps et des facilités de l'esprit afin de combattre énergiquement pour sa cité et contre le despotisme. On comprend pourquoi en 1797 le sujet de *la Mort de Caton* fut imposé aux candidats du prix de Rome. Philippe-Laurent Roland (1746-1816), issu d'un milieu pauvre près de Lille, se forma à Paris dans l'atelier de Pajou. Sa carrière s'établit curieusement en dehors des normes de son époque : il partit à ses frais en Italie (1771), et il négligea de traduire en marbre son morceau d'agrément à l'Académie (1782, précisément *la Mort de Caton d'Utique*). Roland dut soumettre en 1786, un autre sujet, *Samson*, qu'il n'exposa qu'au Salon de 1795. Mais s'il tardait à être à l'Académie de Paris — il fut, sous la Révolution, membre-fondateur de l'Institut et professeur à l'École des Beaux-Arts —, il le devint dès 1782 à celle de Lille.
La terre cuite du Louvre est une esquisse pour le morceau d'agrément de 1782 (Roland présenta un plâtre à l'Académie, et ce fut un plâtre qui figura au Salon de 1783). Le musée des Beaux-Arts de Lille conserve une réduction en bronze qui fut offerte à la ville par le sculpteur en 1783.
L'œuvre est impressionnante, et se rattache aux morceaux de réception tourmentés du premier quart du XVIIIe siècle (François Dumont, Jean-Baptiste I Lemoyne) avec leur prédilection pour les héros nus à l'agonie violemment expressifs. Le sujet imposait en lui-même des contraintes — Caton convulsé sur son lit introduisant des braises dans son ventre préalablement tailladé — et on pourrait aisément trouver ailleurs des similitudes de pose; citons simplement le dessin très proche de l'Anversois M. I. Van Brée (catalogue de l'exposition *Néoclassicisme en Belgique*, Ixelles, 1985, n° 113, p. 149) qui lui valut le second prix en 1797, et qui est peut-être un souvenir de la composition de Roland.
L'emploi des accessoires (livres, épée), le rôle relativement discret joué par la draperie (qui aurait été précisé dans sa transcription en marbre), le modelé très précis du corps, définissant nettement les formes, sont proches de Pajou. On remarque néanmoins ici une authentique force expressive et un sens du sublime auxquels Roland restera fidèle.

G.Sc.

401
Curius Dentatus refusant les présents des ambassadeurs samnites

par Pierre PEYRON

Plume et encre noire, lavis gris et rehauts de blanc sur papier chamois. H. 0,375; L. 0,358.
Inscription : en bas à droite : « Peyron f. ».
Historique : donné très certainement à d'Angiviller en novembre 1786; saisie révolutionnaire chez d'Angiviller en 1794; entré au musée de Grenoble en l'an IX (1800-1801).
Expositions : 1974-1975 (2), Paris, Grand Palais, n° 113; 1983, Tokyo-Yamaguchi-Nagoya-Kamakura.
Bibliographie : Roman, 1897, p. 103; cat. Grenoble, 1911, p. 217, n° 163; Vilain, 1974-1975, pp. 112-113, n° 113; Rosenberg-H. van de Sandt, 1983, pp. 121-124; Crow, 1985, p. 243.

Grenoble, musée des Beaux-Arts (inv. MG. 243).

Peyron fut reçu à l'Académie en 1787 sur le sujet imposé de *Curius Dentatus refusant les présents des ambassadeurs samnites* tiré de Plutarque (*Vie de Caton l'Ancien*, 2) et de Valère-Maxime (IV, 3, 5). Ce tableau, aujourd'hui conservé au musée Calvet d'Avignon, fut exposé au Salon de 1787 (n° 153) avec au livret l'explication suivante : « Marcus Curius Dentatus après avoir été trois fois consul, et avoir obtenu deux fois les honneurs du triomphe, s'était retiré à la campagne pour se reposer de ses travaux; les ambassadeurs samnites l'y trouvèrent faisant cuire des racines dans un pot de terre; ils lui offrirent des vases d'or, pour l'engager à prendre leurs intérêts. Le généreux Romain les refusa en disant : " je préfère ma vaisselle de terre à vos vases d'or; je ne veux point être riche, content dans la pauvreté de commander à ceux qui le sont". »
« Exemplum virtutis » particulièrement représentatif du désintéressement et de la grandeur d'âme, ce sujet fut déjà choisi, en 1776, pour le premier prix de Rome des États de Bourgogne, remporté par Gagnereau. On retrouvera également ce thème chez Caraffe au Salon de 1795 (n° 67).
En octobre 1786, Peyron exécuta une première esquisse qu'il présenta à l'Académie (Marseille, musée des Beaux-Arts); c'est à partir de cette esquisse que l'artiste fit le dessin qu'il offrit à d'Angiviller comme le laisse entendre sa lettre autographe en date du 24 novembre 1786.
Ce dessin est donc directement préparatoire, plus que l'esquisse, au grand tableau d'Avignon dont il est du reste très proche.

B.Ga.

402
Les Adieux de Coriolan à sa femme

attribué à Étienne AUBRY

Huile sur toile. H. 1,25; L. 1,69.
Historique : acheté à Paris en 1853 par Camille Raspail; attribué à Aubry par le fils de celui-ci, F.V. Raspail; donné au musée du Louvre en 1983 par Mme E. Varichon-Raspail (R.F. 1983-101); déposé au musée de Cholet en 1983.
Exposition : 1781, Paris, Salon.
Bibliographie : Raspail, 1984, n° 2, p. 147; Laveissière, 1984, pp. 124-125; Foucart-Walter, 1986, t. V, p. 198.

Cholet, musée des Beaux-Arts (inv. B. 8595).

Caïus Marcius Coriolanus vécut à Rome au Ve siècle avant J.-C., issu d'une famille patri-

Le Spartiate Othryadès mourant (cat. 396).

Caïus Mucius Scaevola (cat. 397).

La Mort de Caton d'Utique (cat. 400).

Régulus retournant à Carthage (cat. 398).

Marius à Minturnes (cat. 399).

Curius Dentatus refusant les présents des ambassadeurs samnites (cat. 401).

Les Adieux de Coriolan à sa femme (cat. 402).

Manlius Torquatus condamnant son fils à mort (cat. 403).

s Licteurs rapportent à Brutus les corps de ses fils (cat. 404).

cienne, il fut général et homme d'Etat. Sa vie nous est rapportée par plusieurs auteurs : Plutarque lui consacre une de ses *Vies des Romains* (XXIII) et Tite-Live lui accorde quelques passages *(Livre I)*. Pour le XVIIIe siècle, on le retrouve dans l'*Histoire romaine* de Rollin qui inspira tant les artistes et l'abbé Vertot lui consacre le livre II de son premier volume de l'*Histoire des révolutions arrivées dans le gouvernement de la République romaine* (3 vol., 1719). Rappelons également que Shakespeare en tira un drame vers 1607.

Coriolan, après avoir été plusieurs fois vainqueur des Volsques, les pires ennemis de Rome, auxquels il prit Coriole (d'où son surnom), fut condamné à l'exil après qu'on lui eut refusé le consulat ; banni par les siens, il quitta Rome, décidé à s'allier aux Volsques (c'est l'épisode représenté ici) ; il assiégea Rome (vers 480) et seules les prières de sa mère, Véturie, et de son épouse, Volumnie, à la tête d'une délégation de femmes romaines, réussirent à le fléchir. Ce dernier sujet, remarquable de piété filiale, inspira plusieurs artistes dont Poussin, vers 1650 (musée des Andelys), et, au XVIIIe siècle, Pierre (1771, château de Choisy) et Le Barbier (gravé par Avril) ; au début du siècle, Henri de Favanne peignit en pendant à ce sujet, *Les Adieux de Coriolan* (musée d'Auxerre). Cet épisode plus rare, traité dans le tableau qui nous intéresse le fut aussi par l'Allemand Johann Heinrich Tischbein en 1775 (Cassel, Schloss Wihelmshöhe) ; Wicar aborda également ce thème, *L'Exil de Coriolan* étant, en 1786, le sujet imposé pour le prix de Rome auquel il participa. L'épisode des adieux de Coriolan quittant Rome est porteur d'une certaine ambiguïté puisqu'il met en scène un personnage à la fois héros, général glorieux, puis traître à sa patrie. Rejeté par son peuple, exhilé, il n'écoute plus que son orgueil : la leçon du thème est bien entendu une mise en garde contre cette avidité de pouvoir et de vengeance capable d'engendrer la trahison.

Un tel sujet, de par l'ambiguïté d'un propos pouvant manquer de clarté n'eut pas la faveur des artistes à la recherche de sujets exhortant des valeurs morales plus immédiatement perceptibles.

Tischbein fit de ce sujet un attachant morceau de déchirement familial, plein de couleurs et de mouvement. Le présent tableau lui oppose, dans un décor austère, un guerrier résolu quittant, semble-t-il sans trop de douleur, une famille éplorée. La paternité de cette œuvre étonnante au peintre Aubry, plus connu pour ces scènes de genre dans l'esprit de Greuze, ne peut s'envisager qu'avec prudence et Sylvain Laveissière a parfaitement étudié les différents aspects du problème (1986, pp. 124-125) sur lesquels nous ne reviendrons pas ici. Nous ajouterons simplement que le curieux archaïsme de cette toile qui daterait de 1781 s'il n'est pas sans nous faire penser à Suvée (cat. 428) puise sans aucun doute son inspiration dans la peinture classique du XVIIe siècle et plus particulièrement chez Poussin ; on notera, outre le coloris, le motif du bouclier et de la lance accrochés au mur directement inspiré du *Testament d'Eudamidas* (Copenhague,

Statens Museum for Kunst) ainsi que les deux figures féminines à droite de la composition (encore plus proche dans une autre version, de même sujet, gravée, d'après Poussin, par F. Bartozzi en 1765).

On connaît le succès de ce motif du bouclier et de la lance issu de Poussin qui, selon Nicolas Guibal *(Éloge de Nicolas Poussin..*, 1783), incarne l'amour de la patrie. Devenu un véritable poncif après le *Serment des Horaces* de 1785 (R. Michel, 1981-1982), on retrouvera ce motif chez Peyron, *Curius Dentatus...* (1787, cat. 401), chez Caraffe, le *Serment des Horaces* (1790-1791, cat. 406) et chez Suvée, *Cornélie mère des Gracques* (1792-1795, cat. 428).

B.Ga.

403
Manlius Torquatus condamnant son fils à mort

par Jean-Simon BERTHÉLEMY

Huile sur toile. H. 3,28 ; L. 2,66.

Inscription : sur une marche, à droite : « Berthelemy 1785 ».

Historique : commandé par le roi pour être exécuté en tapisserie aux Gobelins ; placé en 1799 dans la salle du Conseil des Cinq-Cents ; en 1801, envoyé au musée spécial de l'École française à Versailles ; puis, en 1806, envoyé au musée de Tours.

Expositions : 1785, Paris, Salon, n° 63 ; 1791, Paris, Salon, n° 54.

Bibliographie : Locquin, 1912, pp. 47, 251, 256 ; Rosenblum, 1967, p. 67 ; Volle, 1979, pp. 91-93, n° 81 ; Crow, pp. 217-218, p. 228, pp. 236-237.

Tours, musée des Beaux-Arts (inv. 803-1-2).

Le *Manlius Torquatus* de Berthélemy nous apparaît comme particulièrement marquant dans ces années 1780, puisqu'il se trouve être un des premiers « exempla virtutis » très représentatifs de cette peinture d'histoire dont les thèmes, sur une quinzaine d'années, s'évertueront à rivaliser de moralité et de grandeur civique.

Le sujet est tiré de Tite-Live *(Histoire romaine,* VIII, livre VII) : « Manlius Torquatus condamnant son fils à mort quoique vainqueur pour avoir combattu malgré la défense des consuls, l'an de Rome 413. » (Livret du Salon de 1785.)

Berthélemy lui-même et ses contemporains ne s'y trompèrent pas puisque cet « exemplum virtutis » très spectaculaire, prônant « la victoire de l'amour des lois sur l'amour paternel » (Deloynes. t. XIV, n° 331), sera exposé une seconde fois au Salon, six ans plus tard, en 1791 comme « exemple de discipline militaire » ; et, en 1794, le jury des arts classant les modèles des Gobelins, retint ce sujet « vraiment républicain ».

Très représentatif du goût et de l'art de son époque, il est on ne peut plus révélateur que ce sujet à la moralité sévère fut imposé aux artistes concourant au grand prix de peinture, en 1799

B.Ga.

404
Les Licteurs rapportant à Brutus les corps de ses fils

par Jacques-Louis DAVID

Huile sur toile. H. 0,275 ; L. 0,350.

Historique : vente Didot, 27 décembre 1796 (?) ; n° 111 de la vente de l'architecte Villers, 30 mars 1812 (?) ; collection Eugène de Beauharnais ; collections des ducs de Leuchtenberg jusqu'en 1917 ; collection John Johnson, don en 1928 au musée.

Expositions : 1948, Paris, p. 56, n° 27 ; 1981-1982, Rome, n° 40.

Bibliographie : Passavant, 1851, n° 233, repr. ; Du Seigneur, 1864, n° 364 (?) ; Blanc, 1868, t. II, p. 290 (?) ; cat. 1928, n° 2683 ; Holma, 1940, p. 127, n° 69, repr. XIII ; Hautecœur, 1954, p. 100 ; n° 26, cat. 1958, n° 2683 ; Herbert, 1972, pp. 24-25, repr. 10 ; Crow, 1978, pp. 461-465 ; Brookner, 1980, pp. 91-92, repr. 44.

Stockholm, National Museum (inv. N.M. 2683).

L'esquisse du musée de Stockholm est une étude pour la grande peinture exposée aux Salons de 1789 (n° 88) et de 1791 (n° 274), aujourd'hui conservée au Louvre (inv. 3693). Cet immense tableau (H. 3,250 ; L. 4,250) semble avoir donné beaucoup de travail à David, qui le prépara par de très nombreux croquis, selon J.-J. David (1880). Pourtant, Herbert n'a pu cataloguer qu'une dizaine de dessins, l'esquisse de Stockholm et celle d'Hartford (Wadsworth Atheneum).

Travaillant dans le calme, en dehors des passions politiques du printemps 1789, David avait à l'origine projeté de montrer les têtes des fils de Brutus plantés au bout de piques. Les événements de juillet le convainquirent de supprimer ce détail jugé trop en rapport avec les excès révolutionnaires. Ces têtes sont bien visibles dans l'esquisse de Stockholm, que l'on peut ainsi dater de 1788. Leur présence préoccupait d'ailleurs beaucoup Ch. E. Cuvillier, chargé de l'organisation du Salon, ainsi que le rappelle Ph. Bordes (1983, p. 27).

L'artiste ne put, du fait de la transformation de sa composition, exposer son œuvre pour l'ouverture du Salon. La presse s'empara de l'affaire. David fut compromis de toute part en raison de sa décision. Les royalistes lui reprochèrent son idée originale, les révolutionnaires, au contraire, son recul. Pour la première fois, une œuvre se trouvait en butte aux conditions politiques du moment. En réalité, le scandale était latent depuis 1787. A cette époque, David avait reçu la commande royale d'un Coriolan. Mais de son propre chef il abandonna ce sujet pour Brutus. Le comte d'Angiviller, directeur des Bâtiments, lui en tint rigueur, d'autant plus que le peintre réussit malgré tout à se faire payer. Le thème lui-même n'était guère fait pour apaiser les passions. Le public opposait nécessairement la conduite du roi, qui avait cédé devant la violence, à celle de Brutus, qui avait eu le courage de faire condamner ses fils, accusés d'avoir comploté avec les Tarquins contre la République romaine.

Pourtant nombre de critiques reprochèrent

surtout à David d'avoir placé le héros dans l'ombre à l'extrême gauche du tableau, et d'avoir de ce fait séparé la composition en deux scènes. C'était cependant cette idée qui faisait toute la puissance de la peinture. Et l'auteur anonyme des *Funérailles de Marat dans l'église des Cordeliers* (musée Carnavalet) ne s'y trompa pas, qui reprit une distribution toute semblable dans son tableau, en plaçant Charlotte Corday, victime expiatoire de la Raison, à gauche de sa composition   J.Be.

LES HORACES

405
Le Serment des Horaces
entre les mains de leur père

par Jacques-Louis DAVID

Esquisse. Huile sur toile. H. 0,265 ; L. 0,375.
Historique : acquis en 1873 de Mme Vincent.
Expositions : 1934, Paris, musée des Arts décoratifs, n° 102 ; 1939, Paris, musée Carnavalet, n° 1027 ; 1948, Paris, Orangerie des Tuileries, n° 18 ; 1956, Hazebrouck, n° 23 ; 1959, Rome, n° 185a ; 1968-1969, Bregenz-Vienne, n° 201 ; 1961, Turin, n° 96 ; 1980-1981, Sydney-Melbourne, n° 16 ; 1981-1982, Rome, n° 36 ; 1982, Moscou ; 1985, Rennes, I, p. 145 ; 1987-1988, Cologne-Zurich-Lyon, n° 118.
Bibliographie : David, 1880, p. 636 ; Brière, 1924, n° 190 ; Holma, 1940, p. 47 ; Wind, 1940-1941, pp. 124-138 ; Hautecœur, 1954, p. 71 ; Sterling-Adhémar, 1959, n° 537 ; C.P., 1972, p. 117 ; Crow, 1978, pp. 424-471 ; Schnapper, 1980, pp. 72-78 ; Michel, 1980-1981, pp. 136-138 ; Crow, 1985, pp. 226-229, 235-241 ; Compin-Roquebert, 1986, t. III, p. 186.

Paris, musée du Louvre, département des Peintures (inv. R.F. 47).

Peu d'œuvres eurent un rôle emblématique de l'ampleur de celui du *Serment des Horaces*, bien peu eurent en effet la portée philosophique et symbolique de ce tableau devenu à la fois le manifeste d'une nouvelle esthétique picturale et celui d'une idéologie politique neuve elle aussi. La genèse du tableau, son étude et l'énorme influence qu'il exerça sur le milieu artistique contemporain ont été brillamment analysées plus d'une fois. Le rôle joué par David au travers de cette œuvre reste éminemment complexe et nous renvoyons à ce propos aux pertinentes études faites par Thomas Crow en 1978 et plus récemment en 1985.
Ce tableau phare de la Révolution française se trouve être, ironie du sort, un des tableaux d'histoire commandés par le roi en 1783. L'artiste ne respectera pas du reste la dimension de dix pieds carrés traditionnellement imposée à ce type de commandes.
Le thème des Horaces présent chez de nombreux auteurs anciens (Tite-Live, Valère-Maxime, Denys d'Halicarnasse) se trouve également dans l'*Histoire romaine* de Rollin ; Cor-

neille s'en était également inspiré un siècle auparavant et la représentation à succès de sa pièce en 1782 eut sans doute une influence sur David, alors préoccupé par ce thème. En effet, en 1781, il exécuta déjà un *Horace vainqueur des Curiaces après le meurtre de sa sœur Camille* (dessin, Vienne, Albertina). En 1783, le sujet proposé par David pour son tableau du roi est à la fois héroïque et ambigu : « Horace, vainqueur des trois Curiaces, condamné à mort pour le meurtre de Camille sa sœur, défendu par son père au moment où les licteurs l'entraînent au Supplice et absous par le Peuple touché de ce Spectacle et du Grand Service qu'il venoit de rendre à sa patrie. » (A.N.O¹1221 A, *cf.* Michel, p. 136).
Cependant en 1784, bien que ce sujet soit approuvé par d'Angiviller, David, à l'encontre des décisions officielles, choisit de représenter *Le Serment des Horaces en présence de leur père*. Ce thème étonnant ne trouve son origine ni chez les auteurs anciens ni chez Corneille, et David en demeure le génial inventeur. Toutefois, *Le Serment de Brutus* de Gavin Hamilton, gravé par D. Cunego en 1768, et le tableau de même sujet présenté par Antoine Beaufort au Salon de 1771 (musée de Nevers), dont David fit un croquis, eurent une influence probable — déjà notée par R. Rosenblum — sur l'œuvre profondément originale de David. L'artiste ne reprenant que l'idée de la gestuelle du serment pour la transcender totalement.
J.-L. David, par ailleurs, révèle ici de façon particulièrement évidente l'antinomie qui lui est chère entre « l'univers masculin de l'énergie fondé sur la tension des verticales [opposé] au monde de l'affliction féminine (magistral enchaînement d'arabesques éplorées) » (R. Michel). L'œuvre définitive (3,50 × 4,17 mètres, musée du Louvre, inv. 3692) exécutée à Rome avec l'aide de Drouais sera exposée avec retard et un vif succès au Salon de 1785. Elle fut précédée de nombreuses études tant dessinées que peintes et parmi celles-ci la présente esquisse qui n'offre que peu de variantes avec le grand tableau.   B.Ga.

406
Le Serment des Horaces

par Armand CARAFFE

Plume, lavis brun et rehauts de gouache blanche sur papier. H. 0,287 ; L. 0,389.
Expositions : figura peut-être, avec le tableau de même sujet (château d'Arkhanguelskoie), à l'exposition de Le Brun du 30 juin au 15 juillet 1791 ; 1974-1975 (2), Paris, Grand Palais, n° 11, p. 30.
Bibliographie : Deloynes, t. XVII, n° 428 ; Schnapper, 1974-1975, pp. 344-346, n° 18.

Rennes, musée des Beaux-Arts (inv. 74.13.1).

Si *Le Serment des Horaces* de David eut le retentissement que l'on sait après le Salon de 1785, seul Caraffe se risqua à une confrontation avec l'œuvre si magistralement originale de David. De fait, Caraffe traita le même sujet, tiré de

Tite-Live (*Histoire romaine*, Livre I, 24) mais, tant dans le tableau définitif (château d'Arkhanguelskoie) daté de 1791 que dans ce dessin qui s'en inspire totalement, l'artiste se montre très éloigné de David.
Le trait sec et schématique, que lui reprocha du reste Ménageot « comme l'abus du style » antique, et la rigidité de la composition sont caractéristiques de Caraffe et de son goût pour une « Antiquité primitive ». Un autre dessin de même sujet (0,285 × 0,375) est conservé dans une collection privée de Göttingen.   B.Ga.

407
Le Combat des Horaces
et des Curiaces

par Jean-Jacques AVRIL d'après Le Barbier

Gravure au burin. H. 0,51 ; L. 0,68.
Inscription : sous le trait : « Peint par Lebarbier.1786. Gravé par Avril.1787 ».
Bibliographie : Huber et Rost, 1804, t. VIII. p. 325 ; Renouvier, 1863, pp. 277-278 ; Portalis, Beraldi, 1880, pp. 62-67 ; Roux, 1931, p. 339 et p. 363, n° 133 ; Sérullaz, 1974-1975, p. 88.

Paris, Bibliothèque nationale, cabinet des Estampes (inv. AA5).

Après le succès sans précédent du *Serment des Horaces* de David, présenté au Salon de 1785, Le Barbier s'inspira à son tour de l'histoire des Horaces en exposant au Salon de 1787, sous le n° 138, « un grand dessin représentant le *Combat des Horaces* » (Pontoise, musée Tavet-Delacour). Jean-Jacques Avril, élève de Le Barbier, en fit la gravure que nous présentons ici. Cette estampe fut annoncée dans la *Gazette de France* du 7 août 1787 et dans le *Journal de Paris* du 23 août. Cette pièce devait être la première d'une série de sujets historiques et moraux empruntés à l'Antiquité comprenant entre autres Coriolan, Pénélope, Lycurgue, tous d'après Le Barbier.
A propos de cette suite, le *Journal de Paris* publiait le 1ᵉʳ mars 1795 la note suivante : « L'amour de la Patrie ou le Combat des Horaces, le respect filial ou Coriolan, Pénélope et Ulysse ou la Pudeur, le Désintéressement de Lycurgue, législateur des Spartiates, ou la Magnanimité font désirer la suite des sujets moraux tirés de l'histoire qu'il [le Cit. Avril] nous a promis ; on peut regarder cette collection comme un cours de morale en action. C'est ainsi que les arts servent à épurer les mœurs, loin de les corrompre. Puissent tous les artistes imiter l'exemple des cit. Avril et Le Barbier. » Bien qu'Avril soit depuis longtemps (dès Renouvier, en 1863) considéré plutôt comme un graveur un peu lourd et ennuyeux, il est particulièrement significatif de constater qu'il fut très apprécié de ses contemporains. Huber, en 1803, voyait même en lui « un artiste ayant ramené la gravure au burin à ses vrais principes, tant par le choix des sujets que par l'intelligence de l'exécution ».   B.Ga.

Le Serment des Horaces (cat. 405).

Le Serment des Horaces (cat. 406).

Le Combat des Horaces et des Curiaces (cat. 407).

Horace tue sa sœur Camille (cat. 408).

408
Horace tue sa sœur Camille

par Jean-Baptiste-Frédéric DESMARAIS

Huile sur toile. H. 0,32 ; L. 0,40.
Historique : esquisse de son grand prix de Rome de 1785 ; ancienne collection du peintre Fabre, léguée au musée de Montpellier.
Bibliographie : cat. Montpellier, 1859, n° 113, p. 29 ; Bellier-Auvray, t. I, 1882, pp. 421-422 : cat. Montpellier, 1914, n° 160, p. 50.

Montpellier, musée Fabre.

L'histoire des Horaces et des Curiaces est rapportée par Tite-Live (Livre I) et par Rollin dans son *Histoire romaine* ; l'épisode du *Serment des Horaces,* immortalisé par David en 1785, fit de cet instant le plus célèbre de leur histoire. En cette même année 1785, le sujet choisi pour le grand prix de peinture est tiré d'un autre passage de l'histoire des Horaces, celui tragique de la mort de Camille (Tite-Live, I, 24-26 ; Rollin, vol. I, p. 165). Ce sujet, à l'instar d'autres tragédies familiales comme celles de Virginius, Manlius Torquatus ou Brutus, qui n'hésitent pas à sacrifier leurs propres enfants à la raison d'État, est un autre exemple de rigueur républicaine nous montrant un homme tuant délibérément sa sœur qu'il juge infidèle à sa patrie. Dans la veine sanglante des fratricides n'écoutant que leur patriotisme, la mort

de Timophane par son propre frère Timoléon (voir le *Timoléon* de Plutarque) est dans l'histoire ancienne un pendant à la mort de Camille. Au retour du combat qui opposa les Horaces et les Curiaces, Horace victorieux entre dans Rome avec les trophées de la victoire. Camille venue l'accueillir reconnaît parmi ceux-ci un objet ayant appartenu à l'un des Curiaces auquel elle était fiancée. Elle laisse alors éclater sa douleur et Horace la transperce de son fer en prononçant ces paroles : « C'est ainsi que doit mourir une Romaine qui pleure un ennemi. »
Desmarais obtint le grand prix avec le tableau (Paris, E.N.S.B.A.) dont nous présentons ici l'esquisse. Il est instructif de comparer l'œuvre primée avec celle du jeune Girodet (Montargis, musée Girodet), qui échoua cette année-là au prix. Girodet, face au tableau ample et bien articulé de Desmarais, montre en effet une certaine maladresse due à son jeune âge (il n'a alors que dix-huit ans) ; il est toutefois très novateur dans sa composition volontairement cassée, le trait sec et l'absence de tout effet décoratif. Desmarais, au contraire, fait preuve d'une grande aisance décorative, son tableau particulièrement réussi n'est pas sans rappeler l'œuvre de même sujet que Jean-François Lagrenée peignit en 1753 (Rouen, musée des Beaux-Arts). On y retrouve le même type de composition en frise avec un emplacement très similaire des différents groupes et un fond d'architecture également proche. **B.Ga.**

LA VERTU
MAL RÉCOMPENSÉE

409
Bélisaire recevant l'hospitalité d'un paysan qui avait servi sous lui

d'après Pierre PEYRON

Huile sur toile. H. 0,55 ; L. 0,80.
Inscription : au dos de la toile (avant transposition) « Peyron p.x. ».
Historique : légué en 1920 au musée de Montauban avec son pendant (cat. 429) par M. Lacroix.
Exposition : 1967, Montauban, n° 285, p. 164.
Bibliographie : Ternois, 1967, n° 219 (comme Peyron) ; Rosenberg-U. van de Sandt, 1983, X.2, p. 156 (comme d'après Peyron) ; Crow, 1985, pp. 201, 206 et 208.

Montauban, musée Ingres (inv. MI.20.1.15).

Des deux tableaux commandés à Peyron par le cardinal de Bernis en 1778, le Bélisaire fut le premier achevé, en 1779. A l'encontre des autres illustrateurs du thème (Vincent, Montpellier, musée Fabre ; David, cat. 410), Peyron ne choisit pas l'iconographie la plus répandue, à savoir celle du Bélisaire mendiant (pour le thème, *cf. supra*).

Bélisaire

Parmi les thèmes en faveur à partir de la seconde moitié du XVIIIe siècle, Bélisaire est certainement un de ceux qui rencontra le plus grand succès auprès des artistes. La mode du sujet date de la parution du roman de Marmontel en 1767, parution du reste entourée de scandale puisque le roman fut censuré et interdit par la Sorbonne, fait qui n'est peut-être pas tout à fait étranger à son énorme succès. En tout état de cause, le roman de Marmontel véhiculait un certain nombre d'idées philosophiques, politiques et morales souvent subversives, et put apparaître comme un véritable « brûlot philosophique » (R. Michel, 1981, pp. 116-117). Marmontel s'était lui-même inspiré des écrits de Procope de Césarée, secrétaire de Bélisaire, et dut sans doute avoir connaissance de la tragédie de Rotrou sur ce thème (1643) et des pièces de Desfontaines (1641) et de G. Chatounière (1678).

Bélisaire (vers 500-565 av. J.-C.), le meilleur général de Justinien, vainqueur des Bulgares et des Perses, tant en Afrique qu'en Italie, est accusé de conspiration et disgracié par Justinien, qui le condamne à l'errance et à la mendicité après l'avoir rendu aveugle (ce dernier fait remonte à une tradition douteuse du XIIe siècle).

Exemple de héros stoïque et vertueux, Bélisaire accepte son infortune et l'injustice dont il est accablé. Refusant la révolte, il est à la fois un héros touchant — aveugle mendiant — et un superbe exemple de stoïcisme ; il ne pouvait donc que séduire les artistes à la recherche d'exemples moraux propres à « élever l'âme ». Gravelot illustra le roman de Marmontel dès sa parution ; il fut suivi par Jollain (Salon de 1767, perdu) puis par Durameau (Salon de 1775 ; tableau passé en vente à Versailles en 1970), sculpté par Houdon en 1773 (cat. 412), peint par Vincent en 1777 (Montpellier, musée Fabre), Peyron en 1779 (cat. 409) et David en 1781 (cat. 410) ; nous citerons enfin, un Bélisaire qui fit remarquer Gérard au Salon de 1795.

Outre le morceau de réception à l'académie de Toulouse de Houdon,

Vincent, *Bélisaire, réduit à la mendicité, secouru par un officier des troupes de l'empereur Justinien.*
Montpellier, musée Fabre.

que nous présentons ici, de nombreux sculpteurs abordèrent le thème de Bélisaire, Moitte (morceau de réception à l'académie de Toulouse), Stouf (1785), Deseine (1789), puis Chaudet et Beauvallet (1791) et enfin Lucas (1799).

Antérieurement en Italie, les peintres Salvatore Rosa et Mattia Preti s'étaient intéressés à ce même sujet.

Pour donner un panorama complet de l'étonnante fortune du thème de Bélisaire au XVIIIe siècle, nous nous devons de citer également deux illustrations littéraires et musicales avec un drame en vers de d'Ozicourt en 1779 et un opéra de Danican Philidor en 1796.

Brigitte Gallini

L'artiste a en effet choisi d'illustrer très fidèlement un passage du *Bélisaire* de Marmontel (chap. IV, pp. 34-37) : Bélisaire, aveugle et déchu, reconnu par un de ses anciens soldats devenu paysan, est emmené par lui dans sa maison où il lui présente sa famille. D'où les nombreux protagonistes de la scène qui forme une élégante composition en frise à la manière d'un bas-relief antique, offrant ainsi un pendant à la composition également en frise et à plusieurs personnages de *Cornélie, mère des Gracques*. Peyron avait, du reste, choisi avec soin les sujets de ces deux tableaux : « Deux thèmes moraux tirés de l'Antiquité dont l'un a pour héros un homme, l'autre une femme, et qui accordent tous deux une place importante aux enfants. » (P. Rosenberg-U. van de Sandt, 1983, p. 93).

Cette toile admirable « d'une grande retenue, à la limite de l'intimiste, exempte de toute grandiloquence » (P. Rosenberg, *op. cit.*), est marquée du souvenir très présent de Poussin, dont Peyron aida à la réhabilitation, tant dans la rigueur de la composition et l'austérité du décor que dans la subtilité d'un coloris très recherché ; comme cela a déjà été noté, nous remarquerons également l'utilisation particulière de la lumière qui n'est pas sans rappeler Caravage.

Cette œuvre, rapidement célèbre, fut exposée par Peyron, dès sa création, au palais Mancini et David en fut très certainement impressionné (cat. 410). L'artiste y resta lui-même très attaché puisqu'il présenta l'esquisse, aujourd'hui perdue, au Salon de 1785. Il exposa par ailleurs une seconde version avec quelques variantes au Salon de 1796 (Paris, coll. particulière). C'est ce dernier tableau qu'il présenta au concours de l'an VII (coll. Deloynes, t. LVI, nᵒˢ 1755, 1758), ce qui lui vaudra avec Girodet et Lethière un prix d'encouragement de première classe.

Le tableau original commandé par Bernis est aujourd'hui conservé avec son pendant au musée des Augustins de Toulouse (inv. RO.194 et 195).

La version que nous exposons ici serait une copie ancienne d'après le tableau de Toulouse.   B.Ga.

410
Bélisaire reconnu par un soldat
qui avait servi sous lui au moment qu'une femme lui fait l'aumône

par Jacques-Louis DAVID

Huile sur toile. H. 1,01 ; L. 1,15.
Inscription : « L.David faciebat, anno MDCCLXXXIV Lutetiæ ».
Historique : saisie révolutionnaire de la collection de la duchesse de Noailles en 1793 ; musée du Luxembourg en 1818.
Expositions : 1785, Paris, Salon, nᵒ 104 ; 1948, Paris, nᵒ 13 ; 1976, Washington, nᵒ 239 ; 1980-1981, Sydney-Melbourne, p. 51 ; 1982, Stockholm, nᵒ 9 ; 1984-1985, Paris, Hôtel de la monnaie, nᵒ 45.
Bibliographie : Villot, III, nᵒ 152 ; Landon, 1801, t. I, pl. 13, pp. 29-30 et 1832, t. I, pl. 20, pp. 39-40 ; Brière,

1924, nᵒ 192 ; David, 1880, t. I, p. 635 ; Gautier, 1882, p. 9 ; Furcy-Raynaud, 1912, 4, p. 308 ; Hautecœur, 1954, pp. 60-61 ; Holma, 1940, p. 126 ; Sterling-Adhémar, 1959, nᵒ 538 ; Rosenblum, 1965, p. 473 ; cat. Louvre, 1972, p. 116 ; Schnapper, 1974-1975, nᵒ 30, p. 365 ; Michel, 1981-1982, pp. 116-122, et 1984-1985, pp. 161-165 ; Crow, 1985, pp. 204-206, pp. 208, 209 et 211 ; Compin-Roquebert, 1986, t. III, p. 184.

Paris, musée du Louvre, département des Peintures (inv. 3694 [M.R.1440]).

David, deux ans après Peyron peignit, de retour à Paris, un *Bélisaire* qu'il présenta avec succès à l'Académie, le 24 août 1781.
L'influence de Peyron dans le genèse du tableau est connue. Les deux artistes sont ensemble à Rome lorsque Peyron travaille à son *Bélisaire* commandé par le cardinal de Bernis et achevé en 1779 (cat. 409) ; le premier dessin préparatoire que David fit de son tableau (Paris, École polytechnique), daté de 1779, est donc exactement contemporain du tableau de Peyron. Toutefois, si l'on sait également que Peyron prêta à David son exemplaire du *Bélisaire* de Marmontel, il faut souligner que celui-ci s'éloignera délibérément des épisodes consignés par Marmontel, de même qu'il revint à l'iconographie classique du *Bélisaire* mendiant déjà traité entre autres par Vincent en 1777. Il reprendra à ce dernier le motif de l'enfant guide, issu de Gravelot premier illustrateur du roman de Marmontel en 1767. David, comme Peyron, mais dans un esprit tout autre, se souvient de Poussin, notamment par ce décor imposant de colonnes cannelées et cette échappée vers un paysage montagneux. Ce tableau, tournant de l'œuvre de David, exemple de rigueur antique tant par le sujet que par le traitement sévère qu'il en fit, est déjà caractéristique de sa vision puissante et héroïque de l'Antiquité, si différente de celle de Peyron, plus intérieure et spirituelle.
Le tableau que nous présentons ici est une réplique postérieure à la toile du Salon de 1781 (Lille, musée des Beaux-Arts, 2,88 × 3,12).
Cette version, plus petite, bien que signée et datée de 1784, se trouve être en partie de la main de Girodet et de celle de Fabre. Plusieurs variantes notables existent par rapport au tableau initial, notamment dans l'attitude du soldat, le fond du tableau et la tête du héros dont les critiques du Salon de 1785 apprécierent le changement, « ... On remarque avec satisfaction une tête plus noble dans la figure du héros... » (coll. Deloynes, t. XIV, nᵒ 339).
                                    B.Ga.

411
Bélisaire

Manufacture de porcelaine d'Ottweiler, modèle de Paul-Louis CYFFLÉ

Groupe, porcelaine peinte en rouge, jaune, orange et dégradé de brun. H. 0,193 ; L. 0,27.
Bibliographie : cat. Mayence, 1982, t. II, p. 107, repr. p. 110.

Mayence, Mittelrheinisches Landesmuseum (inv. K.H.81/4).

Paul-Louis Cyfflé a représenté dans ce groupe de porcelaine finement modelé et peint en 1767 une scène de l'histoire de Bélisaire. Assis sur un rocher, ayant à ses pieds son casque, témoignage de sa gloire militaire perdue, il mendie ; une femme s'apprête à poser une pièce de monnaie dans sa main droite. C'est à ce moment-là que se situe traditionnellement l'épisode d'un de ses vieux soldats qui reconnaît avec effroi dans ce misérable son général. Peut-on reconnaître ce soldat dans le troisième personnage du groupe, ou bien s'agit-il du jeune homme qui accompagne Bélisaire, comme l'a inventé Marmontel dans son roman ?
Le livre de Marmontel, essai des Lumières sur la morale, la politique et la religion — Voltaire en appréciait particulièrement le chapitre concernant la tolérance religieuse — fut largement diffusé en Europe ; l'ouvrage fut lu dans les écoles en Allemagne. On ne doit pas s'étonner si le prince Guillaume-Henri de Nassau-Sarrebrück, homme ouvert favorable à l'*Aufklärung*, fit réaliser ce modèle de Cyfflé. Le groupe fut l'une des premières productions de la manufacture de porcelaine qu'il ouvrit en 1763 à Ottweiler.   K.D.P.

412
Bélisaire

par Jean-Antoine HOUDON

Buste, plâtre. H. 0,75 ; L. 0,57 ; Pr. 0,42.
Historique : offert par l'artiste à l'académie de Toulouse en 1776 comme « morceau de réception ».
Exposition : 1972, Londres, nᵒ 380.
Bibliographie : Réau, 1964, t. I, pp. 148, 420-421 ; Arnason, 1975, pp. 25, 28, 66, repr. p. 71.

Toulouse, musée des Augustins.

Exposé au Salon de 1773 sous le titre « Une tête de vieillard aveugle représentant Bélisaire », ce buste appartient peut-être au groupe d'études exécutées par l'artiste durant son séjour romain (1764-1769). Quelques années plus tard, il fut utilisé par Houdon pour sa « réception » à l'académie de Toulouse.
Si le titre donné par le livret au Salon se réfère au personnage historique, héros du roman de Marmontel, l'œuvre est surtout à rapprocher, sur le plan formel, de certains portraits antiques d'Homère où la cécité légendaire du poète est exprimée par des moyens assez comparables. Aucun autre exemplaire du *Bélisaire* de Houdon n'a été signalé et ce relatif insuccès s'explique sans doute par le fait que la forme choisie par Houdon — c'est-à-dire le buste — était relativement impropre à rendre explicite le contenu moral et exemplaire de l'histoire du général infirme, victime de l'ingratitude du souverain.

413
Les Funérailles de Miltiade

par Pierre PEYRON

Huile sur toile. H. 0,98 ; L. 1,36.

Bélisaire recevant l'hospitalité d'un paysan qui avait servi sous lui (cat. 409).

Bélisaire (cat. 411).

Bélisaire (cat. 412).

Bélisaire reconnu par un soldat qui avait servi sous lui (cat. 410).

Les Funérailles de Miltiade (cat. 413).

La Mort de Virginie (cat. 414).

Inscription : en bas à gauche, « P.Peyron f. Ro.1782 ».
Historique : commandé en 1780 par d'Angiviller avec un autre tableau en pendant (*Socrate détachant Alcibiade des charmes de la volupté,* perdu, *cf.* cat. 418) ; terminé à Rome en 1782 ; saisie révolutionnaire chez d'Angiviller ; déposé chez le ministre des Finances ; envoyé vers 1798 au musée spécial de l'École française à Versailles puis au château de Saint-Cloud, en 1802 ; en 1819, de Trianon il revient au Louvre ; envoyé de nouveau à Saint-Cloud en 1821, il rentrera définitivement au Louvre après 1824.
Expositions : 1782, Rome, Académie de France (?) ; 1783, Paris, Salon (ne figure pas au livret) ; 1972, Londres, n° 209 ; 1972-1973, Anvers, n° 29 ; 1981-1982, Rome, n° 54 ; 1982, Stockholm, n° 51.
Bibliographie : Villot, 1855, III, n° 409 ; Brière, 1924, n° 700 ; Rosenblum, 1967, p. 63 ; cat. Louvre, 1972, p. 293 ; Rosenberg-Raynaud-Compin, 1974, n° 641 ; Van de Sandt, 1981-1982, p. 192 ; Rosenberg-Van de Sandt, 1983, pp. 98-102 ; Scottez, 1983, pp. 177-178 ; Crow, 1985, pp. 202 et 206 ; Compin-Roquebert, 1986, t. IV, p. 131.

Paris, musée du Louvre, département des Peintures (inv. 7179).

En 1780, le comte d'Angiviller commande deux tableaux à Peyron, souhaitant pour l'un d'eux « un ton mystérieux favorable au clair-obscur » ; il suggère à l'artiste le choix d'une *Mort de Socrate.* Peyron préférera *Les Funérailles de Miltiade,* traitant ainsi à nouveau un sujet inédit en peinture (cat. 418). Le thème, traité à deux reprises par Valère-Maxime (V, 3, étr. 3 et V, 4, étr. 2) l'est aussi par Justin (*Histoire philippique de Trogue Pompée,* livre II, chap. 15), qui inspira directement Peyron. Miltiade, général athénien (Vᵉ siècle av. J.-C.), vainqueur des Perses à Marathon, est accusé de trahison par ses concitoyens. D'abord condamné à mort, il voit sa peine commuée en une amende de cinquante talents qu'il ne peut payer. Jeté en prison, il y meurt des suites d'une ancienne blessure. Afin qu'on puisse l'enterrer dignement, son fils Cimon prend sa place ; Peyron a peint l'instant où le geôlier lui passe les chaînes tandis qu'on porte le corps de son père. Il y a là un double « exemplum virtutis », à la fois réflexion sur la fin tragique d'un héros, sans doute accusé à tort de trahison, et dévouement filial de Cimon qui se sacrifie en prenant la place de son père.
Peyron, plus que David, toujours plus direct et un peu déclamatoire, incite le spectateur à la réflexion et en appelle à sa sensibilité.
Il utilise un art raffiné et toujours éloquent à l'exemple de Poussin dont il était un admirateur fervent. Dernier tableau de Peyron à Rome, *Les Funérailles de Miltiade,* hormis ses renvois évidents à Poussin, porte aussi le souvenir de Caravage, par le fond sombre et sa manière d'éclairer l'action.
Peyron fit une seconde version de ce tableau, plus tardive et conservée au musée de Guéret en pendant au *Socrate et Alcibiade* que nous présentons ici (cat. 418). **B.Ga.**

VICTIME
DE LA TYRANNIE

414
La Mort de Virginie

par Friedrich Heinrich FÜGER

Huile sur toile. H. 0,895 ; L. 1,03.
Historique : peint autour de 1800, resté dans la famille de l'artiste ; donné en legs en 1878 à l'Académie des Beaux-Arts de Vienne par le fils du peintre.
Bibliographie : Lützow, 1899, p. 105 ; Lützow, Dernjac et Gerisch, 1900, p. 105 ; Frimmel, IV, 1901, p. 200 ; Thieme-Becker, XII, 1916, p. 556 ; Schwarzenberg, 1974, p. 72.

Vienne, Akademie der bildenden Künste (inv. 1023).

Tite-Live relate la mort de Virginie dans le livre III (chapitre 44 et suivants) de son *Histoire romaine.* Le décemvir Appius Claudius désirait la fille du plébéien Virginius et imagina un stratagème pour que, en l'absence de son père, Virginie soit remise comme fille d'esclave à l'un de ses fidèles, puis à lui-même. Virginius, accouru en grande hâte, ne put empêcher le déshonneur imminent de sa fille qu'en la poignardant.
L'émotion suscitée par ce drame dû au pouvoir arbitraire du décemvir provoqua une révolte des plébéiens qui mena à la suppression des décemvirs et à la mise en place du tribunat du peuple.
Füger, plus à l'aise dans les portraits — en particulier les miniatures — avait été rappelé de Rome pour renouveler la peinture d'histoire. Il choisit ce thème en l'opposant à celui de Brutus (tableau dans le marché de l'art à Vienne en 1965) et s'y est préparé par de nombreux dessins (dont l'un à l'Albertina, inv. 28601) et des esquisses à l'huile (Österreichische Galerie, inv. 361, ainsi que l'œuvre montrée ici). Le tableau définitif se trouve à la Staatsgalerie de Stuttgart (inv. GVL 9). **H.Hu.**

LES PHILOSOPHES

415
Diogène

par François-Joseph DURET

Statuette, plâtre original. H. 0,820 ; L. 0,270 ; Pr. 0,420.
Inscription : en bas, devant : « DURET I E FECIT ».
Historique : 1788, morceau de réception de l'artiste à l'académie de Valenciennes ; don de l'auteur au musée à la Révolution.
Exposition : 1986, Valenciennes, n° 83.

Bibliographie : cat. Valenciennes, 1839, n° 18 ; Benoît, 1897, p. 367, fig. 45 et p. 370 ; Lami, 1910, p. 317 ; Herding, 1982, p. 240, note 30 ; Pons, 1987, p. 138.

Valenciennes, musée des Beaux-Arts (inv. S.86.7).

La vie de Diogène, que Aristote nommait le chien, nous est surtout connue par les récits de Diogène Laërce.
Philosophe de l'école cynique, il est célèbre par quelques anecdotes significatives et souvent illustrées — l'apostrophe à Alexandre « Ote-toi de mon soleil », le bris de son écuelle devant un enfant buvant en se servant uniquement de ses mains... — qui décrivent un comportement d'une grande rigueur morale au mépris de l'opinion publique, affichant une liberté de pensée et de vie proche des pulsions naturelles. La statuette de Duret montre le philosophe tenant un livre — les écrits de Diogène sont perdus et leur authenticité fut contestée dès l'Antiquité — et une lanterne ; cette dernière fait allusion à l'anecdote selon laquelle Diogène cherchait en plein jour avec une lanterne des hommes sans en trouver. Une estampe datant de 1789 de Joseph Maillet, *Époque de la liberté française* (1789 ; B.N., cat. de Vinck 2042) — apologie de l'union des trois ordres avec le roi et Necker — est une illustration de la récupération du mythe ancien par l'iconographie révolutionnaire ; on y voit en effet Diogène brisant sa lanterne sous le regard de Rousseau, car ayant enfin trouvé « autant d'hommes qu'il y a de citoyens français » ; Diogène avait déjà trouvé en Rousseau l'homme qu'il cherchait dans la gravure de C.F. Macret d'après Moreau le Jeune, *Arrivée de Rousseau aux Champs-Élysées* (1782). On trouvera de nombreux autres exemples dans l'indispensable article de Klaus Herding (1982, *op. cit.*).
Père de Francisque-Joseph, François-Joseph Duret n'eut pas la célébrité de son fils. Natif de Valenciennes, il eut une carrière en marge de la direction des Bâtiments du roi, sculpteur du comte de Provence (il lui restaura ses antiques) et professeur à l'académie de Saint-Luc. Il fut surtout un sculpteur ornemental, travaillant pour les architectes Boullée, Brongniart, et, en premier lieu, Chalgrin — buffet d'orgues de Saint-Sulpice, mis en place en 1778, fronton de Saint-Philippe-du-Roule, consacrée en 1784 — dont il suivit la carrière. Comme plusieurs artistes dont le parcours s'établit à l'écart de l'Académie royale — citons l'intéressant Robert-Guillaume Dardel, employé par le prince Louis-Joseph de Condé ; hôte régulier du Salon de la Correspondance, il se spécialisait dans les allégories complexes mettant en situation les hommes illustres (Copernic, Descartes, Vauban, Buffon...), défiant ainsi la série des portraits commandés par d'Angiviller —, Duret voulut établir que la réalisation de sujets nobles n'était pas le domaine réservé des académiciens royaux.
C'est ainsi qu'il sculpta un *Germanicus* en terre cuite (autrefois château de Cramayel-en-Brie), le *Diogène* et un *Démocrite* pour sa réception à l'académie de Valenciennes le 17 juillet 1788, un *Triomphe de la Liberté* au Salon de 1791, un *Lysimaque* « en action » (rappelant les sujets de Dardel) au salon de 1793..., tous thèmes héroïques aux références antiques. **G.Sc.**

Diogène

Diogène de Sinope (IVe siècle av. J.-C.) est connu par son école, le Cynisme, du latin cynicus « du chien », surnom de Diogène qui était « mordant » et « aboyait » sur tous. Sa doctrine morale, rejetant les conventions sociales au mépris de l'opinion publique, tient autant d'un socratisme exacerbé qu'elle prépare le stoïcisme. Mais, plus que la philosophie de Diogène, c'est sur l'aspect populaire et beaucoup plus célèbre du personnage, portant sa lanterne allumée en plein jour à la recherche de la vérité, que la Révolution mettra l'accent. Ainsi récupéré par l'idéologie révolutionnaire, on retrouvera fréquemment le philosophe confondu avec son attribut, la lanterne, lumière-vérité, tant dans les gravures que dans les écrits : « ... errant au hasard, ma lanterne à la main, je me suis trouvé au milieu d'une assemblée solennelle qui représente un grand peuple que j'avois vu depuis long-tems le jouet du fanatisme et de l'erreur, et trop faible pour secouer le joug tyrannique de ses rois... » (*Diogène aux États généraux,* Paris, 1789).

Notons que la symbolique très forte de la lumière à l'époque révolutionnaire n'est évidemment pas étrangère au succès du thème.

Le philosophe grec cherche désespérément « l'homme vrai », l'interprétation pessimiste de Rousseau : « La raison pourquoi Diogène ne trouvoit point d'homme, c'est qu'il cherchoit parmi ses contemporains l'homme d'un tems qui n'étoit plus... » sera déniée par l'enthousiasme révolutionnaire. Et plus particulièrement par la récupération du personnage dans la propagande des grandes figures de la Révolution, propagande qui, on le sait, fut largement servie par l'importante diffusion des gravures.

Ainsi cette étonnante gravure de Villeneuve de 1793, *Marat vainqueur de l'aristocratie* (Paris, B.N., cabinet des Estampes, coll. de Vinck, n° 5284) mettant en scène Diogène et Marat écrasant l'hydre de l'aristocratie. On lit sous le trait, « DIOGÈNES Couvert d'un Bonnet rouge quitte son Tonneau pour donner la main à MARAT qui sort d'une cave par le soupirail. »

DIOGÈNES : « Camarade Sans-Culotte je t'ai cherché long-tems ».

MARAT : « On persécutoit la vérité je n'avais pas d'autre Asyle »[1].

Brigitte Gallini

1. A propos de l'évolution du thème de Diogène jusqu'à la fin du XIXe siècle, consulter le remarquable article de Klaus Herding, « Diogenes als Bürgerheld », dans *Boreas*, 1982, 5, pp. 232-254.

Villeneuve, *Marat vainqueur de l'aristocratie.*
Paris, Bibliothèque nationale, cabinet des Estampes.

Diogène (cat. 415).

La Mort de Socrate

Saint-Quentin, *La mort de Socrate.*
Paris, École nationale supérieure des Beaux-Arts.

Alizard, *La mort de Socrate.*
Paris, École nationale supérieure des Beaux-Arts.

La vie de Socrate nous est rapportée par plusieurs auteurs de l'Antiquité, Diogène Laërce, Xénophon et également Platon *(Phédon)*.

Socrate est certainement la figure de philosophe la plus sollicitée par les artistes de la seconde moitié du XVIIIᵉ siècle, qu'il s'agisse du philosophe enseignant (voir *Socrate et Alcibiade* par Vincent, cat. 417, par Peyron, cat. 418, par Regnault, cat. 419, sujet traité également par Garnier en 1791) ou du philosophe condamné à mourir. Ce dernier épisode de la vie de Socrate, tant par son aspect dramatique et la puissance évocatrice de sa rigueur morale, que par le stoïcisme et de la grandeur d'âme qui en émane, est devenu rapidement un des thèmes phares des peintres d'histoire.

Le sujet est, dès 1758, recommandé par Diderot dans son *Traité de la poésie dramatique* ; en 1762, la vogue pour ce thème est déjà grande et l'on voit en Socrate le non-conformiste condamné à mourir, l'image même du philosophe persécuté pour ses idées. C'est en 1762 que se donne au Théâtre français une tragédie sur ce thème et que l'Académie, contrairement à la coutume qui était de choisir les sujets de concours dans la Bible, propose aux candidats du grand prix de Rome, *la Mort de Socrate*, récit tiré de l'histoire ancienne.

Il est intéressant de constater que la nouveauté, pour ce sujet, se place dans les différences des représentations qui en sont faites dans les années 1760 et celles datant des années 1780 ; et plus précisément dans l'instant choisi par les artistes. Les deux concurrents au prix de 1762, Saint-Quentin et Alizard, ainsi que Sané dont le tableau date de la même année (cat. 420) ou encore Dandré Bardon, auteur d'une *Mort de Socrate* en 1753 (dessin de 1749, au musée des Beaux-Arts de Caen), représentent le moment où Socrate meurt, mais en 1787, les nouveaux illustrateurs du thème, Peyron (cat. 421), David (New York, The Metropolitan Museum of Art) et aussi Joseph Dreppe (cat. 422) nous montrent Socrate discourant et s'apprêtant à boire la ciguë. De là, bien évidemment, un tout autre esprit dans la représentation de ces œuvres. Ainsi chez Peyron et David, l'instant est grave, dramatique, les personnages sont tendus dans une attente douloureuse mais gardent une attitude réservée, le mouvement est quasiment absent de la scène, la composition est rigoureuse, géométrique, d'une froideur voulue.

A l'inverse, dans les scènes où Socrate est représenté en train de mourir les protagonistes se laissent aller à leur désespoir, l'ampleur des gestes articulent ces compositions en de grandes diagonales accentuant l'aspect tourmenté et baroque de l'ensemble. Nous sommes là dans l'univers d'une douleur un peu théâtrale où l'on craint pas l'effet dramatique, et non dans celui, nouveau, de la philosophie et de la rigueur, dans l'univers de la Raison.   Brigitte Gallini

David, *La mort de Socrate.*
New York, Metropolitan Museum of Art.

416
Socrate

par Johann Friedrich CLEMENS, d'après Nicolai Abildgaard.

Gravure. H. 0,381; L. 0,48.
Inscription: «N: Abildgaard Pinx: J.F. Clemens Sculps. SOCRATES / v. Platon, in Théag./tiré du Cabinet de son Excellence/Monsieur de Guldberg/ à Monsieur CHARLES BONNET, de Génève/ par son très-humble et très-obeissant /serviteur J.F.Clemens/ à Copenhague chez l'auteur 1786».
Expositions: 1787, Berlin, n° 231b; 1794, Copenhague, Salon.
Bibliographie: Swane, 1929, n° 223; Kragelund, 1983, p. 25 sq.; Oberreuter-Kronabel, 1986, p. 59; Kaspersen, 1986, p. 5 sq.

Copenhague, Statens Museum, Cabinet des Estampes.

A la fin du XVIII siècle, Socrate était généralement considéré comme «une sorte d'apôtre de la religion naturelle, l'archétype du libre-penseur en matière de foi, le champion tout désigné du déisme». De nombreux peintres, parmi lesquels Peyron et David, ont peint la fameuse scène de la prison et, depuis le début du XIX siècle, on croyait que la peinture d'Abildgaard représentait ce même motif.

Or, il est actuellement établi que le *Socrate* d'Abildgaard ne figure pas une scène de prison, mais qu'il s'agit d'une représentation allégorique du philosophe et de son «démon». La peinture a été exécutée au début des années 1780, et le choix de ce motif unique a été influencé par un débat sur Socrate qui était très en vogue de 1778 à 1782 dans le Nord protestant. La discussion, qui s'ouvrit par une série d'articles dans la très influente revue *Deutsches Museum*, posait des questions d'importance primordiale pour la théologie et la morale. En invoquant l'exemple de Socrate, les déistes remettaient en question le prétendu monopole du christianisme pour proposer une vision morale valable. Avec «la morale descend du ciel sur la terre» (Cicéron), Socrate représentait une tradition rivale. Si l'homme observe la maxime de Socrate «connais-toi toi-même», il n'aura plus besoin de dogme ni d'église ni de révélation pour aller de l'avant. A l'égal de Socrate, nous possédons une voix intérieure — et tandis que les théologiens s'acharnent à nier son existence, Abildgaard a peint, à l'arrière-plan du tableau, sa forme fugitive, contrecarrant l'avance du démon.

Le véritable objectif de la philosophie est de faire entendre cette voix intérieure. Le « peintre-philosophe » devra donc s'efforcer de la rendre visible. Dans son art et ses écrits, Abildgaard s'élève fréquemment contre l'intolérance religieuse. D'un point de vue moral, à défaut de politique, son *Socrate* constitue une déclaration d'indépendance.

La gravure de Clemens, datée de 1786, marque le point fort de la collaboration entre les deux artistes. Avec son *Ossian* (1785), également d'après une peinture d'Abildgaard, cette œuvre conjugue brillamment un langage classique et préromantique. Elle connut un vif succès, qui

Socrate (cat. 416).

s'étendit à l'étranger, où Clemens devait s'attirer les éloges d'artistes tels que Johann Heinrich Füssli et Benjamin West.

Le philosophe de Genève, Charles Bonnet (1720-1793), avait étendu sa protection à nombre d'artistes danois. Outre Clemens, le séjour dans la Genève cosmopolite fut une grande source d'inspiration pour son collègue et celui d'Abildgaard, Jens Juel. En signe de reconnaissance, Clemens grava également le portrait de Bonnet par Juel.　　　P.Kr.

417
Alcibiade recevant les leçons de Socrate

par François-André VINCENT

Pinceau et lavis brun sur esquisse à la pierre noire. H. 0,320; L. 0,426.
Inscription: en bas à droite à deux reprises: «Vincent F. 1777».
Historique: don anonyme au musée de Pontoise en 1899 (provient peut-être de la vente de l'atelier Ch. Loyeux, Paris, hôtel Drouot, 18-19 avril 1898, mais ne figure pas au catalogue).
Expositions: 1971-1972, Pontoise, n° 102; 1974-1975 (2), Paris, Grand Palais, n° 128.
Bibliographie: Cuzin, 1974-1975, pp. 661-663; Crow, 1985, pp. 198, 200 et 202.

Pontoise, musée Tavet-Delacour (inv. D. 899.45.39).

Alcibiade recevant les leçons de Socrate est un dessin préparatoire, avec quelques variantes, pour le tableau exposé au Salon de 1777 (Montpellier, musée Fabre).

Le thème d'Alcibiade écoutant Socrate l'exhorter à la vertu ne semble pas issu de la *Vie d'Alcibiade* de Plutarque (*Vies des Grecs*) mais d'une source plus fantaisiste et non déterminée, tout comme le *Socrate détachant Alcibiade des plaisirs*, sujet qui rencontra également une large adhésion des artistes (cat. 418 et 419). Même s'il n'est pas véritablement d'une source antique, ce sujet n'en est pas moins révélateur d'un goût pour les thèmes prônant l'austérité des mœurs et le sens de la vertu chez ce jeune artiste tout juste rentré de Rome et encore imprégné des maîtres italiens. On notera la composition bouchée comme dans le *Bélisaire* qui de par sa nouveauté et son originalité, surprit la critique du Salon de 1777 où il fut exposé en pendant à l'*Alcibiade*. On retrouve dans les deux œuvres cette même façon de présenter les personnages de très près et à mi-corps qui accentue leur présence et l'effet d'intensité de la scène.　　　B.Ga.

418
Socrate détachant Alcibiade des charmes de la volupté

par Pierre PEYRON

Alcibiade recevant les leçons de Socrate (cat. 417).

Socrate détachant Alcibiade des charmes de la volupté (cat. 418).

Huile sur toile. H. 0,984; L. 1,359.

Inscription: en bas à gauche: «P. Peyron.f. ».

Historique: vente après décès de Peyron, Paris, 10 juin 1816, n° 5; acheté sous le même numéro par Royer avec son pendant, *Les Funérailles de Miltiade*; vente Royer, Paris, 2-4 sept. 1823; coll. Catineau-Laroche; coll. Mme Barret; achat à cette dernière par Edmond Fayolle qui en fit don au musée de Guéret en 1852.

Bibliographie: Monnet, 1889, n° 24; Sells, 1977, pp. 354-357; Rosenberg-Van de Sandt, 1983, pp. 102-105; Crow, 1985, p. 202.

Guéret, musée municipal (inv. 39).

En 1780, le comte d'Angiviller commanda à Peyron deux tableaux en pendants pour lesquels l'artiste choisit comme sujets *Les Funérailles de Miltiade* (cat. 413) et *Socrate détachant Alcibiade des charmes de la volupté*. Ce dernier tableau est perdu mais il nous est connu par la gravure qu'en fit Peyron (*cf*. Rosenberg-Van de Sandt, fig. 58).

Sur ce même sujet, Peyron exécuta une seconde version, plus tardive et sensiblement différente de celle peinte pour d'Angiviller. C'est ce *Socrate détachant Alcibiade des charmes de la volupté* que nous présentons ici; version peinte à Paris, après 1782, avec son pendant, *Les Funérailles de Miltiade,* qui restèrent tous deux dans la collection de l'artiste jusqu'à sa mort.

Ce sujet, que Peyron est le premier à traiter, reste d'une origine mystérieuse, n'étant manifestement pas inspiré de *La Vie d'Alcibiade* de Plutarque dont la formule laconique: «[Alcibiade] s'abandonnait aux flatteurs qui lui proposaient maints plaisirs (...) » (VI, I) peut difficilement avoir donné naissance à la scène ici représentée. Si ce thème ne semble pas trouver son origine ailleurs, même dans la littérature contemporaine, il est sans doute issu de l'imagination de l'artiste, comme le suggèrent si justement P. Rosenberg et H. Van de Sandt.

Peyron serait donc le créateur d'un nouveau thème qui rencontrera un succès considérable auprès des artistes (voir Regnault, cat. 419). Si dans ces deux tableaux des années 1780, Peyron se montre plus à l'aise et, de fait, plus

convaincant dans un sujet sombre et appelant la réflexion comme *Les Funérailles de Miltiade*, c'est qu'il est indubitablement plus proche de sa sensibilité. Toutefois, *Socrate détachant Alcibiade des charmes de la volupté* n'en est pas moins une valorisation des principes vertueux prônés par Socrate et par là même un des premiers «exempla virtutis» dont Peyron nous transmet parfaitement le message. *A contrario*, Regnault, quelques années plus tard, se servira du thème comme prétexte à une scène galante. Il nous semble, à ce propos, non négligeable de noter que le titre du tableau de Peyron par le choix des termes «détacher» et «charmes» reste dans un univers beaucoup plus abstrait et plus intellectuel que celui de Regnault, de plain-pied dans une réalité très charnelle avec un Alcibiade qui est «arraché aux bras de la volupté», et même «aux bras de ses maîtresses» (cat. vente Godefroy du 2 avril 1794).

B.Ga.

419
Socrate arrachant Alcibiade des bras de la volupté

par Jean-Baptiste REGNAULT

Huile sur toile. H. 0,46; L. 0,63.

Inscription: en bas à droite: «Regnault De Rome ft. »

Historique: coll. Godefroy; vente Godefroy le 2 avril 1794, n° 26; vente Paris, hôtel Drouot, 14 décembre 1912, n° 105; vente Enghien-les-Bains, 25 avril 1976, n° 111, acquis par le musée du Louvre.

Exposition: 1791, Paris, Salon, n° 736; 1980-1981, Sydney-Melbourne, n° 105, p. 199.

Bibliographie: Heim, 1975, n°s 108-109; Sells, 1977, 5/6, pp. 354-357; Rosenberg-Van de Sandt, 1983, pp. 102-105.

Paris, musée du Louvre, département des Peintures (inv. R.F. 1976-9).

Alcibiade, élève favori de Socrate, général ambitieux à la brillante carrière politique, vécut à Athènes au Ve siècle av. J.-C.

Les sources classiques de l'histoire grecque ancienne, notamment Plutarque (*Vie d'Alcibiade*) ne mentionnent guère d'événements de ce type dans la vie du héros. Le thème est donc d'origine plus fantaisiste et peut trouver sa source dans la littérature contemporaine du XVIIIe siècle. Il eut, en tout état de cause, une grande audience auprès des artistes. Peyron, qui est peut-être tout simplement l'inventeur du thème (P. Rosenberg-H. Van de Sandt, 1983, p. 103), est le premier à l'avoir traité en 1782 (cat. 418). Dans un style plus grave et plus austère, Peyron, même s'il ne convainc pas tout à fait, exhorte toutefois plus à la vertu morale que Regnault. Chez ce dernier, une certaine grâce, une délicatesse du coloris, font de son œuvre un tableau de cabinet au charme décoratif indéniable mais l'éloignent de la rigueur sévère propre à une peinture d'histoire qui se veut didactique et moralisatrice.

Notons qu'existaient en 1977, dans le commerce d'art londonien, deux très beaux dessins préparatoires à ce tableau, l'un d'eux daté et signé de 1791.

Le thème de Socrate arrachant Alcibiade aux plaisirs fut repris, après Regnault, par Garnier au Salon de 1793, puis par Perrin, au Salon de 1801; il fut également traité par Réattu (dessin au musée Réattu, Arles) et par Boizot (dessin exposé à la galerie Heim, Londres, en 1975, n° 13), pour ne citer que quelques exemples de l'école française. Regnault, enfin, revint lui-même à ce sujet en 1810 dans une composition ambitieuse (H. 3,85; L. 5,80) et d'esprit beaucoup plus classique, qui fut achetée par l'État en 1824 (inv. 7384; mis en dépôt à la préfecture de Chambéry en 1867; non retrouvé à ce jour).

A l'issue du Salon de 1791, Regnault reçut un deuxième prix d'encouragement d'un montant de 6 000 livres pour un des cinq tableaux exposés par lui au Salon; il s'agit peut-être de celui qui nous occupe ici (A.N. F^{17} 1056, dossier 5); c'est ce prix qui lui permettra d'exécuter *La Liberté ou La Mort* (cat. 828) lui-même primé en l'an VII.

Nous rappellerons enfin, que quelques années auparavant, en 1777, Vincent peignit un *Alci-*

biade recevant les leçons de Socrate (cat. 417) dont la source n'est pas plus déterminée que celle du présent tableau. **B.Ga.**

420
La Mort de Socrate

par Jacques-Claude DANZEL, d'après Jean-François Sané

Gravure en taille-douce. H. 0,490 ; L. 0,635.

Inscription : sous le trait : « Sane Pinxit. — danzel Graveur de Sa Majesté Impériale. » En marge, de part et d'autre d'un cartouche aux armes : « A Monsieur Pierre Gaspard Marie Grimaud, Comte d'Orsay -- D'Autrey et de Nogent le Rotrou (...) Par... Esnauts. » Au bas : « A Paris chez Esnaut et Rapilly, rue St-Jacques à la ville de Coutances, n° 269 et chez Alibert, Rue Fromenteau. — Imprimé par Robbe ».
Bibliographie : Roux, 1949, t. VI, p. 10 et pp. 15-17 ; Rosenblum, 1967, p. 73, fig. 75.

Paris, Bibliothèque nationale, cabinet des Estampes (inv. AA5).

La gravure de Danzel d'après Sané fut annoncée dans la *Gazette de France* du 4 août 1786 : « Socrate prononçant son discours sur l'immortalité de l'âme à ses amis après avoir pris la ciguë, estampe d'après le tableau de M. Sané, gravée par M. Danzel, dédiée à M. le comte d'Orsay, 12 liv. Chez Esnauts et Rapilly, rue Saint-Jacques, à la ville de Coutances. »
C'est en 1762 que Jean-François Sané (vers 1732-1779) peignit cette *Mort de Socrate* qui lui valut une célébrité, aussi prompte qu'éphémère. On ne sait en effet plus grand-chose de cet artiste qui retomba très vite dans l'oubli après le succès de ce tableau aujourd'hui perdu et qui ne nous est plus connu que par la gravure de Danzel de 1786.
Il est particulièrement intéressant de pouvoir confronter cette œuvre de 1762 avec celles de même sujet peintes par David et par Peyron pour le Salon de 1787.
La Mort de Socrate gravée par Danzel, de par sa composition bouchée, ses personnages nombreux et agités, fait penser à Greuze et à ce climat mélodramatique tout à fait à l'image d'un certain XVIIIe siècle un peu larmoyant et théâtral. Nous sommes ici loin du dépouillement prôné par la « nouvelle école » et des compositions épurées, parfois un peu froides, où la gravité du thème est servie par une construction rigoureuse. **B.Ga.**

421
La Mort de Socrate

par Pierre PEYRON

Huile sur toile. H. 0,98 ; L. 1,335.

Historique : esquisse du tableau commandé par le roi pour le Salon de 1787, offerte à d'Angiviller cette même année ; ne faisait pas partie de la saisie révolutionnaire de d'Angiviller qui avait emporté cette œuvre en exil ; légué à sa mort à la comtesse Amélie Münster ; en 1814, coll. de sa fille et de son gendre,

le comte Carl Moltke ; reste dans la famille Moltke à Nørager puis à Copenhague jusqu'en 1979 ; acquis en vente à cette date par le musée de Copenhague.
Exposition : 1787, Paris, Salon, n° 154.
Bibliographie : Stein, 1974, pp. 229-238 ; Stein, 1981, pp. 172-198, Rosenberg-Van de Sandt, 1983, pp. 124-130 (avec bibliographie complète) ; Crow, 1985, pp. 243-245.

Copenhague, Statens Museum for Kunst (inv. 7066).

La Mort de Socrate de Peyron occupe une place importante dans l'histoire de l'art français au XVIIIe siècle.
Le thème de Socrate était alors très en vogue. Des critiques comme La Font de Saint-Yenne et des philosophes comme Diderot l'avaient proposé. Aux yeux des contemporains de Peyron, il évoquait de multiples significations. Paradigme de l'« exemplum virtutis » célébrant la liberté individuelle face à l'oppression politique et religieuse à une époque où se développait la conscience civique, il ne pouvait manquer de susciter l'admiration dans les milieux les plus divers. Ce qui n'empêchait que, souvent, les artistes voyaient dans une représentation de *Socrate* une simple occasion de faire montre de leur habileté et de leur maîtrise de style.
On ignore malheureusement les raisons exactes qui ont conduit Peyron à choisir ce motif, ainsi que la date précise et les circonstances dans lesquelles il commença l'œuvre. En 1780, au cours du séjour à Rome du peintre, le comte d'Angiviller évoque dans une lettre le choix de ce motif, ou d'un autre semblable, à conseiller à Peyron.
D'Angiviller, cependant, n'indique pas de sujet précis, il montre simplement sa préférence pour une toile qui dut être traitée dans le « clair-obscur » ; ou encore un sujet « où il y eût des femmes et nues, car il dessine bien ». L'idée du projet doit remonter à cette période ; comme l'hypothèse en a été récemment avancée, le *Socrate* de Peyron, comme celui de David, ne sont pas seulement redevables à Poussin, mais peut-être aussi au Socrate du Caravage, alors exposé au palais des Giustiniani à Rome. Toujours est-il que c'est seulement en 1786 que le roi commanda à Peyron un tableau sur ce sujet. Cette commande honorable provoqua aussitôt une réplique de la part de David, qui probablement pour défier son rival, présenta de son côté un *Socrate* au Salon de 1787. La suite est bien connue. Le tableau de David fut applaudi comme un chef-d'œuvre. Il semble que Peyron ait hésité avant d'exposer sa version. Et même s'il s'en trouva quelques-uns pour faire l'éloge de son clair-obscur, l'œuvre de Peyron ne soutient pas la comparaison avec la vision de David, d'une clarté géométrique si originale, d'une cohérence si intensément dramatique. En dépit de la protection de d'Angiviller et bien que la version commandée par le roi (conservée aujourd'hui à l'Assemblée nationale) fût plus grande, la peinture remporta à peine plus qu'un « succès d'estime ».
Son destin futur allait contribuer à la rejeter plus encore dans l'ombre. En 1808, le comte d'Angiviller l'emporte en exil au Danemark, pays neutre. Depuis 1796, il comptait des amis parmi la noblesse du Schleswig-Holstein ; il

léguera à la comtesse Amélie Münster, dont il était tombé amoureux, sa collection de peintures, dont le *Socrate*, qui devait rester dans la famille jusqu'en 1979. N'étant guère dans le goût du XIXe siècle, il lui aura fallu attendre 1973 pour revenir d'actualié — et c'est seulement aujourd'hui, après presque deux siècles, que la peinture est de retour en France pour une courte période. **P.Kr.**

Jusqu'à ces dernières années, *la Mort de Socrate* de Peyron n'était connue que par la gravure. L'esquisse que nous présentons ici restait invisible, se trouvant dans une collection danoise qui refusait de la montrer. De plus, le grand tableau commandé par le roi pour le Salon de 1787 (mais exposé seulement en 1789), conservé à l'Assemblée nationale de Paris, reste fort peu accessible. L'esquisse est célèbre pour avoir été confrontée, au Salon de 1787, au tableau de même sujet par David qui remporta tous les suffrages.
L'accueil fait à Peyron par les critiques du Salon de 1787 fut loin d'être enthousiaste. Pour l'essentiel, on lui reprocha cette palette sombre dont il est coutumier et une composition moins réussie que celle de David. Toutefois, Peyron fut bien mieux accueilli en 1789 à la présentation de son grand tableau, qui présente pourtant peu de variantes avec l'esquisse. Mais cette fois, le tableau est présenté seul, non celui de David en pendant, et cela dut sans doute influencer les critiques, qui, même s'ils font toujours référence à l'œuvre de David, se montrent plus indulgents : « En traitant le même sujet que M. David, il paraît avoir voulu suivre un système tout différent. C'est à ce qu'on appelle la magie du clair-obscur qu'il a eu recours pour produire ses effets » (coll. Deloynes, t. XVI, n° 410, p. 23). Carmontelle notera quant à lui, dans sa critique de 1787 : « Le tableau de M. Peyron est l'ouvrage d'un philosophe profond, et le tableau de M. David est l'ouvrage d'un grand raisonneur » (coll. Deloynes t. XVI, n° 415, p. 16). Ce qui, au-delà de ces deux tableaux, nous semble qualifier de façon assez exacte la personnalité de chacun des artistes. Comme nous l'avons développé plus haut, l'instant choisi par Peyron comme par David n'est pas celui, précis, de la mort de Socrate. Le sujet expliqué au livret du Salon paraphrase Diderot : « Socrate prêt à boire la ciguë et après avoir fait un sublime discours sur l'immortalité de l'âme, reproche à ses amis leurs gémissemens : que faites-vous, leur dit-il, quoi, des hommes si admirables s'abandonnent à la douleur ! où est la vertu ? n'étoit-ce pas pour cela que j'avois renvoyé ces femmes, de peur qu'elles ne tombassent dans de pareilles foiblesses ? J'ai toujours ouï dire qu'il faut mourir tranquillement, et en bénissant l'être suprême ; tenez-vous donc en repos, et témoignez plus de force et de fermeté. » On comprend qu'un si bel exemple de stoïcisme ait pu rencontrer un tel succès auprès des artistes.
Outre les exemples déjà cités, concernant la seconde moitié du XVIIIe siècle, notons que Gamelin aborda également le thème de *La Mort de Socrate* vers 1790-1795 mais dans un esprit étonnamment « rembranesque », éloigné de celui prôné par la nouvelle école.

Socrate arrachant Alcibiade des bras de la volupté (cat. 419).

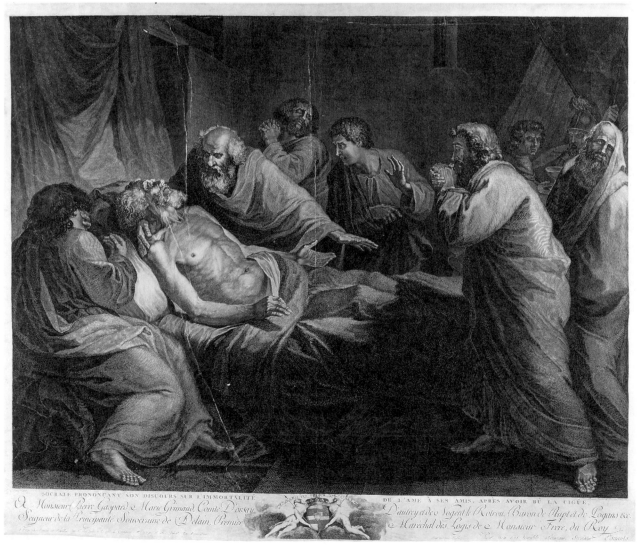

La Mort de Socrate (cat. 420).

La Mort de Socrate (cat. 421).

La Mort de Socrate (cat. 422).

Peyron grava lui-même son tableau. Il existe trois états de cette gravure, l'un avant la lettre, un autre où figurent les armoiries de d'Angiviller et le dernier où ces armoiries effacées sont remplacées par l'emblème de la Société des amis des arts créée en 1789 par Charles de Wailly : une étoile rayonnante formée d'un compas ouvert, une règle, un pinceau et un porte-crayon ; on lit au centre : LAMI-DES-ARTS.   B.Ga.

422
La Mort de Socrate

attribué à Joseph DREPPE

Plume, lavis et sanguine. H. 0,443, L. 0,590.
Inscription : au crayon collé au revers du support : « Ex Coll : H Haml ».
Bibliographie : Graulich, 1978-1979, p. 161.

Liège, cabinet des Estampes (inv. K.125/16).

Peintre d'histoire et paysagiste liégeois, c'est à travers ses dessins imprégnés d'un souffle préromantique et visionnaire proche de W. Blake. J. Füssli, J. Flaxman ou N. Abildgaard que Joseph Dreppe est le plus justement connu. Après une première formation à Liège et un séjour de plusieurs années à Rome où il étudie entre autres Piranèse et d'où il ramène un intéressant ensemble de dessins de paysage, Dreppe devint un peintre recherché dans sa ville natale, notamment pour ses bonnes dispositions de peintre-décorateur. Il ne subsiste cependant que peu de vestiges de sa peinture. En revanche, le catalogue de son œuvre dessiné, établi récemment par Jean-Luc Graulich compte quelque quinze dessins signés et soixante-douze attributions. La plupart de ces dessins sont conservés au cabinet des Estampes de Liège et proviennent de la collection du chanoine Hamal. Mis à part quelques allégories relatives aux événements politiques qui secouèrent Liège à la fin du XVIIIᵉ siècle, l'essentiel de ce catalogue est constitué d'esquisses enlevées réalisées au lavis et à la plume, quelquefois rehaussées d'aquarelle ou de blanc. L'intérêt de ces dessins réside sans doute moins dans le choix des sujets d'inspiration néo-classique, religieuse ou encore tournés vers le passé historique de la principauté, que dans l'étonnante hardiesse d'écriture. Synthétisés en quelques coups de pinceau, réduits à trois traits de plume, les personnages sont plongés dans un univers angoissant obtenu par de violents contrastes d'ombre et de lumière. Autant de visions inquiètes de l'irrationalité fondamentale de l'homme qui semble n'attendre que le moment propice pour se jeter sur les structures de la raison et la faire basculer. Autant de visions à l'image des bouleversements que l'Europe vivait alors.   A.Ja.

L'AGRICULTURE COMME MODE DE VIE VERTUEUX

423
Cincinnatus refusant les offres des envoyés de Rome

par Jean BRIANT

Plume, encre noire et lavis brun. H. 0,410 ; L. 0,580.
Historique : acheté en 1974, coll. Henri et Suzanne Baderou ; donation Baderou, au musée de Rouen en 1975.
Bibliographie : Vilain, 1980, n° 1, pp. 117-118.

Rouen, musée des Beaux-Arts (inv. 975.4.1154).

Le sujet est tiré de l'*Histoire romaine* de Tite-Live (Livre III, 26). Lucius Quinctius Cincinnatus, qui vécut au Vᵉ siècle av. J.-C., représente le modèle même du Romain aux vertus traditionnelles menant une vie simple et capable de se dévouer à la cause de sa patrie. Patricien ruiné, Cincinnatus vit au bord du Tibre, cultivant sa terre comme un modeste paysan. Appelé à trois reprises à Rome pour sauver la République en danger, il retourne à ses champs entre chaque intervention politique. Exemple type de sujet vertueux tiré de l'histoire ancienne, Cincinnatus a déjà valeur de symbole dans l'histoire de la République romaine.
Traité ici, dans un graphisme fin et précis qui pourrait être préparatoire à la gravure, par cet artiste originaire de Bordeaux, le sujet fut également abordé par Demarne au Salon de 1796 et par Topino-Lebrun dans un dessin conservé au musée des Beaux-Arts de Dijon.   B.Ga.

424
Caïus Furius Cressinius accusé de magie

par Nicolas-Guy BRENET

Huile sur toile. H. 3,24 ; L. 3,26.
Inscription : en bas à droite sur une pierre, « Brenet 1777 ».
Historique : commandé par le roi pour être exécuté en tapisserie aux Gobelins ; ancienne collection du Louvre (M.R. 1821 ; inv. 2852) ; envoi de l'État au musée de Toulouse en 1873.
Exposition : 1777, Paris, Salon, n° 19.
Bibliographie : Locquin, 1912, pp. 51, 164, 210, 216, 251, 254 ; Roschach, 1920, n° 35, p. 42 ; Sandoz, 1960, pp. 42-43 ; Rosenblum, 1967, p. 60 ; Perez, 1975, p. 201 ; Sandoz, 1979, n° 87, pp. 107-108.

Toulouse, musée des Augustins.

Pour le Salon de 1777, Brenet reçut deux commandes royales ; le sujet de la première était tiré de l'histoire nationale, *Hommage rendu au connétable Duguesclin* (cat. 438), celui de la

seconde de l'histoire romaine : « Trait d'encouragement au travail chez les Romains ». Le thème de Caïus Furius Cressinius est tiré de Pline (*Histoire naturelle*, liv. XVIII, chap. 6) et fut déjà abordé par Jolain en 1773 ; le livret du Salon, où le tableau porte le titre de l'*Agriculteur romain*, explique ainsi le sujet : « Caïus Furius Cressinius, affranchi, cité devant un édile pour se disculper d'une accusation de magie, fondée sur les récoltes abondantes qu'il faisait dans un champ d'une petite étendue, montre des instruments d'agriculture, en bon état, sa femme, sa fille, et des bœufs gras et vigoureux. Alors, s'adressant au peuple assemblé : « Ô Romains ! s'écria-t-il, voilà mes sortilèges ; mais je ne puis apporter avec moi, dans la place publique, mes soins, mes fatigues et mes veilles. »
Ce sujet très moral exhalte la valorisation du travail de la terre ainsi que le fit Rousseau : « Le premier métier de l'homme... le plus honnête, le plus utile, et par conséquent, le plus noble qu'il puisse exercer. » (*Émile*, liv. III).
                                             B.Ga.

425
Un Cultivateur remettant sa charrue à son fils en présence de sa famille

par Jean-Baptiste GREUZE

Plume, lavis d'encre de Chine sur papier blanc. H. 0,227 ; L. 0,372.
Historique : acquis par la Société des amis des arts à la vente de Philippe de Chennevières, 4-7 avril 1900 ; entré à cette date au musée de Tournus.
Bibliographie : Martin, 1910, p. 55, n° 35 ; Mauclair, 1910, nᵒˢ 126 et 193.

Tournus, musée Greuze (inv. 82 1535).

Bien qu'il soit postérieur à 1790, nous présentons ici ce petit croquis à l'encre rapidement ébauché, préparatoire au tableau aujourd'hui conservé au musée Pouchkine de Moscou, que l'artiste exposa au Salon de l'an IX (1801) (n° 35 du livret). Le thème de cette œuvre tardive de Greuze est une leçon morale en faveur de l'agriculture ; on y voit une famille entière réunie pour assister à une passation de pouvoir du père en faveur du fils, ce dernier recevant l'instrument qui permit de faire vivre la famille. Cette valorisation du travail de la terre se trouve dès 1777 chez Nicolas-Guy Brenet avec son *Caïus Furius Cressinius* (cat. 424) et chez Vincent dont *La Leçon d'agriculture* de 1798 (musée des Beaux-Arts de Bordeaux) est à rapprocher de l'œuvre de Greuze. Au catalogue de la vente Chennevières, ce dessin figurait avec huit autres sous le même numéro ; il portait le titre de *La Leçon de labourage*.
                                             B.Ga.

Cincinnatus refusant les offres des envoyés de Rome (cat. 423).

us Furius Cressinius accusé de magie (cat. 424).

Un Cultivateur remettant sa charrue à son fils en présence de sa famille (cat. 425).

Caïus Gracchus sortant de sa maison pour apaiser la sédition dans laquelle il périt (cat. 426).

La Mort d'Agis (cat. 427).

426
Caïus Gracchus
sortant de sa maison pour apaiser la sédition
dans laquelle il périt

par Jean-Germain DROUAIS

Plume et encre noire, traits à la mine de plomb sur papier blanc. H. 0,199; L. 0,428.
Historique : donné par Mme Drouais à la mort de son fils à Mr. Smith; vendu au musée de Lille en 1876.
Expositions : 1983, Lille, n° 69, pp. 93-94; 1985, Rennes, n° 24, pp. 62-64.
Bibliographie : Michel, 1982, pp. 203-204; Rubin, 1976, pp. 547-568; Bordes, 1983, pp. 93-94; Michel, 1985, pp. 19-22.

Lille, musée des Beaux-Arts (inv. Pl. 1325).

Dernière œuvre de Jean-Germain Drouais, ce *Caïus Gracchus* s'est vu auréolé à juste titre d'une signification particulière. En effet, Drouais dut attacher beaucoup d'importance à cette œuvre ambitieuse — la toile définitive, ébauchée à sa mort, mesurait 5,18 mètres sur 3,58 mètres — où il épuisa sans doute ses dernières forces. Il en chercha longtemps le sujet et dans une lettre à David de septembre 1787, il confie : «J'en ai trouvé beaucoup de beaux, mais les uns sont des sujets que vous avez en vue, les autres ont de l'analogie avec ceux que vous avez fait, on se moquera de moi (...).» Son choix se posa finalement sur un sujet tiré de *la Vie des Gracques* de Plutarque. Caïus et Tibérius Gracchus (IIe siècle av. J.-C.), patriciens et grands réformateurs, comme Agis à Sparte (cat. 427), voulurent redistribuer les terres publiques aux indigents, ce qui leur valut l'opposition des privilégiés.
L'épisode choisi par Drouais nous montre le moment où Caïus se précipite délibérément vers la mort en allant trouver ses opposants, les sénateurs, déterminés à l'exterminer lui et ses partisans, comme ils l'ont déjà fait pour son frère, Tibérius. Le contenu politique et révolutionnaire du sujet fait de Caïus Gracchus une figure on ne peut plus emblématique d'un héroïsme que la Révolution affectionnera particulièrement. On notera, par ailleurs, la résonance philosophique du personnage, étudié de façon remarquable par Régis Michel (1985, pp. 19-22). «Tu te livres toi-même aux assassins de Tibérius, sans armes, ce qui est beau, afin de subir le mal plutôt que de le commettre, mais tu mourras sans aucun profit pour l'État.» (Plutarque, 15, 2). Ce sont là les dernières paroles que prononce Licinia, épouse de Caïus, avant de s'écrouler sur le sol où elle «resta longtemps étendue sans voir», ainsi que l'a dessinée Drouais. On remarquera l'attention toute particulière que l'artiste a apporté à une architecture extrêmement dense et d'inspiration toute poussinesque. Le dessin très élaboré, repris à la plume, du groupe de Licinia évanouie et de ses suivantes, s'oppose à l'ensemble à peine ébauché de Caïus et ses amis, comme déjà effacés par la mort vers laquelle ils se dirigent résolument, mais dont la mobilité et la présence sont d'une force étonnante.
Cette dernière et remarquable œuvre de

Drouais fut également gravée par Piroli, avec quelques variantes notables, principalement dans la figure de Licinia. B.Ga.

427
La Mort d'Agis

par Nicolas-André MONSIAU

Huile sur toile. H. 1,36; L. 1,63.
Inscription : sur le châssis : «Monsiau 1789. Tableau de réception».
Historique : morceau de réception de l'artiste à l'Académie en 1789; resta dans la collection du peintre jusqu'à sa mort en 1837; acheté dans le commerce d'art parisien par le musée du Petit Palais en 1986.
Expositions : 1789, Paris, Salon, n° 193; 1985, Paris, Galerie Fischer-Kiener, n° 1.

Paris, musée du Petit Palais (inv. P. Dut. 1484).

Nicolas-André Monsiau fut reçu académicien en 1789 sur présentation de cette *Mort d'Agis*. A la dissolution de l'Académie, en 1793, ce tableau, contrairement à l'habitude, ne rentra pas dans les collections de l'État et resta chez l'artiste jusqu'à sa mort. Il figura à sa vente après décès, les 30 et 31 août 1837 sous le n° 2. Le sujet est tiré d'une des *Vies des Grecs* de Plutarque; le livret du Salon de 1789 nous donne le texte suivant : «Agis, roi de Sparte, fut condamné à mort par les Ephores, pour avoir voulu faire revivre les anciennes lois de Lycurgue; c'est l'instant qu'Agésistrata, après avoir couvert le corps de sa mère d'un linge, se jette sur celui de son fils, et lui dit : «C'est l'excès de ta piété, de ta douceur, de ton humanité qui t'a perdu, et qui nous a perdues avec toi.»
En effet, Agis IV, assassiné en 240 av. J.-C., voulut rétablir les réformes entreprises par Lycurgue, législateur de Sparte en l'an IX av. J.-C.; il désirait, entre autres, partager les terres et abolir les dettes, malgré l'opposition de Léonidas qui, revenu d'exil, reprit le pouvoir avec l'appui des éphores et fit étrangler Agis dans sa prison. La vertu et l'humanisme bafoués d'Agis font de lui un héros sacrifié et incompris. Cet aspect héroïque séduisit également les écrivains, tels Laignelot et l'Italien Alfieri, qui en firent des tragédies.
Outre Monsiau, Caraffe s'inspira aussi de la vie de ce héros pour son *Agis rétablissant les lois de Lycurgue* (Salon de 1793). B.Ga.

428
Cornélie mère des Gracques

par Joseph-Benoît SUVÉE

Huile sur toile. H. 1,31; L. 1,96.
Bibliographie : Rosenblum, 1967, pp. 61-62, 80, 86; Méjanès, 1974-1975, n° 170, p. 614; Rubin, 1976, p. 552.

Besançon, musée des Beaux-Arts (inv. D.843.1.38).

La valeur morale féminine trouva bonne place dans «l'exemplum virtutis», les deux plus célèbres exemples étant *La Générosité des dames romaines* (cat. 430) et *Cornélie, mère des Gracques*. Ce sujet, déjà traité avec succès par Hallé au Salon de 1779 (Montpellier, musée Fabre), fut traité par Peyron en 1781 (cat. 429) et par Gauffier en 1792 (château de Fontainebleau). Notons que pour sa participation au concours de l'an III, Suvée choisit également un «exemplum virtutis» mettant en scène la vertu féminine. *Le Dévouement des citoyennes de Paris,* prix d'encouragement de 9 000 francs (AN F17 1056, dossiers 5, 6; Deloynes, t. LVI, nos 1724 et 1736).
Le sujet de Cornélie est tiré de Valère-Maxime (Livre IV, 4); Cornélie, fille du célèbre Scipion l'Africain et mère de Caïus et Tibérius Gracchus, dont on connaît le tragique destin (cat. 426), reçoit une femme de Campanie «qui était avec ostentation ses bijoux et ses parures et comme elle l'invitait à lui montrer les siens, Cornélie lui répond, en lui montrant ses enfants revenant de l'école publique avec leurs instituteurs : «Voici mes richesses et mes plus beaux ornements.» (livret du Salon de 1795). On comparera avec intérêt le tableau de Peyron avec celui de Suvée qui reprend le même type de composition en frise et le motif de la statue dans la niche mais dans une facture très sèche bien différente de celle de Peyron caractérisée au contraire par la souplesse. L'archaïsme voulu du tableau de Suvée surprit les critiques du Salon de 1795 et certains le crurent inachevé. Le projet du tableau de Suvée sur le sujet de Cornélie remonte à 1790 et lui fut finalement commandé par le roi comme il l'espérait : «Ce tableau est l'un de ceux que le Roy ordonnoit tous les deux ans pour l'encouragement du Grand Genre.» (Lettre de Vien, du 10 novembre 1792; A.N. F17 1056, dossier 9). Toutefois, jusqu'au 9 messidor an V (27 juin 1797), et malgré plusieurs réclamations, Suvée n'a toujours pas reçu la totalité du paiement des 6 000 livres de 1792 (prix généralement accordé aux tableaux «pour le roi»), aussi décida-t-on de lui payer la somme due sur «le fonds d'encouragement de l'an V» (A.N. F17 1056, dossier 9).
Le tableau que nous présentons ici est une version réduite de celui présenté au Salon de 1795 et entré dans les collections du Louvre (inv. 8075), il diffère de ce dernier par quelques

Hercule ramenant Alceste à son mari (cat. 431).

Cornélie mère des Gracques (cat. 428).

...té et générosité des dames romaines (cat. 430).

Le Retour d'Alceste (cat. 432).

...nélie, mère des Gracques (cat. 429).

variantes; c'est cette version qui servit de modèle à la tapisserie tissée aux Gobelins entre 1804 et 1809. B.Ga.

429
Cornélie, mère des Gracques

d'après Pierre PEYRON

Huile sur toile. H. 0,55; L. 0,80.
Inscription : au dos de la toile, difficilement lisible : « Payron P.x. ».
Historique : légué en 1920 avec son pendant *Bélisaire...* (cat. 409) au musée de Montauban par M. Lacroix.
Exposition : 1967, Montauban, n° 286.
Bibliographie : Ternois, 1967, n° 220 (comme Peyron); Rosenberg, 1974-1975, pp. 477-478; Rosenberg-Van de Sandt, 1983, pp. 96-97 et n° X.3, p. 155 (comme d'après Peyron).

Montauban, musée Ingres (inv. MI.50 526).

En 1778, le cardinal de Bernis commanda deux tableaux à Peyron, le premier achevé fut son *Bélisaire...*, comme second sujet, l'artiste choisit de représenter un épisode tiré de Valère-Maxime (livre IV, 4) rapportant la vertu et le désintéressement de Cornélie, mère des Gracques, le texte de Valère-Maxime (préambule du livre IV) est le suivant : « Une mère de famille campanienne logée chez Cornélie, mère des Gracques, lui faisait l'étalage de ses bijoux [...], Cornélie fit durer la conversation jusqu'au retour de ses enfants qui étaient à l'école. A leur arrivée : "Voici mes bijoux", dit-elle. »
Peyron acheva ce second tableau pour le cardinal de Bernis en 1781. Le sujet fut précédemment traité par Nicolas Hallé dans un style sentimental et raffiné mais dénué de tout héroïsme, et il le sera également en 1795 par Le Barbier et par Suvée (cat. 428). Peyron, à l'inverse du statisme et de la froideur propre à l'œuvre de Suvée, réussit à la fois à rendre son tableau héroïque tout en conservant un aspect intimiste dû notamment à un subtil jeu d'éclairage, d'ailleurs plus évident dans le tableau original, aujourd'hui conservé au musée de Toulouse (inv. RO.194), que dans la présente version qui en serait une copie ancienne. On notera aussi la richesse et la subtilité de chromatisme, véritable constante de l'œuvre de Peyron. B.Ga.

430
Piété et générosité des dames romaines

par Nicolas-Guy BRENET

Huile sur toile. H. 0,53; L. 0,40.
Inscription : « Brenet 1784 ».
Historique : legs de Silguy en 1864.
Exposition : 1988, Vizille, n° 107.
Bibliographie : Gauguet, Hombron, 1873, n° 545; Rosenblum, 1967, p. 86.

Quimper, musée des Beaux-Arts (inv. 873-1-412).

Inspiré de Plutarque (*Camillus*, X), ce sujet nous est également conté par Rollin dont l'*Histoire romaine* (vol. VI, chap. 1) et l'*Histoire ancienne* eurent une audience particulière auprès des artistes du XVIIIe siècle.
« A la prise de Veïs, les Romains avoient fait vœu d'envoyer une coupe d'or à Apollon, dans son temple de Delphes; les tribuns militaires, chargés de faire exécuter cette coupe, ne trouvant point d'or à acheter, à cause de sa rareté, les dames romaines se défirent de leurs bijoux pour fournir la matière nécessaire au présent que l'on vouloit offrir à Apollon. » Tel est le texte du livret du Salon de 1785 où, sous le n° 7, Brenet présente cet exemple de vertu féminine et de patriotisme qui aura un écho direct dans l'histoire contemporaine, quatre ans plus tard.
En effet, le 18 septembre 1789, les femmes d'artistes, conduites par Mme Moitte, offrirent leurs bijoux à la nation faisant ainsi d'un célèbre « exemplum virtutis » tiré de l'histoire ancienne un « exemplum virtutis » contemporain. L'assemblée acclama l'action de « ces modernes Cornélies » qui figura au « Recueil des actions héroïques et civiques des républicains français présenté à la Convention nationale par Léonard Bourdon. An II » (pp. 19-20). Louis Gauffier, en traitant ce même sujet en 1791, fait directement allusion à l'acte généreux des citoyennes artistes (cat. 833); bien que désireux d'atteindre à une esthétique antiquisante, notamment de par sa composition en frise, Gauffier révèle une certaine mièvrerie et des joliesses qui enlèvent de la force à la composition; en revanche, Brenet, de trente-quatre ans l'aîné de Gauffier, avec ses personnages bien campés et son architecture imposante, affirme la puissance évocatrice de l'action et sa permanence historique. Brenet fut un des artistes qui renouvela la peinture d'histoire sous d'Angiviller; de par son goût pour les sujets propres à « élever l'âme » et son sens aigu de l'histoire (cat. 438), il reste au cœur des préoccupations artistiques et intellectuelles du moment.
L'esquisse que nous présentons ici est préparatoire au grand tableau du Salon de 1785 (château de Fontainebleau). Jacques Gamelin nous a laissé plusieurs petits tableaux traitant de la *Générosité des dames romaines*; deux d'entre eux, datés de l'an II, sont conservés au musée de Narbonne. B.Ga.

431
Hercule ramenant Alceste à son mari

par Friedrich Heinrich FÜGER

Plume et pinceau, encre brune, rehauts de blanc. H. 0,521; L. 0,435.
Historique : acheté par le duc Albert de Saxe-Teschen, d'où le cachet de collection « AS », et l'ancienne inscription en français sur le carton : « Hercule ramenant Alceste à son Mari Admète ».
Bibliographie : Schwarzenberg, 1974, p. 14; consulter aussi, pour les œuvres de comparaison : Stix, 1925, p. 40; Jacob, 1935, p. 350.

Vienne, Graphische Sammlung Albertina (inv. 14.665).

La légende grecque nous rapporte que Alceste, épouse du roi de Thessalie Admète, proposa sa vie en échange de celle de son époux. Les Moires renonceraient à la mort d'Admète si quelqu'un se sacrifiait en sa place. Ses parents refusèrent tandis qu'Alceste accepta. Héraclès, hôte de passage chez Admète, engagea alors le combat contre le dieu de la mort et ramena Alceste à son mari.
Depuis le drame d'Euripide (438 av. J.-C.), le thème d'Alceste ne fut repris qu'au XVIe siècle par la littérature allemande, avant de donner lieu à différentes versions — en partie galantes — aux XVIIe et XVIIIe siècles en France et en Italie. Plusieurs opéras furent inspirés par ce thème (Lully 1674, Händel 1727, Gluck 1767). En 1773, le compositeur Anton Schweitzer et Christoph M. Wieland créèrent ensemble un drame allemand chanté intitulé *Alceste* qui fut représenté au théâtre de Mannheim. Nous avons un témoignage direct de cette représentation par un groupe de porcelaine de Frankenthal sculpté par Franz Conrad Linck (cat. 432). Pour l'*Aufklärung*, Alceste est le symbole de l'amour conjugal et de l'esprit de sacrifice, vertus hautement appréciées à l'époque de la Révolution.
Ce dessin de Füger, réalisé en 1779 à Rome, immortalise le moment où Admète reconnaît son épouse dans cette femme voilée qu'amène Héraclès, et tend alors les bras vers elle.
L'artiste traita ce thème à plusieurs reprises : à Rome, il fit une esquisse pour un *Adieu d'Alceste à Admète* (Stix, *op. cit.*, planche IX); une autre œuvre sur ce même sujet est conservée à Prague et une autre encore fut vendue aux enchères à Vienne en 1886 (Boetticher, *Malerwerke*, I/₁, p. 340, n° 49). L.Po.

432
Le Retour d'Alceste

Manufacture de Frankenthal, modèle de Konrad LINCK.

Groupe, porcelaine avec décor peint en jaune, vert, bleu, dégradés de brun, rose incarnat, pourpre, noir et or. H. 0,34; L. 0,30; Pr. 0,22.
Inscription : marque « CT » avec le « Kurhut », [chapeau attestant la dignité de prince électeur], et « 83 ».
Expositions : 1979, Heidelberg, n° 529, repr. : 1981, Karlsruhe, t. I, n° F 18, repr.
Bibliographie : Jacob, t. II, 1935, pp. 348 sq., fig. 20.

Mannheim, Städtisches Reiss-Museum.

Konrad Linck, qui modela également ce groupe de porcelaine en 1783 (cat. 67), fut apparemment inspiré par le drame chanté d'*Alceste* que composèrent Christoph M. Wieland et Anton Schweitzer. La première de cette œuvre, d'après Euripide, eut lieu en 1773, puis fut mise en scène à Mannheim en 1775.
S'inspirant d'une gravure de L. Desplaces parue en 1715 d'après une peinture de A. Coypel, Linck présente ici une composition très dramatique. Héraclès ramène Alceste,

revenue à la vie, à Admète tout surpris. Un serviteur regarde la scène avec effroi. A l'arrière-plan, deux colonnes brisées et une urne représentent l'entrée du royaume d'Hadès, fermant ainsi le décor.

Le spectateur qui voit l'avant-scène réalise qu'il s'agit bien de théâtre.

Grâce à une plasticité très vivante rendue encore plus réaliste par l'utilisation des couleurs, l'artiste a réussi à mettre en scène sur un espace restreint les rapports complexes entre les différents personnages et à se concentrer sur une dramaturgie qui va parfaitement dans le sens de l'opéra de Wieland. Wieland s'était dégagé des tendances burlesques de l'original et des interprétations ultérieures du thème pour souligner au contraire la composante tragique. Dans le bouillonnement de l'époque prérévolutionnaire, il ouvrit ainsi la voie au théâtre du *Sturm und Drang* qui connut son apogée avec *les Brigands* de Schiller dont la première eut également lieu à Mannheim en 1782. K.-D.P.

HÉROS NATIONAUX

433
Hermann et Thusnelda

par Angelika KAUFFMANN

Huile sur toile. H. 0,45 ; L. 0,61.
Historique : esquisse à l'huile pour un tableau de 1,54 × 2,16 que l'empereur Joseph II commanda vers le milieu de 1786 (autrefois au Kunsthistorisches Museum, disparu depuis la Seconde Guerre mondiale) ; acheté en 1831 par le Ferdinandeum dans la succession de l'artiste.
Expositions : 1968, Bregenz, p. 68, n° 58 ; 1980, Melk, n° 1069 ; 1987-1988, Cologne, Zurich, Lyon, n° 83.
Bibliographie : cat. Innsbruck, 1928, p. 45, n° 299 ; Manners - Williamson, 1924, pp. 60, 70, 151 ; Helbok, 1968.

Innsbruck, Museum Ferdinandeum (inv. 299).

Arminius (rebaptisé plus tard à tort Hermann), fils du prince des Chérusques, Ségimère, fut élevé à Rome et servit dans l'armée romaine en Germanie. Mais il n'était pas d'accord avec la politique de romanisation mise en œuvre par le légat Quintilius Publius Varus. Il fit donc alliance avec une partie des princes germains ennemis ; à l'automne de l'an IX après J.-C., il attira les troupes de Varus (20 000 hommes) dans un piège et les anéantit. Il évita ainsi que les Romains n'occupent plus avant la rive droite du Rhin.

Le thème d'Arminius fut traité dans la poésie allemande avec l'humanisme, puis fut repris en 1644 en France par Scudéry et en 1684 par Campistron. Au XVIIIe siècle, on trouva en Hermann le défenseur des vertus et des idéaux des Lumières et l'incarnation d'une nouvelle sensibilité politique opposée à l'absolutisme.

Puis vinrent les « trois œuvres épiques pour la scène » de Klopstock : la *Bataille d'Hermann* (1769), *Hermann et les princes* (1784) et la *Mort d'Hermann* (1787), qui contribuèrent à éveiller l'enthousiasme national et romantique pour l'histoire allemande ancienne.

De 1769 à 1780, Angelika Kauffmann entretint une correspondance avec Klopstock, qui lui envoya en 1770 la *Bataille d'Hermann* qu'il avait dédiée à l'empereur. Lorsque Joseph II rendit visite à l'artiste dans son atelier romain, il lui commanda deux tableaux historiques en lui laissant le choix des sujets et des dimensions. Elle décida de traiter l'épisode du retour d'Arminius ; sa femme Thusnelda entoure la lance sanglante de guirlandes, tandis que des vierges chérusques parsemèrent le sol de fleurs devant lui. A gauche, des Chérusques avec les aigles des légions romaines, Hermann montrant le bouclier de Varus, à droite le chef druide Brenno. L.Po.

434
Le Serment du Rütli

par Johann Heinrich FÜSSLI

Huile sur toile. H. 2,67 ; L. 1,78.
Inscription : en bas à droite : « I.H. FVESSLI 1780 ».
Historique : commandé en 1779 par un riche bourgeois suisse pour le Conseil d'État.
Exposition : 1988, Cologne-Zurich-Lyon, n° 103, pp. 362-363.
Bibliographie : Schiff, 1973, n° 359 ; Schiff-Viotto, 1980, n° 6 ; Irwin, 1988, pp. 362-363.

Zurich, Rathaus, dépôt du Kunsthaus (inv. 1300/12).

C'est à son retour de Rome que Füssli reçut cette importante commande historique.

Le sujet relate l'épisode du fameux serment conclu, le 1er août 1291, entre les représentants des cantons d'Uri, Walter Fürst, de Schwyz, Werner Stauffacher et d'Unterwald, Arnold von Melchtal qui jurèrent de libérer la Suisse oppressée par la pesante domination des Habsbourg. Ce pacte fut conclu dans la prairie du Rütli, sur la rive ouest du lac des Quatre-Cantons.

La puissance expressive et évocatrice de la scène est encore accentuée par l'absence de fond du tableau ne laissant de place qu'à l'importance gestuelle du serment.

Cet épisode quasi légendaire, revêt ici, dans la représentation que nous en donne Füssli, un aspect à la fois intemporel et universel où « fusionnent l'amour pour l'Antiquité classique, l'orgueil national, et les aspirations révolutionnaires à la liberté. » (G. Schiff, 1980).
B.Ga.

435
Épisode de la légende de Guillaume Tell

Manufacture de Sèvres.
Bas-relief, biscuit de porcelaine dure. L. 0,420 ; H. 0,150.
Historique : Kunstkabinett des Klosters Rheinau (avant 1863) ; Sammlung der Antiquarischen Geselleschaft Zürich (après 1863).
Bibliographie : Stunzi, 1973, p. 261.

Zurich, Musée national suisse (inv. AG 1053).

Ce n'est sans doute pas pour son thème subversif que la manufacture de Sèvres a choisi de représenter la légende de Guillaume Tell, mais plutôt par souci d'illustrer une page de l'histoire suisse. En juin 1787, en effet, quelques mois après que le premier « bas-relief de Guillaume Tell » fut mentionné (en décembre 1786) la manufacture adressait en Suisse deux tasses et soucoupes « pour acquit d'un dessin d'un trait de l'histoire des Suisses servant de pendant au bas-relief de Guillaume Tell *(sic)* ». Rappelons le sujet de cette légende liée à l'oppression exercée sur les Suisses, au XIIIe siècle, par Albert Ier, duc d'Autriche. Guillaume Tell, ayant refusé de rendre hommage à un chapeau aux couleurs des Habsbourg planté sur la place d'Altdorf (canton d'Uri) par le bailli Gessler, représentant du duc, se vit condamné par celui-ci à transpercer d'une flèche une pomme placée sur la tête de son fils. Cette iconographie d'inspiration médiévale, rare en France, était, qui plus est, totalement étrangère à l'inspiration néo-classique qui, sous l'influence de Boizot, était privilégiée à Sèvres à la fin du XVIIIe siècle. C'est pour cette raison qu'on pourrait penser, soit à une œuvre de commande, soit à une œuvre de circonstance. La circonstance, à cette date, pouvant être par exemple, le grand sujet à l'ordre du jour : la réunion de l'Assemblée des notables par l'impopulaire contrôleur général des Finances Calonne qui attaquait ouvertement la gestion financière de son prédécesseur le Suisse Necker. Le thème de cette plaque pourrait alors être une sorte d'hommage indirect à ce dernier. Quelle que soit la genèse d'un pareil choix à la manufacture royale, on ne peut, néanmoins, s'empêcher de rester perplexe devant une incohérence, pourtant assez caractéristique de la confusion des esprits qui régnait à la cour à la fin de l'Ancien Régime, incohérence consistant à présenter sous les yeux mêmes de la reine un sujet qui donnait le mauvais rôle à un Habsbourg.

Nous ne connaissons, malheureusement, pas le nom du premier acquéreur, le 4 janvier 1787, de ce qui est appelé dans les archives de Sèvres, le « camée » de Guillaume Tell. Il s'agit, en tout état de cause, d'un personnage proche de la cour puisque l'achat eut lieu lors de la traditionnelle vente annuelle des produits de la manufacture de Sèvres à Versailles. Le terme « camée » désigne ce procédé décoratif, inventé en Angleterre par Josiah Wedgwood, consistant à opposer un relief blanc sur fond de couleur mâte. La définition s'applique donc par-

Hermann et Thusnelda (cat. 433).

Episode de la légende de Guillaume Tell (cat. 435).

Le Serment du Rütli (cat. 434).

Honneurs funèbres rendus à Du Guesclin (cat. 438).

Le Combat de Marcel et Maillard (cat. 437).

Vue du monument à Guillaume Tell (cat. 436).

faitement à la plaque du musée de Zurich. Un second bas-relief illustrant ce sujet fut acheté, la même année, par le comte de Montmorin, le successeur de Vergennes au ministère des Affaires étrangères, mais son prix moindre (370 livres au lieu de 420, pour le précédent) laisse à penser qu'il s'agissait d'un exemplaire en biscuit entièrement blanc.

Il faut, ensuite, attendre 1792 pour enregistrer un regain d'intérêt pour la légende de Guillaume Tell, et, cette fois, sans nul doute possible, comme une illustration de la lutte contre le despotisme. Outre le bas-relief, les archives mentionnent encore, à partir de 1794, un buste de Guillaume Tell, et l'année suivante, des médaillons sur le même sujet.   P.En.

436
Le Monument de Guillaume Tell

par NÉE, d'après de Lorimier

Gravure à l'eau-forte. H. 0,375 ; L. 0,253.
Inscription : à gauche : « dessiné par le Cher de Lorimier », à droite : « gravé par Née. 1785 » ; en dessous : « Monument de Guillaume Tell érigé par Guillaume-Thomas Raynal dans l'île d'Altstad près Lucerne en 1783 ; foudroyé en 1796 ».
Historique : entré au cabinet des Estampes de la Bibliothèque nationale suisse en 1903.
Bibliographie : Zurlauben, 1785, pl. 342 ; Feugère, 1909, pp. 561-589.

Berne, Bibliothèque nationale suisse.

L'abbé Raynal projeta en 1780 d'élever au Rütli, en Suisse, un monument à ses libérateurs, Fürst, Stauffacher et Melchtal, les trois confédérés qui avaient juré de libérer leur pays de l'oppression des Habsbourg au XIIIᵉ siècle (cat. 434). C'est à son ami, l'architecte Pierre-Adrien Pâris qu'il confia le soin de dessiner ce monument.

L'affaire ne fut pas sans encombre, les Suisses trouvant peu à leur goût qu'un Français vînt s'immiscer dans l'histoire de leur pays. Toutefois, le monument fut finalement achevé en 1783, et Raynal souhaita, fort à propos, que l'on en fît une gravure. En effet, il fut détruit, frappé par la foudre, en 1796 ; la gravure en reste donc le seul témoignage. Curieusement, Raynal, qui avait tant souhaité la construction de ce monument que d'aucuns prétendirent être un prétexte à sa propre gloire, mourut la même année. D'après un poète du temps, Stauffacher et Fürst, indignés de se voir honorés par un Français, auraient eux-mêmes dirigé la foudre : « Que signifie cette vaine pompe, leur fait-il dire, c'est dans le cœur de tous les Suisses qu'un autel nous est consacré. » La gravure témoigne d'un monument en l'honneur de Guillaume Tell, le héros quasi mythique de l'histoire de la libération de la Suisse. Obélisque de granit, il porte au sommet une boule percée d'une flèche pour rappeler le célèbre épisode du tir. Non loin du sommet, sur une pique, un médaillon représente le chapeau autrichien que Tell ne voulut pas saluer, malgré les menaces de Gessler. Le piédestal

était formé de deux socles, le plus large portait les armes des premiers cantons suisses. Sur les quatre faces du socle supérieur, pouvaient se lire des inscriptions en latin en l'honneur des trois conjurés, de la Suisse devenue libre et du généreux donateur de ce monument.
Nous les rapportons ici :
Première face :
OPTIMIS CIVIBUS
GARNERIO STAUFFACH SWIZIENSI,
GUALTERO FURST, URANIENSI
ARNOLD MELCHTAL, SUBSYLVANIENSI.

Deuxième face :
            QUOD
EORUM CONCILIO, VIRTUTE, CONSTANCIA
EXACTI AUSTRIACORUM PRAEFECTI,
VICTI DUCES EXERCITUS PROFLIGATI.

Troisième face :
            QUOD
ANTIQUAM TRIUM FOEDERATORUM LIBERTA-TEM
PENE EREPTAM
PARI FIDE, ANIMO, FORTUNA,
RECUPERARUNT, VINDICARUNT, ASSERUE-RUNT.

Quatrième face :
AD RERUM TAM BENE, FORTITER, FELICI-TERQUE, GESTARUM
MEMORIAM SEMPITERNAM
OBELISCUM HUNC
GUILLELMUS-THOMAS RAYNAL
NATIONE GALLUS
PROPRIO SUMPTU ERIGI CURAVIT
ANNO CHR. M.DCC.LXXXIII.   B.Ga.

437
Le Combat de Marcel et Maillard

Manufacture des Gobelins, d'après Jean-Simon BERTHÉLEMY

Tapisserie, laine et soie. H. 3,25 ; L. 2,50.
Inscription : en bas à droite, « BERTHELEMY, 1783 ».
Historique : 3ᵉ pièce de la 2ᵉ tenture de l'*Histoire de France*, d'après Jean-Simon Berthélemy.
Exposition : 1966, Paris, Mobilier national, nᵒ 30.
Bibliographie : Fenaille, 1907, IV, pp. 371-373 ; Badin, 1909.

Paris, Mobilier national (inv. GMTT 230).

En 1784 le comte d'Angiviller, directeur des Bâtiments du roi, décida de commander à différents peintres des modèles pour une tenture de l'*Histoire de France* pour les Gobelins, dans l'esprit même de sa commande à différents sculpteurs des statues des hommes illustres. Un certain nombre de tableaux, achetés par le roi au Salon, se trouvaient déjà aux Gobelins et servirent donc de modèles. Duguesclin, Bayard, le président Molé, les bourgeois de Calais, Léonard de Vinci, Sully, Étienne Marcel et Jean Maillard furent ainsi réunis, sans lien entre eux. L'amiral de Coligny et le connétable de Richemont les rejoignirent en 1787. Ces modèles furent les derniers exécutés aux Gobelins avant la Révolution.

Le Combat de Marcel et Maillard, peint en 1783, représente le moment où Jean Maillard, échevin de Paris, tue Étienne Marcel, prévôt des marchands, qui, révolté contre l'autorité du dauphin, le futur Charles V, s'apprêtait à livrer la ville à Charles le Mauvais, roi de Navarre, en 1358. Tissée une première fois à partir de 1788, la tenture fut remise sur le métier l'année suivante. Les pièces représentant Marcel et Maillard et la mort de Coligny furent, malgré l'avis du peintre Vien, achevées en 1791. Vien avait en effet écrit le 10 mai 1790 à d'Angiviller que « d'après quelques observations faites par le roi sur le sang qui est répandu dans ces tableaux, on croit devoir cesser là l'exécution de ces sujets ». Le tableau fut du reste rejeté en 1794 par le jury chargé de faire un choix parmi les anciens modèles.

La Révolution épargna la manufacture même si de nombreuses tapisseries aux emblèmes monarchiques furent brûlées en 1793 dans la cour des Gobelins en l'honneur des martyrs de la liberté. Par la suite le Directoire n'hésita pas à brûler à son tour cent quatre-vingt-dix tapisseries du Garde-Meuble pour récupérer l'or et l'argent dont elles étaient tissées afin de payer les traitements arriérés des employés. Ayant hérité d'une situation financière préoccupante, la Révolution modifia profondément l'organisation de la manufacture : les ouvriers ne furent plus payés en fonction de leur production mais reçurent un traitement fixe, ce qui parut inéquitable mais qui, en stabilisant l'emploi d'environ une centaine d'ouvriers, sauva les Gobelins et permit d'attendre des jours meilleurs.   A.Le.

438
Honneurs funèbres rendus à Du Guesclin
ou *La Mort de Du Guesclin*

par Nicolas-Guy BRENET

Huile sur toile. H. 0,550 ; L. 0,715.
Inscription : en bas à droite : « Brenet 1778 ».
Historique : collection du baron de Hornans, Bruxelles ; collection Coffyn ; legs Coffyn en 1887 au musée des Beaux-Arts de Dunkerque.
Expositions : 1968, Vienne-Bregenz, nᵒ 130 ; 1975-1976, Calais-Arras-Douai-Lille, nᵒ 18 ; 1979-1980, Paris, hôtel de Sully, nᵒ 278 ; 1988, Lyon, nᵒ 278 ; nᵒ 21b.
Bibliographie : cat. Dunkerque, 1905, nᵒ 33 ; Sandoz, 1960, pp. 42-43 ; Rosenblum, 1967, pp. 32-34 et p. 39 ; Cuzin, 1974-1975, pp. 338-340 ; Blazy, 1974, p. 10 ; Repp-Eckert, 1988, pp. 207-208 ; Crow, 1985, pp. 191 et 193.

Dunkerque, musée des Beaux-Arts (inv. P.369).

« Traits de respect pour la vertu ; honneurs rendus au connétable Du Guesclin par la ville de Randon », tel est le titre exact et significatif sous lequel figurait le tableau de Brenet dans la commande passée par le comte d'Angiviller dans le cadre de sa grande campagne de rénovation de la peinture d'histoire, en 1776.

La grande version de ce tableau (musée de

Pierre du Terrail, seigneur de Bayard (cat. 439).

Versailles, inv. M.V.26, 3,83 × 2,64 m) fut exposée au Salon de 1777 en même temps qu'un autre tableau commandé à Brenet par d'Angiviller, tiré cette fois de l'histoire romaine (*l'Affranchi Caïus Furius Cressinus* ou *l'Agriculteur romain*; cat. 424).

Le Du Guesclin de Brenet, intéressant et novateur à plus d'un titre, se trouve être tout d'abord un des premiers sujets « national » tiré de l'histoire française, avec, au même Salon de 1777, *La Continence de Bayard* de Durameau; lui feront suite en 1781, *La Mort de Bayard* de Beaufort et *La Mort de Léonard de Vinci* de Ménageot.

Ce tableau nous montre également une des premières représentations du lit funéraire du héros (Rosenblum, 1967, p. 32), motif trouvant son origine dans la célèbre *Mort de Germanicus* de Poussin et qui, à la suite de Brenet deviendra une véritable constante de la peinture d'histoire dans la figuration de la mort d'un héros.

Brenet s'est attaché à une reconstitution historique qu'il a voulu la plus fidèle possible, et, comme l'a fait remarquer J.P. Cuzin (1974-1975) ce langage et cette conception de la peinture d'histoire, tout à fait nouveaux en 1777, resteront ceux pratiqués jusqu'à la fin du XIXᵉ siècle.

Le sujet est tiré de l'*Histoire de France* de Villaret (t. XI, 1763) dont l'extrait suivant était publié au livret du Salon de 1777 : « L'an 1380, sous le règne de Charles V, Du Guesclin assiégeant le Château neuf de Randon, situé dans le Gévaudan... fut attaqué de la maladie dont il mourut. Les ennemis eux-mêmes, admirateurs de son courage, ne purent s'empêcher de rendre justice à sa mémoire. Les Anglais, assiégés, avaient promis de se rendre au connétable, s'ils n'étaient pas secourus à un certain jour indiqué; quoi qu'il fût mort, ils ne se crurent pas dispensés de lui tenir parole. Le commandant ennemi, suivi de sa garnison, se rendit à la tente du défunt. Là, se prosternant au pied de son lit, il déposa les clefs de la place. L'artiste a peint Olivier de Clisson, frère d'armes de Du Guesclin, debout et plongé dans la plus grande tristesse, montrant son ami mort. Derrière lui, on voit, aussi debout, le maréchal de Sancerre, chargé du commandement de l'armée par la mort de Duguesclin, et qui depuis fut connétable. »   B.Ga.

439
*Pierre du Terrail,
seigneur de Bayard* (1475-1524)

par Charles-Antoine BRIDAN

Statuette, terre cuite. H. 0,545 (dont socle : H. 0,03); L. 0,19; Pr 0,20.
Historique : modèle donné par l'artiste à la manufacture de Sèvres pour servir à la confection de biscuit, payé le 29 mai 1788.
Bibliographie : Furcy-Raynaud, 1927, p. 73.

Sèvres, musée national de la Céramique (inv. MNC 23454).

Archétype du chevalier d'honneur, courageux au combat, magnanime dans la victoire,

JULIANE HOI

Vue d'un monument du parc de Jaegerspris (cat. 440).

Bayard fut dès sa mort élevé au panthéon des héros en compagnie de Jeanne d'Arc et de Du Guesclin. Le XVIIIᵉ siècle qui redécouvre l'histoire nationale ne saurait l'oublier.

A partir du milieu du siècle, plusieur biographies sont publiées ; citons Guyard de Berville, *Histoire de Pierre Terrail, dit le chevalier de Bayard, sans peur et sans reproche* (1772) après un *Éloge de Pierre Terrail...* par Combes (1769), qui remporta un prix à l'académie de Dijon. De nombreux tableaux sont consacrés au chevalier, peints par Durameau (*Continence de Bayard*), Beaufort (*Mort de Bayard*), Brenet (*La Courtoisie du Chevalier Bayard*) (voir Jean Locquin, *la Peinture d'histoire en France de 1747 à 1785*, Paris, 1912, rééd. 1978, p. 160 et pp. 283-285). On ne doit donc pas s'étonner de trouver Bayard dans la série des *Hommes illustres* de d'Angiviller. On sait que celui-ci privilégiait dans son choix les serviteurs de l'État ; le chevalier rentrait certes dans cette catégorie, lui qui arma chevalier François Iᵉʳ à Marignan, mais il fut lié au duc de Bourbon, ennemi de la couronne, et on a remarqué combien le roi avait pris de soin à le cantonner dans des postes de commandement subalternes. Sa mort au combat venait à point pour héroïser un chef qui menaçait peut-être de devenir trop encombrant.

La statue fut commandée à Charles-Antoine Bridan en 1785 (Furcy-Raynaud, 1927, pp. 66-73) ; le modèle en plâtre fut exposé au Salon de 1787 (n° 237) ; le marbre (aujourd'hui au château de Versailles) fut réalisé en 1790. Le sujet est explicite par le livret du Salon de 1787 : Bayard parle à son épée après avoir armé chevalier le roi de France. Le choix d'un moment particulier de la vie des héros est fréquent dans cette série qui privilégie l'action héroïque ou significative au simple portrait rétrospectif (*cf.* Dowley, 1957, p. 265, note 31 et *passim*).

G.Sc.

440
Vies des personnalités honorées par les monuments de Jaegerspris

par Peuer Top WANDALL avec des illustrations de Johan Frederik CLEMENS

Livre illustré de gravures (une montrant «Julianehøj» et cinquante-trois monuments aux personnages illustres, hommes et femmes).
Bibliographie : Swane, 1929, pp. 175-190 ; Ussing, 1924 ; Lund, 1976 ; Rostrup, 1985, pp. 219-222.

Copenhague, Det Kongelige Bibliotek (inv. 42-12-4, ex. 2).

A Jaegerspris, propriété de la reine mère Juliane Marie, se trouvait un ancien tumulus. En 1776, on le baptisa «Julianehøj» en son honneur et celui du jeune prince héritier Frédéric. Le tertre fut aménagé d'après les plans du sculpteur Johannes Wiedewelt (1738-1802) : des rampes circulaires garnies d'arbres et comportant des monuments aux anciens rois du Danemark menaient au sommet, tandis qu'au-dessus de l'ancienne entrée de la tombe,

une inscription portait les louanges de la mère par le fils.

Les années suivantes, le parc de Jaegerspris se remplit de monuments en l'honneur de personnalités diverses. Les noms retenus étaient tirés d'un ouvrage d'Ove Malling (1747-1829), *Store og gode Handlinger af Danske, Norske og Holstenere* (datant de 1777 et relatant la vie des personnes remarquables ayant vécu au Danemark, en Norvège et en Holstein).

Or, ce livre d'Ove Malling était une œuvre de propagande en faveur du code de la nationalité de 1776, stipulant que seules les personnes nées dans un territoire dépendant de la couronne danoise pouvaient obtenir une place officielle. Cette loi était née de la xénophobie croissante qu'alimentait alors la jalousie envers les étrangers au service du roi, notamment la haine de la reine pour l'Allemand Struensee qui, en 1770, avait usurpé le pouvoir. Après la chute de ce dernier en 1772, le ressentiment envers les immigrants ne fit que s'accroître, les gens prenant davantage conscience de leur nationalité. Le fait que le poète allemand Friederich Gottlieb Klopstock reçoive du roi une pension à vie fut en particulier très mal accepté.

L'ouvrage de Wandall porte sur les monuments du parc et du Julianehøj. Seuls le premier volume parut en 1783 et la première partie du second en 1784. Après la prise du pouvoir par le prince en 1784, la reine mère perdit de son influence et les travaux de Jaegerspris cessèrent progressivement.

Nous voyons ici Julianehøj, un ouvrage d'architecture-paysage exceptionnel dans l'histoire de l'art danois. Johannes Wiedewelt s'est probablement inspiré pour le réaliser du mausolée entouré de cyprès de la Villa Médicis à Rome.

K.Kr.

« EXEMPLA VERTUTIS » CONTEMPORAINS

441
La Mort du comte de Chatham

par John Singleton COPLEY

Huile sur toile. H. 0,711 ; L. 1,029.
Bibliographie : Brown, 1966, p. 21.

Londres, Tate Gallery (inv. N 010 73).

William Pitt, premier comte de Chatham (1708-1778), qui fut Premier ministre de 1756 à 1761 et de 1766 à 1768, était un remarquable orateur. Il était résolument partisan pour l'Angleterre d'une politique étrangère audacieuse, susceptible de lui assurer des «points stratégiques commerciaux» dans le monde entier. A partir de 1770, Chatham dénonça la politique d'oppression du gouvernement à l'égard des colonies d'Amérique, sans pour autant se

résoudre à reconnaître leur indépendance. En avril 1778, la Chambre des lords réunit une commission pour débattre de l'état de la Nation. Le duc de Richmond (à droite du dessin, tenant un rouleau de papier) prit la parole pour réclamer d'urgence le retrait des forces armées britanniques des colonies américaines. Lorsque Chatham se leva de la tribune pour s'opposer au défaitisme de Richmond, ses forces lui manquèrent et il s'écroula. Il mourut un mois plus tard.

Comme beaucoup d'Américains, J.S. Copley admirait Chatham. Peintre d'histoire ambitieux, récemment arrivé en Angleterre, il entrevit les possibilités de succès que pouvait offrir la description de ce moment tragique. Comme il n'avait pas réussi à obtenir une commande, il se lança tout seul dans l'aventure. En exécutant le tableau pour son compte, il put se permettre d'allier audacieusement deux genres totalement distincts — histoire et portrait — de façon à créer une peinture d'histoire caractérisée par un réalisme méticuleux. Le résultat est sans précédent.

Outre ce tableau, que l'on peut situer vers 1779, la Tate Gallery possède une seconde étude préparatoire de Copley pour la *Mort du comte de Chatham*, comme aussi le tableau lui-même, qui fut présenté au pays en 1830 par le comte de Liverpool.

C.B.-O.

442
La Mort du général Wolfe

par William WOOLLET, d'après Benjamin West
Bibliographie : Erffa, Staley, 1986, pp. 55-58 et 206-216.

Londres, British Museum (inv. 1840-3-14-170).

Mortellement blessé alors qu'il commandait l'expédition britannique contre les Français au Québec, le général James Wolfe (1727-1759) eut néanmoins le temps, avant de mourir, d'apprendre le succès de son audacieuse offensive. Le tableau montre le général agonisant, le 13 septembre, dans les plaines d'Abraham, aux portes de Québec ; à l'extrême gauche, un soldat brandissant un étendard français capturé arrive en courant annoncer la victoire.

L'Américain Benjamin West (1738-1820) s'établit à Londres en 1763 comme peintre de portraits et de tableaux d'histoire. Exposée à l'Académie royale de Londres en 1771, sa peinture *La Mort du général Wolfe* (1770, Ottawa, National Gallery) fit sensation. Se démarquant de Reynolds, qui préconisait dans la peinture des héros les traditionnels vêtements drapés à l'«antique», Wolfe fait porter à ses soldats des uniformes contemporains, arguant que l'événement s'était déroulé le 13 septembre 1759, dans une région du monde inconnue des Grecs et des Romains, et à une époque où n'existaient plus ces pays ni ces héros drapés dans leurs costumes. Même ainsi, la scène décrite par West est de pure imagination, depuis le symbolique Indien d'Amérique au premier plan jusqu'au groupe d'officiers entourant Wolfe, qui ont été identifiés, mais qui, pour la plupart, auraient été blessés dans d'autres combats. Par sa nouveauté, le traitement de la scène fit date dans le développement de la peinture d'histoire anglaise et suscita l'admiration des peintres tels que John Singleton Copley et Jacques-Louis David.

L'éditeur-graveur Alderman Boydell commanda à William Woollet (1735-1785) une gravure de *La Mort du général Wolfe*. Éditée en 1776 en taille-douce (technique plus appropriée pour réaliser des éditions importantes que la manière noire, plus à la mode), cette gravure connut l'un des plus grands succès commerciaux jamais obtenus dans le genre. Elle rapporta en 1785 à Boydell (qui n'était intéressé que par un tiers des bénéfices) la somme de £ 15 000.   C.B.-O.

443
Trait d'humanité de Louis XVI pendant l'hiver 1784

par Philibert-Louis DEBUCOURT

Huile sur toile. H. 0,61 ; L. 0,82.
Inscription : «P.L.Debucourt 1785».
Historique : acheté en vente publique par le musée de Versailles en 1951.
Expositions : 1785, Paris, Salon (ne figure pas au livret) ; 1829, Paris, Galerie Lebrun, n° 95, p. 23.
Bibliographie : Guiffrey, 1873, pp. 74-75 ; Fenaille, 1899, n° 10, p. 10 ; Goncourt, 1901, pp. 217-218 ; Bouchot, 1904, pp. 23-26.

Versailles, musée national du Château
(inv. M.V.7896).

Debucourt, plus connu pour ses gravures qui obtinrent un vif succès, renonça à la peinture après 1785 ; nous avons donc ici un ultime témoignage de ses talents de peintre. Affectionnant plus la peinture de genre et les sujets sentimentaux, la peinture d'histoire ne fut en rien sa spécialité. Le tableau que nous présentons ici eut une étrange destinée. En effet, son exposition au Salon de 1785 aurait été refusée «par un sentiment de délicatesse de Louis XVI». Nous reproduisons ici la lettre que Debucourt adressa à d'Angiviller peu de temps avant l'ouverture du Salon : «Mr le Comte. D'après les ordres que vous avez donnés pour que je n'expose pas un tableau au Salon, représentant un trait de bienfaisance du Roy, inséré dans plusieurs papiers publics, je m'y suis conformé avec le respect et la soumission dont j'ai toujours été pénétré pour le protecteur bienfaisant qui dirige les Arts. Mais, Monsieur le Comte, pour ne pas perdre entièrement le fruit d'un an de travaux et conserver dans le public ma réputation, n'ayant d'autre fortune que mes ouvrages, j'ay pris le parti de changer entièrement la figure de Sa Majesté et d'ôter toutes les marques qui pouvoient faire reconnoître. N'existant donc plus aucun titre dans le catalogue ny aucunes des causes pour lesquelles vous aviez donné cet ordre, je vous supplie, Monsieur, de vouloir bien avoir l'in-

La Mort du comte de Chatham (cat. 441).

La Mort du général Wolfe (cat. 442).

dulgente bonté de le révoquer et de me faire la grâce de permettre que mon tableau soit exposé au public : celui-là étant le seul sur lequel je puisse fonder quelque espoir par les soins que j'y ai portés et les éloges que j'en ai reçus de la plupart des membres de l'Académie. J'ose espérer que le Ministre éclairé, etc. » La réponse date du 25 août, soit le jour d'ouverture du Salon : « M. le Comte a consenti à ce que le tableau fut exposé et M. Pierre a écrit à M. Debucourt à cet effet. »

Cet intéressant épisode donne au tableau une autre portée historique, d'autant que, gravé en 1787 par Guyot, le titre d'origine, *Trait de bienfaisance et d'humanité du Roy,* est alors restitué sur l'estampe accompagné d'un long texte explicatif rappelant l'épisode dans le détail : « Un jour du mois de février du grand hiver 1784... » Cette gravure annoncée dans le *Journal de Paris* du 20 mai 1787 est citée comme appartenant à une série d'exemples « d'héroïsme national et étranger ». En 1829, le tableau « appartient à S.A.R. Madame la Dauphine » comme l'indique le livret édité à l'occasion de l'exposition se tenant à la Galerie Lebrun « au profit de la caisse ouverte pour l'extinction de la mendicité ». Cette scène émouvante que Greuze n'aurait pas démentie y avait bien sa place.   B.Ga.

444

*Le Donneur de sang
ou le Dévouement
d'un père de famille italien*

par Jacques-Henri SABLET

Huile sur toile. H. 0,99 ; L. 1,36.
Historique : achat de Gustave III, 1784 ; château de Drottningholm jusqu'en 1956, date où le tableau entra dans les collections du Musée national.
Expositions : 1982, Stockholm, n° 84 ; 1985, Nantes, Lausanne, Rome, n° 10, repr. et pp. 28-29.
Bibliographie : Memorie per le Belle Arti, mars 1785, pp. 38-39 ; Hautecœur, 1912, pp. 179-180 ; A. Van de Sandt, 1982, n° 12 ; *idem*, 1984, n° 12.

Stockholm, Nationalmuseum (inv. M.N.5343).

Dans l'art de la seconde moitié du XVIIIe siècle, un des assez rares « exempla virtutis » empruntés à la vie contemporaine plutôt qu'à l'histoire de l'Antiquité est cette composition exécutée à Rome par le peintre suisse Jacques Sablet. Elle lui avait été commandée en 1784 par le roi de Suède, Gustave III. Une esquisse du tableau appartenant au musée Alexis-Forel de Morges porte au revers une inscription qui a permis d'identifier avec exactitude le sujet, emprunté aux *Annales de France*. Sablet a mis en scène une famille italienne « jadis fortunée, aujourd'hui réduite à la misère ». Le père ayant appris qu'un jeune chirurgien avait besoin d'un « cobaye » pour apprendre à pratiquer des saignées s'était présenté chez lui et fait saigner aux quatre veines. Les vingt-quatre sols que cela lui avait apporté lui avait permis de procurer du pain pour sa famille. Cependant, ses pansements s'étant défaits, celle-ci s'aperçoit

avec terreur que ses bras sont tout ensanglantés...

Ce pain acheté du sang d'un *pater familias* constituait un bel exemple pédagogique d'esprit de sacrifice et de dévouement familial, tout à fait dans la veine de Rousseau, de Diderot et de Greuze. Le petit mélodrame de Sablet eut

d'autant plus de succès qu'il avait su allier cette leçon de morale avec une grande variété d'expressions — allant de l'épouvante à la faim pure et simple — et beaucoup de pittoresque dans la représentation de la chaumière délabrée et des costumes italiens vivement coloriés.   P.Gr.

Trait d'humanité de Louis XVI pendant l'hiver 1784 (cat. 443).

Le Donneur de sang ou le Dévouement d'un père de famille italien (cat. 444).

XI
LES PRÉCÉDENTS
DU MOUVEMENT
RÉVOLUTIONNAIRE

Le dernier quart du XVIII siècle fut marqué en Europe par divers mouvements insurrectionnels : Genève, les Provinces-Unies, les Pays-Bas autrichiens et la France furent le théâtre de révoltes d'importance et de durée variables mais qui ont paru présenter, déjà aux yeux des contemporains, des traits communs. La localisation de ces mouvements et leur relative concomitance avec la révolution américaine a même permis à Jacques Godechot d'avancer, en 1955, l'hypothèse, vivement contestée d'ailleurs, d'une « révolution atlantique ou occidentale » qui aurait pris naissance en 1770 en Amérique du Nord et aurait eu des prolongements vers l'Amérique latine jusque vers 1825, et vers l'Europe jusqu'en 1848, en commençant dès 1780 dans les régions les plus occidentales pour gagner seulement ensuite l'Est européen, ce qui est peut-être faire trop peu de cas, pour la Russie, de la rébellion de Pougatchev, écrasée dès 1775.*

Le tableau de l'Europe à la veille de la Révolution, qui constitue la première partie de cette exposition, aurait été incomplet sans une évocation de ce que, compte tenu de l'ampleur respective de ces révoltes, nous avons tendance à considérer comme des précédents du mouvement révolutionnaire français. Si la révolution américaine se déroula sur un autre continent, elle eut de profondes répercussions en Europe, ébranlant (pour peu de temps il est vrai) la puissance britannique, aggravant la situation financière de la France, donnant surtout l'exemple d'une insurrection victorieuse, capable de jeter les bases d'un nouvel ordre politique fondé sur la souveraineté populaire. Le « mouvement patriote » des Provinces-Unies, par ses objectifs et sa symbolique paraît préfigurer plus directement encore la Révolution française. Comme dans le cas de la révolte de Genève, son écrasement par les armées des souverains étrangers a pu justifier les espoirs de Louis XVI et de Marie-Antoinette en l'intervention de l'Autriche et de la Prusse. A l'inverse la révolte des Pays-Bas autrichiens, où le clergé joua un rôle essentiel, et dont les réformes « éclairées » de Joseph II avaient donné le signal, paraît préfigurer certains mouvements contre-révolutionnaires : « guerre de Vendée » ou soulèvement des « Viva Maria » en Italie.

Le buste de Van der Noot est substitué à celui de Joseph II (cat. 480, détail).

LA RÉVOLUTION AMÉRICAINE

445
Au génie de Franklin

par Marguerite GÉRARD, d'après J.-H. Fragonard

Eau-forte connue en deux états. H. 0,555; L. 0,478.
Inscription : « ERIPUIT COELO FULMEN SCEP-
TRUMQUE TIRANNIS » au bas de la gravure, et « Au
GENIE De FRANKLIN ».
Expositions : 1956, Paris, BN, nᵒ 34, p. 8, pl. VII;
1976, Rennes, nᵒ 113, p. 42; 1987-1988, Paris, Grand
Palais, New York, nᵒ 240, pp. 488-489, repr. p. 489.
Bibliographie : Wildenstein, 1956. nᵒ XXVII, pp. 40-
41; Pognon-Bruand, IX, 1962, nᵒ 27, P. 291; Betz,
1966, pp. 111-114; Hébert, Pognon, Bruand, X, 1968,
nᵒ 3, p. 107; Sheriff, 1983, pp. 180-193.

Paris, Bibliothèque nationale, cabinet des Estampes
(inv. Ef.100a).

C'est en septembre 1778 que Benjamin Franklin (1706-1790) est nommé ministre plénipotentiaire des États-Unis auprès de la cour de
France, après le succès des négociations, la
signature, le 6 février 1778, d'un double traité
d'alliance et de commerce et la reconnaissance
officielle du nouvel État. Mais la popularité du
diplomate, en France depuis la fin de l'année
1776, est déjà fermement établie comme en
témoigne la vogue de ses portraits qui prend
une ampleur inusitée : « On n'a pas manqué de
graver M. Franklin, dont le portrait est devenu
l'étrenne à la mode... » (L'*Espion anglois*,
17 janvier 1777). Franklin est très sollicité et
pose volontiers, au début de son séjour, pour
de nombreux artistes : Greuze (Paris, Petit
Palais), Cochin (gravé par A. de Saint-Aubin),
Anne-Rosalie Filleul, Anna Vallayer-Coster...
Portraits peints et gravés, statuettes de bronze
ou de faïence (cat. 447), médaillons de terre
cuite à l'image de ceux que réalise J.-B. Nini,
sculpteur et céramiste italien, travaillant pour
le compte d'un ami de Franklin, Le Ray de

Chaumont, et enfin portraits sculptés par Caffieri (Salon de 1777, Paris, bibl. Mazarine) et
par Houdon dont le buste exposé au Salon de
1779 (Paris, Louvre) crée le type iconographique destiné à connaître la plus grande postérité. A ce même Salon, Joseph Siffred
Duplessis présente un portrait qui suscite l'enthousiasme de la foule des visiteurs. Le tableau
appartient aujourd'hui aux collections du
Metropolitan Museum de New York et
conserve le cadre avec lequel il a été exposé
au Salon. Ce cadre, splendidement sculpté, est
décoré des attributs de la liberté, de la paix et
de la victoire, tandis que le héros américain est
identifié par un seul mot « VIR » (Homme). Du
même esprit procède la gravure de Bligny
(Paris, B.N., cabinet des Estampes, N.2)
dédiée à « Son Excellence » le « Ministre plénipotentiaire à la Cour de France » qui l'a
« acceptée le 14 juillet 1780 » : Diogène reconnaît en Franklin l'homme qu'il cherchait avec
sa lanterne.
Le 20 novembre 1778, le *Journal de Paris*
(p. 1278) annonce la parution d'une eau-forte
consacrée au *Génie de Franklin* « gravée par
Mlle Gérard d'après les dessins et sous les yeux
de Fragonard. » (Paris, 1987-1988, p. 489).
J.-H. Fragonard s'est à deux reprises intéressé
à Franklin, le dessin préparatoire à la gravure
exposée est conservé à la Maison-Blanche et
présente des modifications importantes par
rapport à l'œuvre définitive. Celle-ci propose,
dans une vision très théâtrale, plus qu'un portrait emblématique de Franklin, l'image ambitieuse d'un sujet dans le « Grand Genre », ainsi
que le confirment le recours à l'allégorie et la
citation latine qui l'accompagne : « ERIPUIT
COELO FULMEN SCEPTRUMQUE
TIRANNIS » (« Il arrache la foudre au ciel et
le sceptre aux tyrans. ») Cette devise composée
par Turgot à l'imitation d'un vers de l'Anti-
Lucrèce, proclame la prééminence du savant
et de l'homme d'État, et devient vite insépa-
rable de Franklin. Lorsqu'il prend connaissance de cette formule, gravée sur plusieurs
médaillons de J.-B. Nini (qui reprend une formule utilisée dans les portraits que lui
commande la noblesse française et insère entre
les mots, tels des éléments héraldiques des blas-
ons nobiliaires, un paratonnerre ou un éclair
jaillissant des nuages) et sur la médaille à son

effigie, demandée à Augustin Dupré, Franklin
répond : « J'ai laissé la foudre là où elle était
auparavant et quant à ce qui est d'arracher
leur sceptre aux tyrans, un million de mes
compatriotes ont pris part avec moi à la tâche. »
(Exp. : Rennes, 1976, p. 43). Rivarol reprendra
avec bonheur la très célèbre formule dans un
« projet de décret », brillant pamphlet antirévolutionnaire publié dans *les Actes des apôtres*
en 1790 (cité par G. Gengembre, *A vos plumes
citoyens*, Paris, 1988, p. 137).
La lecture d'une érudition discrète, qu'en fait
Pahin de la Blancherie (Nouvelles de la République des Lettres et des Arts, 1779, nᵒ 1, p. 4,
cité par Rosenberg, 1987-1988, p. 489) offre un
parallèle avec l'éloge historique : « Le peintre
l'a représenté tout à la fois opposant d'une main
l'égide de Minerve à la foudre qu'il a su fixer
par des conducteurs, et de l'autre ordonnant à
Mars de combattre la tyrannie et l'avarice ;
tandis que l'Amérique, noblement appuyée sur
lui et tenant un faisceau, symbole des Provinces-Unies, contemple avec tranquillité ses
ennemis terrassés. » Ce genre littéraire connaît
un grand succès à Paris dès les années 1759-
1770, l'*Essai sur les Éloges* (Paris, 1773) de
A.-L. Thomas en définit les règles. Daniel
Roche, dans sa récente étude sur les *Républicains des lettres* (Paris, 1988), propose de voir
dans l'éloge non seulement la « matière d'une
édification à l'antique, pour laquelle Plutarque
reste le grand modèle et l'Histoire maîtresse
des vertus », mais aussi une forme de
l'« offensive philosophique où se concilient une
critique discrète du prince et de ses gouvernements, l'éloge de la monarchie française et
l'appel au changement. »
Les œuvres à sujet historique, au sommet de
la hiérarchie des genres, célèbrent des « exempla virtutis » tirés de l'histoire ancienne. Bernard Lamblin (*Peinture et Temps*, Paris, 1983)
fait remarquer que l'idéalisme de la théorie
académique et les principes du « Grand Goût »
contraignent la figuration de la réalité jusqu'à
la fin du XVIIIᵉ siècle, notamment en France.
C'est donc sous la forme d'allégories que sont
traités les sujets, car elles permettent « d'élever
au surhumain... et d'arracher à la contin-
gence ». Dès 1767, Diderot, dans l'*Essai sur la
peinture* (Paris, 1767, pp. 500-501), s'insurge
contre le recours systématique à l'allégorie :

Un Insurgent à Paris, Benjamin Franklin

Benjamin Franklin (1706-1790) et George Washington (1732-1799)
demeurent aux yeux des Français les figures les plus populaires de
l'Indépendance américaine. Depuis le 4 juillet 1776, dans une Déclaration solennelle à la face du monde, les treize colonies britanniques
d'Amérique septentrionale ont décrété leur union et la naissance d'une
nouvelle nation, libre et indépendante : les États-Unis.
Franklin est l'un des trois commissaires nommés par le Comité
secret de correspondance du Congrès à l'automne de 1776, chargés de
négocier un traité avec la France. Les délégués américains : Franklin,
Lee et Deane viennent solliciter l'aide française afin de faire échouer
la tentative anglaise de mise au pas de ses ex-colonies rebelles.
Quand il débarque à Auray pour son troisième séjour à Paris,
Franklin n'est pas un inconnu. Sa réputation de savant, d'homme de
lettres et de philosophe n'est plus à faire depuis longtemps. Quant à
l'homme politique, les récents événements, de l'abrogation du « Stamp

Act » en 1766 à la Déclaration d'indépendance, ont mis en lumière ses
compétences. Pour bien des Français, cependant, il reste le « Bon-
homme Richard » dont l'*Almanach*, déjà célèbre depuis sa traduction
de 1773, connaît six éditions à Paris entre 1776 et 1778, et renferme
mille informations et sentences où le bon sens prévaut.
Benjamin Franklin répond à l'attente des Français, ils découvrent
en lui l'Insurgent, le cultivateur de Pennsylvanie, un vrai Quaker à
l'image de ceux dont Voltaire fait l'éloge dans les *Lettres sur les
Anglais* (1773). « Ce Quaker est dans le costume de sa secte. Il a une
belle phisionomie, peu de cheveux, un bonnet de peau qu'il porte
constamment sur sa tête... point de poudre, mais un air net » (l'*Espion
anglois*, extrait de la lettre de l'abbé Flamarens du 15 janvier 1777, cité
par A.O. Aldridge, *Benjamin Franklin et ses contemporains français*,
Paris, 1963, p. 58). Franklin se garde bien de rectifier cette légère
méprise à son endroit et cultive même le genre, il en adopte l'extrême ▶

Au génie de Franklin (cat. 445).

simplicité de manières et l'air grave ; il devient la coqueluche de la mode à Paris : les femmes se coiffent à l'« Insurgent ». Sa tenue sobre étonne et ravit les tenants d'un retour à des mœurs plus simples et vertueuses, proches de celles qu'évoquent les œuvres de Jean-Jacques Rousseau. « Ce qui est sûr, c'est qu'il était comme Curtius, l'enfant des vertus. » (l'*Espion anglois*, A.O. Aldridge, *op. cit.*, p. 62). Le patriarche de Pennsylvanie (il a alors soixante-neuf ans) apparaît doublement auréolé du prestige du sage raisonnable à la Voltaire et d'enfant de la nature comme Rousseau. La fascination qu'exerce le personnage étonne John Adams, futur président des États-Unis, lorsqu'il arrive à Paris en avril 1778 : « La réputation de Franklin était plus universelle que celle de Leibnitz ou de Newton, de Frédéric II ou de Voltaire... Son nom était familier au gouvernement et au peuple, aux rois, aux courtisans, aux nobles, au clergé, aux philosophes, aux plébéiens... Quand ils parlaient de lui, ils semblaient croire qu'il allait restaurer l'âge d'or. » (Cité par A. Krebs, *Benjamin Franklin et la France*, Informations et Documents, U.S.I.S., 1956, n° 41, p. 27). Sa popularité est immense ; « on remonte à son origine qu'on parut vouloir revendiquer pour la France » ; on rapproche son nom de celui d'un Picard, Franquelin, débarqué en Angleterre avec la flotte de Jean de Biencourt (cf. A.O. Aldridge, *op. cit.*). Selon Condorcet, dont il est l'ami, Franklin croit « au pouvoir de la raison et à la réalité de la vertu » ; les besoins de la communauté l'emporte toujours, il est avant tout un citoyen, le scientifique vient ensuite. Franklin, fondateur de l'« American Philosophical Society for promoting useful Knowledge », déjà membre de la Royal Society de Londres, est élu, en 1772, associé étranger à l'Académie des sciences de Paris. A ce titre, il participe activement aux travaux de l'Académie et concourt à l'élaboration du rapport sur le magnétisme animal en 1784. Il s'enthousiasme pour les ascensions en ballon réalisées à Paris sous la direction du physicien Charles. Mais, plus qu'un savant au sens moderne du terme, il est un génial inventeur, un homme de toutes les curiosités, qui recherche toujours un champ d'applications pratiques à ses investigations. Ses travaux sur l'électricité font rapidement autorité en Europe. Et si son nom reste souvent associé à l'invention du paratonnerre, Franklin est aussi l'auteur de travaux théoriques majeurs dans l'histoire du « fluide ▶

électrique » (théorie des condensateurs, connus au XVIIIᵉ siècle sous la forme de bouteilles de Leyde et théorie dite du fluide unique) ; son ouvrage paru en 1747 devient rapidement le *vade mecum* du discours électrique. Franklin, selon un bon mot du duc de Croÿ, au lendemain de la signature du traité de 1778, « électrise les deux bouts du monde ».

Ses activités diplomatiques prennent des tours variés. Les négociations avec le gouvernement français sont menées par le secrétaire du comte de Vergennes, Conrad Gérard, le syndic royal de la ville de Strasbourg. Le roi se montre hésitant, et s'il n'est pas franchement hostile aux Insurgents, comme l'est la reine, il ne semble guère vouloir s'engager dans une alliance tant que le sort des armes ne paraît guère plus favorable aux Américains. Le ministre des Affaires étrangères, Vergennes, fidèle à la ligne politique de Choiseul, veut restaurer le crédit de la France, la faire rentrer dans le concert des nations après la cruelle défaite et l'affront du traité de Paris en 1763, qui ont rayé la présence française d'Amérique septentrionale ; il voit ainsi l'occasion d'affaiblir la puissance anglaise, dont l'hégémonie commence à inquiéter les Européens.

C'est la victoire de Saratoga, le 17 octobre 1777, où les milices américaines battent le corps expéditionnaire britannique, qui va permettre le déblocage de la situation diplomatique et la signature, le 6 février 1778, à l'hôtel de Coislin, d'un double traité d'amitié et de commerce entre le roi de France et les treize États. Franklin, dans l'attente de ce traité et d'une aide officielle des Français dans la guerre, ne reste pas inactif. Il fait armer des corsaires qui causent des ravages parmi les navires marchands britanniques et reçoit les volontaires, les recommande auprès de Washington. Le jeune marquis de La Fayette part ainsi sur un navire qu'il a armé grâce à une fortune personnelle et rejoint clandestinement les Insurgents, malgré l'interdiction formelle du roi ; il devient l'aide de camp de Washington et son fils adoptif.

Dès avant la défaite anglaise à Saratoga, Franklin considère que toute publicité est favorable à la cause américaine. Il s'occupe directement de journalisme, activité qui lui est familière depuis sa jeunesse. Parmi ses divers projets, le plus vaste consiste en une collaboration aux *Affaires d'Angleterre et d'Amérique*, périodique de propagande publié à Paris, depuis mai 1776, avec le soutien discret de Vergennes. Il offre rapidement des articles, les plus importants sont consacrés à la traduction des constitutions des États. Sa campagne est vite relayée par des intellectuels comme l'abbé Raynal, Condorcet, les affiliés des « Neuf Sœurs » et fait naître un véritable mouvement d'opinion en faveur des Américains, dépassant la curiosité que suscite son personnage, estompant ainsi le souvenir de l'ennemi de naguère. Les nouvelles d'Amérique sont sur toutes les lèvres : « C'est en ce pays une phrase généralement répétée que notre cause est la cause du genre humain et qu'en défendant notre liberté nous combattons pour la liberté du monde. C'est une tâche glorieuse que nous a assignée la Providence. » (Lettre de B. Franklin au Dr Cooper, le 1ᵉʳ mai 1777, cités dans B. Franklin, *Textes choisis*, Paris, 1935). A la fin de son séjour, au cours de l'hiver 1783-1784, il rédige deux ouvrages qui obtiennent un grand succès dans toute l'Europe : *Informations pour ceux qui voudraient émigrer en Amérique*, où il détruit les erreurs qui circulent sur son pays, et les *Remarques concernant les sauvages de l'Amérique du Nord*.

Il est bien entendu présent dans les salons les plus en vue de la capitale : celui du baron d'Holbach, de l'abbé Morellet, chez Mme du Deffand, très opposée pourtant à la cause des Insurgents, dont le salon est « le plus grand bureau de l'esprit, de nouvelles et de cancans de l'Europe ». Dans une lettre du 31 décembre 1777, elle relate à son cher ami Horace Walpole, la première visite de Franklin, alors que Paris apprend la victoire de Saratoga. Bernard Fay (*Benjamin Franklin*, Paris, 1929-1931) analyse finement l'attitude de l'Américain qui surprend tous les invités : « On ne prévoyait pas, que semblable à un patriarche, il se tairait en souriant, qu'il attendrait que les autres parlent... Il quitta la place en vainqueur. Il avait découvert spontanément le seul moyen de fasciner et d'intimider le Beau Monde. » Franklin aime à se rendre chez son amie, Mme Helvétius, à qui il donne le joli surnom de Notre-Dame d'Auteuil et chez qui il rencontre certains parmi les membres les plus brillants de l'élite intellectuelle ; nombre d'entre eux sont également membres de la loge des Neuf Sœurs, à laquelle il est affilié en 1778, la même année que Voltaire, et dont il devient le vénérable en 1779. Ses amitiés maçonniques lui seront très utiles pour obtenir des fonds et subvenir aux besoins de la nation en

guerre. Son rôle le plus important à Paris, en effet, est d'être secrétaire du Trésor délégué en Europe. Les prêts du gouvernement français se montent à dix-huit millions de livres ; ce dernier est relayé par les banquiers hollandais qui vont racheter ainsi une grande partie des créances américaines en France.

Franklin reçoit également de nombreuses visites à l'hôtel de Valentinois où il est l'hôte de son ami Jacques-Donatien Le Ray de Chaumont ; les diplomates étrangers de passage, les grands seigneurs, tels le comte de Lauragais, le duc de Chaulnes ou le duc de Croÿ, sont ses invités et contribuent au renom et à la légende du diplomate.

1780, alors que les troupes françaises débarquent à Newport, le Congrès charge Franklin, John Jay et Thomas Jefferson de collaborer aux négociations de paix que John Adams entreprend avec les Anglais ; c'est cependant à Franklin que revient la part la plus importante des discussions. Certains des négociateurs américains conçoivent de la méfiance à l'égard de la France et obtiennent de Franklin de négocier secrètement. Le 28 novembre 1782, des préliminaires de paix sont conclus avec la Grande-Bretagne. Franklin se charge d'en avertir Vergennes qui s'étonne, dénonce l'infraction au traité de 1778 et fait aussi remarquer au diplomate, qui s'en excuse, combien le procédé est peu obligeant pour le roi de France. Le traité définitif avec l'Angleterre est signé le 3 septembre 1783 en grande pompe (à la différence du traité de 1778) dans la salle des traités de Versailles. La France est représentée par le comte de Vergennes, son fils et M. de Rayneval, le frère du négociateur de 1778, l'Angleterre par le duc de Manchester, les États-Unis par Franklin et Jay. Certaines des grandes puissances européennes sont représentées : le comte d'Aranda pour l'Espagne, le comte de Mercy pour l'Autriche et le prince Bariatinsky pour la Russie.

Franklin quitte la France en 1785, remplacé par Thomas Jefferson, qui reste à Paris jusqu'au 8 octobre 1789, deux jours après le retour forcé du roi aux Tuileries. Lorsque éclate la Révolution en France, Franklin suit avec attention le déroulement des événements ; beaucoup de ses amis parisiens y participent et le tiennent informé de l'évolution de la situation.

Son souvenir reste vivace à Paris ; la célébration du personnage prend parfois des tours plus populaires : des effigies à son image sont taillées dans les pierres de la Bastille, symbole de la tyrannie abattue. Un des grands refrains révolutionnaires « Ça ira », lui doit son inspiration : quand on lui demandait des nouvelles d'Amérique, il avait pour habitude de répondre laconiquement de la sorte (*Chronique de Paris*, 4 mai 1792, voir Exp. Paris, 1956, *Benjamin Franklin et la France*, p. 31). Une des sections de Paris prit le nom de Franklin : « Voilà les dignes patriotes/Qui prirent le nom de Franklin(...)/ Vivre libres ou mourir/ Vive la Liberté/ Tyrans (bis), oui/ Des Franklins voilà la volonté./ Nous étions perdus : c'est une vérité/ Franklin (bis) a maintenu notre tranquillité. » (Couplets pour l'arbre de la liberté planté par la section des Franklins sur l'air de « Aux armes, citoyens », Exp. Rennes, 1976, *les Français dans la guerre d'Indépendance américaine*, p. 123).

Lorsqu'il évoque les sources de la déchristianisation de l'an II, Michel Vovelle dans sa récente étude, *la Révolution contre l'Église, de la Raison à l'Être suprême* (Paris, 1988, p. 28) rappelle une proposition de Delacroix le 3 juillet 1792, à la tribune du club des Jacobins, qui suggère de « détruire le catholicisme et de remplacer les figures des saints par les effigies de Rousseau et de Franklin », association-symbole des grands ancêtres du panthéon révolutionnaire.

La nouvelle de sa mort, le 17 avril 1790, est accueillie avec consternation à Paris. Le duc de La Rochefoucauld-Liancourt, dans un discours devant les membres de la « Société de 1789 », fait de Franklin un « exemplum virtutis ».

C'est à Mirabeau que La Fayette propose de prononcer l'éloge funèbre du plus célèbre Américain sur le vieux continent. Le brillant orateur fait un discours politique à la tribune de l'Assemblée nationale et demande que le souvenir du héros soit honoré par un deuil de trois jours. « Apôtre de la Révolution [...] L'Antiquité eût élevé des autels à ce puissant génie qui, au profit des mortels, embrassant dans sa pensée le ciel et la terre, sut dompter la foudre et les tyrans. L'Europe éclairée et Libre doit du moins un témoignage de souvenir et des regrets à l'un des plus grands hommes qui aient jamais servi la philosophie et la liberté. » (Cité par A. Krebs, *op. cit.*, p. 50).

Véronique Barjot-Faux

«Je ne saurais souffrir, à moins que ce ne soit dans une apothéose... le mélange des êtres allégoriques et réels... » qui «donne à l'histoire l'air d'un conte ». Il reconnaît cependant que « les sujets réels sont infiniment plus difficiles à traiter, et qu'ils exigent un goût étonnant de vérité ». (*Salon de 1767*, article Lagrenée, XI. pp. 57-58).

Le génie tutélaire de Franklin, paré des attributs de Minerve (déesse de la sagesse, de la raison, mais aussi de l'intelligence active), se veut ainsi l'augure du règne des philosophes des Lumières et des savants sur le monde. Franklin apparaît en effet à ses contemporains comme la personnification des Lumières des colonies, franchissant l'océan pour éclairer et guider l'Europe. Défenseur des mêmes valeurs de liberté, de justice et d'égalité, il rejoint Voltaire et Rousseau dans le *Flambeau de l'Univers* (miniature, musée de Blérancourt).

La transformation du statut des colonies britanniques amène Fragonard à proposer une modification du système de représentation. Les schémas traditionnels qui, depuis la découverte du continent, assignent à l'Amérique la figure d'un indigène coiffé de plumes parfois accompagné d'un caïman, apparaissent surannés. L'exotisme cède le pas, le sauvage s'efface devant les figures classiques. La dignité du héros requiert l'usage d'un vêtement qui ne prête pas au ridicule : un costume moderne, une tenue de quaker étonne et peut faire sourire : « Rien n'est si mesquin, si pauvre, si maussade, si ingrat que nos vêtements. » (Diderot, *Salon de 1767*, IX, pp. 57-58). Le drapé antique, dans sa majesté et dans son intemporalité, répond au souci de grandeur d'un «exemplum virtutis » et obéit aux exigences du Décorum. Chez l'élite culturelle française des décennies 1770-1780, l'exemple de Rome reste prégnant et la célébration de la vertu américaine un lieu commun dans la littérature d'idées. Les valeurs constitutives de la nation américaine, version moderne d'une république qui confie son devenir aux « seules vertus des citoyens » (E. Marienstras, *Nous le Peuple, les origines du nationalisme américain*, Paris, 1988, p. 423) offrent à l'Europe du XVIIIe siècle un parallèle aux fondements à la république romaine primitive.

La majesté sereine de l'Amérique contraste avec le faciès convulsé des figures torturées, renversées de ses ennemis ; elle énonce la légitimité, l'équité de sa lutte et la force de sa victoire. Les pamphlétaires de Boston ou de Philadelphie dénoncent le roi anglais, le flétrissent du nom infamant de tyran, renouant avec la tradition qui souligne avec force le droit de résistance des sujets ; mais ces accusateurs, pour violents qu'ils soient, n'envisagent aucunement de faire subir à George III le sort de Charles Ier d'Angleterre. Délaissant la couronne britannique grâce à la protection de Franklin, la figure féminine ceint une couronne d'étoiles à l'image de celle qui figure sur le drapeau américain après la décision du Congrès à l'été 1777 : « Les étoiles du nouveau drapeau représentent la constellation des États qui se lèvent à l'Occident... les étoiles forment un cercle symbolisant la perpétuité de l'Union-anneau, tel le serpent d'Égypte, signifiant

l'Éternité. » (*The Pennsylvania Journal*, cité par E. Marienstras, *opus cité*, p. 402).

Cette gravure, fragment d'un discours historique dont le support assure, par sa large diffusion, la notoriété tant du modèle que de son auteur, participe à la célébration du diplomate, figure de proue des Lumières mais aussi du protestantisme libéral, dans un pays où la liberté religieuse n'est pas encore acquise.

De façon simultanée et significative, l'évocation d'événements contemporains fait une entrée remarquée sur le devant de la scène picturale avec *la Mort du général Wolfe* (1771) de Benjamin West (cat. 442), *la Mort du comte de Chatham* (1780) de John Singleton Copley (cat. 441) et *la Sortie de la garnison de Gibraltar* (1778) de John Trumbull qui sont des créations de la peinture d'histoire américaine en ses débuts.   V.B.-F.

446
Scènes de la guerre d'Indépendance américaine entre août 1764 et 1783

par D. BERGER, d'après D. Chodowiecki

Suite de douze gravures. H. 0,095 ; L. 0,05 (chacune).
Inscription : signé et daté en bas à droite de la première gravure : « Daniel Chodowiecki ; D. Berger, 1784 » ; voir aussi *infra*.
Historique : don de Mme David-Weil en 1931.
Exposition : 1987, Paris, musée de la Seita, n° 149, p. 102.

Blérancourt, musée de la Coopération franco-américaine (inv. MNB CFA c232 1 à 12).

Cette série de douze gravures évoque, un an après la conclusion des traités de Versailles et de Paris qui mettent fin à la guerre, les épisodes significatifs de l'histoire de l'Indépendance américaine. Le format réduit (0,095 ; 0,05) et le court texte de commentaire en allemand suggèrent que ces eaux-fortes aient été destinées à l'illustration d'almanachs et de livres, dont Daniel Niklaus Chodowiecki (1724-1808), dessinateur et graveur allemand d'origine polonaise, se fait une spécialité à Berlin.

1 - « Les Américains se dressent contre le "Stamp Act" et brûlent à Boston le papier timbré en provenance d'Angleterre en août 1764. »

En 1763, à l'issue de la guerre de Sept Ans (dénommée French-Indian War) qui a vu s'affronter les Français et les Anglais, finalement victorieux, sur le continent nord-américain, le Trésor britannique connaît de graves difficultés ; le gouvernement de Londres considère que les colons, principaux bénéficiaires de la victoire qui élimine le spectre de la menace française, doivent participer à l'effort de reconstruction financière. A partir de 1764, le Parlement confirme ou vote plusieurs mesures de taxation : le « Sugar Act » sur les mélasses et surtout le « Stamp Act » de 1765 qui prévoit l'apposition obligatoire d'un timbre sur tout acte officiel ou tout document public. Cette dernière taxe provoque la levée en masse des protestations. Les colons s'insurgent : « Taxa-

tion without representation is Tyranny. » (Benjamin Franklin, lettres publiées dans le *London Chronicle* du 6 au 8 février 1766). Dans la tradition des institutions britanniques, inscrite quasiment depuis la Grande Charte de 1215, ne paie l'impôt que celui qui l'a consenti par ses représentants légaux ; or, les colonies ne comptent pas de représentants au Parlement de Londres.

Une adresse au roi George III et une pétition au Parlement sont rédigées par le Congrès de New York (7-25 octobre 1765) qui réunit les délégués de neuf des treize colonies. Un boycott des produits anglais est décidé ; mais les réactions prennent parfois un tour très violent : les « Fils de la Liberté », association de défense récemment créée, s'en prennent aux distributeurs de papier timbré et aux contrôleurs royaux. Cette loi « odieuse » sera abrogée en 1766 à l'occasion du changement de gouvernement et grâce à l'action de Benjamin Franklin, délégué de Pennsylvanie à Londres, et des commerçants britanniques inquiets des répercussions du boycott américain sur leurs activités. Un climat de tension s'instaure entre la métropole et ses colonies.

2 - « Les habitants de Boston jettent à la mer le thé anglais le 18 octobre 1773. »
Cet incident connu sous le nom plaisant et évocateur de « Boston Tea Party » intervient trois ans après le premier événement grave : le « Massacre de Boston » du 5 mars 1770 où cinq personnes trouvent la mort dans une altercation avec des soldats anglais.
Ulcérés par le vote du « Tea Act » de 1773 qui donne à la Compagnie des Indes orientales le monopole du commerce du thé dans les colonies, les habitants de Boston, conduits par Samuel Adams et déguisés en Indiens Mohawk, prennent d'assaut, dans la nuit du 16 décembre 1773, trois navires de la Compagnie ancrés dans le port et jettent par-dessus bord la cargaison de thé, évaluée à £ 100 000. En réponse, Londres promulgue en 1774 les « Lois intolérables ». Cette répression crée un climat révolutionnaire dans les colonies.

3 - « Le premier sang patriote pour la fondation de la liberté américaine coule à Lexington en avril 1775. »
Les miliciens américains, prévenus par le patriote Paul Revere, horloger de Boston d'origine française, de l'imminence d'une attaque sur le dépôt d'armes constitué secrètement à Lexington (près de Boston), montent un guet-apens aux troupes britanniques. Cet accrochage est considéré comme l'épisode inaugural de la guerre d'Indépendance et la première victoire américaine. Il sonne le ralliement des patriotes dans toutes les provinces. Les Américains comptent dans leurs rangs huit morts et dix blessés qui apparaissent comme les martyrs de la liberté.

4 - « Première bataille rangée entre Américains et Anglais à Bunker's Hill le 17 juin 1775. »
Après la défaite et leur retraite dans Boston, les troupes anglaises assiégées par les miliciens tentent une sortie et prennent, au prix de lourdes pertes, la redoute construite par les Américains sur l'éminence de Bunker's Hill, qui domine la Charles River.

Die Americaner wiedersetzen sich der
Stempel Acte und verbrennen das aus
England nach America gesandte Stempel-
Papier zu Boston im August 1764.

Die Einwohner von Boston werfen den
englisch-ostindischen Thee ins Meer
am 18. December 1773.

Das erste Bürger Blut zu Gründung
der Americanischen Freyheit, vergossen
bey Lexington am 19ten April 1775.

Die erste förmliche Action zwischen
den Americanern und Engländern bey
Bunkers-Hill am 17ten Junius 1775.

Der Congreß erklärt die 13 vereinigten
Staaten von Nord-America für in-
dependent am 4ten July 1776.

Die Hessen vom General Washington
am 25ten Dec: 1776 zu Trenton überfal-
len, werden als Kriegsgefangne zu Phi-
ladelphia eingebracht.

Die Americaner machen das Corps des
General Bourgoyne zu Gefangnen bey
Saratoga. Am 16ten Octobr 1777.

Dr. Franklin erhält als Gesandter des
Americanischen Freystaats, seine
erste Audienz in Frankreich, zu Versailles am 20ten März 1778.

Landung einer Französischen Hülfs-
Armee in America, zu Rhode Island
am 11ten Julius 1780.

Major André, von drey Americanern angehalten zu Tarrytown
am 23ten Septembr 1780.

Die Americaner machen den Lord Cornwallis mit seiner Armee zu Gefangnen,
bey Yorktown den 19ten October 1781.

Ende der Feindseligkeiten. Die Eng-
länder räumen den Americanern
Neu-Yorck ein. 1783.

Scènes de la guerre d'Indépendance américaine entre août 1764 et 1783 (cat. 446).

5 - « Le Congrès proclame l'indépendance des treize colonies le 4 juillet 1776. »

Depuis le début de l'année 1776, l'idée d'indépendance fait son chemin dans les esprits. Thomas Paine, dans un pamphlet très violent, *Common Sense*, conclut à la nécessité d'une séparation d'avec l'Angleterre. Le 7 juin, le Virginien R.L. Lee dépose une motion proposant l'indépendance au second Congrès continental, réuni à Philadelphie. Thomas Jefferson, président du comité chargé par le Congrès de rédiger la Déclaration, en est le principal auteur.

Adoptée le 2 juillet par le Congrès, la Déclaration d'indépendance des États-Unis d'Amérique septentrionale est proclamée le 4 juillet 1776.

6 - « Arrivée à Philadelphie des prisonniers hessois, capturés par surprise à Trenton par le général Washington, le 25 décembre 1776. »

La faiblesse numérique et le sous-équipement des effectifs américains face à l'importante troupe des mercenaires recrutés par les Anglais en Hesse et en Russie amène Washington, le général en chef de l'armée continentale américaine, à adopter une tactique de harcèlements et de coups de main. Dans la nuit du 25 au 26 décembre 1776, il surprend les mercenaires hessois dans Trenton et fait 1000 prisonniers ; il refoule les Britanniques à Princeton le 2 janvier 1777 et sauve ainsi Philadelphie où siège le Congrès.

7 - « Les Américains capturent le corps d'armée du général Burgoyne, le 16 octobre 1777 à Saratoga. »

Le 17 octobre, le général britannique Burgoyne à la tête d'une armée composée de Britanniques, d'Allemands, de Canadiens et d'Indiens est battu à Saratoga au confluent de l'Hudson et de la Mohawk, non loin d'Albany, en Nouvelle-Angleterre. Le général H. Gates, commandant des troupes américaines, pour une fois supérieures en nombre à leurs adversaires, relâche après les avoir désarmés les 5 500 hommes capturés à l'issue des combats. Cette victoire éclatante connaît un retentissement international.

8 - « Le Dr Franklin, ministre des États libres d'Amérique, reçu pour sa première audience à Versailles, le 20 mars 1778. »

La victoire de Saratoga, par son prestige, permet la conclusion et la signature le 6 février 1778 d'un double traité d'alliance et de commerce entre la France et les États-Unis d'Amérique.

Ce traité est le fruit de longues négociations secrètes entre les trois commissaires nommés par le Congrès : Franklin, Deane et Lee et le comte de Vergennes, ministre des Affaires étrangères de Louis XVI. La France entre en guerre contre l'Angleterre aux côtés des États-Unis en juin 1778.

9 - « Débarquement de l'armée de secours française en Amérique au Rhode Island, le 11 juillet 1780. »

Dès avant Saratoga, la France aide discrètement les Insurgents. Elle envoie armes et munitions par l'entremise de la maison de commerce Rodrigue Hortales, pseudonyme derrière lequel se cache Pierre Caron de Beaumar-chais, plus connu comme écrivain et auteur dramatique.

En avril 1780, une escadre de 48 navires, commandée par le chevalier de Ternay quitte la rade de Brest. Elle emmène à son bord le corps expéditionnaire français fort de 6 000 hommes, à la tête desquels le roi nomme le comte de Rochambeau.

10 - « Le major André arrêté par trois Américains à Tarrytown, le 23 septembre 1780. »

Le commandement américain connaît, par moments, des tiraillements internes. Tout au long de la guerre, il tente d'établir une balance régionale dans le choix des officiers supérieurs. C'est ainsi que le général Benedikt Arnold, originaire de Nouvelle-Angleterre, se voit refuser le commandement des miliciens de sa propre province au profit du Virginien H. Gates ; il en conçoit une amertume, renforcée par l'alliance avec la France (monarchique et papiste) qui lui paraît contre nature, il trahit la cause américaine. Le major André sera pendu pour sa participation au complot fomenté par le général Arnold à West Point.

11 - « Lord Cornwallis est fait prisonnier avec son armée à Yorktown, le 19 octobre 1781. »

A son arrivée en Amérique, le général Rochambeau se place spontanément sous les ordres du général Washington. Le contingent franco-américain, bientôt rejoint par la puissante escadre de l'amiral de Grasse contraint lord Cornwallis à la rédition des places de York et de Gloucester (Virginie) après un siège de trois semaines. Huit mille vaincus défilent entre deux lignes d'environ deux miles formées par les vainqueurs, tandis que les civils venus de Williamsburg sont massés dans les arbres. Cette bataille décide du sort de la guerre : l'Angleterre est vaincue quatre ans après Saratoga.

12 - « Les Anglais évacuent New York en 1783. »

Jusqu'à la proclamation de l'armistice général le 4 février 1783, les Anglais occupent New York, c'est une épine plantée dans la chair américaine. Les préliminaires de paix sont signés le 30 novembre entre Anglais et Américains à l'insu des Français, contrevenant ainsi à l'une des clauses du traité de Paris de 1778 ; c'est lord Rockingham qui mène les négociations du côté anglais, après le départ de lord North, contraint de démissionner au printemps 1782. Deux traités sont signés le 3 septembre 1783 : traité de Versailles entre la France, l'Espagne (liée à la France par le pacte de Famille et la convention d'Aranjuez d'avril 1779) et l'Angleterre ; traité de Paris entre les Anglais et les Américains. Le souverain britannique reconnaît les États-Unis, États libres, souverains et indépendants.

L'exemple d'une réussite, la création originale d'une république et celui d'une réflexion constitutionnelle retiennent l'attention des membres les plus avancés de l'élite intellectuelle française. De même, la personnalité et le rayonnement des diplomates en poste à Paris, Benjamin Franklin puis Thomas Jefferson, contribuent à diffuser une image exemplaire de la Révolution américaine.

« L'Indépendance américaine et la Révolution de France, en leur première annonciation, sont ressenties par les contemporains comme une promesse, comme la chance d'une ouverture libératrice qui modifie les dimensions de l'homme et du monde. » (Georges Gusdorf, *les Révolutions de France et d'Amérique, la violence et la sagesse*, Paris, 1988, p. 35). V.B.-F.

447
Louis XVI et Benjamin Franklin

Manufacture de Niderviller (Moselle).

Biscuit de porcelaine dure. H. 0,315 ; L. 0,215 ; Pr. 0,120.

Inscription : sur le rouleau de papier : « LIBERTÉ DES MERS » ; à droite sur le socle : « NIEDERVIL-LER » (en creux), « n° 70 » (en creux).

Historique : ancienne collection de la Société industrielle, n° 774 ; déposé au musée de l'Impression sur étoffes en 1976.

Mulhouse, musée de l'Impression sur étoffes (inv. 976-129-1-AB).

Mme Campan décrit fort bien, dans ses mémoires, l'engouement que provoqua, au milieu d'une cour blasée, Benjamin Franklin habillé en costume de « cultivateur américain ». « Le roi, dit-elle, ne s'expliquait jamais sur un enthousiasme que, sans aucun doute, son sens du droit le portait à blâmer. »

Le but de sa visite était certes la signature d'un traité de Commerce et d'Amitié (6 février 1778) qui, s'il portait bien un coup décisif à l'Angleterre, avec qui nous étions en guerre, reconnaissait, par là même, une nation en révolte contre son souverain, nation dont Franklin était le représentant. Dans la confrontation de Louis XVI et de Franklin réside toute l'ambiguïté de la politique de la monarchie.

Ce groupe en porcelaine de Niderviller se fait, d'une façon symbolique, un écho de l'événement. Louis XVI, dans une armure surannée, sans doute destinée à rappeler Henri IV, le roi guerrier et pacificateur, est drapé dans son manteau royal. Il est debout sur une estrade et tend dans un geste plein de condescendante noblesse le traité que Franklin, en contrebas, accepte avec un geste d'étonnement et de gratitude. Les termes de ce traité sont ici réduits à deux grandes idées, « Liberté des mers » et « Indépendance de l'Amérique » (inscription, sans doute effacée sur cet exemplaire mais qu'on peut lire sur d'autres groupes similaires dont un est conservé au musée Carnavalet).

La manufacture de Niderviller, en Lorraine, avait une bonne raison de commémorer ce traité puisque son propriétaire de l'époque, le comte de Custine, avait combattu dans la guerre d'Indépendance américaine aux côtés de Rochambeau. C'est peut-être donc de l'époque de son retour en 1782 qu'on peut dater ce groupe allégorique. Il pourrait également avoir été conçu au moment de la signature du traité de Versailles (3 septembre 1783). On attribue le modèle au sculpteur Charles Lemire qui assurait la direction artistique de la manufacture de Niderviller et qui y introduisit la fabrication du biscuit. P.En.

Louis XVI et Benjamin Franklin (cat. 447).

*Médaille commémorant la reconnaissance
de l'indépendance des États-Unis d'Amérique
par les Provinces-Unies* (cat. 449).

L'Amérique indépendante (cat. 448).

448
L'Amérique indépendante

par Charles de WAILLY

Plume et encre, rehauts de lavis vert. H. 0,140;
L. 0,270.
Inscription : « L'Amérique indépendante/Une frégate
du Roi apportant aux Américains assemblés sur le
rivage de Boston le traité d'indépendance/De Wailly
delineavit 1783. »
Exposition : 1976, Rennes, n° 303.
Bibliographie : Pressouyre, 1963, p. 213.

Paris, musée du Louvre, cabinet des Dessins
(inv. 33.354).

L'obélisque érigé à Port-Vendres, seul monument élevé à la gloire de Louis XVI dont il
reste des vestiges notables, comportait, sur
chaque face de son soubassement, un relief de
bronze illustrant un aspect du règne de
Louis XVI (*cf. supra* cat. 351). Ici, c'est le rôle
de la France dans la guerre d'Amérique qui
est porté au crédit personnel du roi, représenté
en personne sur le navire qui aborde à Boston,
berceau du mouvement des Insurgents. Le
relief, conforme aux projets de De Wailly, qui
traite de façon assez curieuse une scène purement allégorique sous une forme presque réaliste, subsiste encore ; la figure du roi sans doute
mutilée sous la Révolution alors que le relief
se trouvait à la fonderie de Toulon, a été res-
taurée mais rendue méconnaissable par l'adjonction d'un chapeau. Si l'on connaît le nom
du fondeur (Guiart, rue du Pont-Notre-Dame),

celui du sculpteur qui transposa non sans habileté le projet de De Wailly n'est pas fourni par
les textes. Ces reliefs « picturaux » ne sont pas
sans annoncer ceux du soubassement de la
statue de Hoche (par Milhomme, musée du
château de Versailles) sculptés par Boizot.

449
Médaille commémorant
la reconnaissance de l'Indépendance
des États-Unis d'Amérique
*par ces Messieurs les représentants
des États généraux des Provinces-Unies,
le 19 avril 1782*

par J.G. HOLTZHEY

Argent. D. 0,044.
Inscription : sur l'avers : « libera soror solemni decr.
agn. 19 apr. MDCCLXXXII » (reconnue sœur libre
par décret solennel le 19 avril 1782).
Bibliographie : Loon, n° 573.

Amsterdam, Rijksmuseum (inv. V. G. 2846).

La vierge américaine en tenue d'indienne porte
un bouclier orné de treize pierres précieuses et
une chaîne brisée ; elle écrase du pied gauche
un léopard (l'Angleterre). La femme néerlandaise brandit la lance portant le bonnet phrygien au-dessus de l'Américaine pour signifier
qu'elle la considère comme libre et indépendante.   B.K. et M.J.

L'INSURRECTION
DE LONDRES

450
L'Émeute dans Broad Street
le 7 juin 1780 (« The Gordon Riots »)

par J. HEATH, d'après Francis Wheatley

Gravure, épreuve avant la lettre. H. 0,470 ; L. 0,633.
Bibliographie : Webster, 1970, pp. 53-55 ; Bindman,
1988, pp. 87-94.

Londres, British Museum (inv. 1862.6.14.1476).

Après plusieurs jours d'émeutes non réprimées
par la loi et orchestrées par lord George Gordon
dans un climat d'opposition au Parlement, la
population londonienne se trouve confrontée à
la milice urbaine de Londres. Celle-ci commandée par sir Bernard Turner remet de l'ordre
avec discipline et humanité.
Aldeman Boydell, le grand éditeur d'estampes,
commande à Wheatley, peu après l'événement,
une peinture d'après laquelle sera réalisée cette
estampe, probablement pour montrer le sens
civique des marchands de la City et la réponse
inadéquate du gouvernement aux « Gordon
Riots ».
L'œuvre peinte est détruite dans un incendie
avant même que la gravure ne soit achevée,
elle ne sera éditée qu'en 1790.   C.B.-O.

L'Émeute dans Broad Street (« The Gordon Riots ») le 7 juin 1780 (cat. 450).

LA RÉVOLUTION DE 1782
À GENÈVE

É PHÉMÈRE victoire des principes démocratiques, revanche des *bourgeois*, mais aussi du peuple des *natifs* dépourvu de droits politiques sur le patriciat et le parti des *négatifs*, la révolution genevoise du printemps 1782 constitue, au cœur de l'Europe et après les événements d'Amérique, un moment spectaculaire de la lutte des peuples en faveur de leurs droits politiques.

Les événements genevois de 1782 ne représentent pourtant que l'épisode saillant d'un long conflit, riche en rebondissements, qui opposa, durant tout le siècle, les anciens *bourgeois* de Genève au patriciat qui, peu à peu, avait confisqué l'essentiel du pouvoir politique.

A cette lutte d'une « faction » privilégiée au sein de l'État, était venue se greffer dès la fin des années 1760 les combats d'une troisième force, plus populaire et plus nombreuse, celle des *natifs*, ces descendants d'immigrés venus principalement de la France protestante, mais aussi (et de plus en plus) des cantons suisses et de l'Allemagne. Victimes d'un phénomène de raidissement et de fermeture qui n'était pas propre à Genève, ils avaient vu peu à peu leurs espoirs de s'intégrer au corps *souverain* des *bourgeois* s'amoindrir, puis s'évanouir. Cette masse laborieuse, mais non toujours sans bien, était non seulement exclue des honneurs et des quelques droits de dialogue politique qui restaient à la bourgeoisie, mais encore gênée dans son accession aux maîtrises des métiers les plus lucratifs, soumise à de sévères restrictions de commercer et à diverses mesures discriminatoires.

L'explosion genevoise de 1782, qui seule a sensibilisé l'Europe parce qu'elle a mobilisé les cours de France et de Sardaigne et a provoqué l'intervention de leurs armées, n'est donc pas intelligible si l'on ne l'inscrit pas dans le cours de ce long conflit, qui ne prendra fin qu'à la faveur de la Révolution française.

C'est lorsque l'on touche à leur bourse, écrit Rousseau, que les peuples mesurent l'oppression dont ils sont l'objet : cette remarque sied bien aux Genevois. C'est lors de l'instauration de nouveaux impôts, arbitrairement établis par des conseils qu'ils n'élisaient pas, que naît la contestation genevoise vers 1704, et la question de la soumission des impôts au vote rebondira à de nombreuses reprises au cours du siècle : refus de diverses taxes sur les vins *bourgeois* en 1704, contestation d'un lourd impôt destiné à la construction de nouvelles fortifications à partir de 1718, principe — constamment revendiqué — d'une consultation périodique des *citoyens et bourgeois* sur le prolon-gement de leur perception. Derrière l'impôt — dont on ne conteste pas nécessairement le fondement — se tapit la volonté populaire d'exercer sa souveraineté, et son choix.

Souverain, le *conseil général* des citoyens et bourgeois l'est en titre, personne ne le lui conteste. Mais aux yeux des magistrats, cela ne signifie pas qu'il ait capacité pour en exercer lui-même les fonctions sans délégation. Dès le début du siècle, le chef du parti de la bourgeoisie dénonce la supercherie ; telle que la conçoivent les magistrats, la souveraineté du conseil général est « une souveraineté chimérique et métaphysique ». Plus tard, Rousseau renchérira dans ses *Lettres écrites de la montagne*, s'adressant aux bourgeois de Genève : « Si vous êtes Souverains Seigneurs dans l'Assemblée [du conseil général], en sortant de là vous n'êtes plus rien. Quatre heures par an Souverains Seigneurs, vous êtes sujets le reste de la vie et livrés sans réserve à la discrétion d'autrui. » Le gouvernement, ajoute-t-il, « vous amuse à peu de frais. On ne peut rien proposer dans ces Assemblées, on n'y peut rien discuter, on n'y peut délibérer sur rien. » Peuvent-ils y élire leurs magistrats ? « Limités dans vos élections à un petit nombre d'hommes, tous dans les mêmes principes et tous animés du même intérêt, vous faites avec un grand appareil un choix de moindre importance. »

Restaurer la souveraineté du conseil général des bourgeois, augmenter les prérogatives des votants, réduits à approuver le choix des syndics — pris dans le « petit conseil » — et de quelques autres fonctionnaires qu'on leur proposait, telle est l'objet des luttes de la bourgeoisie, qui usera alternativement de l'obstruction des scrutins, de la menace des armes et de constantes « représentations », soit pétitions, qui donneront leur nom au mouvement. Ces représentations étaient le seul moyen légal que cette bourgeoisie avait à sa disposition, et elles n'étaient, à l'opposé, nullement contraignantes pour le gouvernement.

La petite république reposait cependant sur des lois. Selon l'habitude de l'Ancien Régime, qui toujours ajoutait et jamais n'abrogeait, une quantité d'édits successifs avaient vu le jour, certains vieux de deux siècles, parfois contradictoires, tombés en désuétude, ou contrariés par l'érosion de nouvelles pratiques non écrites dont le gouvernement avait peu à peu insinué l'usage. Les textes de ces lois n'étaient pas à la portée des citoyens, ce qui ôtait beaucoup d'aliment à leur contestation et donnait au gouvernement le flou nécessaire à sa pratique empirique du pouvoir, que juge sévèrement Rousseau : « Le corps chargé de l'exécution de vos lois en est l'interprète et l'arbitre suprême ; il les fait parler comme il lui plaît ; il peut les faire taire ; il peut même les violer sans que vous puissiez y mettre ordre ; il est au-dessus des lois. »

Rassembler la totalité des édits dans un code publié, telle était une des préoccupations qui sembla même légitime aux médiateurs helvétiques et français venus apaiser une première fois les troubles genevois en 1738. Mais la résistance passive du gouvernement fut telle que le projet fut ajourné durant trente-cinq ans. Lorsqu'à la faveur de troubles ultérieurs, dont le mouvement fut vigoureusement attisé par l'intervention directe des écrits de Rousseau dans le débat, le gouvernement, plus modéré, accepta la nomination d'une commission conjointe avec la *bourgeoisie représentante*. La compilation qui s'ensuivit fut violemment attaquée par les « ultra-négatifs » qui désavouèrent le gouvernement. Et comme ils ne pouvaient invoquer la loi du nombre, en leur défaveur, ils évoquèrent celle de la qualité : Genève était en passe de devenir une « démocratie plébéienne » sous la tutelle d'un clan de « factieux » ; les « plus anciennes familles » allaient être évincées par des démagogues qui provoqueraient la ruine de la cité. Tels étaient les propos colportés jusqu'à Versailles par des Genevois établis à Paris. L'influence et les mœurs de l'aristocratie française avaient en effet gagné la classe la plus aisée des Genevois, qui se distançaient de leurs concitoyens. L'antique démocratie y était considérée comme un système rugueux, propre aux besoins de peuples primitifs ; la société policée de la Genève du XVIIIᵉ siècle, que gagnait le raffinement, n'avait cure de rétrograder vers un état de barbarie sans éclat.

Les *négatifs* et même les conseils restreints du gouvernement n'avaient pas en eux-mêmes la force nécessaire à faire respecter leurs principes : preuve en étaient les troubles qui se renouvelaient constamment dans la cité. En revanche, ils avaient appris à compter sur des forces extérieures pour les maintenir. D'une cité indépendante, Genève allait insensiblement devenir, au cours du XVIIIᵉ siècle, un protectorat français, glissement d'autant plus naturel que les intérêts financiers des familles patriciennes se trouvaient en France.

Les représentants des cantons suisses s'étaient montrés, le plus souvent, soucieux de concilier les esprits. Le comte de Lautrec, médiateur français de 1738, s'était attiré la sympathie des deux parties par sa faculté d'écouter. Il en était résulté une paix relative de vingt-cinq années, qui peut-être aurait pu durer plus longtemps si les résolutions de la médiation — en particulier la codification des lois — avaient été appliquées. Mutuel durcissement des positions, personnalité des négociateurs, ou « cabrement » des États dans leurs principes aristocratiques ? La médiation de 1768 avait été plus défavorable à la bourgeoisie. Et dans les années qui précèdent 1782, tout concourt à discréditer à l'extérieur le parti des « représentants ». Les Genevois à Paris, le représentant de la république de Genève, l'ancien résident de France dans la cité, devenu proche collaborateur du ministre des Affaires étrangères, qui tous influencent le comte de Vergennes en faveur des *négatifs*, concourent

à la recherche d'une solution « exemplaire » et définitive pour en finir avec les troubles de la cité, et mater le parti « démagogique » sans en entendre les délégués. A Genève même, les *négatifs* avaient obtenu la destitution de la commission chargée de la codification des lois, qui avait tenu quelque 600 séances, et l'ajournement indéfini de son projet de code, déjà distribué aux citoyens en vue du scrutin. Il s'en était suivi une série de troubles et de menaces de la part de la bourgeoisie, qui s'était finalement emparée des portes de la ville et avait imposé au gouvernement, les armes à la main, l'acceptation d'un « édit bienfaisant ». Voté sous la menace des armes par un conseil des Deux-Cents déserté puis largement accepté en conseil général, cet édit prévoyait notamment l'abolition de la taillabilité et de la corvée dans les fiefs de l'État et faisait de larges concessions aux *natifs*. Il offrait la bourgeoisie aux plus anciens d'entre eux et abolissait les discriminations économiques et civiles qui séparaient l'ensemble des *natifs* des citoyens. Après les émeutes de *natifs*, qui avaient eu lieu en 1770, et le bannissement de leurs chefs, qu'avait sanctionné une bourgeoisie jalouse de ses droits, il s'agissait de les détacher des *négatifs* et de rallier cette force vive au mouvement des *bourgeois représentants* en leur offrant davantage, et la manœuvre réussit. Mais Vergennes fit savoir que la France considérait ces lois comme nulles, parce qu'elles avaient été votées sous la contrainte des armes. A cet avis se rallièrent aussi les cantons de Berne et de Zurich, et même la Prusse. Les *représentants* pressaient sans succès le gouvernement de mettre l'édit en vigueur. Entre-temps, Vergennes, qui voulait avoir les mains libres, laissa la situation se dégrader tout en menaçant le petit conseil d'une intervention, alors que les cantons suisses se refusaient à opérer seuls une médiation. Le gouvernement, qui redoutait à la fois l'insurrection et l'intervention armée, était abandonné à lui-même face aux exigences de la bourgeoisie, à laquelle s'est ralliée la majorité des *natifs*. Et ces exigences ne pouvaient être satisfaites sans provoquer une intervention de la France.

La révolution de 1782 et l'intervention armée

Le 18 mars 1782, 900 citoyens adressent un ultimatum au petit conseil. Son refus provoque une fermentation dans les cercles de *natifs*. Certains chefs des bourgeois représentants, conscients des dangers, voudraient éviter l'émeute, mais ne parviennent pas à contrôler le mouvement. On crie « Aux armes », on sonne le tocsin, des bandes de natifs armés s'emparent spontanément du parc d'artillerie, chassent la garde de l'hôtel de ville, assiègent les portes de la ville. Enfin, les *représentants* s'arment, prennent la tête des insurgés et contrôlent le mouvement. Du gouvernement, ils exigent la garde des portes, qui leur est cédée, non sans une fusillade à l'une d'entre elles. Les syndics sont molestés par la foule, certains blessés. Des magistrats et les principaux chefs des *négatifs* sont emprisonnés et 17 personnes demeureront séquestrées en tant qu'otages. D'autres, qui parviennent à fuir de la ville, se rassemblent aux environs et hâtent l'arrivée des troupes étrangères.

A l'intérieur, la bourgeoisie, réunie en conseil général, destitue 11 membres sur les 25 que compte le petit conseil et 32 membres du Deux-Cents. Ils sont remplacés par des bourgeois *représentants*. Les syndics, chefs de l'État, sont en revanche maintenus en fonction. Mais une partie importante des attributions du gouvernement sera dévolue à une « commission de sûreté », également nommée en conseil général. Le premier acte des conseils épurés est de décider l'application immédiate de l'édit de 1781. Un nombre important de *natifs* sont reçus à la bourgeoisie. A l'extérieur, la révolution des Genevois est très mal accueillie. Les cantons de Berne et de Zurich rompent leurs relations diplomatiques avec Genève. La France rappelle son résident : un représentant du roi ne peut demeurer dans « une ville dont une faction s'est emparée ». Le roi de Sardaigne, ennemi héréditaire des Genevois, décide bientôt de joindre des troupes à celles que Berne et surtout la France, sous le commandement du marquis de Jaucourt, s'apprêtent à envoyer. Dans la ville, le peuple se prépare à résister. Les fortifications sont remises en état, on dépave les rues, on accumule de la charpie et on prévoit la transformation d'un temple en hôpital pour le soin des blessés. La cathédrale Saint-Pierre est transformée en dépôt de poudre. Si l'euphorie et le désir de vaincre habitent le petit peuple, il n'en est pas de même des chefs de la bourgeoisie « représentante », qui cherchent une voie de conciliation avec les syndics.

Bientôt, Genève est assiégée. Des batteries sont installées sur les collines voisines, prêtes à bombarder la ville. Un ultimatum est lancé : les syndics sont sommés de laisser entrer les troupes et de bannir 21 des chefs de la bourgeoisie représentante. La foule voudrait se battre et attend des ordres pour l'attaque. Une commission de 120 bourgeois, recrutés parmi les propriétaires, délibère sous la présidence de la commission de sûreté. Un premier tour de scrutin décide pour la résistance. Un second tour, probablement falsifié, donne un léger avantage pour la reddition, qui est décidée. Dans la population grondent le dépit et la colère. Des officiers brisent leur épée ; les soldats déchargent leurs fusils en l'air, les détruisent, les jettent dans le Rhône. La commission de sûreté se dissout et les chefs de la bourgeoisie fuient par le lac, essuyant les huées et les coups de fusil du peuple qui se sent trahi.

Les troupes étrangères occupent la ville. On confisque toutes les armes. Toutes les décisions prises depuis l'insurrection sont annulées par une proclamation des généraux, qui deviennent ministres plénipotentiaires. Un plan de pacification est imposé à la ville. Un certain nombre de *représentants* sont exilés à perpétuité ou à terme, ou destitués de leurs fonctions. Un édit, baptisé édit Noir par la population, est voté par un conseil général épuré de tous les bourgeois suspects d'avoir trempé dans l'insurrection ou de l'avoir approuvée. Il faudra désormais les trois quarts des suffrages pour exclure un syndic ; le conseil général perd la faculté d'élire la moitié du Deux-Cents et celle, ardemment combattue par les *négatifs* depuis sa pro-

mulgation en 1768, de mettre les syndics en réélection. Le droit de représentation est neutralisé par une procédure compliquée. Les cercles privés où se réunissaient les Genevois sont abolis au profit de cafés publics, dans lesquels des mouchards peuvent plus aisément dénoncer les conversations subversives : il s'agissait d'empêcher toute réunion publique. La possession d'armes à feu est désormais interdite, la milice bourgeoise dissoute et remplacée par une garnison soldée et casernée, portée de 800 à 1 200 hommes. On profite de l'occasion pour augmenter le taux et le nombre des impôts de consommation.

Enfin, pour distraire une jeunesse dorée et tenter d'éloigner la bourgeoisie de ses préoccupations politiques, on construit un théâtre, que les mœurs de la cité avaient constamment réprouvé auparavant. Un résident de Sardaigne s'installe à Genève, et pour ne pas lui déplaire, la célébration de l'Escalade, commémorant la victoire des Genevois sur les Savoyards en 1602, est abolie.

Les puissances garantes imposent à tous les habitants le serment de l'« édit Noir » ; la « Constitution » de Genève, désormais garantie par les puissances occupantes, ne pourra plus être modifiée sans leur consentement — en réalité, sans le consentement de la France, maîtresse du projet. A la suite de ce règlement, de nombreux bourgeois et *natifs* émigrent. Une colonie s'établit à Constance. D'autres vont à Bruxelles ou à Londres. On pose même la première pierre d'une « New Geneva » en Irlande. Certains enfin s'installent à Paris, qui deviendront, sous la Révolution française, les collaborateurs de Mirabeau ; Étienne Clavière deviendra même ministre des Finances.

A l'intérieur, Genève connaît sept ans de prospérité économique et de paix morose. La population marque sa sourde hostilité au gouvernement. Le climat se détend quelque peu après 1785 avec le discrédit du représentant de Genève à Paris puis la mort de Vergennes, protecteur des *négatifs*. Le mouvement reprend en janvier 1789, à la faveur d'une émeute frumentaire. La Révolution française dégage, de fait, Genève de la tutelle de la « Garantie » de 1782 et la France devient, par son exemple, un puissant moteur de changement. Dès 1790, les brochures politiques genevoises prolifèrent et les cercles, rouverts en 1789, prennent un immense essor. En 1791, devant l'émeute populaire, le gouvernement genevois est forcé de céder aux demandes des bourgeois et négocie enfin le code des lois qu'ils revendiquaient depuis cinquante ans. De nombreux *natifs* et paysans sont admis à la bourgeoisie et les concessions vont au-delà des revendications les plus extrêmes des années précédant 1789. Mais les temps ont changé et depuis 1790, les *natifs* revendiquent l'égalité politique pour tous, et la fraction avancée de la bourgeoisie, réunie dans le cercle de l'Égalité, une constitution démocratique basée sur la séparation des pouvoirs et une complète amovibilité des magistrats — ce que le code élaboré en 1791 n'accorde pas. L'occupation de la Savoie par les troupes françaises, puis son annexion à la fin de 1792, donnent aux égalisateurs genevois l'impulsion nécessaire pour prendre le pouvoir sans intervention directe de la France et établir un régime d'égalité à Genève, alors que l'alliance de la petite république avec les cantons suisses la préservera d'une annexion à la grande nation révolutionnaire jusqu'à la chute de l'ancienne Confédération, en 1798.

Éric Golay

Entrée des troupes suisses et françaises dans Genève le 2 juillet 1782 (cat. 451).

451
Entrée des troupes suisses et françaises dans Genève le 2 juillet 1782

par un auteur anonyme

Gravure (eau-forte). H. 0,170 ; L. 0,287.
Inscription : (bilingue), « ENTREE DES TROUPES SUISSES ET FRANÇOISES DANS GENEVE LE 2e JUILLET 1782. Dessiné d'après nature./1.Retour du Trompete, pour Sommer la Ville de se rendre. 2 & 3. Messieurs les Generaux/Suisse et François.4.Un Représentant sans bras. 5.Un Négatif bien al'Angué. 6 & 7.Entrée/des deux Armées. 8.Les Tranchées Françoises. 9. Les Héros Genevois gardan leurs Rempars. »
Bibliographie : Chapuisat, 1932, pl. III.

Genève, bibliothèque publique et universitaire (inv. 45 P.II/49 [1782]).

Plusieurs révoltes eurent lieu à Genève au cours du XVIIIe siècle, opposant patriciens au pouvoir et démocrates : 1734-1737, 1767-1770. En 1782, eut lieu la plus grande révolte : les démocrates bourgeois renversèrent le régime des aristocrates et s'emparèrent du gouvernement. Mais Berne, Zurich et le Piémont envoyèrent bientôt des troupes contre les révolutionnaires genevois. La France s'adjoignit aux coalisés et, en novembre, les aristocrates retrouvaient leur pouvoir.
C'est la ville de Genève, véritable citadelle dominée par la cathédrale Saint-Pierre, devant laquelle arrivent les armées suisse et française, que représente cette gravure naïve.   J.Be.

452
Le Colporteur genevois

par un auteur anonyme

Placard imprimé, gravure sur bois. H. 0,269 ; L. 0,287.
Historique : legs Rigaud de Constant, 1902.
Bibliographie : Chapuisat, 1932, pp. 220-223.

Genève, bibliothèque publique et universitaire (inv. 44 P. Rig. 911).

Cette estampe populaire placardée immédiatement après les événements de 1782, est l'un des premiers exemples connus des caricatures satiriques qui fleurirent à la fin du XVIIIe siècle, surtout après 1789. Elle fait référence à l'échec des démocrates, écrasés en novembre 1782, qu'elle moque pour leur orgueil, leur sottise et leur prétendu repentir.
Parmi les ouvrages que propose à la vente le colporteur, on relève les discours de Clavière, financier qui se réfugia en France après la répression, et devint le ministre des Finances du gouvernement girondin, avant de se poignarder dans sa cellule en décembre 1793, et les dissertations de l'Yvernois qui, démocrate en 1782, devint l'un des publicistes les plus acharnés à combattre la Révolution.   J.Be.

Le Colporteur genevois (cat. 452).

LA RÉVOLUTION MANQUÉE
DES PATRIOTES BATAVES
1780-1787

VIEILLE de deux cents ans, la république des sept Provinces-Unies, qui avait dominé mers et marchés un siècle et demi plus tôt, n'était guère plus, vers 1780, que l'ombre d'elle-même. Depuis longtemps, l'Angleterre avait repris le flambeau du commerce international. Dans la province de Hollande — qui à elle seule englobait un bon tiers de la population et fournissait plus de la moitié des revenus de la confédération — les impôts indirects étaient parmi les plus élevés d'Europe, ce qui obligeait les entrepreneurs à payer de hauts salaires rendant les produits manufacturés hollandais trop chers sur les marchés étrangers. La gamme des activités se resserrait : à côté de quelques rares secteurs relativement prospères, comme la distillerie, la taille de diamants, et en général les industries de luxe, des pans entiers de l'activité s'atrophiaient, parmi lesquels la grande pêche, la construction navale, les draperies, les faïenceries. Dès 1781, la glorieuse Compagnie des Indes orientales se vit obligée de demander un sursis de paiement.

Dans deux domaines, cependant, la république prospérait toujours. Grâce à l'euphorie du marché, l'agriculture était un secteur en expansion. Dans les provinces intérieures à vocation essentiellement rurale — mais même en Hollande et en Frise, pourtant durement éprouvées par des pestes bovines répétées —, la paysannerie se redressait. Prenant peu à peu conscience d'elle-même, elle modernisait ses méthodes de travail. Rejetant les derniers vestiges de la féodalité, elle développait un sens aigu de sa propre valeur.

A l'autre extrémité de l'échelle sociale, une nouvelle élite se profilait. Grâce aux investissements massifs opérés par les négociants enrichis, Amsterdam demeurait la première place financière d'Europe. Mais à quel prix ! Vers la fin du XVIIIᵉ siècle, la rupture entre le marché financier et le grand négoce était pratiquement consommée : les fonds accumulés dormaient désormais dans les investissements internationaux, surtout dans l'expansive Angleterre, au lieu de donner un bol d'air frais aux commerçants et manufacturiers hollandais.

Ainsi, la République hollandaise offrait une image paradoxale. Vue de l'étranger, elle demeurait richissime. Mais cette richesse ne touchait qu'une mince élite de financiers et de rentiers, de grandes familles nobles et patriciennes, sans oublier la cour du stathouder. Leur culture hésitait entre la mode française, traditionnelle, et les nouvelles idées venues du monde anglophone. Face à cette élite se dressait une large et nombreuse bourgeoisie moyenne d'extraction urbaine, inquiète de l'avenir de la confédération, quasi impuissante devant ce qu'elle voyait comme un déclin inexorable, et foncièrement méfiante à l'égard de l'élite comme de la masse sans cesse croissante des pauvres.

Aux yeux de cette bourgeoisie et de ses alliés, des changements structurels s'imposaient : il fallait changer le système politique en réduisant, voire en supprimant, le pouvoir des oligarchies locales dans la confédération. Celle-ci, d'ailleurs, était de plus en plus perçue comme une communauté d'intérêts et de valeurs proprement *nationale*. Il s'ensuivait la nécessité d'une politique plus attentive à ces intérêts nationaux, par la protection du marché intérieur, la restauration de la flotte, et l'aménagement du paysage religieux, qui rendrait leur plein droit de cité aux grandes minorités catholique, mennonite, luthérienne et juive, représentant une force vitale inentamée d'ordre économique et culturel.

Aussi, avant même toute initiative révolutionnaire la bourgeoisie commença-t-elle son offensive là où son pouvoir réel dans la société le lui permit. Par la création d'ateliers de travail, d'écoles, de cabinets de lecture, elle imposa aux classes inférieures sa discipline de travail et ses valeurs culturelles, sans pour autant viser à un renversement de l'édifice social. La fondation de la Société du bien public *('t Nut)* en 1784, sous l'impulsion des secteurs dissidents de la bourgeoisie moyenne, marqua à cet égard une étape décisive : son succès fut immédiat et durable. Elle devint l'instrument privilégié d'une véritable stratégie massive d'éducation sociale et culturelle.

Académies savantes, loges maçonniques, associations à but social ou éducatif et bien d'autres formes de sociabilité avaient depuis longtemps formé et armé cette bourgeoisie dont la maturité politique avait, bien sûr, bénéficié tout autant d'une longue tradition de tolérance publique à l'égard de la parole écrite ou parlée.

Tout ce rééquilibrage lent, mais inexorable entre façade maritime et provinces intérieures, élite et bourgeoisie, ville et campagne, culture humaniste et science nouvelle, se conjuguait avec un clivage beaucoup plus ancien traversant la société néerlandaise de part en part, à savoir l'opposition entre une conception monarchisante du pouvoir, prônée par le parti du stathouder, dit *orangiste*, et une idéologie républicaine, véhiculée par la faction dite « des États », dont les adhérents s'allièrent, çà et là, aux protagonistes d'une démocratie plus entière. Représentants d'une nouvelle sociabilité politique, ceux-ci désiraient intéresser l'ensemble des citoyens à la gestion de leur patrie. Aussi s'appelèrent-ils *patriotes*. Référant aux anciennes libertés bataves, ils se pâmaient devant la guerre d'Indépendance des États-Unis d'Amérique, confédération et république sœur par excellence. Vers 1780, il ne fallait plus qu'un détonateur pour faire exploser cette véritable poudrière.

L'occasion fut fournie par la cinglante défaite infligée aux Hollandais pendant la quatrième guerre anglo-hollandaise (1780-1784) qui, comble de malheur, s'accompagnait de la débâcle des deux Compagnies des Indes. Aussi frappa-t-elle de plein fouet l'opinion hollandaise qui s'émut de l'incapacité notoire des dirigeants du pays. Les oppositions se cristallisèrent à l'aide de quelques grands appels mobilisateurs, dont le célèbre libelle *Au peuple des Pays-Bas* (1781), œuvre anonyme du baron patriotique Joan Derk Van der Capellen.

Le parti des patriotes s'agita dans la presse et s'organisa, d'abord en corps francs semi-militaires, puis en congrès national (1784). Celui-ci définit un programme anti-oligarchique, incluant l'élection démocratique de citoyens délégués et l'établissement d'un gouvernement représentatif. En mars 1786, De Gyselaer et Gevaerts, députés patriotiques de Dordrecht, firent un nouveau pas symbolique : en passant délibérément sous le porche réservé au stathouder, ils attaquèrent les prérogatives princières de ce dernier. En août de la même année, la ville d'Utrecht fut la première à se doter d'un gouvernement démocratique, contre la volonté des États provinciaux qui se réfugièrent ailleurs. Un peu partout, d'autres villes, grandes et petites, suivirent l'exemple.

Dès lors, la guerre civile menaçait. Poussés par les Anglais, les orangistes s'organisèrent et s'armèrent, à l'instar des patriotes. Le 28 juin 1787, coup de théâtre : un corps franc patriote arrêta à Goejanverwellesluis, près de Gouda, l'épouse du stathouder, Wilhelmine de Prusse, qui se rendait à La Haye afin d'y provoquer le rappel de son mari exilé hors de Hollande. Cet anti-Varennes déclencha la contre-révolution. Une semaine à peine après la proclamation triomphale de la première constitution municipale démocratique (Haarlem, le 5 septembre 1787), une armée prussienne de 26 000 hommes envahit la république, rendant partout le pouvoir aux orangistes. L'une après l'autre les villes furent réduites. Amsterdam capitula la dernière, le 10 octobre 1787. Un an plus tard, en août 1788, l'Angleterre et la Prusse signèrent un pacte garantissant les institutions de la république néerlandaise, mise ainsi sous tutelle discrète.

Chassés du pouvoir, quelques dizaines de milliers de patriotes, soit deux à trois pour cent de la population néerlandaise, mais représentant une force financière bien supérieure, se réfugièrent à l'étranger, surtout dans les Pays-Bas autrichiens (à Anvers ou Bruxelles), en Flandre française (à Saint-Omer, Gravelines, Dunkerque) ou à Paris. Certains devaient y prendre une part active aux événements révolutionnaires et, tel le futur général Daendels, préparer la seconde révolution de la république néerlandaise, qui réussit à la faire batave, en janvier 1795.

Willem Frijhoff

453
*Cérémonie de la remise du fanion
à la Société d'exercice «Pour l'utilité
de la garde civique»*

par N. Van der MEER
Gravure en couleurs. H. 0,505 ; L. 0,59.
Bibliographie : Muller Atlas, t. II, 1876, nº 4711.
Amsterdam, Rijksmuseum (inv. Sch. 105).

Le rétablissement des milices urbaines tombées en désuétude et la création des « corps francs », nouvelles milices non dépendantes des autorités, furent des instruments qui étendirent l'influence politique des patriotes. Dans de telles sociétés d'exercice, les rapports de commandement furent démocratisés : les membres choisissaient leurs propres officiers. L'armement des civils donna plus de poids aux exigences des patriotes mais ce qui était important dans l'exercice est qu'il démontrait clairement la volonté des civils. L'exercice s'accompagnait de démonstrations spectaculaires : de beaux uniformes, des parades, des exercices de tir. Sur cette gravure (1786) on voit qu'en 1780, la remise solennelle du fanion aux membres de la Société d'exercice se fait aussi par des femmes patriotes. Les personnages à l'avant-plan représentent certainement quelques-uns des donateurs (et donatrices) qui fournissaient la société en fanions et en instruments de musique. **B.K. et M.J.**

454
Insigne des patriotes de Heusden

par un auteur anonyme
Argent. H. 0,042 ; L. 0,034.
Inscription : sur l'avers (traduite) : «Liberté» ; sur le revers : «Heusden 1784».
Bibliographie : Loon, nº 601.
Amsterdam, Rijksmuseum (inv. VVL 601).

Cet insigne des patriotes fut réalisé en 1784 à l'occasion de la création du « corps franc » de Heusden. Le symbole traditionnel de la liberté, la vierge néerlandaise portant le bonnet phrygien au bout d'une lance, était revendiqué à cette époque par les patriotes comme symbole de leur parti. **B.K. et M.J.**

455
L'utilité de l'armement des civils

par A. HULK, d'après P. Coyen
Gravure comportant un texte imprimé. H. 0,38 ; L. 0,36.
Inscription : (traduite) «Au mérite de toutes les Sociétés de Commerce d'armes des Provinces-Unies amies de la Liberté et de la Patrie.»
Amsterdam, Rijksprentenkabinet, Rijksmuseum (inv. FM.4633)

Cette estampe allégorique parut en 1785 lorsque la Société d'exercice «pour l'utilité des gardes civiques» d'Amsterdam commença ses exercices militaires, mais elle avait aussi pour but d'inciter d'autres civils à se faire membres de la société. Grâce à l'armement des civils du mouvement patriote, l'intérêt personnel, l'esprit de domination, l'aspiration au pouvoir, la ruse et l'hypocrisie (en bas à droite) seront bannis et l'image de la Liberté (à gauche) restera debout. **B.K. et M.J.**

Cérémonie de la remise du fanion à la Société d'exercice «Pour l'utilité de la garde civique» d'Amsterdam (cat. 453).

Insigne des patriotes de Heusden (cat. 454).

« L'utilité de l'armement des civils », allégorie de la Société d'exercice d'Amsterdam (cat. 455).

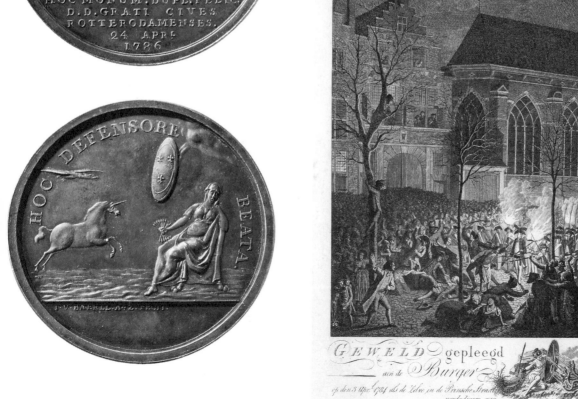

Violence perpétrée contre les patriotes de la compagnie civile n° 9, le 3 avril 1784 à Rotterdam (cat. 456).

Médaille commémorant l'union avec la France,
fêtée solennellement à Rotterdam le 24 avril 1786 (cat. 457).

Prestation de serment du gouvernement à Haarlem le 5 septembre 1787 (cat. 458 A).

Maquette du Temple des fêtes des Patriotes,
érigé sur la Grand'Place de Haarlem (cat. 458 B).

Combats aux alentours d'Amsterdam, 1787 (cat. 459).

456
Violence perpétrée
contre la compagnie civile n° 9,
le 3 avril 1784 à Rotterdam

par T. de ROODE

Gravure. H. 0,35 ; L. 0,40.
Inscription : (traduite), « Violence perpétrée contre la compagnie civile n° 9, le 3 avril 1784 à Rotterdam dans la rue du Prince, alors que celle-ci s'apprêtait à partir. Dédié aux défenseurs de la Liberté néerlandaise. »
Bibliographie : Muller Atlas, t. II, 1876, n° 4549.

Amsterdam, Rijksprentenkabinet, Rijksmuseum (inv. F. M. 4549).

La première confrontation sérieuse entre les patriotes et les orangistes eut lieu à Rotterdam. Le comportement peu discret des patriotes de la « neuvième compagnie » des tireurs urbains provoqua une grande irritation auprès de la population orangiste. Les patriotes de leur côté se sentaient provoqués par les festivités organisées à l'occasion de l'anniversaire du prince, le 8 mars. Ces tensions augmentèrent le 3 avril lorsque les tireurs qui prenaient leur garde furent mis au défi, par une masse d'orangistes, de tirer « ce qu'ils n'oseraient jamais faire ». La rencontre sanglante qui s'ensuivit provoqua la mort de quatre personnes et ces événements firent partout forte impression.   B.K. et M.J.

457
Médaille commémorant l'union
avec la France, fêtée solennellement
à Rotterdam le 24 avril 1786

par I.V. BAERLL ADZ

Argent. D. 0,05.
Inscription : sur l'avers : « Hoc defensore beata » (Heureux de ce défenseur).
Bibliographie : Loon, n° 642.

Amsterdam, Rijksmuseum (inv. V. G. 2917).

La vierge néerlandaise est assise dans un fauteuil et tient dans la main gauche le faisceau. Elle est menacée par une licorne (l'Angleterre) et par un aigle (la Prusse), mais le bouclier de la France s'interpose pour la protéger.
B.K. et M.J.

458 A
Prestation de serment
du gouvernement à Haarlem
le 5 septembre 1787

par I. de WIT et P.H. JONXIS, d'après W. Hendriks
Gravure en couleurs. H. ,031 ; L. 0,41.
Bibliographie : Stolk, t. IV, 1902, n° 4778.

Haarlem, Gemeentearchief (archives communales) (inv. 53-000413 M).

En septembre 1787, la municipalité de Haarlem prit le pouvoir en main car les pétitions qu'elle faisait auprès des États provinciaux en exigeant qu'on reconnaisse au peuple le droit d'agir sur ses représentants restèrent sans résultat. On commença par retirer au stathouder son droit de nomination et le 5 septembre 1787 la nouvelle municipalité patriote annonça la mise en place d'une constitution urbaine démocratique. Cette cérémonie eut lieu dans le temple de la Liberté, sur la Grand-Place, et elle attira de nombreux spectateurs. Les corps francs des patriotes, qui avaient appuyé les revendications, jouèrent un rôle important lors de cette cérémonie.   B.K. et M.J.

458 B
Maquette du Temple des fêtes
des Patriotes,
érigé sur la Grand-Place de Haarlem

Attribué à L. VIERVANT et J. MERTENS
Bois de chêne et tilleul. H. ,046.
Bibliographie : Snoep, 1983, n° 28.

Haarlem, Frans Halsmuseum (inv. 11.350).

Ce temple est de style néo-classique. La coupole porte la statue de la Liberté. Le socle de cette statue est orné des anciennes et des nouvelles armes de la ville. Dans d'autres villes qu'à Haarlem, la cérémonie de la prestation de serment d'un nouveau conseil municipal patriote donna lieu à la construction de bâtiments qui ressemblaient à des temples et qui symbolisaient les libertés civiles nouvellement acquises.
Le temple (1787) fut détruit, de peur de représailles, lors de la restauration du stathouder. Cette maquette est la seule « construction » conservée.   B.K. et M.J.

459
Combats aux alentours d'Amsterdam

par J.A. LE CAMPION, d'après G.A. Meysenheim
Gravure en médaillon, d'un ensemble de quatre, en couleurs. H. 0,205 ; L. 0,17.
Inscription : « ACTION ENTRE LES PATRIOTES ET LES PRUSSIENS, proche le village d'Amstelveen ».
Bibliographie : Muller Atlas, t. II, 1876, n° 4968.

Amsterdam, Rijksmuseum (inv. Sch. 193a-d).

Octobre 1787 : les combats entre les troupes prussiennes et les patriotes aux alentours d'Amsterdam, le dernier bastion des patriotes. Les gravures ont très probablement été gravées à Paris, d'après des dessins néerlandais. Ces estampes sont intéressantes malgré leur médiocre qualité car elles témoignent de l'intérêt que l'on portait en France au mouvement des patriotes.   B.K. et M.J.

460
Le Porc de Gueldre

par un auteur anonyme
Gravure en couleurs sur laquelle il y a un poème de dix-huit vers. H. 0,385 ; L. 0,25.
Bibliographie : Muller Atlas, t. II, 1876, n° 4745.

Amsterdam, Rijksprentenkabinet, Rijksmuseum (inv. F. M. 4745).

Cette caricature (1786) représente Guillaume V après la prise de la petite ville patriote de Hattem en Gueldre par les troupes princières. Un porc, dont le visage est celui du prince, absorbe du « bourgogne » qui se trouve dans une auge ; il écrase « la ville et les droits des citoyens » et urine sur l'« Union ».
Guillaume V est représenté ici comme le violateur de l'Union d'Utrecht (1579) parce que, d'après les patriotes, il était à l'origine des différends politiques qui opposaient d'une part les provinces entre elles, et d'autre part les villes et les provinces. Le porc représente la vulgarité de celui qui n'est pas à la hauteur des fonctions qu'il occupe.   B.K. et M.J.

461
L'Aristocrate néerlandais

par un auteur anonyme
Gravure en couleurs comportant un texte imprimé. H. 0,288 ; L. 0,184.
Bibliographie : Muller Atlas, t. II, 1876, n° 4904.

Amsterdam, Rijksprentenkabinet, Rijksmuseum (inv. F. M. 4904).

Cette gravure (1787) est la caricature de l'aristocratie des Régents. Entre 1785 et 1787, de nombreux organes du pouvoir, jusque-là aux mains des orangistes parmi lesquels on comptait beaucoup d'aristocrates, furent épurés par les patriotes. Tous les attributs symboliques font de cet aristocrate un personnage ridicule qui, c'est ce que dit la légende, n'est pas à sa place dans un pays qui s'est battu pour sa liberté. L'aristocrate se bouche les oreilles à fond pour ne pas entendre les exigences des patriotes. A l'aide d'éclairs, il tente d'atteindre leurs organes de presse, ce qui ne l'empêche pas, en même temps, de quémander la faveur du peuple.   B.K. et M.J.

462
Verre patriote

par un auteur anonyme
Verre : masse vitreuse incolore et transparente (verre de plomb) ; décoré à la molette. H. 0,122 ; D. 0,55.
Inscription : « Hony soit qui mal y p... »
Bibliographie : Brink, 1987.

Loosdrecht, château Sypesteyn (inv. G. 25).

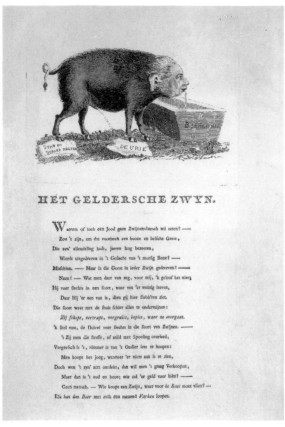

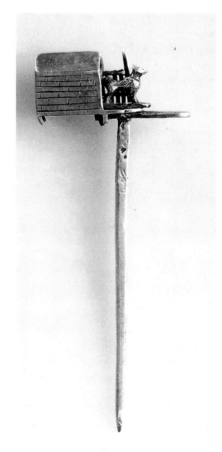

« Le Porc de Gueldre » (cat. 460).

« Eh bien, Patriote, tu t'es bien fait avoir! » (cat. 464).

L'Aristocrate néerlandais (cat. 461).

Verre patriote (cat. 462).

356

Cure-pipe avec petit chien,
signe de ralliement des patriotes (cat. 463).

Guillaume V d'Orange et Wilhelmine (cat. 467).

La Liberté du clergé hussard (cat. 466).

Ruban orangiste (cat. 468).

Sur le prédicateur patriote et professeur J.J. le Sage ten Broek (cat. 465).

Assiette orangiste (cat. 469).

Médaille célébrant la restauration de Guillaume V (cat. 470).

Le signe de ralliement des patriotes était un petit chien (keeshond). Il est difficile de définir avec certitude l'origine du nom « Kees » ; Cornelis (= Kees) de Gijselaar, représentant de Dordt aux États provinciaux et patriote, a sans doute servi d'inspiration (voir texte d'introduction, *la Révolution manquée des patriotes bataves, 1780-1787*). A l'origine, le nom « Kees » était considéré comme une injure mais, à la longue, les patriotes reconnurent à ce petit chien des qualités telles que la fidélité, la vigilance et la persévérance. Les ennemis des patriotes continuèrent cependant à associer au caractère de ce chien des aspects négatifs : « Beaucoup d'aboiements pour peu d'intelligence. » Les objets usuels tels que ce verre révélaient, à l'époque des patriotes, la couleur politique de leur propriétaire. Ce verre de patriote se moquait de la maison d'Orange : le petit chien lève allègrement la patte contre un oranger qui porte cinq oranges représentant les membres de la famille de Guillaume V. L'adjonction de la devise de l'ordre de la Jarretière « Hony soit qui mal y p...(ense) » ajoute une teinte humoristique à l'ensemble ; en effet, Guillaume V était lui aussi membre de cet ordre. **B.K. et M.J.**

463
Cure-pipe avec petit chien, niche coulissante et barrière

par un auteur anonyme

Argent. H. 0,08 ; L. 0,03.
Bibliographie : Loon, n° 678k.

Amsterdam, Rijksmuseum (inv. NG 1972-9c).

Signe de ralliement des patriotes.
B.K. et M.J.

464
Eh bien, Patriote (Kees), tu t'es bien fait avoir !

par un auteur anonyme

Gravure en couleurs portant un poème imprimé de douze vers. H. 0,159 ; L. 0,136.
Bibliographie : Muller Atlas, t. II, 1876, n° 5015.

Dordrecht, Museum Mr. Simon Van Gijn (inv. 3926).

Cette gravure (1787) représente une caricature des patriotes qui, en octobre 1787, attendirent en vain l'aide française.
Le coq français grimpe le long du fusil que le petit chien (patriote) tient vers le haut et il lui pose une paire de lunettes sur le nez. C'est ainsi que l'on se moquait des patriotes après leur défaite : ils avaient eu tort de croire aveuglément en l'aide des troupes françaises. Sur le sol gisent, entre autres, la « Liste des troupes d'assistance à Givet » et l'« Alliance avec la France ». **B.K. et M.J.**

465
Sur le prédicateur patriote et professeur J.J. le Sage ten Broek (1797)

par un auteur anonyme

Gravure, image pliante et transparente. H. 0,19 ; L. 0,15.
Bibliographie : Muller Atlas, t. II, 1876, n° 5010.

Amsterdam, Koninklijk Oudheidkundig Genootschap (Société royale d'archéologie) (inv. 379).

Cette estampe fut réalisée après l'invasion des Prussiens, lorsque Le Sage ten Broek fut renvoyé par la municipalité de Rotterdam pour cause d'activités au sein du mouvement des patriotes. Ici, le prédicateur est représenté vêtu de la tenue des membres des corps francs, le fusil en position de tir ; sa robe et sa Bible gisent sur le sol à côté de lui. L'estampe dépliée, il apparaît nu et, par transparence, on le voit pendu au gibet ; on aperçoit le diable à l'arrière-plan. **B.K. et M.J.**

466
La Liberté du clergé hussard de nos jours

par un auteur anonyme

Gravure comportant un texte imprimé. H. 0,20 ; L. 0,23.
Bibliographie : Muller Atlas, t. II, 1876, n° 4748.

Amsterdam, Rijksprentenkabinet, Rijksmuseum (inv. F. M. 4748).

Caricature orangiste (1786) qui attaque le prédicateur F.A. Van der Kemp de Leyde. Vêtu à moitié en membre des corps francs, à moitié en pasteur, il prêche du « Priestley » et manifeste ses sympathies patriotes. Le buste en relief sur la chaire est celui de J.D. Van der Capellen tot den Pol que l'on vénère dans cette assemblée patriote. **B.K. et M.J.**

467
Double Portrait de Guillaume V et de Wilhelmine

par un auteur anonyme

Argent. H. 0,05 ; L. 0,029.
Inscription : « V. O. 1787 » (Vive Orange).
Bibliographie : Loon, n° 765.

Amsterdam, Rijksmuseum (inv. V. G. XII-67).

Les portraits de Guillaume V et de Wilhelmine permettaient aussi aux orangistes d'exprimer leur attachement à la maison d'Orange. Celui qui se parait de cette marque distinctive en 1787 manifestait sa joie de voir la restauration de la maison d'Orange. Après 1787, il était d'ailleurs déconseillé de se promener dans les rues sans porter d'attribut orangiste. **B.K. et M.J.**

468
Ruban orangiste

par un auteur anonyme

Soie ; tissé, imprimé et coloré. H. 0,482 ; L. 0,062.
Inscription : « Vive le Prince et la Princesse d'Orange ».

Amsterdam, Rijksmuseum (inv. NG 695-35).

Les images de l'oranger et de l'aigle noir de Prusse expriment des sympathies orangistes pour Guillaume V et Wilhelmine de Prusse, son épouse.
L'emploi du symbole de la liberté, le chapeau sur une lance, paraît ici plus étonnant qu'il n'est : le chapeau de la liberté est un symbole traditionnel de la république des Provinces-Unies. **B.K. et M.J.**

469
Assiette orangiste

par un auteur anonyme

Faïence polychrome ; décor en bleu, vert, rouge et orange. D. 0,226.
Inscription : « vivat Orange » (vive Orange).

Dordrecht, Museum Mr. Simon Van Gijn (inv. 724).

Assiette (vers 1790) décorée du symbole orangiste, l'oranger, placé dans une niche.
B.K. et M.J.

470
Médaille célébrant la restauration de Guillaume V

par CALKER, B. G. V.

Argent. D. 0,043.
Inscription : sur l'avers : « vivat oranje » (vive Orange).
Bibliographie : Loon, n° 706.

Amsterdam, Rijksmuseum (inv. V.G. 2942).

Cette médaille commémorative (1787) est ornée du célèbre symbole du parti orangiste, l'oranger. La médaille fut réalisée lors de la restauration du stathoudérat de Guillaume V, qui recouvrait tous les droits et pouvoirs fin 1787 grâce à l'intervention des troupes prussiennes. **B.K. et M.J.**

LA RÉVOLUTION BRABANÇONNE

LES PAYS-BAS autrichiens ont connu au moment de la prise de la Bastille une révolution qui, elle aussi, criait « Liberté ! » et conspuait le despotisme. Mais cette révolution dite « brabançonne » soulevait le peuple, la bourgeoisie, le clergé et la noblesse contre les réformes d'un despote éclairé nourri par les idées des Lumières.

L'agitation avait commencé en 1787 devant l'accumulation des mesures prises par l'empereur Joseph II, depuis le début de son règne. Celui-ci ne faisait que poursuivre et systématiser la politique de centralisation entreprise par sa mère, Marie-Thérèse. Mais à la prudence avisée de cette dernière, il avait substitué une impatience et une maladresse presque incroyables. Son ardeur s'était d'abord attachée à soumettre l'Église et à réglementer les limites de ses compétences. La promulgation de l'édit de Tolérance (1781), la suppression de cent soixante-trois couvents contemplatifs « inutiles à la religion, à l'État et au prochain », l'instauration du mariage civil (1784), la réglementation des confréries, des processions, des pèlerinages et la création d'un séminaire d'État (1786) n'avaient tout d'abord entraîné qu'un mécontentement limité au clergé et avaient laissé la population relativement indifférente. Sa manie de réglementer les moindres détails des pratiques religieuses, l'illumination des autels, le culte des reliques ou la décoration intérieure des églises, et même jusqu'à l'uniforme des religieuses, lui avait valu le sobriquet d'empereur sacristain.

Mais les réformes qui atteignirent directement les corporations de métiers, en les supprimant pratiquement (1784), et surtout celles qui visaient toute l'ancienne organisation administrative et judiciaire, qu'il voulut supprimer et remplacer par de nouvelles structures (1786-1787), eurent un tout autre effet sur la population. D'un coup, elles soulevèrent les privilégiés qui, unis à l'Église, réussirent sans peine à gagner le peuple à la défense des libertés conquises depuis le Moyen Âge face à l'arbitraire princier et dont les anciennes chartes comme la Joyeuse Entrée se portaient garant.

L'empereur Joseph II entendait simplement rationaliser rapidement l'administration et rajeunir les structures de l'État, limiter le pouvoir de l'Église et abolir toutes les entraves à l'essor du commerce et de l'industrie. Ses bonnes intentions ne faisaient pas de doute, mais dans sa hâte à faire triompher la raison et sa volonté d'aboutir rapidement, il heurta de plein fouet les préjugés et habitudes d'un pays attaché à ses traditions héritées du Moyen Âge. Même la frange très limitée de la noblesse et de la haute bourgeoisie, convaincue du bien-fondé et de la nécessité des mesures prises par l'empereur, était choquée par l'arbitraire de ses méthodes. Non sans naïveté, Joseph II avait cru pouvoir, sans consultation préalable, d'un trait de plume, réorganiser l'État et la société, abolir des coutumes et des privilèges séculaires. Ami des hommes et de la raison, il imaginait à peine que ses sujets puissent résister à l'excellence de ses vues.

Le refus de voter l'impôt fut la réaction des États de Brabant, de Flandre et de Hainaut, face au souverain qu'aucune supplique n'atteignait et qui croyait pouvoir sans peine venir à bout des résistances.

L'opposition alla croissante de 1787 à 1789 et dégénéra en révolte ouverte devant l'entêtement de l'empereur. Les événements qui se déroulaient en France au même moment ne furent évidemment pas sans incidence sur l'ampleur et la tournure de la révolution brabançonne. Mais les idées que développaient les Belges sur le « contrat social » passé entre le souverain et le peuple pour brandir les privilèges contenus dans la Joyeuse Entrée dont ils réclamaient le respect intégral, ou la nécessité de corps intermédiaires entre le souverain et le peuple qu'ils invoquaient pour justifier l'existence des assemblées des États étaient des interprétations très particulières des idées de Rousseau ou de Montesquieu et n'avaient d'autre but que de protéger des prérogatives surannées.

C'est dans ce mélange assez baroque d'idées modernes et anciennes que se dessinèrent les premières velléités de souveraineté nationale. Ayant rompu le contrat qui le liait à la nation, l'empereur était déchu. Momentanément unie, deux tendances bien distinctes se partageaient l'influence et le rôle dans la direction de cette révolte. L'une, majoritaire, dirigée par l'avocat Van der Noot et le prélat Van Eupen, était purement réactionnaire et réclamait le retour pur et simple à l'ancien ordre des choses. L'autre, minoritaire, mais très active, dirigée par l'avocat Vonck, entretenait des idées proches de celles des franges les plus modérées de l'Assemblée nationale française. La communauté des griefs contre l'empereur dissimulait les désaccords et c'est ensemble que les révoltés se soulevèrent et mirent les maigres troupes autrichiennes en déroute.

Entre les deux courants, le malentendu ne devait pas tarder à éclater. Les progressistes, bien qu'ils aient très largement contribué à organiser les forces militaires qui réussirent à forcer les troupes et l'administration autrichiennes à se replier sur le Luxembourg, furent évincés du pouvoir et durent à leur tour prendre le chemin de l'exil. Mais la victoire militaire sur les

Autrichiens n'avait été possible que parce que le gros des troupes était retenu par la guerre contre les Turcs.

Restés seuls au pouvoir les « statistes », dirigés par Van der Noot, furent incapables d'organiser les États-Unis de Belgique, qu'ils avaient proclamés indépendants, et plus encore l'armée qui devait les défendre. Plus soucieux d'éliminer leurs rivaux et de préserver leurs privilèges que de jeter les bases d'un État indépendant, ils ne comptaient que sur l'appui de l'étranger pour garantir la souveraineté nationale. Les promesses de la Prusse nourrirent un moment les espérances des « statistes », le temps que celle-ci traite directement avec l'Autriche qu'elle

s'était ingéniée ainsi à mettre dans l'embarras. La réconciliation des deux puissances permit, en juillet 1790, la restauration autrichienne, mettant fin à cette courte et chaotique expérience d'indépendance nationale. L'échec de cette tentative montre à l'évidence l'absence de maturité d'une classe bourgeoise, encore incapable de mener à bien la destinée d'une nation. Le triomphe d'une révolution réactionnaire, au moment même où éclate la Révolution française, demeure cependant un des plus surprenants effets de son influence sur les pays voisins.

Pierre Loze

471
L'Empereur Joseph II

Autriche ou Allemagne du Sud.

Peinture sous verre. H. 0,22 ; L. 0,14.
Inscription : « IOSEPHUS II IMPERATOR ».
Bibliographie : Mousset, 1976, pp. 57-58.

Luxembourg, musée national d'Histoire et d'Art (inv. 1975-P/39).

472
L'Empereur Léopold II (1790-1792)

Autriche ou Allemagne du Sud.

Peinture sous verre. H. 0,22 ; L. 0,14.
Inscription : « LEOPOLDUS II MP.ROM.HUNG. et BOH.REX.ARCHID.AUSTR. »
Bibliographie : Mousset, 1976, pp. 57-58.

Luxembourg, musée national d'Histoire et d'Art (inv. 197-P/39).

473
Pot-pourri avec médaillon
représentant Albert de Saxe - Teschen, gouverneur général des Pays-Bas autrichiens

Faïence. H. 0,269 ; L. 0,30 ; Pr. 0,177 (sans socle).
Exposition : 1985, Sèvres, n° 23.

Luxembourg, musée national d'Histoire et d'Art (inv. 1979-SF99a).

Ce pot-pourri (vers 1790-1800) fabriqué dans la faïencerie des frères Boch, fondée en 1766 à Septfontaines-les-Luxembourg, comporte un médaillon figurant le portrait d'Albert de Saxe-Teschen, gouverneur général des Pays-Bas autrichiens.
Au revers se trouvait celui de Marie-Christine d'Autriche qui, avec son époux, visita en 1783 la faïencerie Boch. La panse de cette faïence

blanche est flanquée d'ailes de cygnes dont les cols font fonction d'anses et dont les becs retiennent des draperies. Le couvercle ajouré est muni d'une prise en forme de deux oiseaux autour d'un carquois.   G.Th.

474
Les Biens d'autruy tu ne désireras pour les avoir injustement

par un auteur anonyme

Eau-forte. H. 0,210 ; L. 0,223.
Inscription : sous la composition « Un indigne Vautour pillant nos Temples saints » et « Un lion furieux l'arrête et change nos destins ».
Expositions : 1980, Bruxelles, n° 6 ; 1983, Bruxelles, n° 21.

Bruxelles, Bibliothèque royale Albert Iᵉʳ, cabinet des Estampes (inv. S.I.23149).

L'Église belge a vu s'accentuer à partir de 1782 l'action réformatrice, éclairée mais despotique, de l'empereur Joseph II. Les mesures prises étaient destinées à tracer méthodiquement les limites de sa compétence en vue de la subordonner complètement à l'État. L'empereur ne faisait en cela que systématiser la politique religieuse entamée par Marie-Thérèse. La promulgation de l'édit de Tolérance, en 1782, la suppression des couvents « inutiles » et l'édit sur le mariage civil comptèrent parmi les mesures les plus radicales. L'opposition cléricale jusque-là limitée et contenue, se généralisa avec l'édit du 16 octobre 1786 qui supprimait les séminaires épiscopaux et les remplaçait par un seul séminaire général impérial à Louvain avec une succursale à Luxembourg. Quelques mois plus tard, elle put trouver l'appui qui lui manquait auprès de la population qui, jusque-là, avait accueilli avec calme, voire avec indifférence, ces mesures qui ne la concernaient pas directement. Joseph II en établissant, le 1ᵉʳ janvier 1787, un nouvel ordre dans les institutions des Pays-Bas, permit que se confondissent les griefs des corps constitués de la nation avec ceux des ecclésiastiques qui doré-

navant formèrent un vaste front nationaliste anti-joséphiste. L'Église forte de cette union put donner libre cours à son esprit revanchard et organiser sa propagande. Cette estampe satirique (vers 1787), se référant aux édits de séquestre sur les principales abbayes de Brabant, est un bel exemple de la confusion entretenue par l'Église pour protéger ses intérêts. Ainsi, ce n'est pas un évêque ni un saint mais un lion héraldique brabançon qui s'élance sur le vautour autrichien afin de lui faire lâcher le produit de ses pillages, constitué de châsses, ciboires, crucifix, ostensoirs, reliquaires, ex-voto et ornements liturgiques. Sur le fronton du temple est gravée la parole évangélique « Rendez à Dieu ce qui appartient à Dieu ». Ruines et statues brisées jonchent le sol. Au-delà de l'enceinte, la vaste campagne flamande est fermée à l'horizon par la mer du Nord. Plusieurs autres lions, symboles de l'union des provinces belges, arrivent à la rescousse.

A.Ja.

475
Représentation de la foule dans la Grand-Place de Bruxelles
lors de l'assemblée des États de Brabant, le 9 mai 1787

par R. ROGERS

Eau-forte. H. 0,430 ; L. 0,500.
Inscription : en dessous de la composition « par un espion, fait par ordre d'un coquin » ; au milieu, l'écusson de Brabant.
Historique : don De Witte, 1922.
Exposition : 1980, Bruxelles, n° 129.

Bruxelles, musée communal (maison du Roi) (inv. S.II.98934).

Parallèlement à la réforme ecclésiastique, Joseph II procéda avec la même détermination à la refonte de l'organisation politique, administrative et judiciaire des Pays-Bas afin d'uniformiser leurs institutions et celles des autres États héréditaires des Habsbourg d'Autriche. Anéantissant l'ancien horizon constitutionnel

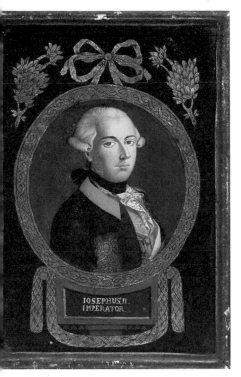

Empereur Joseph II (cat. 471).

« *Les Biens d'autruy tu ne désireras pour les avoir injustement* » (cat. 474).

Empereur Léopold II (cat. 472).

*Pot-pourri avec médaillon
représentant Albert de Saxe - Teschen,
gouverneur général des Pays-Bas autrichiens,
détail* (cat. 473).

Représentation de la foule dans la Grand-Place de Bruxelles lors de l'assemblée des Etats de Brabant, le 9 mai 1787 (cat. 475).

et avec lui les pouvoirs ataviques des corps constitués, il établit une structure étatique plus moderne fondée sur une hiérarchie simple et des méthodes de travail plus efficaces. Mais la rigueur et la dureté de ses procédés donnèrent raison à la réaction conservatrice des États. Ceux-ci n'étaient certes que des corps aristo-cratiques, ouverts seulement à un petit nombre de prélats, de nobles et de députés de ville, mais ils se proclamaient représentants du peuple, et ce dernier n'hésitait pas à les reconnaître comme tels. Pendant les mois d'avril et de mai 1787, quatre à cinq mois seulement après le train d'édits impériaux, l'agitation alla crois-sant, dans l'attente du dénouement d'une situa-tion tendue, provoquée par le durcissement des positions des États. Finalement, sous la pres-sion de ces derniers, le conseil de Brabant qui avait perdu ses attributions dans le cadre de la réforme de l'administration judiciaire, reprit le 9 mai ses séances, malgré les interdictions. Au milieu de l'allégresse d'une foule nombreuse, il réintégra son hôtel en face du parc royal. Le même jour, une foule également impression-nante s'était réunie Grand-Place pour soutenir l'assemblée des États de Brabant à l'hôtel de ville. Ce double événement a été illustré (1787) par R. Rogers qui signa à cette occasion les deux plus belles gravures de la révolution brabançonne. A.Ja.

476
Monument consacré à la gloire du Hainaut

par un auteur anonyme

Eau-forte. H. 0,287 ; L. 0,326.
Inscription : en dessous de la composition « Le 15 juin Mr les Citoyens de Mons, plein d'Ardeur et de Cou-rage, animés de zèle pour la Patrie sont venus en Corps à Bruxelles remercier les Etats de Brabant, de la fermeté avec laquelle ils ont soutenu les pri-vilèges de la nation et se sont unis ensemble invio-lablement pour conserver leur Liberté, 1787. »
Exposition : 1983, Bruxelles, n° 57.

Bruxelles, Bibliothèque royale Albert Iᵉʳ, cabinet des Estampes (inv. S.II.98934).

Cette estampe (vers 1787) illustre l'une des nombreuses manifestations de liesse populaire qui se sont déroulées dans le pays au printemps 1787 à l'annonce des décisions successives des gouverneurs généraux d'abroger les mesures impériales touchant les antiques droits et pri-vilèges des États et des corps constitués. Pour beaucoup, il s'agissait d'une victoire retentis-sante des États dans le bras de fer qui les avait opposés aux représentants de l'autorité impé-riale. Pendant plusieurs semaines, le pays sem-bla vivre à l'heure de la réconciliation avec ses souverains. Sur la Grand-Place de Bruxelles, on défilait tantôt comme ici « pour remercier les États de Brabant de la fermeté avec laquelle ils ont soutenu les privilèges de la nation », tantôt, comme au 31 mai, par « Amour envers Leurs Altesses Royales », c'est-à-dire les gou-verneurs généraux Albert-Casimir de Saxe-

Teschen et Marie-Christine, une des sœurs de Joseph II. Dans cette gravure anonyme on dis-tingue les Hennuyers rangés au second plan devant l'hôtel de ville, leurs drapeaux large-ment déployés tandis que les délégations bra-bançonnes, sous les acclamations d'un public nombreux, défilent au son des fanfares. Ce défilé n'est pas sans ressemblance avec ceux qu'organisaient les nations lors des Joyeuses Entrées. Les drapeaux brandis par l'un des corps brabançons, sur lesquels il est fait allu-sion à la réunion des provinces, est cependant un avertissement à peine voilé. Ce répit sera de courte durée. De retour d'un voyage en Russie, Joseph II ordonna la remise en vigueur de ses ordonnances. Son intransigeance et l'obstination des États à maintenir les anciennes institutions devaient irrémédiable-ment déboucher sur la confrontation ouverte. La gravure satirique allait désormais rempla-cer l'estampe commémorative. A.Ja.

477
Le Congrès souverain Belgique en exercice

par un auteur anonyme

Eau-forte. H. 0,255 ; L. 0,210.
Inscription : en dessous de la composition « Femelle sans pudeur devant fille en bel âge/Un chanoine san Foy/Un Avocat sans loi.composent nos Etats : Ha ! quel bel assemblage ! le 4 Avril 1790. »
Exposition : 1980, Bruxelles, n° 94.

Bruxelles, Bibliothèque royale Albert Iᵉʳ, cabinet des Estampes (inv. S.I.23150).

A la chute du gouvernement autrichien, les États, contrôlés par les tenants des anciens privilèges, s'investirent de la souveraineté. Le 11 janvier 1790, ils se réunirent en États géné-raux et y décidèrent, entre autres, d'établir un congrès souverain qui détiendrait le monopole du pouvoir exécutif. Van der Noot en fut nommé ministre et le grand pénitentier d'An-vers, Pierre-Jean-Simon Van Eupen (1744-1804), récupéra la fonction de secrétaire d'État qu'il s'était arrogée au comité de Bréda. Tous deux, et l'un en l'absence de l'autre, signe-raient, avec un président fantoche renouvelé chaque semaine, les actes des États généraux et du conseil. Aussi, Pirenne a-t-il pu écrire que l'absolutisme d'un seul, empressé mais éclairé fut remplacé par celui de quelques corps privilégiés incapables de conduire un État. Multipliant erreurs d'analyse et mesures déma-gogiques, ils furent en effet totalement impuis-sants à prévenir la banqueroute du pays et précipitèrent la restauration autrichienne. Cette caricature (vers 1790) rappelle, sous la forme populaire de l'allégorie, le mépris que les vonkistes éprouvaient pour les dirigeants sta-tistes responsables à leurs yeux de l'échec de la révolution brabançonne. Le congrès sou-verain est représenté telle une pyramide humaine dans laquelle on reconnaît, de bas en haut, Jeanne Pinaut totalement dévêtue, Van der Noot tenant en main un billet sur lequel il

est écrit « Pillage » et Van Eupen brandissant un sabre. Tous trois menacent une jeune femme dont la symbolique reste mystérieuse (l'innocence ?, Marianne Pinaut ?, fille de Jeanne) et tirent sur des cordes où est attaché le malheureux lion brabançon qui, les yeux bandés, se dirige vers une fosse. Dans les airs plane l'aigle autrichien (sur d'autres versions de la gravure, l'aigle tient dans son bec une chaîne au bout de laquelle pend une clé). Au loin, une armée s'éloigne. Enfin, sortant d'une sombre grotte, la figure hideuse de la Folie (?), aux cheveux formés de serpents et coiffée d'un bonnet d'âne. Elle brandit un flambeau, une croix et une dague, instruments par lesquels le congrès souverain règne. Cette gravure a connu un certain succès. Elle a été tantôt aqua-rellée, tantôt copiée, entre autres par l'éditeur et marchand d'estampes parisien Basset.
A.Ja.

478
Éventail de la révolution brabançonne

par un auteur anonyme

Ivoire, papier avec décor à la plume rehaussé d'aqua-relle. H. 0,520 ; L. 0,270.
Historique : don De Witte, 1922.
Expositions : 1980, Bruxelles, n° 152 ; 1983, Bruxelles, n° 171.

Bruxelles, musée communal (maison du Roi).

Cet éventail (vers 1787-1790), dont on connaît plusieurs exemplaires, appartient à toute une gamme d'objets parfois insolites qui, à côté de moyens variés tels que affiches imprimées, tracts, pamphlets, caricatures, chansons, insignes étaient destinés à soutenir la propa-gande du parti patriotique et conservateur des États. Dans ce cas précis, hommage est rendu à son meneur, l'avocat bruxellois, Henri Van der Noot, et à un pensionnaire des États de Brabant, Emmanuel de Cock, personnage dont on ne sait par ailleurs rien de plus. L'un et l'autre sont représentés en buste dans un médaillon, accompagnés d'un quatrain de cir-constance signé par Mme P. de Bruxelles. La signataire ne peut être que l'égérie de Van der Noot, Jeanne Pinaut. Au centre de l'éventail, nous trouvons l'écu de Brabant avec la légende « Mes droits », et de part et d'autre deux cou-plets d'une chanson patriotique, à chanter, lisons-nous, sur l'air de « Travaillez, bon ton-nelier ». Référence est faite à ce corps de métier dont les ouvriers, sous le fameux surnom de « capons du rivage », s'occupèrent des basses besognes d'intimidation organisées par les sta-tistes. Ces couplets sont signés Mme M. de Bruxelles, sans doute Marianne, la fille de Mme Pinaut. L'inscription « Assemblée des États de Brabant avant le 1ᵉʳ may 1787 » rap-pelle l'assemblée historique du 23 avril 1787 où il fut décidé, à la suite notamment de la lecture du « Mémoire du peuple brabançon » de Van der Noot, de constituer une opposition commune et énergique à l'ensemble des réformes de Joseph II. Cette détermination avait été payante puisque les mesures en

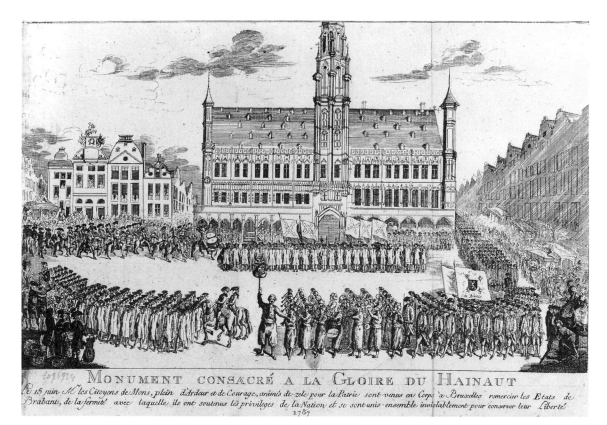

Monument consacré à la gloire du Hainaut (cat. 476).

« Le Congrès souverain Belgique en exercice » (cat. 477).

Eventail de la révolution brabançonne (cat. 478).

Insigne de la révolution brabançonne (cat. 479).

DRUGMAN l'Econome et Verdegen Médecin de S.ᵗ Pierre, après un festin temoignent leur reconnoissance envers Joseph II.
en brisant son portrait a coups de canne, et en lui substituant celui de l'exécrable Vandernoot.

Le buste de Van der Noot est substitué à celui de Joseph II (cat. 480).

Effigie d'un Prelat Belge, Colonel propriétaire de plusieurs Regimens de
Cavallerie, Infanterie et Chasseurs, donnant un Brévet de Capitaine pour l'armée &.
l'abbé de Tongerloo. 1790.

ambitio invent: veritè

Prélat belge colonel propriétaire de plusieurs régiments (cat. 481).

Le Congres Souverain fuit de nos barrières
Les mûmes de frayeurs, montrent le derriere.
Ce ne sont aujourd'hui que des petits Sires,
Les femmes s'en mocquent, et pissent de rire.

Entrée des Impériaux dans Namur le 25 Novembre 1790.

Vive LEOPOLD deux, vive ce Roy charmant
Il triomphe partout, en vainqueur bienfaisant
Vive le grand Beualer, vive les Imperiaux
Ils respectent nos loix, nous oublions nos

Entrée des impériaux dans Namur le 25 novembre 1790 (cat. 482).

matière d'administration judiciaire, qui devaient précisément entrer en vigueur le 1er mai, furent abrogées par les gouverneurs généraux des Pays-Bas. Aussi, cet éventail revendique-t-il les premières victoires du parti des États et de son chef. **A.Ja.**

479
Insigne de la révolution brabançonne

par un auteur anonyme

Aquarelle sur papier sous verre, monture en argent. H. 0,046 ; L. 0,037.

Bruxelles, musée communal (maison du Roi).

La présence à l'avers de cet insigne (vers 1789-1790) d'une effigie de la République tenant d'une main une épée et une balance, symboles de la Justice, de l'autre un fusil surmonté d'un bonnet phrygien et ayant aux pieds le blason brabançon, invite à penser qu'il s'agit d'un objet d'origine vonkiste. Au revers, nous trouvons les écussons des différentes provinces belges. A la différence des statistes, qui réclamaient l'intangibilité des privilèges, le retour immédiat au passé et l'abolition de toutes les nouveautés philosophiques et despotiques, quitte à mendier le secours de l'étranger, les vonkistes, ou parti des patriotes au sein duquel se retrouvaient les démocrates, voulaient l'établissement d'un gouvernement national et libéral et s'apparentaient de très près à la faction modérée de l'Assemblée nationale française. Jean-François Vonck (1743-1792) et quelques amis, avocats comme lui dont J.B.C. Verlooy (1746-1797), créèrent le comité secret de Bruxelles pour les affaires patriotiques, puis, en 1789 organisèrent la société secrète *Pro Aris et Focis* dont l'action visait à la constitution de comités de conspiration dans le pays. Ils furent très actifs dans le recrutement des volontaires et l'incitation à la désertion dans les rangs de l'armée autrichienne, et dans l'organisation de l'insurrection. Alors que c'est normalement à eux que revenait le mérite d'avoir chassé les Autrichiens, ils furent évincés progressivement par les statistes qui redoutaient leurs projets de réforme des ordres traditionnels, leur volonté de suppression des abus et privilèges, leur intention d'élargir la représentation des trois ordres des États. Pourchassés par ces derniers, les vonkistes durent finalement prendre le chemin de l'exil. **A.Ja.**

480
Drugman l'Économe et Verdegen Médecin de St Pierre,
après un festin témoignent leur reconnaissance envers Joseph II en brisant son portrait à coup de canne, et lui substituant celui de l'exécrable Vandernoot

par un auteur anonyme

Eau-forte. H. 0,181 ; L. 0,169.
Bruxelles, Bibliothèque royale Albert Ier, cabinet des Estampes (inv. S.II.64030).

Cet exemple (vers 1790) de la caricature de propagande publiée et diffusée dès 1789 par les publicistes vonkistes réfugiés à Londres ou à Lille se rapporte comme bien d'autres aux débordements inconsidérés et irresponsables commis par les amis de Van der Noot. Ceux-ci, entretenant à des fins politiques un fanatisme révolutionnaire et religieux dans le peuple, finirent par perdre le contrôle de la rue et assistèrent impuissants à des événements dramatiques. Par exemple le massacre d'un certain Guillaume Van Krieken à Bruxelles, lequel, sous prétexte d'avoir insulté une procession de frères capucins fut sabré, pendu et scié par la foule. Les adversaires des statistes firent évidemment peser la responsabilité de ces excès sur Van der Noot et sa clique. L'épisode représenté ici est heureusement moins abominable. L'auteur se rit plutôt de la bêtise du petit cercle d'intimes de Van der Noot. On reconnaîtra sans doute ce dernier attablé au premier plan, une main posée sur la cuisse de la Pinaut, savourant son succès politique dans un cadre digne de ses appétits, les appartements d'un ancien dignitaire autrichien, peut-être des gouverneurs généraux eux-mêmes. **A.Ja.**

481
Effigie d'un prélat belge colonel
propriétaire de plusieurs régiments de cavalerie, infanterie et chasseurs donnant un brevet de capitaine pour l'armée rebelle

par un auteur anonyme

Eau-forte sur papier rehaussée d'aquarelle. H. 0,285 ; L. 0,189.
Expositions : 1980, Bruxelles, n° 28 ; 1983, Bruxelles, n° 172.
Bruxelles, Bibliothèque royale Albert Ier, cabinet des Estampes (inv. S.I. 23148).

Parmi les plus zélés à défendre les prérogatives ecclésiastiques figurait Godefroid Herman, dernier prélat de l'imposante abbaye des Prémontrés de Tongerloo (1725-1799). Dès le début des incidents, ce personnage, qui, en tant que prélat siégeait aux États de Brabant, participa à la préparation de l'insurrection en déboursant la somme phénoménale de 284 000 florins de frais de propagande patriotique. Membre du comité des patriotes en exil à Bréda, il dirigea, avec son ami l'abbé de Saint-Bernard, le cortège lors de l'entrée triomphale

de ce comité à Bruxelles, le 18 décembre 1789. Il siégea à l'assemblée des États généraux du 11 janvier 1790, ainsi qu'au congrès souverain. Durant le court règne des États-Belgique-Unis au milieu de la fièvre d'exaltation et de fanatisme religieux, notre abbé leva son propre corps d'armée patriotique dans les trente-deux villages de son abbaye. A la restauration autrichienne, ne figurant pas sur la liste des amnistiés, il dut se réfugier en Hollande. L'auteur de notre estampe (1790) a caricaturé l'abbé de Tongerloo en officier ventripotant de l'armée patriotique. Sa robe est levée jusqu'aux genoux pour permettre à ce « propriétaire de plusieurs régimens de cavalerie », de monter plus à l'aise à cheval. Épée, épaulettes, décorations militaires se mélangent avec une croix, un trio de plumes aux couleurs patriotiques et la cocarde afin de rappeler que la guerre qu'il mène contre les ennemis de la patrie est aussi une guerre de religion. Quelques bonnes bouteilles rappellent aussi les penchants de ce privilégié de l'Ancien Régime. Cette caricature peut être associée à d'autres estampes satiriques représentant également des prélats et chefs d'abbayes, comme un R.P. capucin ou un dominicain, vêtus d'un uniforme mi-ecclésiastique, mi-militaire. **A.Ja.**

482
Entrée des impériaux dans Namur le 25 novembre 1790

par un auteur anonyme

Eau-forte. H. 0,251 ; L. 0,402.
Inscription : en dessous de la composition, à gauche « Le Congrès Souverain fuit de nos barrières/ Les moines de frayeurs, montrent le derrière./ Ce ne sont aujourd'hui que des petits Sires,/ Les femmes s'en moquent, et pissent de rire » ; à droite « Vive Léopold Deux, vive ce Roy charmant/ Il triomphe partout, en vainqueur bienfaisant/ Vive le grand Bender, vive les Impériaux/ Ils respectent nos loix, nous oublions nos maux. »

Bruxelles, musée communal (maison du Roi).

Réconcilié avec les puissances afin de contrer la France et décidé d'en finir avec la révolution brabançonne, le nouvel empereur d'Autriche, Léopold II, lança ses armées sur la Belgique le 21 novembre 1790, jour de l'expiration de l'ultimatum qu'il avait adressé à ses sujets révoltés des Pays-Bas. Celles-ci, commandées par le maréchal Bender entrèrent quatre jours plus tard à Namur qui se rendit sans livrer combat. Ce premier succès, plus symbolique que militaire, alimenta abondamment la propagande impériale. Ainsi, dans le premier numéro de la *Gazette des Pays-Bas*, réimprimé avec privilèges de l'empereur (2 décembre), un article rapporta la version officielle des circonstances de la reddition de la cité mosane : « Namur, le 26 novembre. Ensuite à la déclaration susdite (celle de Bender que clémence sera faite au nom de l'Empereur et qu'aucune violence sera commise), nos bourgeois, seuls défenseurs de la ville, ayant mis bas les armes, les troupes impériales y sont entrées en observant le plus grand ordre ; de superbes musiques annonçoient un jour de fête, & dans un instant cette conquête a offert le tableau des réjouissances nationales. Le plat pays de la province a témoigné sa joie par le son des cloches en exposant des drapeaux aux armes de la maison d'Autriche & de l'Empire, & par les plus vives acclamations. » L'auteur anonyme de cette estampe a manifestement été inspiré de la même manière que le journaliste et si ce n'était la finesse de certains détails dont les ecclésiastiques font une fois de plus les frais, elle aurait très bien pu lui servir d'illustration.   A.Ja.

483
Omnibus

par un auteur anonyme

Eau-forte. H. 0,360 ; L. 0,455.
Inscription : à gauche sous la composition « A.M. et G. Inv. le 14 Janvier 1791 » et à droite « la Vérité Sculpt. » Légende : à gauche « 1. Le Soleil couronné ; Emblême de Léopold./2. Les Aigles et le Brulin

allumé sortant du Soleil représentent les Royalistes et les Vonkistes./3. Le Soleil grand dictateur des loix représentées par le Brulin et les Aigles, les Rayons sont les Ministres établis dans la Belge, pour les faire fleurir/4. Un Aigle portant à son bec une branche d'Olivier, symbole de la paix et tenant dans ses serres deux couronnes de Laurier qu'il place l'une sur la tête de Général Bender n° 5 (et l'autre sur la tête du Général Beaulieu n° 6)/ 7. La Déesse de la justice ordonne aux Etats de descendre de leur Siège, comme indigne de représenter davantage le peuple pour être contrevenus à toutes les loix/8. l'Archevêque/9. Un Noble/10. Un Doyen. « Ces trois imbéciles personnages représentent les trois ordres (les Etats) et descendent par ordre de Thémis dans les Enfers. » A droite « 11. Leur chute/12. La foudre écrase un Capucin botté et éperonné commandant à l'armée/ 13. Un Lyon cache ses yeux à l'aspect d'un rayon Solaire et rougit d'avoir été rebelle./14. Un Diable pour ne pas salir ses mains se sert d'un crochet pour entraîner le Général, Abbé et fanatique Tongerloo dans les Tartares/ 15. Un démon tient par la barbe et enfourche un moine, symbole de la perdition humaine./16. Un nuage écrase les fanatiques./17. Fanatique écrasé./18. La Lune, dans laquelle les rebelles et fanatiques rentrent et où ils demeureront éternellement. »

Historique : don De Witte.
Exposition : 1980, Bruxelles, n° 9.

Bruxelles, musée communal (maison du Roi).

En vertu du traité de La Haye du 10 décembre 1790, qui restaurait l'autorité de l'Autriche sur les Pays-Bas méridionaux, l'empereur s'engageait à revenir à la situation d'Ancien Régime pré-joséphiste et à proclamer l'amnistie générale à l'exception des dirigeants statistes. Cet événement inspira, quatre jours plus tard, l'auteur de cette naïve allégorie qui nous donne par là, sous une forme imagée et populaire, le point de vue des légalistes belges. A leurs yeux, aucun pardon ne doit être accordé aux États et aux fanatiques religieux. Il est intéressant de noter qu'ils s'associent aux vonkistes placés à leur côté dans la gloire impériale. La confiance en l'avenir sous l'autorité autrichienne, dont fait preuve l'auteur de cette gravure, allait être de courte durée. Vingt mois plus tard, les troupes républicaines entraient dans le pays miné par le mécontentement général, essoufflé par des structures économiques et politiques archaïques, dirigé par un gouvernement faible et honni.   A.Ja.

« *Omnibus* » (cat. 483).